새 교육과정

필수개념으로 꽉 채운 **개념기본서**

날선개념

고등 수학(상)

동아출판

날카롭게 선별한 개념기본서

고등 수학, 겁먹을 필요 없다!
특별한 사람만 수학을 잘하는 것은 아니다.

날카롭게 설명하고 엄선한 문제로
수학의 기본을 다지면,
누구나 수학을 잘할 수 있다.

고등 수학의 편안한 출발
날선개념으로 시작하자!

날선 가이드

나는 어떤 스타일인가요? 문항을 읽고 체크해 보세요.

- ○ 고등 수학(상)을 처음 공부해요.
- ○ 수학 개념이 문제에 어떻게 적용되는지 알고 싶어요.
- ○ 능률을 생각하지 않고 무조건 열심히 공부해요.
- ○ 수학 문제를 봐도 무슨 말인지 모르겠어요.
- ○ 선생님이 설명해 주시면 알겠는데, 다시 풀려면 막막해요.

위 문항 중 한 개 이상 체크했다면 **날선개념으로 꼭 공부해야 합니다!**
고등 수학(상)을 미리 공부하고 싶을 때
또는 수학 개념을 내 것으로 만들고 싶을 때 **날선개념**으로 공부하세요.
대표Q의 [날선 Guide]로 스스로 생각하는 힘을 키우면
공부 능률도 오르고 수학에 자신감이 생깁니다.

집필진 이창형 | 서울대학교 수학과 및 동 대학원
김창훈 | 서울대학교 수학교육과
이창무 | 서울대학교 수학과, 현 대성마이맥 강사

인쇄일 2020년 9월 25일
발행일 2019년 8월 10일
펴낸이 이욱상
펴낸데 동아출판㈜
신고번호 제300-1951-4호(1951. 9. 19)
편집팀장 이상민
책임편집 박지나, 장수경, 김성일, 김경숙, 김형순, 김성희, 김윤미
디자인팀장 목진성
책임디자인 강혜빈

필수개념으로 꽉 채운 개념기본서

날선개념

고등 수학(상)

날선개념
이런 점이 좋아요!

1. 학습 플랜 관리
날선개념 학습 Note에 목표와 학습 계획을
세우고 기록하면서 규칙적인 학습 습관을
기를 수 있어요.

2. 주제별 개념 학습
수학 개념을 주제별로 모아
간단하고 명확하게 설명하고 있어
이해하기 쉬워요.

3. 대표Q & 날선Q 문제로 생각하는 힘을 향상
유형별로 풀이를 외우는 학습은
진짜 수학 공부가 아니에요.
날선 Guide를 통해 어떤 개념이 사용되는지
생각하는 힘을 길러 보세요.

4. 복습과 오답 Note로 완벽 이해
날선개념 학습 Note를 이용하여
문제를 풀이하고 오답 Note를 만들어
개념을 완벽히 내 것으로 만들어 보세요.

수학은
공식을 외우는 것이 아니라
생각하는 힘을 키우는
즐거운 습관입니다.

이 책의 구성과 특징

1 개념 완결 학습

1-2 다항식의 덧셈과 뺄셈

다항식의 덧셈과 뺄셈은 동류항을 찾아 계수끼리 더하거나 뺀다.

$(4x^3+2x)+(x^3-3x)=(4+1)x^3+(2-3)x=5x^3-x$

$(4x^3+2x)-(x^3-3x)=(4-1)x^3+\{2-(-3)\}x=3x^3+5x$

동류항 • $(2x^2, -3x^2)$, $(4xy, 2xy)$와 같이 문자와 차수가 같은 항을 동류항이라 한다.

단항식의 덧셈과 뺄셈 • 단항식의 덧셈과 뺄셈 ➡ 문자 부분이 같으면 계수끼리 더하거나 뺀다.

$4x^3+2x^3=(4+2)x^3=6x^3$, $4x^3-2x^3=(4-2)x^3=2x^3$

다항식의 덧셈과 뺄셈 • 다항식의 덧셈과 뺄셈 ➡ 동류항을 찾아 계수끼리 더하거나 뺀다.

$(2x^3+4x^2-3x+1)+(x^3-2x+2)=(2+1)x^3+4x^2+(-3-2)x+(1+2)$
$=3x^3+4x^2-5x+3$

$(2x^3+4x^2-3x+1)-(x^3-2x+2)=(2-1)x^3+4x^2+(-3+2)x+(1-2)$
$=x^3+4x^2-x-1$

참고 1. 다음과 같이 계산할 수도 있다.

$$\begin{array}{rlll} & A= & 2x^3+4x^2 & -3x+1 \\ +) & B= & x^3 & -2x+2 \\ \hline & \multicolumn{3}{l}{A+B=(2+1)x^3+4x^2+(-3-2)x+(1+2)} \end{array}$$

$$\begin{array}{rlll} & A= & 2x^3+4x^2 & -3x+1 \\ -) & B= & x^3 & -2x+2 \\ \hline & \multicolumn{3}{l}{A-B=(2-1)x^3+4x^2+(-3+2)x+(1-2)} \end{array}$$

2. xy와 $2x$는 x만 문자로 보면 동류항이다.
따라서 $xy+2x=(y+2)x$, $xy-2x=(y-2)x$와 같이 정리할 수 있다.

개념 Check • 정답 및 풀이 1쪽

3 두 다항식 $A=x^2-3x+1$, $B=-3x^2+2x-4$에 대하여 다음을 계산하시오.
(1) $A+B$　　(2) $A-B$

4 두 다항식 $A=-x^2+2xy$, $B=2x^2+3xy$에 대하여 다음을 계산하시오.
(1) $A+2B$　　(2) $2A-B$

9 월 일

2 대표 문제와 유제

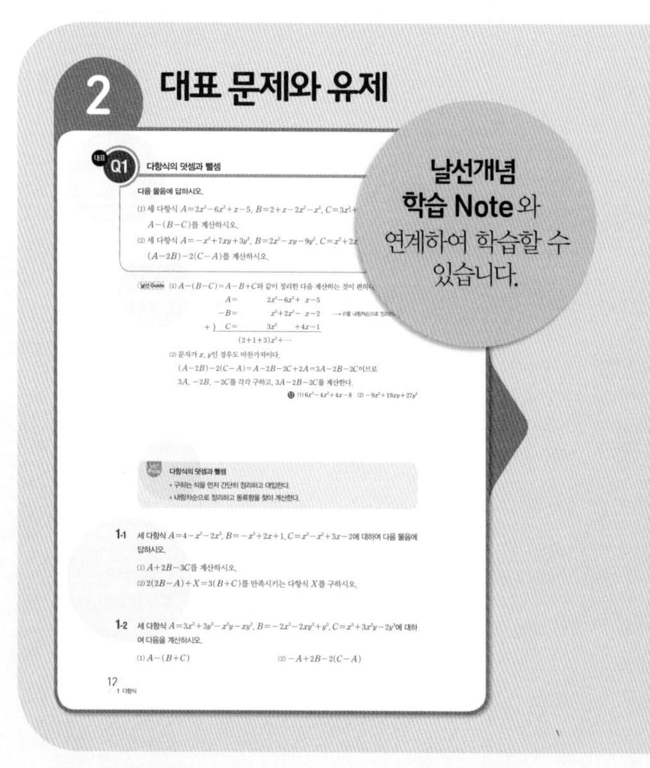
대표 Q1 다항식의 덧셈과 뺄셈

다음 물음에 답하시오.

(1) 세 다항식 $A=2x^3-6x^2+x-5$, $B=2+x-2x^2-x^3$, $C=3x^3+$ … $A-(B-C)$를 계산하시오.

(2) 세 다항식 $A=-x^2+7xy+3y^2$, $B=2x^2-xy-9y^2$, $C=x^2+2x$ … $(A-2B)-2(C-A)$를 계산하시오.

날선 Guide (1) $A-(B-C)=A-B+C$와 같이 정리한 다음 계산하는 것이 편하다.

$$\begin{array}{rll} & A= & 2x^3-6x^2+x-5 \\ & -B= & x^3+2x^2-x-2 \\ +) & C= & 3x^3\quad +4x-1 \\ \hline & & (2+1+3)x^3+\cdots \end{array}$$

(2) 문자가 x, y인 경우도 마찬가지이다.
$(A-2B)-2(C-A)=A-2B-2C+2A=3A-2B-2C$이므로
$3A$, $-2B$, $-2C$를 각각 구하고, $3A-2B-2C$를 계산한다.

답 (1) $6x^3-4x^2+4x-8$ (2) $-9x^2+19xy+27y^2$

날선 Point 다항식의 덧셈과 뺄셈
• 구하는 식을 먼저 간단히 정리하고 대입한다.
• 내림차순으로 정리하고 동류항을 찾아 계산한다.

1-1 세 다항식 $A=4-x^2-2x^3$, $B=-x^3+2x+1$, $C=x^3-x^2+3x-2$에 대하여 다음 물음에 답하시오.
(1) $A+2B-3C$를 계산하시오.
(2) $2(2B-A)+X=3(B+C)$를 만족시키는 다항식 X를 구하시오.

1-2 세 다항식 $A=3x^3+3y^3-x^2y-xy^2$, $B=-2x^3-2xy^2+y^3$, $C=x^3+3x^2y-2y^3$에 대하여 다음을 계산하시오.
(1) $A-(B+C)$　　(2) $-A+2B-2(C-A)$

12 1 다항식

필수개념 개념을 주제별로 나눠 필수개념을 한눈에 보고, 예시를 통해 원리를 쉽게 이해할 수 있습니다.

개념 Check 개념에 따른 확인 문제를 바로 풀어 봄으로써 개념과 원리를 확실히 익힐 수 있습니다.

공부한 날 공부한 날짜를 쓰면서 스스로 진도를 확인할 수 있습니다.

대표Q 개념 이해를 돕고 최신 출제 경향을 반영한 대표 문제를 제시하였습니다.

날선 Guide 문제를 푸는 원리와 접근 방법을 제시하여 스스로 생각하고 문제를 해결할 수 있습니다.

날선 Point 문제를 해결하는 데 핵심이 되는 내용을 정리하였습니다.

유제 대표Q와 유사한 문제 및 발전 문제로 구성하여 대표 문제를 충분히 연습할 수 있습니다.

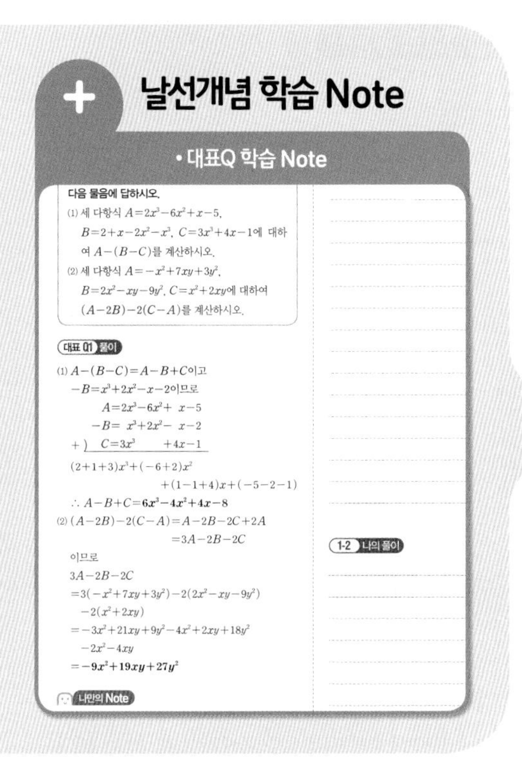
+ 날선개념 학습 Note

• 대표Q 학습 Note

다음 물음에 답하시오.
(1) 세 다항식 $A=2x^3-6x^2+x-5$, $B=2+x-2x^2-x^3$, $C=3x^3+4x-1$에 대하여 $A-(B-C)$를 계산하시오.
(2) 세 다항식 $A=-x^2+7xy+3y^2$, $B=2x^2-xy-9y^2$, $C=x^2+2xy$에 대하여 $(A-2B)-2(C-A)$를 계산하시오.

대표 01 풀이

(1) $A-(B-C)=A-B+C$이고 $-B=x^3+2x^2-x-2$이므로

$A=2x^3-6x^2+x-5$
$-B=x^3+2x^2-x-2$
$+)\ C=3x^3+4x-1$

$(2+1+3)x^3+(-6+2)x^2+(1-1+4)x+(-5-2-1)$

$\therefore A-B+C=\mathbf{6x^3-4x^2+4x-8}$

(2) $(A-2B)-2(C-A)=A-2B-2C+2A=3A-2B-2C$

이므로

$3A-2B-2C$
$=3(-x^2+7xy+3y^2)-2(2x^2-xy-9y^2)-2(x^2+2xy)$
$=-3x^2+21xy+9y^2-4x^2+2xy+18y^2-2x^2-4xy$
$=\mathbf{-9x^2+19xy+27y^2}$

나만의 Note

1-2 나의 풀이

3 연습과 실전

연습과 실전 1 다항식

Step 1 연습

01 다항식 $5+3x^2-4y-x^3+2x^2y+2y^2$에 대하여 다음 물음에 답하시오.
(1) x에 대하여 내림차순으로 정리하시오.
(2) y에 대하여 내림차순으로 정리하시오.

Step 2 실전

08 세 다항식 $A=-1+2x^2+4x^3$, $B=2x^3-3x+1$, $C=-x^3+3x$ 대하여 $4A+5B-3C-3\{A+2(B-C)\}$를 계산하시오.

09 $A-B=3x^3-4x+5$, $2A+3B=x^3-5x^2+12x$를 만족시키는 두 B에 대하여 $A+B$를 계산하면?
① x^3+2x^2+4x+1 ② x^3-2x^2+4x+1 ③ x^3-2x^2+
④ x^3+3x^2+4x-2 ⑤ x^3-3x^2-4x+2

대표Q 풀이 대표Q 문제를 해결한 후 자세한 풀이를 확인할 수 있습니다.

나의 풀이 유제 풀이를 Note에 써 보면서 실력을 점검할 수 있습니다.

연습과 실전 단원 마무리 문제를 2단계로 나누어 단계적으로 학습할 수 있습니다.

Step 1 기본이 되는 문제를 Step1에서 연습할 수 있습니다.

Step 2 학교 시험, 교육청, 평가원, 수능 기출 문제를 엄선하여 Step2에서 실전에 대비할 수 있습니다.

이 책의 차례

고등 수학(상)

다항식

방정식과 부등식

Contents

고등 수학(하)

Where there is a will,
there is a way.

중학교에서 다항식의 덧셈과 뺄셈, 단항식과 다항식의 곱셈과 나눗셈, 다항식의 곱셈을 배웠다.

다항식의 연산은 방정식, 부등식, 함수 등의 문제를 해결하는 데 가장 기본이 되는 유용한 도구이다.

이 단원에서는 좀 더 높은 차수의 다항식을 오름차순, 내림차순으로 정리하고 덧셈, 뺄셈, 곱셈, 나눗셈 하는 방법을 알아보자.

다항식

1

1-1 다항식의 정리

개념

다항식 $5x+2x^3-4$를 $2x^3+5x-4$와 같이 차수가 낮아지게 항을 정리하는 것을 **내림차순**으로 정리한다고 하고, $-4+5x+2x^3$과 같이 차수가 높아지게 항을 정리하는 것을 **오름차순**으로 정리한다고 한다.

다항식의 정리 ● 다항식 $5x+2x^3-4$에서 $5x$는 일차, $2x^3$은 삼차, -4는 상수이므로 차수가 낮아지게 항을 정리하면 $2x^3+5x-4$이다. 이와 같이 정리하는 것을 내림차순으로 정리한다고 한다.
또 차수가 높아지게 항을 정리하면 $-4+5x+2x^3$이다. 이와 같이 정리하는 것을 오름차순으로 정리한다고 한다. ⟶ 일반적으로 다항식은 내림차순으로 정리한다.

다항식에서 사용하는 용어 ● 다음은 중학교 과정에서 공부한 내용이다.

(1) $2x^3$, $4x^2y^3$과 같이 수와 문자의 곱으로 이루어진 식을 **단항식**이라 하고
$5x+2x^3-4$와 같이 단항식의 합으로 이루어진 식을 **다항식**이라 한다.

(2) 단항식에서 곱해진 문자의 개수를 **차수**, 문자가 아닌 부분을 **계수**라 한다. 예를 들어 단항식 $2x^3$에서 계수는 2이고, 차수는 3이다.

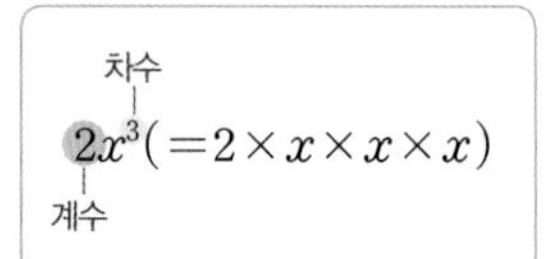

(3) 단항식 $4x^2y^3$과 같이 문자가 두 개 이상인 경우는
x, y를 문자로 볼 때 ➡ 계수는 4, 차수는 $2+3=5$
x만 문자로 볼 때 ➡ 계수는 $4y^3$, 차수는 2
y만 문자로 볼 때 ➡ 계수는 $4x^2$, 차수는 3

(4) 다항식 $5x+2x^3-4$에서 $5x$, $2x^3$, -4를 **항**이라 한다.
특히 -4와 같이 수로만 이루어진 항을 **상수항**이라 한다.

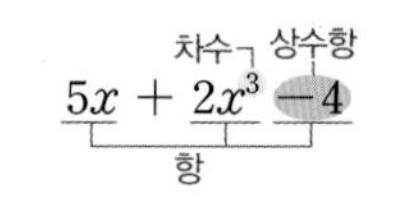

개념 Check

◆ 정답 및 풀이 1쪽

1 다항식 $x^4-4x^2-x^3+3$에 대하여 다음 물음에 답하시오.

(1) 내림차순으로 정리하시오.

(2) 오름차순으로 정리하시오.

2 다항식 $x^2+y^2+3xy+y+1$을 x에 대하여 내림차순으로 정리하시오.

1-2 다항식의 덧셈과 뺄셈

다항식의 덧셈과 뺄셈은 동류항을 찾아 계수끼리 더하거나 뺀다.

$(4x^3+2x)+(x^3-3x)=(4+1)x^3+(2-3)x=5x^3-x$

$(4x^3+2x)-(x^3-3x)=(4-1)x^3+\{2-(-3)\}x=3x^3+5x$

동류항 $(2x^2,\ -3x^2)$, $(4xy,\ 2xy)$와 같이 문자와 차수가 같은 항을 **동류항**이라 한다.

단항식의 덧셈과 뺄셈 단항식의 덧셈과 뺄셈 ➡ 문자 부분이 같으면 계수끼리 더하거나 뺀다.

$4x^3+2x^3=(4+2)x^3=6x^3$, $4x^3-2x^3=(4-2)x^3=2x^3$

다항식의 덧셈과 뺄셈 다항식의 덧셈과 뺄셈 ➡ 동류항을 찾아 계수끼리 더하거나 뺀다.

$$(2x^3+4x^2-3x+1)+(x^3-2x+2)=(2+1)x^3+4x^2+(-3-2)x+(1+2)$$
$$=3x^3+4x^2-5x+3$$
$$(2x^3+4x^2-3x+1)-(x^3-2x+2)=(2-1)x^3+4x^2+(-3+2)x+(1-2)$$
$$=x^3+4x^2-x-1$$

참고 1. 다음과 같이 계산할 수도 있다.

$$\begin{array}{rrrr} & A= & 2x^3+4x^2 & -3x+1 \\ +) & B= & x^3 & -2x+2 \\ \hline & \multicolumn{3}{r}{A+B=(2+1)x^3+4x^2+(-3-2)x+(1+2)} \end{array}$$

$$\begin{array}{rrrr} & A= & 2x^3+4x^2 & -3x+1 \\ -) & B= & x^3 & -2x+2 \\ \hline & \multicolumn{3}{r}{A-B=(2-1)x^3+4x^2+(-3+2)x+(1-2)} \end{array}$$

2. xy와 $2x$는 x만 문자로 보면 동류항이다.
따라서 $xy+2x=(y+2)x$, $xy-2x=(y-2)x$와 같이 정리할 수 있다.

개념 Check

정답 및 풀이 1쪽

3 두 다항식 $A=x^2-3x+1$, $B=-3x^2+2x-4$에 대하여 다음을 계산하시오.

(1) $A+B$ (2) $A-B$

4 두 다항식 $A=-x^2+2xy$, $B=2x^2+3xy$에 대하여 다음을 계산하시오.

(1) $A+2B$ (2) $2A-B$

1-3 다항식의 곱셈

1 (단항식)×(다항식) : 분배법칙을 이용한다.

$$m(a+b-c)=ma+mb-mc$$

2 (다항식)×(다항식) : 한 식을 한 문자처럼 생각하고 분배법칙을 연속으로 이용한다.

$$(x+y)(a+b-c)=(x+y)a+(x+y)b-(x+y)c$$
$$=xa+ya+xb+yb-xc-yc$$

(단항식)×(단항식)

(단항식)×(단항식) ➡ 숫자끼리, 문자끼리 곱한다.

$$4x^3\times 6xy=\underbrace{(4\times 6)}_{\text{숫자의 곱}}\times\underbrace{(x^3\times xy)}_{\text{문자의 곱}}=24x^4y$$

(단항식)×(다항식)

(단항식)×(다항식) ➡ 분배법칙을 이용한다.

$$2x(x^3-2x+3)=2x\times x^3+2x\times(-2x)+2x\times 3$$
$$=2x^4-4x^2+6x$$

(다항식)×(다항식)

(다항식)×(다항식) ➡ 한 식을 한 문자처럼 생각하고 분배법칙을 연속으로 이용한다.

$(2x+1)(x^3-2x+3)$에서 $2x+1$을 한 문자처럼 생각하면

$$(2x+1)(x^3-2x+3)=(2x+1)\times x^3+(2x+1)\times(-2x)+(2x+1)\times 3$$
$$=2x^4+x^3-4x^2-2x+6x+3$$
$$=2x^4+x^3-4x^2+4x+3$$

다항식의 곱셈에서는 다음과 같이 전개하여 구할 수도 있다.

$$(x+y)(a+b-c)=xa+xb-xc+ya+yb-yc$$

이를 이용하여 $(2x+1)(x^3-2x+3)$을 전개하면

$$(2x+1)(x^3-2x+3)=2x^4-4x^2+6x+x^3-2x+3$$
$$=2x^4+x^3-4x^2+4x+3$$

개념 Check

◆ 정답 및 풀이 1쪽

5 다음 식을 전개하시오.

(1) $-2x^2(1-2x+x^2)$

(2) $xy(x^2-2xy-3y)$

6 다음 식을 전개하시오.

(1) $(x-1)(x^2-1)$

(2) $(x+2)(x^2-3x+3)$

1-4 다항식의 연산법칙

A, B, C가 다항식일 때, 다음이 성립한다.

(1) 교환법칙 : $A+B=B+A$, $AB=BA$

(2) 결합법칙 : $(A+B)+C=A+(B+C)$, $(AB)C=A(BC)$

(3) 분배법칙 : $A(B+C)=AB+AC$, $(A+B)C=AC+BC$

다항식의 연산법칙

단항식이나 다항식에서도 실수와 같이 사칙연산 $+$, $-$, $\times$, $\div$를 생각한다.

그리고 다항식의 덧셈과 곱셈에서도 교환법칙, 결합법칙, 분배법칙이 성립한다.

참고 실수와 같은 연산법칙이 성립하므로 실수를 계산하듯이 다항식을 계산한다.

예를 들어 $3A+4B+2(A-2C)$를 정리할 때 이용되는 연산법칙은 다음과 같다.

$$
\begin{aligned}
&3A+4B+2(A-2C) \\
&=3A+4B+(2A-4C) \quad \text{← 분배법칙} \\
&=3A+(4B+2A)-4C \quad \text{← 덧셈에 대한 결합법칙} \\
&=3A+(2A+4B)-4C \quad \text{← 덧셈에 대한 교환법칙} \\
&=(3A+2A)+4B-4C \quad \text{← 덧셈에 대한 결합법칙} \\
&=5A+4B-4C
\end{aligned}
$$

보통은 다음과 같이 간단히 계산한다.

$$
\begin{aligned}
3A+4B+2(A-2C)&=3A+4B+2A-4C \\
&=(3A+2A)+4B-4C \\
&=5A+4B-4C
\end{aligned}
$$

참고 1. 다항식의 뺄셈은 $A-B=A+(-B)$와 같이 덧셈으로 바꾸어 생각하면

$$B+(A-B)=B+\{A+(-B)\}=B+A+(-B)=A$$

와 같이 교환법칙, 결합법칙을 이용하여 편하게 계산할 수 있다.

2. 위의 (2)에서 결합법칙이 성립하므로 보통은 괄호를 생략하고 $A+B+C$, ABC와 같이 나타낸다.

3. 다항식의 나눗셈은 $A\div B=A\times\frac{1}{B}$과 같이 곱셈으로 바꾸어 생각하면

$$(A\div B)\times C=\left(A\times\frac{1}{B}\right)\times C=A\times\frac{1}{B}\times C=\frac{AC}{B}$$

$$A\div(B\times C)=A\times\frac{1}{B\times C}=\frac{A}{BC}$$

와 같이 교환법칙, 결합법칙을 이용하여 편하게 계산할 수 있다.

대표 **Q1** **다항식의 덧셈과 뺄셈**

◆ 정답 및 풀이 1쪽

다음 물음에 답하시오.

(1) 세 다항식 $A=2x^3-6x^2+x-5$, $B=2+x-2x^2-x^3$, $C=3x^3+4x-1$에 대하여 $A-(B-C)$를 계산하시오.

(2) 세 다항식 $A=-x^2+7xy+3y^2$, $B=2x^2-xy-9y^2$, $C=x^2+2xy$에 대하여 $(A-2B)-2(C-A)$를 계산하시오.

날선 Guide (1) $A-(B-C)=A-B+C$와 같이 정리한 다음 계산하는 것이 편하다.

$$\begin{array}{rrl} & A= & 2x^3-6x^2+x-5 \\ & -B= & x^3+2x^2-x-2 \\ +) & C= & 3x^3+4x-1 \\ \hline & & (2+1+3)x^3+\cdots \end{array}$$

→ B를 내림차순으로 정리한다.

(2) 문자가 x, y인 경우도 마찬가지이다.

$(A-2B)-2(C-A)=A-2B-2C+2A=3A-2B-2C$이므로

$3A$, $-2B$, $-2C$를 각각 구하고, $3A-2B-2C$를 계산한다.

답 (1) $6x^3-4x^2+4x-8$ (2) $-9x^2+19xy+27y^2$

다항식의 덧셈과 뺄셈

- 구하는 식을 먼저 간단히 정리하고 대입한다.
- 내림차순으로 정리하고 동류항을 찾아 계산한다.

1-1 세 다항식 $A=4-x^2-2x^3$, $B=-x^3+2x+1$, $C=x^3-x^2+3x-2$에 대하여 다음 물음에 답하시오.

(1) $A+2B-3C$를 계산하시오.

(2) $2(2B-A)+X=3(B+C)$를 만족시키는 다항식 X를 구하시오.

1-2 세 다항식 $A=3x^3+3y^3-x^2y-xy^2$, $B=-2x^3-2xy^2+y^3$, $C=x^3+3x^2y-2y^3$에 대하여 다음을 계산하시오.

(1) $A-(B+C)$

(2) $-A+2B-2(C-A)$

다항식의 곱셈

◆ 정답 및 풀이 2쪽

다음 물음에 답하시오.

(1) $(x^2-3x+1)(2x^2-x-3)$을 전개하시오.

(2) $(2x+y-4)(3x+2y-1)$의 전개식에서 xy의 계수와 상수항의 합을 구하시오.

날선 Guide (1) x^2-3x+1을 하나의 식으로 생각하고 다음과 같이 계산한다.

$$(x^2-3x+1)(2x^2-x-3)$$
$$=(x^2-3x+1)\times 2x^2+(x^2-3x+1)\times(-x)+(x^2-3x+1)\times(-3)$$
$$=\cdots$$

또는 다음과 같이 생각하고 전개해도 된다.

$$(x^2-3x+1)(2x^2-x-3)$$

(2) xy가 나오는 곱과 상수항이 나오는 곱만 생각한다.

$$(2x+y-4)(3x+2y-1)$$

답 (1) $2x^4-7x^3+2x^2+8x-3$ (2) 11

다항식의 곱셈 ➡ 분배법칙을 이용한다.

- $(x+y)(a+b+c)=(x+y)a+(x+y)b+(x+y)c$
- $(x+y)(a+b+c)=xa+xb+xc+ya+yb+yc$

2-1 다음 식을 전개하시오.

(1) $(x^2+x-2)^2$

(2) $(x+2y)(x^2-2xy+4y^2)$

2-2 $(x-y+1)(2x+ay-3)$의 전개식에서 xy의 계수가 3일 때, 상수 a의 값을 구하시오.

1-5 다항식의 나눗셈

1 (다항식)÷(단항식) : 나누는 식의 역수를 곱하고, 분배법칙을 써서 정리한다.

$$A \div B = A \times \frac{1}{B}$$

2 (다항식)÷(다항식) : 직접 나누어 몫과 나머지를 구한다.

이때 다항식 A를 다항식 B로 나눈 몫을 Q, 나머지를 R라 하면

$A=BQ+R$ (R의 차수는 B의 차수보다 낮다.)

(다항식)÷(단항식)

(다항식)÷(단항식) ➡ 나눗셈을 곱셈으로 고쳐 계산한다.

$$(4x^3+3x^2)\div x=(4x^3+3x^2)\times\frac{1}{x}$$

$$=4x^3\times\frac{1}{x}+3x^2\times\frac{1}{x}=4x^2+3x$$

(다항식)÷(다항식)

(다항식)÷(다항식) ➡ 다음과 같이 직접 나누어 몫과 나머지를 구한다.

예를 들어 $(2x^3-4x^2+3x-1)\div(x^2+2)$를 계산해 보자.

[1단계]

$$\begin{array}{r|l} & 2x \\ x^2+2\,) & 2x^3-4x^2+3x-1 \\ & 2x^3 \qquad\; +4x \\ \hline & -4x^2-\;x-1 \end{array}$$

⟶ $x^2\times\square=2x^3$인 $\square$를 쓴다.

⟶ $(x^2+2)\times 2x$

[2단계]

$$\begin{array}{r|l} & 2x-4 \\ x^2+2\,) & 2x^3-4x^2+3x-1 \\ & 2x^3 \qquad\; +4x \\ \hline & -4x^2-\;x-1 \\ & -4x^2 \qquad -8 \\ \hline & -x+7 \end{array}$$

⟶ $x^2\times\square=-4x^2$인 $\square$를 쓴다.

⟶ $(x^2+2)\times(-4)$

⟶ x^2+2보다 차수가 낮으므로 더 이상 나누지 않는다.

이때 몫은 $2x-4$, 나머지는 $-x+7$이다.

위의 나눗셈으로부터 다음 등식을 확인할 수 있다.

$$2x^3-4x^2+3x-1=(x^2+2)\underbrace{(2x-4)}_{\text{몫}}\underbrace{-x+7}_{\text{나머지}}$$

다항식 A를 다항식 B로 나눈 몫을 Q, 나머지를 R라 하면 다음이 성립한다.

$A=BQ+R$ ((R의 차수)<(B의 차수))

개념 Check

◆ 정답 및 풀이 2쪽

7 $(x^2y^3+3x^2y-xy^2)\div 2xy$를 계산하시오.

8 $3x^2-x+1$을 $x+1$로 나눈 몫과 나머지를 구하시오.

1-6 조립제법

각 항의 계수만을 이용하여 다항식을 일차식으로 나눈 몫과 나머지를 구하는 방법을 **조립제법**이라 한다.

조립제법

다항식 $2x^3+x^2-3x+4$를 일차식 $x+2$로 나눈 몫과 나머지는 다음과 같이 구한다.

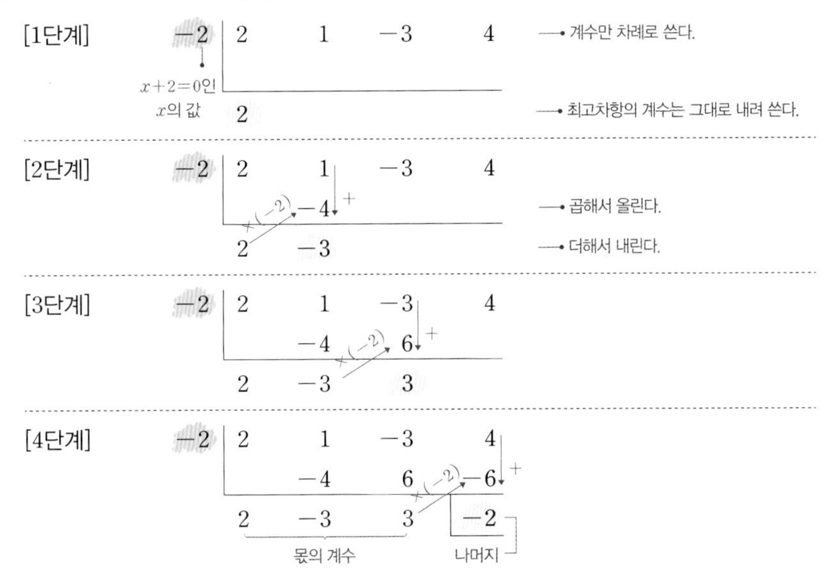

따라서 몫은 $2x^2-3x+3$이고 나머지는 -2이다.

계수에 0이 있는 경우

x^3-2x^2-4와 같이 x의 계수가 0인 다항식을 일차식 $x-3$으로 나누는 경우 $x^3-2x^2+0\times x-4$를 나눈다고 생각하고 오른쪽과 같이 x의 계수에 0을 써야 한다.

3	1	−2	0	−4
		3	3	9
	1	1	3	5

참고 조립제법을 이용할 때에는 계수의 합을 생각해야 한다는 것에 주의한다.
나눗셈 ➡ 계수의 차　　조립제법 ➡ 계수의 합

개념 Check

정답 및 풀이 3쪽

9 조립제법을 이용하여 다음 나눗셈의 몫과 나머지를 구하시오.

(1) $(x^3-3x^2+x+6)\div(x-2)$

(2) $(x^3-2x+1)\div(x+1)$

대표 **Q3** 다항식의 나눗셈

◆ 정답 및 풀이 3쪽

다음 물음에 답하시오.

(1) 다항식 x^3-3x^2+1을 x^2-2x+2로 나눈 몫과 나머지를 구하시오.

(2) 다항식 x^3-x^2+2x+1을 다항식 P로 나눈 몫이 $x-1$, 나머지가 $x+2$일 때, 다항식 P를 구하시오.

날선 Guide (1) x의 계수가 0이라 생각하여 다음과 같이 $0\times x$를 쓰고 나누는 것이 편하다.

$$\begin{array}{r|l} & x \\ \hline x^2-2x+2 & x^3-3x^2+0\times x+1 \\ & x^3-2x^2+\ \ 2x \\ \hline & \quad -x^2-\ \ 2x+1 \\ & \qquad \vdots \end{array}$$

(2) 다항식 A를 다항식 B로 나눈 몫을 Q, 나머지를 R라 하면

$$A=BQ+R \ (R\text{의 차수는 } B\text{의 차수보다 낮다.})$$

이므로

$$x^3-x^2+2x+1=P(x-1)+x+2$$

따라서 우변의 $x+2$를 좌변으로 이항하여 정리한 다음, $x-1$로 양변을 나누면 P를 구할 수 있다.

참고 우변의 $x+2$를 좌변으로 이항하여 정리한 다음, $x-1$로 양변을 나누어 P를 구할 때, 직접 나누거나 조립제법을 이용하여 나눌 수도 있다.

답 (1) 몫 : $x-1$, 나머지 : $-4x+3$ (2) x^2+1

다항식의 나눗셈

- 직접 나눈다.
- $A=BQ+R$ 꼴을 이용한다.

3-1 다항식 $A=x^3-3x^2+x+3$에 대하여 다음 물음에 답하시오.

(1) 다항식 A를 x^2-2로 나눈 몫과 나머지를 구하시오.

(2) 다항식 A를 다항식 P로 나눈 몫이 x^2-4x+5, 나머지가 -2일 때, 다항식 P를 구하시오.

대표 Q4 조립제법

◆ 정답 및 풀이 3쪽

조립제법을 이용하여 다음 나눗셈의 몫과 나머지를 구하시오.

(1) $(3x^4-6x^2-x+1)\div(x+2)$

(2) $(2x^3+x^2+5)\div(2x-3)$

날선 Guide 다항식을 일차식으로 나누는 경우 조립제법을 이용한다.

(1) x^3의 계수가 0이라 생각하여 다음과 같이 계수를 쓰고 조립제법을 이용한다.

-2	3	0	-6	-1	1
	3				

(2) 일차식 $2x-3$에서 x의 계수가 1이 아닌 경우이다.

$2x-3=0$인 x의 값이 $\frac{3}{2}$임에 착안하여 오른쪽과 같이

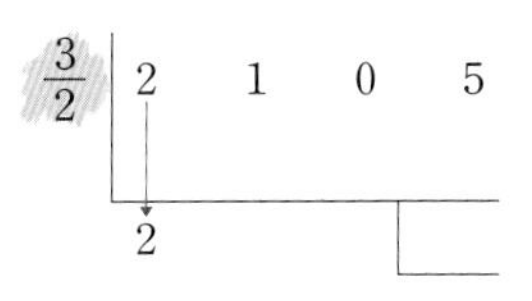

$2x^3+x^2+5$를 일차식 $x-\frac{3}{2}$으로 나눈 몫을 $Q(x)$,

나머지를 R라 하면

$$2x^3+x^2+5=\left(x-\frac{3}{2}\right)Q(x)+R=(2x-3)\left\{\frac{1}{2}Q(x)\right\}+R$$

($\times 2$, $\times\frac{1}{2}$, 같다.)

따라서 $2x^3+x^2+5$를 $2x-3$으로 나눈 몫은 $\frac{1}{2}Q(x)$, 나머지는 R이다.

답 (1) 몫 : $3x^3-6x^2+6x-13$, 나머지 : 27 (2) 몫 : x^2+2x+3, 나머지 : 14

일차식으로 나눈 몫과 나머지

- $x+a$로 나눈 몫과 나머지는 조립제법을 이용하여 구한다.
- $ax+b(a\neq1)$로 나눌 때 ➡ 몫은 $x+\frac{b}{a}$로 나눈 몫의 $\frac{1}{a}$배, 나머지는 그대로!

$$f(x)=\left(x+\frac{b}{a}\right)Q(x)+R=(ax+b)\left\{\frac{1}{a}Q(x)\right\}+R$$

4-1 조립제법을 이용하여 다음 나눗셈의 몫과 나머지를 구하시오.

(1) $(x^4+4x^3+x^2-3x+5)\div(x+3)$

(2) $(3x^4+4x^3-2x^2-1)\div(3x+1)$

4-2 조립제법을 이용하여 x^4+1을 $x-1$로 나눈 몫과 나머지를 구하시오.

01 다항식 $5+3x^2-4y-x^3+2x^2y+2y^2$에 대하여 다음 물음에 답하시오.

(1) x에 대하여 내림차순으로 정리하시오.

(2) y에 대하여 내림차순으로 정리하시오.

02 두 다항식 $A=3x^2-xy-y^2$, $B=x^2-xy+y^2$에 대하여 $4A-(A+B)$를 계산하면?

① $10x^2-2xy-2y^2$ ② $8x^2-4xy+4y^2$ ③ $8x^2-4xy-4y^2$
④ $8x^2-2xy+4y^2$ ⑤ $8x^2-2xy-4y^2$

03 두 다항식 $A=2x^3-x^2+4$, $B=x^3+2x^2-x+6$에 대하여
$2(A-X)+B=3B$일 때, 다항식 X는?

① x^3-2x^2-2 ② x^3-3x^2+x-2 ③ x^3-3x^2-x+2
④ $3x^3+x^2-x+10$ ⑤ $3x^3+2x^2-2x+10$

04 다음 식을 전개하시오.

(1) $(x^2+x+1)(x^2-x+1)$ (2) $(x+1)^2(x-2)^2$

05 $(x+6)(2x^2+3x+1)$의 전개식에서 x^2의 계수를 구하시오.

06 그림과 같이 한 밑면의 넓이가 a^2+2a-8인 직육면체의 부피가 a^3+3a^2-6a-8이다. 이 직육면체의 높이를 구하시오.

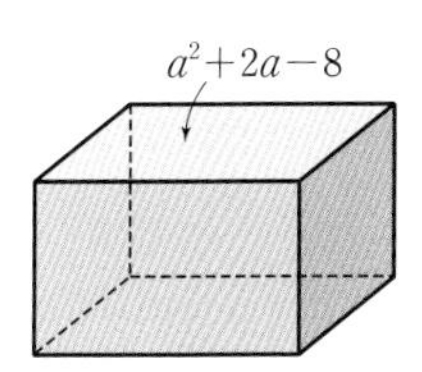

07 다음 나눗셈의 몫과 나머지를 구하시오.

(1) $(x^3+3x^2-5x-7)\div(x-2)$

(2) $(6x^3-7x^2+5x)\div(3x-2)$

08 세 다항식 $A=-1+2x^2+4x^3$, $B=2x^3-3x+1$, $C=-x^3+3x^2+3x-1$에 대하여 $4A+5B-3C-3\{A+2(B-C)\}$를 계산하시오.

09 $A-B=3x^3-4x+5$, $2A+3B=x^3-5x^2+12x$를 만족시키는 두 다항식 A, B에 대하여 $A+B$를 계산하면?

① x^3+2x^2+4x+1 ② x^3-2x^2+4x+1 ③ x^3-2x^2+4x-2
④ x^3+3x^2+4x-2 ⑤ x^3-3x^2-4x+2

10 $(x^2+2x-a)(2x-1)^2$을 전개하면 x^2의 계수가 1일 때, 상수 a의 값은?

① -2 ② -1 ③ 0 ④ 2 ⑤ 3

11 다항식 $(1+2x^2+3x^4)(2x+5x^3+3x^5+4x^7)$의 전개식에서 x^n의 계수를 a_n이라 할 때, a_3+a_5의 값을 구하시오.

12 그림과 같이 중심이 점 O인 반원에 내접하는 직사각형 ABCD가 있다. $\overline{\mathrm{OC}}+\overline{\mathrm{CD}}=x+y+3$, $\overline{\mathrm{DA}}+\overline{\mathrm{AB}}+\overline{\mathrm{BO}}=3x+y+5$일 때, 직사각형 ABCD의 넓이를 x, y에 대한 식으로 나타내시오.

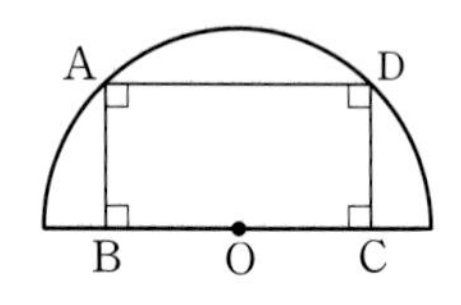

13 다항식 $f(x)$를 $x+\frac{1}{2}$로 나눈 몫을 $Q(x)$, 나머지를 R라 할 때, $f(x)$를 $2x+1$로 나눈 몫과 나머지를 차례로 나열한 것은?

① $Q(x)$, R ② $Q(x)$, $2R$ ③ $2Q(x)$, R
④ $\frac{1}{2}Q(x)$, $\frac{1}{2}R$ ⑤ $\frac{1}{2}Q(x)$, R

14 오른쪽은 다항식 $2x^3+x^2+4x+4$를 일차식 $ax+1$로 나누어 몫과 나머지를 구하는 과정이다. 상수 a, b, c, d, e의 값을 구하시오.

$$
\begin{array}{r|l}
 & x^2+c \\
ax+1 & 2x^3+x^2+4x+4 \\
 & bx^3+x^2 \\
\hline
 & 4x+4 \\
 & dx+e \\
\hline
 & 2
\end{array}
$$

교육청 기출

15 오른쪽은 조립제법을 이용하여 다항식 $2x^3+3x+4$를 일차식 $x-a$로 나눈 몫과 나머지를 구하는 과정을 나타낸 것이다. $a+b$의 값은?

a	2	0	3	4
		2	□	□
	2	□	□	b

① 8 ② 9 ③ 10
④ 11 ⑤ 12

정답 개수 : /15 오답 번호 Check :

중학교에서 다항식의 곱셈과 지수법칙을 배웠다.

자연수의 곱셈에서는 곱셈구구가 기본이듯이 다항식의 곱셈에서는 곱셈 공식이 기본이다.

중학교에서 배운 곱셈 공식을 바탕으로 여러 가지 곱셈 공식과 곱셈 공식을 변형한 식을 알아보자. 그러면 복잡한 다항식의 값을 쉽고 간단히 구할 수 있다.

곱셈 공식

2-1 곱셈 공식

개념

(1) $(a+b)^2=a^2+2ab+b^2$, $(a-b)^2=a^2-2ab+b^2$

(2) $(a+b)(a-b)=a^2-b^2$

(3) $(x+a)(x+b)=x^2+(a+b)x+ab$

(4) $(ax+b)(cx+d)=acx^2+(ad+bc)x+bd$

(5) $(a+b)^3=a^3+3a^2b+3ab^2+b^3$, $(a-b)^3=a^3-3a^2b+3ab^2-b^3$

(6) $(a+b)(a^2-ab+b^2)=a^3+b^3$, $(a-b)(a^2+ab+b^2)=a^3-b^3$

(7) $(a+b+c)^2=a^2+b^2+c^2+2ab+2bc+2ca$

(8) $(a^2+ab+b^2)(a^2-ab+b^2)=a^4+a^2b^2+b^4$

(9) $(x+a)(x+b)(x+c)=x^3+(a+b+c)x^2+(ab+bc+ca)x+abc$

전개와 인수분해 ● 다항식의 곱셈에서 괄호를 풀어 하나의 다항식으로 나타내는 것을 전개한다고 한다. 또 전개의 반대 과정을 인수분해한다고 한다.

$$(a+b)(a-b) \underset{\text{인수분해}}{\overset{\text{전개}}{\rightleftarrows}} a^2-b^2$$

곱셈 공식의 증명 ● 다항식을 전개하는 데 자주 이용하는 꼴을 정리한 것이 곱셈 공식이다.

(1), (2), (3), (4)는 중학교 과정에서 공부하였다. 나머지 공식은 다음과 같이 증명할 수 있다.

(5) $(a+b)^3=(a+b)^2(a+b)$

$=(a^2+2ab+b^2)(a+b)$

$=(a^2+2ab+b^2)\times a+(a^2+2ab+b^2)\times b$

$=a^3+2a^2b+ab^2+a^2b+2ab^2+b^3$

$=a^3+3a^2b+3ab^2+b^3$

$(a-b)^3$은 위의 공식의 b에 $-b$를 대입한 꼴이므로

$(a-b)^3=\{a+(-b)\}^3$

$=a^3+3a^2(-b)+3a(-b)^2+(-b)^3$

$=a^3-3a^2b+3ab^2-b^3$

또는 $(a-b)^3=(a-b)^2(a-b)$를 전개한다.

(6) $(a+b)(a^2-ab+b^2)=a(a^2-ab+b^2)+b(a^2-ab+b^2)$

$=a^3-a^2b+ab^2+a^2b-ab^2+b^3$

$=a^3+b^3$

$(a-b)(a^2+ab+b^2)$은 위의 공식의 b에 $-b$를 대입한 꼴이므로

$(a-b)(a^2+ab+b^2)=\{a+(-b)\}\{a^2-a(-b)+(-b)^2\}$

$=a^3+(-b)^3=a^3-b^3$

(7) $(a+b+c)^2=(a+b+c)(a+b+c)$

$$=a^2+ab+ac+ba+b^2+bc+ca+cb+c^2$$
$$=a^2+b^2+c^2+2ab+2bc+2ca$$

또는 $(a+b+c)^2$에서 $b+c=A$라 하면

$$(a+A)^2=a^2+2aA+A^2=a^2+2a(b+c)+(b+c)^2$$
$$=a^2+2ab+2ac+b^2+2bc+c^2$$
$$=a^2+b^2+c^2+2ab+2bc+2ca$$

(8) $(a^2+ab+b^2)(a^2-ab+b^2)=\{(a^2+b^2)+ab\}\{(a^2+b^2)-ab\}$

$$=(a^2+b^2)^2-(ab)^2$$
$$=a^4+2a^2b^2+b^4-a^2b^2$$
$$=a^4+a^2b^2+b^4$$

(9) $(x+a)(x+b)(x+c)=\{x^2+(a+b)x+ab\}(x+c)$

$$=x^3+(a+b)x^2+abx+cx^2+(a+b)cx+abc$$
$$=x^3+(a+b+c)x^2+(ab+bc+ca)x+abc$$

참고 인수분해를 잘하기 위해서는 곱셈 공식을 써서 전개한 결과가 눈에 익숙해야 한다.
예를 들어 $x^2+4xy+4y^2$을 보고

$$(x+2y)^2=x^2+2\times x\times 2y+(2y)^2$$

을 생각할 수 있으면 쉽게 인수분해할 수 있다.

개념 Check ◆ 정답 및 풀이 7쪽

1 다음 식을 전개하시오.

(1) $(x+1)^3$

(2) $(x-4)(x^2+4x+16)$

(3) $(x+y-z)^2$

(4) $(x^2+x+1)(x^2-x+1)$

(5) $(x+1)(x+2)(x+3)$

곱셈 공식

◆ 정답 및 풀이 7쪽

다음 식을 전개하시오.

(1) $(2x-y)^3$
(2) $(2x+3y)(4x^2-6xy+9y^2)$
(3) $(x^2-x+1)^2$
(4) $(x-a)(x-b)(x-c)$

날선 Guide (1) 세제곱의 전개식이다.

$$(a+b)^3=a^3+3a^2b+3ab^2+b^3$$
$$(a-b)^3=a^3-3a^2b+3ab^2-b^3$$

(2) 항이 2개인 다항식과 3개인 다항식의 곱이다.

$$(a+b)(a^2-ab+b^2)=a^3+b^3$$
$$(a-b)(a^2+ab+b^2)=a^3-b^3$$

(3) 항이 3개인 다항식의 제곱이다.

$$(a+b+c)^2=a^2+b^2+c^2+2ab+2bc+2ca$$

(4) 일차식 3개의 곱이다.

$$(x+a)(x+b)(x+c)=x^3+(\underbrace{a+b+c}_{\text{합}})x^2+(\underbrace{ab+bc+ca}_{\text{두 항씩 곱의 합}})x+\underbrace{abc}_{\text{곱}}$$

참고 공식이 기억나지 않으면 다음과 같이 직접 전개해도 된다.

$$\begin{aligned}(x-a)(x-b)(x-c)&=\{x^2-(a+b)x+ab\}(x-c)\\&=x^3-(a+b+c)x^2+(ab+bc+ca)x-abc\end{aligned}$$

답 (1) $8x^3-12x^2y+6xy^2-y^3$ (2) $8x^3+27y^3$
(3) $x^4-2x^3+3x^2-2x+1$ (4) $x^3-(a+b+c)x^2+(ab+bc+ca)x-abc$

곱셈 공식을 적용할 수 있는 꼴을 익힌다.

1-1 다음 식을 전개하시오.

(1) $(3x+2y)^3$
(2) $(4x-y)(16x^2+4xy+y^2)$
(3) $(x^2+x+2)^2$
(4) $(x+a)(x+2a)(x-b)$

1-2 다음 식을 전개하시오.

(1) $(x+y)^3(x-y)^3$
(2) $(x-2)^2(x^2+2x+4)^2$

대표 **Q2**

공통부분이 있는 다항식의 전개

◆ 정답 및 풀이 7쪽

다음 식을 전개하시오.

(1) $(x^2+x+1)(x^2+x-3)$

(2) $(x-1)(x-2)(x-3)(x-4)$

날선 Guide (1) x^2+x가 공통이므로 $x^2+x=A$로 놓으면

$$\begin{aligned}(x^2+x+1)(x^2+x-3)&=(A+1)(A-3)\\&=A^2+(1-3)A+1\times(-3)\end{aligned}$$

이 식의 A를 다시 x^2+x로 바꾸면 간단히 전개할 수 있다.

공통부분을 A로 놓는 것을 치환한다고 한다.

(2) 먼저 공통부분이 생기도록 2개씩 짝지어 전개하면 된다.

합이 -5

$(x-1)(x-2)(x-3)(x-4)$

합이 -5

이므로

$$\begin{aligned}(x-1)(x-2)(x-3)(x-4)&=\{(x-1)(x-4)\}\{(x-2)(x-3)\}\\&=(x^2-5x+4)(x^2-5x+6)\end{aligned}$$

따라서 $x^2-5x=A$로 치환할 수 있다.

답 (1) $x^4+2x^3-x^2-2x-3$ (2) $x^4-10x^3+35x^2-50x+24$

공통부분이 있는 다항식의 전개

- 공통부분을 A로 놓고 식을 전개한다.
- 공통부분이 나오게 몇 항씩 묶어 전개한다.

2-1 다음 식을 전개하시오.

(1) $(x^2+2x+4)(x^2-2x+4)$

(2) $(x+y-z)(x-y-z)$

(3) $(x+1)(x-2)(x+3)(x-4)$

UP 2-2 $(x+y+z-w)(x+y-z+w)$를 전개하시오.

2-2 곱셈 공식의 변형

(1) $a^2+b^2=(a+b)^2-2ab=(a-b)^2+2ab$

$(a+b)^2=(a-b)^2+4ab$

(2) $a^3+b^3=(a+b)^3-3ab(a+b)$

$a^3-b^3=(a-b)^3+3ab(a-b)$

(3) $a^2+b^2+c^2=(a+b+c)^2-2(ab+bc+ca)$

곱셈 공식의 변형 (1), (2)

$a+b=3$, $ab=1$일 때, 곱셈 공식을 이용하면 a^2+b^2, a^3+b^3의 값을 구할 수 있다.

$(a+b)^2=a^2+2ab+b^2$이므로

$$a^2+b^2=(a+b)^2-2ab$$
$$=3^2-2\times1=7$$

$(a+b)^3=a^3+3a^2b+3ab^2+b^3=a^3+3ab(a+b)+b^3$이므로

$$a^3+b^3=(a+b)^3-3ab(a+b)$$
$$=3^3-3\times1\times3=18$$

위의 변형을 기억하지 못하는 경우 곱셈 공식을 이용할 수 있으면 충분하다.

➡ a^2+b^2의 값 : $(a+b)^2$ 또는 $(a-b)^2$을 생각한다.

➡ a^3+b^3, a^3-b^3의 값 : $(a+b)^3$, $(a-b)^3$을 생각한다.

대칭식

$a+b+ab$, a^2+b^2, a^3+b^3과 같이 a, b가 바뀌어도 변하지 않는 식을 **대칭식**이라 한다.
a, b의 대칭식은 $a+b$와 ab로 나타낼 수 있다.

곱셈 공식의 변형 (3)

$a+b+c$, $a^2+b^2+c^2$, $ab+bc+ca$ 중 두 값을 알고 나머지 값을 구하는 경우 다음 곱셈 공식을 이용한다.

$$(a+b+c)^2=a^2+b^2+c^2+2(ab+bc+ca)$$

개념 Check

◆ 정답 및 풀이 8쪽

2 $x+y=2$, $xy=-1$일 때, 다음 식의 값을 구하시오.

(1) x^2+y^2 (2) x^3+y^3

3 $a+b+c=5$이고 $a^2+b^2+c^2=20$일 때, $ab+bc+ca$의 값을 구하시오.

대표 **Q3** **곱셈 공식의 변형**

◆ 정답 및 풀이 8쪽

다음 물음에 답하시오.

(1) $x+y=3$, $x^2+y^2=7$일 때, x^3+y^3과 x^4+y^4의 값을 구하시오.

(2) $x+y=4$, $xy=2$일 때, x^2-y^2의 값을 모두 구하시오.

날선 Guide (1) x^3+y^3과 x^4+y^4의 값을 구하기 위해서는 $x+y$와 xy의 값을 알아야 한다.

$$(x+y)^2=x^2+2xy+y^2$$

을 이용하여 xy의 값부터 구한 다음

$$(x+y)^3=x^3+y^3+3xy(x+y)$$

$$(x^2+y^2)^2=x^4+y^4+2(xy)^2$$

을 이용한다.

(2) $(x-y)^2=x^2-2xy+y^2$이므로 x^2-y^2의 값을 바로 계산할 수는 없다.

$$x^2-y^2=(x+y)(x-y)$$

이므로 다음을 이용하여 $x-y$의 값부터 구한다.

$$(x-y)^2=(x+y)^2-4xy$$

이때 $x-y$는 $(x-y)^2$의 제곱근이므로 양수와 음수의 두 값이 나올 수 있다.

답 (1) $x^3+y^3=18$, $x^4+y^4=47$ (2) $\pm 8\sqrt{2}$

x^2+y^2, x^3+y^3, ⋯ 꼴의 문제

➡ $x+y$, xy를 이용할 수 있는 꼴로 정리한다.

3-1 $x+y=3$, $xy=-3$일 때, 다음 식의 값을 구하시오.

(1) x^2+y^2 (2) x^3+y^3 (3) x^4+y^4

3-2 $x-y=3$, $xy=-2$일 때, 다음 식의 값을 구하시오.

(1) x^3-y^3 (2) $x+y$

대표 Q4 $x+\frac{1}{x}$, $x-\frac{1}{x}$ 꼴의 변형

◆ 정답 및 풀이 9쪽

다음 물음에 답하시오.

(1) $x+\frac{1}{x}=3$일 때, $x^2+\frac{1}{x^2}$, $x^3+\frac{1}{x^3}$의 값을 구하시오.

(2) $x+\frac{1}{x}=4$이고 $0<x<1$일 때, $x-\frac{1}{x}$의 값을 구하시오.

(3) $x^2+3x+1=0$일 때, $x^3+\frac{1}{x^3}$의 값을 구하시오.

날선 Guide (1) $x\times\frac{1}{x}=1$이므로 $\left(x+\frac{1}{x}\right)^2$, $\left(x+\frac{1}{x}\right)^3$을 전개하면

$x^2+\frac{1}{x^2}$, $x^3+\frac{1}{x^3}$의 값을 각각 구할 수 있다.

(2) $\left(x-\frac{1}{x}\right)^2$의 값부터 구한다.

이때 $0<x<1$이므로 $x<\frac{1}{x}$임에 주의한다.

(3) $x^2+3x+1=0$이면 $x\neq0$이므로 양변을 x로 나누면

$$x+3+\frac{1}{x}=0 \qquad \therefore x+\frac{1}{x}=-3$$

이 식을 이용하여 $x^3+\frac{1}{x^3}$의 값을 구한다.

답 (1) $x^2+\frac{1}{x^2}=7$, $x^3+\frac{1}{x^3}=18$ (2) $-2\sqrt{3}$ (3) -18

날선 Point

- $\left(x+\frac{1}{x}\right)^2=x^2+\frac{1}{x^2}+2$, $\left(x+\frac{1}{x}\right)^3=x^3+\frac{1}{x^3}+3\left(x+\frac{1}{x}\right)$
- $x^2-ax+1=0$ ➡ $x+\frac{1}{x}=a$

4-1 $x+\frac{1}{x}=4$이고 $x>1$일 때, 다음 식의 값을 구하시오.

(1) $x^2+\frac{1}{x^2}$　　(2) $x^3+\frac{1}{x^3}$　　(3) $x-\frac{1}{x}$

4-2 $x^2-4x-1=0$일 때, $x^3-\frac{1}{x^3}$의 값을 구하시오.

대표

Q5 곱셈 공식의 활용

◆ 정답 및 풀이 9쪽

다음 물음에 답하시오.

(1) $x+y+z=0$, $x^2+y^2+z^2=3$일 때, $x^2y^2+y^2z^2+z^2x^2$의 값을 구하시오.

(2) 직육면체의 모서리의 길이의 합이 20이고, 겉넓이가 16일 때, 대각선의 길이를 구하시오.

날선 Guide (1) $(xy+yz+zx)^2=x^2y^2+y^2z^2+z^2x^2+2xy^2z+2xyz^2+2x^2yz$

$=x^2y^2+y^2z^2+z^2x^2+2xyz(x+y+z)$

이때 $x+y+z=0$이므로 $xy+yz+zx$의 값을 구하면

$x^2y^2+y^2z^2+z^2x^2$의 값도 구할 수 있다.

(2) 세 모서리의 길이를 x, y, z라 하면

모서리의 길이의 합은 $4(x+y+z)$,

겉넓이는 $2(xy+yz+zx)$,

대각선의 길이는 $\sqrt{x^2+y^2+z^2}$이다.

따라서 $x+y+z$, $xy+yz+zx$의 값을 알 때,

$x^2+y^2+z^2$의 값을 구하는 문제이다.

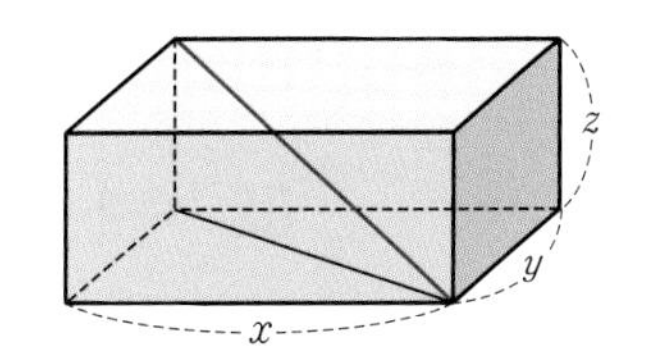

답 (1) $\frac{9}{4}$ (2) 3

$x+y+z$, $x^2+y^2+z^2$, $xy+yz+zx$에 대한 문제

➡ $(x+y+z)^2=x^2+y^2+z^2+2(xy+yz+zx)$를 이용한다.

5-1 $x+y+z=2$, $x^2+y^2+z^2=16$일 때, 다음 물음에 답하시오.

(1) $(x-y)^2+(y-z)^2+(z-x)^2$의 값을 구하시오.

(2) $xyz=-4$일 때, $x^2y^2+y^2z^2+z^2x^2$의 값을 구하시오.

5-2 그림과 같이 $\overline{AB}=c$, $\overline{BC}=a$, $\overline{CA}=b$인 삼각형 ABC의 각 변에 각 변을 지름으로 하는 반원을 그렸다. $ab+bc+ca=188$이고, 세 반원의 호의 길이의 합이 12π일 때, 다음 물음에 답하시오.

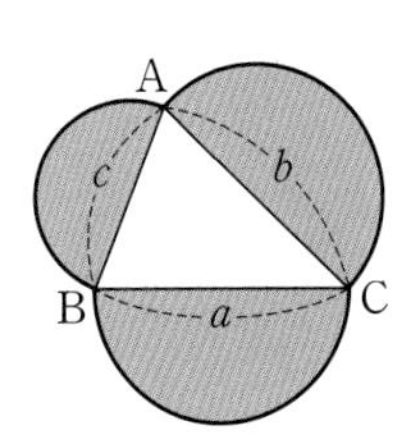

(1) $a+b+c$의 값을 구하시오.

(2) 색칠한 부분의 넓이를 구하시오.

2 곱셈 공식

01 다음 식을 전개하시오.

(1) $(a-2b-c)^2$

(2) $(x-3)(x^2+3x+9)$

(3) $(x-1)^4$

(4) $(x+2)(x+3)(x-4)$

02 다음 식을 전개하시오.

(1) $(x^2-2x+3)(x^2-2x-4)$

(2) $(2x^2-3x+1)(2x^2+4x+1)$

03 $x=2+\sqrt{3}$, $y=2-\sqrt{3}$일 때, 다음 식의 값을 구하시오.

(1) x^2+y^2

(2) x^3+y^3

(3) $\frac{y}{x}+\frac{x}{y}$

04 $\frac{1}{x}+\frac{1}{y}=-2$, $xy=1$일 때, $(x-y)^2$의 값은?

① 0 ② 1 ③ 4 ④ 9 ⑤ 16

05 $x^8=2020$일 때, $(x-1)(x+1)(x^2+1)(x^4+1)$의 값은?

① 2017 ② 2018 ③ 2019 ④ 2020 ⑤ 2021

06 다음을 계산하시오.

(1) $999\times1001\times1000001$　　(2) $1.01^3+0.99^3$

07 $a^2-2a-1=0$일 때, $(a+1)(a+2)(a-3)(a-4)$의 값을 구하시오.

08 [그림 1]의 직사각형을 정사각형 한 개와 합동인 직사각형 두 개로 잘라 [그림 2]와 같은 도형을 만들었다. 두 도형의 넓이가 같으므로 등식

$$x(x+a)(x+2a)(x+3a)=P^2-Q^2$$

이 성립한다고 할 때, P, Q에 알맞은 식을 구하시오.

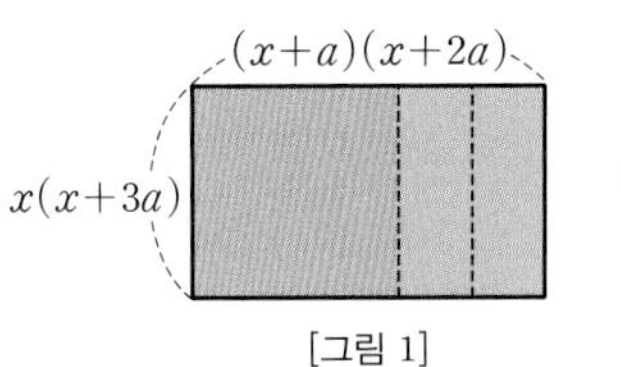

[그림 1]

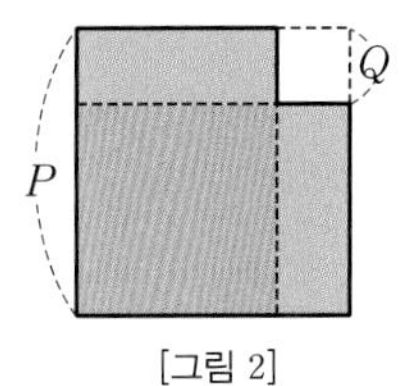

[그림 2]

09 $a+b=2$, $a^3+b^3=14$일 때, 다음 식의 값을 구하시오.

(1) a^2+b^2　　(2) a^5+b^5

10 $0<a<1$이고 $a^2+\frac{1}{a^2}=6$일 때, $a^3-\frac{1}{a^3}$의 값은?

① -16　② -14　③ -12　④ 12　⑤ 14

11 $a+b+c=1$, $a^2+b^2+c^2=9$, $\frac{1}{a}+\frac{1}{b}+\frac{1}{c}=1$일 때, $\frac{1}{a^2}+\frac{1}{b^2}+\frac{1}{c^2}$의 값을 구하시오.

교육청 기출

12 세 실수 x, y, z가 다음 조건을 모두 만족시킨다.

> (가) x, y, $2z$ 중에서 적어도 하나는 3이다.
> (나) $3(x+y+2z)=xy+2yz+2zx$

$10xyz$의 값을 구하시오.

13 사면체 OABC가 다음 조건을 모두 만족시킨다.

> (가) 세 선분 OA, OB, OC는 점 O에서 서로 수직이다.
> (나) $\overline{OA}+\overline{OB}+\overline{OC}=8$
> (다) 세 삼각형 OAB, OBC, OCA의 넓이의 합은 11이다.

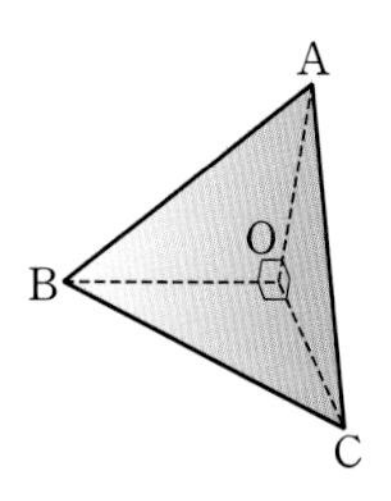

$\overline{OA}^2+\overline{OB}^2+\overline{OC}^2$의 값을 구하시오.

교육청 기출

14 [그림 1]과 같이 모든 모서리의 길이가 1보다 큰 직육면체가 있다. 이 직육면체와 크기와 모양이 같은 나무토막의 한 모퉁이에서 한 모서리의 길이가 1인 정육면체 모양의 나무토막을 잘라 내어 버리고 [그림 2]와 같은 입체도형을 만들었다. [그림 2]의 입체도형의 겉넓이는 236이고, 모서리의 길이의 합은 82일 때, [그림 1]에서 직육면체의 대각선의 길이는?

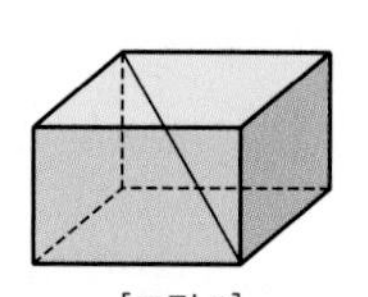
[그림 1]

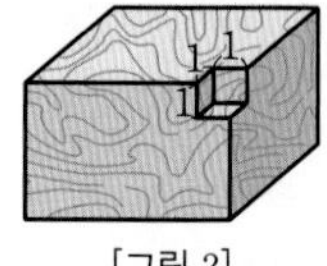

[그림 2]

① $2\sqrt{30}$ ② $5\sqrt{5}$ ③ $\sqrt{130}$ ④ $3\sqrt{15}$ ⑤ $2\sqrt{35}$

15 $a+b+c=1$, $ab+bc+ca=8$, $abc=5$일 때, $(a+b)(b+c)(c+a)$의 값을 구하시오.

앞 단원에서 다항식의 나눗셈을 이용하여 몫과 나머지를 구하는 방법과 곱셈 공식에 대해 배웠다.

항등식은 주어진 식의 문자에 어떤 값을 대입해도 성립하는 등식이다.

이 단원에서는 항등식의 성질을 이용하여 미정계수를 정하는 방법에 대해 살펴보자. 또 다항식의 나눗셈을 하지 않고 몫과 나머지를 쉽게 구하는 방법도 알아보자.

항등식

3-1 항등식의 성질

개념

1 항등식 : x에 어떤 값을 대입해도 성립하는 등식을 x에 대한 **항등식**이라 한다.

2 항등식의 성질

(1) $\begin{cases} ax+b=0\text{이 } x\text{에 대한 항등식} \Longleftrightarrow a=0,\ b=0 \\ ax+b=a'x+b'\text{이 } x\text{에 대한 항등식} \Longleftrightarrow a=a',\ b=b' \end{cases}$

(2) $\begin{cases} ax^2+bx+c=0\text{이 } x\text{에 대한 항등식} \Longleftrightarrow a=0,\ b=0,\ c=0 \\ ax^2+bx+c=a'x^2+b'x+c'\text{이 } x\text{에 대한 항등식} \Longleftrightarrow a=a',\ b=b',\ c=c' \end{cases}$

방정식과 항등식

등식 $2x+3=5$는 $x=1$일 때에만 성립한다. 이와 같이 특정한 x에 대해서만 성립하는 등식을 x에 대한 **방정식**이라 한다.
그러나 등식 $2x+3x=5x$는 x에 어떤 값을 대입해도 성립한다.
이와 같이 x의 값에 관계없이 항상 성립하는 등식을 x에 대한 **항등식**이라 한다.

등식 < 방정식, 항등식

항등식의 성질 (1)

등식 $ax+b=0$이 x에 대한 항등식이라 하자.

$x=0$일 때에도 성립하므로 $a\times0+b=0$ $\quad\therefore b=0$

$x=1$일 때에도 성립하므로 $a\times1+b=0$ $\quad\therefore a=0$

$ax+b=0$이 x에 대한 항등식 ➡ $a=0,\ b=0$

또 등식 $ax+b=a'x+b'$이 x에 대한 항등식이라 하자.

$(a-a')x+b-b'=0$이 x에 대한 항등식이므로 $a-a'=0,\ b-b'=0$

$ax+b=a'x+b'$이 x에 대한 항등식 ➡ $a=a',\ b=b'$

곧, 항등식이면 양변의 동류항의 계수가 같다.

항등식의 성질 (2)

마찬가지로 등식 $ax^2+bx+c=0$이 x에 대한 항등식이면 $x=0,\ x=-1,\ x=1$을 대입했을 때 $a=0,\ b=0,\ c=0$이므로 다음도 성립한다.

$ax^2+bx+c=0$이 x에 대한 항등식 ➡ $a=0,\ b=0,\ c=0$

$ax^2+bx+c=a'x^2+b'x+c'$이 x에 대한 항등식 ➡ $a=a',\ b=b',\ c=c'$

개념 Check

◆ 정답 및 풀이 13쪽

1 다음 중 x에 대한 항등식인 것을 모두 고르면?

① $3x-2y$ ② $x^2=4$ ③ $2(x-2)=2x-4$
④ $x^2+4>0$ ⑤ $(x+1)^2=x^2+2x+1$

2 다음 등식이 x에 대한 항등식일 때, 상수 $a,\ b,\ c$의 값을 구하시오.

(1) $(a+2)x-3-b=0$ (2) $(a-b)x^2+(b-3)x+c-a=0$

3-2 미정계수법

항등식의 계수를 정하는 방법을 미정계수법이라 한다.

(1) 계수비교법 : 항등식의 양변에서 동류항의 계수가 같음을 이용한다.

(2) 수치대입법 : 항등식의 문자에 적당한 값을 대입하여 계수를 찾는다.

계수비교법 ● 다음 등식이 x에 대한 항등식이라 하자.

$$a(x-1)+b(x+2)=2x+1 \quad \cdots ㉠$$

㉠에서 계수 a와 b를 구하는 방법을 알아보자.

좌변을 전개하면 $(a+b)x-a+2b=2x+1$

$ax+b=a'x+b'$이 x에 대한 항등식 ➡ $a=a'$, $b=b'$

이므로 $a+b=2$, $-a+2b=1$

두 식을 연립하여 풀면 $a=1$, $b=1$

이와 같이 좌변과 우변을 전개한 다음 양변에서 동류항의 계수가 같음을 이용하면 계수를 구할 수 있다. 이 방법을 계수비교법이라 한다.

수치대입법 ● ㉠은 모든 x에 대하여 성립하므로 양변에

$x=1$을 대입하면 $3b=3 \quad \therefore b=1$

$x=-2$를 대입하면 $-3a=-3 \quad \therefore a=1$

이와 같이 항등식의 x에 적당한 값을 대입하여 계수를 구할 수 있다. 이 방법을 수치대입법이라 한다.

미정계수법 ● 항등식이 되도록 미정계수를 정하는 방법을 **미정계수법**이라 한다. 보통 양변의 동류항의 계수를 비교하거나 x에 적당한 값을 대입하여 구한다.

참고 다음은 모두 같은 표현이다.

(1) x에 대한 항등식이다. (2) 모든 x에 대하여 성립한다. (3) x의 값에 관계없이 항상 성립한다.

개념 Check

◆ 정답 및 풀이 13쪽

3 다음 등식이 x에 대한 항등식일 때, 상수 a, b, c의 값을 구하시오.

(1) $a(x+2)=(b-1)x+2$

(2) $2x^2+(a-1)x-b=ax^2+cx+b+2$

미정계수법

◆ 정답 및 풀이 13쪽

다음 물음에 답하시오.

(1) 등식 $(x-1)(x^2+ax+b)+2x+c=x^3-2x^2+x+5$가 모든 실수 x에 대하여 성립할 때, 상수 a, b, c의 값을 구하시오.

(2) 다항식 $f(x)$에 대하여 등식 $(x-1)(x+2)f(x)=x^4+ax+b$가 x에 대한 항등식일 때, 상수 a, b의 값을 구하시오.

날선 Guide (1) 모든 실수 x에 대하여 성립하므로 x에 대한 항등식이다.
곧, 항등식에서 계수를 구하는 문제이므로 좌변을 전개하여 정리한 다음 양변에서 x^3, x^2, x의 계수와 상수항을 비교한다.
이와 같이 삼차식, 사차식, …인 경우도 계수비교법을 이용할 수 있다.

(2) $f(x)$를 모르므로 좌변을 전개할 수 없다. 이런 경우 $f(x)$가 소거될 수 있게 양변에 $x=1$, $x=-2$를 대입하고 등식이 성립함을 이용한다.

참고 우변이 사차식이고 x^4의 계수가 1이므로 $f(x)$는 x^2의 계수가 1인 이차식이다.
따라서 $f(x)=x^2+cx+d$라 하면

$$(x-1)(x+2)(x^2+cx+d)=x^4+ax+b$$

이므로 좌변을 전개한 다음, (1)과 같은 방법으로 풀 수 있다.

답 (1) $a=-1$, $b=-2$, $c=3$　(2) $a=5$, $b=-6$

항등식에서 계수를 구할 때에는
- 양변의 동류항의 계수를 비교한다.
- x에 적당한 값을 대입한다.

1-1 등식 $(x^2-x+3)(ax+b)=cx^3-2x^2+4x+d$가 x의 값에 관계없이 항상 성립할 때, 상수 a, b, c, d의 값을 구하시오.

1-2 등식 $ax(x-1)+bx(x-2)+c(x-1)=3x^2-4x+5$가 모든 실수 x에 대하여 성립할 때, 상수 a, b, c의 값을 구하시오.

항등식을 정리하는 문제

◆ 정답 및 풀이 13쪽

다음 물음에 답하시오.

(1) 등식 $(2k+1)x+(k+1)y-2k+3=0$이 k의 값에 관계없이 항상 성립할 때, 상수 x, y의 값을 구하시오.

(2) $x+y=2$를 만족시키는 모든 실수 x, y가 등식 $ax^2+by^2+cx=4$를 만족시킬 때, 상수 a, b, c의 값을 구하시오.

날선 Guide (1) k의 값에 관계없이 항상 성립하므로 k에 대한 항등식이다.
좌변을 k에 대해 정리하면 항등식의 성질을 이용할 수 있다.

(2) $x+y=2$를 만족시키므로 $y=2-x$이다.
이 식을 $ax^2+by^2+cx=4$에 대입하면

$$ax^2+b(2-x)^2+cx=4$$

이 식이 x에 대한 항등식이 될 조건을 찾는다.
$x+y=2$와 같이 조건이 등식으로 주어지면 이 식을 이용하여 한 문자를 소거하는 것이 기본이다. $y=2-x$ 대신 $x=2-y$를 대입해도 된다.

답 (1) $x=5$, $y=-8$ (2) $a=-1$, $b=1$, $c=4$

- k의 값에 관계없이 항상 성립 ➡ k에 대한 항등식 ➡ k에 대해 식을 정리한다.
- 조건으로 등식이 주어진 경우 ➡ 등식을 이용하여 한 문자를 소거한다.

2-1 등식 $(k+2)x-(3k-4)y+4k=0$이 k의 값에 관계없이 항상 성립할 때, $\frac{x}{y}$의 값을 구하시오.

2-2 $x+2y-2=0$을 만족시키는 모든 실수 x, y가 등식 $ax+b(2y+3)+10=0$을 만족시킬 때, 상수 a, b의 값을 구하시오.

대표 **Q3** $A=BQ+R$ 꼴의 항등식

◆ 정답 및 풀이 14쪽

다항식 $f(x)=x^3+px^2+qx-2$에 대하여 다음 물음에 답하시오.

(1) $f(x)$를 이차식 x^2+1로 나눈 나머지가 $x-3$일 때, 상수 p, q의 값과 몫을 구하시오.

(2) $f(x)$를 이차식 $(x-1)(x+2)$로 나눈 나머지가 $-2x$일 때, 상수 p, q의 값을 구하시오.

날선 Guide (1) $f(x)$는 삼차식이고 x^3의 계수가 1이므로 몫은 일차식이고 x의 계수가 1이다.

따라서 몫을 $x+b$라 하면

$$x^3+px^2+qx-2=(x^2+1)(x+b)+x-3$$

우변을 전개한 다음 양변의 동류항의 계수를 비교하여 p, q, b의 값을 구한다.

참고 $f(x)$를 x^2+1로 직접 나누면

몫 : $x+p$

나머지 : $(q-1)x-2-p$

조건에서 나머지가 $x-3$이므로

$(q-1)x-2-p=x-3$

양변의 동류항의 계수를 비교하면 상수 p, q의 값을 구할 수 있다.

$$\begin{array}{r|l} & x+p \\ \hline x^2+1 & x^3+px^2+\quad qx-2 \\ & x^3 \qquad + \qquad x \\ \hline & px^2+(q-1)x-2 \\ & px^2 \qquad\quad +p \\ \hline & (q-1)x-2-p \end{array}$$

(2) 역시 몫을 $x+b$라 하면

$$x^3+px^2+qx-2=(x-1)(x+2)(x+b)-2x$$

이 식의 양변에 $x=1$, $x=-2$를 대입하면 우변이 간단해진다.

따라서 (1)과 같이 전개하여 계수를 비교하는 것보다 수치를 대입하여 푸는 것이 쉽다.

답 (1) $p=1$, $q=2$, 몫 : $x+1$ (2) $p=2$, $q=-3$

다항식의 나눗셈

$A=BQ+R$ 꼴로 정리하고, 항등식의 성질을 이용한다.

3-1 다항식 x^3+px+3을 이차식 x^2-x+2로 나눈 나머지가 $3x+q$일 때, 상수 p, q의 값과 몫을 구하시오.

3-2 다항식 x^3-3x^2+px+q를 이차식 $(x+1)(x-3)$으로 나눈 나머지가 $-2x+1$일 때, 상수 p, q의 값을 구하시오.

3-3 나머지정리와 인수정리

1 나머지정리

다항식 $f(x)$를 일차식 $x-a$로 나눈 나머지는 $f(a)$이고,

다항식 $f(x)$를 일차식 $ax+b$로 나눈 나머지는 $f\left(-\frac{b}{a}\right)$이다.

2 인수정리

$f(x)$가 다항식이고 $f(a)=0$이면 $f(x)$는 일차식 $x-a$로 나누어떨어진다.

나머지정리

$f(x)=x^3+2x^2-3x-4$를 일차식 $x-2$로 나눈 몫을 $Q(x)$, 나머지를 R라 하면

$$f(x)=(x-2)Q(x)+R$$

양변에 $x=2$를 대입하면 $f(2)=(2-2)Q(2)+R$

$$\therefore\ R=f(2)=2^3+2\times2^2-3\times2-4=6$$

이와 같이 생각하면 $f(x)$를 직접 나누지 않고도 $x-2$로 나눈 나머지를 구할 수 있다.

다항식 $f(x)$를 일차식 $x-a$로 나눈 몫을 $Q(x)$, 나머지를 R라 하면

$$f(x)=(x-a)Q(x)+R$$

양변에 $x=a$를 대입하면 $f(a)=R$이므로 $f(x)$를 $x-a$로 나눈 나머지는 $f(a)$이다.

또 다항식 $f(x)$를 일차식 $ax+b$로 나눈 몫을 $Q(x)$, 나머지를 R라 하면

$$f(x)=(ax+b)Q(x)+R$$

양변에 $x=-\frac{b}{a}$를 대입하면 $f\left(-\frac{b}{a}\right)=R$이므로 $f(x)$를 $ax+b$로 나눈 나머지는 $f\left(-\frac{b}{a}\right)$이다.

이를 **나머지정리**라 한다.

인수정리

특히 $f(a)=0$이면 $f(x)$를 $x-a$로 나눈 나머지는 0이므로

$$f(x)=(x-a)Q(x)$$

곧, $f(x)$는 $x-a$로 나누어떨어지고, $x-a$는 $f(x)$의 인수이다.

이를 **인수정리**라 한다. 인수정리는 나머지정리에서 나머지가 0인 경우이다.

개념 Check

◆ 정답 및 풀이 14쪽

4 다항식 $f(x)=x^3-2x^2-4x+1$을 다음 일차식으로 나눈 나머지를 구하시오.

(1) $x-3$　　　　(2) $2x+1$

5 다항식 $f(x)=2x^3-3x^2+ax-2$가 $x+1$로 나누어떨어질 때, 상수 a의 값을 구하시오.

대표 **Q4**

나머지가 주어질 때, 미정계수 구하기

◆ 정답 및 풀이 15쪽

다항식 $f(x)=2x^3+ax^2-2x+b$에 대하여 다음 물음에 답하시오.

(1) $f(x)$를 $x+1$, $x-2$로 나눈 나머지가 모두 8일 때, 상수 a, b의 값을 구하시오.

(2) $f(x)$가 x^2+x-2로 나누어떨어질 때, 상수 a, b의 값을 구하시오.

날선 Guide (1) $x+1$로 나눈 나머지가 8이므로 $f(-1)=8$이고,

$x-2$로 나눈 나머지가 8이므로 $f(2)=8$이다.

이때 나온 연립방정식을 풀면 a, b의 값을 구할 수 있다.

(2) $x^2+x-2=(x-1)(x+2)$이므로 $f(x)$는 $x-1$과 $x+2$로 나누어떨어진다.

곧, $f(1)=0$, $f(-2)=0$이므로 나머지정리를 이용할 수 있다.

이와 같이 이차식으로 나누는 경우도 일차식의 곱으로 인수분해되면 나머지정리를 이용할 수 있다.

참고 $f(x)$를 $(x-1)(x+2)$로 나눈 몫을 $Q(x)$라 하면 나머지가 0이므로

$$f(x)=(x-1)(x+2)Q(x) \quad \cdots ㉠$$

이 식의 양변에 $x=1$, $x=-2$를 대입하면 $f(1)=0$, $f(-2)=0$

따라서 ㉠과 같이 정리하면 나머지정리를 생각하지 않아도 풀 수 있다.

답 (1) $a=-4$, $b=12$ (2) $a=4$, $b=-4$

날선 Point 다항식 $f(x)$를 $x-\alpha$로 나눈 나머지는 $f(\alpha)$

$ax+b$로 나눈 나머지는 $f\left(-\frac{b}{a}\right)$

4-1 다항식 $f(x)=4x^3+ax+b$를 $x-1$로 나눈 나머지가 5이고, $2x-1$로 나눈 나머지가 2일 때, 다음 물음에 답하시오.

(1) 상수 a, b의 값을 구하시오.

(2) $f(x)$를 $2x+1$로 나눈 나머지를 구하시오.

4-2 다항식 $f(x)=x^4+ax^2+bx+a-1$이 x^2-4로 나누어떨어질 때, 상수 a, b의 값을 구하시오.

이차식으로 나눈 나머지

◆ 정답 및 풀이 15쪽

다항식 $f(x)$를 $x-1$로 나눈 나머지가 1이고, $x-2$로 나눈 나머지가 2일 때, $f(x)$를 x^2-3x+2로 나눈 나머지를 구하시오.

날선 Guide x^2-3x+2로 직접 나눌 수 없으므로 몫을 $Q(x)$, 나머지를 R라 하고

$$f(x)=(x^2-3x+2)Q(x)+R$$

꼴의 항등식을 이용한다.

이차식으로 나눈 나머지는 일차식 또는 상수이므로 나머지를 $ax+b$로 놓아야 한다.

($a=0$이면 $ax+b$는 상수이다.)

또 $x^2-3x+2=(x-1)(x-2)$이므로

$$f(x)=(x-1)(x-2)Q(x)+ax+b$$

로 놓을 수 있다.

조건에서 $x-1$로 나눈 나머지가 1, $x-2$로 나눈 나머지가 2이므로

$$f(1)=1,\ f(2)=2$$ → 나머지정리

임을 이용하여 a, b의 값을 구한다.

참고) 삼차식으로 나눈 나머지는 5-2에서 직접 구해 본다.

답 x

$A=BQ+R$를 이용하여 나머지를 구할 때에는 다음과 같이 나머지를 놓는다.

- 일차식으로 나눈 나머지 ➡ a(상수)
- 이차식으로 나눈 나머지 ➡ $ax+b$
- 삼차식으로 나눈 나머지 ➡ ax^2+bx+c

5-1 다항식 $f(x)$를 $x+1$로 나눈 나머지가 -5이고, $x-3$으로 나눈 나머지가 3일 때, $f(x)$를 x^2-2x-3으로 나눈 나머지를 구하시오.

up **5-2** 다항식 $f(x)$는 x로 나누어떨어지고, $x-1$로 나눈 나머지가 1, $x+1$로 나눈 나머지가 -3이다. $f(x)$를 x^3-x로 나눈 나머지를 구하시오.

대표 Q6 몫에 대한 조건이 주어질 때

◆ 정답 및 풀이 16쪽

다항식 $f(x)$를 $x-1$로 나눈 나머지는 2이고, $f(x)$를 $x-1$로 나눈 몫을 $x-3$으로 나눈 나머지는 -2이다. 다음 물음에 답하시오.

(1) $f(x)$를 $(x-1)(x-3)$으로 나눈 나머지를 구하시오.

(2) $f(x)$를 $x-3$으로 나눈 나머지를 구하시오.

날선 Guide $f(x)$를 $x-1$로 나눈 몫에 대한 조건도 주어져 있으므로 나머지정리만으로는 문제를 해결할 수 없다.

$f(x)$를 $x-1$로 나눈 몫을 $Q(x)$라 하면

$$f(x)=(x-1)Q(x)+2 \quad \cdots ㉠$$

또 $Q(x)$를 $x-3$으로 나눈 몫을 $Q_1(x)$라 하면

$$Q(x)=(x-3)Q_1(x)-2$$

㉠에 대입하면

$$\begin{aligned} f(x)&=(x-1)\{(x-3)Q_1(x)-2\}+2 \\ &=(x-1)(x-3)Q_1(x)-2(x-1)+2 \end{aligned}$$

이 식에서 $f(x)$를 $(x-1)(x-3)$으로 나눈 나머지와 $x-3$으로 나눈 나머지를 구한다.

답 (1) $-2x+4$ (2) -2

몫 Q에 대한 조건이 주어지면 $f(x)=BQ+R$로 놓고
Q에 대한 식을 찾아 대입한다.

6-1 다항식 $f(x)$를 $x+2$로 나눈 몫이 $Q(x)$, 나머지는 3이고, $Q(x)$를 $x-2$로 나눈 나머지는 2이다. 다음 물음에 답하시오.

(1) $f(x)$를 x^2-4로 나눈 나머지를 구하시오.

(2) $f(x)$를 $x-2$로 나눈 나머지를 구하시오.

up **6-2** 다항식 x^5-ax+3을 $x-1$로 나눈 몫이 $Q(x)$, 나머지가 4이다. 다음 물음에 답하시오.

(1) 상수 a의 값을 구하시오.

(2) $Q(x)$를 $x+2$로 나눈 나머지를 구하시오.

대표 **Q7** **인수정리와 다항식**

◆ 정답 및 풀이 16쪽

다음 물음에 답하시오.

(1) $f(x)$는 삼차식이고 $f(1)=1$, $f(2)=2$, $f(3)=3$이다. $f(0)=-6$일 때, $f(-1)$의 값을 구하시오.

(2) $f(x)$는 x^3의 계수가 2인 삼차식이다. $(x+3)f(x)=xf(x+1)$일 때, $f(x)$를 구하시오.

날선 Guide (1) $f(\alpha)=0$, $f(\beta)=0$, $f(\gamma)=0$이면 $f(x)$는 $x-\alpha$, $x-\beta$, $x-\gamma$로 나누어떨어진다.
따라서 $f(x)$가 삼차식이면
$f(x)=a(x-\alpha)(x-\beta)(x-\gamma)$로 나타낼 수 있다.
이 문제에서 $g(x)=f(x)-x$라 하면
$g(1)=0$, $g(2)=0$, $g(3)=0$이고 $g(x)$는 삼차식이므로

$$g(x)=a(x-1)(x-2)(x-3)$$

으로 놓을 수 있음을 이용한다.

(2) $(x+3)f(x)=xf(x+1)$ $\cdots$ ㉠
양변에 $x=0$을 대입하면 $3f(0)=0$
양변에 $x=-3$을 대입하면 $0=-3f(-2)$
곧, $f(0)=0$, $f(-2)=0$이고, x^3의 계수가 2이므로

$$f(x)=x(x+2)(2x+a)$$

로 놓을 수 있다. 이 식을 ㉠에 대입하고 a의 값을 구한다.

답 (1) -25 (2) $2x(x+1)(x+2)$

$f(x)$가 다항식일 때 $f(\alpha)=0$, $f(\beta)=0$이면
$f(x)=(x-\alpha)(x-\beta)Q(x)$로 놓는다.

7-1 $f(x)$는 삼차식이다. $f(x)$를 $x+1$, $x-1$, $x+3$으로 나눈 나머지는 모두 2이고, $x-2$로 나눈 나머지는 -13일 때, $f(x)$를 구하시오.

7-2 $f(x)$는 다항식이고, $g(x)$는 x의 계수가 3인 일차식이다.
$(x-1)f(x)=(x-3)(x+1)g(x)$일 때, $f(x)$를 구하시오.

이차식으로 나눈 나머지가 주어질 때

◆ 정답 및 풀이 17쪽

다항식 $f(x)$를 $(x-1)^2$으로 나눈 나머지가 $3x-1$이고, $x-2$로 나눈 나머지가 4일 때, $f(x)$를 $(x-1)^2(x-2)$로 나눈 나머지를 구하시오.

날선 Guide $(x-1)^2(x-2)$는 삼차식이다.

따라서 $f(x)$를 $(x-1)^2(x-2)$로 나눈 나머지를 ax^2+bx+c로 놓으면 된다.

몫을 $Q(x)$라 하면

$$\underline{f(x)}=\underline{(x-1)^2(x-2)Q(x)}+\underline{ax^2+bx+c} \quad \cdots ㉠$$

$(x-1)^2$으로 나누면 나머지는 $3x-1$ / $(x-1)^2$으로 나누면 나머지는 0 / $(x-1)^2$으로 나누면 나머지는?

이때 좌변 $f(x)$는 $(x-1)^2$으로 나눈 나머지가 $3x-1$이고,

$(x-1)^2(x-2)Q(x)$는 $(x-1)^2$으로 나눈 나머지가 0이므로

ax^2+bx+c를 $(x-1)^2$으로 나눈 나머지가 $3x-1$이어야 한다. 곧,

$$ax^2+bx+c=a(x-1)^2+3x-1$$

꼴로 정리된다는 것을 알 수 있다.

이 식을 ㉠에 대입한 다음 $f(2)=4$임을 이용하여 a의 값을 구한다.

참고 이차식 ax^2+bx+c를 이차식 $(x-1)^2$으로 나누면 몫은 상수이다.
그리고 x^2의 계수를 비교하면 몫은 a임을 알 수 있다.

답 $-x^2+5x-2$

$f(x)=(x-1)^2(x-2)Q(x)+ax^2+bx+c$로 놓고 주어진 조건을 이용한다.

8-1 다항식 $f(x)$를 x^2+1로 나눈 나머지가 $-x+3$이고, $x+1$로 나눈 나머지가 -2일 때, $f(x)$를 $(x^2+1)(x+1)$로 나눈 나머지를 구하시오.

8-2 x^3의 계수가 1인 삼차식 $f(x)$를 x^2+4로 나눈 나머지가 $-4x+1$이다. $f(x)$를 $x+1$로 나눈 나머지와 $x-2$로 나눈 나머지가 같을 때, $f(x)$를 구하시오.

◆ 정답 및 풀이 17쪽

3 항등식

01 다음 등식이 x에 대한 항등식일 때, 상수 a, b, c의 값을 구하시오.

(1) $(a+b)x^2+(b-3)x-(2b+c)=0$

(2) $(x+2)(ax-b)=x^2+4x+c$

(3) $(x^2-x-2)(x+a)=x^3+bx^2+cx+2$

02 모든 실수 x에 대하여 등식 $x^2+3x+2=(x-2)^2+a(x-2)+b$가 성립할 때, $a+b$의 값은?

① 17 ② 18 ③ 19 ④ 20 ⑤ 21

03 등식 $(k+2)x-(2k-3)y+5k-4=0$이 k의 값에 관계없이 항상 성립할 때, $x+y$의 값은?

① 1 ② 2 ③ 3 ④ 4 ⑤ 5

04 다항식 x^3-2x^2+3x+c를 x^2+ax+b로 나눈 몫이 $x-1$, 나머지가 $-x+4$일 때, 상수 a, b, c의 값을 구하시오.

05 다항식 $2x^3+ax^2+bx-3$을 $x+3$으로 나눈 나머지가 0, $x-4$로 나눈 나머지가 21일 때, $a-b$의 값은?

① -23 ② -20 ③ 18 ④ 20 ⑤ 21

06 다항식 $x^4+px^3+(p+1)x+q$를 이차식 x^2-1로 나눈 나머지가 $2x+2$일 때, 상수 p, q의 값을 구하시오.

07 다항식 $f(x)=x^3-2x^2+ax-3$에 대하여 $f(x+2)$가 $x+1$로 나누어떨어질 때, 상수 a의 값을 구하시오.

08 다항식 $f(x)$와 모든 실수 x에 대하여 등식

$$x^4-ax^3+bx^2=(x+1)(x-3)f(x)-x+3$$

이 성립할 때, $f(2)$의 값을 구하시오.

09 모든 실수 x, y에 대하여 등식

$$a(x+2y)+b(-3x+y)-9x-4y=0$$

이 성립할 때, 상수 a, b의 값을 구하시오.

10 $x+y=1$을 만족시키는 모든 실수 x, y가 등식 $axy+bx+cy+5=0$을 만족시킬 때, $a+b+c$의 값은?

① -10 ② -5 ③ 0 ④ 5 ⑤ 10

11 등식 $(x^2-2x-4)^3=a_0+a_1x+a_2x^2+\cdots+a_5x^5+a_6x^6$이 x의 값에 관계없이 항상 성립할 때, 다음 식의 값을 구하시오.

(1) $a_0+a_1+a_2+a_3+a_4+a_5+a_6$

(2) $a_0-a_1+a_2-a_3+a_4-a_5+a_6$

12 다항식 x^3+ax+b가 x^2-x+1로 나누어떨어질 때, 상수 a, b의 값은?

① $a=0$, $b=-1$　② $a=0$, $b=1$　③ $a=1$, $b=0$
④ $a=1$, $b=1$　⑤ $a=2$, $b=1$

교육청 기출

13 다항식 $P(x)=x^3+x^2+x+1$을 $x-k$로 나눈 나머지와 $x+k$로 나눈 나머지의 합이 8이다. $P(x)$를 $x-k^2$으로 나눈 나머지를 구하시오.

14 다항식 $f(x)$를 $x-2$, $x+1$로 나눈 나머지가 각각 3, -3일 때, $(x^2+2x)f(x)$를 x^2-x-2로 나눈 나머지는?

① $7x-10$　② $7x+10$　③ $9x-12$
④ $9x+12$　⑤ $10x+9$

15 다항식 $f(x)$를 x^2+x-6으로 나눈 나머지가 $2x-1$이고, x^2+x-2로 나눈 나머지가 $x-3$이다. $f(x)$를 x^2-4로 나눈 나머지를 구하시오.

16 다항식 $f(x)$를 $(x-1)(x-2)$로 나눈 나머지가 $4x+3$일 때, $f(2x)$를 $x-1$로 나눈 나머지는?

① 8 ② 9 ③ 10 ④ 11 ⑤ 12

17 다항식 $f(x)$를 $x+3$으로 나눈 몫은 $Q(x)$, 나머지는 -1이고, $Q(x)$를 $x-4$로 나눈 나머지는 2이다. $xf(x)$를 $x-4$로 나눈 나머지를 구하시오.

18 $f(x)$는 x^3의 계수가 1인 삼차식이고 $f(1)=1$, $f(2)=4$, $f(3)=9$일 때, $f(x)$를 $x+1$로 나눈 나머지를 구하시오.

19 삼차식 $f(x)$가 $f(x+1)=f(x)+x^2$을 만족시킨다. $f(0)=3$일 때, $f(x)$를 x^2-3x+2로 나눈 나머지를 구하시오.

20 다항식 $f(x)$를 $(x-2)^2$으로 나눈 나머지는 $2x+1$이고, $x+2$로 나눈 나머지는 1이다. $f(x)$를 $(x-2)(x^2-4)$로 나눈 나머지를 $R(x)$라 할 때, $R(0)$의 값은?

① 1 ② 2 ③ 3 ④ 4 ⑤ 5

정답 개수 : /20 오답 번호 Check :

인수분해는 소인수분해와 명칭이 비슷하다. 소인수분해는 자연수를 소수의 곱으로 분해하는 것이고, 비슷하게 하나의 다항식을 유한 개의 더 이상 나누어지지 않는 다항식의 곱으로 나타내는 것을 인수분해라 한다. 다항식을 인수분해하면 다항식의 계산이 편해지고, 방정식의 해도 쉽게 찾을 수 있다. 인수분해는 다항식의 전개를 거꾸로 생각한 것으로, 앞에서 배운 곱셈 공식을 기억하면 인수분해 공식도 알 수 있다.

중학교에서 배운 인수분해 공식과 전 단원에서 배운 곱셈 공식을 기반으로 새로운 인수분해 공식을 배우고, 여러 가지 다항식을 인수분해하는 방법을 알아보자.

인수분해

4

4-1 인수분해 공식 (1)

개념

(1) $ma-mb+mc=m(a-b+c)$

(2) $a^2+2ab+b^2=(a+b)^2$, $a^2-2ab+b^2=(a-b)^2$

(3) $a^2-b^2=(a+b)(a-b)$

(4) $x^2+(a+b)x+ab=(x+a)(x+b)$

(5) $acx^2+(ad+bc)x+bd=(ax+b)(cx+d)$

(6) $a^2+b^2+c^2+2ab+2bc+2ca=(a+b+c)^2$

(7) $a^3+3a^2b+3ab^2+b^3=(a+b)^3$, $a^3-3a^2b+3ab^2-b^3=(a-b)^3$

(8) $a^3+b^3=(a+b)(a^2-ab+b^2)$, $a^3-b^3=(a-b)(a^2+ab+b^2)$

(9) $a^4+a^2b^2+b^4=(a^2+ab+b^2)(a^2-ab+b^2)$

인수분해

오른쪽과 같이 하나의 다항식을 두 개 이상의 다항식의 곱으로 나타내는 것을 인수분해라 한다.
인수분해는 전개하는 과정의 반대이다. 따라서 인수분해 공식은 곱셈 공식의 좌변과 우변이 바뀐 꼴이다.

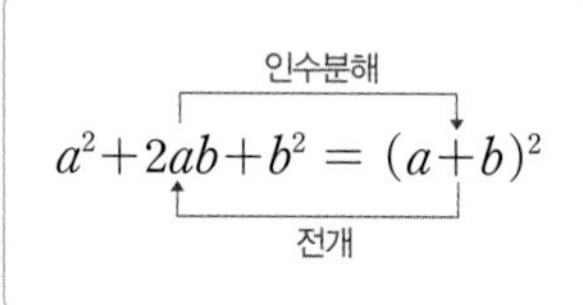

인수분해 공식 (1)
공통부분 묶기

인수분해의 기본은 분배법칙

$$\boldsymbol{ma-mb+mc=m(a-b+c)}$$

를 써서 각 항의 공통부분을 묶는 것이다.
예를 들어 $a^2x^2+a^2x+a^2$은 a^2이 각 항에 곱해져 있으므로

$$a^2x^2+a^2x+a^2=a^2(x^2+x+1)$$

과 같이 인수분해한다.
또 $ax+bx+ay+by$는 각 항에 공통으로 곱해진 문자나 식이 없지만

$$ax+bx=(a+b)x,\ ay+by=(a+b)y$$

에 착안하면 다음과 같이 인수분해할 수 있다.

$$\begin{aligned}ax+bx+ay+by&=(a+b)x+(a+b)y\\&=(a+b)(x+y)\end{aligned}$$

인수분해 공식 (2), (7)
$(a\pm b)^2$, $(a\pm b)^3$ 꼴

항이 세 개인 이차식, 항이 네 개인 삼차식은

$$a^2+2ab+b^2=(a+b)^2,\ a^2-2ab+b^2=(a-b)^2$$

$$a^3+3a^2b+3ab^2+b^3=(a+b)^3,\ a^3-3a^2b+3ab^2-b^3=(a-b)^3$$

을 이용하여 제곱식이나 세제곱식으로 고칠 수 있는지 확인한다.
예를 들어 $2x^3-6x^2y+6xy^2-2y^3$을 인수분해하면

$$2(x^3-3x^2y+3xy^2-y^3)=2(x-y)^3$$

인수분해 공식 (3), (8)
a^2-b^2, $a^3\pm b^3$ 꼴

항이 두 개인 이차식이나 삼차식은

$$a^2-b^2=(a+b)(a-b)$$

$$a^3+b^3=(a+b)(a^2-ab+b^2),\ a^3-b^3=(a-b)(a^2+ab+b^2)$$

을 이용할 수 있는 꼴로 고쳐 인수분해한다.

예를 들어 x^3-8y^3을 인수분해하면

$$x^3-(2y)^3=(x-2y)\{x^2+x\times 2y+(2y)^2\}=(x-2y)(x^2+2xy+4y^2)$$

인수분해 공식 (4), (5)
$(x+a)(x+b)$,
$(ax+b)(cx+d)$ 꼴

항이 세 개인 이차식은

$$x^2+(a+b)x+ab=(x+a)(x+b)$$

$$acx^2+(ad+bc)x+bd=(ax+b)(cx+d)$$

를 이용할 수 있는 꼴인지 확인한다.

예를 들어 $x^2+3px+2p^2$은 $a=p$, $b=2p$인 경우이므로 인수분해하면

$$x^2+3px+2p^2=(x+p)(x+2p)$$

인수분해 공식 (6)

항이 6개인 이차식은 다음 공식을 생각한다.

$$a^2+b^2+c^2+2ab+2bc+2ca=(a+b+c)^2$$

개념 Check

정답 및 풀이 21쪽

1 다음 식을 인수분해하시오.

(1) $xy^4-2x^2y^2+3xy^2$

(2) $a(x-y)+b(y-x)$

(3) $ac+bd+ad+bc$

2 다음 식을 인수분해하시오.

(1) $9x^2+6x+1$

(2) $9x^2-12xy+4y^2$

(3) x^3+3x^2+3x+1

(4) $a^3-6a^2b+12ab^2-8b^3$

3 다음 식을 인수분해하시오.

(1) x^2-4y^2

(2) $4-x^2y^2$

(3) x^3+27y^3

(4) $27a^3-8b^3$

4 다음 식을 인수분해하시오.

(1) x^2+2x-8

(2) $3x^2-5x-2$

5 $x^2+y^2+z^2-2xy+2yz-2zx$를 인수분해하시오.

4-2 인수분해 공식 (2)

(1) $a^3+b^3+c^3-3abc=(a+b+c)(a^2+b^2+c^2-ab-bc-ca)$

(2) $a^2+b^2+c^2-ab-bc-ca=\frac{1}{2}\{(a-b)^2+(b-c)^2+(c-a)^2\}$

인수분해 공식 변형 (1)

$(a+b+c)(a^2+b^2+c^2-ab-bc-ca)$

$=a^3+ab^2+ac^2-a^2b-abc-a^2c+a^2b+b^3+bc^2-ab^2-b^2c-abc$

$\quad +a^2c+b^2c+c^3-abc-bc^2-ac^2$

$=a^3+b^3+c^3-3abc$

이므로 좌변과 우변을 바꾸면 다음 인수분해 공식이 성립한다.

$$a^3+b^3+c^3-3abc=(a+b+c)(a^2+b^2+c^2-ab-bc-ca)$$

예를 들어 $a^3+b^3-8c^3+6abc$를 인수분해하면

$a^3+b^3+(-2c)^3-3ab(-2c)$

$=(a+b-2c)\{a^2+b^2+(-2c)^2-ab-b(-2c)-(-2c)a\}$

$=(a+b-2c)(a^2+b^2+4c^2-ab+2bc+2ca)$

인수분해 공식 변형 (2)

그리고 다음 변형은 인수분해는 아니지만 알고 있어야 한다.

$2a^2+2b^2+2c^2-2ab-2bc-2ca$

$=(a^2-2ab+b^2)+(b^2-2bc+c^2)+(c^2-2ca+a^2)$

$=(a-b)^2+(b-c)^2+(c-a)^2 \quad \cdots ㉠$

이므로 ㉠의 양변을 2로 나누면

$$a^2+b^2+c^2-ab-bc-ca=\frac{1}{2}\{(a-b)^2+(b-c)^2+(c-a)^2\}$$

참고 따라서 다음 변형식도 성립한다.

$$a^3+b^3+c^3-3abc=\frac{1}{2}(a+b+c)\{(a-b)^2+(b-c)^2+(c-a)^2\}$$

연속하는 세 문자 정리하기

세 문자 a, b, c가 연속하는 경우

ab, bc, ca

$(a-b)$, $(b-c)$, $(c-a)$

와 같이 정리하면 편하다.

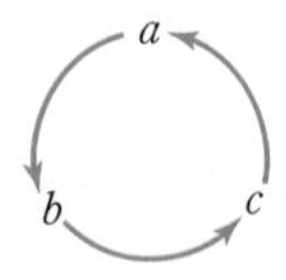

개념 Check

◆ 정답 및 풀이 21쪽

6 $x^3+y^3-z^3+3xyz$를 인수분해하시오.

대표 Q1 항이 두 개인 식의 인수분해

◆ 정답 및 풀이 21쪽

다음 식을 인수분해하시오.

(1) $4x^3-xy^2$ (2) x^4-y^4

(3) x^3+1 (4) x^3-8

(5) x^6-y^6 (6) $(x+y)^3+(x-y)^3$

날선 Guide (1) 삼차식이지만 공통인수 x로 묶으면 $x(4x^2-y^2)$이므로 a^2-b^2 꼴이다.

인수분해의 기본 ➡ 모든 항의 공통인수가 있는지 확인한다.

(2) $x^4=(x^2)^2$, $y^4=(y^2)^2$이므로 a^2-b^2 꼴이다.

(3) $1=1^3$이므로 a^3+b^3 꼴이다.

(4) $8=2^3$이므로 a^3-b^3 꼴이다.

(5) $x^6=(x^2)^3$, $y^6=(y^2)^3$으로 생각하여 a^3-b^3 꼴로 풀 수도 있고,
$x^6=(x^3)^2$, $y^6=(y^3)^2$으로 생각하여 a^2-b^2 꼴로 풀 수도 있다.

(6) a^3+b^3 꼴이다.

답 (1) $x(2x+y)(2x-y)$ (2) $(x^2+y^2)(x+y)(x-y)$
(3) $(x+1)(x^2-x+1)$ (4) $(x-2)(x^2+2x+4)$
(5) $(x+y)(x^2-xy+y^2)(x-y)(x^2+xy+y^2)$ (6) $2x(x^2+3y^2)$

항이 두 개인 식의 인수분해

- 이차식 ➡ $a^2-b^2=(a+b)(a-b)$
- 삼차식 ➡ $a^3+b^3=(a+b)(a^2-ab+b^2)$, $a^3-b^3=(a-b)(a^2+ab+b^2)$

1-1 다음 식을 인수분해하시오.

(1) $3xy^2-27x$ (2) $(x+1)^4-81$

(3) $x^3+\frac{1}{8}y^3$ (4) $32x^3-108y^3$

(5) x^6+y^6 (6) $x^3-(y+z)^3$

대표 Q2

항이 세 개인 식의 인수분해

◆ 정답 및 풀이 22쪽

다음 식을 인수분해하시오.

(1) $4x^3+12x^2y+9xy^2$ (2) $x^2y^2-2xy-15$

(3) $x^2+7xy+6y^2$ (4) $2x^2+(p+1)x-p(p-1)$

날선 Guide (1) 공통인수 x로 묶으면 $x(4x^2+12xy+9y^2)$이므로 $a^2+2ab+b^2$ 꼴이다.

(2) $(xy)^2-2xy-15$이므로 합이 -2, 곱이 -15인 두 수를 찾아

$$x^2+(a+b)x+ab=(x+a)(x+b)$$

를 이용한다.

(3) y를 상수로 생각하면 x에 대한 이차식이다.

합이 $7y$, 곱이 $6y^2$인 두 식을 찾으면 다음 공식을 이용할 수 있다.

$$x^2+(a+b)x+ab=(x+a)(x+b)$$

(4) p를 상수처럼 생각하면 다음 공식을 이용할 수 있다.

$$acx^2+(ad+bc)x+bd=(ax+b)(cx+d)$$

참고 $ac=2$, $bd=-p(p-1)$이고, $ad+bc=p+1$인 ac와 bd는 다음과 같이 찾는다.

$2 \quad -(p-1) \rightarrow -p+1$
$1 \quad p \rightarrow 2p \ (+$
$p+1$

답 (1) $x(2x+3y)^2$ (2) $(xy+3)(xy-5)$ (3) $(x+6y)(x+y)$ (4) $(2x-p+1)(x+p)$

날선 Point 항이 세 개인 식의 인수분해

- $a^2+2ab+b^2=(a+b)^2$, $a^2-2ab+b^2=(a-b)^2$
- $x^2+(a+b)x+ab=(x+a)(x+b)$
- $acx^2+(ad+bc)x+bd=(ax+b)(cx+d)$

2-1 다음 식을 인수분해하시오.

(1) $x^4-8x^2y^2+16y^4$ (2) $4x^2y^2-12xyz+9z^2$

2-2 다음 식을 인수분해하시오.

(1) $x^2-(2a+b)x+2ab$ (2) $3x^2-10xy+3y^2$ (3) $2x^2+3x-(2y+1)(y-1)$

대표 Q3

항이 네 개인 식의 인수분해

정답 및 풀이 23쪽

다음 식을 인수분해하시오.

(1) $ab+a+b+1$

(2) x^3+2x^2+2x+1

(3) $9x^2+6xy+y^2-16z^2$

(4) $27x^3-27x^2y+9xy^2-y^3$

날선 Guide (1) $ab+b=b(a+1)$이므로 두 항씩 묶어 공통인수를 찾는다.

(2) $(x^3+1)+(2x^2+2x)$와 같이 묶어 공통인수를 찾는다.

(3) $9x^2+6xy+y^2=(3x+y)^2$임을 이용하여 인수분해할 수 있다.

(4) 삼차항이 4개이다. $27x^3=(3x)^3$이므로 다음 공식을 적용할 수 있는지 확인한다.

$$a^3+3a^2b+3ab^2+b^3=(a+b)^3$$
$$a^3-3a^2b+3ab^2-b^3=(a-b)^3$$

참고 다음과 같이 두 항씩 묶어 인수분해할 수도 있다.

$$\begin{aligned}27x^3-27x^2y+9xy^2-y^3&=(27x^3-y^3)-(27x^2y-9xy^2)\\&=(3x-y)(9x^2+3xy+y^2)-9xy(3x-y)\\&=(3x-y)(9x^2+3xy+y^2-9xy)\\&=(3x-y)(3x-y)^2=(3x-y)^3\end{aligned}$$

답 (1) $(a+1)(b+1)$ (2) $(x+1)(x^2+x+1)$
(3) $(3x+y+4z)(3x+y-4z)$ (4) $(3x-y)^3$

항이 네 개인 식의 인수분해

- 두 항씩 묶어 공통인수를 찾는다.
- 공식을 적용할 수 있는 부분이 있는지 찾는다.
- $a^3+3a^2b+3ab^2+b^3$, $a^3-3a^2b+3ab^2-b^3$ 꼴인지 확인한다.

3-1 다음 식을 인수분해하시오.

(1) $ax+by-bx-ay$

(2) $x^3+6x^2-4x-24$

(3) $x^2-y^2-z^2+2yz$

3-2 다음 식을 인수분해하시오.

(1) $8x^3-12x^2+6x-1$

(2) $2x^3y+18x^2yz+54xyz^2+54yz^3$

대표 **Q4** **$a^3+b^3+c^3-3abc$의 활용**

◆ 정답 및 풀이 23쪽

다음 물음에 답하시오.

(1) $a-b=2+\sqrt{3}$, $b-c=-4$일 때, $a^2+b^2+c^2-ab-bc-ca$의 값을 구하시오.

(2) 세 변의 길이가 a, b, c이고 $a^3+b^3+c^3-3abc=0$인 삼각형은 어떤 삼각형인지 구하시오.

날선 Guide (1) $a^2+b^2+c^2-ab-bc-ca=\frac{1}{2}\{(a-b)^2+(b-c)^2+(c-a)^2\}$ ⋯ ㉠

따라서 $a-b=2+\sqrt{3}$, $b-c=-4$에서 $c-a$의 값부터 구한다.

(2) $a^3+b^3+c^3-3abc=(a+b+c)(a^2+b^2+c^2-ab-bc-ca)$

이므로 좌변이 0이면

$$a+b+c=0 \text{ 또는 } a^2+b^2+c^2-ab-bc-ca=0$$

이다.

a, b, c가 삼각형의 세 변의 길이이므로 양수라는 사실과 ㉠을 이용하면

a, b, c 사이의 관계를 구할 수 있다.

답 (1) 15 (2) 정삼각형

날선 Point

- $a^3+b^3+c^3-3abc=(a+b+c)(a^2+b^2+c^2-ab-bc-ca)$
- $a^2+b^2+c^2-ab-bc-ca=\frac{1}{2}\{(a-b)^2+(b-c)^2+(c-a)^2\}$

4-1 $x^3+y^3-27z^3+9xyz$를 인수분해하시오.

4-2 $a+b+c=3$, $a^2+b^2+c^2=5$, $abc=-4$일 때, 다음 식의 값을 구하시오.

(1) $ab+bc+ca$ (2) $a^3+b^3+c^3$

4-3 a, b, c가 양수이고 $a^3+b^3+c^3=3abc$일 때, $\frac{b+c}{3a}+\frac{c+a}{3b}+\frac{a+b}{3c}$의 값을 구하시오.

4-3 여러 가지 인수분해

1 공통부분이 있으면 치환하여 인수분해한다.

2 문자가 2개 이상인 경우 차수가 낮은 문자에 대해 정리한다.

3 ax^4+bx^2+c 꼴 ➡ $x^2=X$로 치환하거나 $(\quad)^2-(\quad)^2$ 꼴로 정리한다.

바로 공식을 적용할 수 없는 경우 위의 세 방법을 적용하거나 **4-4 인수정리를 이용한 인수분해**(58쪽)를 이용하면 풀 수 있는 경우가 대부분이다.

치환하는 인수분해

예를 들어 $(x+y)^2-3(x+y)-4$는 다음과 같이 인수분해할 수 있다.

$x+y=A$라 하면

$$A^2-3A-4=(A+1)(A-4)$$
$$=(x+y+1)(x+y-4)$$

이와 같이 공통부분이 있으면 치환하여 인수분해한다.

참고 이때 $x+y=A$로 놓지 않아도 $x+y$를 한 문자처럼 생각하고 계산할 수 있으면 된다.

문자가 2개 이상인 식의 인수분해

예를 들어 $a^2+b^2+c^2+2ab+2bc+2ca$는 공식을 모르더라도 다음과 같이 인수분해할 수 있다.

a에 대한 이차식, b에 대한 이차식, c에 대한 이차식이므로 a에 대해 정리하면

$$a^2+2a(b+c)+b^2+c^2+2bc=a^2+2a(b+c)+(b+c)^2$$

$b+c=A$라 하면

$$a^2+2aA+A^2=(a+A)^2=(a+b+c)^2$$

이와 같이 문자가 2개 이상인 경우 차수가 낮은 문자에 대해 정리하면 인수분해할 수 있는 경우가 많다.

ax^4+bx^2+c 꼴의 인수분해

예를 들어 x^4-3x^2-4는 다음과 같이 인수분해할 수 있다.

$x^4=(x^2)^2$이므로 $x^2=X$라 하면

$$X^2-3X-4=(X+1)(X-4)$$
$$=(x^2+1)(x^2-4)$$
$$=(x^2+1)(x+2)(x-2)$$

이와 같이 ax^4+bx^2+c 꼴은 x^2에 대한 이차식이므로 복이차식이라 한다.

x^4-6x^2+1은 $x^2=X$로 놓고 인수분해할 수 없다. 이런 경우

$$(\quad)^2-(\quad)^2$$

꼴로 고쳐 푼다. **대표 Q7**(61쪽)에서는 이 방법으로 인수분해한다.

4-4 인수정리를 이용한 인수분해

다항식 $f(x)$는 $f(\alpha)=0$인 α를 찾아 $f(x)=(x-\alpha)Q(x)$ 꼴로 인수분해한다.
이때 $f(x)=x^n+\cdots+b$ 꼴이면 α는 $\pm(b$의 약수$)$ 중 하나이다.

인수정리를 이용한 인수분해

인수정리에서 $f(\alpha)=0$이면 $f(x)$는 $x-\alpha$로 나누어떨어지고, $x-\alpha$는 $f(x)$의 인수이다.
따라서 $f(\alpha)=0$인 α를 찾으면

$$f(x)=(x-\alpha)Q(x)$$

꼴로 $f(x)$를 인수분해할 수 있다.
삼차식 x^3-x^2-5x+6은 앞에서 공부한 방법으로 인수분해하기 쉽지 않다.
$f(x)=x^3-x^2-5x+6$으로 놓으면

$$f(2)=2^3-2^2-5\times2+6=0$$

따라서 인수정리에 의해 $f(x)$는 $x-2$로 나누어떨어진다.
그리고 $f(x)$를 $x-2$로 나누면 몫이 x^2+x-3이므로

$$f(x)=(x-2)(x^2+x-3)$$

과 같이 인수분해할 수 있다.

2	1	−1	−5	6
		2	2	−6
	1	1	−3	0

$f(\alpha)=0$인 α의 값

다항식 $f(x)$에서 $f(\alpha)=0$인 α를 찾아보자.
$f(x)=x^3-x^2-5x+\mathbf{6}$일 때 $f(\alpha)=0$이라 하면 $f(x)$는 다음 꼴로 인수분해된다.

$$x^3-x^2-5x+6=(x-\alpha)(x^2+px+q)$$

우변을 전개할 때 상수항은 $-\alpha q$이므로

$$-\alpha q=6$$

α가 정수이면 α의 값은

$f(x)$의 상수항인 **6의 약수 1, 2, 3, 6과 −1, −2, −3, −6**

중 하나이다. 이 값을 차례로 넣어 $f(x)=0$인 값을 찾는다.

참고 1. 보통 다항식을 인수분해할 때 계수가 정수인 경우로만 생각하므로 α가 정수인 경우만 찾는다.
2. 음수인 -1, -2, -3, -6도 6의 약수라 생각하여 6의 약수를 대입한다고 생각하면 편하다.

개념 Check

◆ 정답 및 풀이 24쪽

7 다음 식을 인수분해하시오.

(1) x^3+x^2+x-3

(2) x^3-3x^2+4

대표 Q5

치환하는 문제

◆ 정답 및 풀이 24쪽

다음 식을 인수분해하시오.

(1) $(x^2+2x)^2-2(x^2+2x)-3$

(2) $(x+1)(x+3)(x-2)(x-4)+24$

날선 Guide (1) $x^2+2x=X$로 놓으면 주어진 식은

$$X^2-2X-3$$

이 식을 인수분해한 다음 X에 다시 x^2+2x를 대입하면 된다.

그리고 인수분해를 더 할 수 있는지 확인한다.

(2) $(x+1)(x+3)(x-2)(x-4)$를 전개한 다음 $+24$까지 포함하여 인수분해해야 한다.

이때 $x+3$과 $x-2$의 자리를 바꾸어 전개하면

$$\{(x+1)(x-2)\}\{(x+3)(x-4)\}=(x^2-x-2)(x^2-x-12)$$

x^2-x가 공통이므로 $x^2-x=X$로 놓으면 전개도 간단하고, 인수분해도 쉽다.

참고 앞의 두 식과 뒤의 두 식을 묶어 전개하면

$$\{(x+1)(x+3)\}\{(x-2)(x-4)\}=(x^2+4x+3)(x^2-6x+8)$$

이 식은 공통부분이 없어서 전개도 힘들고, 인수분해도 힘들다.

답 (1) $(x+1)^2(x+3)(x-1)$ (2) $(x+2)(x-3)(x^2-x-8)$

- 공통부분이 있으면 치환하여 푼다.
- 전개한 다음 식을 정리하고, 인수분해할 때에는 공통부분이 나오게 전개할 수 있는지 확인한다.

5-1 다음 식을 인수분해하시오.

(1) $(x^2+x)^2-7x^2-7x+6$

(2) $(x^2+2x-6)(x^2+3x-6)-2x^2$

up **5-2** $(x-1)(x-2)(x+2)(x+3)+k$가 $(x^2+ax+b)^2$ 꼴로 인수분해될 때 k의 값과 a, b의 값을 구하시오.

대표 Q6 문자가 두 개 이상인 식의 인수분해

◆ 정답 및 풀이 25쪽

다음 식을 인수분해하시오.

(1) $x^2+y^2-2xy-yz+zx$

(2) $x^2+2y^2+3xy-x-3y-2$

(3) $a^2(b-c)+b^2(c-a)+c^2(a-b)$

날선 Guide (1) x에 대한 이차식, y에 대한 이차식, z에 대한 일차식이다.

차수가 가장 낮은 z에 대해 정리하면 $(x-y)z+x^2+y^2-2xy$

따라서 $x^2+y^2-2xy=(x-y)^2$으로 정리하면 인수분해할 수 있다.

(2) x에 대한 이차식, y에 대한 이차식이므로 어느 문자에 대해 정리해도 된다.

x^2의 계수가 1이므로 x에 대해 정리하면 $x^2+(3y-1)x+2y^2-3y-2$

$2y^2-3y-2=(2y+1)(y-2)$이므로 다음 공식을 써서 인수분해한다.

$$x^2+(a+b)x+ab=(x+a)(x+b)$$

$$acx^2+(ad+bc)x+bd=(ax+b)(cx+d)$$

(3) 전개하면 $a^2b-a^2c+b^2c-b^2a+c^2a-c^2b$

이 식은 a에 대한 이차식, b에 대한 이차식, c에 대한 이차식이므로 어느 문자에 대해 정리해도 된다.

a에 대해 정리하면

$$(b-c)a^2-(b^2-c^2)a+b^2c-bc^2$$

$$=(b-c)a^2-(b+c)(b-c)a+bc(b-c)$$

공통인수 $b-c$로 묶은 다음 인수분해를 더 할 수 있는지 확인한다.

답 (1) $(x-y)(x-y+z)$ (2) $(x+2y+1)(x+y-2)$ (3) $-(a-b)(b-c)(c-a)$

문자가 두 개 이상인 식의 인수분해

➡ 차수가 낮은 문자에 대해 내림차순으로 정리한다.

6-1 다음 식을 인수분해하시오.

(1) $4x^2+4xz+z^2-4xy-2yz$

(2) $x^3+2x^2y-x-2y$

(3) $x^2+xy-2y^2+5x+4y+6$

(4) $a^2(b+c)+b^2(c+a)+c^2(a+b)+2abc$

UP 6-2 $x^2+4y^2+4z^2+4xy+8yz+4zx$를 인수분해하시오.

대표 Q7 x^4+ax^2+b 꼴의 인수분해

◆ 정답 및 풀이 26쪽

다음 식을 인수분해하시오.

(1) x^4+4x^2-5

(2) x^4-6x^2+1

(3) x^4+4

날선 Guide (1) $x^2=X$로 놓으면 $x^4=(x^2)^2=X^2$이므로 주어진 식은

$$X^2+4X-5=(X-1)(X+5)$$

로 인수분해할 수 있다.

그리고 X에 다시 x^2을 대입한 다음 인수분해를 더 할 수 있는지 확인한다.

(2) $x^2=X$로 놓으면 주어진 식은 X^2-6X+1

이 식은 인수분해할 수 없다. 이런 경우

$$x^4-2x^2+1-4x^2=(x^2-1)^2-(2x)^2$$

과 같이 $(\quad)^2-(\quad)^2$ 꼴로 변형하여 인수분해한다.

참고 $(\quad)^2-(\quad)^2$ 꼴로 고치는 방법은 다음 두 가지가 있다.

$x^4-2x^2+1-4x^2$ ➡ $(x^2-1)^2-4x^2$

$x^4+2x^2+1-8x^2$ ➡ $(x^2+1)^2-8x^2$

이 중 계수가 정수인 식의 곱으로 인수분해할 수 있는 꼴을 찾는다.

(3) $x^4+0\times x^2+4$로 생각하면

$$x^4+4=(x^4+4x^2+4)-4x^2$$

으로 변형하여 인수분해할 수 있다.

답 (1) $(x+1)(x-1)(x^2+5)$ (2) $(x^2+2x-1)(x^2-2x-1)$
(3) $(x^2+2x+2)(x^2-2x+2)$

x^4+ax^2+b 꼴의 인수분해

➡ $x^2=X$로 치환한다.

➡ $(\quad)^2-(\quad)^2$ 꼴로 고쳐 본다.

7-1 다음 식을 인수분해하시오.

(1) x^4-x^2-2

(2) x^4-5x^2+4

(3) x^4+7x^2+16

(4) $x^4-3x^2y^2+y^4$

대표 Q8

인수정리를 이용한 인수분해

◆ 정답 및 풀이 26쪽

다음 식을 인수분해하시오.

(1) $x^4-4x^3+5x^2-4x+4$ (2) $2x^3+x^2+5x-3$

날선 Guide (1) $f(x)=x^4-4x^3+5x^2-4x+4$라 하면 $f(\alpha)=0$인 α를 찾아

$$f(x)=(x-\alpha)Q(x)$$

꼴로 인수분해한다. 이때 $f(x)$의 상수항이 4이므로 α는

$$1,\ 2,\ 4\text{와 } -1,\ -2,\ -4$$

중 하나이다.

그리고 $Q(x)$를 더 인수분해할 수 있는지 확인한다.

(2) $f(x)=2x^3+x^2+5x-3$이라 하면 $f(x)$는 최고차항의 계수가 1이 아니다.

$$2x^3+x^2+5x-3=(ax+b)(px^2+qx+r)\ (\text{계수는 정수})$$

와 같이 인수분해된다고 하면 $f\left(-\frac{b}{a}\right)=0$

우변을 전개할 때 x^3의 계수는 ap, 상수항은 br이므로

$$ap=2,\ br=-3$$

따라서 a는 2의 약수이므로 1, 2와 -1, -2 중 하나이고,

b는 3의 약수이므로 1, 3과 -1, -3 중 하나이다.

곧, 가능한 $-\frac{b}{a}$는

$$\frac{1}{1},\ \frac{3}{1},\ \frac{1}{2},\ \frac{3}{2}\text{과 }-\text{를 생각한 }-\frac{1}{1},\ -\frac{3}{1},\ -\frac{1}{2},\ -\frac{3}{2}$$

이다. 이 값을 $f(x)$에 대입하면 $f(x)=0$인 값을 찾을 수 있다.

답 (1) $(x-2)^2(x^2+1)$ (2) $(2x-1)(x^2+x+3)$

다항식 $f(x)$의 인수분해

- $f(\alpha)=0$인 α를 찾아 $x-\alpha$로 나눈다.
- $f(x)=x^n+\cdots+b$ 꼴이면 α는 $\pm(b\text{의 약수})$ 중 하나

  $f(x)=ax^n+\cdots+b$ 꼴이면 α는 $\pm\left(\frac{b\text{의 약수}}{a\text{의 약수}}\right)$ 중 하나

8-1 다음 식을 인수분해하시오.

(1) x^3+3x^2-4 (2) $3x^3+4x^2+4x+1$

(3) $x^4+x^3-7x^2-x+6$ (4) $2x^4+x^3+4x^2+4x+1$

대표 Q9 인수분해의 활용

◆ 정답 및 풀이 27쪽

다음 물음에 답하시오.

(1) $2\times19^3+5\times19^2+4\times19+1$을 400으로 나눈 몫과 나머지를 구하시오.

(2) $\sqrt{37\times38\times39\times40+1}=a\times10^3+b\times10^2+c\times10+d$일 때, 한 자리 자연수 a, b, c, d의 값을 구하시오.

날선 Guide (1) 19가 반복되므로

$$f(x)=2x^3+5x^2+4x+1$$

이라 하면 주어진 식은 $x=19$를 대입한 꼴이다.

인수정리를 이용하여 $f(x)$를 인수분해하고 $x=19$를 대입한다.

(2) 37, 38, 39, 40에 착안하여 $37=x$로 놓으면

$$37\times38\times39\times40+1=x(x+1)(x+2)(x+3)+1 \qquad \cdots ㉠$$

이다. ㉠의 우변은 인수분해가 가능한 꼴이므로 인수분해한 다음, 다시 $x=37$을 대입하면 식의 값을 보다 쉽게 구할 수 있다.

참고 수로 주어진 식의 값을 구하는 문제는
적당한 수를 문자로 나타낸 다음,
인수분해하거나 곱셈 공식을 이용하여 정리할 수 있다.

답 (1) 몫 : 39, 나머지 : 0 (2) $a=1$, $b=4$, $c=8$, $d=1$

수로 주어진 식의 값
➡ 적당한 수를 문자로 나타내고 정리한다.

9-1 $\dfrac{999^3+1}{998\times999+1}$의 값을 구하시오.

9-2 11^3+11^2-11+2를 세 소수의 곱으로 나타낼 때, 세 소수를 구하시오.

9-3 $11\times13\times14\times16=N^2-9$일 때, 자연수 N의 값을 구하시오.

$(x-a)^2$ 꼴로 나누어떨어지는 다항식

◆ 정답 및 풀이 28쪽

다항식 $f(x)=ax^4+bx^3+1$이 $(x-1)^2$으로 나누어떨어질 때, a, b의 값을 구하고 $f(x)$를 인수분해하시오.

날선 Guide $f(x)$가 $(x-1)^2$을 인수로 가지면 $f(x)$는 $(x-1)^2$으로 나누어떨어진다.

따라서 $f(x)=ax^4+bx^3+1$을 $(x-1)^2$으로 나눈 몫을 $Q(x)$라 하면

$$ax^4+bx^3+1=(x-1)^2Q(x) \qquad \cdots ㉠$$

로 놓을 수 있고, 이 식은 x에 대한 항등식이다.

이때 a, b의 값을 구하는 방법으로 다음 두 가지를 생각할 수 있다.

방법 1 ㉠의 양변에 $x=1$을 대입하면

$a+b+1=0$

곧, $b=-a-1$이므로

$$f(x)=ax^4-(a+1)x^3+1$$

1	a	$-(a+1)$	0	0	1
		a	-1	-1	-1
	a	-1	-1	-1	0

$f(1)=0$이므로 $f(x)$는 $x-1$로 나누어떨어진다. 이때 몫을 구하면

$$f(x)=(x-1)(ax^3-x^2-x-1)$$

㉠의 좌변에 대입하면

$$(x-1)(ax^3-x^2-x-1)=(x-1)^2Q(x)$$

x에 대한 항등식이므로 양변을 $x-1$로 나누어도 성립한다. 곧,

$$ax^3-x^2-x-1=(x-1)Q(x)$$

이 식도 x에 대한 항등식이므로 양변에 $x=1$을 대입하여 a의 값을 구한다.

방법 2 $Q(x)$가 이차식이므로 $Q(x)=px^2+qx+r$로 놓는다.

그리고 우변을 전개한 다음 좌변과 우변의 계수를 비교한다.

답 $a=3$, $b=-4$, $(x-1)^2(3x^2+2x+1)$

날선 Point

다항식 $f(x)$가 $(x-1)^2$으로 나누어떨어지면

➡ $f(x)=(x-1)(\qquad)$ 꼴로 정리하고,

$(\qquad)$ 부분이 $x-1$로 나누어떨어질 조건을 찾는다.

10-1 다항식 $f(x)=x^4+ax+b$가 $(x+1)^2$으로 나누어떨어질 때, a, b의 값을 구하고 $f(x)$를 인수분해하시오.

4 인수분해

01 다음 식을 인수분해하시오.

(1) $4x-8y+(x-2y)^2$

(2) $x^3-xy^2-y^2z+x^2z$

02 다음 식을 인수분해하시오.

(1) $(x-y)^2-6(x-y)+9$

(2) $-8x^3+36x^2y-54xy^2+27y^3$

(3) $x^2+y^2+4z^2-2xy-4yz+4zx$

(4) x^4+x^2+1

03 다음 중 인수분해가 <u>잘못된</u> 것은?

① $x^3-27=(x-3)(x^2+3x+9)$

② $x^4-18x^2y^2+81y^4=(x+3y)^2(x-3y)^2$

③ $x^2+y^2-z^2-2xy=(x-y+z)(x-y-z)$

④ $x^2+y^2+z^2-2xy+2yz-2zx=(x-y+z)^2$

⑤ $x^4-1=(x+1)(x-1)(x^2+1)$

04 다음 식을 인수분해하시오.

(1) $2x^2-(y-8)x-y^2+y+6$

(2) $x^2-2y^2-xy-2x-5y-3$

05 다음 식을 인수분해하시오.

(1) $(x^2+3x)(x^2+3x-3)-18$

(2) $(x-1)(x+1)(x+3)(x+5)-9$

06 다항식 x^4+7x^2+16이 $(x^2+ax+b)(x^2-ax+b)$로 인수분해될 때, $a+b$의 값은? (단, $a>0$, $b>0$)

① 5 ② 6 ③ 7 ④ 8 ⑤ 9

07 다음 식을 인수분해하시오.

(1) $x^3-3x^2-10x+24$ (2) $x^4-2x^3+2x^2-x-6$

08 1이 아닌 두 자연수 a, b에 대하여 $11^4-6^4=a\times b\times 157$로 나타낼 때, $a+b$의 값은?

① 21 ② 22 ③ 23 ④ 24 ⑤ 25

09 $\dfrac{1339^3-8}{1339\times 1341+4}$의 값을 구하시오.

10 그림과 같이 가로의 길이가 n^3+5n^2+4n, 세로의 길이가 n^2+4n+3인 직사각형 모양의 바닥에 한 변의 길이가 $n+1$인 정사각형 모양의 타일을 겹치지 않게 빈틈없이 깔려고 한다. 필요한 타일의 개수가 $(n+a)(n+b)(n+c)$일 때, $a+b+c$의 값은?

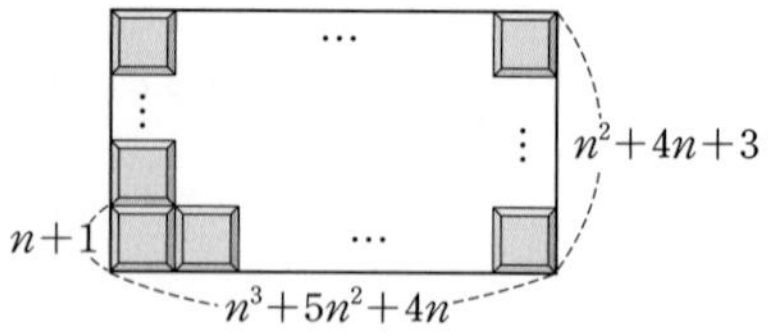

① 7 ② 8 ③ 9 ④ 10 ⑤ 11

11 $2(x-1)^2+3(x-1)(x+2)+(x+2)^2$을 인수분해하면 $ax(bx+1)$이다. 자연수 a, b의 값을 구하시오.

교육청 기출

12 두 자연수 a, b에 대하여 $a^2b+2ab+a^2+2a+b+1$의 값이 245일 때, $a+b$의 값은?

① 9　② 10　③ 11　④ 12　⑤ 13

13 다음 식을 인수분해하시오.

(1) $(a+b+c)(bc+ca+ab)-abc$

(2) $a(b^2-c^2)+b(c^2-a^2)+c(a^2-b^2)$

14 다항식 $x^3-y^3-6xy-8$이 $(x+ay+b)(x^2+y^2-axy-bx-2y+4)$로 인수분해될 때, 실수 a, b의 값을 구하시오.

15 $(x^2+3x+2)(x^2+7x+12)-3$이 $(x^2+ax+b)(x^2+cx+d)$로 인수분해될 때, $a+b+c+d$의 값은?

① 18　② 20　③ 22　④ 24　⑤ 26

월　일

16 삼각형의 세 변의 길이를 a, b, c라 하자. $a^3-c^3+ab^2+a^2c+b^2c-ac^2=0$일 때, 이 삼각형은 어떤 삼각형인가?

① 빗변의 길이가 a인 직각삼각형
② 빗변의 길이가 b인 직각삼각형
③ 빗변의 길이가 c인 직각삼각형
④ $a=c$인 이등변삼각형
⑤ $a=c$인 직각이등변삼각형

17 a, b, c는 삼각형의 세 변의 길이이고, $a^4+b^4+c^4+2a^2b^2-2b^2c^2-2c^2a^2=0$이다. 이 삼각형의 둘레의 길이가 15, 넓이가 $\frac{15}{2}$일 때, c의 값을 구하시오.

18 다음 식을 인수분해하시오.

(1) x^5-1
(2) x^5+1

19 $x-1$, $x+1$이 다항식 $f(x)=x^4-2x^3+ax^2+bx+8$의 인수이다. 상수 a, b의 값을 구하고 $f(x)$를 인수분해하시오.

20 x에 대한 100개의 이차식 x^2-x-1, x^2-x-2, x^2-x-3, $\cdots$, $x^2-x-100$이 있다. 이 중에서 계수가 정수인 두 일차식의 곱으로 인수분해할 수 있는 것의 개수를 구하시오.

정답 개수 : /20 오답 번호 Check :

실수를 제곱하면 항상 0 이상인 수이므로 실수의 범위에서 이차방정식 $x^2=-1$의 해는 존재하지 않는다. 따라서 이차방정식 $x^2=-1$의 해가 존재하기 위해서는 새로운 수의 범위가 필요하다.

이 단원에서는 제곱해서 -1이 되는 허수단위 i에 대하여 알아보고, 수의 범위를 복소수까지 확장하여 살펴보자. 또 복소수의 사칙연산과 성질에 대해서도 알아보자.

복소수

5-1 복소수

개념

1 제곱해서 -1이 되는 수를 기호 i로 나타낸다. 곧, $\boldsymbol{i^2=-1}$

2 $a+bi$ (a, b는 실수) 꼴로 나타낸 수를 복소수라 한다.

3 a, b가 실수일 때 $a-bi$를 복소수 $a+bi$의 켤레복소수라 하고 $\overline{a+bi}$로 나타낸다.

허수단위 i

(실수)$^2\geq 0$이므로 제곱해서 -1이 되는 실수는 없다.

따라서 제곱해서 -1이 되는 새로운 수를 생각하고 기호 i를 써서 나타낸다. 그리고 i를 **허수단위**라 한다. 곧,

$\boxed{?}^2=-1$

$$\boldsymbol{i^2=-1,\ \sqrt{-1}=i}$$

복소수

$2+3i$, $3-i$, $-\frac{1}{2}+\frac{3}{4}i$, $-3i(=0-3i)$와 같이

$$\boldsymbol{a+bi\ (a,\ b\text{는 실수})}$$

꼴로 나타낸 수를 **복소수**라 하고, a를 **실수부분**, b를 **허수부분**이라 한다.

복소수의 분류

$b=0$, 곧 허수부분이 0인 복소수는 실수이다.

$b\neq 0$, 곧 실수가 아닌 복소수를 **허수**라 하고,

$a=0$, 곧 실수부분이 0인 허수를 **순허수**라 한다.

예를 들어 $3i$, $-i$ 등은 순허수이다.

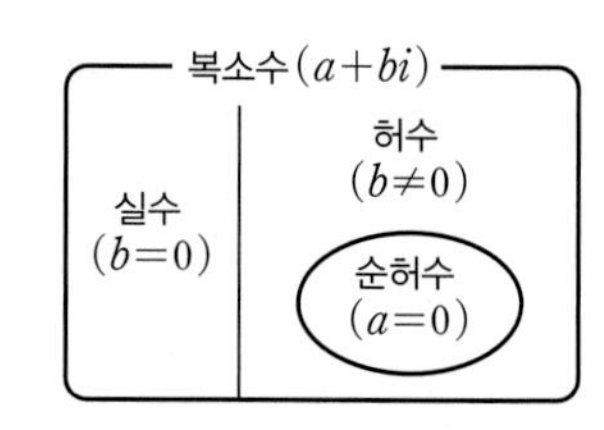

켤레복소수

복소수 $2+3i$의 허수부분 3의 부호만 바꾼 복소수 $2-3i$를 $2+3i$의 **켤레복소수**라 하고 기호 ¯를 써서 나타낸다. 곧, $\overline{2+3i}=2-3i$이다.

$$a+bi\ (a,\ b\text{는 실수})\text{의 켤레복소수} \Rightarrow \overline{a+bi}=a-bi$$

실수 2는 $2+0i$이므로 켤레복소수는 $2-0i=2$, 곧 자기 자신이다.

또 순허수 $3i$는 $0+3i$이므로 켤레복소수는 $0-3i=-3i$이다.

복소수가 서로 같을 조건

실수부분끼리, 허수부분끼리 같은 두 복소수는 서로 같은 복소수이다. 곧,

$$a=c,\ b=d\text{이면 } a+bi=c+di\ (\text{단, } a,\ b,\ c,\ d\text{는 실수})$$

개념 Check

◆ 정답 및 풀이 33쪽

1 다음 복소수의 실수부분과 허수부분을 구하시오.

(1) $4+2i$ (2) $2-3i$ (3) $5i$

2 다음 복소수의 켤레복소수를 구하시오.

(1) $-3+i$ (2) $5-2i$ (3) -2 (4) $6i$

5-2 복소수의 사칙연산

복소수의 사칙연산은 i를 문자처럼 생각하고 정리한 다음 $i^2=-1$을 대입한다.

두 복소수 $4+2i$, $2-3i$에 대하여

복소수의 덧셈과 뺄셈

덧셈과 뺄셈 : i를 문자처럼 생각하고 실수부분과 허수부분을 각각 더하거나 뺀다.

$$(4+2i)+(2-3i)=(4+2)+(2-3)i=6-i$$

$$(4+2i)-(2-3i)=(4-2)+\{2-(-3)\}i=2+5i$$

복소수의 곱셈

곱셈 : i를 문자처럼 생각하고 전개한 다음 $i^2=-1$로 고친다.

$$(4+2i)(2-3i)=4\times2+4\times(-3i)+2i\times2+2i\times(-3i)$$ → $(a+b)(c+d)=ac+ad+bc+bd$

$$=8-12i+4i-6i^2$$ → $i^2=-1$을 대입

$$=8+(-12+4)i+6$$

$$=14-8i$$

복소수의 나눗셈

나눗셈 : $z=a+bi$ (a, b는 실수)일 때

$$z\bar{z}=(a+bi)(a-bi)=a^2-b^2i^2=a^2+b^2$$ → $(a+b)(a-b)=a^2-b^2$

이므로 분자, 분모에 분모의 켤레복소수를 곱하고 정리한다.

$$(4+2i)\div(2-3i)=\frac{4+2i}{2-3i}=\frac{(4+2i)(2+3i)}{(2-3i)(2+3i)}$$

$$=\frac{8+12i+4i+6i^2}{4-9i^2}$$ → $i^2=-1$을 대입

$$=\frac{2+16i}{13}=\frac{2}{13}+\frac{16}{13}i$$

복소수의 연산법칙

세 복소수 z, w, v에 대하여 다음이 성립한다.

(1) 교환법칙 : $z+w=w+z$, $zw=wz$

(2) 결합법칙 : $(z+w)+v=z+(w+v)$, $(zw)v=z(wv)$

(3) 분배법칙 : $z(w+v)=zw+zv$, $(z+w)v=zv+wv$

결합법칙이 성립하므로 괄호는 생략하고 $z+w+v$, zwv와 같이 나타내기도 한다.

개념 Check

◆ 정답 및 풀이 33쪽

3 두 복소수 $4-2i$, $1+3i$에 대하여 다음을 계산하시오.

(1) $(4-2i)+(1+3i)$　　(2) $(4-2i)-(1+3i)$

(3) $(4-2i)(1+3i)$　　(4) $(4-2i)\div(1+3i)$

5-3 i^n과 $\overline{z}$의 사칙연산

1 i^n의 계산

$$i^2=-1,\ i^3=-i,\ i^4=1,\ \cdots,\ i^{4n}=1\ (n\text{은 자연수})$$

2 $\overline{z}$의 사칙연산

$$\overline{z_1\pm z_2}=\overline{z_1}\pm\overline{z_2},\ \overline{z_1z_2}=\overline{z_1}\times\overline{z_2},\ \overline{\left(\frac{z_1}{z_2}\right)}=\frac{\overline{z_1}}{\overline{z_2}}\ (\text{단, } z_2\neq0)$$

i^n의 계산

$i^2=-1$이므로

$i^3=i^2\times i=-i$,

$i^4=(i^2)^2=(-1)^2=1$,

$i^5=i^4\times i=i$, $\cdots$

따라서 i, i^2, i^3, i^4, i^5, i^6, $\cdots$은 다음과 같이 순환한다.

i, -1, $-i$, 1, i, -1, $\cdots$

특히 n이 자연수일 때 $i^{4n}=1$이다.

$\overline{z}$의 사칙연산

$z_1=a+bi$, $z_2=c+di$ (a, b, c, d는 실수)라 하면

$z_1+z_2=(a+c)+(b+d)i$이므로 $\overline{z_1+z_2}=(a+c)-(b+d)i$

또 $\overline{z_1}=a-bi$, $\overline{z_2}=c-di$이므로 $\overline{z_1}+\overline{z_2}=(a+c)-(b+d)i$

따라서 $\overline{z_1+z_2}=\overline{z_1}+\overline{z_2}$이다.

$z_1z_2=(ac-bd)+(ad+bc)i$이므로 $\overline{z_1z_2}=(ac-bd)-(ad+bc)i$

또 $\overline{z_1}\times\overline{z_2}=(a-bi)(c-di)=ac-bd-(ad+bc)i$

따라서 $\overline{z_1z_2}=\overline{z_1}\times\overline{z_2}$이다.

같은 방법으로 $\overline{z_1-z_2}$와 $\overline{z_1}-\overline{z_2}$, $\overline{\left(\frac{z_1}{z_2}\right)}$와 $\frac{\overline{z_1}}{\overline{z_2}}$를 계산하면 다음이 성립함을 알 수 있다.

$$\overline{z_1-z_2}=\overline{z_1}-\overline{z_2},\ \overline{\left(\frac{z_1}{z_2}\right)}=\frac{\overline{z_1}}{\overline{z_2}}$$

참고 $z=a+bi$ (a, b는 실수)일 때 $\overline{z}=a-bi$이므로

$z+\overline{z}=(a+bi)+(a-bi)=2a$, $z\overline{z}=(a+bi)(a-bi)=a^2+b^2$

곧, 복소수와 그 켤레복소수의 합과 곱은 실수이다.

개념 Check

◆ 정답 및 풀이 33쪽

4 $i+i^2+i^3+i^4$을 계산하시오.

5 $z_1z_2=3-2i$일 때, $\overline{z_1}\times\overline{z_2}$의 값을 구하시오.

5-4 음수의 제곱근

1 음수의 제곱근

$a>0$일 때

(1) $\sqrt{-a}=\sqrt{a}i$ (2) $-a$의 제곱근은 $\pm\sqrt{a}i$이다.

2 음수의 제곱근의 성질

(1) $a<0$이고 $b<0$이면 $\sqrt{a}\sqrt{b}=-\sqrt{ab}$ (2) $a>0$이고 $b<0$이면 $\dfrac{\sqrt{a}}{\sqrt{b}}=-\sqrt{\dfrac{a}{b}}$

음수의 제곱근

$(\sqrt{2}i)^2=(\sqrt{2})^2i^2=-2$, $(-\sqrt{2}i)^2=(-\sqrt{2})^2i^2=-2$이므로 $\pm\sqrt{2}i$는 -2의 제곱근이다.

따라서 $\sqrt{-2}=\sqrt{2}i$, $-\sqrt{-2}=-\sqrt{2}i$로 쓰기로 약속한다.

$a>0$일 때 ➡ (1) $\sqrt{-a}=\sqrt{a}i$

(2) $-a$의 제곱근은 $\pm\sqrt{a}i$

음수의 제곱근의 성질

$\sqrt{2}\sqrt{3}=\sqrt{6}$, $\dfrac{\sqrt{2}}{\sqrt{3}}=\sqrt{\dfrac{2}{3}}$가 성립함은 이미 중학교 과정에서 공부하였다. 그러나 음수의 제곱근에서는 다음과 같이 성립하지 않는 경우가 있다.

$$\sqrt{-2}\sqrt{-3}=(\sqrt{2}i)(\sqrt{3}i)=\sqrt{2}\sqrt{3}i^2=-\sqrt{6}$$

$$\frac{\sqrt{2}}{\sqrt{-3}}=\frac{\sqrt{2}}{\sqrt{3}i}=\frac{\sqrt{2}i}{\sqrt{3}i^2}=-\frac{\sqrt{2}}{\sqrt{3}}i=-\sqrt{\frac{2}{3}}i=-\sqrt{-\frac{2}{3}}$$

$\sqrt{a}\sqrt{b}$와 $\dfrac{\sqrt{a}}{\sqrt{b}}$는 a, b의 부호에 따라 다음 표와 같이 나타낼 수 있다.

	$a>0, b>0$	$a>0, b<0$	$a<0, b>0$	$a<0, b<0$
$\sqrt{a}\sqrt{b}$	$\sqrt{ab}$	$\sqrt{ab}$	$\sqrt{ab}$	$-\sqrt{ab}$
$\dfrac{\sqrt{a}}{\sqrt{b}}$	$\sqrt{\dfrac{a}{b}}$	$-\sqrt{\dfrac{a}{b}}$	$\sqrt{\dfrac{a}{b}}$	$\sqrt{\dfrac{a}{b}}$

참고 $a=0$ 또는 $b=0$이면 $\sqrt{a}\sqrt{b}=\sqrt{ab}$라 해도 되고 $\sqrt{a}\sqrt{b}=-\sqrt{ab}$라 해도 된다.
또 $a=0$이고 $b\neq0$이면 $\dfrac{\sqrt{a}}{\sqrt{b}}=\sqrt{\dfrac{a}{b}}$라 해도 되고 $\dfrac{\sqrt{a}}{\sqrt{b}}=-\sqrt{\dfrac{a}{b}}$라 해도 된다.

개념 Check

◆ 정답 및 풀이 33쪽

6 다음 수를 i를 사용하여 나타내시오.

(1) $\sqrt{-5}$ (2) $-\sqrt{-10}$

(3) -4의 제곱근 (4) $-\dfrac{2}{9}$의 제곱근

7 다음을 계산하시오.

(1) $\sqrt{2}\sqrt{-8}$ (2) $\dfrac{\sqrt{2}}{\sqrt{-8}}$

대표 Q1

복소수의 사칙연산

◆ 정답 및 풀이 34쪽

다음을 $a+bi$ (a, b는 실수) 꼴로 나타내시오.

(1) $(1-\sqrt{2}i)^2$

(2) $(2+\sqrt{-5})(1-2\sqrt{-5})$

(3) $\frac{3-i}{1+2i}+\frac{3+i}{1-2i}$

(1) $(1-\sqrt{2}i)^2=(1-\sqrt{2}i)(1-\sqrt{2}i)$를 계산하거나 곱셈 공식 $(a-b)^2=a^2-2ab+b^2$을 이용하여 계산한다.

(2) 근호 안에 음수가 있는 경우 $\sqrt{-5}=\sqrt{5}i$와 같이 i를 이용하여 나타낸 다음 계산하면 쉽다. 곧, $\sqrt{}$ 안이 음수이면 i로 나타낸다.

(3) $\frac{3-i}{1+2i}$의 분모, 분자에는 분모 $1+2i$의 켤레복소수인 $1-2i$를 곱하고, $\frac{3+i}{1-2i}$의 분모, 분자에는 분모 $1-2i$의 켤레복소수인 $1+2i$를 곱하여 정리한다.

답 (1) $-1-2\sqrt{2}i$ (2) $12-3\sqrt{5}i$ (3) $\frac{2}{5}$

날선 Point

복소수의 사칙연산

- 음수의 제곱근은 $\sqrt{-a}=\sqrt{a}i$ $(a>0)$로 고친다.
- i를 문자처럼 생각하고 정리한 다음, $i^2=-1$로 고친다.
- 분수는 분모, 분자에 분모의 켤레복소수를 곱하고 정리한다.

1-1 다음을 $a+bi$ (a, b는 실수) 꼴로 나타내시오.

(1) $(5+4i)^2$

(2) $(1-\sqrt{-2})(1+\sqrt{-2})$

(3) $(2-\sqrt{3}i)(-3+2\sqrt{3}i)+(2-\sqrt{3}i)(5-\sqrt{3}i)$

(4) $\frac{1}{3+4i}+\frac{1}{3-4i}$

(5) $\frac{1-\sqrt{3}i}{1+\sqrt{3}i}+\frac{\sqrt{3}}{1+i}$

대표 Q2

복소수의 거듭제곱

◆ 정답 및 풀이 34쪽

다음을 $a+bi$ (a, b는 실수) 꼴로 나타내시오.

(1) $i+i^2+i^3+i^4+\cdots+i^{50}$

(2) $\left(\dfrac{1+i}{1-i}\right)^{101}$

(3) $(1+\sqrt{3}i)^{10}$

날선 Guide (1) i, i^2, i^3, i^4, i^5, i^6, $\cdots$은 다음과 같이 순환한다.

$$i,\ -1,\ -i,\ 1,\ i,\ -1,\ \cdots$$

특히 n이 자연수일 때 $i^{4n}=1$이다.

따라서

$$i+i^2+i^3+i^4,$$
$$i^5+i^6+i^7+i^8=i^4(i+i^2+i^3+i^4),\ \cdots$$

임을 이용한다.

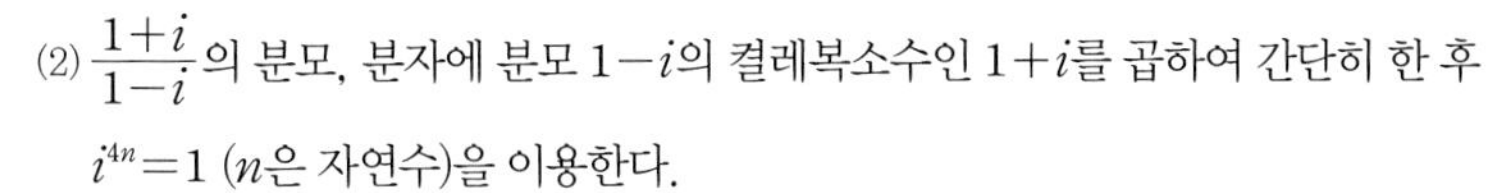

(2) $\dfrac{1+i}{1-i}$의 분모, 분자에 분모 $1-i$의 켤레복소수인 $1+i$를 곱하여 간단히 한 후 $i^{4n}=1$ (n은 자연수)을 이용한다.

(3) $(1+\sqrt{3}i)^2=1+2\sqrt{3}i+3i^2=-2+2\sqrt{3}i$,

$(1+\sqrt{3}i)^3=(-2+2\sqrt{3}i)(1+\sqrt{3}i)$, $\cdots$

를 차례로 계산하면 $(1+\sqrt{3}i)^n$이 간단한 수가 되는 n을 찾을 수 있다.

답 (1) $-1+i$ (2) i (3) $-512-512\sqrt{3}i$

z^n의 계산

- i^n은 i, -1, $-i$, 1이 반복된다.
- $i^{4n}=1$ (n은 자연수)
- z^2, z^3, $\cdots$을 차례로 계산해서 z^n이 간단한 수가 되는 n을 찾는다.

2-1 다음을 $a+bi$ (a, b는 실수) 꼴로 나타내시오.

(1) $i+i^6+i^{14}+i^{19}+i^{21}$

(2) $\dfrac{1}{i}+\dfrac{1}{i^2}+\dfrac{1}{i^3}+\cdots+\dfrac{1}{i^9}$

(3) $(1+i)^{12}$

(4) $\left(\dfrac{1}{2}-\dfrac{\sqrt{3}}{2}i\right)^{20}$

$\overline{z}$의 사칙연산

◆ 정답 및 풀이 35쪽

다음 물음에 답하시오.

(1) $x=\frac{\sqrt{3}+i}{2}$, $y=\frac{\sqrt{3}-i}{2}$일 때, x^3+y^3의 값을 구하시오.

(2) 두 복소수 $\alpha=3-i$, $\beta=-1+2i$에 대하여 $\alpha\overline{\alpha}+\alpha\overline{\beta}+\overline{\alpha}\beta+\beta\overline{\beta}$의 값을 구하시오.

날선 Guide (1) y는 x의 켤레복소수이므로 $x+y$, xy가 실수이다.

따라서 x^3, y^3을 바로 계산하는 것보다

$$x^3+y^3=(x+y)^3-3xy(x+y)$$

로 고친 다음, $x+y$와 xy의 값을 이용하여 계산하는 것이 편하다.

(2) $\overline{\alpha}$, $\overline{\beta}$의 값을 바로 대입하여 구할 수도 있고

다음과 같이 변형하여 구할 수도 있다.

$$\begin{aligned}\alpha\overline{\alpha}+\alpha\overline{\beta}+\overline{\alpha}\beta+\beta\overline{\beta}&=\alpha(\overline{\alpha}+\overline{\beta})+\beta(\overline{\alpha}+\overline{\beta})\\&=(\alpha+\beta)(\overline{\alpha}+\overline{\beta})\\&=(\alpha+\beta)\overline{(\alpha+\beta)}\end{aligned}$$

답 (1) 0 (2) 5

$z=a+bi$ (a, b는 실수)일 때

- $\overline{z}=a-bi$
- $z+\overline{z}$, $z\overline{z}$는 실수이다.
- $\overline{z_1\pm z_2}=\overline{z_1}\pm\overline{z_2}$, $\overline{z_1z_2}=\overline{z_1}\times\overline{z_2}$, $\overline{\left(\frac{z_1}{z_2}\right)}=\frac{\overline{z_1}}{\overline{z_2}}$ (단, $z_2\neq0$)

3-1 $x=\sqrt{3}-\sqrt{-2}$, $y=\sqrt{3}+\sqrt{-2}$일 때, 다음 식의 값을 구하시오.

(1) x^2+y^2 (2) x^3+y^3

3-2 두 복소수 α, β에 대하여 $\alpha-\beta=4+3i$일 때, 다음 값을 구하시오.

(1) $\overline{\alpha}-\overline{\beta}$ (2) $\alpha\overline{\alpha}-\alpha\overline{\beta}-\overline{\alpha}\beta+\beta\overline{\beta}$

대표 Q4 z^2이 양수, 음수일 조건

◆ 정답 및 풀이 35쪽

복소수 $z=(i+1)x^2-ix-2i-4$에 대하여 다음 물음에 답하시오.

(1) z가 0이 아닌 실수일 때, 실수 x의 값을 구하시오.

(2) z^2이 음의 실수일 때, 실수 x의 값을 구하시오.

날선 Guide (1) x가 실수이므로 z를 $a+bi$ (a, b는 실수) 꼴로 정리할 수 있다.

이때 $b=0$이면 실수이고

$b\neq0$이면 허수이다.

또 $z\neq0$이라는 것에 주의한다.

(2) z^2을 계산한 다음, 허수부분이 0이고 실수부분이 음수일 조건을 찾는 것보다 다음을 기억하고 이용하는 것이 편하다.

$z=a+bi$ (a, b는 실수)라 하면

$$z^2=a^2-b^2+2abi$$

따라서 z^2이 실수이면 $2ab=0$, 곧 $a=0$ 또는 $b=0$이므로 z는 실수이거나 순허수이다.

특히

(i) $a\neq0$, $b=0$이면 $z^2=a^2$이므로 z^2은 양의 실수이고,

(ii) $a=0$, $b\neq0$이면 $z^2=-b^2$이므로 z^2은 음의 실수이다.

답 (1) -1 (2) -2

$z=a+bi$ (a, b는 실수)일 때

- z가 실수이면 $b=0$
- z^2이 양수이면 $a\neq0$, $b=0$
- z^2이 음수이면 $a=0$, $b\neq0$

4-1 복소수 $z=ix^2+(2i+1)x-3(i+1)$에 대하여 다음 물음에 답하시오.

(1) z가 순허수일 때, 실수 x의 값을 구하시오.

(2) z^2이 양의 실수일 때, 실수 x의 값을 모두 구하시오.

(3) z^2이 음의 실수일 때, 실수 x의 값을 구하시오.

대표 **Q5**

음수의 제곱근

◆ 정답 및 풀이 36쪽

다음 물음에 답하시오.

(1) 다음을 $a+bi$ (a, b는 실수) 꼴로 나타내시오.

$$\sqrt{-3}\sqrt{-12}-\sqrt{-3}\sqrt{3}+\frac{\sqrt{-16}}{\sqrt{-4}}-\frac{\sqrt{16}}{\sqrt{-4}}$$

(2) 다음 등식을 만족시키는 정수 a의 개수를 구하시오.

$$\sqrt{1-a}\sqrt{a-4}=-\sqrt{(1-a)(a-4)}$$

날선 Guide (1) **방법 1** $\sqrt{-3}$이나 $\sqrt{-16}$과 같이 근호 안이 음수이면 $\sqrt{3}i$, $\sqrt{16}i$와 같이 i를 이용하여 나타낸 다음 식을 정리한다.

방법 2 $a<0$, $b<0$이면 $\sqrt{a}\sqrt{b}=-\sqrt{ab}$ … ㉠

$a>0$, $b<0$이면 $\frac{\sqrt{a}}{\sqrt{b}}=-\sqrt{\frac{a}{b}}$

임을 이용하여 식을 정리한다.

(2) ㉠에서 $\sqrt{a}\sqrt{b}=-\sqrt{ab}$이면 $a<0$이고 $b<0$이라 하면 충분하지 않다.

$a=0$ 또는 $b=0$인 경우도 등호가 성립한다는 것에 주의한다.

곧, $\sqrt{a}\sqrt{b}=-\sqrt{ab}$, $\frac{\sqrt{a}}{\sqrt{b}}=-\sqrt{\frac{a}{b}}$일 조건을 따질 때에는 a 또는 b가 0인 경우를 따로 생각한다.

답 (1) $-4-i$ (2) 4

음수의 제곱근

- i를 이용하여 나타낸 다음 식을 정리한다. 곧, $\sqrt{-a}=\sqrt{a}i$ $(a>0)$
- $a<0$, $b<0$이면 $\sqrt{a}\sqrt{b}=-\sqrt{ab}$

  $a>0$, $b<0$이면 $\frac{\sqrt{a}}{\sqrt{b}}=-\sqrt{\frac{a}{b}}$

5-1 다음을 $a+bi$ (a, b는 실수) 꼴로 나타내시오.

(1) $\sqrt{2}\sqrt{-3}+\sqrt{-2}\sqrt{3}+\sqrt{-2}\sqrt{-3}$

(2) $\frac{\sqrt{-3}}{\sqrt{2}}+\frac{\sqrt{3}}{\sqrt{-2}}+\frac{\sqrt{-3}}{\sqrt{-2}}$

5-2 $\frac{\sqrt{a+1}}{\sqrt{a-4}}=-\sqrt{\frac{a+1}{a-4}}$을 만족시키는 정수 a의 개수를 구하시오.

5-5 복소수의 성질

1 복소수가 서로 같을 조건

(1) a, b가 실수일 때 $a+bi=0$이면 $a=0$이고 $b=0$이다.

(2) a, b, a', b'이 실수일 때 $a+bi=a'+b'i$이면 $a=a'$이고 $b=b'$이다.

2 α, β가 복소수일 때, $\alpha\beta=0$이면 $\alpha=0$ 또는 $\beta=0$이다.

3 $z=\overline{z}$이면 z는 실수이다.

복소수가 서로 같을 조건

a, b, a', b'이 실수이고 $a=a'$, $b=b'$이면 $a+bi=a'+b'i$이다.

역으로 a, b, a', b'이 실수이고 $a+bi=a'+b'i$이면 $a=a'$, $b=b'$이다.

예를 들어 a, b가 실수이고 $a-3i=2+bi$이면 $a=2$, $b=-3$이다.

특히 $a'=0$, $b'=0$인 경우를 생각하면

a, b가 실수일 때 $a+bi=0$이면 $a=0$, $b=0$이다.

참고 a, b가 실수이고 $a+bi=0$이라 하자.

$b\neq0$이면 $i=-\dfrac{a}{b}$ $\quad\therefore i^2=\dfrac{a^2}{b^2}$

$i^2=-1<0$, $\dfrac{a^2}{b^2}\geq0$이므로 모순이다. 따라서 $b=0$이고 $a=0$이다.

복소수의 성질 (1)

a, b가 실수일 때, $ab=0$이면 $a=0$ 또는 $b=0$이다.

이 성질은 a, b가 복소수일 때에도 성립한다. 곧,

α, β가 복소수일 때, $\alpha\beta=0$이면 $\alpha=0$ 또는 $\beta=0$이다.

그러나 '$a^2+b^2=0$이면 $a=0$이고 $b=0$이다.'는 a, b가 실수일 때만 성립하고, 복소수일 때에는 성립하지 않는다. 예를 들어 $a=i$, $b=1$이면 $a^2+b^2=0$이지만 $a=0$, $b=0$은 아니다.

복소수의 성질 (2)

z가 실수이면 z의 켤레복소수는 자기 자신이다.

역으로 $z=a+bi$ (a, b는 실수)이고 $z=\overline{z}$라 하자.

$a+bi=a-bi$, 곧 $2bi=0$이므로 $b=0$이다.

따라서 $z=\overline{z}$이면 z는 실수이다.

복소수의 대소 관계

a가 실수이면 $a>0$일 때에도 $a^2>0$이고, $a<0$일 때에도 $a^2>0$이다.

그런데 $i^2=-1<0$이므로 $i>0$이나 $i<0$이라 하지 않는다.

따라서 복소수에서는 0보다 큰지, 작은지를 생각하지 않는다.

그리고 두 복소수의 대소도 생각하지 않는다.

개념 Check

◆ 정답 및 풀이 36쪽

8 a, b가 실수이고 $a-3+bi=2+ai$일 때, a, b의 값을 구하시오.

대표 **Q6** **복소수가 서로 같을 조건**

◆ 정답 및 풀이 36쪽

다음 물음에 답하시오.

(1) 다음 등식을 만족시키는 실수 x, y의 값을 구하시오.

$$(2+i)x+(2-i)y=6+i$$

(2) 등식 $(3+2i)z-2i\bar{z}=2+3i$를 만족시키는 복소수 z를 구하시오.

날선 Guide (1) x, y가 실수이므로 주어진 식을

$$a+bi=c+di$$

꼴로 정리한 다음 양변의 실수부분과 허수부분을 비교한다.

이때 a, b, c, d는 실수이다.

(2) $z=a+bi$ (a, b는 실수)라 하면 $\bar{z}=a-bi$이다.

이를 주어진 식에 대입하고

$$(\quad)+(\quad)i=2+3i$$

꼴로 정리한다.

그리고 양변의 실수부분과 허수부분을 비교한다.

답 (1) $x=2$, $y=1$ (2) $2+i$

- 복소수가 서로 같을 조건
  (1) $a+bi=0$이면 $a=0$, $b=0$ (a, b는 실수)
  (2) $a+bi=c+di$이면 $a=c$, $b=d$ (a, b, c, d는 실수)
- 복소수 z를 구할 때에는 $z=a+bi$ (a, b는 실수)라 하고 대입한다.

6-1 다음 등식을 만족시키는 실수 x, y의 값을 구하시오.

(1) $(x+2i)(1-i)=5+yi$

(2) $\dfrac{x}{1+i}+\dfrac{y}{1-i}=1-2i$

6-2 등식 $(1+i)z+i\bar{z}=-2$를 만족시키는 복소수 z를 구하시오. (단, z는 실수가 아니다.)

날선 Q7 복소수의 성질에 대한 참, 거짓

◆ 정답 및 풀이 37쪽

z가 복소수일 때, 보기에서 옳은 것만을 있는 대로 고른 것은?

보기

ㄱ. $z\bar{z}=0$이면 $z=0$이다.

ㄴ. z가 실수가 아니고 $z\alpha$가 실수이면 $\alpha=\bar{z}$이다.

ㄷ. $\dfrac{z}{1+z}$가 실수이면 z는 실수이다.

① ㄱ ② ㄷ ③ ㄱ, ㄴ ④ ㄱ, ㄷ ⑤ ㄱ, ㄴ, ㄷ

날선 Guide ㄱ. $z=a+bi$ (a, b는 실수)라 하고 $z\bar{z}=0$일 조건을 찾는다.

ㄴ. 가장 간단한 z는 i, $-i$, $1+i$ 정도이다.

이 값들에 대해서 $z\alpha$가 실수인 α부터 구해 보자.

ㄷ. $z=a+bi$를 $\dfrac{z}{1+z}$에 대입한 다음 $p+qi$ 꼴로 정리했을 때, 허수부분이 0일 조건을 찾는다.

참고 $\dfrac{z}{1+z}$가 실수이면 $\dfrac{z}{1+z}=\overline{\left(\dfrac{z}{1+z}\right)}$, 곧 $\dfrac{z}{1+z}=\dfrac{\bar{z}}{1+\bar{z}}$

이 식이 성립할 조건을 찾아도 된다.

답 ④

복소수의 성질에 대한 문제를 풀 때에는 다음을 이용한다.

- $z=a+bi$ (a, b는 실수)라 하고 대입한다.
- z가 실수이면 $z=\bar{z}$
- z^2이 양수이면 $a\neq0$, $b=0$ ➡ z는 실수
- z^2이 음수이면 $a=0$, $b\neq0$ ➡ z는 순허수

7-1 z가 복소수일 때, 보기에서 옳은 것만을 있는 대로 고른 것은?

보기

ㄱ. $z^2+(\bar{z})^2=0$이면 $z=0$이다.

ㄴ. $i(z-\bar{z})$는 순허수이다.

ㄷ. z가 실수가 아니고 $(z-1)^2$이 실수이면 $z+\bar{z}=2$이다.

① ㄱ ② ㄷ ③ ㄱ, ㄴ ④ ㄱ, ㄷ ⑤ ㄱ, ㄴ, ㄷ

01 a, b는 실수이고 $(1-2i)(4+3i)+\frac{4-3i}{3+4i}=a+bi$일 때, $a-b$의 값은?

① -16 ② -14 ③ -12 ④ 14 ⑤ 16

02 $\left(\frac{1-i}{1+i}\right)^{33}+\left(\frac{1+i}{1-i}\right)^{33}$을 $a+bi$ (a, b는 실수) 꼴로 나타내시오.

03 z는 복소수이고 $z-5i$의 켤레복소수가 $3+i$일 때, $z\bar{z}$의 값을 구하시오.

04 복소수 $z=(i+3)x-i+7$에 대하여 z^2이 양의 실수일 때, 실수 x의 값을 구하시오.

05 다음을 $a+bi$ (a, b는 실수) 꼴로 나타내시오.

(1) $\sqrt{-2}\sqrt{-8}+\sqrt{-3}\sqrt{3}+\frac{\sqrt{-8}}{\sqrt{-2}}\times\frac{\sqrt{20}}{\sqrt{-5}}$

(2) $\left(\frac{\sqrt{2}}{\sqrt{-4}}+\sqrt{-2}\sqrt{-8}\right)(2-\sqrt{-8})$

06 $a<b<0$일 때, $\frac{\sqrt{b-a}}{\sqrt{a-b}}+\frac{\sqrt{-a}}{\sqrt{a}}+\frac{\sqrt{b}}{\sqrt{-b}}$를 간단히 하시오.

07 x, y는 실수이고 $(2i+1)x-(i-1)y=-1+4i$일 때, xy의 값을 구하시오.

08 a, b는 5 이하의 자연수이다. 복소수 $z=a+bi$라 할 때, $\frac{z}{\overline{z}}$의 실수부분이 0이 되게 하는 z의 개수는?

① 1 ② 2 ③ 3 ④ 4 ⑤ 5

교육청 기출

09 $\alpha=\frac{1+i}{2i}$, $\beta=\frac{1-i}{2i}$일 때, $(2\alpha^2+3)(2\beta^2+3)$의 값은?

① 6 ② 10 ③ 14 ④ 18 ⑤ 22

10 $z=\frac{\sqrt{2}}{1-i}$일 때, $1+z+z^2+z^3+\cdots+z^7+z^8$의 값을 구하시오.

11 α는 복소수이고 $\alpha\overline{\alpha}=5$이다. $z=\frac{3\alpha+5}{\alpha+3}$라 할 때, $z\overline{z}$의 값은?

① 1 ② 2 ③ 3 ④ 4 ⑤ 5

12 α, β는 복소수이고 $\overline{\alpha}+\overline{\beta}=3-2i$, $\overline{\alpha}\,\overline{\beta}=5-i$일 때, $(\alpha-\beta)^2$의 허수부분을 구하시오.

13 a, b, c, d는 0이 아닌 실수이고 $\sqrt{ab}=-\sqrt{a}\sqrt{b}$, $\dfrac{\sqrt{d}}{\sqrt{c}}=-\sqrt{\dfrac{d}{c}}$일 때,

$$|a|-\sqrt{b^2}-|c+a|+\sqrt{(b-d)^2}$$

을 간단히 하시오.

14 x, y가 서로 다른 실수이고 $x^2-y^2-3x+3y+(4-xy)i=2i$일 때, x^3+y^3의 값을 구하시오.

15 z가 복소수일 때, 다음 중 항상 실수인 것을 모두 고르면?

① z^2　② $z^2-(\overline{z})^2$　③ $(1+z)(1+\overline{z})$

④ $i(z+\overline{z})$　⑤ $\dfrac{1}{z}+\dfrac{1}{\overline{z}}$ (단, $z\neq0$)

16 복소수 $z=a+bi$ (a, b는 0이 아닌 실수)에 대하여 $iz=\overline{z}$일 때, **보기**에서 옳은 것만을 있는 대로 고른 것은?

보기

ㄱ. $z+\overline{z}=2b$　ㄴ. $i\overline{z}=-z$　ㄷ. $\dfrac{\overline{z}}{z}+\dfrac{z}{\overline{z}}=0$

① ㄱ　② ㄷ　③ ㄱ, ㄴ

④ ㄴ, ㄷ　⑤ ㄱ, ㄴ, ㄷ

중학교에서 여러 가지 실생활 문제가 주어지면 모르는 것을 미지수 x로 놓고 일차 또는 이차방정식을 세워 문제를 해결하였다.

또한 중학교에서는 이차방정식의 해를 실수의 범위에서만 구했다.
이 단원에서는 계수가 실수인 이차방정식의 해를 복소수의 범위까지 확장하여 구해 보자. 또 이차방정식을 풀지 않고도 판별식을 이용하여 이차방정식의 근을 판별하는 방법에 대하여 알아보자.

이차방정식

6-1 일차방정식의 해

개념

1 방정식 $ax=b$의 해 ➡ $a\neq0$이면 $x=\frac{b}{a}$

$a=0$, $b=0$이면 해는 수 전체 (부정)

$a=0$, $b\neq0$이면 해는 없다. (불능)

2 $|x-a|$를 포함한 방정식

➡ $x\geq a$일 때와 $x<a$일 때로 나누어 절댓값 기호를 없애고 푼다.

방정식 $ax=b$의 해

방정식 $ax=b$에서

(i) $a\neq0$일 때 양변을 a로 나누면 $x=\frac{b}{a}$

(ii) $a=0$이면 양변을 a로 나눌 수 없다. 이때

① $b=0$이면 $0\times x=0$이므로 모든 x에 대하여 등식은 성립한다. 곧, 해는 수 전체이다.

② $b\neq0$이면 $0\times x=b$이므로 이 식을 만족시키는 x는 없다. 곧, 해가 없다.

예를 들어 방정식 $(a+1)(a-1)x=2(a+1)$에서

문자를 포함한 식에서 0으로 나누는 경우에 주의한다.

(i) $a\neq\pm1$이면 $(a+1)(a-1)\neq0$이므로

$$x=\frac{2(a+1)}{(a+1)(a-1)}=\frac{2}{a-1}$$

(ii) $a=-1$이면 $0\times x=0$이므로 모든 x에 대하여 등식은 성립한다. 곧, 해는 수 전체이다.

$a=1$이면 $0\times x=4$이므로 이 식을 만족시키는 x는 없다. 곧, 해가 없다.

절댓값 기호를 포함한 방정식의 풀이

$|x+1|=2x$와 같이 절댓값 기호를 포함한 방정식의 경우

$x+1\geq0$일 때와 $x+1<0$일 때로 나누면 절댓값 기호를 없앨 수 있다.

(i) $x+1\geq0$, 곧 $x\geq-1$일 때,

$$x+1=2x \qquad \therefore x=1$$

(ii) $x+1<0$, 곧 $x<-1$일 때,

$$-(x+1)=2x,\ 3x=-1 \qquad \therefore x=-\frac{1}{3}$$ (이 값은 $x<-1$에 모순이다.)

$$|a|=\begin{cases} a & (a\geq0) \\ -a & (a<0) \end{cases}$$

(i), (ii)에서 해는 $x=1$이다.

일반적으로 $|x-a|$를 포함한 방정식에서는 $x\geq a$일 때와 $x<a$일 때로 나누면 절댓값 기호를 없앨 수 있다.

개념 Check

◆ 정답 및 풀이 40쪽

1 방정식 $|x-2|=-2x+1$을 푸시오.

6-2 이차방정식의 해

1 이차방정식 $ax^2+bx+c=0$의 해법

(1) $(px+q)(rx+s)=0$ 꼴로 인수분해하고 $px+q=0$ 또는 $rx+s=0$을 푼다.

(2) 근의 공식 $x=\frac{-b\pm\sqrt{b^2-4ac}}{2a}$에 대입한다.

특히 $ax^2+2b'x+c=0$ 꼴인 경우 $x=\frac{-b'\pm\sqrt{b'^2-ac}}{a}$를 이용하면 편하다.

2 이차방정식에서 해가 실수이면 **실근**, 허수이면 **허근**이라 한다.

이차방정식의 해법 (1)

이차방정식 $2x^2-3x-2=0$은 다음과 같이 푼다.

좌변을 인수분해하면 $(2x+1)(x-2)=0$

$2x+1=0$ 또는 $x-2=0$ $\quad\therefore x=-\frac{1}{2}$ 또는 $x=2$

이차방정식의 해법 (2)

$2x^2-3x-1=0$과 같이 좌변을 인수분해할 수 없는 경우

근의 공식 $x=\frac{-b\pm\sqrt{b^2-4ac}}{2a}$에 대입한다. 곧,

$$x=\frac{-(-3)\pm\sqrt{(-3)^2-4\times2\times(-1)}}{2\times2}=\frac{3\pm\sqrt{17}}{4} \quad \cdots ㉠$$

짝수 근의 공식

$2x^2-6x-1=0$과 같이 x의 계수가 짝수인 경우

짝수 근의 공식 $x=\frac{-b'\pm\sqrt{b'^2-ac}}{a}$에 대입하면 편하다. 곧,

$$x=\frac{-(-3)\pm\sqrt{(-3)^2-2\times(-1)}}{2}=\frac{3\pm\sqrt{11}}{2} \quad \cdots ㉡$$

이차방정식의 실근과 허근

$b^2-4ac<0$인 경우도 근의 공식을 이용할 수 있다.

예를 들어 방정식 $x^2+x+1=0$의 해는

$$x=\frac{-1\pm\sqrt{1^2-4\times1\times1}}{2}=\frac{-1\pm\sqrt{-3}}{2}=\frac{-1\pm\sqrt{3}i}{2}$$

이때 해는 허수이다. 이와 같이 허수인 해를 허근이라 한다.

그리고 ㉠, ㉡과 같이 실수인 해를 실근이라 한다.

이차방정식 $ax^2+bx+c=0$에서 a, b, c가 실수일 때 $b^2-4ac<0$이면

해 $x=\frac{-b\pm\sqrt{b^2-4ac}}{2a}$는 허근이다.

개념 Check

◆ 정답 및 풀이 40쪽

2 다음 이차방정식의 해를 구하고, 실근인지 허근인지 말하시오.

(1) $x^2+x-1=0$ (2) $x^2+x+2=0$

대표 **Q1**

절댓값 기호를 포함한 방정식

◆ 정답 및 풀이 **40쪽**

다음 방정식의 해를 구하시오.

(1) $|2x+1|=3$ (2) $|x+1|+2|x-2|=6$

(3) $x^2-3|x-1|-1=0$

날선 Guide (1) $2x+1=3$ 또는 $2x+1=-3$을 푼다.

이 경우 $x\geq-\frac{1}{2}$일 때와 $x<-\frac{1}{2}$일 때로 나누어 풀지 않아도 된다.

(2) $x+1=0$, $x-2=0$인 x의 값 -1, 2를 기준으로

(i) $x<-1$일 때,

$|x+1|=-(x+1)$, $|x-2|=-(x-2)$

(ii) $-1\leq x<2$일 때,

$|x+1|=x+1$, $|x-2|=-(x-2)$

(iii) $x\geq2$일 때, $|x+1|=x+1$, $|x-2|=x-2$

$x+1<0$ | $x+1\geq0$ | -1 | 2 | x | $x-2<0$ | $x-2\geq0$

따라서 $x<-1$, $-1\leq x<2$, $x\geq2$인 경우로 나누어 풀면 된다.

(3) $x\geq1$일 때는 $x^2-3(x-1)-1=0$을 풀고,

$x<1$일 때는 $x^2+3(x-1)-1=0$을 푼다.

이때 나온 해가 $x\geq1$ 또는 $x<1$을 만족시키는지 확인해야 한다.

참고 $|2x+1|=1-x$도 $2x+1=\pm(1-x)$를 풀어도 된다.

이때 $1-x\geq0$임에 주의한다.

답 (1) $x=-2$ 또는 $x=1$ (2) $x=-1$ 또는 $x=3$ (3) $x=-4$ 또는 $x=1$ 또는 $x=2$

절댓값 기호를 포함한 방정식

- $|x-a|=p$ ➡ $x-a=\pm p$
- $|x-a|$를 포함 ➡ $x\geq a$, $x<a$로 나눈다.
- $|x-a|$, $|x-b|$ $(a<b)$를 포함 ➡ $x<a$, $a\leq x<b$, $x\geq b$로 나눈다.

1-1 다음 방정식의 해를 구하시오.

(1) $|1-2x|=2$ (2) $2|x+4|=|x+2|-2$

(3) $x^2-2|x|-15=0$

대표 Q2 문자를 포함한 방정식

◆ 정답 및 풀이 41쪽

다음 물음에 답하시오.

(1) 방정식 $(p^2-2p)x-p=3x+1$의 해가 수 전체일 때, p의 값을 구하시오.

(2) 이차방정식 $x^2+2(a-b)x-4ab=0$의 해를 구하시오.

날선 Guide (1) $ax=b$ 꼴로 정리하면 $(p^2-2p-3)x=p+1$에서

$(p+1)(p-3)x=p+1$ … ㉠

(i) $(p+1)(p-3)\neq0$일 때, 양변을 $(p+1)(p-3)$으로 나누면

$x=\dfrac{1}{p-3}$이므로 해가 하나이다.

(ii) $(p+1)(p-3)=0$일 때, 양변을 $(p+1)(p-3)$으로 나눌 수 없다.

이런 경우 $p=-1$, $p=3$을 ㉠에 대입하고 다음을 이용한다.

$0\times x=0$ 꼴이면 모든 x에 대하여 성립한다.

$0\times x=$(0이 아닌 상수) 꼴이면 가능한 x가 없다.

(2) 계수에 문자, 무리수, 복소수를 포함한 이차방정식도

인수분해하여 풀거나 다음 근의 공식에 대입하여 푼다.

$ax^2+bx+c=0$의 해 ➡ $x=\dfrac{-b\pm\sqrt{b^2-4ac}}{2a}$

$ax^2+2b'x+c=0$의 해 ➡ $x=\dfrac{-b'\pm\sqrt{b'^2-ac}}{a}$

답 (1) -1 (2) $x=-2a$ 또는 $x=2b$

계수에 문자를 포함한 방정식

- $ax=b$ 꼴의 방정식은 $a=0$일 때 주의한다.
- 이차방정식은 인수분해하거나 근의 공식을 이용한다.

2-1 방정식 $a^2(x+1)=4x-2a$에 대하여 다음 물음에 답하시오.

(1) 해가 무수히 많을 때, a의 값을 구하시오.

(2) 해가 없을 때, a의 값을 구하시오.

2-2 다음 방정식의 해를 구하시오.

(1) $(\sqrt{2}-1)x^2+2\sqrt{2}x+3+\sqrt{2}=0$ (2) $x^2-bx-a^2+ab=0$

대표 Q3

해에 대한 조건이 주어진 문제

◆ 정답 및 풀이 41쪽

다음 물음에 답하시오.

(1) x에 대한 방정식 $px^2+(k+2)x+p^2-2k=0$은 k의 값에 관계없이 항상 $x=\alpha$가 해이다. 실수 α, p의 값을 구하시오.

(2) 이차방정식 $f(x)=0$의 두 근의 합이 4일 때, 이차방정식 $f(2x-3)=0$의 두 근의 합을 구하시오.

날선 Guide (1) α가 해이므로 방정식에 대입하면 성립한다. 따라서

$$p\alpha^2+(k+2)\alpha+p^2-2k=0$$

이 식이 k의 값에 관계없이 항상 성립하므로 k에 대한 항등식이다.

k에 대해 정리한 다음, 항등식의 성질을 이용한다.

참고 k의 값에 관계없이 ➡ k에 대한 항등식 ➡ k에 대해 정리한다.

(2) α가 방정식 $f(x)=0$의 해이면 $f(\alpha)=0$이다.

이때 $2x-3=\alpha$인 x의 값, 곧 $x=\dfrac{\alpha+3}{2}$을 $f(2x-3)$에 대입하면

$$f\left(2\times\frac{\alpha+3}{2}-3\right)=f(\alpha)=0$$

따라서 $\dfrac{\alpha+3}{2}$은 방정식 $f(2x-3)=0$의 해이다.

이와 같이 $f(x)=0$의 해를 α, β라 할 때, $f(2x-3)=0$의 해를 α, β로 나타낼 수 있다.

답 (1) $\alpha=2$, $p=-2$ (2) 5

방정식의 해는 주어진 등식을 만족시키는 값이다.
곧, α가 방정식 $f(x)=0$의 해이면 $f(\alpha)=0$

3-1 $x=-1$이 x에 대한 이차방정식 $(a^2-1)x^2+(a+2)x-3=0$의 근일 때, 상수 a의 값과 나머지 한 근을 모두 구하시오.

3-2 이차방정식 $f(x)=0$의 두 근의 합과 곱이 모두 3일 때, 이차방정식 $f\left(\dfrac{1}{2}x+1\right)=0$의 두 근의 곱을 구하시오.

날선 Q4 가우스 기호 [ ]를 포함한 방정식

◆ 정답 및 풀이 42쪽

실수 x에 대하여 $[x]$가 x보다 크지 않은 최대 정수를 나타낼 때, 다음 물음에 답하시오.

(1) $[1]+[\sqrt{2}+1]+[-1.2]$의 값을 구하시오.

(2) 방정식 $2x^2-[x]x-3=0$ $(1<x<3)$의 해를 구하시오.

날선 Guide (1) $[x]$가 x보다 크지 않은 최대 정수를 나타낼 때, [ ]를 가우스 기호라 한다.

$0\le x<1$일 때 $[x]=0$,

$1\le x<2$일 때 $[x]=1$,

$2\le x<3$일 때 $[x]=2$, $\cdots$

또 음수의 경우

$-1\le x<0$일 때 $[x]=-1$,

$-2\le x<-1$일 때 $[x]=-2$, $\cdots$

임을 이용한다.

(2) $1<x<3$이므로

$1<x<2$, $2\le x<3$

일 때로 나누면 $[x]$에서 가우스 기호를 없앨 수 있다.

참고 $-3\le x<-2$, $-2\le x<-1$, $-1\le x<0$, $0\le x<1$, $1\le x<2$, $\cdots$로 나누어 $y=[x]$의 그래프를 그리면 그림과 같다.

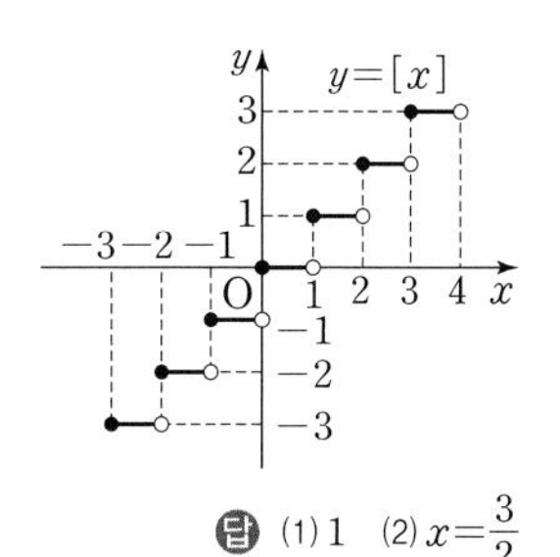

답 (1) 1 (2) $x=\frac{3}{2}$

$[x]$는 x보다 크지 않은 최대 정수일 때

- $n\le x<n+1$ (n은 정수) ➡ $[x]=n$
- $[x]$를 포함한 방정식은 $n\le x<n+1$ (n은 정수)로 나누어 푼다.

4-1 $[x]$가 x보다 크지 않은 최대 정수를 나타낼 때, 다음 방정식의 해를 구하시오.

(1) $2x^2-2[x]-1=0$ $(0<x<3)$

(2) $[x^2]+1=2x$ $(0<x<2)$

6-3 이차방정식의 판별식

이차방정식 $ax^2+bx+c=0$ (a, b, c는 실수)에서 $D=b^2-4ac$라 할 때,

(1) $D>0$이면 해는 서로 다른 두 실근
(2) $D=0$이면 해는 중근 (서로 같은 두 실근)
} 실근($D \geq 0$)

(3) $D<0$이면 해는 서로 다른 두 허근

D의 부호에 따른 이차방정식의 해

이차방정식 $ax^2+bx+c=0$에서

$$\boldsymbol{D=b^2-4ac}$$

라 하면 해는 $x=\dfrac{-b\pm\sqrt{b^2-4ac}}{2a}=\dfrac{-b\pm\sqrt{D}}{2a}$ … ㉠

따라서 $\boldsymbol{a}$, $\boldsymbol{b}$, $\boldsymbol{c}$**가 실수**일 때,

(i) $\boldsymbol{D>0}$이면 ㉠에서 해는 서로 다른 두 실수이다.

(ii) $\boldsymbol{D=0}$이면 ㉠에서 해는 $x=-\dfrac{b}{2a}$뿐이다. 그리고 해는 중근이다.

이때 이차방정식은 $a\left(x+\dfrac{b}{2a}\right)^2=0$이다.

따라서 $D=0$이면 이차방정식은 $(\quad)^2=0$ 꼴로 나타낼 수 있다.

(iii) $\boldsymbol{D<0}$이면 ㉠에서 $\sqrt{D}$가 허수이므로 해는 서로 켤레복소수인 두 허수이다.

이차방정식의 판별식

이와 같이 **계수가 실수**일 때, D의 부호를 알면 이차방정식의 근이 실근인지, 중근인지, 허근인지를 알 수 있다. 이때 D를 **이차방정식의 판별식**이라 한다.

x의 계수가 짝수인 이차방정식 $ax^2+2b'x+c=0$에서는

D와 $\dfrac{D}{4}=b'^2-ac$의 부호가 같으므로 $\dfrac{D}{4}$를 이용해도 된다.

이차방정식의 근의 판별

방정식 $x^2-x+1=0$의 경우

$D=(-1)^2-4\times1\times1=-3<0$이므로 방정식의 해는 허근이다.

이때 해는

$$x=\frac{-(-1)\pm\sqrt{(-1)^2-4\times1\times1}}{2}=\frac{1\pm\sqrt{-3}}{2}=\frac{1\pm\sqrt{3}i}{2}$$

개념 Check

◆ 정답 및 풀이 43쪽

3 다음 이차방정식의 근을 판별하시오.

(1) $x^2+4x+2=0$

(2) $2x^2-5x+4=0$

(3) $4x^2+12x+9=0$

대표 Q5 이차방정식의 근의 판별

◆ 정답 및 풀이 43쪽

x에 대한 이차방정식 $mx^2+2(m+1)x+m+3=0$에 대하여 다음 물음에 답하시오.

(1) 서로 다른 두 실근을 가질 때, 실수 m값의 범위를 구하시오.

(2) 중근을 가질 때, 실수 m의 값을 구하시오.

(3) 허근을 가질 때, 실수 m값의 범위를 구하시오.

m이 실수이므로 주어진 이차방정식의 계수가 실수이다. 따라서 판별식

$$D=4(m+1)^2-4m(m+3)$$

의 부호를 조사하면 해가 실근인지, 중근인지, 허근인지 판별할 수 있다.

이때 이차방정식이므로 x^2의 계수 m이 0이 아님에 주의한다.

참고 1. x의 계수가 $2(m+1)$이므로

$$\frac{D}{4}=(m+1)^2-m(m+3)$$

의 부호를 조사해도 된다. 이때 $\frac{D}{4}$는 D를 4로 나눈 값이라는 뜻이다.

2. $m=0$이면 주어진 방정식은 $2x+3=0$이므로 일차방정식이고,

$x=-\frac{3}{2}$이므로 실근은 한 개이다.

답 (1) $m<0$ 또는 $0<m<1$ (2) $m=1$ (3) $m>1$

날선 Point

계수가 실수인 이차방정식이

- 서로 다른 두 실근을 가지면 ➡ $D>0$
- 중근을 가지면 ➡ $D=0$
- 서로 다른 두 허근을 가지면 ➡ $D<0$

5-1 x에 대한 이차방정식 $x^2+2(m-1)x+m^2-3=0$에 대하여 다음 물음에 답하시오.

(1) 중근을 가질 때, 실수 m의 값을 구하시오.

(2) 허근을 가질 때, 실수 m값의 범위를 구하시오.

5-2 이차방정식

$$k(x^2+2x+1)-2(x^2+1)=0$$

이 실근을 가질 때, 실수 k값의 범위를 구하시오.

중근을 가질 조건

◆ 정답 및 풀이 43쪽

다음 물음에 답하시오.

(1) k가 실수일 때, x에 대한 이차방정식 $x^2-2(k-a)x+k^2+a^2-b+1=0$이 k의 값에 관계없이 항상 중근을 가진다. 실수 a, b의 값을 구하시오.

(2) x에 대한 이차식 $x^2+(2k-1)x+2k^2-k-1$이 완전제곱식일 때, 실수 k의 값을 모두 구하시오.

날선 Guide (1) 중근을 가지므로

$$\frac{D}{4}=\{-(k-a)\}^2-(k^2+a^2-b+1)=0$$

이 등식이 k의 값에 관계없이 항상 성립하므로 k에 대한 항등식이다.

k에 대해 정리한 다음, 항등식의 성질을 이용하여 a, b의 값을 구한다.

(2) 계수가 실수인 이차식 $f(x)$가 완전제곱식이면 $f(x)=(ax+b)^2$ 꼴이므로 이차방정식 $f(x)=0$이 중근을 갖는다.

따라서 이차방정식 $f(x)=0$의 판별식은 0이다.

참고 이차식 $f(x)=ax^2+bx+c$일 때,
이차방정식 $f(x)=0$의 판별식 $D=b^2-4ac$를 생각할 수 있다.
이차식 $f(x)$에서 판별식은 이차방정식 $f(x)=0$의 판별식이라 생각하면 된다.

답 (1) $a=0$, $b=1$ (2) $\pm\frac{\sqrt{5}}{2}$

날선 Point 계수가 실수인 이차식 $f(x)$와 이차방정식 $f(x)=0$에 대하여
(완전제곱식이다.) $\Longleftrightarrow$ (중근을 갖는다.) $\Longleftrightarrow$ $D=0$

6-1 이차식 $(k-1)x^2+4(k-1)x+2k+1$이 완전제곱식일 때, 실수 k의 값을 구하시오.

6-2 k가 실수일 때, 이차방정식 $x^2-ax+a(k+2)+kb=0$이 k의 값에 관계없이 항상 중근을 가진다. 실수 a, b의 값을 모두 구하시오.

up **6-3** a, b, c가 양수이고 이차방정식 $a(x^2+1)+b(x^2-1)+2cx=0$이 중근을 가질 때, 세 변의 길이가 a, b, c인 삼각형은 어떤 삼각형인지 말하시오.

◆ 정답 및 풀이 44쪽

6 이차방정식

01 이차방정식 $x^2-(a-1)x+4a=0$의 한 근이 2일 때, x에 대한 이차방정식 $x^2+ax-a^2+5=0$의 근을 구하시오.

02 x에 대한 방정식 $a^2x+6x+2=a(5x+1)$의 해가 무수히 많을 때 a의 값을 p, 해가 없을 때 a의 값을 q라 하자. $p+q$의 값은?

① 3　② 5　③ 7　④ 9　⑤ 11

03 다음 방정식의 해를 구하시오.

(1) $|x-2|=|2-3x|$　(2) $x^2-3x=|x-2|$

04 방정식 $3[x]^2-5[x]-2=0$을 만족시키는 실수 x값의 범위를 구하시오.
(단, $[x]$는 x보다 크지 않은 최대 정수이다.)

05 이차방정식 $x^2+2x+3=0$의 두 근을 α, β라 할 때, 다음 식의 값을 구하시오.

(1) $\alpha+\dfrac{3}{\alpha}$　(2) $(\alpha^2+2\alpha-3)(\beta^2+2\beta-5)$

06 이차방정식 $f(x)=0$의 두 근의 합이 -7일 때, 이차방정식 $f(3x+1)=0$의 두 근의 합은?

① -3 ② -1 ③ 0 ④ 1 ⑤ 3

07 x에 대한 이차방정식 $x^2+(2a-1)x+a^2+1=0$에 대하여 다음 물음에 답하시오.

(1) 서로 다른 두 실근을 가질 때, 실수 a값의 범위를 구하시오.

(2) 중근을 가질 때, 실수 a의 값을 구하시오.

(3) 허근을 가질 때, 실수 a값의 범위를 구하시오.

08 이차방정식 $x^2-8x+2k+3=0$의 해가 실수일 때, 다음 중 실수 k의 값이 될 수 없는 것은?

① $-\frac{13}{2}$ ② 0 ③ $\frac{13}{4}$ ④ $\frac{13}{2}$ ⑤ 13

09 k가 실수이고 이차방정식 $x^2+4x+2k=0$의 해가 허수일 때, 이차방정식 $x^2+2kx+4=0$의 근을 판별하시오.

10 이차방정식 $x^2-(k+3)x+k+2=0$이 중근을 가질 때 실수 k의 값과 중근을 구하시오.

11 다음 x에 대한 이차방정식을 푸시오.

(1) $(a+b)x^2+2ax+a-b=0$

(2) $(2-\sqrt{3})x^2-2x+4\sqrt{3}-4=0$

12 등식 $x^2+(3+i)x-k-2i=0$을 만족시키는 실수 x, k가 존재할 때, $x+k$의 값은?

① 10 ② 12 ③ 14 ④ 16 ⑤ 18

13 실수 x에 대하여 $[x]$는 x보다 크지 않은 최대 정수를 나타낼 때, 방정식 $[x+1]=[2x-1]-3$을 만족시키는 x값의 범위를 구하시오.

14 그림과 같이 가로와 세로의 길이가 각각 60 cm, 33 cm인 직사각형 ABCD가 있다. 이 직사각형의 가로의 길이는 매초 2 cm씩 줄어들고, 세로의 길이는 매초 3 cm씩 늘어난다고 하자. 가로와 세로의 길이가 동시에 변하기 시작하여 t초 후 직사각형의 넓이가 처음 직사각형의 넓이와 같아질 때, t의 값을 구하시오.

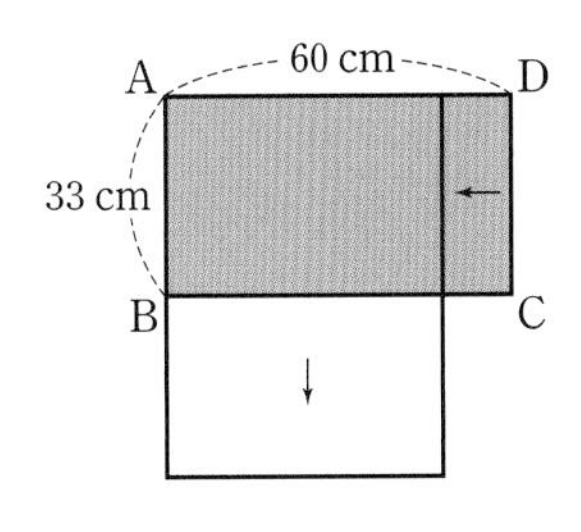

15 그림과 같이 지름의 길이가 $3\sqrt{10}$인 원에 둘레의 길이가 24인 직사각형이 내접한다. 직사각형의 가로와 세로의 길이를 구하시오.
(단, 직사각형의 가로의 길이가 세로의 길이보다 길다.)

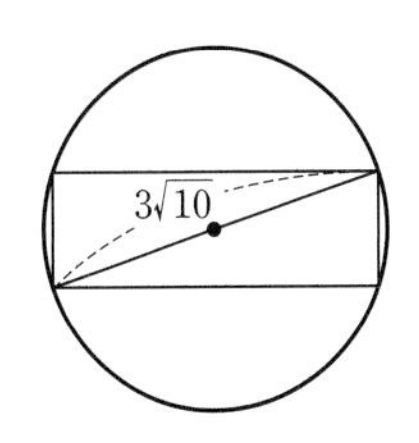

이차방정식 6

16 a, b, m이 실수일 때, x에 대한 이차방정식

$$x^2-2(a-m)x+m^2+a^2+3b-6=0$$

이 m의 값에 관계없이 항상 중근을 가진다. $a+b$의 값은?

① 2 ② 4 ③ 6 ④ 8 ⑤ 10

17 a, b가 4 이하의 자연수이다. 이차방정식 $x^2+ax+b=0$이 허근을 가질 때, 순서쌍 (a, b)의 개수를 구하시오.

18 x에 대한 이차식 $x^2+2(a+b+c)x+3(ab+bc+ca)$가 완전제곱식일 때, 실수 a, b, c 사이의 관계식을 구하시오.

19 $a \geq b \geq c$이고, 이차방정식 $(a+b)x^2+2cx+a-b=0$이 서로 다른 두 실근을 가질 때, 세 변의 길이가 a, b, c인 삼각형은 어떤 삼각형인가?

① 정삼각형
② 예각삼각형
③ 둔각삼각형
④ $b=c$인 이등변삼각형
⑤ 빗변의 길이가 a인 직각삼각형

20 이차방정식 $x^2-px+p+2=0$이 허근 α를 가진다. α^3이 실수일 때, 실수 p의 값을 모두 구하시오.

정답 개수 : /20 오답 번호 Check :

앞 단원에서 계수가 실수인 이차방정식의 해를 복소수 범위까지 확장하여 구하고, 판별식을 이용하여 이차방정식을 풀지 않고도 근을 판별하는 방법에 대해 알아보았다.

이 단원에서는 이차방정식의 근과 계수의 관계를 이해하고 이를 활용하는 방법에 대하여 알아보자. 또 이차방정식의 켤레근의 성질을 알고 이를 이용하여 문제를 풀어 보자.

근과 계수의 관계

7

7-1 이차방정식의 근과 계수의 관계

개념

이차방정식 $ax^2+bx+c=0$의 두 근을 α, β라 하면

$$\alpha+\beta=-\frac{b}{a},\ \alpha\beta=\frac{c}{a}$$

근과 계수의 관계

이차방정식 $ax^2+bx+c=0$ … ㉠

의 두 근이 α, β이면 이 방정식은

$$a(x-\alpha)(x-\beta)=0$$

으로 쓸 수 있다.

좌변을 전개하면 $ax^2-a(\alpha+\beta)x+a\alpha\beta=0$

이를 ㉠과 비교하면

$$\alpha+\beta=-\frac{b}{a},\ \alpha\beta=\frac{c}{a}$$

이 관계를 이차방정식의 근과 계수의 관계라 한다.

근과 계수의 관계를 이용하면 두 근을 구하지 않고도 두 근의 합과 곱을 구할 수 있다.

예를 들어 $2x^2-x+4=0$의 두 근을 α, β라 하면

$$\alpha+\beta=\frac{1}{2},\ \alpha\beta=\frac{4}{2}=2$$ → 허근이어도 성립한다.

근의 공식으로 증명하기

㉠의 두 근 α, β는 근의 공식에서

$$\alpha=\frac{-b+\sqrt{b^2-4ac}}{2a},\ \beta=\frac{-b-\sqrt{b^2-4ac}}{2a}$$

로 놓을 수 있다. 이때

$$\alpha+\beta=\frac{-2b}{2a}=-\frac{b}{a}$$

$$\alpha\beta=\frac{(-b)^2-(b^2-4ac)}{4a^2}=\frac{c}{a}$$

이와 같이 근의 공식으로도 근과 계수의 관계를 확인할 수 있다.

개념 Check

◆ 정답 및 풀이 **47**쪽

1 다음 이차방정식의 두 근의 합과 곱을 구하시오.

(1) $3x^2-3x-1=0$ (2) $2x^2-5=0$

2 이차방정식 $ax^2+3x+b=0$의 두 근이 3, -2일 때, a, b의 값을 구하시오.

7-2 근과 계수의 관계의 활용

1 두 근이 α, β이고 x^2의 계수가 a인 이차방정식은

$$a(x-\alpha)(x-\beta)=0,\ \text{곧}\ a\{x^2-(\alpha+\beta)x+\alpha\beta\}=0$$

2 $ax^2+bx+c=0\ (a\neq0)$의 두 근이 α, β이면

$$ax^2+bx+c=a(x-\alpha)(x-\beta)$$

로 인수분해할 수 있다.

두 수를 근으로 하는 이차방정식

이차방정식

$$(x-\alpha)(x-\beta)=0,\ \text{곧}\ x^2-(\alpha+\beta)x+\alpha\beta=0$$

의 두 근은 α, β이다. 따라서 x^2의 계수가 1이고 두 근이 α, β인 이차방정식은

$$(x-\alpha)(x-\beta)=0,\ \text{곧}\ x^2-(\alpha+\beta)x+\alpha\beta=0$$

또 x^2의 계수가 a이고 두 근이 α, β인 이차방정식은

$$a(x-\alpha)(x-\beta)=0,\ \text{곧}\ a\{x^2-(\underbrace{\alpha+\beta}_{\text{합}})x+\underbrace{\alpha\beta}_{\text{곱}}\}=0 \quad \cdots ㉠$$

예를 들어 두 근의 합이 -4, 곱이 2이고 x^2의 계수가 2인 이차방정식은 ㉠에서

$$2(x^2+4x+2)=0,\ \text{곧}\ 2x^2+8x+4=0$$

복소수 범위에서 인수분해

이차방정식의 두 근을 이용하여 이차식을 인수분해할 수 있다.

예를 들어 $x^2+2x+2=0$의 두 근은

$$x=-1\pm\sqrt{-1}=-1\pm i$$

이므로 x^2+2x+2는 다음과 같이 일차식의 곱으로 나타낼 수 있다.

$$\begin{aligned}x^2+2x+2&=\{x-(-1+i)\}\{x-(-1-i)\}\\&=(x+1-i)(x+1+i)\end{aligned}$$

보통은 계수가 정수인 범위에서 인수분해한다. 그러나 이차식 $f(x)=ax^2+bx+c$를 복소수 범위에서 인수분해하라고 하면 위와 같이 방정식 $f(x)=0$의 해 α, β를 구한 다음,

$$f(x)=a(x-\alpha)(x-\beta)$$

로 인수분해한다.

개념 Check

◆ 정답 및 풀이 47쪽

3 다음 두 수가 근이고 x^2의 계수가 1인 이차방정식을 구하시오.

(1) $2,\ -3$　　　(2) $1+\sqrt{2},\ 1-\sqrt{2}$

4 두 근의 합이 3, 곱이 3이고 x^2의 계수가 1인 이차방정식을 구하시오.

7-3 이차방정식의 켤레근

이차방정식 $ax^2+bx+c=0$에서

(1) a, b, c가 실수일 때, 한 근이 $p+qi$이면 다른 한 근은 $p-qi$이다.
(단, p, q는 실수, $q\neq0$)

(2) a, b, c가 유리수일 때, 한 근이 $p+q\sqrt{m}$이면 다른 한 근은 $p-q\sqrt{m}$이다.
(단, p, q는 유리수, $q\neq0$, $\sqrt{m}$은 무리수)

이차방정식 $ax^2+bx+c=0$의 두 근을 α, β라 하면

$$\alpha=\frac{-b+\sqrt{b^2-4ac}}{2a},\ \beta=\frac{-b-\sqrt{b^2-4ac}}{2a} \quad \cdots ㉠$$

라 할 수 있다.

이차방정식의 켤레근 (1)

a, b, c가 실수일 때, $b^2-4ac<0$이면 두 근은 허수이고 켤레복소수이다.
곧, 계수가 실수이면 허근은 항상 켤레복소수 쌍으로 있으므로

한 근이 $p+qi$ (p, q는 실수)이면 다른 한 근은 $p-qi$

임을 알 수 있다.
예를 들어 a, b, c가 실수일 때, 방정식 $ax^2+bx+c=0$의 한 근이 $3+2i$이면 다른 한 근은 $3-2i$이다.
이 성질은 계수가 실수일 때에만 성립한다. 예를 들어 방정식 $x^2+ix=0$의 근은

$x(x+i)=0$에서 $x=0$ 또는 $x=-i$

따라서 $-i$가 해이지만 켤레복소수 i가 해는 아니다.

이차방정식의 켤레근 (2)

㉠에서 a, b, c가 유리수이고 $\sqrt{b^2-4ac}$가 무리수이면
방정식의 해는 무리수 부분의 부호가 다른 두 수이다.
따라서 계수가 유리수일 때,

한 근이 $p+q\sqrt{m}$ (p, q는 유리수, $\sqrt{m}$은 무리수)이면 다른 한 근은 $p-q\sqrt{m}$

임을 알 수 있다.
예를 들어 a, b, c가 유리수일 때, 방정식 $ax^2+bx+c=0$의 한 근이 $2-\sqrt{3}$이면 다른 한 근은 $2+\sqrt{3}$이다. 이 성질도 계수가 유리수일 때에만 성립한다는 것에 주의한다.

개념 Check

◆ 정답 및 풀이 47쪽

5 이차방정식 $ax^2+bx+c=0$에 대하여 다음 물음에 답하시오.

(1) a, b, c가 실수이고 한 근이 $-1-i$일 때, 나머지 한 근을 구하시오.

(2) a, b, c가 유리수이고 한 근이 $2\sqrt{2}-3$일 때, 나머지 한 근을 구하시오.

이차방정식의 근과 계수의 관계

정답 및 풀이 47쪽

이차방정식 $2x^2-2x+3=0$의 두 근을 α, β라 할 때, 다음 식의 값을 구하시오.

(1) $\alpha^2+\beta^2$　(2) $\alpha^3+\beta^3$　(3) $(2\alpha-1)(2\beta-1)$

(4) $(\alpha-\beta)^2$　(5) $\dfrac{1}{\alpha}+\dfrac{1}{\beta}$　(6) $\dfrac{\beta^2}{\alpha}+\dfrac{\alpha^2}{\beta}$

날선 Guide $2x^2-2x+3=0$의 두 근이 α, β이므로 근과 계수의 관계에서

$$\alpha+\beta=-\frac{-2}{2}=1,\ \alpha\beta=\frac{3}{2}$$

따라서 주어진 식을 $\alpha+\beta$와 $\alpha\beta$를 이용하여 나타내면 식의 값을 구할 수 있다.

(1), (2) 다음 곱셈 공식의 변형을 이용한다.

$$\alpha^2+\beta^2=(\alpha+\beta)^2-2\alpha\beta$$

$$\alpha^3+\beta^3=(\alpha+\beta)^3-3\alpha\beta(\alpha+\beta)$$

(3), (4) $(2\alpha-1)(2\beta-1)$, $(\alpha-\beta)^2$을 전개한 다음 $\alpha+\beta$와 $\alpha\beta$를 이용할 수 있는 꼴로 정리한다.

(5), (6) 분수식을 더할 때에는 다음과 같이 통분한 다음, 분자끼리 더한다.

$$\frac{1}{\alpha}+\frac{1}{\beta}=\frac{\beta}{\alpha\beta}+\frac{\alpha}{\alpha\beta}=\frac{\alpha+\beta}{\alpha\beta}$$

$$\frac{\beta^2}{\alpha}+\frac{\alpha^2}{\beta}=\frac{\beta^3}{\alpha\beta}+\frac{\alpha^3}{\alpha\beta}=\frac{\alpha^3+\beta^3}{\alpha\beta}$$

문자를 포함한 분수식의 계산 방법은 분수를 계산하는 방법과 같다.

답 (1) -2　(2) $-\frac{7}{2}$　(3) 5　(4) -5　(5) $\frac{2}{3}$　(6) $-\frac{7}{3}$

이차방정식 $ax^2+bx+c=0$의 두 근 α, β에 대한 문제

➡ 근과 계수의 관계를 이용한다.

$$\alpha+\beta=-\frac{b}{a},\ \alpha\beta=\frac{c}{a}$$

1-1 이차방정식 $x^2+2x-2=0$의 두 근을 α, β라 할 때, 다음 식의 값을 구하시오.

(1) $\alpha^3+\beta^3$　(2) $\alpha^4+\beta^4$

(3) $(3\alpha-\beta)(3\beta-\alpha)$　(4) $\dfrac{\beta}{\alpha}+\dfrac{\alpha}{\beta}$

결레근을 이용하는 문제

◆ 정답 및 풀이 48쪽

다음 물음에 답하시오.

(1) 이차방정식 $x^2+ax+b=0$의 한 근이 $3+2i$일 때, 실수 a, b의 값을 구하시오.

(2) 이차방정식 $x^2+ax+b=0$의 한 근이 $3+2\sqrt{2}$일 때, 유리수 a, b의 값을 구하시오.

날선 Guide 이 문제는

계수가 실수, 계수가 유리수

라는 조건을 이용하여 나머지 한 근을 구하고, 근과 계수의 관계를 이용하는 꼴이다.

(1) 이차방정식 $ax^2+bx+c=0$의 해는 $x=\dfrac{-b\pm\sqrt{b^2-4ac}}{2a}$이다.

따라서 a, b, c가 실수일 때, $b^2-4ac<0$이면 해는 허수이고, 서로 켤레복소수이다.

이 문제에서는 한 근이 $3+2i$이므로 나머지 한 근이 $3-2i$이다.

참고 이차방정식 $x^2+ax+b=0$에 $x=3+2i$를 대입하여

$(\quad)+(\quad)i=0$

꼴로 정리한 다음, 복소수의 성질을 이용하여 a, b의 값을 구할 수도 있다.

(2) 계수가 유리수이므로 근의 공식에서 한 근이 $3+2\sqrt{2}$이면 나머지 한 근은 $3-2\sqrt{2}$라는 것도 알 수 있다.

참고 방정식에 $x=3+2\sqrt{2}$를 대입하여

$(\quad)+(\quad)\sqrt{2}=0$

꼴로 정리한 다음, 무리수의 성질을 이용할 수도 있다.

답 (1) $a=-6$, $b=13$ (2) $a=-6$, $b=1$

이차방정식의 켤레근

- $x^2+ax+b=0$에서 a, b가 실수일 때
  $p+qi$ (p, q는 실수, $q\neq0$)가 해이면 $p-qi$도 해이다.
- $x^2+ax+b=0$에서 a, b가 유리수일 때
  $p+q\sqrt{m}$ (p, q는 유리수, $q\neq0$, $\sqrt{m}$은 무리수)이 해이면 $p-q\sqrt{m}$도 해이다.

2-1 다음 물음에 답하시오.

(1) 이차방정식 $x^2+ax+b=0$의 한 근이 $2-5i$일 때, 실수 a, b의 값을 구하시오.

(2) 이차방정식 $x^2+ax+b=0$의 한 근이 $-3+\sqrt{3}$일 때, 유리수 a, b의 값을 구하시오.

해의 조건이 주어진 문제

◆ 정답 및 풀이 48쪽

다음 물음에 답하시오.

(1) 방정식 $x^2+mx+3=0$의 두 근의 차가 2일 때, m의 값을 모두 구하시오.

(2) 방정식 $x^2+(p-1)x+p=0$의 두 근의 비가 $2:3$일 때, p의 값을 모두 구하시오.

(3) 방정식 $x^2+(2k-1)x-64=0$의 두 근의 절댓값의 비가 $1:4$일 때, k의 값을 모두 구하시오.

날선 Guide (1) 두 근의 차가 2이므로 한 근을 α, 나머지 한 근을 $\alpha-2$로 놓을 수 있다.
이때 근과 계수의 관계에서

$$\alpha+(\alpha-2)=-m,\ \alpha(\alpha-2)=3$$

두 번째 식에서 α의 값부터 구한다.

(2) 두 근의 비가 $2:3$이므로 한 근을 $2\alpha(\alpha\neq0)$, 나머지 한 근을 3α로 놓을 수 있다.
이때 근과 계수의 관계에서

$$2\alpha+3\alpha=-(p-1),\ 2\alpha\times3\alpha=p$$

두 식에서 p를 소거하면 α의 값을 구할 수 있다.

(3) 두 근의 곱이 -64이므로 두 근의 부호가 다르다. 그리고 절댓값의 비가 $1:4$이므로 한 근을 $\alpha(\alpha\neq0)$, 나머지 한 근을 -4α로 놓을 수 있다.
따라서 다음 근과 계수의 관계를 이용한다.

$$\alpha+(-4\alpha)=-(2k-1),\ \alpha\times(-4\alpha)=-64$$

답 (1) ±4 (2) $6, \frac{1}{6}$ (3) $\frac{13}{2}, -\frac{11}{2}$

해의 조건이 주어진 문제 ➡ 조건을 이용하여 두 근을 나타내고, 근과 계수의 관계를 이용한다.

3-1 다음 물음에 답하시오.

(1) 방정식 $x^2-5x-m=0$의 두 근의 차가 3일 때, m의 값을 구하시오.

(2) 방정식 $x^2-px-p+2=0$의 한 근이 다른 근의 2배일 때, p의 값을 모두 구하시오.

(3) 방정식 $x^2+kx+12=0$의 두 근의 절댓값의 비가 $1:3$일 때, k의 값을 모두 구하시오.

대표 **Q4**

두 근의 합과 곱을 이용하여 방정식 만들기

◆ 정답 및 풀이 49쪽

다음 물음에 답하시오.

(1) 이차방정식 $x^2-3x+1=0$의 두 근을 α, β라 할 때, 두 근이 $2\alpha+1$, $2\beta+1$이고 x^2의 계수가 1인 이차방정식을 구하시오.

(2) 이차방정식 $x^2-ax+b=0$의 두 근을 α, β라 하자. $\alpha+\beta$, $\alpha\beta$가 두 근인 이차방정식이 $x^2-(2a+1)x+2=0$일 때, 양수 a, b의 값을 구하시오.

 날선 Guide (1) 두 근이 $2\alpha+1$, $2\beta+1$이고 x^2의 계수가 1인 이차방정식은

$\{x-(2\alpha+1)\}\{x-(2\beta+1)\}=0$, 곧

$x^2-\{(2\alpha+1)+(2\beta+1)\}x+(2\alpha+1)(2\beta+1)=0$

따라서 $2\alpha+1$과 $2\beta+1$의 합과 곱을 구하면 이차방정식을 만들 수 있다.

α, β는 $x^2-3x+1=0$의 해이므로 근과 계수의 관계를 이용한다.

(2) $x^2-ax+b=0$의 두 근이 α, β이므로

$\alpha+\beta=a$, $\alpha\beta=b$ $\cdots$ ㉠

또 $x^2-(2a+1)x+2=0$의 두 근이 $\alpha+\beta$, $\alpha\beta$이므로

$(\alpha+\beta)+\alpha\beta=2a+1$, $(\alpha+\beta)\alpha\beta=2$ $\cdots$ ㉡

㉠에서 $\alpha+\beta$, $\alpha\beta$의 값을 ㉡에 대입하면 a, b의 값을 구할 수 있다.

답 (1) $x^2-8x+11=0$ (2) $a=1$, $b=2$

> **날선 Point** 두 근이 α, β이고 x^2의 계수가 1인 이차방정식은
> $(x-\alpha)(x-\beta)=0$, 곧 $x^2-(\alpha+\beta)x+\alpha\beta=0$

4-1 한 근이 $-3-2i$이고 계수가 실수이며 x^2의 계수가 1인 이차방정식을 구하시오.

4-2 이차방정식 $x^2-2x+3=0$의 두 근을 α, β라 할 때, x^2의 계수가 1이고 두 근이 $\alpha+\beta$, $\alpha\beta$인 이차방정식을 구하시오.

4-3 이차방정식 $x^2-ax+b=0$의 두 근을 α, β라 할 때, 이차방정식 $x^2+bx+a=0$의 두 근은 $\alpha-1$, $\beta-1$이다. a, b의 값을 구하시오.

Q5 이차식의 인수분해

◆ 정답 및 풀이 49쪽

다음 물음에 답하시오.

(1) $x^2-6x+10$을 복소수 범위에서 두 일차식의 곱으로 나타내시오.

(2) $x^2-4xy+ky^2+2x-8y-3$을 x, y에 대한 두 일차식의 곱으로 나타낼 수 있을 때, 실수 k의 값을 구하시오.

날선 Guide (1) 이차방정식 $x^2-6x+10=0$의 두 근을 α, β라 하면

$$x^2-6x+10=(x-\alpha)(x-\beta)$$

따라서 근의 공식을 이용하여 α, β를 구하면 두 일차식의 곱으로 나타낼 수 있다. 그리고 α, β는 복소수이므로 우변은 복소수 범위에서 인수분해한 꼴이다.

(2) 주어진 식을 A라 하고 x에 대해 정리하면

$$A=x^2-2(2y-1)x+ky^2-8y-3 \quad \cdots ㉠$$

A는 x에 대한 이차식이므로 이차방정식 $A=0$의 해를 α, β라 하면

$$A=(x-\alpha)(x-\beta)$$

그런데 근의 공식을 이용하여 α, β를 구하면

$$\alpha,\ \beta=2y-1\pm\sqrt{\{-(2y-1)\}^2-(ky^2-8y-3)}$$

이때 근호 안의 식

$$\{-(2y-1)\}^2-(ky^2-8y-3)=(4-k)y^2+4y+4$$ → ㉠의 판별식이다.

가 완전제곱식이면 α, β는 y에 대한 일차식이므로 A는 일차식의 곱으로 인수분해할 수 있다. 따라서 ㉠의 판별식이 완전제곱식이면 된다.

답 (1) $(x-3-i)(x-3+i)$ (2) 3

이차방정식 $ax^2+bx+c=0$의 두 근을 α, β라 하면

$$ax^2+bx+c=a(x-\alpha)(x-\beta)$$

5-1 다음 이차식을 복소수 범위에서 두 일차식의 곱으로 나타내시오.

(1) x^2+9

(2) x^2-2x+4

5-2 $x^2-2xy+ky^2-2x+14y-8$을 x, y에 대한 두 일차식의 곱으로 나타낼 수 있을 때, 실수 k의 값을 구하고, 주어진 이차식을 일차식의 곱으로 나타내시오.

01 이차방정식 $2x^2+8x+3=0$의 두 근을 α, β라 할 때, $\left(\alpha+\frac{1}{\beta^2}\right)\left(\beta+\frac{1}{\alpha^2}\right)$의 값을 구하시오.

02 이차방정식 $ax^2+bx+27=0$의 한 근이 $5-\sqrt{2}i$일 때, 실수 a, b의 값을 구하시오.

03 k는 실수이고, 이차방정식 $x^2-8x+k=0$의 두 근의 비가 $3:5$일 때, 이차방정식 $x^2-kx+2k-4=0$의 두 근의 합을 구하시오.

04 x에 대한 이차방정식 $x^2-(k^2-3k-4)x-k+2=0$의 두 실근은 절댓값이 같고 부호가 서로 다르다. 상수 k의 값을 구하시오.

05 이차방정식 $2x^2-6x-1=0$의 두 근을 α, β라 할 때, 다음을 두 근으로 하고 x^2의 계수가 1인 이차방정식을 구하시오.

(1) $\alpha-1$, $\beta-1$　　(2) α^2, β^2　　(3) $\frac{\beta}{\alpha}$, $\frac{\alpha}{\beta}$

06 $3x^2-3x+2$를 복소수 범위에서 일차식의 곱으로 나타내면?

① $\left(x+\frac{1}{6}-\frac{\sqrt{15}}{6}i\right)\left(x+\frac{1}{6}+\frac{\sqrt{15}}{6}i\right)$　② $\left(x+\frac{1}{2}-\frac{\sqrt{15}}{6}i\right)\left(x+\frac{1}{2}+\frac{\sqrt{15}}{6}i\right)$

③ $\left(x+\frac{1}{2}-\frac{\sqrt{15}}{2}i\right)\left(x+\frac{1}{2}+\frac{\sqrt{15}}{2}i\right)$　④ $3\left(x-\frac{1}{2}-\frac{\sqrt{15}}{6}i\right)\left(x-\frac{1}{2}+\frac{\sqrt{15}}{6}i\right)$

⑤ $3\left(x-\frac{1}{2}-\frac{\sqrt{15}}{2}i\right)\left(x-\frac{1}{2}+\frac{\sqrt{15}}{2}i\right)$

07 이차방정식 $x^2+4x-3=0$의 두 근을 α, β라 할 때,
$\dfrac{6\beta}{\alpha^2+4\alpha-4}+\dfrac{6\alpha}{\beta^2+4\beta-4}$의 값을 구하시오.

08 이차방정식 $x^2+ax+b=0$의 두 근을 α, β라 하면

$$(\alpha+1)(\beta+1)=2,\ (2\alpha+1)(2\beta+1)=-2$$

일 때, 상수 a, b의 값을 구하시오.

09 이차방정식 $x^2-px+q=0$의 두 근이 α, β이고, 이차방정식 $x^2-3px-2q-1=0$의 두 근이 α^2, β^2일 때, 상수 p의 값을 모두 구하시오.

10 이차방정식 $x^2+ax+b=0$에서 동연이는 a를 잘못 보고 풀어서 두 근 $2+3i$, $2-3i$를 얻었고, 윤주는 b를 잘못 보고 풀어서 두 근 $1+i$, $1-i$를 얻었다. 이차방정식 $x^2+ax+b=0$의 해를 구하시오.

11 x에 대한 이차방정식 $x^2+(1-3m)x+2m^2-4m-7=0$의 두 근의 차가 4일 때, m값의 곱을 구하시오.

12 이차방정식 $3x^2-9x+k=0$의 두 근의 절댓값의 합이 5일 때, k의 값을 구하시오.

교육청 기출

13 x에 대한 이차방정식 $x^2+(a-4)x-1=0$의 두 근을 α와 β, $x^2+ax+b=0$의 두 근을 α와 γ라 하자. $2\alpha=\beta-\gamma$일 때, $2a-b$의 값을 구하시오.

14 방정식 $|x^2-6x+1|=2$의 네 근을 α, β, γ, δ라 할 때, $\frac{1}{\alpha}+\frac{1}{\beta}+\frac{1}{\gamma}+\frac{1}{\delta}$의 값을 구하시오.

15 이차방정식 $x^2-10x+8=0$의 두 근을 α, β라 할 때, $f(x)$가 이차식이고 $f(\alpha)=5\alpha$, $f(\beta)=5\beta$, $f(1)=3$이다. $f(\alpha\beta)$의 값을 구하시오.

16 이차방정식 $x^2+kx+2=0$의 서로 다른 두 실근을 α, β라 할 때, **보기**에서 옳은 것만을 있는 대로 고른 것은?

보기

ㄱ. $|\alpha+\beta|=|\alpha|+|\beta|$　　ㄴ. $\alpha>2$이면 $0<\beta<1$이다.
ㄷ. $\alpha^2+\beta^2<4$

① ㄱ　② ㄴ　③ ㄱ, ㄴ　④ ㄴ, ㄷ　⑤ ㄱ, ㄴ, ㄷ

교육청 기출

17 이차방정식 $x^2-4x+2=0$의 두 실근을 α, β $(\alpha<\beta)$라 하자. 그림과 같이 $\overline{AB}=\alpha$, $\overline{BC}=\beta$인 직각삼각형 ABC에 내접하는 정사각형의 넓이와 둘레의 길이가 두 근인 이차방정식이 $4x^2+mx+n=0$일 때, $m+n$의 값은?
(단, 정사각형의 두 변은 선분 AB와 선분 BC 위에 있다.)

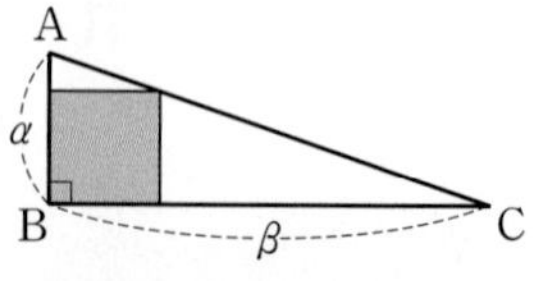

① -11　② -10　③ -9　④ -8　⑤ -7

$y=ax+b$처럼 x에 대한 일차식으로 표현되는 함수를 일차함수라 하고, $y=ax^2+bx+c$처럼 x에 대한 이차식으로 표현되는 함수를 이차함수라 한다.

이 단원에서는 중학교에서 배운 일차함수와 이차함수의 그래프를 그려 보고 그래프를 이용하여 이차함수의 최댓값과 최솟값을 구해 보자.

이차함수

8-1 $y=ax+b$의 그래프

개념

1 기울기가 a이고, y절편이 b인 직선이다.

2 $a>0$이면 오른쪽 위로 가는 직선

$a<0$이면 오른쪽 아래로 가는 직선

$a=0$이면 x축에 평행한 직선

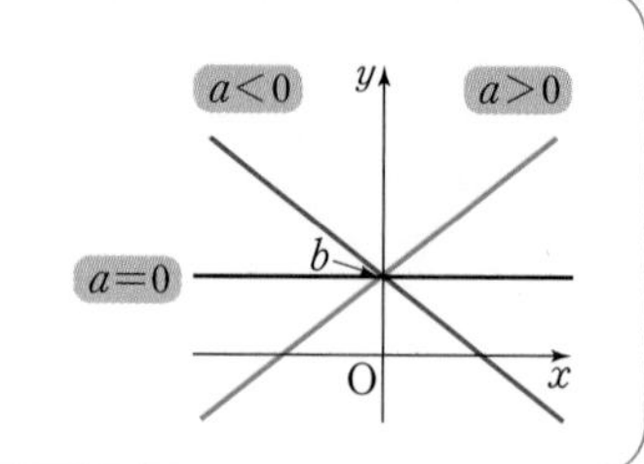

$y=ax+b$의 그래프 그리기

함수 $y=2x-3$의 그래프는 기울기가 2인 직선이다.

또 $x=0$을 대입하면 $y=-3$이므로 y절편이 -3이고

$y=0$을 대입하면 $0=2x-3$, 곧 $x=\frac{3}{2}$이므로 x절편이 $\frac{3}{2}$이다.

따라서 그래프는 두 점 $(0,\ -3)$, $\left(\frac{3}{2},\ 0\right)$을 지나는 직선이다.

보통 $y=ax+b$의 그래프를 그릴 때에는 x절편과 y절편을 구한 다음 두 점을 잇는 직선을 그린다.

$y=ax+b$의 그래프의 성질

$y=ax+b$의 그래프에서 a는 직선의 기울기이다.

그림과 같이 $a>0$이면 오른쪽 위로 가는 직선이고,

$a<0$이면 오른쪽 아래(또는 왼쪽 위)로 가는 직선이다.

$a=0$이면 $y=b$ 꼴이고 x축에 평행한 직선이다.

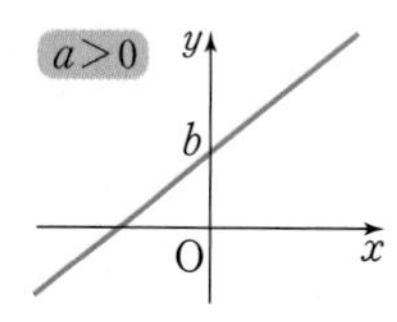

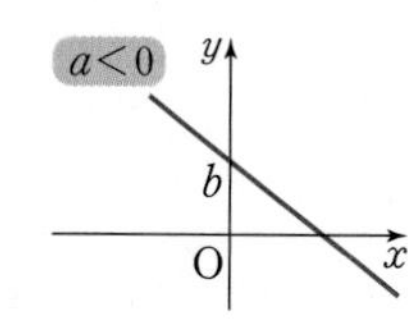

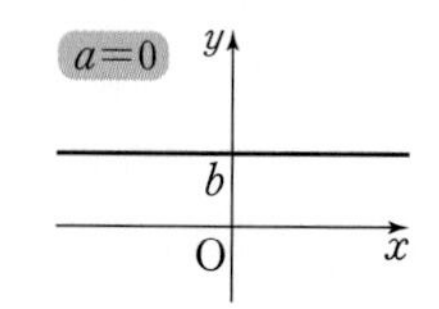

일차함수 $y=ax+b$

$y=ax+b$가 일차함수라 하면 $a\neq0$인 경우만 생각한다.

개념 Check

◆ 정답 및 풀이 53쪽

1 오른쪽 좌표평면에 다음 함수의 그래프를 그리고, x절편과 y절편을 나타내시오.

(1) $y=\frac{1}{2}x+1$

(2) $y=-2x-3$

(3) $y=-2$

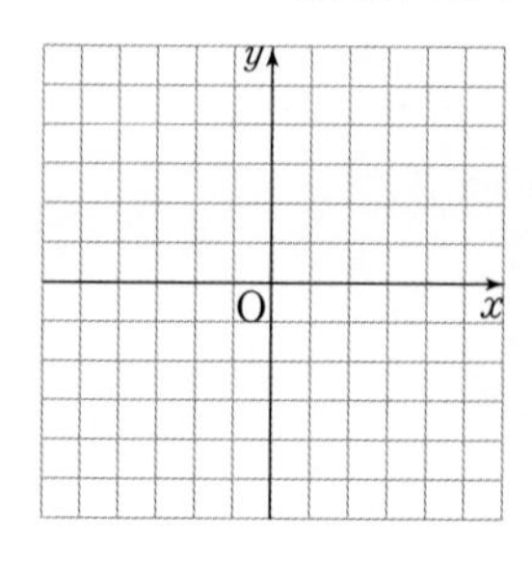

8-2 $y=a(x-m)^2+n$의 그래프

1 이차함수 $y=ax^2$의 그래프

(1) 꼭짓점이 점 $(0,\ 0)$이고,
축이 y축(직선 $x=0$)인 곡선이다.

(2) $a>0$이면 아래로 볼록($\cup$ 꼴)한 곡선
$a<0$이면 위로 볼록($\cap$ 꼴)한 곡선

(3) $y=ax^2$과 $y=-ax^2$의 그래프는 x축에 대칭이다.

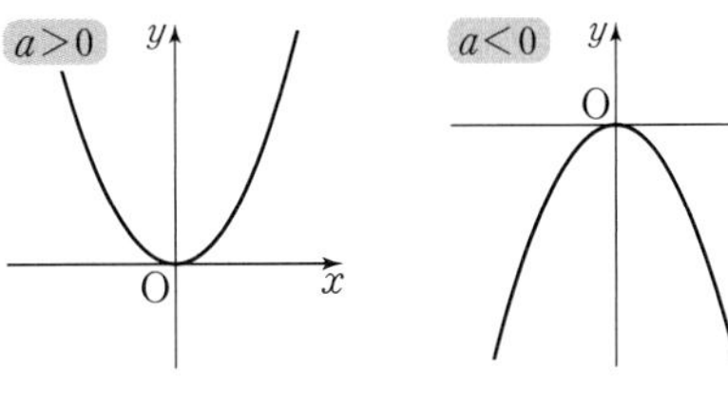

2 이차함수 $y=a(x-m)^2+n$의 그래프

(1) $y=ax^2$의 그래프를 x축 방향으로 m만큼,
y축 방향으로 n만큼 평행이동한 그래프이다.

(2) 꼭짓점이 점 $(m,\ n)$이고, 축이 직선 $x=m$이다.

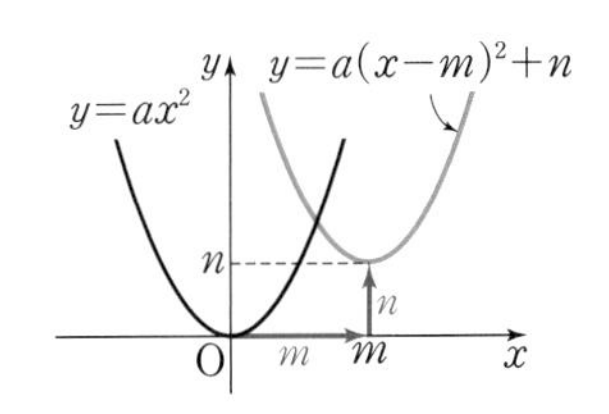

$y=ax^2$의 그래프

함수 $y=x^2$, $y=2x^2$, $y=\frac{1}{2}x^2$의 그래프는 그림과 같이 아래로 볼록($\cup$ 꼴)하고 원점이 **꼭짓점**인 곡선이다.
또 y축에 대칭인 곡선이다. 이때 y축을 그래프의 **축**이라 한다.
함수 $y=-x^2$, $y=-2x^2$, $y=-\frac{1}{2}x^2$의 그래프는 각각 $y=x^2$, $y=2x^2$, $y=\frac{1}{2}x^2$의 그래프와 x축에 대칭이고 위로 볼록($\cap$ 꼴)한 곡선이다.
이차함수의 그래프가 나타내는 곡선을 **포물선**이라 한다.

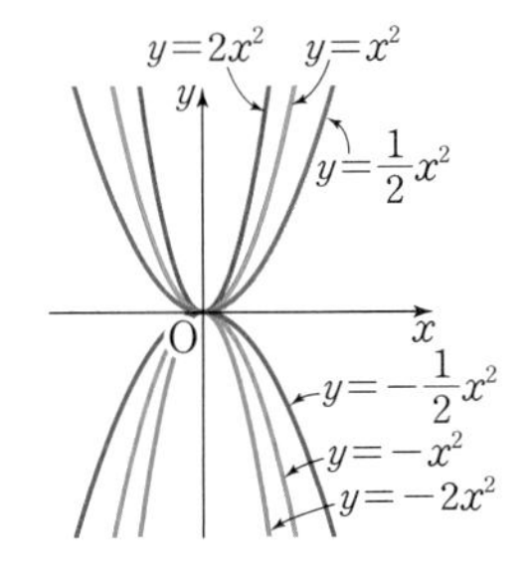

$y=a(x-m)^2+n$의 그래프

$y=(x-1)^2-2$의 그래프는 $y=x^2$의 그래프를 x축 방향으로 1만큼, y축 방향으로 -2만큼 평행이동한 그래프이다.
따라서 꼭짓점이 점 $(1,\ -2)$이고, 축이 직선 $x=1$이다.

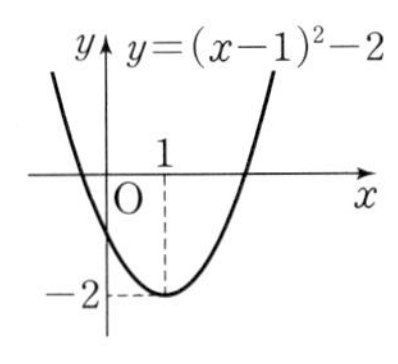

개념 Check

정답 및 풀이 53쪽

2 오른쪽 좌표평면에 다음 함수의 그래프를 그리시오.

(1) $y=2(x+2)^2-2$

(2) $y=-\frac{1}{2}(x-2)^2+1$

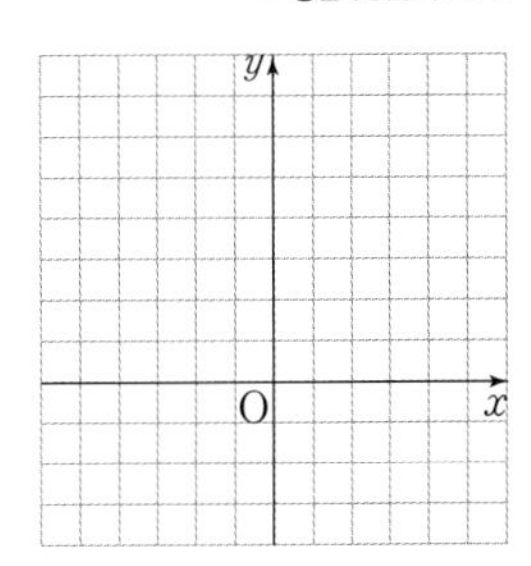

8-3 $y=ax^2+bx+c$의 그래프

1 $y=ax^2+bx+c$ 꼴의 그래프는 $y=a(x-m)^2+n$ 꼴로 고쳐 그린다.

2 그래프의 축은 직선 $x=-\frac{b}{2a}$이다.

3 y축과 만나는 점의 y좌표는 c이고, x축과 만나는 점의 x좌표는 방정식 $ax^2+bx+c=0$의 실근이다.

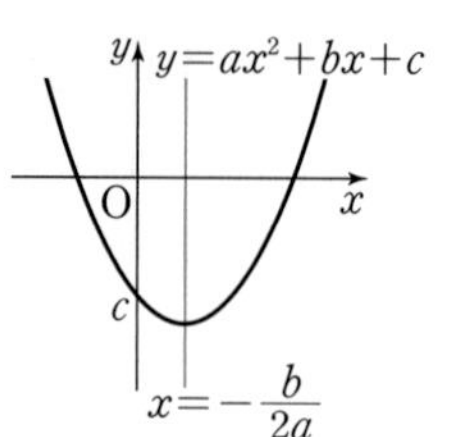

$y=ax^2+bx+c$의 그래프 그리기

$y=x^2+2x-3$의 그래프는 다음과 같이 그린다.

$$y=(x^2+2x+1-1)-3=(x+1)^2-4$$

이므로 꼭짓점이 점 $(-1,\ -4)$이고, 축은 직선 $x=-1$이다.

$x=0$일 때 $y=-3$이므로 y축의 점 $(0,\ -3)$을 지난다.

$y=0$을 대입하면

$$0=x^2+2x-3,\ (x+3)(x-1)=0$$

곧, $x=-3$ 또는 $x=1$이므로 점 $(-3,\ 0)$, $(1,\ 0)$을 지난다.

따라서 그래프는 그림과 같다.

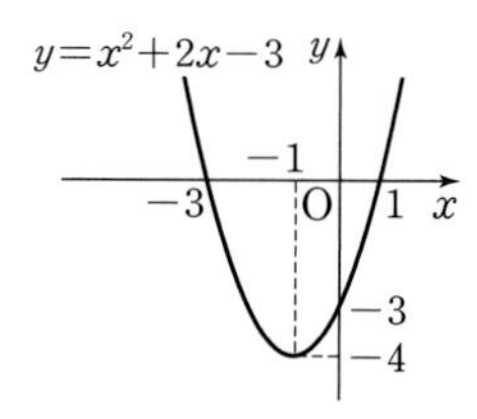

$y=ax^2+bx+c$의 그래프

$y=ax^2+bx+c\ (a\neq0)$일 때

$$y=a\left\{x^2+\frac{b}{a}x+\left(\frac{b}{2a}\right)^2\right\}-a\left(\frac{b}{2a}\right)^2+c$$

$$=a\left(x+\frac{b}{2a}\right)^2+\frac{-b^2+4ac}{4a}$$

따라서 그래프는 꼭짓점이 점 $\left(-\frac{b}{2a},\ -\frac{b^2-4ac}{4a}\right)$이고, 축이 직선 $x=-\frac{b}{2a}$인 포물선이다.

$x=0$을 대입하면 $y=c$이므로 y축과 점 $(0,\ c)$에서 만난다.

$y=0$을 대입하면 $0=ax^2+bx+c$ $\cdots$ ㉠

이 방정식의 실근은 그래프가 x축과 만나는 점의 x좌표이다.

참고 ㉠이 중근을 가지면 x축과 한 점에서 만나고, 허근을 가지면 x축과 만나지 않는다.

이차함수 $y=ax^2+bx+c$

$y=ax^2+bx+c$가 이차함수라 하면 $a\neq0$인 경우만 생각한다.

개념 Check

◆ 정답 및 풀이 54쪽

3 다음 함수의 그래프에서 꼭짓점의 좌표와 x축과 만나는 점의 좌표를 구하시오.

(1) $y=2x^2-4x-6$ (2) $y=-x^2+5x-6$

이차함수의 식 구하기

◆ 정답 및 풀이 54쪽

다음 그래프를 나타내는 이차함수의 식을 구하시오.

(1) 꼭짓점이 점 $(3,\ -1)$이고, 점 $(1,\ 3)$을 지난다.

(2) x축과 x좌표가 $-1,\ 4$인 점에서 만나고, y축과 y좌표가 4인 점에서 만난다.

(3) 세 점 $(0,\ 1)$, $(1,\ 0)$, $(3,\ 4)$를 지난다.

날선 Guide (1)

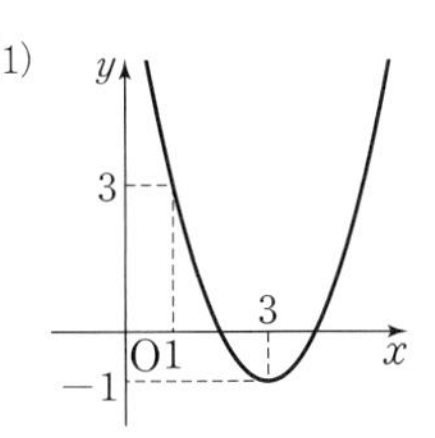

(2)

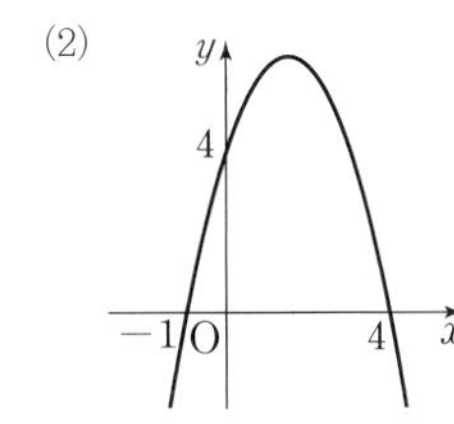

(3)

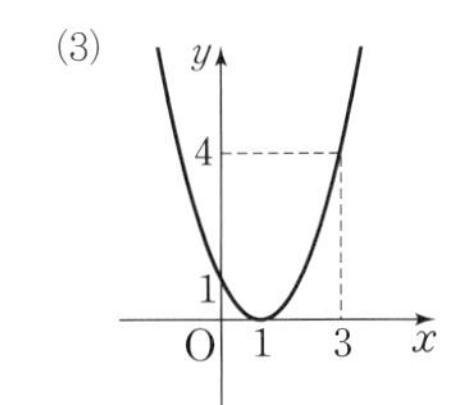

(1) 그래프의 꼭짓점이 점 $(3,\ -1)$이므로 이차함수의 식을

$$y=a(x-3)^2-1$$

로 놓고 그래프가 점 $(1,\ 3)$을 지남을 이용하여 a의 값을 구한다.

(2) 해가 $-1,\ 4$이고 x^2의 계수가 a인 이차방정식은 $a(x+1)(x-4)=0$이다.

따라서 그래프가 x축과 $x=-1,\ x=4$인 점에서 만나는 이차함수의 식은

$$y=a(x+1)(x-4)$$

이므로 그래프가 y축과 $y=4$인 점에서 만나도록 a의 값을 정한다.

(3) $y=ax^2+bx+c$로 놓고 세 점 $(0,\ 1)$, $(1,\ 0)$, $(3,\ 4)$의 좌표를 차례로 대입하면

$$1=a\times0^2+b\times0+c,\ 0=a\times1^2+b\times1+c,\ 4=a\times3^2+b\times3+c$$

세 식을 연립하여 풀어 $a,\ b,\ c$의 값을 구한다.

답 (1) $y=(x-3)^2-1$ (2) $y=-(x+1)(x-4)$ (3) $y=x^2-2x+1$

그래프의 조건이 주어진 이차함수의 식

- 꼭짓점이 점 $(m,\ n)$일 때 ➡ $y=a(x-m)^2+n$
- x축과 $x=\alpha,\ x=\beta$에서 만날 때 ➡ $y=a(x-\alpha)(x-\beta)$
- 세 점을 지날 때 ➡ $y=ax^2+bx+c$로 놓고 좌표를 대입한다.

1-1 다음 그래프를 나타내는 이차함수의 식을 구하시오.

(1) 꼭짓점이 점 $(-2,\ 1)$이고, y축과 y좌표가 -3인 점에서 만난다.

(2) x축과 x좌표가 $-4,\ -2$인 점에서 만나고, 점 $(-1,\ 6)$을 지난다.

(3) 세 점 $(-1,\ 4)$, $(1,\ 4)$, $(0,\ 6)$을 지난다.

대표 Q2

절댓값 기호를 포함한 함수의 그래프

◆ 정답 및 풀이 55쪽

다음 함수의 그래프를 그리시오.

(1) $y=|2x-1|$ (2) $y=|x^2-4x+3|$

날선 Guide (1) $x\geq\frac{1}{2}$일 때, $2x-1\geq0$이므로

$y=2x-1$

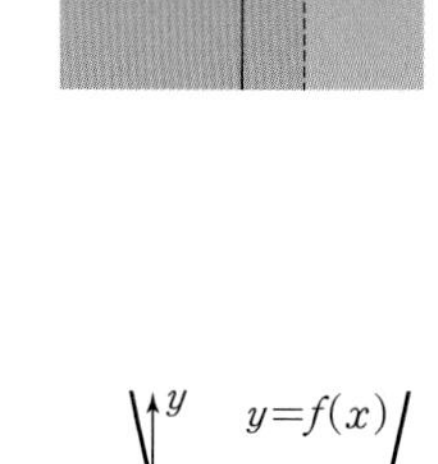

$x<\frac{1}{2}$일 때, $2x-1<0$이므로

$y=-(2x-1)$

그림에서 녹색 부분에는 $y=2x-1$

빨간색 부분에는 $y=-(2x-1)$

의 그래프를 그린다.

(2) $f(x)=x^2-4x+3$이라 하면 $f(x)=(x-2)^2-1$

$f(x)=0$이면 $0=x^2-4x+3$

$(x-1)(x-3)=0$ $\therefore x=1$ 또는 $x=3$

이고 $y=f(x)$의 그래프는 그림과 같다.

따라서 $y=|f(x)|$의 그래프는

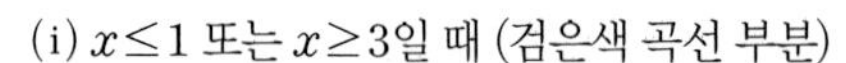

(i) $x\leq1$ 또는 $x\geq3$일 때 (검은색 곡선 부분)

$f(x)\geq0$이므로 $y=f(x)$의 그래프를 그린다.

(ii) $1<x<3$일 때 (녹색 곡선 부분)

$f(x)<0$이므로 $y=-f(x)$의 그래프를 그린다.

이때 $y=-f(x)$의 그래프는 $y=f(x)$의 그래프 중 x축 아랫부분을 x축 위로 꺾어 올린 꼴이다.

답 (1) 풀이 참조 (2) 풀이 참조

날선 Point
- 절댓값 기호를 포함한 함수의 그래프 ➡ x의 범위를 나누어 식을 구한다.
- $y=|f(x)|$의 그래프
  ➡ $y=f(x)$의 그래프를 그리고 x축 아랫부분을 x축 위로 꺾어 올린다.

2-1 다음 함수의 그래프를 그리시오.

(1) $y=|x|+1$ (2) $y=|x^2-2x-3|$

대표 **Q3** **이차함수의 그래프**

정답 및 풀이 55쪽

이차함수 $f(x)=ax^2+bx+c$는 모든 x에 대하여 $f(2-x)=f(2+x)$를 만족시킨다. $f(0)>0$, $f(-1)<0$일 때, 다음 중 옳은 것은?

① $a>0$ ② $b<0$ ③ $f(2)>0$

④ $f(x)>f(2)$인 x가 적어도 하나 있다.

⑤ 방정식 $ax^2+bx+c=0$의 두 근의 합은 2이다.

날선 Guide $f(2-x)=f(2+x)$이면 $2-x$와 $2+x$의 함숫값이 같으므로 $y=f(x)$의 그래프는 직선 $x=2$에 대칭이다.

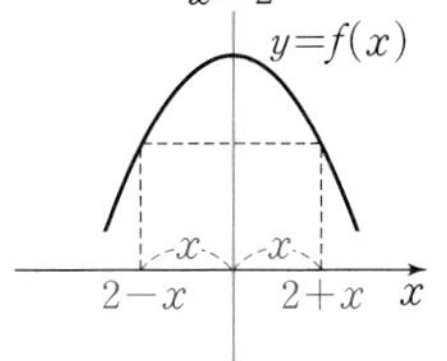

$f(a-x)=f(a+x)$인 함수 $y=f(x)$의 그래프는 직선 $x=a$에 대칭이다.

따라서 축이 직선 $x=2$이고, $f(0)>0$, $f(-1)<0$을 만족시키는 이차함수의 그래프를 몇 개 그리고 보기가 성립하는지 확인한다.

답 ③

날선 Point

$y=ax^2+bx+c$의 그래프에서

- $a>0$이면 아래로 볼록, $a<0$이면 위로 볼록하다.
- 축은 직선 $x=-\dfrac{b}{2a}$이다.
- x축과 만나는 점의 x좌표는 이차방정식 $ax^2+bx+c=0$의 실근이다.

3-1 원점 O를 지나는 이차함수 $y=ax^2+bx+c$의 그래프가 그림과 같을 때, 함수 $y=cx^2+bx+a$의 그래프가 지나지 않는 사분면을 구하시오.

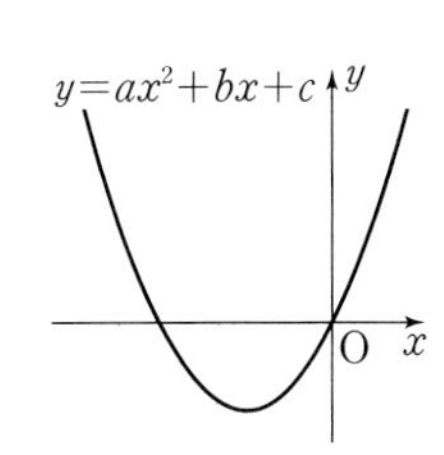

3-2 이차함수 $f(x)=ax^2+bx+c$는 모든 x에 대하여 $f(-1-x)=f(-1+x)$를 만족시킨다. 방정식 $f(x)=0$의 한 근이 -3일 때, 나머지 한 근을 구하시오.

8-4 이차함수의 최대, 최소

이차함수 $y=a(x-m)^2+n$의 최대, 최소

(1) $a>0$일 때

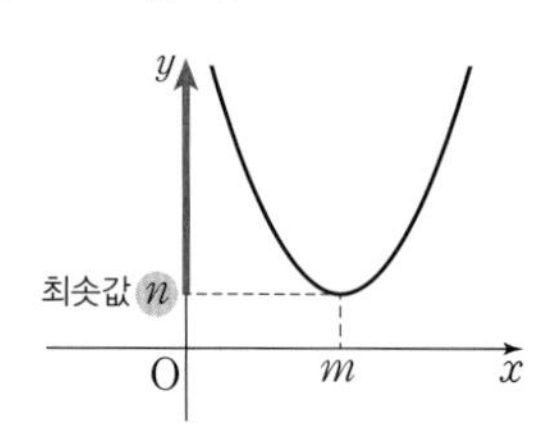

(2) $a<0$일 때

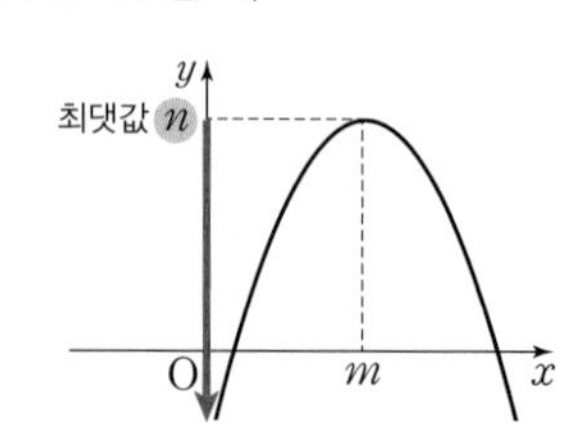

이차함수의 최솟값

$f(x)=(x-2)^2+1$이라 하면 $y=f(x)$의 그래프는 [그림 1]과 같다.
따라서 $f(x)$의 함숫값은 1 이상이고, 가장 작은 값은 $x=2$일 때 1이다.
이때 $f(x)$의 최솟값은 $x=2$일 때 1이고, 최댓값은 없다고 한다.

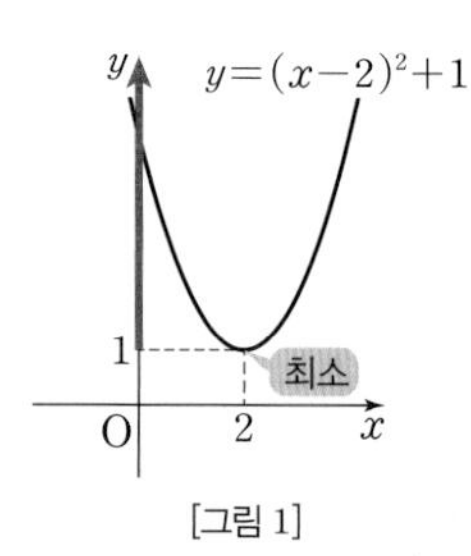

[그림 1]

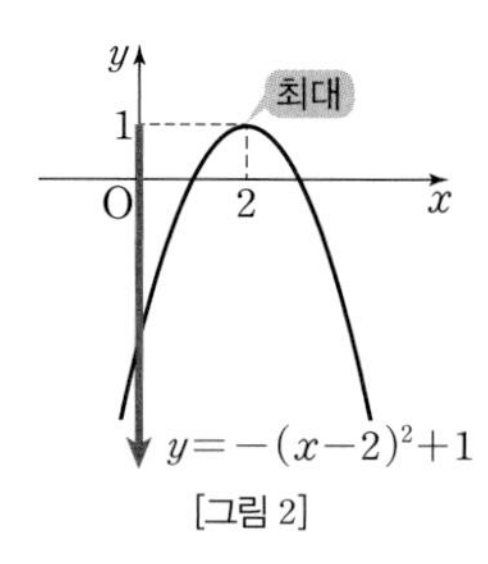

[그림 2]

이차함수의 최댓값

$g(x)=-(x-2)^2+1$이라 하면 $y=g(x)$의 그래프는 [그림 2]와 같다.
따라서 $g(x)$의 함숫값은 1 이하이고, 가장 큰 값은 $x=2$일 때 1이다.
이때 $g(x)$의 최댓값은 $x=2$일 때 1이고, 최솟값은 없다고 한다.

이차함수 $y=a(x-m)^2+n$의 최대, 최소

x가 실수이면 $(x-2)^2\geq 0$이므로 $f(x)$와 $g(x)$의 최대, 최소는 다음과 같이 생각할 수도 있다.
$f(x)=(x-2)^2+1\geq 1$이고 $f(x)$의 최솟값은 $x=2$일 때 1이다.
$g(x)=-(x-2)^2+1\leq 1$이고 $g(x)$의 최댓값은 $x=2$일 때 1이다.
이차함수 $y=a(x-m)^2+n$의 그래프를 생각하면 최대, 최소는 다음과 같이 정리할 수 있다.

$a>0$이면 $y\geq n$이므로 $x=m$일 때 최솟값은 n이고,
$a<0$이면 $y\leq n$이므로 $x=m$일 때 최댓값은 n이다.

개념 Check

정답 및 풀이 56쪽

4 다음 함수의 최댓값 또는 최솟값을 구하시오.

(1) $y=\frac{1}{2}x^2+2$　　(2) $y=2(x+2)^2-2$

(3) $y=-2x^2$　　(4) $y=-3(x+1)^2+2$

8-5 제한된 범위에서 이차함수의 최대, 최소

1 x값의 범위에 제한이 있는 경우 주어진 범위에서 그래프를 그려 y의 값이 가장 클 때와 가장 작을 때를 찾는다.

2 주어진 범위에 꼭짓점이 포함되어 있으면 꼭짓점의 y좌표가 최댓값 또는 최솟값이다.

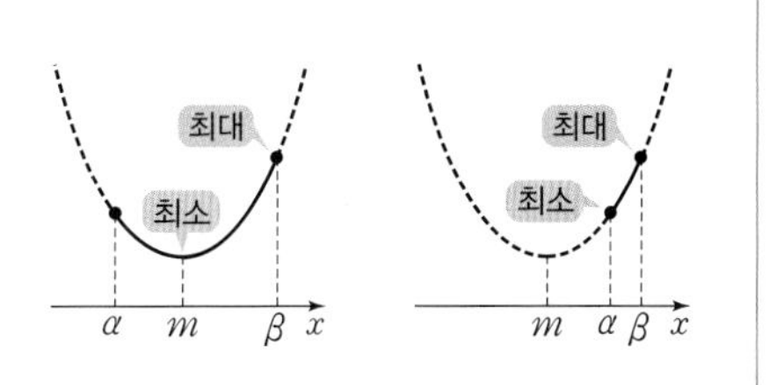

$a>0$일 때 주어진 범위에서 최대, 최소

이차함수 $y=(x-2)^2+1$의 최댓값과 최솟값을 주어진 범위에서 구하면 다음과 같다.

(1) $1\le x\le 4$일 때

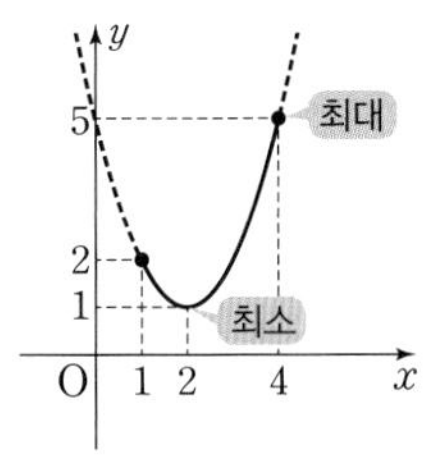

최댓값 $5(x=4)$
최솟값 $1(x=2)$

(2) $x\ge 1$일 때

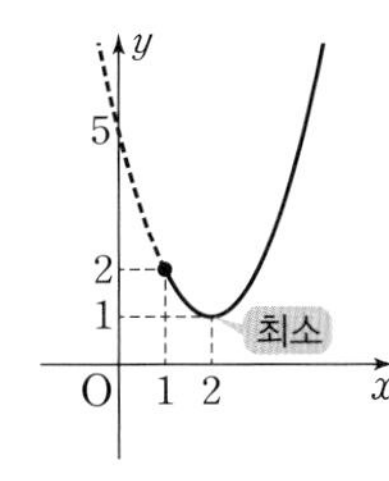

최댓값은 없다.
최솟값 $1(x=2)$

(3) $3\le x\le 4$일 때

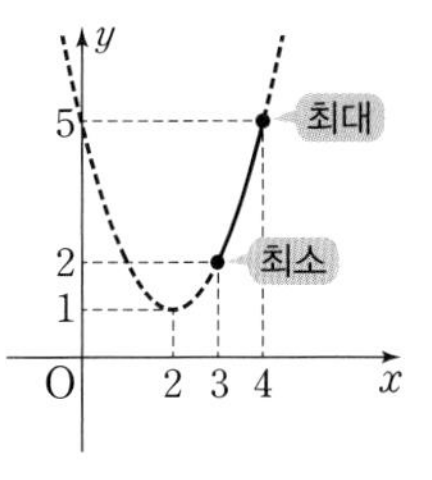

최댓값 $5(x=4)$
최솟값 $2(x=3)$

$a<0$일 때 주어진 범위에서 최대, 최소

이차함수 $y=-(x-2)^2+4$의 최댓값과 최솟값을 주어진 범위에서 구하면 다음과 같다.

(1) $1\le x\le 4$일 때

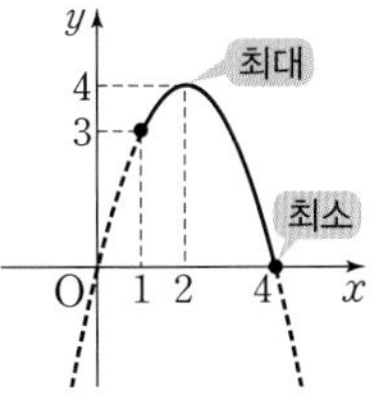

최댓값 $4(x=2)$
최솟값 $0(x=4)$

(2) $x\ge 1$일 때

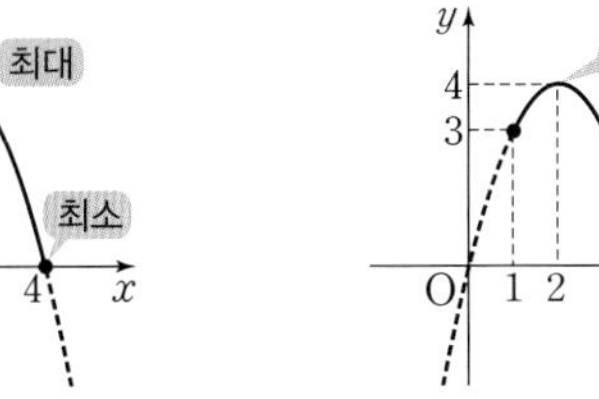

최댓값 $4(x=2)$
최솟값은 없다.

(3) $3\le x\le 4$일 때

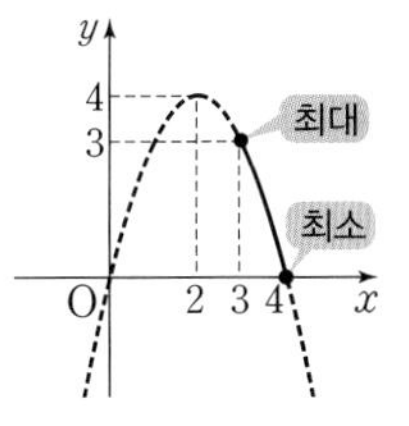

최댓값 $3(x=3)$
최솟값 $0(x=4)$

개념 Check

◆ 정답 및 풀이 **56**쪽

5 다음 주어진 범위에서 이차함수 $y=(x+1)^2+2$의 최댓값과 최솟값을 구하시오.

(1) $-3\le x\le 0$　　(2) $0\le x\le 2$

6 다음 주어진 범위에서 이차함수 $y=-(x+1)^2+4$의 최댓값과 최솟값을 구하시오.

(1) $x\le 0$　　(2) $-3\le x\le 0$

대표 Q4 이차함수의 최대, 최소

◆ 정답 및 풀이 57쪽

함수 $f(x)=2x^2+4x$에 대하여 다음 물음에 답하시오.

(1) $f(x)$의 최댓값 또는 최솟값을 구하시오.

(2) $-2\le x\le 2$일 때, $f(x)$의 최댓값과 최솟값을 구하시오.

(3) $-1\le x\le 2$일 때, $|f(x)|$의 최댓값과 최솟값을 구하시오.

날선 Guide (1) $f(x)=2(x^2+2x)=2(x+1)^2-2$

이므로 $y=f(x)$의 그래프를 그리고 최댓값 또는 최솟값을 찾는다.

$(x+1)^2\ge 0$임을 이용해도 된다.

(2) 주어진 범위에서 $y=f(x)$의 그래프를 그려 최댓값, 최솟값을 생각하면 편하다.

특히 꼭짓점이 주어진 범위에 포함되면

꼭짓점의 y좌표가 최댓값 또는 최솟값이다.

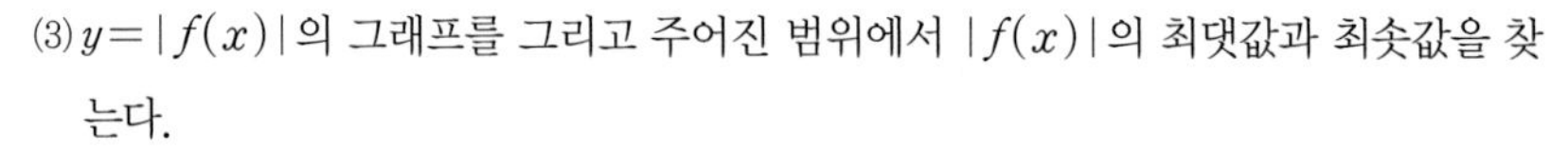

(3) $y=|f(x)|$의 그래프를 그리고 주어진 범위에서 $|f(x)|$의 최댓값과 최솟값을 찾는다.

답 (1) 최댓값 : 없다., 최솟값 : -2 (2) 최댓값 : 16, 최솟값 : -2 (3) 최댓값 : 16, 최솟값 : 0

날선 Point 이차함수의 최댓값, 최솟값 구하기

❶ $y=a(x-m)^2+n$ 꼴로 고쳐 그래프를 그린다.

❷ 제한된 범위가 있는 경우 먼저 꼭짓점의 위치를 확인한다.

4-1 함수 $f(x)=-x^2+6x-4$에 대하여 다음 물음에 답하시오.

(1) $f(x)$의 최댓값 또는 최솟값을 구하시오.

(2) $0\le x\le 2$일 때, $f(x)$의 최댓값과 최솟값을 구하시오.

(3) $x\ge 1$일 때, $f(x)$의 최댓값 또는 최솟값을 구하시오.

4-2 $-1\le x\le 4$일 때, $y=|x^2-2x-3|$의 최댓값과 최솟값을 구하시오.

최댓값, 최솟값이 주어지는 경우

◆ 정답 및 풀이 57쪽

다음 물음에 답하시오.

(1) 이차함수 $y=ax^2-2ax+a^2+a-1$의 최댓값이 3일 때, 실수 a의 값을 구하시오.

(2) $0\le x\le 3$에서 함수 $y=-x^2+2x+k$의 최댓값이 1일 때, 실수 k의 값과 함수의 최솟값을 구하시오.

날선 Guide (1) 최댓값이 3이므로 그래프는 위로 볼록(∩ 꼴)하다. 따라서 x^2의 계수 a는 음수이다.

주어진 함수를

$$y=a(x-m)^2+n$$

꼴로 고치고 꼭짓점의 y좌표가 최댓값임을 이용한다.

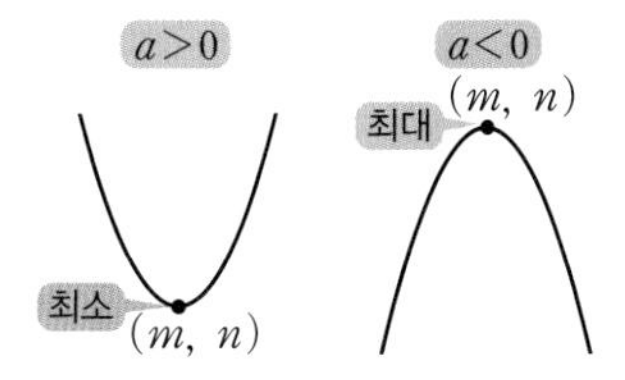

(2) 주어진 함수를 $y=a(x-m)^2+n$ 꼴로 고쳐 함수의 그래프를 그린다.

특히 축이 직선 $x=-\dfrac{2}{2\times(-1)}=1$이므로

$0\le x\le 3$에서 꼭짓점을 포함한다는 것에 주의한다.

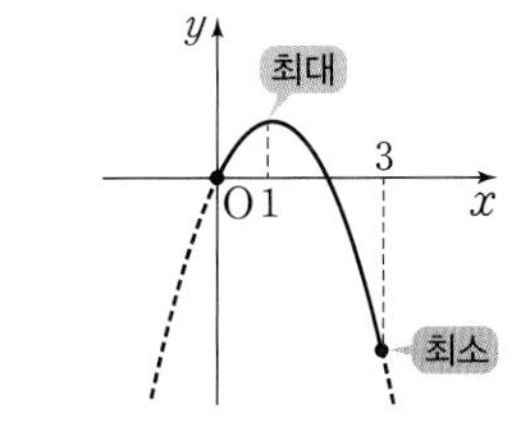

답 (1) -2 (2) $k=0$, 최솟값 : -3

이차함수의 최댓값, 최솟값이 주어진 경우

❶ $y=a(x-m)^2+n$ 꼴로 정리한다.

❷ a의 부호를 확인한다.

❸ 주어진 범위에서 축 또는 꼭짓점을 포함하는지 확인한다.

5-1 이차함수 $y=ax^2+2ax+a^2-2$의 최솟값이 0일 때, 실수 a의 값을 구하시오.

5-2 $-2\le x\le 2$에서 함수 $y=3x^2+6x+k$의 최댓값이 10일 때, 실수 k의 값과 함수의 최솟값을 구하시오.

대표 Q6

치환하는 최대, 최소 문제

◆ 정답 및 풀이 58쪽

이차함수 $f(x)$의 최댓값은 $x=2$에서 1이다. $f(1)=0$일 때, 다음 물음에 답하시오.

(1) $f(x)$를 구하시오.

(2) $0\le x\le 3$에서 $y=\{f(x)\}^2-6f(x)+5$의 최댓값과 최솟값을 구하시오.

날선 Guide (1) $f(x)$의 최댓값이 $x=2$에서 1이므로 x^2의 계수가 음수이고, 그래프의 꼭짓점은 점 $(2,\ 1)$이다.

따라서

$$f(x)=a(x-2)^2+1\ (a<0)$$

로 놓고 a의 값을 구한다.

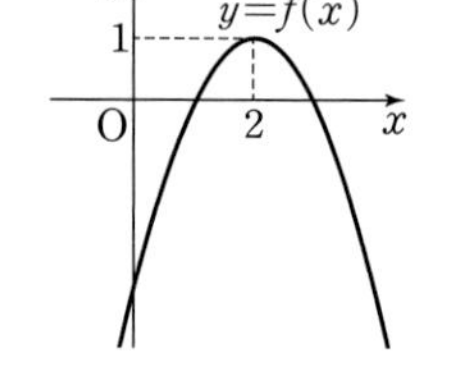

(2) (1)에서 구한 $f(x)$를 주어진 식에 대입하여 전개하면 사차함수이므로 최댓값이나 최솟값을 바로 구할 수 없다.

그러나 $f(x)=t$로 놓으면

$$y=t^2-6t+5$$

이므로 y는 t에 대한 이차함수이다. 따라서 t의 범위를 알면 y의 최댓값, 최솟값을 구할 수 있다.

$0\le x\le 3$에서 $f(x)$의 범위가 t의 범위이므로 $f(x)$의 그래프에서 t의 범위를 구한다.

답 (1) $f(x)=-(x-2)^2+1$ (2) 최댓값 : 32, 최솟값 : 0

- 이차함수에서 최댓값(또는 최솟값)이 주어지면 그래프의 꼭짓점을 생각한다.
- 치환하여 최댓값, 최솟값을 구할 때에는 치환하는 문자의 범위에 주의한다.

6-1 이차함수 $f(x)$의 최솟값은 -3이다. $y=f(x)$의 그래프는 축이 직선 $x=1$이고, 점 $(0,\ -2)$를 지날 때, 다음 물음에 답하시오.

(1) $f(x)$를 구하시오.

(2) $-1\le x\le 2$에서 $y=\{f(x)\}^2+2f(x)-3$의 최댓값과 최솟값을 구하시오.

6-2 함수

$$y=(1-x-x^2)(3+x+x^2)-5$$

의 최댓값 또는 최솟값을 구하시오.

변수를 소거하는 최대, 최소 문제

정답 및 풀이 58쪽

x, y는 실수이고 $2x+y=1$일 때, 다음 물음에 답하시오.

(1) x^2+2x+y^2의 최솟값을 구하시오.

(2) $x\ge0$, $y\ge0$일 때, x^2+2x+y^2의 최댓값과 최솟값을 구하시오.

날선 Guide (1) $2x+y=1$에서 $y=1-2x$이므로 x^2+2x+y^2에 대입하면

$$x^2+2x+(1-2x)^2=5x^2-2x+1 \quad \cdots ㉠$$

이 식은 x에 대한 이차식이므로 최댓값이나 최솟값을 구할 수 있다.

(2) $y\ge0$이므로 $y=1-2x$에서 $1-2x\ge0$ $\quad \therefore x\le\frac{1}{2}$

따라서 $0\le x\le\frac{1}{2}$에서 ㉠의 최댓값과 최솟값을 구한다.

이와 같이 문자를 소거할 때에는 제한 범위가 생길 수 있다는 것에 주의한다.

참고 $2x+y=1$이라는 조건이 없을 때 x^2+2x+y^2의 최솟값은 다음과 같이 완전제곱식으로 고쳐 구한다.

$$x^2+2x+y^2=(x+1)^2+y^2-1$$

에서 x, y가 실수이므로 $(x+1)^2\ge0$, $y^2\ge0$이다.

따라서 $x=-1$, $y=0$일 때 최솟값은 -1이다.

답 (1) $\frac{4}{5}$ (2) 최댓값 : $\frac{5}{4}$, 최솟값 : $\frac{4}{5}$

조건으로 등식이 주어진 경우

❶ 등식을 이용하여 한 문자를 소거한다.

❷ 제한 범위가 생기는지 꼼꼼히 따진다.

7-1 x, y는 실수이고 $x+y-2=0$일 때, x^2+2y^2+4x의 최솟값을 구하시오.

7-2 $x\ge0$, $y\ge0$이고 $4x+2y=9$일 때, x^2+2y의 최댓값과 최솟값을 구하시오.

대표 Q8 이차함수의 최대, 최소의 활용

◆ 정답 및 풀이 59쪽

그림과 같이 길이가 20 m인 철망을 'ㄷ'자 모양으로 벽에 둘러쳐서 직사각형 모양의 닭장을 만들려고 한다. 닭장 넓이의 최댓값을 구하시오. (단, 철망의 두께는 생각하지 않는다.)

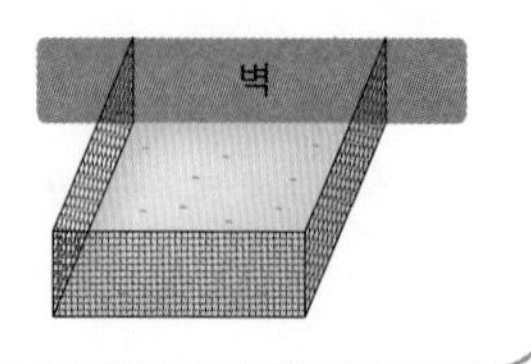

날선 Guide 그림과 같이 닭장 세로의 길이를 $x\text{ m}$, 닭장의 넓이를 $y\text{ m}^2$라 하자.

닭장 가로의 길이가 $(20-2x)\text{ m}$이므로

$$y=x(20-2x)$$

이다.

그리고 변의 길이는 양수이므로

$$x>0,\ 20-2x>0$$

이다.

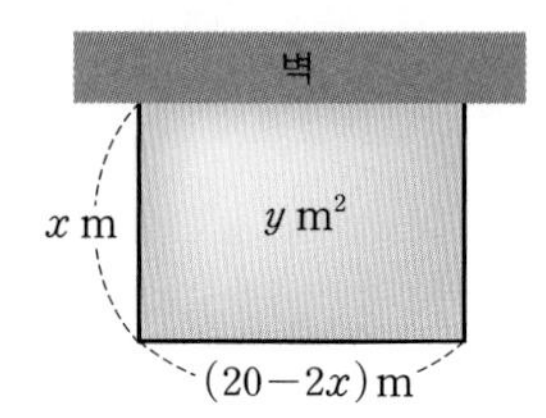

답 50 m^2

이차함수의 최대, 최소의 활용 문제

❶ 변수를 정한다.

❷ 주어진 조건을 식으로 나타낸다.

❸ 변수의 범위를 구한다.

8-1 길이가 20 m인 철사를 2개로 자른 다음 각각의 철사로 정사각형을 만들려고 한다. 두 정사각형 넓이의 합의 최솟값을 구하시오. (단, 철사의 두께는 생각하지 않는다.)

8-2 그림과 같이 빗변이 아닌 두 변의 길이가 50 m, 25 m인 직각삼각형 모양의 땅에 직사각형 모양의 건물을 지으려고 한다. 건물을 지을 수 있는 땅 넓이의 최댓값을 구하시오.

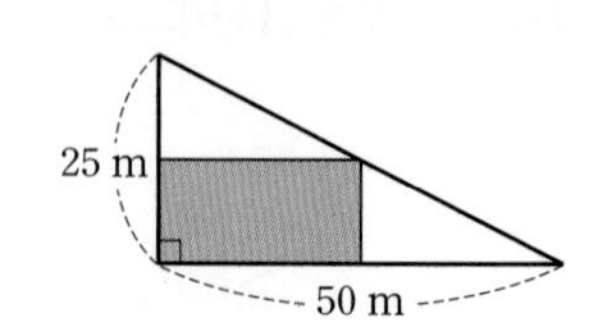

8 이차함수

01 함수 $ax+by+1=0$의 그래프가 오른쪽 그림과 같을 때, 함수 $y=ax^2+b$의 그래프는?

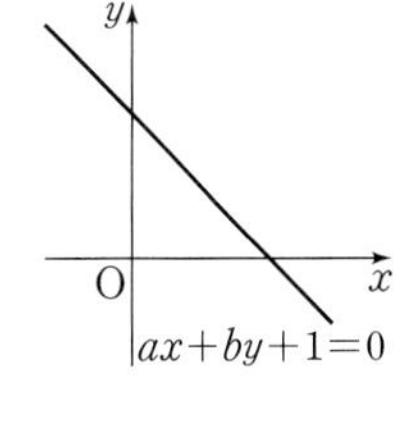

①
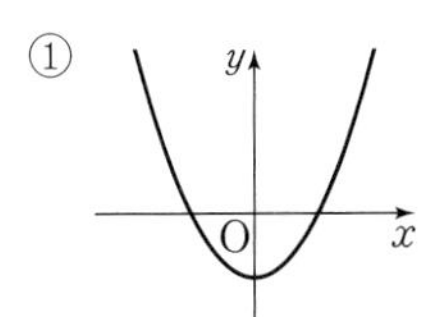

②
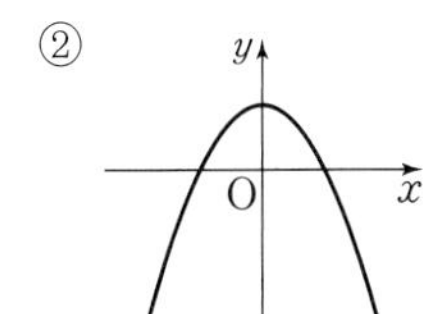

③
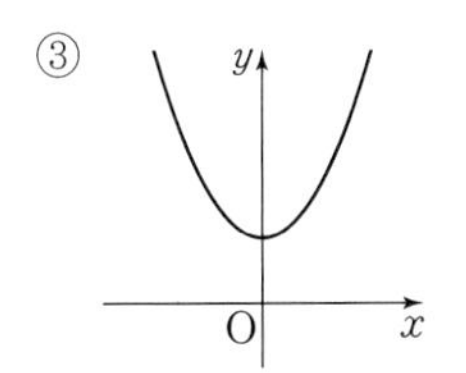

④
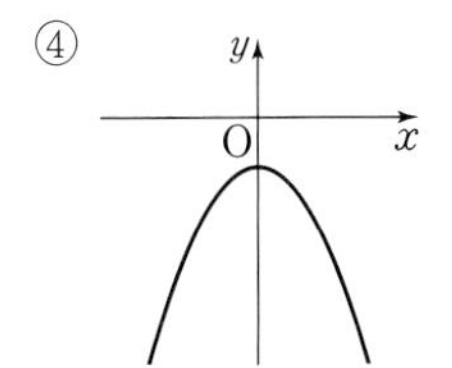

⑤
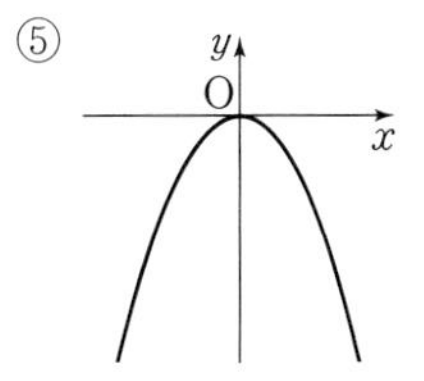

02 이차함수 $y=-x^2+ax+b$는 $x=2$에서 최대이고, 최댓값은 -1이다. 실수 a, b의 값을 구하시오.

03 이차함수 $y=f(x)$의 그래프는 꼭짓점이 점 $(2,\ -3)$이고 점 $(3,\ -1)$을 지난다. 다음 물음에 답하시오.

(1) $f(x)$를 구하시오.

(2) $0\le x\le 3$에서 $y=f(x)$의 최댓값을 구하시오.

04 $2\le x\le 6$에서 이차함수 $y=-\frac{1}{3}x^2+2x+k$의 최솟값이 2일 때, 최댓값을 구하시오.

05 이차함수 $y=x^2-2px+p$의 최솟값을 $f(p)$라 할 때, $f(p)$의 최댓값을 구하시오.

06 차가 8인 두 수 중에서 곱이 최소인 두 수를 구하시오.

07 공을 지면에서 초속 30 m로 똑바로 쏘아 올릴 때, t초 후 공의 높이를 ym라 하면 $y=-5t^2+30t$이다. 공이 가장 높이 올라갔을 때의 높이를 구하시오.
(단, 공의 크기는 생각하지 않는다.)

08 다음 함수의 그래프를 그리시오.

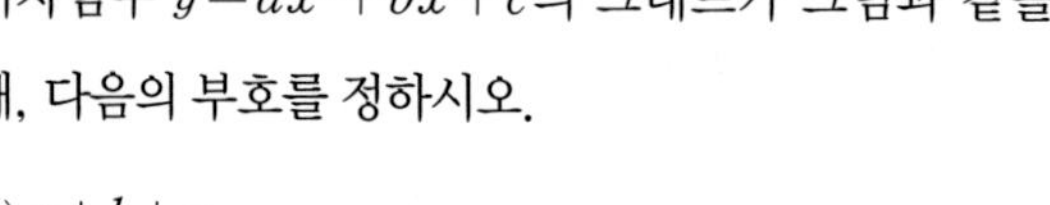

(1) $y=|x-2|-|x+1|$　　　　(2) $y=|-x^2+3x-2|$

09 이차함수 $y=ax^2+bx+c$의 그래프가 그림과 같을 때, 다음의 부호를 정하시오.

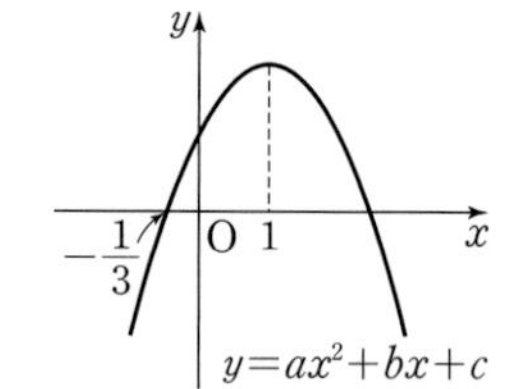

(1) $a+b+c$
(2) $a-b+c$
(3) $a-2b+4c$

10 그래프가 다음을 만족시키는 이차함수의 식을 구하시오.

(1) x축과 $x=2$인 점에서만 만나고, y축과 y좌표가 4인 점에서 만난다.
(2) 축이 직선 $x=-2$이고, 두 점 $(-3,\ 0)$, $(1,\ 8)$을 지난다.

11 이차함수 $y=2x^2$의 그래프를 평행이동한 것 중에서 점 $(1,\ 2)$를 지나고, 꼭짓점이 직선 $y=3x-1$ 위에 있는 이차함수의 식을 모두 구하시오.

12 그림과 같이 이차함수 $y=f(x)$의 그래프가 직선 $x=-2$에 대칭이고, x축과 두 점에서 만난다. 이때 방정식 $f(2x-3)=0$의 두 근의 합을 구하시오.

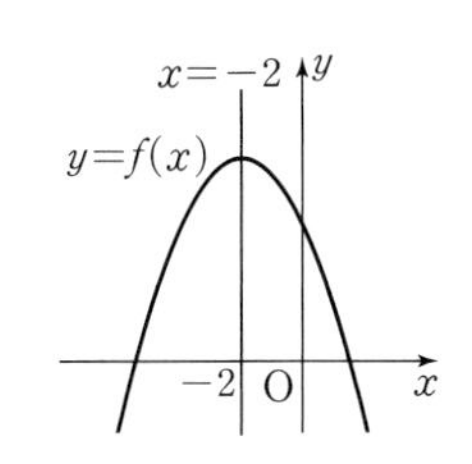

13 이차함수 $f(x)$의 최댓값은 18이다. $y=f(x)$의 그래프가 x축과 점 $(-4,\ 0)$, $(2,\ 0)$에서 만날 때, $f(x)$를 구하시오.

14 $1\le x\le 2$에서 이차함수 $y=-ax^2+5ax-b$의 최댓값이 1이고 최솟값이 -3일 때, 양수 a, b의 값을 구하시오.

15 $x\ge k$에서 이차함수 $y=-2x^2+4x+5$의 최댓값이 -1일 때, 실수 k의 값을 구하시오.

16 $1 \le x \le 4$에서 함수 $y=-2(x^2-6x+4)^2+2(x^2-6x)+13$의 최댓값과 최솟값을 구하시오.

17 x, y는 음이 아닌 실수이다. $x+y=3$일 때, $2x^2+y^2$의 최댓값과 최솟값을 구하시오.

교육청 기출

18 그림과 같이 이차함수 $f(x)=x^2-7$과 $g(x)=-2x^2+5$의 그래프 위에 네 점 A, B, C, D를 잡아 각 변이 좌표축에 평행한 직사각형 ABCD를 만들 때, 이 직사각형의 둘레의 길이가 최대가 되는 점 A의 x좌표를 구하시오.
(단, A는 제1사분면 위의 점이다.)

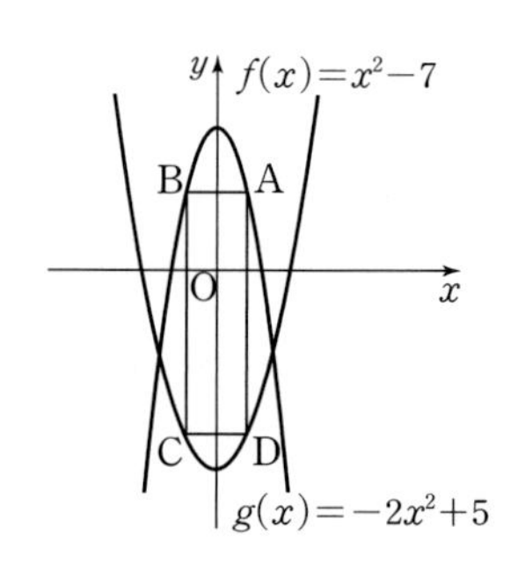

19 그림과 같이 이차함수 $y=x^2-4x+3$의 그래프가 y축과 만나는 점을 A, x축과 만나는 두 점을 B, C라 하자. 점 P(a, b)가 A에서 출발하여 B를 거쳐 C까지 이차함수 $y=x^2-4x+3$의 그래프를 따라 움직일 때, $a+b$의 최댓값과 최솟값의 곱은?

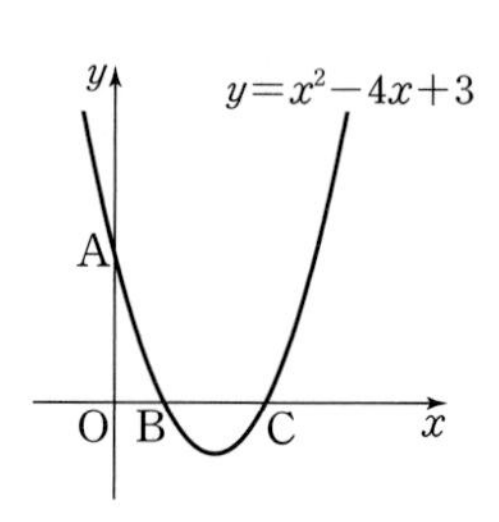

① $\frac{3}{2}$ ② $\frac{9}{4}$ ③ 3 ④ $\frac{15}{4}$ ⑤ $\frac{9}{2}$

20 길이가 1 m인 철사를 A, B 두 부분으로 잘라 A로는 정삼각형을, B로는 정육각형을 만들려고 한다. 두 도형의 넓이의 합이 최소일 때, A와 B의 길이의 비는?

① 1 : 1 ② 1 : 2 ③ 2 : 1 ④ 2 : 3 ⑤ 3 : 2

정답 개수 : /20 오답 번호 Check :

앞 단원에서 중학교 때 배운 이차함수의 그래프에 대하여 다시 살펴보고, 이차함수의 최대 · 최소를 구하는 방법에 대해 알아보았다.

이 단원에서는 이차함수와 이차방정식의 관계를 이용하여 이차함수의 그래프와 x축, 직선의 위치 관계에 대하여 알아보자.

이차함수와 이차방정식

9-1 개념 이차함수의 그래프와 x축의 위치 관계

이차함수 $y=ax^2+bx+c$에서 $D=b^2-4ac$라 할 때

	$D>0$	$D=0$	$D<0$
$a>0$			
$a<0$			
위치 관계	두 점에서 만난다.	접한다.	만나지 않는다.

이차함수의 그래프와 x축의 위치 관계

다음 이차함수의 그래프가 x축과 만나는 점의 개수를 생각해 보자.

$y=(x-2)^2-2$ $\cdots$ ㉠

$y=(x-2)^2$ $\cdots$ ㉡

$y=(x-2)^2+2$ $\cdots$ ㉢

그래프가 x축과 만나는 점의 x좌표는 $y=0$일 때 x의 값이므로

㉠은 $0=(x-2)^2-2$, $x^2-4x+2=0$

$D=(-4)^2-4\times2>0$이므로 서로 다른 두 실근을 가진다.

따라서 ㉠의 그래프는 x축과 두 점에서 만난다.

㉡은 $0=(x-2)^2$, $x^2-4x+4=0$

$D=(-4)^2-4\times4=0$이므로 중근을 가진다.

따라서 ㉡의 그래프는 x축과 한 점에서 만난다. 이때 그래프는 x축에 **접한다**고 한다.

㉢은 $0=(x-2)^2+2$, $x^2-4x+6=0$

$D=(-4)^2-4\times6<0$이므로 허근을 가진다.

따라서 ㉢의 그래프는 x축과 만나지 않는다.

이차함수와 이차방정식

이차함수 $y=ax^2+bx+c$의 그래프가 x축과 만나는 점의 x좌표는 이차방정식 $ax^2+bx+c=0$의 실근이므로 x축과 만나는 점의 개수는 $D=b^2-4ac$의 부호로 알 수 있다. 곧,

$D>0$ ➡ 두 점에서 만난다.

$D=0$ ➡ 한 점에서 만난다.(접한다.)

$D<0$ ➡ 만나지 않는다.

개념 Check

◆ 정답 및 풀이 64쪽

1 다음 이차함수의 그래프가 x축과 만나는 점의 개수를 구하시오.

(1) $y=-x^2+2x-1$ (2) $y=-x^2+2x-4$ (3) $y=-x^2+2x+3$

9-2 이차함수의 그래프와 직선의 위치 관계

포물선 $y=ax^2+bx+c$ $\cdots$ ㉠

직선 $y=mx+n$ $\cdots$ ㉡

에서 y를 소거하면

$$ax^2+bx+c=mx+n \quad \cdots ㉢$$

$y=ax^2+bx+c$ $D>0$ $D=0$ $D<0$ $y=mx+n$

1 방정식 ㉢의 실근은 포물선 ㉠과 직선 ㉡이 만나는 점의 x좌표이다.

2 포물선 ㉠과 직선 ㉡의 위치 관계는 방정식 ㉢의 판별식 D의 부호에 따라 다음과 같다.

㉢의 판별식	$D>0$	$D=0$	$D<0$
㉠, ㉡의 위치 관계	두 점에서 만난다.	접한다.	만나지 않는다.

포물선과 직선의 교점

포물선 $y=x^2-1$과 직선 $y=x+1$은 그림과 같이 두 점에서 만난다.

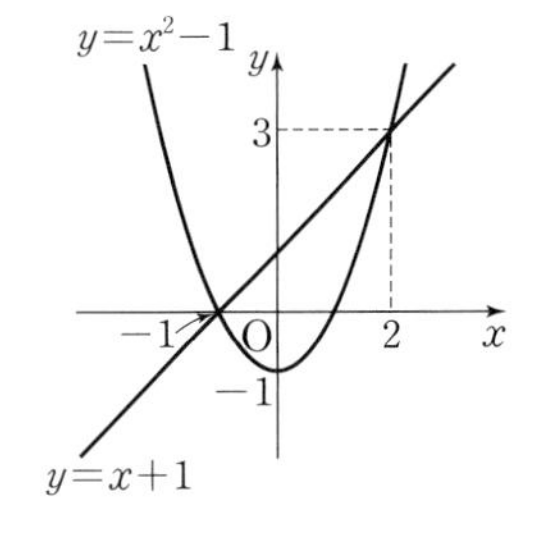

교점에서 y좌표가 같으므로 y를 소거하면

$$x^2-1=x+1,\ x^2-x-2=0$$

$$(x+1)(x-2)=0 \qquad \therefore x=-1 \text{ 또는 } x=2$$

$x=-1$일 때 $y=0$, $x=2$일 때 $y=3$이므로

교점의 좌표는 $(-1,\ 0)$, $(2,\ 3)$이다.

포물선과 직선의 교점과 방정식의 해

이와 같이 포물선 $y=ax^2+bx+c$와 직선 $y=mx+n$의 교점을 구할 때에는 두 식에서 y를 소거한 이차방정식

$$ax^2+bx+c=mx+n \quad \cdots ㉣$$

을 풀어 x좌표를 구하고, 직선의 방정식에 대입하여 y좌표를 구한다.

㉣의 해가 실수일 때만 포물선과 직선은 만나고, 해가 실수가 아니면 포물선과 직선은 만나지 않는다.

또 포물선 $y=ax^2+bx+c$와 x축의 교점은 포물선과 직선 $y=0$의 교점이라 생각할 수 있다.

함수와 방정식의 해

일반적으로 두 함수 $y=f(x)$와 $y=g(x)$의 그래프가 만나는 점의 x좌표는 방정식 $f(x)=g(x)$의 실근이다.

포물선과 직선의 위치 관계 (두 점에서 만날 때)

포물선 $y=x^2-1$과 직선 $y=x+1$에서 y를 소거하면

$$x^2-1=x+1,\ x^2-x-2=0$$

$D=(-1)^2-4\times(-2)>0$이므로 이 이차방정식은 서로 다른 두 실근을 가진다.

따라서 포물선과 직선은 두 점에서 만난다.

포물선과 직선의 위치 관계 (만나지 않을 때)

포물선 $y=x^2-1$과 직선 $y=2x-4$에서 y를 소거하면

$$x^2-1=2x-4,\ x^2-2x+3=0$$

$D=(-2)^2-4\times3<0$이므로 이 이차방정식은 실근을 갖지 않는다. 따라서 포물선과 직선은 만나지 않는다.

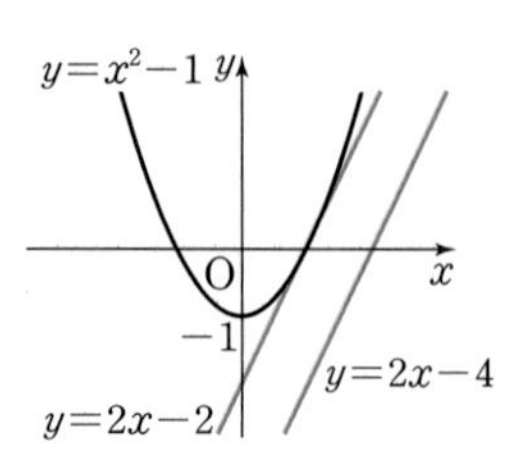

포물선과 직선의 위치 관계 (접할 때)

포물선 $y=x^2-1$과 직선 $y=2x-2$에서 y를 소거하면

$$x^2-1=2x-2,\ x^2-2x+1=0 \quad \cdots ㉣$$

$D=(-2)^2-4\times1=0$이므로 이 이차방정식은 중근을 갖는다.

따라서 포물선과 직선은 한 점에서 만난다.

이때 포물선과 직선은 **접한다**고 하고, 직선을 포물선의 **접선**이라 한다.

또 ㉣은 $(x-1)^2=0$이므로 중근은 $x=1$이다.

$x=1$을 $y=2x-2$에 대입하면 $y=0$

따라서 교점은 $(1,\ 0)$이고, 이 점을 **접점**이라 한다.

위치 관계와 판별식의 부호

포물선 $y=ax^2+bx+c$와 직선 $y=mx+n$의 위치 관계는 그림과 같이

두 점에서 만난다, 접한다, 만나지 않는다

로 나눌 수 있다.

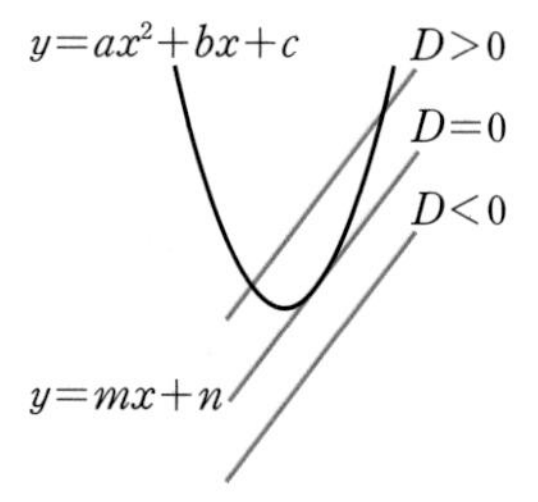

위치 관계만 조사할 경우 두 식에서 y를 소거한 이차방정식

$$ax^2+bx+c=mx+n,\ ax^2+(b-m)x+c-n=0$$

에서 판별식 D의 부호만 조사한다.

$D>0$ ➡ 두 점에서 만난다.

$D=0$ ➡ 접한다.(한 점에서 만난다.)

$D<0$ ➡ 만나지 않는다.

개념 Check

◆ 정답 및 풀이 64쪽

2 다음 이차함수의 그래프와 직선이 만나는 점의 좌표를 모두 구하시오.

(1) $y=x^2-5x+6,\ y=2$ (2) $y=-x^2+2x,\ y=-2x-5$

3 이차함수 $y=-x^2+x$의 그래프와 다음 직선의 위치 관계를 말하시오.

(1) $y=-3x+4$ (2) $y=-3x+1$ (3) $y=-3x+6$

4 직선 $y=-2x+k$가 이차함수 $y=x^2$의 그래프와 접할 때, 실수 k의 값을 구하시오.

이차함수의 그래프와 x축의 위치 관계

◆ 정답 및 풀이 64쪽

이차함수 $y=x^2-2kx+k^2-2k+1$의 그래프에 대하여 다음 물음에 답하시오.

(1) x축과 두 점에서 만날 때, 실수 k값의 범위를 구하시오.

(2) x축과 접할 때, 실수 k의 값을 구하시오.

(3) x축과 만나지 않을 때, 실수 k값의 범위를 구하시오.

날선 Guide 이차함수 $y=ax^2+bx+c$의 그래프가 x축과 만나는 점의 x좌표는 이차방정식 $0=ax^2+bx+c$의 실근이다.

따라서 x축과 교점의 개수에 관한 문제는 $y=0$을 대입한 이차방정식에서 D 또는 $\frac{D}{4}$의 부호를 조사한다.

참고 이차함수의 그래프를 그려서 풀 수도 있다.

$$y=(x^2-2kx+k^2)-2k+1$$
$$=(x-k)^2-2k+1$$

이므로 꼭짓점의 y좌표가 $-2k+1$이다.

그래프가 아래로 볼록(∪ 꼴)하므로

$-2k+1<0$이면 두 점에서 만난다.

$-2k+1=0$이면 접한다.

$-2k+1>0$이면 만나지 않는다.

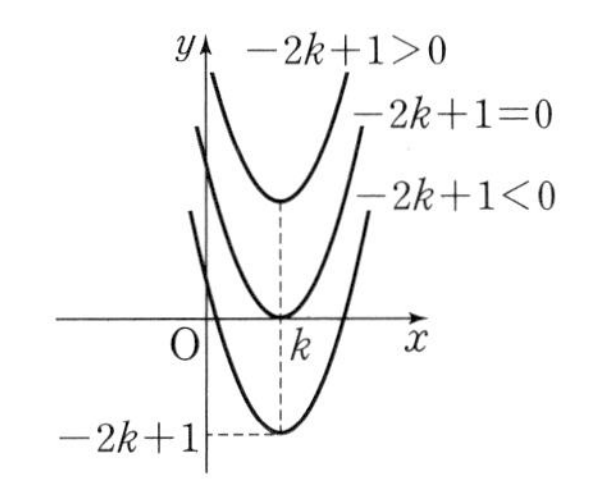

답 (1) $k>\frac{1}{2}$ (2) $\frac{1}{2}$ (3) $k<\frac{1}{2}$

이차함수 $y=ax^2+bx+c$의 그래프에서 $D=b^2-4ac$라 할 때

	$D>0$	$D=0$	$D<0$
x축과의 위치 관계	두 점에서 만난다.	접한다.	만나지 않는다.

1-1 이차함수 $y=-x^2+x+k+1$의 그래프에 대하여 다음 물음에 답하시오.

(1) x축과 두 점에서 만날 때, 실수 k값의 범위를 구하시오.

(2) x축과 접할 때, 실수 k의 값을 구하시오.

(3) x축과 만나지 않을 때, 실수 k값의 범위를 구하시오.

대표 Q2

이차함수의 그래프와 직선의 위치 관계

◆ 정답 및 풀이 64쪽

이차함수 $y=-2x^2+x+2$의 그래프와 직선 $y=-x+n$에 대하여 다음 물음에 답하시오.

(1) 만나지 않을 때, 실수 n값의 범위를 구하시오.

(2) 만날 때, 실수 n값의 범위를 구하시오.

(3) 접할 때, 실수 n의 값과 접점의 좌표를 구하시오.

날선 Guide $y=-2x^2+x+2$와 $y=-x+n$에서 y를 소거하면

$$-2x^2+x+2=-x+n \quad \cdots ㉠$$

이고, 이 방정식의 실근이 교점의 x좌표이다.

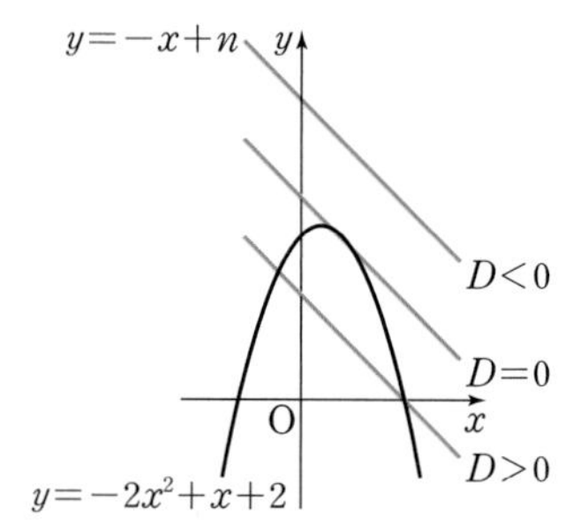

(1) 두 그래프가 만나지 않으면 ㉠의 실근이 없으므로 $D<0$이다.

(2) 두 그래프가 두 점에서 만나거나 접하는 경우이므로 ㉠의 실근이 있다. 따라서 $D\geq 0$이다.

(3) 두 그래프가 접하면 ㉠이 중근을 가지므로 $D=0$이다.
그리고 접점의 x좌표는 $D=0$일 때 ㉠의 중근이다.

참고 ㉠에서 $2x^2-2x+n-2=0$이므로 $y=2x^2-2x+n-2$
따라서 $y=2\left(x-\frac{1}{2}\right)^2+n-\frac{5}{2}$의 그래프와 x축이 만나는 점의 개수를 생각해도 된다.

답 (1) $n>\frac{5}{2}$ (2) $n\leq\frac{5}{2}$ (3) $n=\frac{5}{2}$, 접점의 좌표 : $\left(\frac{1}{2}, 2\right)$

날선 Point **포물선 $y=ax^2+bx+c$와 직선 $y=mx+n$의 위치 관계**
➡ $ax^2+bx+c=mx+n$에서 D의 부호를 조사한다.

2-1 이차함수 $y=x^2-2x+k$의 그래프와 직선 $y=-x+3$에 대하여 다음 물음에 답하시오.

(1) 만날 때, 실수 k값의 범위를 구하시오.

(2) 만나지 않을 때, 실수 k값의 범위를 구하시오.

(3) 접할 때, 실수 k의 값과 접점의 좌표를 구하시오.

이차함수의 그래프에 접하는 직선

◆ 정답 및 풀이 65쪽

다음 물음에 답하시오.

(1) 이차함수 $y=x^2+4x+5$의 그래프에 접하고 직선 $y=-2x+1$에 평행한 직선의 방정식을 구하시오.

(2) 이차함수 $y=x^2+ax+b$의 그래프가 직선 $y=x$와 점 $(1,\ c)$에서 접할 때, a, b, c의 값을 구하시오.

날선 Guide (1) 직선 $y=-2x+1$에 평행한 직선은 기울기가 -2이므로 직선의 방정식을 $y=-2x+n$으로 놓을 수 있다.
이 직선이 $y=x^2+4x+5$의 그래프에 접하면 방정식

$$x^2+4x+5=-2x+n$$

에서 $D=0$이다.

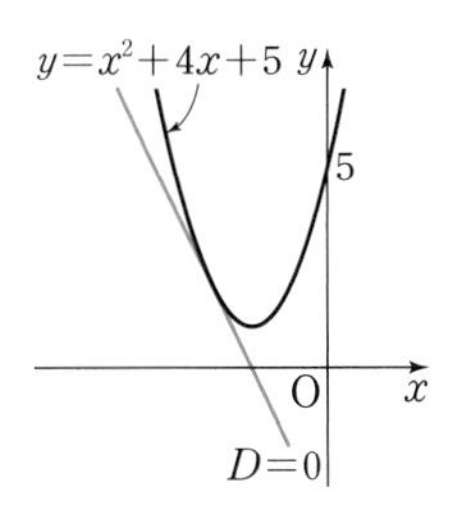

(2) 다음 세 가지 조건을 모두 찾을 수 있어야 한다.
(i) 이차함수 $y=x^2+ax+b$의 그래프가 점 $(1,\ c)$를 지난다.
(ii) 직선 $y=x$가 점 $(1,\ c)$를 지난다.
(iii) 이차함수의 그래프와 직선이 접한다.
(i), (ii)는 좌표를 대입하고
(iii)은 판별식을 이용한다.

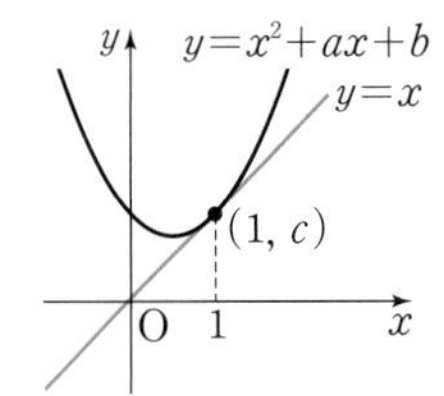

답 (1) $y=-2x-4$ (2) $a=-1$, $b=1$, $c=1$

이차함수 그래프의 접선의 방정식

➡ 이차함수의 식과 직선의 방정식에서 y를 소거하고 $D=0$을 이용한다.

3-1 이차함수 $y=2x^2-3x+1$의 그래프에 접하고 직선 $y=x+2$에 평행한 직선의 방정식을 구하시오.

3-2 이차함수 $y=-x^2+2x+3$의 그래프에 접하고 y절편이 7인 직선의 방정식을 모두 구하시오.

이차함수의 그래프와 직선의 교점에 대한 문제

◆ 정답 및 풀이 65쪽

다음 물음에 답하시오.

(1) 이차함수 $y=f(x)$의 그래프는 직선 $y=3$과 x좌표가 1, 3인 점에서 만난다. $f(0)=-3$일 때, $f(x)$를 구하시오.

(2) 이차함수 $y=x^2$의 그래프와 직선 $y=kx+2$가 두 점 A, B에서 만난다. 선분 AB가 y축과 만나는 점을 C라 하면 $\overline{AC}:\overline{CB}=1:2$일 때, 상수 k의 값을 모두 구하시오.

날선 Guide (1) $y=f(x)$의 그래프와 직선 $y=3$의 교점의 x좌표는 방정식

$$f(x)=3,\ f(x)-3=0$$

의 실근이다.

조건에서 이 이차방정식의 실근이 1, 3이므로

$$f(x)-3=a(x-1)(x-3)$$

으로 놓을 수 있다.

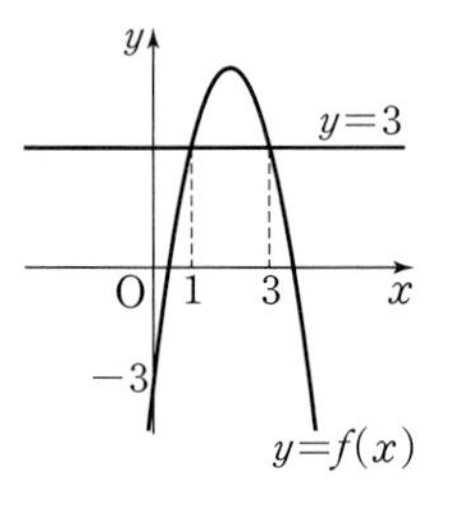

(2) 교점의 x좌표는 다음 방정식의 두 실근이다.

$$x^2=kx+2 \qquad \cdots ㉠$$

그런데 $\overline{AC}:\overline{CB}=1:2$이므로 그림과 같이

$k>0$이면 교점의 x좌표는 $-\alpha$, 2α이고

$k<0$이면 교점의 x좌표는 -2α, α이다.

따라서 ㉠의 두 근이 $-\alpha$, 2α 또는 -2α, α일 조건을 찾는다.

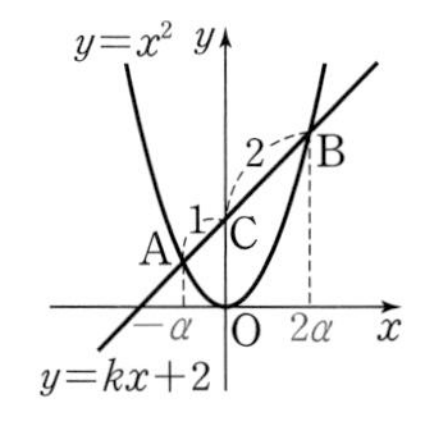

답 (1) $f(x)=-2x^2+8x-3$ (2) -1, 1

포물선 $y=f(x)$와 직선 $y=g(x)$의 교점에 대한 문제

- 교점의 x좌표가 방정식 $f(x)=g(x)$의 실근임을 이용한다.
- 교점의 x좌표를 α, β라 하고 $f(x)=g(x)$에서 근과 계수의 관계를 이용한다.

4-1 이차함수 $y=f(x)$의 그래프와 직선 $y=-2$는 두 점에서 만나고, 두 점의 x좌표의 합은 4, 곱은 -6이다. $f(1)=7$일 때, $f(x)$를 구하시오.

4-2 이차함수 $y=x^2+px+q$의 그래프는 직선 $y=2x-10$과 두 점에서 만난다. 한 교점의 x좌표가 $5+\sqrt{3}$일 때, 유리수 p, q의 값을 구하시오.

9 이차함수와 이차방정식

01 그림과 같이 이차함수 $y=2x^2+ax+c$의 그래프가 x축과 $x=-4$, $x=b$인 점에서 만나고 점 $(0, -2)$를 지난다. 실수 a, b, c의 값을 구하시오.

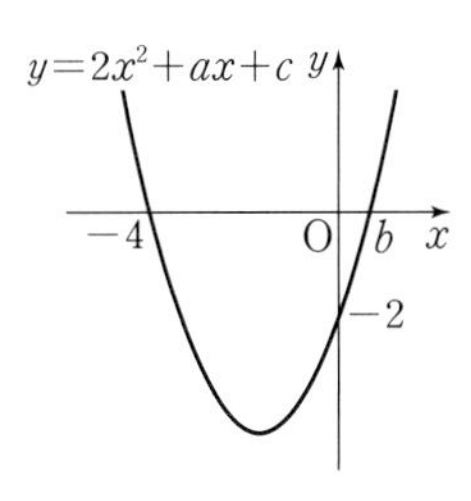

02 이차함수 $y=kx^2+2(k-1)x+k-1$의 그래프와 x축이 두 점에서 만날 때, 실수 k값의 범위를 구하시오.

03 이차함수 $y=x^2+ax+b$의 그래프가 x축과 x좌표가 -4, 1인 점에서 만난다. 이차함수 $y=x^2-bx+a$의 그래프가 x축과 만나는 두 점 사이의 거리는?

① 2　② $\sqrt{5}$　③ 3　④ 4　⑤ $2\sqrt{5}$

04 이차함수 $y=f(x)$의 그래프가 그림과 같을 때, 방정식 $\{f(x)\}^2-f(x)-2=0$의 서로 다른 실근의 개수를 구하시오. (단, 그래프의 꼭짓점의 y좌표는 2이다.)

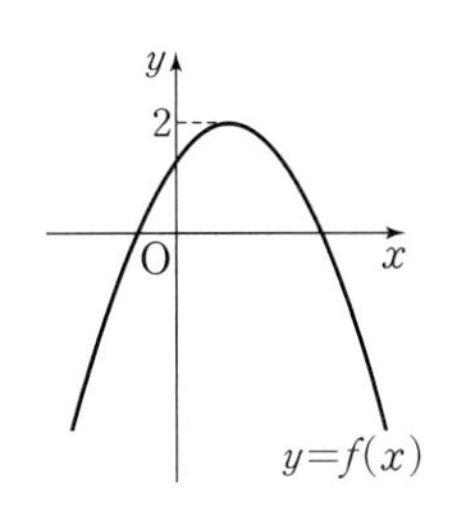

05 이차함수 $y=x^2-x+k+3$의 그래프가 직선 $y=x+1$과 두 점에서 만날 때, 실수 k값의 범위를 구하시오.

06 이차함수 $f(x)=x^2-4x+3$에 대하여 다음 물음에 답하시오.

(1) 직선 $y=2x+n$이 $y=f(x)$의 그래프와 접할 때, 상수 n의 값을 구하시오.

(2) 직선 $y=mx-1$이 $y=f(x)$의 그래프와 접할 때, 상수 m의 값을 모두 구하시오.

07 이차함수 $y=x^2-3x-4$의 그래프 위의 점 $(-1,\ a)$에서 이 그래프에 접하는 직선의 방정식을 구하시오.

08 이차함수 $y=f(x)$의 그래프는 축이 직선 $x=-1$이고, 직선 $y=-x-1$과 접한다. $f(0)=1$일 때, $f(x)$를 구하시오.

09 이차함수 $y=x^2-2x+a$의 그래프는 x축과 만나고, $y=x^2+2ax+a^2+2a+4$의 그래프는 x축과 만나지 않을 때, 실수 a값의 범위를 구하시오.

10 이차함수 $y=x^2-2kx+k^2-2k+1$의 그래프가 x축과 두 점에서 만난다. 이 두 점 사이의 거리가 2일 때, 실수 k의 값을 구하시오.

11 이차함수 $y=x^2+ax+b$의 그래프가 두 직선 $y=-x+3$과 $y=5x+6$에 동시에 접할 때, 상수 a, b의 값을 구하시오.

12 점 $(1,\ a)$를 지나고 이차함수 $y=x^2+3x+7$의 그래프에 접하는 두 직선의 기울기의 곱이 1일 때, 실수 a의 값은?

① 1 ② 2 ③ 3 ④ 4 ⑤ 5

교육청 기출

13 x에 대한 이차함수 $y=x^2-4kx+4k^2+k$의 그래프와 직선 $y=2ax+b$가 실수 k의 값에 관계없이 항상 접할 때, $a+b$의 값은?

① $\frac{1}{8}$ ② $\frac{3}{16}$ ③ $\frac{1}{4}$ ④ $\frac{5}{16}$ ⑤ $\frac{3}{8}$

교육청 기출

14 두 이차함수 $y=-(x-1)^2+a$, $y=2(x-1)^2-1$의 그래프가 서로 다른 두 점에서 만난다. 이 두 점 사이의 거리가 4일 때, 상수 a의 값은?

① 7 ② 8 ③ 9 ④ 10 ⑤ 11

15 x에 대한 방정식 $|x^2-6x+8|=k$의 해가 서로 다른 네 실수일 때, 실수 k값의 범위를 구하시오.

교육청 기출

16 그림과 같이 좌표평면에서 제1사분면에 있는 정사각형 ABCD의 모든 변은 x축 또는 y축에 평행하다. 두 점 A, C는 각각 이차함수 $y=x^2$, $y=\frac{1}{2}x^2$의 그래프 위에 있고, 점 A의 y좌표는 점 C의 y좌표보다 크다. $\overline{AB}=1$일 때, 점 A의 x좌표와 y좌표의 합은?

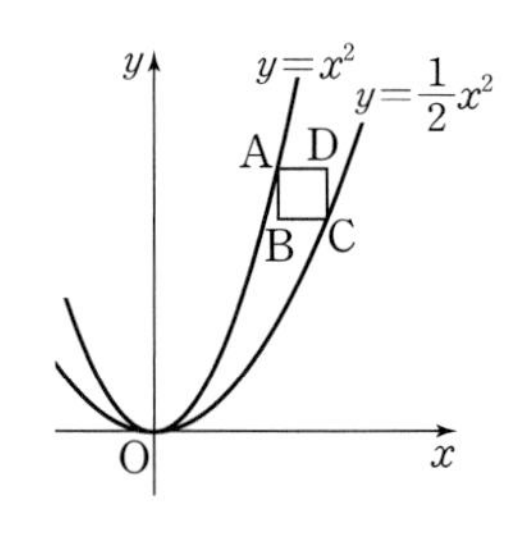

① 9 ② 10 ③ 11 ④ 12 ⑤ 13

교육청 기출

17 이차함수 $y=2x^2-2ax\,(a>0)$의 그래프는 꼭짓점이 A이고 원점 O와 점 B에서 x축과 만난다. 또 점 A를 지나고 최고차항의 계수가 -1인 이차함수 $y=f(x)$의 그래프가 x축과 두 점 B, C에서 만난다. 선분 BC의 길이가 3일 때, 삼각형 ACB의 넓이를 구하시오.

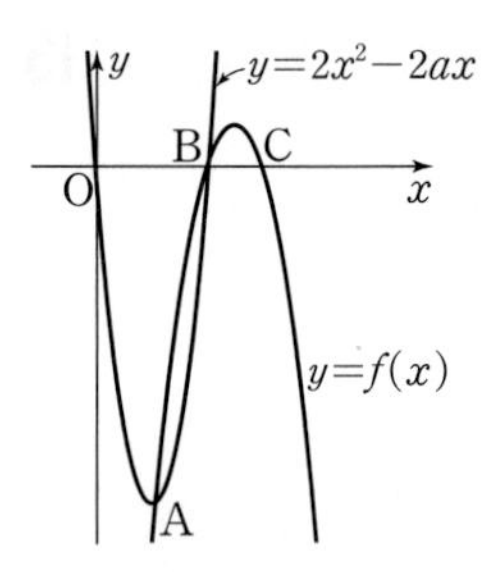

18 원점을 지나고 기울기가 양수 m인 직선이 이차함수 $y=x^2-2$의 그래프와 두 점 A, B에서 만난다. 두 점 A, B에서 x축에 내린 수선의 발을 각각 A′, B′이라 하자. 선분 AA′과 선분 BB′의 길이의 차가 16일 때, m의 값을 구하시오.

정답 개수 : /18 오답 번호 Check :

앞서 인수분해, 근의 공식을 이용하면 이차방정식의 근을 구할 수 있다는 것을 배웠다. 그렇다면 삼차, 사차방정식의 근은 어떤 방법으로 구할 수 있을까?

이 단원에서는 인수정리와 치환 등을 이용한 인수분해를 통해 삼차, 사차방정식을 푸는 방법에 대해 알아보자. 또 $x^3=1$의 허근 ω의 성질과 삼차방정식의 근과 계수의 관계에 대해서 알아보자.

삼차, 사차방정식

10-1 삼차, 사차방정식의 풀이

개념

삼차, 사차방정식은 ( )=0 꼴로 정리한 다음,
좌변을 일차식 또는 이차식의 곱으로 인수분해하여 푼다.

삼차, 사차방정식

(삼차식)=0 꼴로 정리할 수 있는 방정식을 **삼차방정식**,
(사차식)=0 꼴로 정리할 수 있는 방정식을 **사차방정식**이라 한다.
예를 들어 $x^3-2x^2+1=0$은 삼차방정식, $2x^4-x^2+3x-5=0$은 사차방정식이다.

삼차, 사차방정식의 기본 해법

삼차방정식이나 사차방정식은 ( )=0 꼴로 정리하고 좌변을 인수분해한 다음,

$ABC=0$이면 $A=0$ 또는 $B=0$ 또는 $C=0$

을 이용한다.
예를 들어 사차방정식 $(x+2)^2(x+1)(x-1)=0$의 해는
$x+2=0$ 또는 $x+1=0$ 또는 $x-1=0$에서
$x=-2$ (중근) 또는 $x=-1$ 또는 $x=1$

방정식의 풀이

삼차방정식 $x^3-1=0$은 좌변을 인수분해하고 다음과 같이 푼다.

$(x-1)(x^2+x+1)=0$ ⟶ $a^3-b^3=(a-b)(a^2+ab+b^2)$

$x-1=0$ 또는 $x^2+x+1=0$

$x-1=0$에서 $x=1$

$x^2+x+1=0$에서 $x=\frac{-1\pm\sqrt{1^2-4\times1\times1}}{2}=\frac{-1\pm\sqrt{3}i}{2}$

$\therefore$ $x=1$ 또는 $x=\frac{-1\pm\sqrt{3}i}{2}$

삼차, 사차방정식의 해의 개수

삼차방정식 $(x-2)^3=0$의 해는 $x=2$뿐이다. 이 해를 중근과 구분하여 삼중근이라고도 한다. 중근은 같은 근 2개, 삼중근은 같은 근 3개로 생각할 때, 복소수 범위에서 삼차방정식의 해는 3개, 사차방정식의 해는 4개이다.

개념 Check

◆ 정답 및 풀이 70쪽

1 다음 방정식을 푸시오.

(1) $(x+1)(x-2)(x-3)=0$ (2) $(x-1)(x^2+2x-1)=0$

2 다음 방정식을 푸시오.

(1) $x^3-4x=0$ (2) $x^3-3x^2+3x-1=0$

10-2 $x^3=1$의 허근의 성질

$x^3=1$의 한 허근을 ω라 하면

(1) $\omega^3=1$, $\omega^2+\omega+1=0$

(2) $\omega+\overline{\omega}=-1$, $\omega\overline{\omega}=1$

(3) $\omega^2=\overline{\omega}=\dfrac{1}{\omega}$

$x^3=1$의 허근

방정식 $x^3=1$에서

$$x^3-1=0,\ (x-1)(x^2+x+1)=0$$

$$\therefore\ x=1 \text{ 또는 } x^2+x+1=0$$

$x^2+x+1=0$은 허근 $x=\dfrac{-1\pm\sqrt{3}i}{2}$를 가진다.

이 중 한 허근을 ω라 하면 $x^2+x+1=0$의 해이므로 $\boldsymbol{\omega^2+\omega+1=0}$ … ㉠

또 ω는 $x^3-1=0$의 해이므로 $\boldsymbol{\omega^3=1}$

참고 ω는 그리스 알파벳으로 오메가라 읽는다.

$x^3=1$에서 ω, $\overline{\omega}$의 성질

방정식 $x^2+x+1=0$의 한 허근이 ω이면 켤레근인 $\overline{\omega}$도 해이므로

근과 계수의 관계에서

$$\boldsymbol{\omega+\overline{\omega}=-1,\ \omega\overline{\omega}=1} \quad \cdots ㉡$$

㉠에서 $\omega^2=-\omega-1$이고, ㉡에서 $\overline{\omega}=-\omega-1$, $\overline{\omega}=\dfrac{1}{\omega}$이므로

$$\boldsymbol{\omega^2=\overline{\omega}=\frac{1}{\omega}}$$

$x^3=-1$의 허근

방정식 $x^3=-1$에서

$$x^3+1=0,\ (x+1)(x^2-x+1)=0$$

한 허근을 ω라 하면 $x^2-x+1=0$의 해이므로

$$\omega^3=-1,\ \omega^2-\omega+1=0 \quad \cdots ㉢$$

$\overline{\omega}$도 $x^2-x+1=0$의 해이므로 근과 계수의 관계에서

$$\omega+\overline{\omega}=1,\ \omega\overline{\omega}=1 \quad \cdots ㉣$$

㉢, ㉣에서 $\omega^2=-\overline{\omega}=-\dfrac{1}{\omega}$

개념 Check

정답 및 풀이 70쪽

3 방정식 $x^3=1$의 한 허근을 ω라 할 때, 다음 식의 값을 구하시오.

(1) $\omega^6+\omega^3$ (2) $\omega^4+\omega^2$

10-3 삼차방정식의 근과 계수의 관계

삼차방정식 $ax^3+bx^2+cx+d=0$의 해가 α, β, γ이면

$$\alpha+\beta+\gamma=-\frac{b}{a},\ \alpha\beta+\beta\gamma+\gamma\alpha=\frac{c}{a},\ \alpha\beta\gamma=-\frac{d}{a}$$

삼차방정식의 근과 계수의 관계

x^2의 계수가 a이고 두 근이 α, β인 이차방정식은

$$a(x-\alpha)(x-\beta)=0$$

이다.

같은 이유로 x^3의 계수가 a이고 세 근이 α, β, γ인 삼차방정식은

$$a(x-\alpha)(x-\beta)(x-\gamma)=0$$

좌변을 전개하면

$$a\{x^3-(\alpha+\beta+\gamma)x^2+(\alpha\beta+\beta\gamma+\gamma\alpha)x-\alpha\beta\gamma\}=0$$

$$ax^3-a(\alpha+\beta+\gamma)x^2+a(\alpha\beta+\beta\gamma+\gamma\alpha)x-a\alpha\beta\gamma=0$$

$ax^3+bx^2+cx+d=0$과 비교하면

$$\alpha+\beta+\gamma=-\frac{b}{a},\ \alpha\beta+\beta\gamma+\gamma\alpha=\frac{c}{a},\ \alpha\beta\gamma=-\frac{d}{a}$$

예를 들어 삼차방정식 $2x^3+3x^2-4x-5=0$의 세 근을 α, β, γ라 하면

$$\alpha+\beta+\gamma=-\frac{3}{2},\ \alpha\beta+\beta\gamma+\gamma\alpha=\frac{-4}{2}=-2,\ \alpha\beta\gamma=-\frac{-5}{2}=\frac{5}{2}$$

방정식 해의 합과 곱

사차방정식 $ax^4+bx^3+cx^2+dx+e=0$의 네 근을 α, β, γ, δ라 하면

$$ax^4+bx^3+cx^2+dx+e=a(x-\alpha)(x-\beta)(x-\gamma)(x-\delta)$$

따라서 우변을 전개하여 비교하면

네 근의 합 $\alpha+\beta+\gamma+\delta$와 곱 $\alpha\beta\gamma\delta$를 쉽게 구할 수 있다.

켤레근

이차방정식에서와 같이 삼차방정식이나 사차방정식에서

계수가 실수일 때,

$p+qi$ (p, q는 실수, $q\neq0$)가 근이면 켤레복소수 $p-qi$도 근이다.

따라서 삼차방정식에서 허근이 있으면 허근은 2개이고, 나머지 한 근은 실근이다.

또 계수가 유리수일 때,

한 근이 $p+q\sqrt{m}$ (p, q는 유리수, $q\neq0$, $\sqrt{m}$은 무리수)이면 다른 한 근은 $p-q\sqrt{m}$이다.

개념 Check

정답 및 풀이 70쪽

4 삼차방정식 $x^3-2x^2+3x+5=0$의 세 근을 α, β, γ라 할 때, 다음 식의 값을 구하시오.

(1) $\alpha+\beta+\gamma$ (2) $\alpha\beta+\beta\gamma+\gamma\alpha$ (3) $\alpha\beta\gamma$

대표 Q1

인수분해 공식을 이용하는 방정식

◆ 정답 및 풀이 70쪽

다음 방정식을 푸시오.

(1) $x^3+8=0$　　(2) $x^4=1$

(3) $x^4-2x^2-3=0$　　(4) $x(x+1)(x+2)(x+3)=24$

날선 Guide 삼차방정식, 사차방정식은 인수분해할 수 있는 형태만 다룬다.
주어진 식을 (　)=0 꼴로 고친 다음, 좌변을 일차식 또는 이차식의 곱으로 인수분해한다.
인수분해할 때에는 인수분해 공식이나 인수정리를 이용한다.

(1) $8=2^3$이므로 다음을 이용한다.

$$a^3+b^3=(a+b)(a^2-ab+b^2)=0$$

(2) $x^4-1^4=0$이므로 다음과 같이 인수분해한다.

$$(x^2+1)(x^2-1)=0$$

(3) $ax^4+bx^2+c=0$ 꼴이다.
$x^2=t$로 놓고 $t^2-2t-3=0$에서 t의 값부터 구하거나,
$(\quad)^2-(\quad)^2$ 꼴로 고친다.

(4) 공통부분이 생기도록 두 항씩 묶어 전개한 다음, 인수분해할 수 있는지 확인한다.

답 (1) $x=-2$ 또는 $x=1\pm\sqrt{3}i$　(2) $x=\pm i$ 또는 $x=\pm 1$
(3) $x=\pm i$ 또는 $x=\pm\sqrt{3}$　(4) $x=\frac{-3\pm\sqrt{15}i}{2}$ 또는 $x=-4$ 또는 $x=1$

삼차, 사차방정식의 해법

➡ (　)=0 꼴로 고친 다음, 좌변을 일차식 또는 이차식의 곱으로 인수분해한다.

1-1 다음 방정식을 푸시오.

(1) $x^3-27=0$　　(2) $x^4+x^3-8x-8=0$

(3) $x^4+5x^2+4=0$　　(4) $x^4+4=0$

1-2 다음 방정식을 푸시오.

(1) $(x^2+2x+1)(x^2+2x+3)=0$

(2) $(x-1)(x-2)(x+2)(x+3)=12$

대표 Q2

인수정리를 이용하는 방정식

◆ 정답 및 풀이 71쪽

다음 물음에 답하시오.

(1) 방정식 $x^3+6x^2+11x+6=0$을 푸시오.

(2) 삼차방정식 $x^3+ax^2+3x+a-1=0$의 한 근이 -2일 때, 상수 a의 값과 나머지 두 근을 구하시오.

날선 Guide (1) $f(x)=x^3+6x^2+11x+6$이라 하면

$f(-1)=0$이므로

$(x+1)(\quad)=0$

꼴로 인수분해하여 풀 수 있다.

-1	1	6	11	6
		-1	-5	-6
	1	5	6	0

이때 (　　)는 $x+1$로 나눈 몫이다.

이와 같이 $f(x)=0$에서 인수분해 공식을 이용하여 $f(x)$를 인수분해할 수 없는 경우 $f(\alpha)=0$인 α를 찾아 $(x-\alpha)(\quad)=0$ 꼴로 인수분해한다.

참고 $f(x)=x^3+6x^2+11x+6$에서

$f(\alpha)=0$인 α는 $\pm$(6의 약수), 곧 ±1, ±2, ±3, ±6을 대입하여 찾는다.

(2) -2가 해이므로 방정식에 $x=-2$를 대입하면 상수 a의 값을 구할 수 있다. 그리고

$(x+2)(\quad)=0$

꼴로 인수분해한 다음 (　　)$=0$을 푼다.

답 (1) $x=-1$ 또는 $x=-2$ 또는 $x=-3$ (2) $a=3$, 나머지 두 근 : $\frac{-1\pm\sqrt{3}i}{2}$

인수정리를 이용한 방정식의 풀이

➡ $f(\alpha)=0$인 α를 찾아 $(x-\alpha)(\quad)=0$ 꼴로 인수분해하고 방정식을 푼다.

2-1 다음 방정식을 푸시오.

(1) $x^3-x^2-3x-1=0$

(2) $2x^3-3x^2+5x-2=0$

(3) $2x^4-x^3-3x^2+x+1=0$

2-2 삼차방정식 $x^3+ax^2+bx-6=0$의 두 근이 -1과 2일 때, 상수 a, b의 값과 나머지 한 근을 구하시오.

대표 Q3 삼차방정식 해의 판별

정답 및 풀이 73쪽

삼차방정식 $x^3+5x^2+(a-5)x-a-1=0$에 대하여 다음 물음에 답하시오.

(1) 세 근이 모두 실수일 때, 실수 a값의 범위를 구하시오.

(2) 중근을 가질 때, 상수 a의 값을 모두 구하시오.

날선 Guide $f(x)=x^3+5x^2+(a-5)x-a-1$

로 놓으면 $f(1)=0$이다.

조립제법을 이용하여 인수분해하면

1	1	5	$a-5$	$-a-1$
		1	6	$a+1$
	1	6	$a+1$	0

$$f(x)=(x-1)(x^2+6x+a+1)$$

따라서 방정식 $f(x)=0$에서

$$x-1=0 \text{ 또는 } x^2+6x+a+1=0$$

(1) 해가 모두 실수이면 방정식 $x^2+6x+a+1=0$의 해가 실수이다.

(2) 방정식 $x^2+6x+a+1=0$이 중근을 가지거나 $x=1$을 해로 가지면 방정식 $f(x)=0$이 중근을 가진다.

참고 $f(x)$는 계수에 문자가 있는 꼴이지만 인수정리를 이용할 수 있다.
또는 다음과 같이 a에 대하여 정리하여 인수분해할 수도 있다.

$$\begin{aligned}a(x-1)+x^3+5x^2-5x-1&=a(x-1)+(x-1)(x^2+x+1)+5x(x-1)\\&=(x-1)(a+x^2+x+1+5x)\\&=(x-1)(x^2+6x+a+1)\end{aligned}$$

답 (1) $a\le8$ (2) -8, 8

삼차방정식 해의 판별

➡ 일차식과 이차식으로 인수분해한 다음, 이차방정식의 해를 생각한다.

3-1 삼차방정식 $x^3-x^2+ax+a+2=0$에 대하여 다음 물음에 답하시오.

(1) 허근을 가질 때, 실수 a값의 범위를 구하시오.

(2) 중근을 가질 때, 상수 a의 값을 모두 구하시오.

up 3-2 삼차방정식 $x^3-(2a+1)x^2+4ax-2a=0$의 세 실근 중 어떤 한 근이 다른 한 근의 2배일 때, 상수 a의 값을 모두 구하시오.

대표 Q4 $x^3=1$의 허근 ω의 성질

◆ 정답 및 풀이 73쪽

방정식 $x^3=1$의 한 허근을 ω라 할 때, 다음 식의 값을 구하시오.

(1) $\omega+\dfrac{1}{\omega}$

(2) $\omega^{100}+\omega^{101}$

(3) $1+\omega+\omega^2+\omega^3+\cdots+\omega^{100}+\omega^{101}$

날선 Guide $x^3-1=0$에서 $(x-1)(x^2+x+1)=0$이고 한 허근이 ω이므로

$$\omega^3=1,\ \omega^2+\omega+1=0$$

이 식을 이용할 수 있는 꼴로 정리하는 문제이다.

(1) 통분하면 $\dfrac{\omega^2}{\omega}+\dfrac{1}{\omega}=\dfrac{\omega^2+1}{\omega}$임을 이용한다.

(2) $\omega^3=1$이므로 ω^{100}은 다음과 같이 ω^3을 이용하여 나타내고 정리한다.

$$\omega^{100}=\omega^{3\times33+1}=(\omega^3)^{33}\times\omega=1^{33}\times\omega=\omega$$

ω^{101}도 같은 방법으로 정리한다.

(3) $\omega,\ \omega^2,\ \omega^3,\ \omega^4,\ \omega^5,\ \omega^6,\ \cdots$은

$$\omega,\ \omega^2,\ 1,\ \omega^3\omega=\omega,\ \omega^3\omega^2=\omega^2,\ \omega^3\omega^3=1,\ \cdots$$

이므로 $\omega,\ \omega^2,\ 1$이 반복된다.

따라서 세 개씩 묶어서 생각한다.

답 (1) -1 (2) -1 (3) 0

ω가 방정식 $x^3-1=0$의 한 허근이면

➡ $\omega^3=1,\ \omega^2+\omega+1=0$

4-1 ω가 방정식 $x^2+x+1=0$의 한 근일 때, 다음 식의 값을 구하시오.

(1) $\omega^{20}+\omega^{10}+1$

(2) $(1+\omega)(1+\omega^2)(1+\omega^3)$

(3) $\dfrac{\omega}{1+\omega}+\dfrac{\omega^2}{1+\omega^2}$

4-2 ω가 방정식 $x^3+1=0$의 한 허근일 때, 다음 식의 값을 구하시오.

(1) $\omega^2-\omega$

(2) $\omega^{101}-\omega^{100}$

대표 Q5

삼차방정식의 근과 계수의 관계

◆ 정답 및 풀이 74쪽

삼차방정식 $x^3+x^2+px+q=0$의 한 근이 $1+i$일 때, 실수 p, q의 값과 나머지 두 근을 구하시오.

날선 Guide 이차방정식에서와 같이 계수가 실수일 때 삼차방정식의 한 근이 $1+i$이면 다른 두 근 중 한 근은 $1-i$이다.

방정식 $f(x)=0$의 계수가 실수일 때

➡ $a+bi$ (a, b는 실수)가 해이면 $a-bi$도 해이다.

따라서 다음 두 가지 방법을 생각할 수 있다.

방법 1 나머지 한 근을 α라 하면

$$x^3+x^2+px+q=\{x-(1+i)\}\{x-(1-i)\}(x-\alpha)$$

이 식의 우변을 전개한 다음 좌변과 비교하여 p, q와 α의 값을 구한다.

방법 2 나머지 한 근을 α라 하면 근과 계수의 관계에서

$$(1+i)+(1-i)+\alpha=-1$$

$$(1+i)(1-i)+(1-i)\alpha+(1+i)\alpha=p$$

$$(1+i)(1-i)\alpha=-q$$

첫 번째 식에서 α를 구한 다음, p와 q의 값을 구한다.

답 $p=-4$, $q=6$, 나머지 두 근 : $1-i$, -3

삼차방정식 $ax^3+bx^2+cx+d=0$의 세 근이 α, β, γ이면

- $a(x-\alpha)(x-\beta)(x-\gamma)=0$
- $\alpha+\beta+\gamma=-\dfrac{b}{a}$, $\alpha\beta+\beta\gamma+\gamma\alpha=\dfrac{c}{a}$, $\alpha\beta\gamma=-\dfrac{d}{a}$

5-1 삼차방정식 $2x^3+x^2-2x-3=0$의 세 근을 α, β, γ라 할 때, 다음 식의 값을 구하시오.

(1) $\alpha^2+\beta^2+\gamma^2$

(2) $\dfrac{1}{\alpha}+\dfrac{1}{\beta}+\dfrac{1}{\gamma}$

5-2 삼차방정식 $x^3+x^2+px+q=0$의 한 근이 $2-\sqrt{3}$일 때, 유리수 p, q의 값과 나머지 두 근을 구하시오.

01 삼차방정식 $x^3-6x^2+11x+a=0$의 한 근이 1일 때, 나머지 두 근의 곱은?

① 2 ② 4 ③ 6 ④ 8 ⑤ 10

02 사차방정식 $x^4-3x^2+1=0$의 근 중 양수인 근의 합은?

① 1 ② $\sqrt{2}$ ③ 2 ④ $\sqrt{5}$ ⑤ 3

03 $x=-2$가 방정식 $x^3+5x^2+ax+b=0$의 중근일 때, 상수 a, b의 값과 나머지 한 근을 구하시오.

04 사차방정식 $x^4-4x^3+10x^2-12x+5=0$의 두 허근을 α, β라 할 때, $\alpha^2+\beta^2$의 값을 구하시오.

05 방정식 $x^2+x+1=0$의 한 근을 ω라 할 때, 다음 식의 값을 구하시오.

(1) $(\omega^2-\omega+1)(\omega^4-\omega^2+1)$ (2) $(1+\sqrt{3})(1+\sqrt{3}\omega)(1+\sqrt{3}\omega^2)$

06 방정식 $x^3=1$의 한 허근을 ω라 할 때, **보기**에서 옳은 것만을 있는 대로 고른 것은?

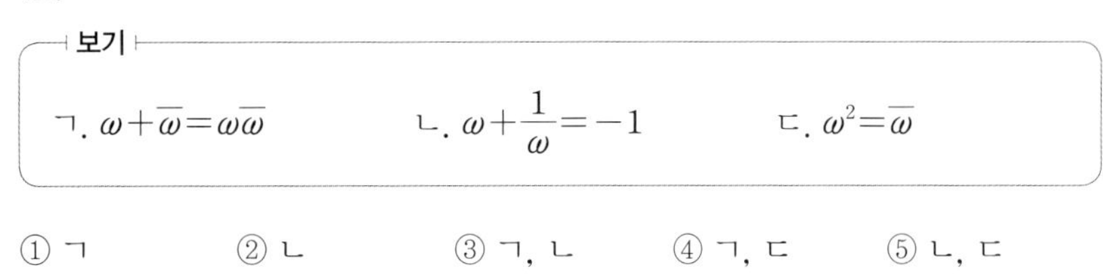
보기

ㄱ. $\omega+\overline{\omega}=\omega\overline{\omega}$　　ㄴ. $\omega+\dfrac{1}{\omega}=-1$　　ㄷ. $\omega^2=\overline{\omega}$

① ㄱ　② ㄴ　③ ㄱ, ㄴ　④ ㄱ, ㄷ　⑤ ㄴ, ㄷ

07 삼차방정식 $x^3+ax^2+bx+c=0$의 두 근이 1, $2-i$일 때, 실수 a, b, c의 값을 구하시오.

08 다음 방정식을 푸시오.

(1) $(x^2+x)^2-8(x^2+x)+12=0$

(2) $(x^2+2x-3)(x^2+6x+5)-9=0$

09 삼차방정식 $x^3+(2a-2)x^2+(a-1)^2x-a^2=0$이 실근 한 개와 허근 두 개를 가질 때, 정수 a의 최솟값을 구하시오.

10 사차방정식 $x^4-x^3-4x^2-x+1=0$의 한 근을 α라 할 때, $\alpha+\dfrac{1}{\alpha}$의 값을 모두 구하시오.

11 방정식 $x^3=-1$의 한 허근을 ω라 할 때, 다음 식의 값을 구하시오.

(1) $\dfrac{1}{\omega^8}-\dfrac{1}{\omega^7}+\dfrac{1}{\omega^6}-\dfrac{1}{\omega^5}+\dfrac{1}{\omega^4}-\dfrac{1}{\omega^3}+\dfrac{1}{\omega^2}-\dfrac{1}{\omega}$

(2) $\dfrac{1}{1-\omega}+\dfrac{1}{1-\overline{\omega}}$

12 삼차방정식 $x^3-1=0$의 두 허근을 α, β라 하고, $f(n)=\alpha^n+\beta^n$ (n은 자연수)이라 할 때, $f(1)+f(2)+f(3)+\cdots+f(8)$의 값을 구하시오.

교육청 기출

13 삼차방정식 $x^3=1$의 한 허근을 ω라 할 때, **보기**에서 옳은 것만을 있는 대로 고른 것은?

보기

ㄱ. $\overline{\omega}^3=1$

ㄴ. $\dfrac{1}{\omega}+\left(\dfrac{1}{\omega}\right)^2=\dfrac{1}{\overline{\omega}}+\left(\dfrac{1}{\overline{\omega}}\right)^2$

ㄷ. $(-\omega-1)^n=\left(\dfrac{\overline{\omega}}{\omega+\overline{\omega}}\right)^n$을 만족시키는 100 이하의 자연수 n의 개수는 50이다.

① ㄱ ② ㄷ ③ ㄱ, ㄴ ④ ㄴ, ㄷ ⑤ ㄱ, ㄴ, ㄷ

14 계수가 모두 실수인 사차방정식 $x^4+ax^3+bx^2+2x-8=0$의 한 근이 $1-i$일 때, 실근의 합은?

① 1 ② 2 ③ 3 ④ 4 ⑤ 5

15 삼차방정식 $x^3+2x^2-5x+k=0$의 세 근을 α, β, γ라 할 때, $(\alpha+\beta)(\beta+\gamma)(\gamma+\alpha)=\alpha\beta\gamma$이다. 상수 k의 값을 구하시오.

정답 개수 : /15 오답 번호 Check :

연립방정식이란 두 개 이상의 방정식을 한 쌍으로 묶어서 나타낸 것으로 미지수의 개수, 차수에 따라 다양한 형태가 있다.

이 단원에서는 미지수가 3개인 연립일차방정식과 미지수가 2개인 연립이차방정식을 풀어 보자. 또 방정식의 개수가 미지수의 개수보다 적은 부정방정식도 풀어 보자.

11 연립방정식

11-1 연립일차방정식

개념

1 연립방정식에서는 주어진 등식을 이용하여 미지수를 하나씩 소거한다.

2 연립방정식 $ax+by=c$, $a'x+b'y=c'$에서 x (또는 y)를 소거할 때,

$0=$(0이 아닌 상수) 꼴 ➡ 해가 없다.

$0=0$ 꼴 ➡ 해가 무수히 많다.

연립일차방정식의 풀이

연립방정식 $\begin{cases} x+2y=4 & \cdots ㉠ \\ 2x-3y=1 & \cdots ㉡ \end{cases}$은 다음과 같이 푼다.

[가감법] x를 소거하기 위해 오른쪽과 같이 ㉠의 양변에 2를 곱한 다음 ㉡을 변변 빼면

$7y=7$ $\quad \therefore y=1$

이 값을 ㉠에 대입하면 $x=2$

$$\begin{array}{rr} ㉠\times 2: & 2x+4y=8 \\ -\big) \quad ㉡: & 2x-3y=1 \\ \hline & 7y=7 \end{array}$$

[대입법] ㉠에서 $x=4-2y$를 ㉡에 대입하면

$2(4-2y)-3y=1$, $-7y=-7$ $\quad \therefore y=1$, $x=2$

두 방법 모두 두 식에서 x나 y를 소거하는 것이 기본이다.

연립방정식의 기본은 미지수 소거!

해가 없는 경우

연립방정식 $\begin{cases} x+2y=4 & \cdots ㉢ \\ 2x+4y=3 & \cdots ㉣ \end{cases}$

에서 x를 소거하기 위해 ㉢$\times 2-$㉣을 하면 $\mathbf{0=5}$

이 식은 성립하지 않으므로 연립방정식의 **해는 없다.**

$$\begin{array}{rr} ㉢\times 2: & 2x+4y=8 \\ -\big) \quad ㉣: & 2x+4y=3 \\ \hline & 0=5 \end{array}$$

해가 무수히 많은 경우

연립방정식 $\begin{cases} x+2y=4 & \cdots ㉤ \\ 2x+4y=8 & \cdots ㉥ \end{cases}$

에서 x를 소거하기 위해 ㉤$\times 2-$㉥을 하면 $\mathbf{0=0}$

이 식은 항상 성립하므로 연립방정식의 **해는 무수히 많다.**

$$\begin{array}{rr} ㉤\times 2: & 2x+4y=8 \\ -\big) \quad ㉥: & 2x+4y=8 \\ \hline & 0=0 \end{array}$$

곧, ㉤을 만족시키는 모든 x, y의 쌍 $\begin{cases} x=4 \\ y=0 \end{cases}$, $\begin{cases} x=2 \\ y=1 \end{cases}$, $\begin{cases} x=6 \\ y=-1 \end{cases}$, …은 모두 해이다.

개념 Check

◆ 정답 및 풀이 79쪽

1 연립방정식 $\begin{cases} ax+by=5 \\ (b+2)x+2ay=2 \end{cases}$의 해가 $\begin{cases} x=2 \\ y=-1 \end{cases}$일 때, 상수 a, b의 값을 구하시오.

11-2 연립이차방정식

1 미지수가 2개인 연립방정식에서 차수가 가장 높은 방정식이 이차방정식인 연립방정식을 **연립이차방정식**이라 한다.

2 연립이차방정식을 푸는 대표적인 방법

(1) 일차식과 이차식인 경우 : 일차식을 이용하여 $x=(\quad)$ 또는 $y=(\quad)$으로 나타낸 다음, 이차식에 대입하여 푼다.

(2) 이차식과 이차식인 경우 : 두 일차식의 곱으로 인수분해할 수 있는 식을 찾는다.

일차식과 이차식인 경우

연립방정식 $\begin{cases} x+2y=1 & \cdots \text{㉠} \\ x^2-3y^2=-2 & \cdots \text{㉡} \end{cases}$

는 이차항 x^2과 $-3y^2$을 포함하므로 **연립이차방정식**이다.

㉠에서 $x=1-2y$이므로 ㉡에 대입하면

$$(1-2y)^2-3y^2=-2,\ y^2-4y+3=0 \qquad \therefore y=1 \text{ 또는 } y=3$$

㉠에 대입하면 연립방정식의 해는 $\begin{cases} x=-1 \\ y=1 \end{cases}$ 또는 $\begin{cases} x=-5 \\ y=3 \end{cases}$

이와 같이 일차식을 포함한 경우 일차식을 이용하여 한 문자를 소거하여 방정식을 푼다.

이차식과 이차식인 경우

연립방정식 $\begin{cases} x^2-y^2=0 & \cdots \text{㉢} \\ xy=-4 & \cdots \text{㉣} \end{cases}$

에는 일차식이 없다. 그러나 ㉢의 좌변은 인수분해할 수 있다. 곧,

$$(x+y)(x-y)=0 \qquad \therefore x=-y \text{ 또는 } x=y$$

$x=-y$일 때, ㉣은 $-y^2=-4$, $y=\pm 2 \qquad \therefore x=\mp 2$

$x=y$일 때, ㉣은 $y^2=-4$, $y=\pm 2i \qquad \therefore x=\pm 2i$

따라서 연립방정식의 해는 $\begin{cases} x=2 \\ y=-2 \end{cases}$ 또는 $\begin{cases} x=-2 \\ y=2 \end{cases}$ 또는 $\begin{cases} x=2i \\ y=2i \end{cases}$ 또는 $\begin{cases} x=-2i \\ y=-2i \end{cases}$

이와 같이 이차식과 이차식의 연립방정식에서는 인수분해할 수 있는 꼴을 찾아, 일차식을 구하는 것이 기본이다.

참고 두 식 모두 인수분해할 수 없는 경우
➡ 두 식을 적당히 더하거나 빼서, 일차식을 만들거나 인수분해할 수 있는 꼴을 만든다.

개념 Check

◆ 정답 및 풀이 **79**쪽

2 연립방정식 $\begin{cases} x-2y=-5 \\ xy=3 \end{cases}$ 을 푸시오.

대표 Q1 연립일차방정식 (교육과정 외)

◆ 정답 및 풀이 79쪽

다음 물음에 답하시오.

(1) 다음 일차방정식을 연립하여 푸시오.

$$2x+y+z=-2,\ 2x+3y-z=-10,\ x-4y+3z=13$$

(2) 다음 방정식을 연립하여 풀면 해가 있을 때, 상수 a의 값과 해를 구하시오.

$$x+2y=a,\ 2x+3y=2a-2,\ 2x-y=-a-1$$

날선 Guide (1) $\begin{cases} 2x+y+z=-2 & \cdots ㉠ \\ 2x+3y-z=-10 & \cdots ㉡ \\ x-4y+3z=13 & \cdots ㉢ \end{cases}$ 은 미지수가 3개인 연립일차방정식이다.

미지수가 3개인 경우 한 문자를 소거해서 미지수가 2개인 연립방정식을 만든다. 곧,

㉠, ㉡에서 z를 소거하기 위해 ㉠+㉡을 하면 $4x+4y=-12$

㉠, ㉢에서 z를 소거하기 위해 ㉠×3−㉢을 하면 $5x+7y=-19$

이 두 식을 연립하여 풀어 x, y의 값을 구한다.

(2) $\begin{cases} x+2y=a & \cdots ㉠ \\ 2x+3y=2a-2 & \cdots ㉡ \\ 2x-y=-a-1 & \cdots ㉢ \end{cases}$

a를 미지수로 보고 x, y, a에 대한 연립방정식을 푼다.

참고 a가 상수이므로 ㉠, ㉡을 연립하여 x, y를 구한 다음, 이 값을 ㉢에 대입하여 a의 값을 구할 수도 있다.

답 (1) $x=-1,\ y=-2,\ z=2$ (2) $a=3,\ x=-1,\ y=2$

날선 Point **미지수가 3개인 연립일차방정식의 풀이**

➡ 한 문자를 소거하여 미지수가 2개인 연립방정식을 만든다.

1-1 연립방정식 $\begin{cases} 2x-3y-2z=-2 \\ x+y+2z=7 \\ 3x-4y+z=2 \end{cases}$ 를 푸시오.

1-2 다음 방정식을 연립하여 풀면 해가 $x=1,\ y=3,\ z=-2$일 때, 상수 a, b, c의 값을 구하시오.

$$ax+by+z=5,\ x+by+cz=-2,\ bx+cy-az=18$$

대표 Q2 연립이차방정식

◆ 정답 및 풀이 79쪽

다음 연립방정식을 푸시오.

(1) $\begin{cases} x-2y=1 \\ x^2+y^2=2 \end{cases}$　　　(2) $\begin{cases} x^2-3xy+2y^2=0 \\ x^2+y^2=20 \end{cases}$

날선 Guide (1) 일차식 $x-2y=1$을 포함한 꼴이다.

이 식에서 $x=2y+1$을 두 번째 식에 대입하면

$(2y+1)^2+y^2=2$　　$\therefore 5y^2+4y-1=0$

이 식을 풀어 y의 값을 구하고,

구한 y의 값을 $x-2y=1$에 대입하여 x의 값을 구한다.

(2) 일차식은 없지만 $x^2-3xy+2y^2=0$에서

$(x-y)(x-2y)=0$

$\therefore x-y=0$ 또는 $x-2y=0$

따라서 $x=y$, $x=2y$를 각각 두 번째 식에 대입하여 푼다.

답 (1) $\begin{cases} x=-1 \\ y=-1 \end{cases}$ 또는 $\begin{cases} x=\frac{7}{5} \\ y=\frac{1}{5} \end{cases}$ (2) $\begin{cases} x=\sqrt{10} \\ y=\sqrt{10} \end{cases}$ 또는 $\begin{cases} x=-\sqrt{10} \\ y=-\sqrt{10} \end{cases}$ 또는 $\begin{cases} x=4 \\ y=2 \end{cases}$ 또는 $\begin{cases} x=-4 \\ y=-2 \end{cases}$

연립이차방정식의 풀이

- 일차식을 찾아 한 문자를 소거한다.
- 두 일차식의 곱으로 인수분해할 수 있는지 확인한다.

2-1 다음 연립방정식을 푸시오.

(1) $\begin{cases} 2x+y=3 \\ x^2-y^2=3 \end{cases}$　　　(2) $\begin{cases} x+3y=2 \\ xy+y^2=-4 \end{cases}$

2-2 다음 연립방정식을 푸시오.

(1) $\begin{cases} 2x^2-5xy+2y^2=0 \\ xy=4 \end{cases}$　　　(2) $\begin{cases} x^2+xy-2y=-2 \\ x^2-y^2=0 \end{cases}$

대표 Q3 $x+y=a,\ xy=b$ 꼴의 연립방정식

◆ 정답 및 풀이 80쪽

다음 연립방정식을 푸시오.

(1) $\begin{cases} x+y=4 \\ xy=2 \end{cases}$ (2) $\begin{cases} x^2+y^2=5 \\ xy-x-y=-3 \end{cases}$

날선 Guide (1) x와 y가 합이 4, 곱이 2인 두 수이므로

x, y는 이차방정식 $t^2-4t+2=0$의 두 근이라 생각할 수 있다.

따라서 이 방정식의 한 근이 x이면 나머지 한 근은 y이다.

참고 $x+y=4$에서 $y=4-x$를 $xy=2$에 대입하면

$$x(4-x)=2,\ x^2-4x+2=0$$

이 방정식을 풀면 x의 값부터 구할 수도 있다.

(2) $(x+y)^2-2xy=5,\ xy-(x+y)=-3$

이므로 $x+y=a$, $xy=b$로 놓으면

$$a^2-2b=5,\ b-a=-3$$

두 식을 연립하여 a, b의 값을 구한 다음,

(1)과 같은 방법으로 x, y의 값을 구한다.

이와 같이 대칭식은 $x+y=a$, $xy=b$로 놓고 치환하여 풀 수 있다.

답 (1) $\begin{cases} x=2-\sqrt{2} \\ y=2+\sqrt{2} \end{cases}$ 또는 $\begin{cases} x=2+\sqrt{2} \\ y=2-\sqrt{2} \end{cases}$ (2) $\begin{cases} x=-1 \\ y=2 \end{cases}$ 또는 $\begin{cases} x=2 \\ y=-1 \end{cases}$

x, y에 대한 대칭식인 연립방정식의 풀이

- $x+y=a$, $xy=b$로 놓고 a, b의 값부터 구한다.
- $x+y=a$, $xy=b$이면 x, y는 이차방정식 $t^2-at+b=0$의 해이다.

3-1 다음 연립방정식을 푸시오.

(1) $\begin{cases} xy=1 \\ x^2+y^2=14 \end{cases}$ (2) $\begin{cases} x^2+y^2+xy=7 \\ xy+2x+2y=1 \end{cases}$

대표 Q4 연립방정식과 이차방정식

정답 및 풀이 81쪽

다음 물음에 답하시오.

(1) 연립방정식 $\begin{cases} x+y=2 \\ x^2+y^2+xy=k \end{cases}$의 해가 한 쌍일 때, 실수 k의 값과 해를 구하시오.

(2) 두 이차방정식 $x^2+ax-4=0$, $x^2+x+a-2=0$의 공통인 실근이 있을 때, 실수 a의 값과 공통인 해를 구하시오.

날선 Guide (1) $x+y=2$에서 $y=2-x$를 $x^2+y^2+xy=k$에 대입하면

$$x^2+(2-x)^2+x(2-x)=k \qquad \cdots ㉠$$

연립방정식의 해가 한 쌍이므로 우선 이 방정식의 해가 하나이다.

또 이 해를 $x+y=2$에 대입하면 y의 값도 하나이다.

따라서 ㉠의 해가 하나일 조건만 찾으면 된다.

(2) 공통인 실근을 p라 하면 p가 두 방정식의 공통인 해이므로

$$p^2+ap-4=0 \qquad \cdots ㉠$$

$$p^2+p+a-2=0 \qquad \cdots ㉡$$

이 두 방정식을 a와 p에 대한 연립이차방정식이라고 생각할 수 있다.

일차식은 없지만 ㉡에서 $a=-p^2-p+2$

를 ㉠에 대입하면 p에 대한 방정식이므로 p의 값을 구할 수 있다.

답 (1) $k=3$, $x=1$, $y=1$ (2) $a=0$, 공통인 해 : $x=-2$

연립방정식 문제

➡ 문자를 소거하여 한 문자에 대한 방정식을 구한다.

4-1 연립방정식 $\begin{cases} x+y=k \\ 2x^2-y^2+4x=-2-2k^2 \end{cases}$이 실근을 갖지 않을 때, 실수 k값의 범위를 구하시오.

4-2 두 이차방정식

$$x^2+ax+2=0,\ x^2+2x+a=0$$

의 공통인 해가 하나뿐일 때, 실수 a의 값과 공통인 해를 구하시오.

대표 Q5 연립방정식의 활용

◆ 정답 및 풀이 82쪽

삼각형 ABC의 꼭짓점 A에서 그은 중선과 꼭짓점 B에서 그은 중선이 서로 수직으로 만난다. $\overline{BC}=14$, $\overline{AC}=8$일 때, 다음 물음에 답하시오.

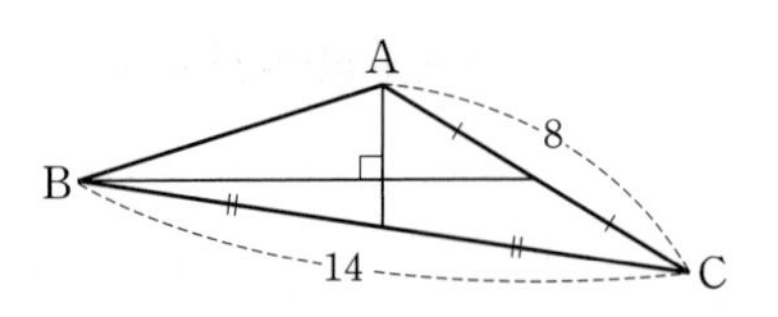

(1) $\overline{AB}$의 길이를 구하시오.

(2) A에서 그은 중선의 길이와 B에서 그은 중선의 길이를 구하시오.

날선 Guide 변 BC, AC의 중점을 각각 D, E라 하자.

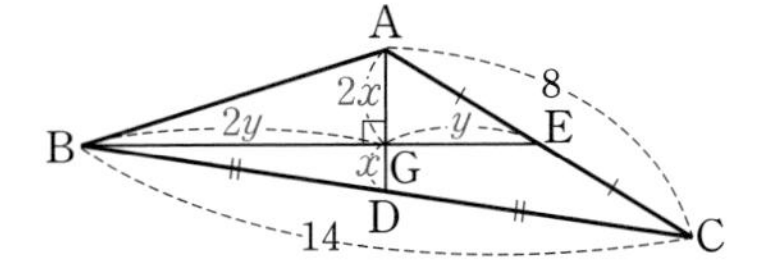

두 중선의 교점을 G라 하면 G는 삼각형 ABC의 무게중심이므로

$\overline{AG}:\overline{GD}=\overline{BG}:\overline{GE}$

$=2:1$

따라서

$\overline{AG}=2x$, $\overline{GD}=x$

$\overline{BG}=2y$, $\overline{GE}=y$

로 놓고, 피타고라스 정리를 이용하여 x, y에 대한 연립방정식을 만들어 푼다.

참고 삼각형의 무게중심 ➡ ① 세 중선의 교점이다.
② 중선의 길이를 꼭짓점으로부터 2 : 1로 나눈다.

답 (1) $2\sqrt{13}$ (2) A에서 그은 중선의 길이 : 3, B에서 그은 중선의 길이 : $6\sqrt{3}$

연립방정식의 활용 문제

➡ 구하는 것을 미지수로 놓고,
미지수의 개수만큼 연립방정식을 세운다.

5-1 넓이가 $6\pi\,\text{cm}^2$인 원에 직사각형이 내접하고 있다. 직사각형의 둘레의 길이가 12 cm일 때, 직사각형의 이웃하는 두 변의 길이를 구하시오.

5-2 빗변의 길이가 $\sqrt{13}$ cm인 직각삼각형이 있다. 빗변이 아닌 두 변의 길이를 각각 1 cm 늘였더니 직각삼각형의 넓이가 2배가 되었다. 처음 직각삼각형의 빗변이 아닌 두 변의 길이를 구하시오.

11-3 부정방정식

1 해가 정수일 때

(　　)×(　　)=(정수) 꼴로 정리한 다음 (　　)가 우변의 약수임을 이용한다.

2 해가 실수일 때

(　　)^2+(　　)^2=0 꼴로 정리하고 (　　)=0임을 이용하거나,

판별식에서 $D \geq 0$임을 이용한다.

부정방정식 ● $xy=2$를 만족시키는 실수(또는 복소수) x, y는 무수히 많다.

그러나 x, y가 정수라는 조건이 있으면 해는 다음 4개뿐이다.

$$\begin{cases} x=2 \\ y=1 \end{cases}, \begin{cases} x=1 \\ y=2 \end{cases}, \begin{cases} x=-2 \\ y=-1 \end{cases}, \begin{cases} x=-1 \\ y=-2 \end{cases}$$

이와 같이 복소수 범위에서 방정식의 해는 무수히 많지만 해가 자연수, 정수, 유리수, 실수라는 조건이 있으면 해가 몇 개로 정해질 수도 있다.

해가 정수일 때 ● x, y가 정수일 때, 방정식 $x^2-xy=4$는

곱해서 정수(또는 자연수)인 정수(또는 자연수)는 유한개이다.

를 이용하여 다음과 같이 푼다.

$x^2-xy=4$에서 $x(x-y)=4$이고 x, $x-y$는 정수이므로

$$\begin{cases} x=4 \\ x-y=1 \end{cases}, \begin{cases} x=1 \\ x-y=4 \end{cases}, \begin{cases} x=2 \\ x-y=2 \end{cases}, \begin{cases} x=-4 \\ x-y=-1 \end{cases}, \begin{cases} x=-1 \\ x-y=-4 \end{cases}, \begin{cases} x=-2 \\ x-y=-2 \end{cases}$$

$$\therefore \begin{cases} x=4 \\ y=3 \end{cases}, \begin{cases} x=1 \\ y=-3 \end{cases}, \begin{cases} x=2 \\ y=0 \end{cases}, \begin{cases} x=-4 \\ y=-3 \end{cases}, \begin{cases} x=-1 \\ y=3 \end{cases}, \begin{cases} x=-2 \\ y=0 \end{cases}$$

해가 실수일 때 ● x, y가 실수일 때, 방정식 $x^2+y^2-2x+4y+5=0$은

실수를 제곱하면 0 또는 양수이다.

를 이용하여 다음과 같이 푼다.

$$(x^2-2x+1)+(y^2+4y+4)=0,\ (x-1)^2+(y+2)^2=0$$

$x-1$, $y+2$는 실수이므로 $x-1=0$이고 $y+2=0$　　$\therefore x=1,\ y=-2$

개념 Check

◆ 정답 및 풀이 83쪽

3 x, y가 자연수일 때, 방정식 $y(x+y)=8$의 해를 구하시오.

4 등식 $x^2+y^2+4x+6y+13=0$을 만족시키는 실수 x, y의 값을 구하시오.

해가 정수인 방정식

◆ 정답 및 풀이 83쪽

다음 물음에 답하시오.

(1) 방정식 $x^2-xy=2$를 만족시키는 정수 x, y의 값을 모두 구하시오.

(2) 방정식 $xy-3x-2y=2$를 만족시키는 자연수 x, y의 값을 모두 구하시오.

날선 Guide (1) $x^2-xy=2$에서

$$x(x-y)=2$$

x, y는 정수이므로 x와 $x-y$는 1, 2 또는 -1, -2 중 하나이다.

이를 이용하여 x와 $x-y$의 값부터 구한다.

(2) $xy-3x-2y=2$에서

$$x(y-3)-2(y-3)=2+6$$

$$(x-2)(y-3)=8 \quad \cdots ㉠$$

이때 $x-2$는 -1 이상인 정수이고 $y-3$은 -2 이상인 정수이므로

$x-2$, $y-3$의 값부터 구한다.

참고 $xy+bx+ay=k$ 꼴은 $(x+a)(y+b)=xy+bx+ay+ab$에서

$$(x+a)(y+b)=k+ab$$

와 같이 정리할 수 있다. ㉠은 $a=-2$, $b=-3$인 경우이다.

답 (1) $\begin{cases} x=1 \\ y=-1 \end{cases}$ 또는 $\begin{cases} x=2 \\ y=1 \end{cases}$ 또는 $\begin{cases} x=-1 \\ y=1 \end{cases}$ 또는 $\begin{cases} x=-2 \\ y=-1 \end{cases}$

(2) $\begin{cases} x=3 \\ y=11 \end{cases}$ 또는 $\begin{cases} x=4 \\ y=7 \end{cases}$ 또는 $\begin{cases} x=6 \\ y=5 \end{cases}$ 또는 $\begin{cases} x=10 \\ y=4 \end{cases}$

해가 정수 또는 자연수인 방정식

➡ (　　)×(　　)=(정수) 꼴로 정리한 다음 (　　)가 우변의 약수임을 이용한다.

6-1 다음 방정식을 만족시키는 정수 x, y의 값을 모두 구하시오.

(1) $y^2-2xy-9=0$

(2) $xy-2x+2y=0$

대표 Q7

해가 실수인 방정식

정답 및 풀이 84쪽

다음 등식을 만족시키는 실수 x, y의 값을 구하시오.

$$2x^2-2xy+y^2-2x+1=0$$

날선 Guide 실수에 대한 부정방정식은 다음 두 방법 중 하나를 이용하여 푼다.

방법 1 $(\quad)^2+(\quad)^2=0$ 꼴로 정리한다.

$-2xy$, $-2x$에 착안하면

$$x^2-2xy+y^2+x^2-2x+1=0$$

$$\therefore (x-y)^2+(x-1)^2=0$$

$x-y$, $x-1$은 실수이므로

$$(x-y)^2\geq 0,\ (x-1)^2\geq 0$$

따라서 $x-y=0$, $x-1=0$이다. 이 방정식을 풀어 x, y의 값을 구한다.

방법 2 이차식이고 해가 실수이므로 $D\geq 0$을 이용한다.

x에 대해 정리하면

$$2x^2-2(y+1)x+y^2+1=0$$

x가 실수이므로

$$\frac{D}{4}=\{-(y+1)\}^2-2(y^2+1)\geq 0$$

$$-y^2+2y-1\geq 0,\ y^2-2y+1\leq 0$$

$$\therefore (y-1)^2\leq 0$$

$y-1$은 실수이므로 $y-1=0$이다.

y의 값을 등식에 대입하여 x의 값을 구한다.

답 $x=1$, $y=1$

해가 실수인 방정식

- $(\quad)^2+(\quad)^2=0$ 꼴로 변형한다.
- $D\geq 0$을 이용한다.

7-1 다음 등식을 만족시키는 실수 x, y의 값을 구하시오.

(1) $x^2+2y^2+4x-4y+6=0$

(2) $x^2-2xy+2y^2-2x+2=0$

01 연립방정식 $\begin{cases} ax+y=a \\ x+ay=4a-3 \end{cases}$의 해가 없을 때, 상수 a의 값을 구하시오.

02 다음 연립방정식을 푸시오.

(1) $\begin{cases} 2x-3y=1 \\ 4x^2+y^2=5 \end{cases}$ (2) $\begin{cases} x^2-y^2=0 \\ x^2+3xy+5y^2=27 \end{cases}$

03 연립방정식 $\begin{cases} x+y+2xy=-3 \\ 3(x+y)-xy=5 \end{cases}$의 해를 구하시오.

04 연립방정식 $\begin{cases} 2x-y=k \\ x^2+y^2=5 \end{cases}$의 해가 한 쌍일 때, 실수 k값의 합은?

① -10 ② -5 ③ 0 ④ 5 ⑤ 10

05 그림과 같이 원 O가 변 위의 점 D, E, F에서 삼각형 ABC에 접한다. $\overline{\mathrm{AB}}=9$, $\overline{\mathrm{BC}}=10$, $\overline{\mathrm{CA}}=7$일 때, $\overline{\mathrm{AD}}$, $\overline{\mathrm{BE}}$, $\overline{\mathrm{CF}}$의 길이를 구하시오.

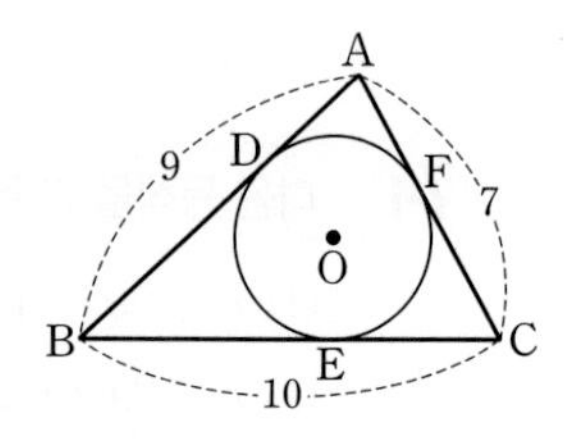

06 실수 x, y가 등식 $2x^2-2xy+y^2-2y+2=0$을 만족시킬 때, $x+y$의 값은?

① -3 ② -1 ③ 0 ④ 1 ⑤ 3

07 연립방정식 $\begin{cases} |x|+y=5 \\ x+|y|=3 \end{cases}$을 푸시오.

08 x, y에 대한 두 연립방정식

$$\begin{cases} 3x+y=a \\ 2x+2y=1 \end{cases}, \begin{cases} x^2-y^2=-1 \\ x-y=b \end{cases}$$

의 해가 같을 때, ab의 값은?

① 1 ② 2 ③ 3 ④ 4 ⑤ 5

09 이차방정식 $x^2-(p^2+q)x+p^2q-2=0$의 한 근이 $4+\sqrt{2}$일 때, 양의 유리수 p, q의 값을 구하시오.

10 연립방정식 $\begin{cases} x+y=4 \\ x^2+y^2=3k+5 \end{cases}$가 실근을 가질 때, 실수 k의 최솟값은?

① 1 ② 2 ③ 3 ④ 4 ⑤ 5

11 그림과 같이 크기와 모양이 같은 직사각형 모양의 카드 5장을 겹치는 부분 없이 이어 붙여 직사각형 ABCD를 만들었다. 직사각형 ABCD의 넓이가 120일 때, 카드 한 장의 둘레의 길이를 구하시오.

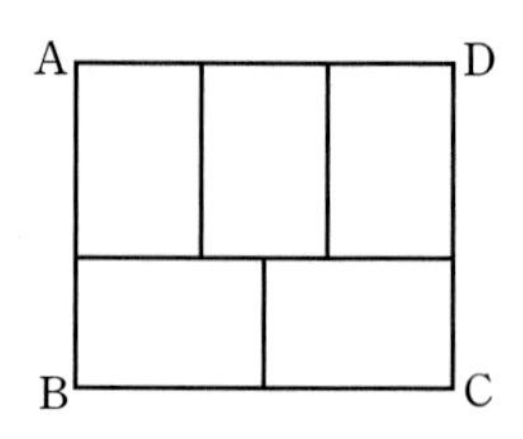

교육청 기출

12 그림과 같이 삼각형 ABC의 변 BC 위의 점 D에 대하여 $\overline{AD}=6$, $\overline{BD}=8$이고, $\angle BAD=\angle BCA$이다. $\overline{AC}=\overline{CD}-1$일 때, 삼각형 ABC의 둘레의 길이를 구하시오.

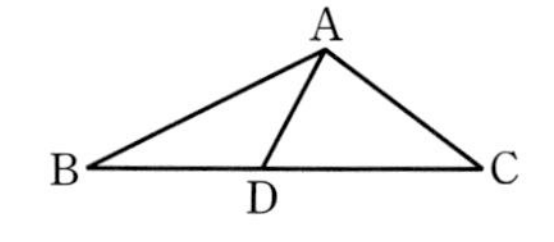

13 방정식 $\frac{1}{x}+\frac{1}{y}=\frac{1}{5}$을 만족시키는 양의 정수 x, y의 순서쌍 (x, y)의 개수는?

① 1 ② 2 ③ 3 ④ 4 ⑤ 5

14 등식 $(x^2+1)(y^2+4)=8xy$를 만족시키는 실수 x, y의 값을 모두 구하시오.

15 이차방정식 $x^2-(m-3)x+2m-1=0$의 모든 해가 정수일 때, m의 값을 모두 구하시오.

정답 개수 : /15 오답 번호 Check :

부등식은 두 수 또는 두 식의 대소 관계를 기호 $>$, $<$, $\geq$, $\leq$를 사용하여 나타낸 식을 말한다. 특히 두 개 이상의 부등식을 한 쌍으로 묶어서 나타낸 것을 연립부등식이라 한다.

모든 항을 좌변으로 이항하여 정리했을 때 좌변이 x에 대한 이차식인 부등식을 x에 대한 이차부등식이라 하고 이차부등식의 해는 이차함수의 그래프를 이용하여 구할 수 있다.

이 단원에서는 부등식의 성질을 이용하여 일차부등식과 연립일차부등식을 풀어 보자. 또 이차함수의 그래프를 이용하여 이차부등식과 연립이차부등식을 풀어 보자.

여러 가지 부등식

12-1 일차부등식

개념

1 부등식의 성질

(1) $a>0$이고 $b>0$이면 $a+b>0$, $ab>0$

(2) $a>b$이고 $b>c$이면 $a>c$

(3) $a>b$이면 $a+c>b+c$, $a-c>b-c$

$a>b$이고 $c>0$이면 $ac>bc$, $\frac{a}{c}>\frac{b}{c}$

$a>b$이고 $c<0$이면 $ac<bc$, $\frac{a}{c}<\frac{b}{c}$ → 음수를 곱하거나 음수로 나누면 부등호 방향이 바뀐다.

2 부등식 $ax>b$의 해

(1) $a>0$이면 $x>\frac{b}{a}$, $a<0$이면 $x<\frac{b}{a}$

(2) $a=0$이고 $b\geq 0$이면 해는 없다.

(3) $a=0$이고 $b<0$이면 해는 실수 전체이다.

부등식의 성질 • 부등식을 푸는 데 기본이 되는 성질을 정리하면 위와 같다.
특히 **두 양수의 합과 곱은 양수**라는 것과
음수를 곱하거나 음수로 나누는 경우 부등호의 방향이 바뀐다는 것에 주의한다.

일차부등식의 풀이 • 일차부등식은 방정식과 같이 $ax>b$ 꼴로 정리하고 $a=0$이 아니면 양변을 a로 나눈다.
다만 부등식에서는 음수를 곱하거나 나누는 경우 부등호의 방향이 바뀌므로
$a>0$일 때와 $a<0$일 때로 나누어 생각한다.
곧, 부등식 $ax>b$의 해는

(i) $a>0$일 때, $x>\frac{b}{a}$

(ii) $a<0$일 때, 부등호의 방향이 바뀌므로 $x<\frac{b}{a}$

(iii) $a=0$일 때, $0\times x>b$, 곧 $0>b$이므로

$b\geq 0$이면 성립하지 않으므로 해는 없고

$b<0$이면 항상 성립하므로 해는 실수 전체이다.

특히 부등식은 실수에서만 생각하므로 부등식이 모든 x에 대해 성립한다는 것은 모든 실수 x에 대해 성립한다는 뜻이다.

개념 Check

◆ 정답 및 풀이 88쪽

1 부등식 $ax\geq -4$의 해가 $x\leq 2$일 때, 실수 a의 값을 구하시오.

12-2 연립부등식

1 절댓값 기호를 포함한 일차부등식의 해

(1) $|x|<a\ (a>0)$이면 $-a<x<a$

(2) $|x|>a\ (a>0)$이면 $x<-a$ 또는 $x>a$

2 두 개 이상의 부등식을 한 쌍으로 묶어서 나타낸 것을 **연립부등식**이라 한다.

연립부등식의 해는 각 부등식의 해의 공통부분이다.

부등식의 해와 수직선

$x>1$, $x<1$, $x\geq 1$, $x\leq 1$을 수직선 위에 나타내면 그림과 같다.

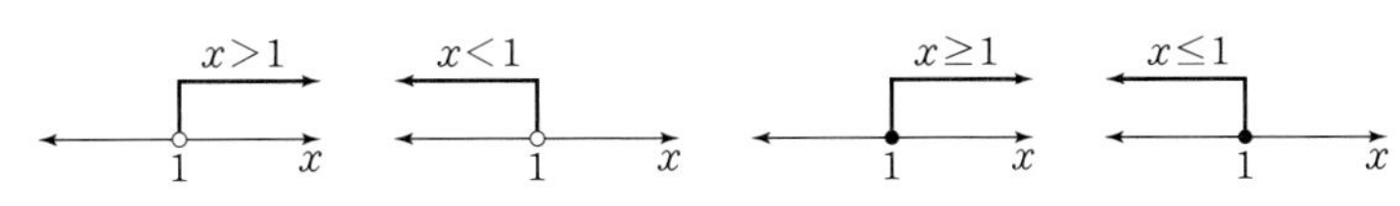

1을 포함하는 경우는 속이 찬 점 •, 1을 포함하지 않는 경우는 속이 빈 점 ∘으로 나타낸다.

또 '$x>1$이고 $x\leq 3$'과 '$x<1$ 또는 $x>3$'을 수직선 위에 나타내면 그림과 같다.

이때 '$x>1$이고 $x\leq 3$'은 $1<x\leq 3$으로 나타낸다.

절댓값 기호를 포함한 일차부등식의 풀이

$|x|<3$의 해는 $-3<x<3$,

$|x|>3$의 해는 $x<-3$ 또는 $x>3$

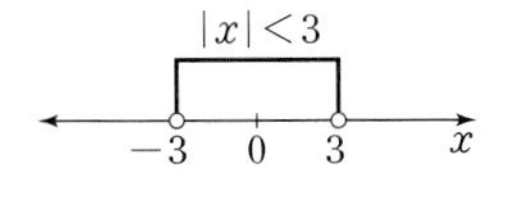

이다. 일반적으로 $a>0$일 때

$$|x|<a\text{이면 } -a<x<a,\quad |x|>a\text{이면 } x<-a \text{ 또는 } x>a$$

연립부등식

$\begin{cases} x<5 \\ x-1\geq 1 \end{cases}$과 같이 두 개 이상의 부등식을 한 쌍으로 묶어서 나타낸 것을 연립부등식이라 한다. 이 연립부등식의 해는 두 부등식의 해의 공통부분이므로 $2\leq x<5$이다.

특히 수직선에서 공통부분이 한 점이면 해는 한 개이고, 공통부분이 없으면 해는 없다.

예를 들어 연립부등식 $\begin{cases} x<1 \\ x>3 \end{cases}$은 그림과 같이 공통부분이 없다.

따라서 해는 없다.

개념 Check

◆ 정답 및 풀이 88쪽

2 다음 연립부등식을 푸시오.

(1) $\begin{cases} 2x\leq 2 \\ x+1>-2 \end{cases}$　(2) $\begin{cases} x-2\leq 4 \\ x-3<2 \end{cases}$　(3) $\begin{cases} x<2 \\ x>2 \end{cases}$

대표 Q1 연립일차부등식

◆ 정답 및 풀이 88쪽

다음 연립부등식을 푸시오.

(1) $\begin{cases} 2x+4 \geq 2(2x-3) \\ 1-2x < 3(x-3) \end{cases}$

(2) $\begin{cases} 2(x-5) \geq 2-x \\ \dfrac{x-3}{2} \leq \dfrac{x-4}{3} \end{cases}$

(3) $\dfrac{2x-5}{3} < \dfrac{x-3}{2} \leq x+1$

날선 Guide (1) $2x+4 \geq 2(2x-3)$과 $1-2x < 3(x-3)$을 풀고
각각의 해를 수직선 위에 나타낸 다음, 공통부분을 찾는다.
일차부등식을 풀 때에는 $ax > b$ (또는 $ax < b$) 꼴로 정리한 다음, 양변을 a로 나눈다.
이때 a가 음수이면 부등호의 방향이 바뀐다는 것에 주의한다.

(2) $\dfrac{x-3}{2} \leq \dfrac{x-4}{3}$는 양변에 6을 곱하고 정리하면 편하다.

(3) $\dfrac{2x-5}{3} < \dfrac{x-3}{2}$과 $\dfrac{x-3}{2} \leq x+1$을 연립하여 풀면 된다.

참고 연립부등식 $A < B < C$는 '$A < B$이고 $B < C$'를 하나로 나타낸 것이다.

$$A < B < C \Rightarrow \begin{cases} A < B \\ B < C \end{cases}$$

방정식 $A=B=C$에서는 '$A=B$이고 $A=C$'를 풀어도 되지만
부등식 $A < B < C$에서는 '$A < B$이고 $A < C$'를 풀어서는 안 된다.

답 (1) $2 < x \leq 5$ (2) 해는 없다. (3) $-5 \leq x < 1$

- 일차부등식을 풀 때에는 양변을 음수로 나누는 경우에 주의한다.
- 연립부등식에서는 각 부등식의 해의 공통부분을 찾는다.

1-1 다음 연립부등식을 푸시오.

(1) $\begin{cases} 3(x+5) \geq 7x+3 \\ 2x-4 > 5-3(x+3) \end{cases}$

(2) $\begin{cases} 2+\dfrac{4-2x}{5} \geq \dfrac{x+2}{2} \\ 0.5x+2 < 5.75-\dfrac{x}{4} \end{cases}$

1-2 다음 연립부등식을 푸시오.

$4 < 2(x-1)+3 < 3x+5$

대표 Q2

절댓값 기호를 포함한 일차부등식

◆ 정답 및 풀이 89쪽

다음 부등식을 푸시오.

(1) $|2x+1|\leq 2$

(2) $|x-2|>2x$

(3) $|x+1|+|x-2|\leq 3$

날선 Guide (1) 절댓값 기호를 풀면 $-2\leq 2x+1\leq 2$이다.

각 변에서 1을 뺀 후 2로 나누면 x값의 범위가 나온다.

(2) $x\geq 2$이면 $x-2\geq 0$이므로 $x-2>2x$

$x<2$이면 $x-2<0$이므로 $-(x-2)>2x$

따라서 $\begin{cases} x\geq 2 \\ x-2>2x \end{cases}$ 또는 $\begin{cases} x<2 \\ -(x-2)>2x \end{cases}$를 푼다고 생각하면 된다.

(3) $x+1=0$에서 $x=-1$,

$x-2=0$에서 $x=2$이므로

$x<-1$, $-1\leq x<2$, $x\geq 2$

인 경우로 나누어 푼다.

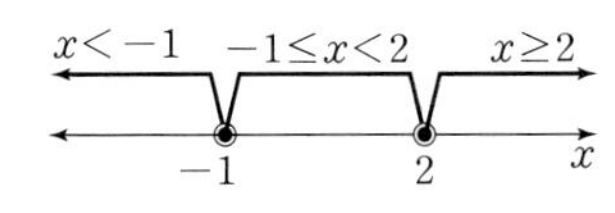

참고 $|x-1|<x$를 풀 때

$x>1$이면 $x-1<x$, $-1<0$

이 식은 항상 성립하므로 $x>1$은 부등식의 해이다.

이와 같이 (상수)>0 꼴로 정리되는 경우에

상수가 양수이면 항상 성립하고, 상수가 0 또는 음수이면 해가 없다.

답 (1) $-\frac{3}{2}\leq x\leq\frac{1}{2}$ (2) $x<\frac{2}{3}$ (3) $-1\leq x\leq 2$

절댓값 기호를 포함한 부등식의 풀이

- $|x|<a\ (a>0)$이면 $-a<x<a$

  $|x|>a\ (a>0)$이면 $x<-a$ 또는 $x>a$
- $|x-a|$를 포함하면 $x<a$, $x\geq a$인 경우로 나눈다.
- $|x-a|$, $|x-b|\,(a<b)$를 포함하면 $x<a$, $a\leq x<b$, $x\geq b$인 경우로 나눈다.

2-1 다음 부등식을 푸시오.

(1) $|1-x|\leq 2$

(2) $|2x-1|<x+1$

(3) $|x+2|-|x-2|\leq x$

해의 조건이 주어진 연립일차부등식

◆ 정답 및 풀이 90쪽

연립부등식 $\begin{cases} 3x+2\geq 2(x+a) \\ 2x+5<9 \end{cases}$ 에 대하여 다음 물음에 답하시오.

(1) 연립부등식의 해가 없을 때, 실수 a값의 범위를 구하시오.

(2) 연립부등식을 만족시키는 정수가 3개일 때, 실수 a값의 범위를 구하시오.

날선 Guide (1) $2x+5<9$에서 $2x<4$, $x<2$이고,

$3x+2\geq 2x+2a$에서 $x\geq 2a-2$이다.

$x\geq 2a-2$가 그림과 같으면 해의 공통부분이 없으므로

$2a-2>2$

이다. 이때 $2a-2$가 2일 때 성립하는지 아닌지 따져서

$2a-2\geq 2$인지 $2a-2>2$인지 정한다.

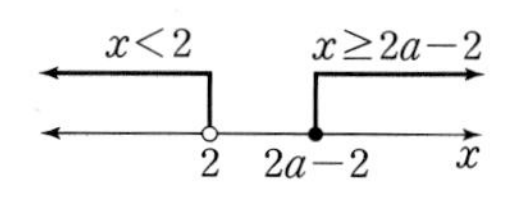

(2) 공통부분의 정수가 3개이므로

그림과 같이 공통부분이 -1, 0, 1을 포함해야 한다.

따라서 $2a-2$가 -2와 -1 사이에 있다.

그리고 $2a-2$가 -2일 수 있는지, -1일 수 있는지는

따로 따진다.

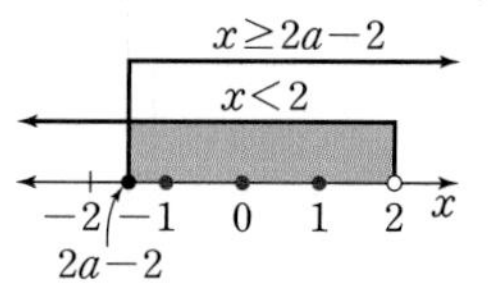

답 (1) $a\geq 2$ (2) $0<a\leq \frac{1}{2}$

부등식의 해에 대한 조건이 주어진 문제

❶ 조건을 수직선 위에 나타내어 본다.

❷ 등호를 포함하는지 따진다.

3-1 부등식 $-2x+a<3x<x+b$의 해가 $-2<x<3$일 때, 상수 a, b의 값을 구하시오.

3-2 부등식 $3x-1\leq 2a$를 만족시키는 자연수 x가 3개일 때, 실수 a값의 범위를 구하시오.

3-3 연립부등식 $\begin{cases} 2x-1>x+2 \\ 3x-2\leq x-4a \end{cases}$ 에 대하여 다음 물음에 답하시오.

(1) 연립부등식의 해가 없을 때, 실수 a값의 범위를 구하시오.

(2) 연립부등식을 만족시키는 정수가 1개일 때, 실수 a값의 범위를 구하시오.

연립일차부등식의 활용

◆ 정답 및 풀이 90쪽

어느 동아리 회원들이 긴 의자에 앉을 때, 한 의자에 4명씩 앉으면 5명이 남고, 5명씩 앉으면 의자가 2개 남는다고 한다. 이 동아리 회원이 68명을 넘지 않는다고 할 때, 회원 수를 구하시오.

날선 Guide 조건이 다음 세 가지이다.

(가) 한 의자에 4명씩 앉으면 5명이 남는다.

(나) 한 의자에 5명씩 앉으면 의자가 2개 남는다.

(다) 회원은 68명 이하이다.

각 조건을 식으로 바꾸어 보자.

(가)에서는 (회원 수)$=$(의자 수)$\times 4+5$

(나)에서는 전체 의자에서 3개를 뺀 나머지 의자에는 5명씩 앉고 한 의자에는 1명에서 5명까지 앉으므로

$$(\text{의자 수}-3)\times 5+1\le(\text{회원 수})\le(\text{의자 수}-3)\times 5+5$$

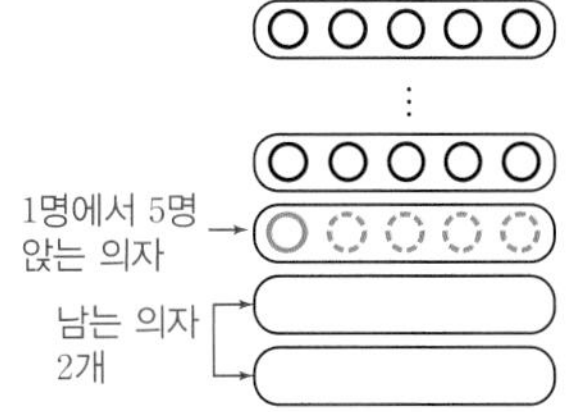

(다)에서는 (회원 수)≤ 68

따라서 회원 수와 의자 수를 각각 x, y라 하고 등식, 부등식을 세운 다음 한 문자를 소거하고 부등식을 풀면 된다.

답 65

연립일차부등식의 활용 문제

➡ 문자를 이용하여 조건을 식으로 바꾼다.

4-1 어느 단체의 학생들이 여행을 가서 야영을 하였다. 한 텐트에 3명씩 자면 6명이 남고, 4명씩 자면 텐트가 4개 남는다고 한다. 이 단체의 학생이 80명 이상일 때, 학생 수를 구하시오.

4-2 식품 A, B의 100 g당 열량과 단백질의 양은 표와 같다. 두 식품을 합하여 300 g을 섭취할 때, 열량은 400 kcal 이상, 단백질은 38 g 이상을 얻으려고 한다. 섭취할 A 무게의 범위를 구하시오.

	열량 (kcal)	단백질 (g)
A	120	15
B	280	8

12-3 이차부등식

이차부등식과 이차함수의 관계

$f(x)=ax^2+bx+c\ (a>0)$일 때 이차부등식 $f(x)>0$, $f(x)<0$의 해는
이차함수 $y=f(x)$의 그래프를 이용하여 구한다.

$y=f(x)$의 그래프	$+$, α, $-$, β, $+$, x	$+$, x	$+$, α, $+$, x
$f(x)>0$의 해	$x<\alpha$ 또는 $x>\beta$	모든 실수	$x\neq\alpha$인 모든 실수
$f(x)<0$의 해	$\alpha<x<\beta$	해는 없다.	해는 없다.
$f(x)=0$의 판별식	$D>0$	$D<0$	$D=0$

이차부등식 $x^2-4x+3>0$, $x^2-4x+3<0$과 같이
(이차식)>0, (이차식)<0, (이차식)≥0, (이차식)≤0 꼴인 부등식을 **이차부등식**이라 한다.

이차부등식의 풀이 **이차부등식은 이차함수의 그래프를 이용하여 풀 수 있다.**

$y=x^2-4x+3$으로 놓으면 그래프가 x축과 만나는 점의 x좌표는
$0=x^2-4x+3$에서 $(x-1)(x-3)=0$　　$\therefore x=1$ 또는 $x=3$
곧, 함수의 그래프는 그림과 같다.

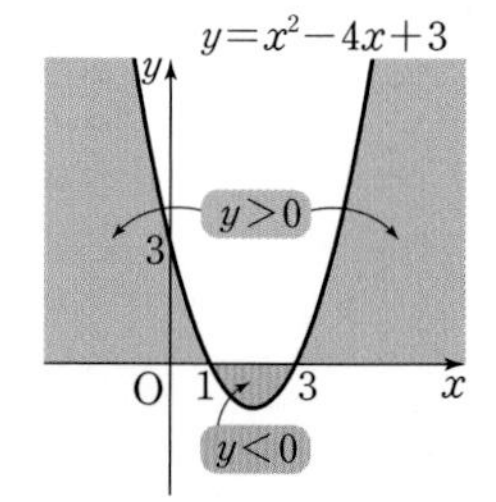

(1) $x^2-4x+3>0$의 해는 그래프가
$y>0$(x축 위쪽)인 x의 범위이므로 $x<1$ 또는 $x>3$

(2) $x^2-4x+3<0$의 해는 그래프가
$y<0$(x축 아래쪽)인 x의 범위이므로 $1<x<3$

(3) 또 등호를 포함한 부등식도 풀 수 있다. 곧,
$x^2-4x+3\geq0$의 해는 $x\leq1$ 또는 $x\geq3$
$x^2-4x+3\leq0$의 해는 $1\leq x\leq3$

(4) $-x^2+4x-3>0$과 같이 x^2의 계수가 음수인 경우
양변에 -1을 곱한 다음
$x^2-4x+3<0$을 풀거나 $y=-x^2+4x-3$의 그래프를 이용하여 푼다.

$D>0$인 경우 이차부등식의 해 $f(x)=ax^2+bx+c\ (a>0)$에 대하여

$$D=b^2-4ac>0$$

이면 $y=f(x)$의 그래프는 x축과 서로 다른 두 점에서 만난다.
이 점의 x좌표를 α, $\beta\ (\alpha<\beta)$라 하면
$f(x)>0$의 해는 $x<\alpha$ 또는 $x>\beta$이고, $f(x)<0$의 해는 $\alpha<x<\beta$이다.

$D<0$인 경우 이차부등식의 해

$y=x^2-4x+5$라 하면 $y=(x-2)^2+1$이므로 그래프는 x축과 만나지 않는다. 그리고

$(x-2)^2+1>0$은 항상 성립하므로 해는 실수 전체이다.

$(x-2)^2+1<0$은 성립하지 않으므로 해는 없다.

이와 같이 $g(x)=ax^2+bx+c\ (a>0)$에서

$$D=b^2-4ac<0$$

이면 $y=g(x)$의 그래프는 x축의 위쪽에 있으므로

$g(x)>0$의 해는 실수 전체이고, $g(x)<0$의 해는 없다.

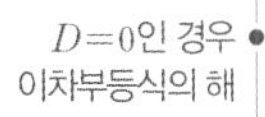

$y=x^2-4x+4$라 하면 $y=(x-2)^2$이므로 그래프는 $x=2$에서 x축에 접한다. 그리고

$(x-2)^2>0$은 $x\neq2$일 때 성립하므로 해는 $x\neq2$인 모든 실수이고,

$(x-2)^2\geq0$은 항상 성립하므로 해는 실수 전체이다.

$(x-2)^2<0$은 성립하지 않으므로 해는 없고,

$(x-2)^2\leq0$의 해는 $x=2$이다.

이와 같이 $h(x)=ax^2+bx+c\ (a>0)$에서

$$D=b^2-4ac=0$$

이면 $y=h(x)$의 그래프는 x축에 접한다. 이 경우 부등식의 해는 접점의 x좌표가 포함될 수도 있고, 포함되지 않을 수도 있으므로 그래프를 그려 생각한다.

개념 Check

◆ 정답 및 풀이 91쪽

3 이차함수 $y=x^2-x-2$의 그래프를 이용하여 다음 부등식을 푸시오.

(1) $x^2-x-2>0$ (2) $x^2-x-2\leq0$

(3) $-x^2+x+2>0$ (4) $-x^2+x+2\leq0$

4 다음 부등식을 푸시오.

(1) $x^2+2x+1>0$ (2) $x^2+2x+1\geq0$

(3) $x^2+2x+1<0$ (4) $x^2+2x+1\leq0$

5 이차함수 $y=ax^2+bx+c$의 그래프가 그림과 같을 때, 다음 부등식을 푸시오.

(1) $ax^2+bx+c>0$ (2) $ax^2+bx+c\leq0$

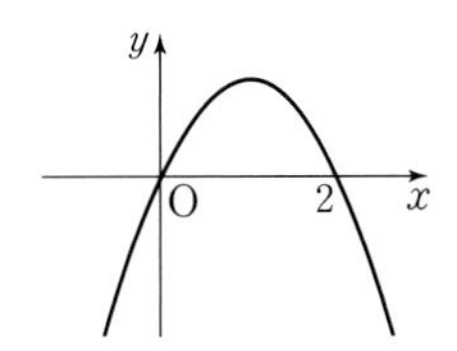

대표 Q5 이차부등식

◆ 정답 및 풀이 91쪽

다음 부등식을 푸시오.

(1) $3x^2>2x+5$ (2) $x^2-4x-2\leq 0$

(3) $x^2-x+1\leq 0$ (4) $x^2>4x-4$

날선 Guide (1) $2x+5$를 이항하면 $3x^2-2x-5>0$

$3x^2-2x-5$를 인수분해한다.

(2) x^2-4x-2를 인수분해할 수 없다.

근의 공식을 이용하여 $x^2-4x-2=0$의 두 근 α, $\beta(\alpha<\beta)$를 구한 다음,

$\alpha\leq x\leq\beta$인지 $x\leq\alpha$ 또는 $x\geq\beta$인지 확인한다.

(3) $D=(-1)^2-4\times1\times1=-3<0$인 경우이다.

$y=x^2-x+1$의 그래프를 그리고 해를 생각한다.

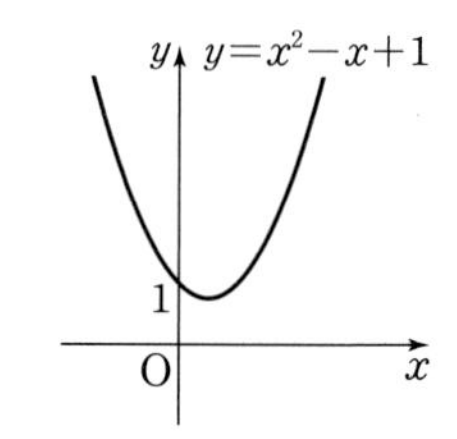

(4) $x^2-4x+4>0$에서 $(x-2)^2>0$이다.

따라서 $x\neq2$이면 성립한다.

이 경우 $D=(-4)^2-4\times1\times4=0$이다.

답 (1) $x<-1$ 또는 $x>\frac{5}{3}$ (2) $2-\sqrt{6}\leq x\leq 2+\sqrt{6}$ (3) 해는 없다. (4) 해는 $x\neq2$인 모든 실수

이차부등식의 풀이

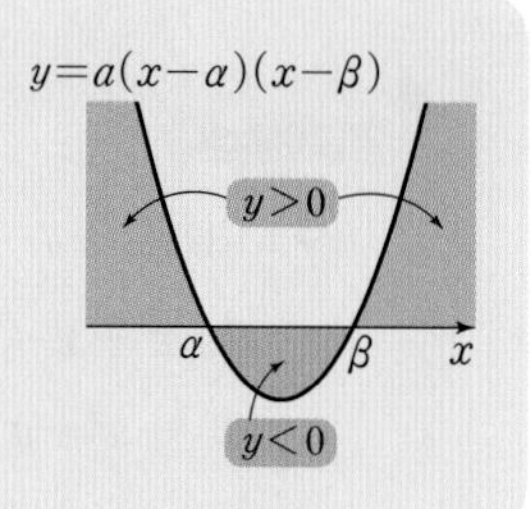

- $a>0$이고 $\alpha<\beta$일 때

  $a(x-\alpha)(x-\beta)>0$ ➡ $x<\alpha$ 또는 $x>\beta$

  $a(x-\alpha)(x-\beta)<0$ ➡ $\alpha<x<\beta$

- 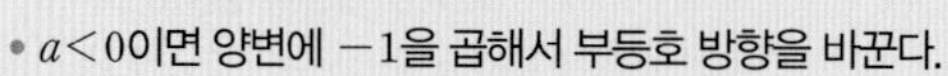 $a<0$이면 양변에 -1을 곱해서 부등호 방향을 바꾼다.
- $D<0$ 또는 $D\leq0$이면 그래프를 그려서 생각한다.

5-1 다음 부등식을 푸시오.

(1) $2x^2-x-6<0$ (2) $-2x+3\leq x^2$

(3) $x^2+2x-4\geq 0$ (4) $-2x-1>x^2+x$

5-2 다음 부등식을 푸시오.

(1) $x^2+5x>x-6$ (2) $4x^2+12x+9\leq 0$

대표 Q6 연립이차부등식

◆ 정답 및 풀이 92쪽

다음 물음에 답하시오.

(1) 연립부등식 $\begin{cases} x^2-x>0 \\ x^2-2x-35\le 0 \end{cases}$ 을 푸시오.

(2) 연립부등식 $\begin{cases} x^2+4x-21\le 0 \\ x^2+5kx-6k^2>0 \end{cases}$ 의 해가 있을 때, 양수 k값의 범위를 구하시오.

날선 Guide (1) 각 부등식이 이차인 연립부등식이다.

각 부등식의 해를 구한 다음, 공통부분을 찾는다.

필요하면 수직선 위에 각 부등식의 해를 나타내고 공통부분을 찾는다.

(2) $\begin{cases} x^2+4x-21\le 0 & \cdots ㉠ \\ x^2+5kx-6k^2>0 & \cdots ㉡ \end{cases}$

㉡에서 좌변을 인수분해하면

$$(x+6k)(x-k)>0$$

$k>0$이므로 $x<-6k$ 또는 $x>k$

따라서 ㉠의 해를 구한 다음, 위의 부등식과 공통부분이 있는 k값의 범위를 구한다.

참고 $(x+6k)(x-k)>0$에서 $k>0$이라는 조건이 없으면

$k>0$일 때와 $k<0$일 때로 나누어 푼다.

$k<0$이면 $k<-6k$이므로 해는 $x<k$ 또는 $x>-6k$이다.

답 (1) $-5\le x<0$ 또는 $1<x\le 7$ (2) $0<k<3$

연립이차부등식의 풀이

➡ 각 부등식의 해를 수직선 위에 나타내고 공통부분을 찾는다.

6-1 다음 연립부등식을 푸시오.

(1) $\begin{cases} x^2-7x+6>0 \\ x^2-2x-8\ge 0 \end{cases}$

(2) $\begin{cases} 5x\le x^2+4 \\ x(x-2)<15 \end{cases}$

up 6-2 연립부등식 $\begin{cases} 2x^2-7x>0 \\ x^2-ax-a-1<0 \end{cases}$ 의 해 중에서 정수가 3개일 때, 양수 a값의 범위를 구하시오.

대표 Q7

절댓값 기호를 포함한 이차부등식

◆ 정답 및 풀이 93쪽

다음 부등식을 푸시오.

(1) $|x^2-4x-1|<4$

(2) $(x+2)(|x|-3)\le 0$

(3) $x^2-|x-1|-1\ge 0$

날선 Guide (1) 절댓값 기호를 풀면 $-4<x^2-4x-1<4$이므로

부등식 $x^2-4x-1>-4$와 $x^2-4x-1<4$를 각각 푼 다음,

수직선 위에서 공통부분을 찾는다.

(2) $x\ge 0$일 때에는 $(x+2)(x-3)\le 0$ … ㉠

$x<0$일 때에는 $(x+2)(-x-3)\le 0$ … ㉡

이다. 따라서 ㉠에서는 이차부등식을 푼 해 중 $x\ge 0$인 경우만,

㉡에서는 이차부등식을 푼 해 중 $x<0$인 경우만 생각한다.

곧, $\begin{cases} x\ge 0 \\ (x+2)(x-3)\le 0 \end{cases}$ 또는 $\begin{cases} x<0 \\ (x+2)(-x-3)\le 0 \end{cases}$을 푼다고 생각하면 된다.

(3) $x\ge 1$인 경우와 $x<1$인 경우로 나누어

연립부등식 $\begin{cases} x\ge 1 \\ x^2-(x-1)-1\ge 0 \end{cases}$ 또는 $\begin{cases} x<1 \\ x^2+(x-1)-1\ge 0 \end{cases}$을 풀면 된다.

답 (1) $-1<x<1$ 또는 $3<x<5$ (2) $x\le -3$ 또는 $-2\le x\le 3$ (3) $x\le -2$ 또는 $x\ge 1$

절댓값 기호를 포함한 부등식의 풀이

- $|x|<a\ (a>0)$이면 $-a<x<a$

  $|x|>a\ (a>0)$이면 $x<-a$ 또는 $x>a$
- $|x-a|$를 포함하면 $x<a$, $x\ge a$인 경우로 나눈다.

7-1 다음 부등식을 푸시오.

(1) $|x^2-3|\ge 1$

(2) $(|x-1|-2)(x+1)<0$

(3) $x^2-2x\le 2|x-1|+2$

대표 Q8 해가 주어진 부등식

◆ 정답 및 풀이 94쪽

다음 물음에 답하시오.

(1) 부등식 $ax>b$의 해가 $x>-2$일 때, 부등식 $(a+b)x+3a-b>0$을 푸시오.

(2) 이차부등식 $ax^2+bx+c>0$의 해가 $-3<x<2$일 때,
이차부등식 $bx^2+ax+c+4a<0$을 푸시오.

날선 Guide (1) $ax>b$의 해는

$$a>0\text{일 때 } x>\frac{b}{a},\ a<0\text{일 때 } x<\frac{b}{a}$$

이다. 따라서 $a>0$이고 $\frac{b}{a}=-2$, 곧 $b=-2a$이다.

$b=-2a$를 $(a+b)x+3a-b>0$에 대입하고 푼다. 이때 $a>0$에 주의한다.

(2) $y>0$인 x의 범위가 $-3<x<2$인 이차함수의 그래프는 그림과 같으므로 x^2의 계수가 음수이고 x축과 만나는 점의 x좌표가 -3, 2이다.

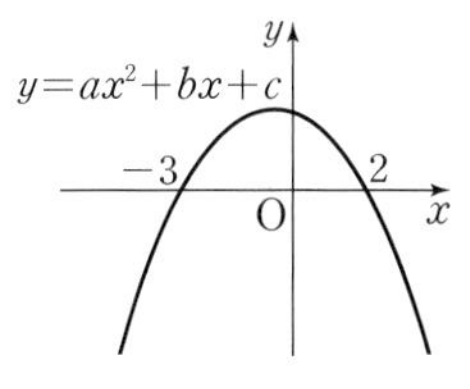

따라서 $a<0$이고

$$ax^2+bx+c=a(x+3)(x-2)$$

이다. 우변을 전개하고 양변을 비교하여 a, b, c의 관계부터 구한다.

참고 $ax^2+bx+c=0$의 두 근이 -3, 2이므로 다음을 이용해도 된다.

$$-\frac{b}{a}=-3+2,\ \frac{c}{a}=(-3)\times 2\text{이고 } a<0$$

답 (1) $x<5$ (2) $x<-2$ 또는 $x>1$

- $ax+b>0$의 해가 주어진 경우 ➡ a의 부호부터 구한다.
- $ax^2+bx+c>0$의 해가 주어진 경우
  ➡ $a(x-\alpha)(x-\beta)>0$으로 놓고 a의 부호부터 구한다.

8-1 부등식 $(a+b)x+(2a-3b)>0$의 해가 $x<\frac{1}{2}$일 때, 부등식 $ax>b$를 푸시오.

8-2 이차부등식 $ax^2+5x+b<0$의 해가 $-2<x<\frac{1}{3}$일 때, 실수 a, b의 값을 구하시오.

8-3 이차부등식 $ax^2+bx+c<0$의 해가 $x<-1$ 또는 $x>3$일 때, 이차부등식 $cx^2+bx+a>0$을 푸시오.

부등식과 최대, 최소

◆ 정답 및 풀이 95쪽

다음 물음에 답하시오.

(1) x, y가 실수이고 $x^2+y^2=4$일 때, $2x+y^2$의 최댓값과 최솟값을 구하시오.

(2) x에 대한 방정식 $x^2+2kx+2k^2-4=0$이 실근 α, β를 가질 때, $(1-\alpha)(1-\beta)$의 최댓값과 최솟값을 구하시오. (단, k는 실수)

날선 Guide (1) $x^2+y^2=4$에서 $y^2=4-x^2$을 $2x+y^2$에 대입하면 x에 대한 이차식이므로 최댓값이나 최솟값을 구할 수 있다.

이때 x, y가 실수이므로

$$y^2=4-x^2\geq 0$$

이다. 이 부등식을 풀면 x값의 범위가 생긴다는 것에 주의한다.

(2) 근과 계수의 관계에서

$$\alpha+\beta=-2k,\ \alpha\beta=2k^2-4$$

이다. 이 식을 $(1-\alpha)(1-\beta)$에 대입하면 k에 대한 이차식이므로 최댓값이나 최솟값을 구할 수 있다.

이때 k가 실수이고, α, β가 실근이므로

$$D\geq 0$$

을 풀어 k값의 범위를 구해야 한다는 것에 주의한다.

답 (1) 최댓값 : 5, 최솟값 : -4 (2) 최댓값 : 9, 최솟값 : $-\frac{7}{2}$

부등식과 최대, 최소 문제

- 주어진 식을 한 문자로 나타낸다.
- 변수의 범위가 있는지 확인한다. 특히 실수, 실근이란 조건에 주의한다.

9-1 실수 x, y에 대하여 다음 물음에 답하시오.

(1) $x^2+y^2=2x+3$일 때, x^2-y^2의 최댓값과 최솟값을 구하시오.

(2) $x^2-xy+y^2=1$일 때, $x-y$의 최댓값과 최솟값을 구하시오.

9-2 x에 대한 방정식 $x^2-(k-1)x+k^2-k=0$이 실근 α, β를 가질 때, $(\alpha-1)(\beta-1)$의 최댓값과 최솟값을 구하시오. (단, k는 실수)

연립이차부등식의 활용

◆ 정답 및 풀이 96쪽

그림과 같이 무대 위에 직사각형 모양의 스크린을 3개 설치하려 한다. 양옆 스크린의 하단이 무대와 만나는 부분을 선분 CA, BD라 하고, 중앙 스크린의 하단이 무대와 만나는 부분을 선분 AB라 하자. 사각형 ACDB는 $\overline{AC}=\overline{BD}$, $\overline{CD}=20\,\text{m}$, $\angle BAC=120^\circ$인 등변사다리꼴이다. 선분 AB의 길이는 선분 AC의 길이의 4배보다 크지 않고, 사다리꼴 ACDB의 넓이는 $75\sqrt{3}\,\text{m}^2$ 미만일 때, 선분 AB 길이의 범위를 구하시오.

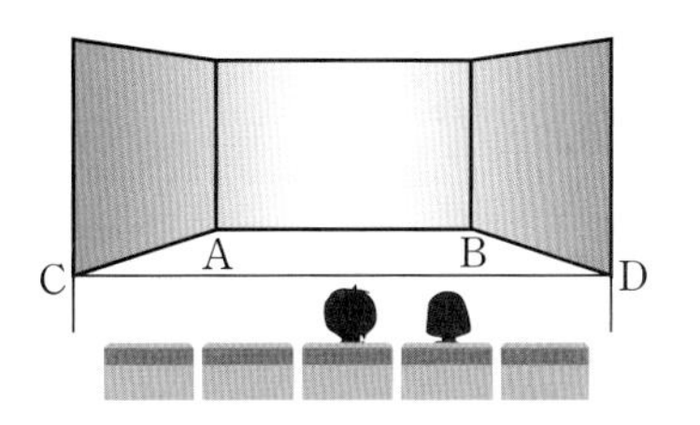

 두 점 A, B에서 변 CD에 내린 수선의 발을 각각 A′, B′이라 하고, $\overline{AB}=x$라 하자.

삼각형 AA′C는 $\angle CAA'=30^\circ$인 직각삼각형이고

$$\overline{A'B'}=x,\ \overline{CA'}=\frac{20-x}{2}$$

이므로 $\overline{AC}$와 $\overline{AA'}$을 x로 나타낼 수 있다.

이를 이용하여 $\overline{AB}\le 4\overline{AC}$일 조건과

사다리꼴의 넓이가 $75\sqrt{3}\,\text{m}^2$보다 작을 조건을 찾는다.

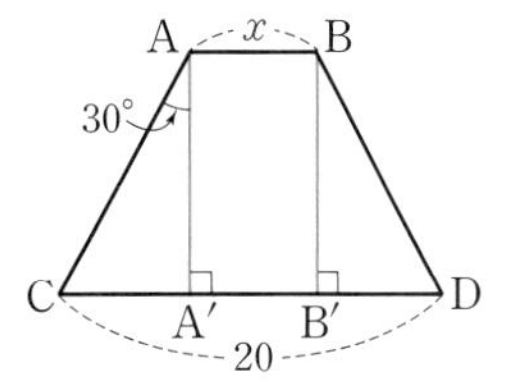

답 10 m 초과 16 m 이하

날선 Point 연립이차부등식의 활용 문제

- 크지 않다, 이하이다 ➡ 부등식을 이용하여 나타낸다.
- 도형 문제 ➡ 수선, 평행선을 긋고, 직각삼각형, 닮음 등을 이용한다.

10-1 그림과 같이 삼각형 ABC는 $\overline{AB}=\overline{BC}=12$인 직각이등변삼각형이다. 빗변 AC 위의 점 P에서 변 AB와 변 BC에 내린 수선의 발을 각각 Q, R라 하자. 직사각형 PQBR의 넓이가 각각 삼각형 AQP의 넓이와 삼각형 PRC의 넓이보다 클 때, 선분 BR 길이의 범위를 구하시오.

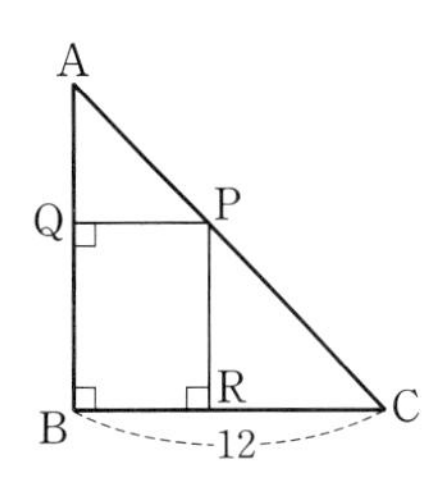

01 $-2\le x\le 1$, $2\le y\le 4$일 때, 다음 식의 값의 범위를 구하시오.

(1) $x+y$ (2) $x-y$ (3) xy

02 연립부등식 $\begin{cases} 2(x+4)>3x+2 \\ 4x-1>5x+a \end{cases}$ 의 해가 $x<4$일 때, 상수 a의 값은?

① -5 ② -3 ③ -1 ④ 1 ⑤ 3

03 부등식 $|2x-a|<b$의 해가 $-2<x<4$일 때, 양수 a, b의 값을 구하시오.

04 다음 부등식을 푸시오.

(1) $3\le|2x+3|<6$ (2) $|x+2|+|x-1|>5$

05 이차부등식 $ax^2-7x-4\le 0$의 해가 $-\frac{1}{2}\le x\le b$일 때, 실수 a, b의 값을 구하시오.

06 다음 연립부등식을 푸시오.

$$5+4x-x^2<2(x-3)\le 6(x+1)-x^2$$

07 연립부등식 $\begin{cases} x^2+x-6>0 \\ |x-a| \le 2 \end{cases}$ 의 해가 있을 때, 실수 a값의 범위를 구하시오.

08 부등식 $a^2x-a \ge 16x+2$에 대하여 다음 물음에 답하시오.

(1) 부등식의 해가 없을 때, 실수 a의 값을 구하시오.

(2) 부등식의 해가 모든 실수일 때, 실수 a의 값을 구하시오.

09 부등식 $|x^2-10x|<4x-24$를 푸시오.

10 $[x]$는 x보다 크지 않은 최대 정수를 나타낼 때, 부등식 $6[x]^2-5[x]-21<0$의 해가 $a \le x < b$이다. $a+b$의 값은?

① 1 ② 2 ③ 3 ④ 4 ⑤ 5

11 연립부등식 $\begin{cases} x^2-6x+5<0 \\ x^2-2x-8>0 \end{cases}$ 의 해가 이차부등식 $ax^2+3x+b>0$의 해와 같을 때, 실수 a, b의 값을 구하시오.

12 연립부등식 $\begin{cases} x^2+ax+b\geq 0 \\ x^2+cx+d\leq 0 \end{cases}$의 해가 $1\leq x\leq 3$ 또는 $x=4$일 때, $a+b+c+d$의 값을 구하시오.

13 연립부등식 $\begin{cases} x^2-7x+10>0 \\ x^2-2ax+2a-1\leq 0 \end{cases}$의 해 중에서 정수가 2개일 때, 실수 a값의 범위를 구하시오.

14 어떤 수학 문제집을 하루에 13문제씩 풀면 25일 만에 다 풀고, 하루에 23문제씩 풀면 14일 만에 다 푼다고 할 때, 하루에 18문제씩 풀면 며칠 만에 다 풀 수 있는지 구하시오.

15 그림과 같이 일직선 위의 세 지점 A, B, C에 같은 제품을 생산하는 공장이 있다. A와 B 사이의 거리는 10 km, B와 C 사이의 거리는 30 km, A와 C 사이의 거리는 20 km이다. 이 일직선 위의 A와 C 사이에 보관창고를 지으려고 한다. 공장과 보관창고와의 거리가 x km일 때, 제품 한 개당 운송비는 x^2원이 든다고 하자. 세 지점 A, B, C의 공장에서 하루에 생산되는 제품이 각각 100개, 200개, 300개일 때, 하루에 드는 총 운송비가 155000원 이하가 되도록 하는 보관창고는 A 지점에서 최대 몇 km 떨어진 지점까지 지을 수 있는가? (단, 공장과 보관창고의 크기는 무시한다.)

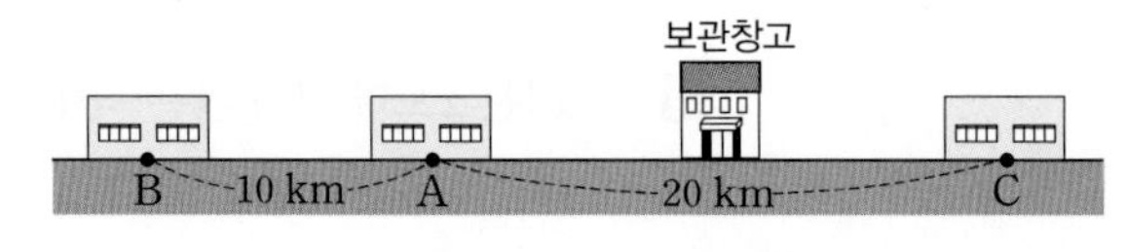

① 9 ② 11 ③ 13 ④ 15 ⑤ 17

앞 단원에서 일차, 이차함수의 그래프와 방정식, 부등식의 해를 구하는 방법에 대해 배웠다.

부등식과 함수의 그래프 그리고 방정식 사이에는 어떤 관계가 있을까?

이 단원에서는 함수의 그래프와 부등식의 해 사이의 관계를 알아보자. 또 이차방정식 해의 부호, 해의 범위에 따라 필요한 조건을 찾아 만족시키는 값의 범위를 구해 보자.

부등식과 이차함수, 방정식

13-1 함수의 그래프와 부등식

개념

1 함수 $y=f(x)$의 그래프가 함수 $y=g(x)$의 그래프보다 위쪽에 있는 x값의 범위

➡ 부등식 $f(x)>g(x)$의 해

2 함수 $y=f(x)$의 그래프가 함수 $y=g(x)$의 그래프보다 항상 위쪽에 있다.

➡ 부등식 $f(x)>g(x)$의 해가 실수 전체이다.

부등식 $f(x)>g(x)$의 해

$f(x)=x^2-1$, $g(x)=x+1$이라 하자.

$y=f(x)$의 그래프가 직선 $y=g(x)$보다 위쪽에 있는 x값의 범위는

$f(x)$가 $g(x)$보다 클 때이므로 $f(x)>g(x)$에서

$$x^2-1>x+1,\ (x+1)(x-2)>0$$

$$\therefore x<-1 \text{ 또는 } x>2$$

따라서 $y=f(x)$의 그래프가 직선 $y=g(x)$보다 위쪽에 있는 x값의 범위는

$x<-1$ 또는 $x>2$이다.

부등식 $f(x)>h(x)$가 항상 성립하는 경우

$f(x)=x^2-1$, $h(x)=x-2$라 하자.

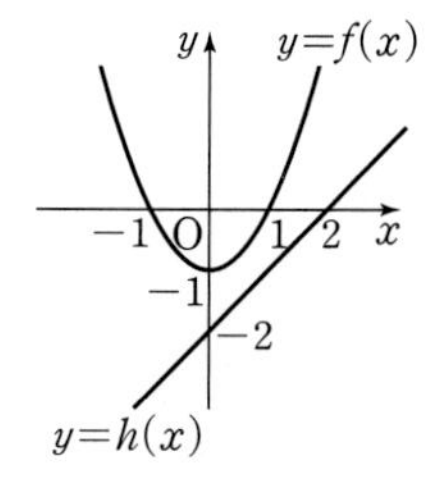

$y=f(x)$의 그래프가 직선 $y=h(x)$보다 위쪽에 있는 x값의 범위는

$f(x)>h(x)$에서

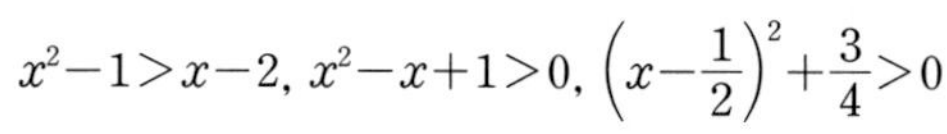

$$x^2-1>x-2,\ x^2-x+1>0,\ \left(x-\frac{1}{2}\right)^2+\frac{3}{4}>0$$

이 부등식은 항상 성립하므로 해는 실수 전체이고, 곧 $y=f(x)$의 그래프는 직선 $y=h(x)$보다 항상 위쪽에 있다.

함수의 그래프와 방정식, 부등식의 해

일반적으로 두 함수 $f(x)$, $g(x)$에 대하여

$y=f(x)$의 그래프가 $y=g(x)$의 그래프와 만나는 점의 x좌표는

방정식 $f(x)=g(x)$의 해이고,

$y=f(x)$의 그래프가 $y=g(x)$의 그래프보다 위쪽에 있는 x값의 범위는

부등식 $f(x)>g(x)$의 해이다.

개념 Check

◆ 정답 및 풀이 100쪽

1 이차함수 $y=ax^2+bx+c$의 그래프와 직선 $y=mx+n$이 그림과 같을 때, 이차부등식 $ax^2+(b-m)x+c-n\geq 0$의 해를 구하시오.

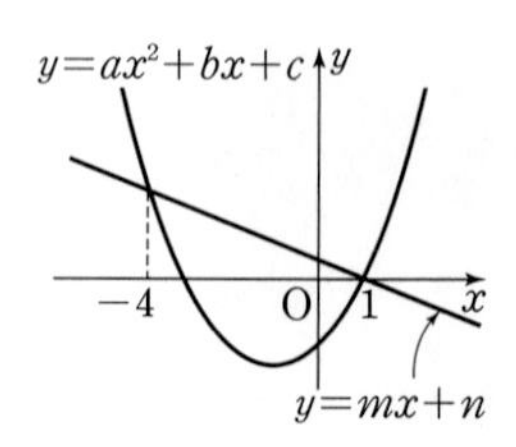

13-2 이차방정식 해의 부호

이차방정식 $ax^2+bx+c=0$의 두 근을 α, β라 할 때,

(1) 두 근이 모두 양수 ➡ $D\geq 0$, $\alpha+\beta=-\frac{b}{a}>0$, $\alpha\beta=\frac{c}{a}>0$

(2) 두 근이 모두 음수 ➡ $D\geq 0$, $\alpha+\beta=-\frac{b}{a}<0$, $\alpha\beta=\frac{c}{a}>0$

(3) 한 근은 양수, 한 근은 음수 ➡ $\alpha\beta=\frac{c}{a}<0$

이차방정식 해의 부호

이차방정식 $ax^2+bx+c=0$의 두 근 α, β가 0이 아닌 실수일 때,

α, β, $\alpha+\beta$, $\alpha\beta$의 부호는 표와 같다. 따라서

$\alpha>0$, $\beta>0$인 경우는 $\alpha+\beta>0$, $\alpha\beta>0$뿐이고,

$\alpha<0$, $\beta<0$인 경우는 $\alpha+\beta<0$, $\alpha\beta>0$뿐이다.

$\alpha\beta<0$인 경우는 α와 β의 부호가 다르다.

α	β	$\alpha+\beta$	$\alpha\beta$
+	+	+	+
+	−		−
−	+		−
−	−	−	+

알 수 없다.

따라서 근과 계수의 관계를 이용하여

$\alpha+\beta=-\frac{b}{a}$와 $\alpha\beta=\frac{c}{a}$의 부호를 조사하면 두 근을 직접 구하지 않아도 부호를 알 수 있다.

(1) 두 근이 모두 양수 ➡ $D\geq 0$, $\alpha+\beta>0$, $\alpha\beta>0$

(2) 두 근이 모두 음수 ➡ $D\geq 0$, $\alpha+\beta<0$, $\alpha\beta>0$

(3) 한 근은 양수, 한 근은 음수 ➡ $\alpha\beta<0$ → 두 근의 부호가 다르다.

예를 들어 이차방정식 $x^2+5x+2=0$에서

$$D=5^2-4\times 2=17>0,\ \alpha+\beta=-5<0,\ \alpha\beta=2>0$$

이므로 두 근은 모두 음수이다.

해의 부호와 판별식

두 근의 부호를 조사할 때, 근은 실수이므로 (1), (2)에서 $D\geq 0$은 꼭 조사해야 한다.

예를 들어 $x^2-2x+2=0$에서

$$\alpha+\beta=2>0,\ \alpha\beta=2>0$$

이지만 두 근은 $\alpha=1-i$, $\beta=1+i$이므로 실수라 할 수 없다.

그러나 두 근의 곱 $\frac{c}{a}<0$이면 $4ac<0$이므로 $D=b^2-4ac>0$이다.

따라서 두 근의 부호가 다르면 항상 실근을 가지므로 $D\geq 0$은 조사하지 않아도 된다.

개념 Check

◆ 정답 및 풀이 100쪽

2 이차방정식 $x^2-3x+a=0$의 두 근이 모두 양수일 때, 실수 a값의 범위를 구하시오.

13-3 이차방정식 해의 범위와 그래프

이차방정식 $f(x)=0$에서 '두 근이 모두 1보다 크다.', '한 근이 1 이상 2 이하이다.'와 같이 해의 범위에 관한 조건을 찾을 때에는 $y=f(x)$의 그래프를 그리고

D의 부호, 축의 위치, 경계에서 함숫값의 부호

를 조사한다.

이차방정식 해의 범위

이차방정식 $x^2-ax+4=0$ … ㉠

의 두 근이 모두 1보다 클 조건을 찾아보자.

근의 공식에서 $x=\dfrac{a\pm\sqrt{a^2-16}}{2}$이므로 이 값이 모두 1보다 클 조건을 찾는 것이 쉽지 않다.

이런 경우 이차함수 $y=x^2-ax+4$의 그래프를 생각한다.

㉠의 근은 그래프가 x축과 만나는 점의 x좌표이므로

그림과 같이 $x>1$에서 x축과 두 점에서 만나야 한다.

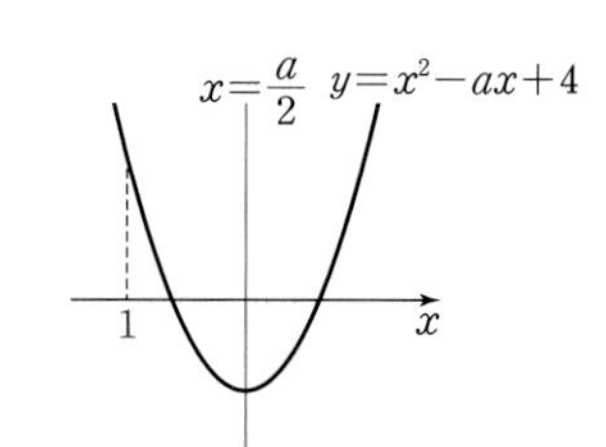

(i) 두 점에서 만나므로 $D=a^2-16\geq 0$

$(a+4)(a-4)\geq 0 \quad \therefore a\leq -4$ 또는 $a\geq 4$

1보다 큰 중근을 가지는 경우도 가능하므로 $D\geq 0$이다.

(ii) 축이 $x>1$인 부분에 있어야 한다. → $y=ax^2+bx+c$의 그래프의 축은 직선 $x=-\dfrac{b}{2a}$

축이 직선 $x=\dfrac{a}{2}$이므로 $a>2$

(iii) $x=1$에서 함숫값이 0보다 크므로

$1^2-a\times 1+4>0 \quad \therefore a<5$

(i), (ii), (iii)에서 $4\leq a<5$이다.

이와 같이 그래프를 이용하여 해의 범위를 조사하는 경우

D의 부호, 축의 위치, 경계에서 함숫값의 부호

부터 생각한다. 문제에 따라 조사하지 않아도 되는 조건도 있다.

해의 범위에 대한 예

이차방정식 $ax^2+bx+c=0\,(a>0)$에서 $f(x)=ax^2+bx+c$라 하자.

(1) 두 근이 모두 p보다 크다. (2) 두 근이 모두 p보다 작다. (3) 두 근 사이에 p가 있다.

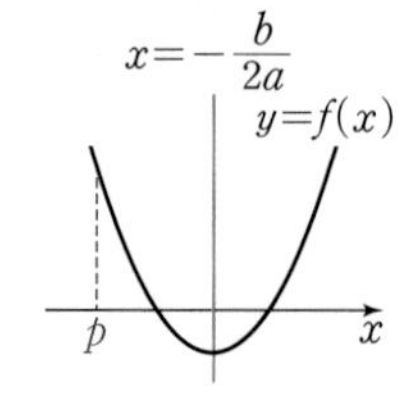

$D\geq 0,\ -\dfrac{b}{2a}>p,\ f(p)>0$

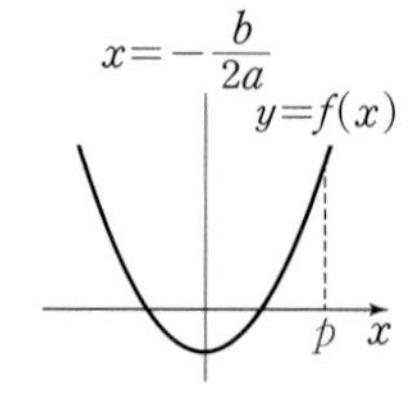

$D\geq 0,\ -\dfrac{b}{2a}<p,\ f(p)>0$

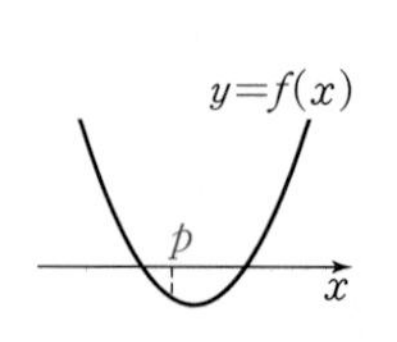

$f(p)<0$

그래프와 부등식의 해

◆ 정답 및 풀이 100쪽

이차함수 $y=f(x)$의 그래프와 일차함수 $y=g(x)$의 그래프가 그림과 같을 때, 다음 물음에 답하시오.

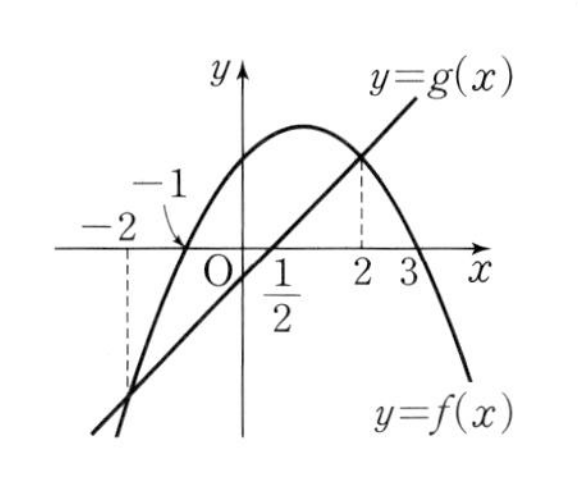

(1) 방정식 $f(x)=g(x)$를 푸시오.

(2) 부등식 $f(x)>g(x)$를 푸시오.

(3) 부등식 $f(x)g(x)>0$을 푸시오.

날선 Guide (1) 방정식 $f(x)=g(x)$의 해는
두 그래프 $y=f(x)$와 $y=g(x)$ 교점의 x좌표이다.

(2) 부등식 $f(x)>g(x)$의 해는
$y=f(x)$의 그래프가 $y=g(x)$의 그래프보다 위쪽에 있는 x값의 범위이다.

(3) $f(x)g(x)>0$이면 $\begin{cases} f(x)>0 \\ g(x)>0 \end{cases}$ 또는 $\begin{cases} f(x)<0 \\ g(x)<0 \end{cases}$이다.
따라서 $y=f(x)$와 $y=g(x)$의 그래프가 모두 x축의 위쪽에 있거나 모두 x축의 아래쪽에 있는 x값의 범위를 구하면 된다.

 $AB>0$이면 $\begin{cases} A>0 \\ B>0 \end{cases}$ 또는 $\begin{cases} A<0 \\ B<0 \end{cases}$

$AB<0$이면 $\begin{cases} A>0 \\ B<0 \end{cases}$ 또는 $\begin{cases} A<0 \\ B>0 \end{cases}$

답 (1) $x=-2$ 또는 $x=2$ (2) $-2<x<2$ (3) $x<-1$ 또는 $\frac{1}{2}<x<3$

날선 Point
- 방정식 $f(x)=g(x)$의 해
➡ $y=f(x)$의 그래프와 $y=g(x)$의 그래프가 만나는 점의 x좌표
- 부등식 $f(x)>g(x)$의 해
➡ $y=f(x)$의 그래프가 $y=g(x)$의 그래프보다 위쪽에 있는 x값의 범위

1-1 이차함수 $y=f(x)$와 $y=g(x)$의 그래프가 그림과 같을 때, 다음 물음에 답하시오.

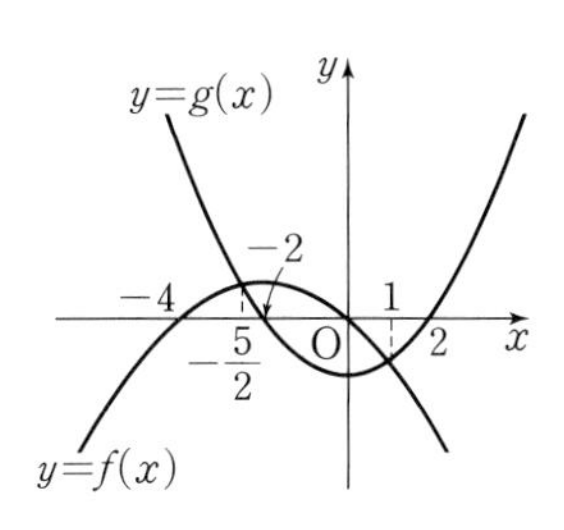

(1) 방정식 $f(x)=g(x)$를 푸시오.

(2) 부등식 $f(x)<g(x)$를 푸시오.

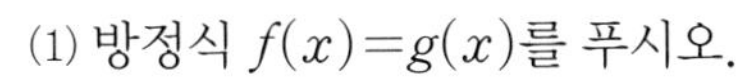
(3) 부등식 $f(x)g(x)\le 0$을 푸시오.

대표 Q2

해가 특수한 이차부등식

◆ 정답 및 풀이 101쪽

다음 물음에 답하시오.

(1) 이차부등식 $kx^2+4x+k>0$의 해가 실수 전체일 때, 실수 k값의 범위를 구하시오.

(2) 이차부등식 $ax^2+bx+c\geq0$의 해가 $x=-1$일 때, $bx^2+cx-a\geq0$의 해를 구하시오.

날선 Guide (1) $f(x)=kx^2+4x+k$라 할 때, 이차함수 $y=f(x)$의 그래프가 ∪ 꼴이고 x축의 위쪽에 있다는 것과 같다.

따라서 x^2의 계수는 양수이고, 판별식은 음수이다. 곧,

$$k>0\text{이고 } \frac{D}{4}<0$$

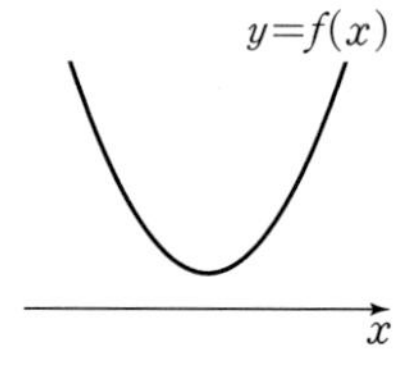

참고 이차부등식이란 조건이 없는 경우 $k=0$인 경우도 따로 생각한다.
$k=0$이면 주어진 부등식은 $4x>0$이므로 해가 실수 전체일 수 없다.

(2) $g(x)=ax^2+bx+c$라 할 때, 이차함수 $y=g(x)$의 그래프가 그림과 같이 $x=-1$에서 x축에 접하고 ∩ 꼴이다.

따라서 $a<0$이고

$$ax^2+bx+c=a(x+1)^2$$

이다.

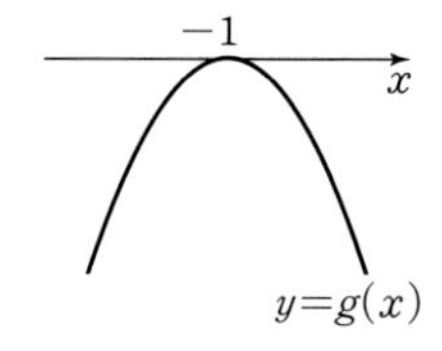

답 (1) $k>2$ (2) $-1\leq x\leq\frac{1}{2}$

- 모든 실수 x에 대하여 $ax^2+bx+c>0\ (a\neq0)$
  ➡ $a>0,\ D<0$
- 이차부등식의 해가 실수 한 개일 때
  ➡ 그래프가 x축에 접하는 경우를 생각한다.

2-1 부등식 $(a-2)x^2+2x+a-2>0$이 x의 값에 관계없이 항상 성립할 때, 실수 a값의 범위를 구하시오.

2-2 이차부등식 $ax^2+bx+c>0$의 해가 $x\neq3$인 모든 실수일 때, $bx^2+cx+6a<0$의 해를 구하시오.

Q3 그래프와 이차부등식

◆ 정답 및 풀이 101쪽

다음 물음에 답하시오.

(1) 이차함수 $y=x^2+(k+1)x+k^2$의 그래프가 직선 $y=x+k$보다 항상 위쪽에 있을 때, 실수 k값의 범위를 구하시오.

(2) $-1\le x\le 2$에서 부등식 $x^2+2x-3<kx+2$가 성립할 때, 실수 k값의 범위를 구하시오.

날선 Guide (1) 모든 실수 x에 대하여 부등식

$$x^2+(k+1)x+k^2>x+k$$

가 성립한다.

$x+k$를 이항한 다음, 이차부등식이 모든 실수에 대하여 성립할 조건을 찾는다.

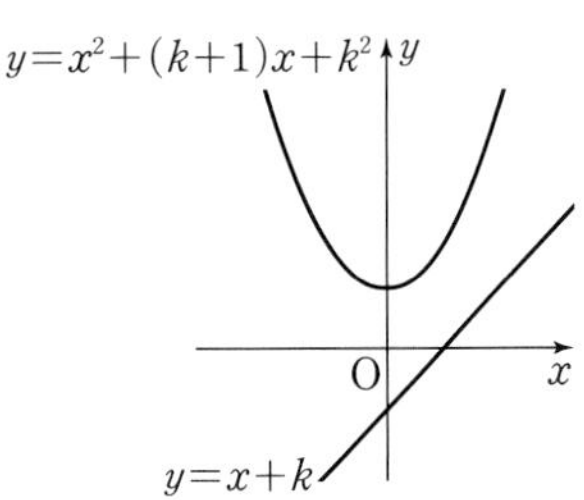

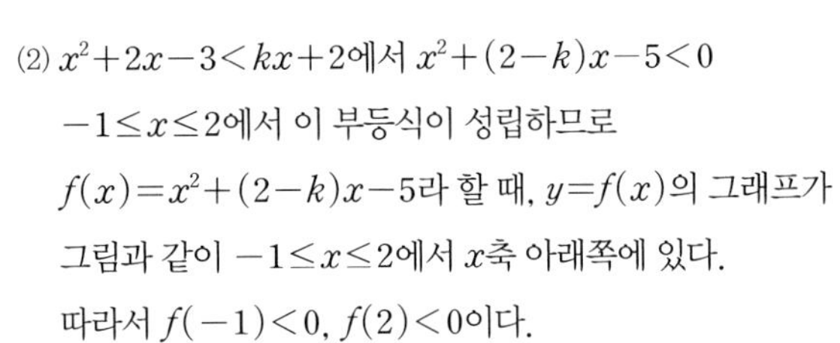

(2) $x^2+2x-3<kx+2$에서 $x^2+(2-k)x-5<0$

$-1\le x\le 2$에서 이 부등식이 성립하므로

$f(x)=x^2+(2-k)x-5$라 할 때, $y=f(x)$의 그래프가 그림과 같이 $-1\le x\le 2$에서 x축 아래쪽에 있다.

따라서 $f(-1)<0$, $f(2)<0$이다.

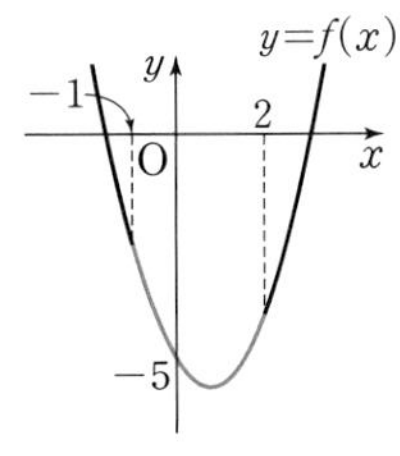

답 (1) $k<0$ 또는 $k>\frac{4}{3}$ (2) $\frac{3}{2}<k<6$

- $y=f(x)$, $y=g(x)$의 그래프의 위치 문제
  ➡ 방정식 $f(x)=g(x)$ 또는 부등식 $f(x)>g(x)$(또는 $f(x)<g(x)$)를 푼다.
- 인수분해할 수 없는 이차부등식에서 범위에 대한 문제
  ➡ 이차함수의 그래프를 그려 조건을 찾는다.

3-1 이차함수 $y=x^2+2x-k$의 그래프가 이차함수 $y=2x^2+kx+1$의 그래프보다 항상 아래쪽에 있을 때, 실수 k값의 범위를 구하시오.

3-2 $x^2-4x+3\le 0$인 모든 실수 x에 대하여 $x^2-2x-k^2+1<0$일 때, 실수 k값의 범위를 구하시오.

이차방정식 해의 부호

◆ 정답 및 풀이 102쪽

다음 물음에 답하시오.

(1) 이차방정식 $x^2+2(k-1)x+2k+6=0$의 두 근이 모두 양수일 때, 실수 k값의 범위를 구하시오.

(2) x에 대한 이차방정식 $x^2+(k^2-3k+2)x+3k^2-2k-1=0$의 두 근의 부호가 다를 때, 실수 k값의 범위를 구하시오.

날선 Guide (1) 이차방정식의 근의 부호를 조사하는 문제이다.

두 근의 합과 곱이 양수이므로

$$\alpha+\beta=-2(k-1)>0,\ \alpha\beta=2k+6>0$$

또 실근에 대한 문제이므로

$$\frac{D}{4}=(k-1)^2-(2k+6)\geq 0$$

도 확인해야 한다.

(2) 두 근의 부호가 다르므로 곱의 부호만 조사하면 된다. 곧,

$$\alpha\beta=3k^2-2k-1<0$$

 두 근의 부호가 다르면 항상 $D>0$이므로 판별식에 대한 조건은 확인하지 않아도 된다.

답 (1) $-3<k\leq -1$ (2) $-\frac{1}{3}<k<1$

날선 Point

이차방정식 $ax^2+bx+c=0$의 두 근을 α, β라 할 때

(1) 두 근이 모두 양수 ➡ $D\geq 0$, $\alpha+\beta=-\frac{b}{a}>0$, $\alpha\beta=\frac{c}{a}>0$

(2) 두 근이 모두 음수 ➡ $D\geq 0$, $\alpha+\beta=-\frac{b}{a}<0$, $\alpha\beta=\frac{c}{a}>0$

(3) 한 근은 양수, 한 근은 음수 ➡ $\alpha\beta=\frac{c}{a}<0$

4-1 x에 대한 이차방정식 $x^2+2(k+2)x+4-k^2=0$의 두 근이 모두 음수일 때, 실수 k값의 범위를 구하시오.

4-2 x에 대한 이차방정식 $x^2-(k^2-9)x+k^2-5k=0$의 음수인 근의 절댓값이 양수인 근보다 클 때, 실수 k값의 범위를 구하시오.

대표 Q5 이차방정식 해의 범위

◆ 정답 및 풀이 102쪽

다음 물음에 답하시오.

(1) x에 대한 이차방정식 $x^2-4x+k^2-1=0$의 두 근이 모두 1보다 클 때, 실수 k값의 범위를 구하시오.

(2) 이차방정식 $x^2-2kx-k+5=0$의 한 근만 0과 1 사이에 있을 때, 실수 k값의 범위를 구하시오.

날선 Guide (1) $f(x)=x^2-4x+k^2-1$이라 하자.

주어진 방정식의 근은 $y=f(x)$의 그래프가 x축과 만나는 점의 x좌표이다. 따라서 $x>1$인 부분에서 $y=f(x)$의 그래프가 x축과 두 점에서 만나거나 접하면 된다.

$y=f(x)$의 그래프의 축이 직선 $x=-\frac{-4}{2}$, 곧 $x=2$이므로 필요한 조건은

$$\frac{D}{4}\geq 0\text{이고 } f(1)>0$$

(2) $f(x)=x^2-2kx-k+5$라 하자.

$y=f(x)$의 그래프가 $0<x<1$인 부분에서 x축과 접하지 않고 한 점에서만 만나는 경우는 그림과 같으므로 필요한 조건은

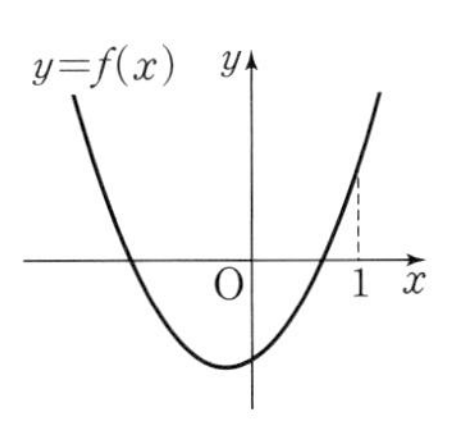

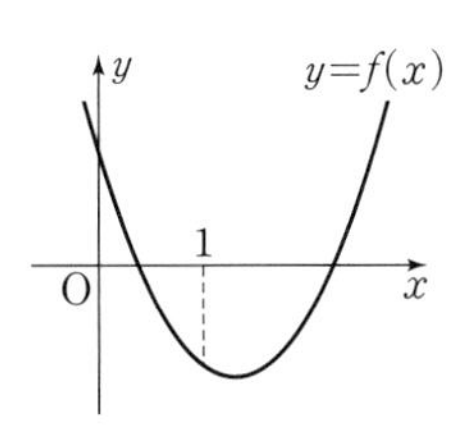

$$(f(0)<0\text{이고 } f(1)>0) \text{ 또는 } (f(0)>0\text{이고 } f(1)<0)$$

답 (1) $-\sqrt{5}\leq k<-2$ 또는 $2<k\leq\sqrt{5}$ (2) $2<k<5$

이차방정식 해의 범위에 대한 문제

❶ 이차함수의 그래프를 생각한다.

❷ D의 부호, 축의 위치, 경계에서 함숫값의 부호를 조사한다.

5-1 이차방정식 $x^2+6x+2k+1=0$의 두 근이 모두 -2보다 작을 때, 실수 k값의 범위를 구하시오.

5-2 x에 대한 이차방정식 $x^2+2(k^2-1)x+4k+3=0$의 한 근만 -1과 0 사이에 있을 때, 실수 k값의 범위를 구하시오.

01 두 이차함수 $y=f(x)$, $y=g(x)$의 그래프가 그림과 같을 때, 부등식 $f(x)<0<g(x)$의 해를 구하시오.

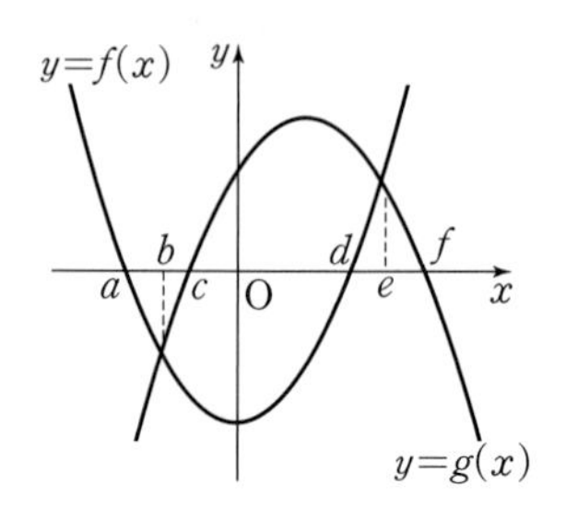

02 이차부등식 $f(x)>0$의 해는 $x\neq2$인 모든 실수이다. $f(0)=8$일 때, $f(5)$의 값은?

① 12 ② 14 ③ 16 ④ 18 ⑤ 20

03 모든 실수 x에 대하여 부등식 $x^2-2(a-2)x-b^2+2a+8b-21\geq0$이 항상 성립할 때, 실수 a, b의 값을 구하시오.

04 이차함수 $y=x^2+ax+b$의 그래프가 직선 $y=-2x+1$보다 아래쪽에 있는 x값의 범위가 $-3<x<5$이다. ab의 값은?

① -64 ② -25 ③ 36 ④ 48 ⑤ 56

05 이차함수 $y=-3x^2+6x-4$의 그래프가 이차함수 $y=x^2-3x-2$의 그래프보다 위쪽에 있는 x값의 범위가 $\alpha<x<\beta$일 때, α, β의 값을 구하시오.

06 x에 대한 두 이차방정식 $x^2+4x+a=0$, $x^2+2ax+a^2+2a-6=0$에 대하여 다음 물음에 답하시오.

(1) 적어도 한 방정식은 실근을 가질 때, 실수 a값의 범위를 구하시오.

(2) 한 방정식만 실근을 가질 때, 실수 a값의 범위를 구하시오.

07 $3\le x\le 5$에서 $x^2-4x-4k+3\le 0$이 성립할 때, 실수 k의 최솟값은?

① 1　② 2　③ 3　④ 4　⑤ 5

08 이차방정식 $x^2-4mx+3m+1=0$의 두 근 사이에 1이 있을 때, 실수 m값의 범위를 구하시오.

09 이차방정식 $x^2+4x+k=0$의 한 실근이 이차방정식 $x^2-2x-3=0$의 두 근 사이에 있을 때, 실수 k값의 범위를 구하시오.

10 이차함수 $y=f(x)$의 그래프가 그림과 같을 때, 부등식 $f(2x+1)<0$의 해는?

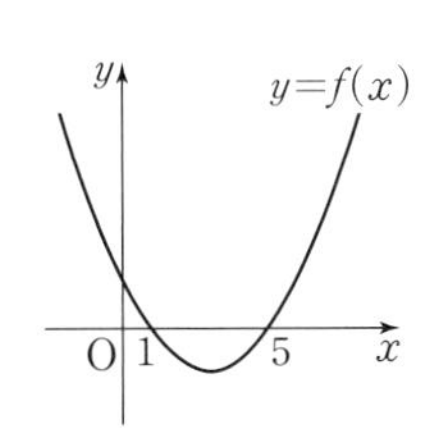

① $0<x<2$　② $1<x<5$

③ $2<x<6$　④ $2<x<10$

⑤ $3<x<11$

11 모든 실수 x에 대하여 부등식 $x^2-3kx+4\geq kx^2-3x+2k$가 항상 성립할 때, 정수 k의 최댓값은?

① -7 ② -6 ③ -4 ④ 0 ⑤ 1

12 두 함수 $f(x)=2x^2+5x+2$, $g(x)=(a-1)x+b$가 모든 실수 x에 대하여 $x-2\leq g(x)\leq f(x)$를 만족시킬 때, $\alpha\leq b\leq\beta$이다. $\beta-\alpha$의 값은?

① 1 ② $\frac{3}{2}$ ③ 2 ④ $\frac{5}{2}$ ⑤ 3

교육청 기출

13 모든 실수 x에 대하여 부등식 $-x^2+3x+2\leq mx+n\leq x^2-x+4$가 성립할 때, m^2+n^2의 값은?

① 8 ② 10 ③ 12 ④ 14 ⑤ 16

14 이차방정식 $x^2+4mx+m=0$의 두 근이 모두 -1과 1 사이에 있을 때, 실수 m 값의 범위를 구하시오.

교육청 기출

15 사차방정식 $x^4-9x^2+k-10=0$이 서로 다른 네 실근을 가질 때, 실수 k값의 범위를 구하시오.

정답 개수 : /15 오답 번호 Check :

14 점과 좌표

중학교에서는 도형에 대한 문제를 해결할 때 보조선을 긋거나 삼각형의 합동 또는 닮음을 이용하였다.

좌표란 직선, 평면, 공간에서 점의 위치를 나타내는 수 또는 순서쌍을 뜻한다.

이 단원에서는 수직선과 좌표평면 위에서 두 점 사이의 거리, 선분의 내분점과 외분점, 삼각형의 무게중심의 좌표를 구해 보고 도형을 좌표평면 위에 나타내어 여러 가지 문제를 풀어 보자.

14-1 두 점 사이의 거리

개념

1 수직선 위의 두 점 $A(x_1)$, $B(x_2)$ 사이의 거리는

$$\overline{AB}=|x_2-x_1|$$

2 좌표평면 위의 두 점 $A(x_1, y_1)$, $B(x_2, y_2)$ 사이의 거리는

$$\overline{AB}=\sqrt{(x_2-x_1)^2+(y_2-y_1)^2}$$

수직선 위의 두 점 사이의 거리

수직선 위의 두 점 사이의 거리는 좌표의 차이다.

예를 들어 두 점 $A(-2)$, $B(4)$ 사이의 거리는

$$\overline{AB}=4-(-2)=6$$

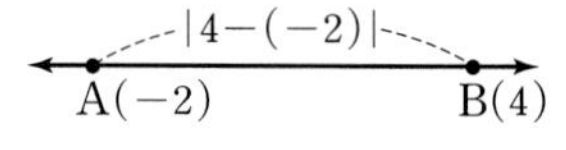

또 두 점 $A(x_1)$, $B(x_2)$ 사이의 거리는 x_1, x_2의 크기를 비교할 수 없는 경우 절댓값 기호를 사용하여 다음과 같이 나타낸다.

$$\overline{AB}=|x_2-x_1|$$

좌표평면 위의 두 점 사이의 거리

좌표평면 위의 두 점 사이의 거리는 피타고라스 정리를 이용하여 구할 수 있다.

예를 들어 두 점 $A(2, 1)$, $B(6, 4)$ 사이의 거리는

그림과 같이 직각삼각형 ABC에서

$$\overline{AB}=\sqrt{\overline{AC}^2+\overline{BC}^2}$$
$$=\sqrt{(6-2)^2+(4-1)^2}=5$$

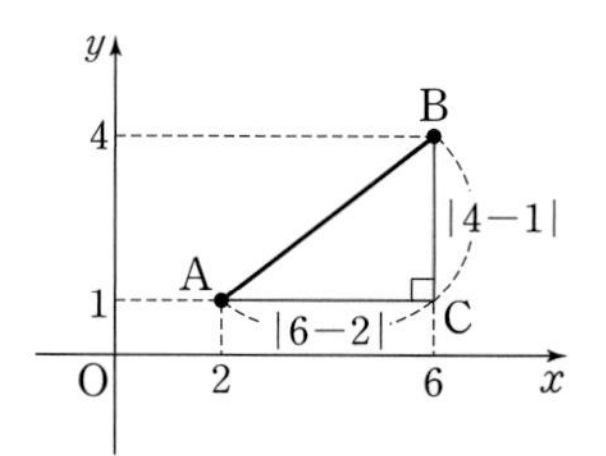

같은 방법으로 두 점 $A(x_1, y_1)$, $B(x_2, y_2)$ 사이의 거리는

그림과 같이 직각삼각형 ABC에서

$\overline{AC}=|x_2-x_1|$, $\overline{BC}=|y_2-y_1|$이므로

$$\overline{AB}=\sqrt{(x_2-x_1)^2+(y_2-y_1)^2}$$

특히 원점 O와 점 $A(x_1, y_1)$ 사이의 거리는

$$\overline{OA}=\sqrt{x_1^2+y_1^2}$$

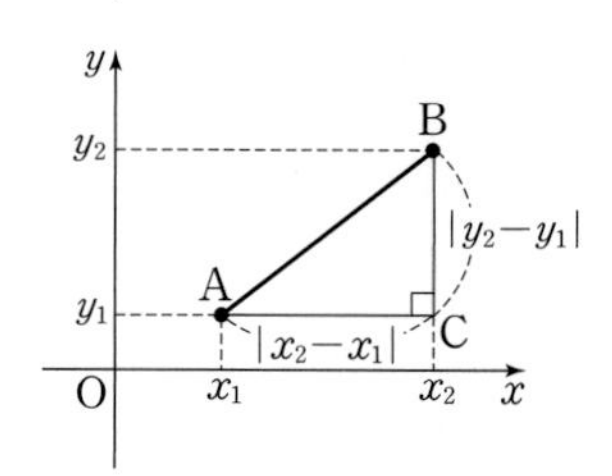

개념 Check

◆ 정답 및 풀이 106쪽

1 다음 두 점 사이의 거리를 구하시오.

(1) $A(-2, 0)$, $B(3, 5)$ (2) $C(3, 4)$, $D(6, -1)$

(3) $E(-2, 3)$, $F(2, 3)$ (4) $G(-1, 4)$, $H(-1, 0)$

2 두 점 $(a, 1)$, $(-2, 5)$ 사이의 거리가 $4\sqrt{2}$일 때, 실수 a의 값을 모두 구하시오.

14-2 선분의 내분점과 외분점

1 점 P가 선분 AB 위의 점이고

$$\overline{AP}:\overline{PB}=m:n\ (m>0,\ n>0)$$

이면 P는 선분 AB를 $m:n$으로 **내분**한다고 한다.

특히 1 : 1로 내분하는 점을 **중점**이라 한다.

2 점 Q가 선분 AB의 연장선 위의 점이고

$$\overline{AQ}:\overline{QB}=m:n\ (m>0,\ n>0,\ m\neq n)$$

이면 Q는 선분 AB를 $m:n$으로 **외분**한다고 한다.

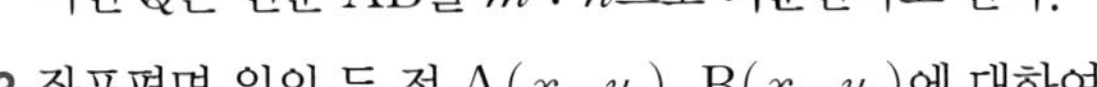

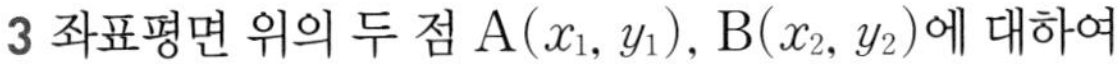

3 좌표평면 위의 두 점 $A(x_1,\ y_1)$, $B(x_2,\ y_2)$에 대하여

선분 AB를 $m:n$으로 내분하는 점을 P, 외분하는 점을 Q, 중점을 M이라 하면

$$P\left(\frac{mx_2+nx_1}{m+n},\ \frac{my_2+ny_1}{m+n}\right),\ Q\left(\frac{mx_2-nx_1}{m-n},\ \frac{my_2-ny_1}{m-n}\right),\ M\left(\frac{x_2+x_1}{2},\ \frac{y_2+y_1}{2}\right)$$

내분 • 그림과 같이 두 점 C, D가 선분 AB를 삼등분하는 점이라 하면

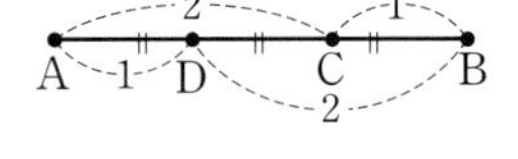

$\overline{AC}:\overline{CB}=2:1$이므로 C는 선분 AB를 2 : 1로 내분하고,

$\overline{AD}:\overline{DB}=1:2$이므로 D는 선분 AB를 1 : 2로 내분한다.

외분 • 그림에서 점 C는 선분 AB의 연장선 위에 있고,

$\overline{AC}:\overline{CB}=3:2$이므로 C는 선분 AB를 3 : 2로 외분한다.

또 점 D는 선분 AB의 연장선 위에 있고,

$\overline{AD}:\overline{DB}=1:2$이므로 D는 선분 AB를 1 : 2로 외분한다.

일반적으로 점 Q가 선분 AB의 연장선 위의 점이고 $\overline{AQ}:\overline{QB}=m:n$일 때,

Q가 선분 AB를 B 방향으로 연장한 선분 위에 있으면 $m>n$이고,

Q가 선분 AB를 A 방향으로 연장한 선분 위에 있으면 $m<n$이다.

수직선 위의 선분의 내분점과 외분점 • 수직선 위의 두 점 $A(x_1)$, $B(x_2)$에 대하여

(i) 선분 AB를 $m:n\ (m>0,\ n>0)$으로 내분하는 점을 $P(x)$라 하면

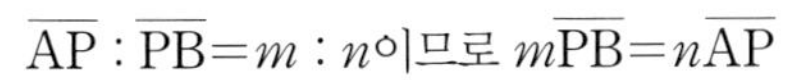

$\overline{AP}:\overline{PB}=m:n$이므로 $m\overline{PB}=n\overline{AP}$

$x_1<x_2$일 때 $m(x_2-x)=n(x-x_1)$, $x_2<x_1$일 때 $m(x-x_2)=n(x_1-x)$

두 경우 모두 $x=\dfrac{mx_2+nx_1}{m+n}$

(ii) 1 : 1로 내분하는 점이 선분 AB의 중점이므로 $m=n=1$일 때, $x=\dfrac{x_2+x_1}{2}$ → A, B좌표의 평균이다.

(iii) 선분 AB를 $m:n\ (m>0,\ n>0,\ m\neq n)$으로 외분하는 점을 $Q(x)$라 하고 $m>n$, $m<n$일 때로 나누어 좌표를 구하면 m, n의 크기에 관계없이 $x=\dfrac{mx_2-nx_1}{m-n}$

좌표평면 위의 선분의 내분점과 외분점

좌표평면 위의 두 점 $\mathrm{A}(x_1, y_1)$, $\mathrm{B}(x_2, y_2)$에 대하여

선분 AB를 $m : n$으로 내분하는 점을 $\mathrm{P}(a, b)$라 하자.

a는 선분 AB′을 $m : n$으로 내분하는 점 P′의 x좌표이고,

$\mathrm{A}(x_1, y_1)$, $\mathrm{B}'(x_2, y_1)$이므로 $a=\dfrac{mx_2+nx_1}{m+n}$

b는 선분 B′B를 $m : n$으로 내분하는 점 P″의 y좌표이고,

$\mathrm{B}'(x_2, y_1)$, $\mathrm{B}(x_2, y_2)$이므로 $b=\dfrac{my_2+ny_1}{m+n}$

이와 같이 a는 x좌표의 내분점이고, b는 y좌표의 내분점이다.

이와 같은 방법으로 내분점 P, 외분점 Q, 중점 M을 구하면

$$\mathbf{P}\left(\frac{mx_2+nx_1}{m+n}, \frac{my_2+ny_1}{m+n}\right), \mathbf{Q}\left(\frac{mx_2-nx_1}{m-n}, \frac{my_2-ny_1}{m-n}\right), \mathbf{M}\left(\frac{x_2+x_1}{2}, \frac{y_2+y_1}{2}\right)$$

예를 들어 두 점 $\mathrm{A}(1, 1)$, $\mathrm{B}(7, 4)$에 대하여 선분 AB를 $2 : 1$로 내분하는 점과 외분하는 점을 각각 P, Q라 하면

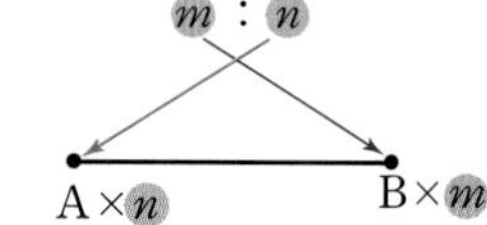

$$\mathrm{P}\left(\frac{2\times7+1\times1}{2+1}, \frac{2\times4+1\times1}{2+1}\right) \qquad \therefore \mathrm{P}(5, 3)$$

$$\mathrm{Q}\left(\frac{2\times7-1\times1}{2-1}, \frac{2\times4-1\times1}{2-1}\right) \qquad \therefore \mathrm{Q}(13, 7)$$

개념 Check

◆ 정답 및 풀이 106쪽

3 아래 선분에서 다음을 만족시키는 점을 찾으시오.

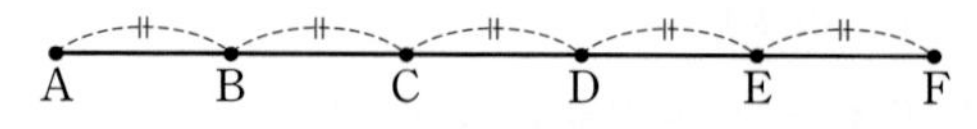

(1) 선분 AF를 $3 : 2$로 내분하는 점 (2) 선분 AF를 $1 : 4$로 내분하는 점

(3) 선분 AC를 $2 : 1$로 외분하는 점 (4) 선분 DE를 $2 : 3$으로 외분하는 점

4 두 점 $\mathrm{A}(-2)$, $\mathrm{B}(6)$에 대하여 다음을 구하시오.

(1) 선분 AB를 $1 : 3$으로 내분하는 점 P의 좌표

(2) 선분 AB를 $3 : 1$로 외분하는 점 Q의 좌표와 $1 : 3$으로 외분하는 점 R의 좌표

14-3 삼각형의 무게중심

세 꼭짓점이 $A(x_1, y_1)$, $B(x_2, y_2)$, $C(x_3, y_3)$인 삼각형 ABC의 무게중심 G의 좌표는

$$G\left(\frac{x_1+x_2+x_3}{3}, \frac{y_1+y_2+y_3}{3}\right)$$

삼각형의 무게중심

좌표평면 위에서 세 꼭짓점이

$$A(x_1, y_1),\ B(x_2, y_2),\ C(x_3, y_3)$$

인 삼각형 ABC의 무게중심 G의 좌표는 다음과 같이 구한다.

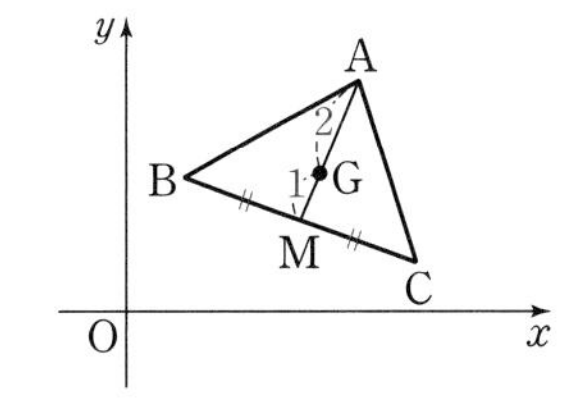

선분 BC의 중점 M의 좌표는 $M\left(\frac{x_2+x_3}{2}, \frac{y_2+y_3}{2}\right)$

이때 무게중심 G는 중선 AM을 $2:1$로 내분하는 점이므로

x좌표는 $\dfrac{2\times\frac{x_2+x_3}{2}+1\times x_1}{2+1}=\dfrac{x_1+x_2+x_3}{3}$ ⟶ x_1, x_2, x_3의 평균이다.

y좌표는 $\dfrac{2\times\frac{y_2+y_3}{2}+1\times y_1}{2+1}=\dfrac{y_1+y_2+y_3}{3}$ ⟶ y_1, y_2, y_3의 평균이다.

$$\therefore G\left(\frac{x_1+x_2+x_3}{3}, \frac{y_1+y_2+y_3}{3}\right)$$

예를 들어 세 점 $O(0, 0)$, $A(a, b)$, $B(c, d)$가 꼭짓점인 삼각형 OAB의 무게중심은

$$G\left(\frac{a+c}{3}, \frac{b+d}{3}\right)$$

참고 $A(a, b)$, $B(c, d)$일 때, $\overline{OP}^2+\overline{AP}^2+\overline{BP}^2$의 값이 최소인 점 $P(x, y)$는 다음과 같이 구할 수 있다.

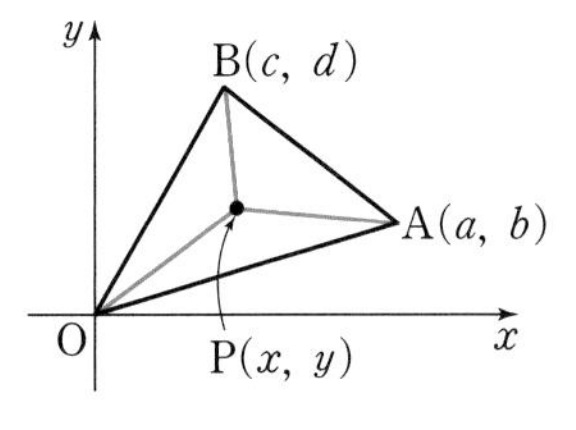

$\overline{OP}^2+\overline{AP}^2+\overline{BP}^2$

$=x^2+y^2+(x-a)^2+(y-b)^2+(x-c)^2+(y-d)^2$

$=3x^2-2(a+c)x+3y^2-2(b+d)y+a^2+b^2+c^2+d^2$

$=3\left(x-\frac{a+c}{3}\right)^2+3\left(y-\frac{b+d}{3}\right)^2+\cdots$

따라서 $x=\frac{a+c}{3}$, $y=\frac{b+d}{3}$

곧, P가 삼각형 OAB의 무게중심일 때, $\overline{OP}^2+\overline{AP}^2+\overline{BP}^2$의 값이 최소이다.

일반적으로 점 P가 삼각형 ABC의 무게중심일 때, $\overline{AP}^2+\overline{BP}^2+\overline{CP}^2$의 값이 최소이다.

개념 Check

◆ 정답 및 풀이 107쪽

5 세 점 $A(1, 1)$, $B(2, -2)$, $C(3, 6)$이 꼭짓점인 삼각형 ABC의 무게중심의 좌표를 구하시오.

두 점 사이의 거리, 내분점과 외분점

◆ 정답 및 풀이 107쪽

두 점 $\mathrm{A}(-3, 0)$, $\mathrm{B}(7, 5)$에 대하여 다음 물음에 답하시오.

(1) 선분 AB의 길이를 구하시오.

(2) 선분 AB의 중점 M의 좌표를 구하시오.

(3) 선분 AB를 $2:3$으로 내분하는 점 P의 좌표를 구하시오.

(4) 선분 AB를 $2:3$으로 외분하는 점 Q의 좌표와 $3:2$로 외분하는 점 R의 좌표를 구하시오.

날선 Guide

(1) B(7, 5), A(−3, 0)

(2) B(7, 5), M, A(−3, 0)

(3) B(7, 5), P, A(−3, 0), 2, 3

(4) Q, A, B, 2, 3 / A, B, R, 3, 2

좌표평면 위의 두 점 A, B에 대하여 두 점 A, B 사이의 거리, 선분 AB의 중점, 선분 AB를 내분 또는 외분하는 점을 구하는 것은 좌표평면의 문제에서 기본이다.

답 (1) $5\sqrt{5}$ (2) $\mathrm{M}\left(2, \frac{5}{2}\right)$ (3) $\mathrm{P}(1, 2)$ (4) $\mathrm{Q}(-23, -10)$, $\mathrm{R}(27, 15)$

날선 Point

두 점 $\mathrm{A}(x_1, y_1)$, $\mathrm{B}(x_2, y_2)$에 대하여

- $\overline{\mathrm{AB}}=\sqrt{(x_2-x_1)^2+(y_2-y_1)^2}$
- 선분 AB의 중점을 M이라 하면 $\mathrm{M}\left(\frac{x_2+x_1}{2}, \frac{y_2+y_1}{2}\right)$
- 선분 AB를 $m:n$으로 내분하는 점을 P, 외분하는 점을 Q라 하면

$$\mathrm{P}\left(\frac{mx_2+nx_1}{m+n}, \frac{my_2+ny_1}{m+n}\right), \mathrm{Q}\left(\frac{mx_2-nx_1}{m-n}, \frac{my_2-ny_1}{m-n}\right)$$

1-1 두 점 $\mathrm{A}(-3, 1)$, $\mathrm{B}(1, 5)$에 대하여 다음 물음에 답하시오.

(1) 선분 AB를 $3:1$로 내분하는 점 P의 좌표를 구하시오.

(2) 선분 AB를 $3:2$로 외분하는 점 Q의 좌표를 구하시오.

(3) 선분 PQ의 길이를 구하시오.

대표 **Q2** **두 점 사이 거리의 활용**

◆ 정답 및 풀이 107쪽

두 점 $\mathrm{A}(2, 1)$, $\mathrm{B}(5, 2)$에 대하여 다음 물음에 답하시오.

(1) 점 P가 직선 $y=x+2$ 위에 있고 $\overline{\mathrm{PA}}=\overline{\mathrm{PB}}$일 때, P의 좌표를 구하시오.

(2) 점 $\mathrm{C}(1, a)$에 대하여 삼각형 ABC가 이등변삼각형일 때, 실수 a의 값을 모두 구하시오.

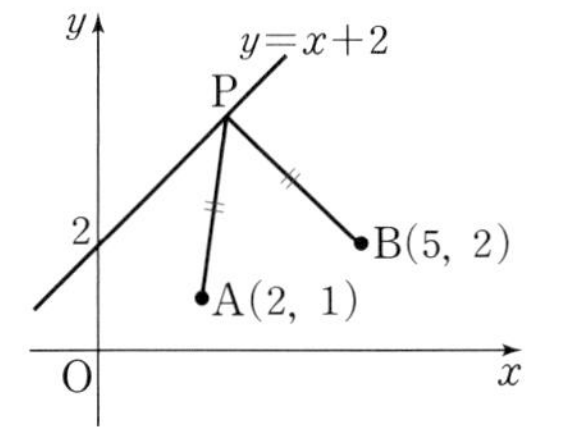

날선 Guide (1) 점 P가 직선 $y=x+2$ 위의 점이므로 $\mathrm{P}(p, p+2)$로 놓으면

$$\overline{\mathrm{PA}}=\sqrt{(2-p)^2+(1-p-2)^2}$$
$$\overline{\mathrm{PB}}=\sqrt{(5-p)^2+(2-p-2)^2}$$

$\overline{\mathrm{PA}}=\overline{\mathrm{PB}}$로 놓고 양변을 제곱한다고 생각해도 되고, $\overline{\mathrm{PA}}^2=\overline{\mathrm{PB}}^2$을 푼다고 생각해도 된다.

(2) 다음 세 경우를 모두 생각해야 한다.

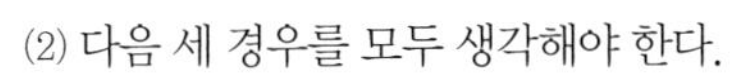

$$\overline{\mathrm{AB}}=\overline{\mathrm{BC}},\ \overline{\mathrm{BC}}=\overline{\mathrm{CA}},\ \overline{\mathrm{CA}}=\overline{\mathrm{AB}}$$

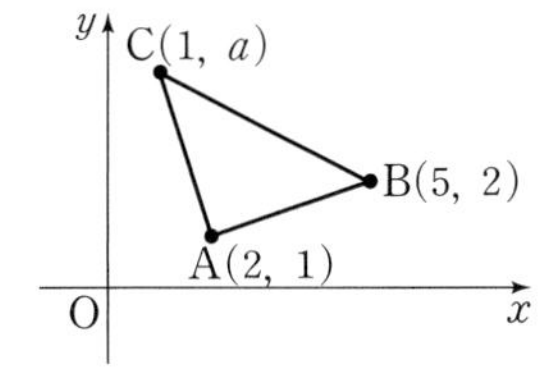

이때 세 변의 길이는

$$\overline{\mathrm{AB}}=\sqrt{(5-2)^2+(2-1)^2}$$
$$\overline{\mathrm{BC}}=\sqrt{(1-5)^2+(a-2)^2}$$
$$\overline{\mathrm{CA}}=\sqrt{(2-1)^2+(1-a)^2}$$

이다.

답 (1) $\mathrm{P}\left(\frac{5}{2}, \frac{9}{2}\right)$ (2) $-2, 4, 9$

두 점 $\mathrm{A}(x_1, y_1)$, $\mathrm{B}(x_2, y_2)$ 사이의 거리는

$$\overline{\mathrm{AB}}=\sqrt{(x_2-x_1)^2+(y_2-y_1)^2}$$

2-1 두 점 $\mathrm{A}(-3, 4)$, $\mathrm{B}(6, 1)$에 대하여 다음 물음에 답하시오.

(1) 점 P가 직선 $y=2x$ 위에 있고 $\overline{\mathrm{PA}}=\overline{\mathrm{PB}}$일 때, P의 좌표를 구하시오.

(2) 점 Q가 x축 위를 움직일 때, $\overline{\mathrm{AQ}}^2+\overline{\mathrm{BQ}}^2$의 값이 최소가 되는 Q의 좌표와 $\overline{\mathrm{AQ}}^2+\overline{\mathrm{BQ}}^2$의 최솟값을 구하시오.

2-2 두 점 $\mathrm{A}(1, 5)$, $\mathrm{B}(4, 0)$과 y축 위의 점 P에 대하여 삼각형 ABP가 직각삼각형일 때, P의 y좌표를 모두 구하시오.

평면도형과 내분점

◆ 정답 및 풀이 108쪽

세 점 $A(1, 2)$, $B(-2, -2)$, $C(1, -1)$에 대하여 다음 물음에 답하시오.

(1) $\angle BAC$의 이등분선이 선분 BC와 만나는 점의 좌표를 구하시오.

(2) 네 점 A, B, C, D가 꼭짓점인 사각형 ABCD가 평행사변형일 때, D의 좌표를 구하시오.

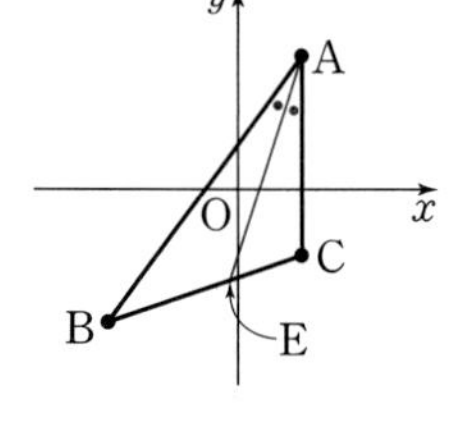

날선 Guide (1) 삼각형 ABC에서 $\angle A$의 이등분선이 선분 BC와 만나는 점을 E라 하면

$$\overline{AB} : \overline{AC} = \overline{BE} : \overline{EC}$$

따라서 점 E는 선분 BC를 $\overline{AB} : \overline{AC}$로 내분하는 점이므로 두 변 AB, AC의 길이부터 구한다.

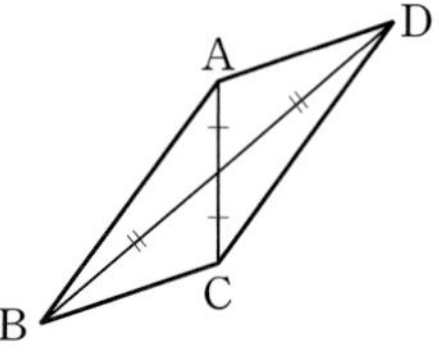

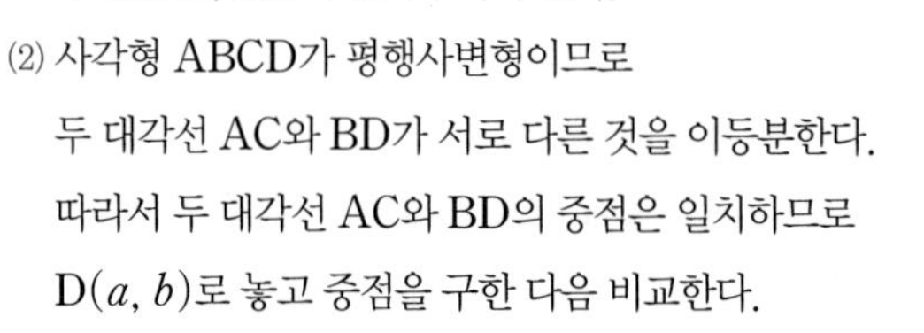

(2) 사각형 ABCD가 평행사변형이므로 두 대각선 AC와 BD가 서로 다른 것을 이등분한다.
따라서 두 대각선 AC와 BD의 중점은 일치하므로 $D(a, b)$로 놓고 중점을 구한 다음 비교한다.

참고 평행사변형에서는 다음을 이용할 수도 있다.
① 선분 AB와 CD, AD와 BC가 각각 평행하다. ➡ 평행한 두 선분의 기울기가 같다.
② 선분 AB와 CD, AD와 BC의 길이가 각각 같다. ➡ 두 점 사이의 거리 공식을 이용한다.

답 (1) $\left(-\frac{1}{8}, -\frac{11}{8}\right)$ (2) $D(4, 3)$

평면도형의 변의 길이에 대한 조건
➡ 내분점, 외분점, 중점으로 바꾸어 생각한다.

3-1 세 점 $A(-2, 1)$, $B(4, 2)$, $C(-4, 6)$과 선분 BC 위의 점 P가 있다. 삼각형 ABP의 넓이가 삼각형 APC의 넓이의 3배일 때, P의 좌표를 구하시오.

3-2 네 꼭짓점이 $A(a, 2)$, $B(-2, b)$, $C(4, 0)$, $D(7, 4)$인 사각형 ABCD가 평행사변형일 때, 실수 a, b의 값을 구하시오.

대표 Q4 삼각형의 무게중심

◆ 정답 및 풀이 108쪽

다음 물음에 답하시오.

(1) 삼각형 ABC에서 A(3, 5), B(−1, 2)이고 무게중심이 G(1, 1)일 때, 점 C의 좌표를 구하시오.

(2) 삼각형 ABC에서 A(1, 1), B(4, a)이고 변 BC의 중점이 D(5, 3), 변 AC의 중점이 E(b, 0)이다. 이때 삼각형 ABC의 무게중심의 좌표를 구하시오.

날선 Guide (1) C(a, b)라 하면 무게중심의 좌표가

$$G\left(\frac{3-1+a}{3}, \frac{5+2+b}{3}\right)$$

임을 이용한다.

(2) C(c, d)라 하면

$$D\left(\frac{4+c}{2}, \frac{a+d}{2}\right), E\left(\frac{1+c}{2}, \frac{1+d}{2}\right)$$

이다. D(5, 3), E(b, 0)과 비교하면 a, b, c, d의 값을 구할 수 있다.

그리고 무게중심의 좌표는 공식을 이용하여 구한다.

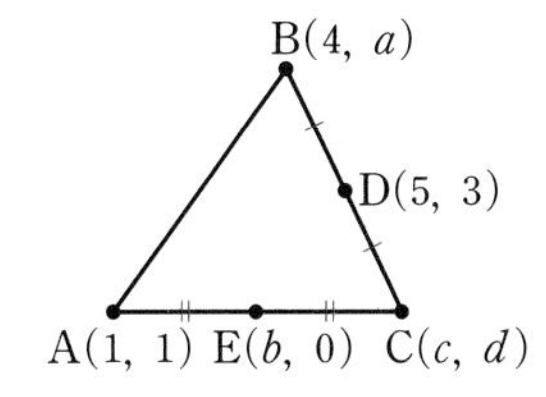

답 (1) C(1, −4) (2) $\left(\frac{11}{3}, \frac{7}{3}\right)$

세 꼭짓점이 A(x_1, y_1), B(x_2, y_2), C(x_3, y_3)인 삼각형 ABC의 무게중심 G의 좌표는

$$G\left(\frac{x_1+x_2+x_3}{3}, \frac{y_1+y_2+y_3}{3}\right)$$

4-1 세 점 A(4, −2), B(1, 5), C(−2, −3)에 대하여 다음 물음에 답하시오.

(1) 삼각형 ABC의 무게중심의 좌표를 구하시오.

(2) 삼각형 ABC의 세 변 AB, BC, CA의 중점을 각각 P, Q, R라 할 때, 삼각형 PQR의 무게중심의 좌표를 구하시오.

4-2 세 점 A(a, 3), B(−1, b), C(4, −5)가 꼭짓점인 삼각형 ABC의 무게중심의 좌표가 (4, 0)일 때, a, b의 값을 구하시오.

Q5 중선정리

◆ 정답 및 풀이 109쪽

삼각형 ABC에서 변 BC의 중점을 M이라 할 때, 다음 물음에 답하시오.

(1) $\overline{AB}^2+\overline{AC}^2=2(\overline{AM}^2+\overline{BM}^2)$이 성립함을 보이시오.

(2) $\overline{AB}=9$, $\overline{BC}=8$, $\overline{CA}=7$일 때, $\overline{AM}$의 길이를 구하시오.

날선 Guide (1) 그림과 같이 좌표평면을 생각하면

$$A(a, b), B(-c, 0), C(c, 0), M(0, 0)$$

이라 할 수 있다.

$\overline{AB}^2$, $\overline{AC}^2$, $\overline{AM}^2$, $\overline{BM}^2$을 차례로 구한 다음 $\overline{AB}^2+\overline{AC}^2$과 $2(\overline{AM}^2+\overline{BM}^2)$을 비교하면 등식이 성립함을 알 수 있다. 이 등식을 중선정리라 한다.

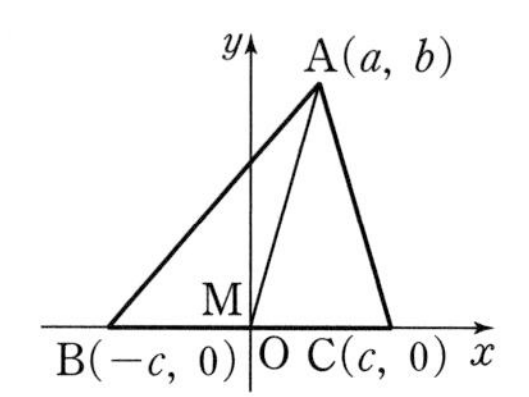

참고 그림과 같이 원점과 x축을 잡고 풀어도 된다. 중심이 되거나 자주 이용되는 점을 원점으로 잡고, 원점을 지나는 직선 중 좌표를 편하게 나타낼 수 있는 직선을 x축으로 잡는다.

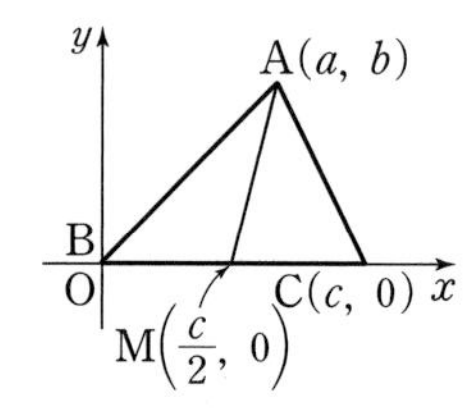

(2) (1)의 결과를 이용한다.

답 (1) 풀이 참조 (2) 7

날선 Point 중선정리

삼각형 ABC에서 변 BC의 중점을 M이라 하면

$$\overline{AB}^2+\overline{AC}^2=2(\overline{AM}^2+\overline{BM}^2)$$

5-1 삼각형 ABC에서 $\overline{AB}=\sqrt{10}$, $\overline{BC}=4$, $\overline{CA}=3\sqrt{2}$이고, 변 BC의 중점이 M일 때, $\overline{AM}^2$의 값을 구하시오.

5-2 삼각형 ABC에서 변 BC를 $2:1$로 내분하는 점을 D라 할 때,

$$\overline{AB}^2+2\overline{AC}^2=k(\overline{AD}^2+2\overline{CD}^2)$$

이다. k의 값을 구하시오.

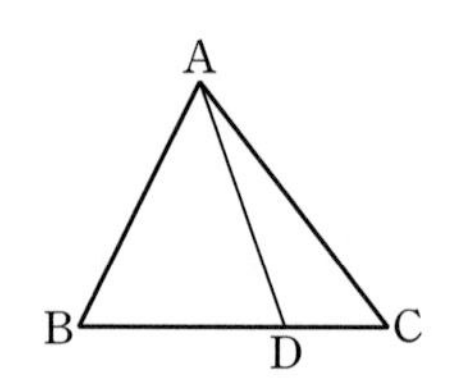

14 점과 좌표

01 두 점 $A(-1, 3)$, $B(a, a+1)$ 사이의 거리가 $\sqrt{5}$일 때, 실수 a값의 합은?

① 1　　② 2　　③ 3　　④ 4　　⑤ 5

02 그림에서 사각형 ABCD는 정사각형이다. $B(5, 4)$, $D(1, 2)$일 때, 사각형 ABCD의 넓이를 구하시오.

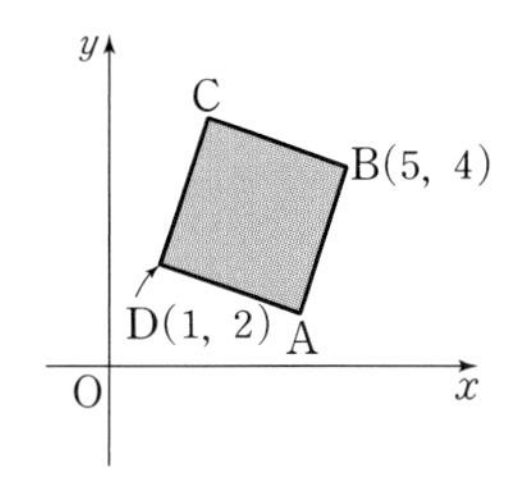

03 두 점 $A(-2, 0)$, $B(a, b)$를 이은 선분 AB를 $2:1$로 외분하는 점의 좌표가 $(10, 0)$일 때, a, b의 값을 구하시오.

04 두 점 $A(-2, 0)$, $B(3, 5)$를 이은 선분 AB를 $3:2$로 내분하는 점과 $3:2$로 외분하는 점을 각각 P, Q라 할 때, 선분 PQ의 길이를 구하시오.

05 두 점 $A(2, 1)$, $B(5, 2)$와 y축 위를 움직이는 점 Q가 있다. $\overline{AQ}^2+\overline{BQ}^2$의 값이 최소일 때, Q의 좌표를 구하시오.

06 두 점 $A(-4, 3)$, $B(4, -2)$를 이은 선분 AB를 $t:(1-t)$ $(0<t<1)$로 내분하는 점을 P라 하자. P가 제1사분면 위에 있을 때, t값의 범위를 구하시오.

07 정삼각형 ABC의 세 꼭짓점이 A$(1,\ -2)$, B$(-1,\ 2)$, C$(a,\ b)$이고, 점 C가 제3사분면 위의 점일 때, a, b의 값을 구하시오.

08 점 A$(2,\ 1)$이 한 꼭짓점인 삼각형 ABC의 외심의 좌표가 $(-1,\ -1)$이고, 외심이 변 BC 위에 있을 때, $\overline{\mathrm{AB}}^2+\overline{\mathrm{AC}}^2$의 값은?

① 51 ② 52 ③ 53 ④ 54 ⑤ 55

09 세 점 A$(4,\ 3)$, B$(-2,\ 1)$, C$(6,\ 1)$이 꼭짓점인 삼각형 ABC의 외심의 좌표를 구하시오.

10 세 점 O$(0,\ 0)$, A$(4,\ 5)$, B$(-1,\ 1)$에 대하여 $\overline{\mathrm{PO}}^2+\overline{\mathrm{PA}}^2+\overline{\mathrm{PB}}^2$의 값이 최소일 때, 점 P의 좌표를 구하시오.

11 두 점 A$(-1,\ 3)$, B$(5,\ -1)$을 지나는 직선 AB 위에 점 P가 있다. $\overline{\mathrm{AB}}=2\overline{\mathrm{BP}}$일 때, P의 좌표를 모두 구하시오.

12 세 점 O$(0,\ 0)$, A$(6,\ 0)$, B$(3,\ 4)$가 꼭짓점인 삼각형 OAB의 내심의 좌표를 구하시오.

13 정삼각형 ABC의 한 꼭짓점이 A$(-3, 3)$이고, 무게중심이 O$(0, 0)$일 때, 다음 물음에 답하시오.

(1) 점 A에서 변 BC에 내린 수선의 발 H의 좌표를 구하시오.

(2) 삼각형 ABC의 한 변의 길이를 구하시오.

14 세 점 A$(4, 2)$, B$(2, -6)$, C$(-3, -2)$이고 세 선분 AB, BC, CA를 각각 $3:1$로 내분하는 점은 P, Q, R이다. 삼각형 PQR의 무게중심의 좌표를 구하시오.

15 삼각형 ABC에서 세 변 AB, BC, CA의 중점이 각각 P$(4, -2)$, Q$(1, 5)$, R$(-2, -3)$일 때, 삼각형 ABC의 무게중심의 좌표를 구하시오.

교육청 기출

16 네 점 A$(3, 0)$, B$(6, 0)$, C$(3, 6)$, D$(1, 4)$가 꼭짓점인 사각형 ABCD에서 선분 AD를 $1:3$으로 내분하는 점을 지나는 직선 l이 사각형 ABCD의 넓이를 이등분한다. l이 선분 BC와 만나는 점의 좌표가 (a, b)일 때, $a+b$의 값은?

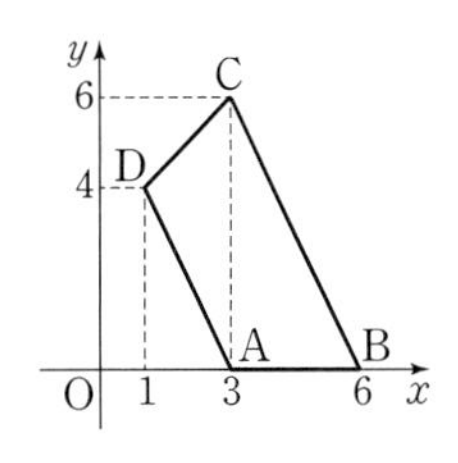

① $\frac{13}{2}$ ② 7 ③ $\frac{15}{2}$ ④ 8 ⑤ $\frac{17}{2}$

17 그림과 같이 삼각형 ABC에서 변 BC를 삼등분하는 점을 각각 D, E라 하자. $\overline{AB}=x$, $\overline{AC}=y$, $\overline{AD}=5$, $\overline{AE}=6$일 때, y^2-x^2의 값을 구하시오.

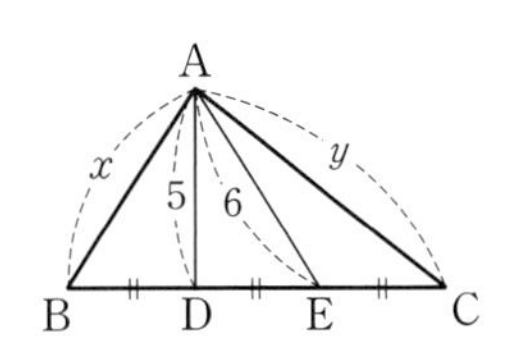

정답 개수 : /17 오답 번호 Check : 월 일

Where there is a will,
there is a way.

중학교에서 배운 일차함수의 그래프를 좌표평면 위에 나타내면 직선이 된다. 그리고 두 직선의 기울기를 비교해 보면 두 직선이 한 점에서 만나는지, 평행 또는 수직인지 알 수 있다.

이 단원에서는 여러 가지 조건을 이용하여 직선의 방정식을 구하는 방법을 알아보자. 또 좌표평면에서 두 직선의 위치 관계를 살펴보고 점과 직선 사이의 거리를 구하는 방법에 대하여 알아보자.

15 직선의 방정식

15-1 직선의 방정식

개념

1 기울기가 m이고, 점 (x_1, y_1)을 지나는 직선의 방정식은

$$y-y_1=m(x-x_1)$$

2 두 점 (x_1, y_1), (x_2, y_2)를 지나는 직선의 방정식은

$$y-y_1=\frac{y_2-y_1}{x_2-x_1}(x-x_1)\ (\text{단, } x_1\neq x_2)$$

3 점 $(x_1, 0)$을 지나고 y축에 평행한 직선의 방정식은 $x=x_1$이고,
점 $(0, y_1)$을 지나고 x축에 평행한 직선의 방정식은 $y=y_1$이다.

한 점과 기울기가 주어진 직선의 방정식

그림은 기울기가 2이고 점 A(3, 1)을 지나는 직선이다.
직선 위의 A가 아닌 점을 P(x, y)라 하면 직선 AP의 기울기가 2이므로

$$\frac{y-1}{x-3}=2 \qquad \therefore y-1=2(x-3)$$

이 식은 $x=3$일 때에도 성립하므로 직선의 방정식이다.

이와 같이 기울기가 m이고, 점 A(x_1, y_1)을 지나는 직선 위의 점을 P(x, y)라 하면 직선 AP의 기울기가 m이므로 직선의 방정식은

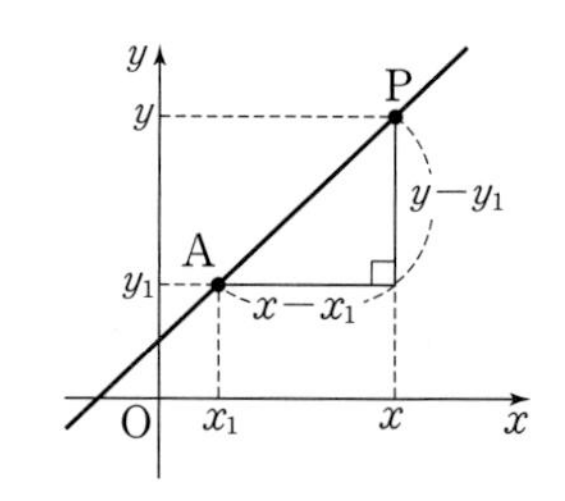

$$\frac{y-y_1}{x-x_1}=m \qquad \therefore \boldsymbol{y-y_1=m(x-x_1)}$$

역으로 직선의 방정식 $y-y_1=m(x-x_1)$은 m의 값에 관계없이 $x=x_1$, $y=y_1$이면 성립하므로 점 (x_1, y_1)을 지나는 직선의 방정식이다.

두 점을 지나는 직선의 방정식

그림은 두 점 A(3, 1), B(6, 7)을 지나는 직선이다.
직선의 기울기가 $\frac{7-1}{6-3}=2$이고, 점 (3, 1)을 지나므로 직선의 방정식은

$$y-1=2(x-3) \qquad \cdots ㉠$$

또 기울기가 2이고 점 (6, 7)을 지나므로

$$y-7=2(x-6) \qquad \cdots ㉡$$

이라 해도 된다. ㉠, ㉡ 모두 전개하면 $y=2x-5$이므로 같은 식이다.

이와 같이 두 점 A(x_1, y_1), B(x_2, y_2)를 지나는 직선은 $x_1\neq x_2$일 때 기울기가 $\frac{y_2-y_1}{x_2-x_1}$이므로 방정식은

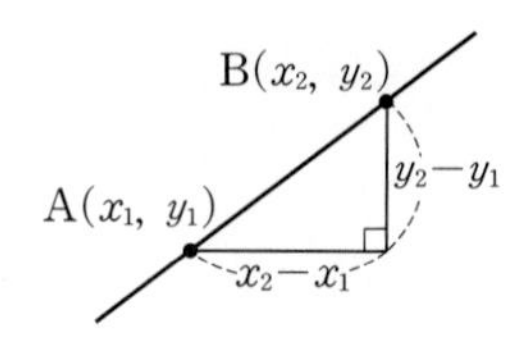

$$\boldsymbol{y-y_1=\frac{y_2-y_1}{x_2-x_1}(x-x_1)}\ (\text{단, } \boldsymbol{x_1\neq x_2})$$

좌표축에 평행 또는 수직인 직선의 방정식

(i) 두 점 $A(x_1, y_1)$, $B(x_2, y_2)$에서 $x_1=x_2$이면 직선 AB는 y축에 평행한 (x축에 수직인) 직선이다. 이 직선 위의 모든 점은 x좌표가 x_1이므로 직선의 방정식은 $x=x_1$이다.

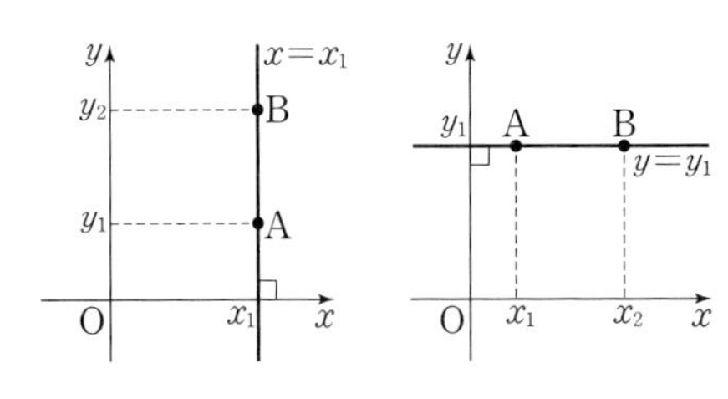

(ii) 두 점 $A(x_1, y_1)$, $B(x_2, y_2)$에서 $y_1=y_2$이면 직선 AB는 x축에 평행한 (y축에 수직인) 직선이다. 이 직선 위의 모든 점은 y좌표가 y_1이므로 직선의 방정식은 $y=y_1$이다.

예를 들어

직선 $x=2$는 점 $(2, 0)$을 지나고 y축에 평행한 직선이고,

직선 $y=3$은 점 $(0, 3)$을 지나고 x축에 평행한 직선이다.

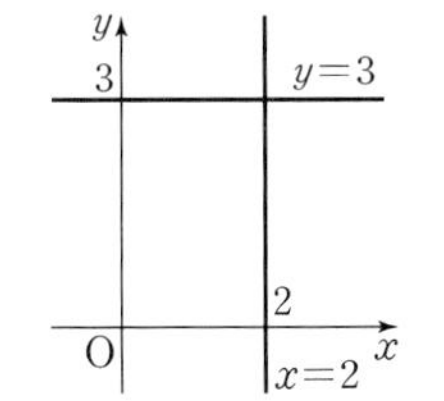

참고 x축에 평행한 직선 $y=y_1$은

$$y=0\times(x-x_1)+y_1$$

이므로 기울기가 0인 직선이다.

그러나 y축에 평행한 직선 $x=x_1$은 기울기를 생각할 수 없다.

15 직선의 방정식

개념 Check

◆ 정답 및 풀이 113쪽

1 다음 직선의 방정식을 구하시오.

(1) 기울기가 $\frac{1}{2}$이고 점 $(-1, 2)$를 지나는 직선

(2) 기울기가 -2이고 y절편이 -1인 직선

2 직선 $y=mx+2m+1$이 m의 값에 관계없이 항상 지나는 점의 좌표를 구하시오.

3 다음 두 점을 지나는 직선의 방정식을 구하시오.

(1) $(-2, -4)$, $(2, 4)$ (2) $(0, 2)$, $(6, -2)$

4 다음 직선의 방정식을 구하시오.

(1) 점 $(3, 4)$를 지나고 x축에 평행한 직선

(2) 점 $(-2, 1)$을 지나고 x축에 수직인 직선

15-2 일차방정식 $ax+by+c=0$이 나타내는 도형

1 일차방정식 $ax+by+c=0$을 만족시키는 점 (x, y)는 좌표평면에서 직선을 나타낸다.
2 $b\neq0$일 때 $ax+by+c=0$은 $y=mx+n$ 꼴로 고쳐 생각한다.

일차방정식

$2x-y-1=0$, $3x+2=0$, $y+2=0$은 모두

$(x, y$에 대한 일차식$)=0$, 곧 $ax+by+c=0$

꼴의 방정식이다. 이와 같은 방정식을 일차방정식이라 한다.

일차방정식 $ax+by+c=0$이라 하면 $a\neq0$ 또는 $b\neq0$이다.

일차방정식이 나타내는 도형

일차방정식 $2x+y-3=0$ ⋯ ㉠

에서 y를 x에 대한 식으로 나타내면 $y=-2x+3$

따라서 ㉠을 만족시키는 점 (x, y)가 좌표평면에서 나타내는 도형은

기울기가 -2이고 y절편이 3인 직선이다.

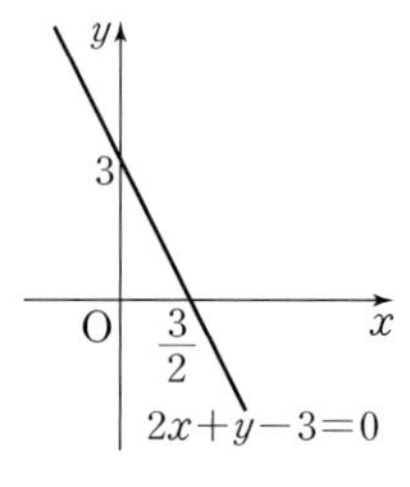

일반적으로 일차방정식 $ax+by+c=0$은

(i) $a\neq0$, $b\neq0$일 때, $y=-\frac{a}{b}x-\frac{c}{b}$이므로 기울기가 $-\frac{a}{b}$, y절편이 $-\frac{c}{b}$인 직선

(ii) $a=0$, $b\neq0$일 때, $y=-\frac{c}{b}$이므로 x축에 평행한 직선

(iii) $a\neq0$, $b=0$일 때, $x=-\frac{c}{a}$이므로 y축에 평행한 직선

따라서 $ax+by+c=0$은 좌표평면 위의 직선을 나타내는 방정식이다.

그리고 직선의 방정식의 일반형이라 한다.

직선의 방정식 $y=mx+n$은 $mx-y+n=0$이므로 일차방정식이다.

하지만 $y=mx+n$ 꼴의 방정식은 $x=x_1$ 꼴의 직선, 곧 y축에 평행한 직선을 나타낼 수 없다.

개념 Check

◆ 정답 및 풀이 113쪽

5 다음 일차방정식이 나타내는 도형을 좌표평면 위에 나타내시오.

(1) $x-2y+2=0$　　(2) $4x+2y-3=0$

(3) $2x-3=0$　　(4) $y+2=0$

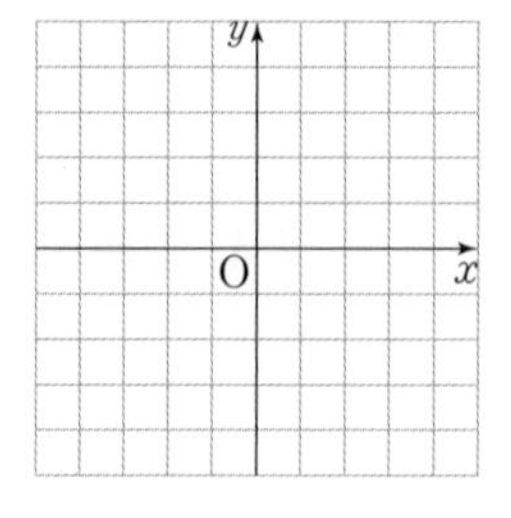

직선의 방정식

◆ 정답 및 풀이 113쪽

다음 물음에 답하시오.

(1) 기울기가 -3이고, 직선 $y=x+2$와 y축에서 만나는 직선의 방정식을 구하시오.

(2) 두 직선 $y=2x$, $y=-x+3$의 교점과 점 $(-2, 3)$을 지나는 직선의 방정식을 구하시오.

(3) x절편이 4, y절편이 -2인 직선의 방정식을 구하시오.

날선 Guide (1) 직선 $y=x+2$가 y축과 만나는 점은 $(0, 2)$이다.
따라서 기울기가 -3이고, 점 $(0, 2)$를 지나는 직선의 방정식을 구한다.

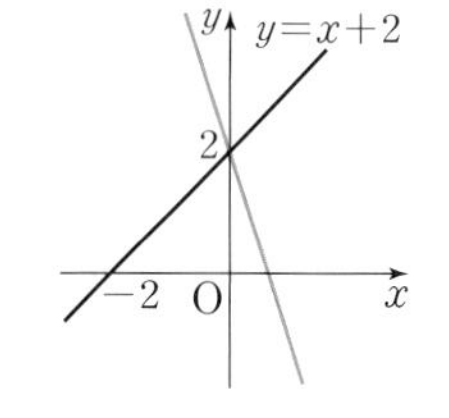

(2) 연립방정식 $\begin{cases} y=2x \\ y=-x+3 \end{cases}$ 을 풀면 교점의 좌표를 구할 수 있다.
이 교점과 점 $(-2, 3)$을 지나는 직선의 방정식을 구한다.

(3) x절편이 4, y절편이 -2이므로 두 점 $(4, 0)$, $(0, -2)$를 지나는 직선의 방정식을 구한다.

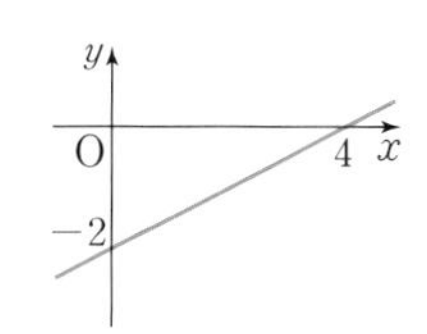

답 (1) $y=-3x+2$ (2) $y=-\frac{1}{3}x+\frac{7}{3}$ (3) $y=\frac{1}{2}x-2$

날선 Point **직선의 방정식**

- 기울기가 m이고, 점 (x_1, y_1)을 지나는 직선의 방정식은 $y-y_1=m(x-x_1)$
- 두 점 (x_1, y_1), (x_2, y_2)를 지나는 직선의 방정식은 $y-y_1=\frac{y_2-y_1}{x_2-x_1}(x-x_1)$

1-1 다음 물음에 답하시오.

(1) 두 직선 $2x+y+1=0$, $x-y+2=0$의 교점과 점 $(3, 5)$를 지나는 직선의 방정식을 구하시오.

(2) 두 점 $\mathrm{A}(1, 5)$, $\mathrm{B}(4, 2)$를 이은 선분 AB를 $1:2$로 내분하는 점을 지나고 기울기가 2인 직선의 방정식을 구하시오.

1-2 x절편이 a, y절편이 b인 직선의 방정식은 $\frac{x}{a}+\frac{y}{b}=1$임을 보이시오. (단, $ab\neq0$)

대표 **Q2**

직선의 방정식의 일반형

◆ 정답 및 풀이 114쪽

실수 a, b, c가 다음을 만족시킬 때, 직선 $ax+by+c=0$이 지나는 사분면을 모두 구하시오.

(1) $ab>0$, $bc<0$ (2) $ac<0$, $bc>0$ (3) $b=0$, $ac<0$

날선 Guide (1) $ax+by+c=0$에서 $b\neq0$이므로

$$by=-ax-c,\ y=-\frac{a}{b}x-\frac{c}{b}$$

따라서 기울기가 $-\frac{a}{b}$이고, y절편이 $-\frac{c}{b}$인 직선이다.

ab, bc의 부호가 주어졌으므로 $-\frac{a}{b}$, $-\frac{c}{b}$의 부호를 알 수 있다.

(2) $-\frac{a}{b}$, $-\frac{c}{b}$의 부호는 $c>0$일 때와 $c<0$일 때로 나누어 a, b, c의 부호를 구하면 알 수 있다.

a	b	c
$+$	$-$	$-$
$-$	$+$	$+$

(3) $b=0$이고 $a\neq0$이면 $ax+c=0$, $x=-\frac{c}{a}$

따라서 y축에 평행한 직선이다.

$-\frac{c}{a}$의 부호만 생각한다.

참고 ab와 $\frac{a}{b}$, bc와 $\frac{c}{b}$, ac와 $\frac{c}{a}$의 부호는 각각 같다.

답 (1) 제1, 2, 4사분면 (2) 제1, 3, 4사분면 (3) 제1, 4사분면

날선 Point 직선의 방정식의 일반형 $ax+by+c=0$ 꼴
➡ $y=mx+n$ 꼴로 고쳐 생각한다.

2-1 실수 a, b, c가 다음을 만족시킬 때, 직선 $ax+by+c=0$이 지나는 사분면을 모두 구하시오.

(1) $ab>0$, $ac>0$ (2) $ab<0$, $bc=0$ (3) $bc>0$, $a=0$

2-2 직선 $ax+by+c=0$이 그림과 같을 때, 직선 $cx+by+a=0$이 지나지 않는 사분면을 구하시오.

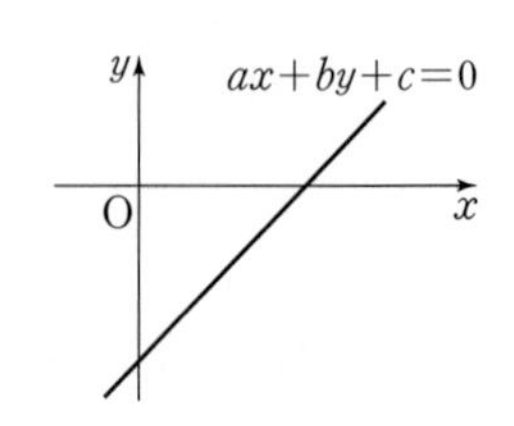

직선의 방정식과 도형의 넓이

◆ 정답 및 풀이 115쪽

다음 물음에 답하시오.

(1) 직선 $ax-2y-2a=0$이 x축, y축과 만나 생기는 삼각형의 넓이가 3일 때, 양수 a의 값을 구하시오.

(2) 직선 $y=-2x+6$이 x축, y축과 만나 생기는 삼각형의 넓이를 직선 $y=mx+1$이 이등분할 때, m의 값을 구하시오.

날선 Guide (1) $x=0$을 대입하면 $-2y-2a=0$ $\quad\therefore y=-a$

$y=0$을 대입하면 $ax-2a=0$ $\quad\therefore x=2$

$a>0$이므로 $ax-2y-2a=0$이 x축, y축과 만나 생기는 삼각형은 그림과 같다.

이 삼각형의 넓이가 3일 때, a의 값을 구한다.

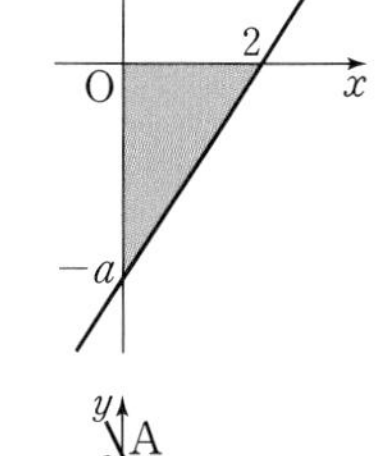

(2) 직선 $y=mx+1$은 y절편이 1인 직선이다.

또 직선 $y=-2x+6$은 그림과 같으므로 이 직선이 x축, y축과 만나 생기는 삼각형의 넓이는 9이다.

따라서 그림에서 삼각형 ABC의 넓이가 $\frac{9}{2}$이다.

A(0, 6), B(0, 1)임을 이용하여 점 C의 좌표부터 구한다.

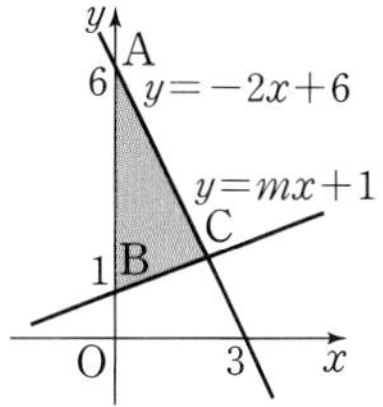

답 (1) 3 (2) $\frac{7}{9}$

- x절편 ➡ $y=0$을 대입하여 구한다.
  y절편 ➡ $x=0$을 대입하여 구한다.
- 좌표평면에서 삼각형의 넓이 ➡ 세 꼭짓점의 좌표부터 구한다.

3-1 직선 $2x-ay+6=0$이 x축, y축과 만나 생기는 삼각형의 넓이가 18일 때, 다음 물음에 답하시오.

(1) 양수 a의 값을 구하시오.

(2) 음수 a의 값을 구하시오.

3-2 직선 $mx-y+2=0$이 y축과 만나는 점을 A, 직선 $x+2y=8$과 제1사분면에서 만나는 점을 B라 하자. 삼각형 OAB의 넓이가 3일 때, m의 값을 구하시오. (단, O는 원점이다.)

15-3 $y=mx+n$ 꼴 직선의 위치 관계

1 두 직선 $y=mx+n$, $y=m'x+n'$의 위치 관계는

$m=m'$, $n\neq n'$ ➡ 평행하다.

$m=m'$, $n=n'$ ➡ 일치한다.

$m\neq m'$ ➡ 한 점에서 만난다.

2 특히 $mm'=-1$이면 수직이다.

두 직선의 위치 관계

기울기가 같고, y절편이 다른 두 직선

$$y=2x+1,\ y=2x-2$$

는 그림과 같이 평행하다.

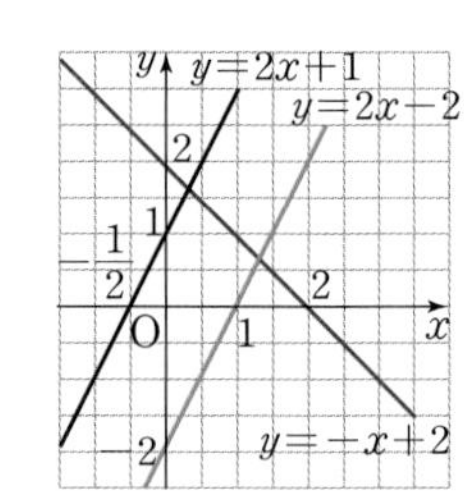

그리고 기울기가 다른 두 직선

$$y=2x+1,\ y=-x+2$$

는 그림과 같이 한 점에서 만난다.

두 직선이 서로 수직일 조건

직선 $l: y=mx$, $l': y=m'x$ 위의 점 $\mathrm{A}(1,\ m)$, $\mathrm{B}(1,\ m')$을 각각 잡으면

$$\overline{\mathrm{OA}}^2=1+m^2,\ \overline{\mathrm{OB}}^2=1+m'^2$$

$$\overline{\mathrm{AB}}^2=(m-m')^2=m^2-2mm'+m'^2$$

(i) l, l'이 수직이면 삼각형 AOB가 직각삼각형이므로

$\overline{\mathrm{OA}}^2+\overline{\mathrm{OB}}^2=\overline{\mathrm{AB}}^2$에서

$$(1+m^2)+(1+m'^2)=m^2-2mm'+m'^2 \qquad \therefore mm'=-1$$

(ii) 역으로 $mm'=-1$이면 $\overline{\mathrm{AB}}^2=(m-m')^2=m^2+2+m'^2$이므로

$$\overline{\mathrm{AB}}^2=\overline{\mathrm{OA}}^2+\overline{\mathrm{OB}}^2$$

따라서 삼각형 AOB는 직각삼각형이므로 l, l'은 수직이다.

두 직선 $y=mx+n$, $y=m'x+n'$이 이루는 각은 두 직선 $y=mx$, $y=m'x$가 이루는 각과 같으므로 직선 $y=mx+n$과 $y=m'x+n'$이 수직이면 $mm'=-1$이다.

예를 들어 두 직선 $y=\frac{1}{2}x-1$과 $y=-2x+1$은 수직이다.

개념 Check

◆ 정답 및 풀이 115쪽

6 두 직선 $y=-3x+a$, $y=ax+1$에 대하여 다음을 구하시오.

(1) 한 점에서 만날 때, 실수 a값의 범위

(2) 평행할 때, 실수 a의 값

(3) 수직일 때, 실수 a의 값

15-4 $ax+by+c=0$ 꼴 직선의 위치 관계

두 직선 $ax+by+c=0$, $a'x+b'y+c'=0$에 대하여

교점의 좌표는 연립방정식의 해이고, 두 직선의 위치 관계는 다음과 같다.

계수의 비	두 직선의 위치 관계	연립방정식의 해의 개수
$\frac{a}{a'} \neq \frac{b}{b'}$	한 점에서 만난다.	한 쌍의 해를 가진다.
$\frac{a}{a'} = \frac{b}{b'} \neq \frac{c}{c'}$	평행하다.	해가 없다.
$\frac{a}{a'} = \frac{b}{b'} = \frac{c}{c'}$	일치한다.	해가 무수히 많다.

두 직선의 교점의 좌표와 연립방정식의 해

두 직선 $\begin{cases} 2x-y-1=0 & \cdots ㉠ \\ x+y-2=0 & \cdots ㉡ \end{cases}$

에서 교점 (x, y)는 ㉠, ㉡을 동시에 만족시키는 x, y이다.

연립방정식으로 생각하고 ㉠, ㉡을 연립하여 풀면 $x=1$, $y=1$

따라서 교점의 좌표는 $(1, 1)$이다.

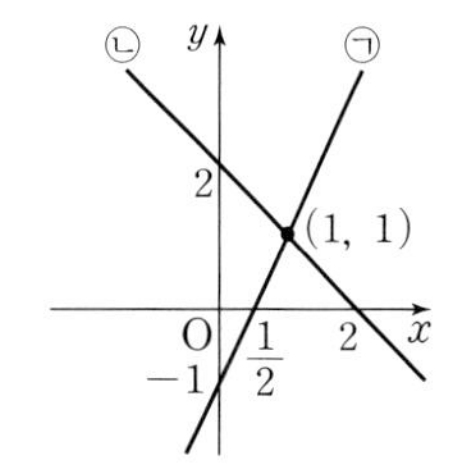

이와 같이 두 직선 $ax+by+c=0$과 $a'x+b'y+c'=0$의 교점의 좌표는 두 식을 연립하여 푼 해이다.

두 직선의 위치 관계

두 직선 $ax+by+c=0$, $a'x+b'y+c'=0\ (b\neq 0,\ b'\neq 0)$을 정리하면

$y=-\frac{a}{b}x-\frac{c}{b}$, $y=-\frac{a'}{b'}x-\frac{c'}{b'}$이다.

(i) $\boldsymbol{\frac{a}{a'} \neq \frac{b}{b'}}$일 때, $-\frac{a}{b} \neq -\frac{a'}{b'}$이므로 기울기가 다르다.

따라서 두 직선은 한 점에서 만나고 연립방정식의 해가 한 쌍이다.

(ii) $\boldsymbol{\frac{a}{a'} = \frac{b}{b'} \neq \frac{c}{c'}}$일 때, $-\frac{a}{b} = -\frac{a'}{b'}$, $-\frac{c}{b} \neq -\frac{c'}{b'}$이므로 기울기가 같고, y절편이 다르다.

따라서 두 직선은 평행하다. 또 교점이 없으므로 연립방정식의 해가 없다.

(iii) $\boldsymbol{\frac{a}{a'} = \frac{b}{b'} = \frac{c}{c'}}$일 때, $-\frac{a}{b} = -\frac{a'}{b'}$, $-\frac{c}{b} = -\frac{c'}{b'}$이므로 기울기와 y절편이 각각 같다.

따라서 두 직선은 일치하고 연립방정식의 해가 무수히 많다.

참고 $\left(-\frac{a}{b}\right)\times\left(-\frac{a'}{b'}\right)=-1$이면 수직이다. 따라서 $aa'+bb'=0$이면 수직이다.

개념 Check

정답 및 풀이 116쪽

7 두 직선 $3x+4y+2=0$, $2x-y+5=0$의 교점의 좌표를 구하시오.

8 두 직선 $kx+(k+1)y-1=0$, $2x+y-1=0$이 평행할 때, k의 값을 구하시오.

대표 Q4 **기울기가 같은 직선의 방정식**

◆ 정답 및 풀이 116쪽

두 점 $A(-2, 2)$, $B(1, 4)$에 대하여 다음 물음에 답하시오.

(1) 직선 AB에 평행하고 점 $(2, 1)$을 지나는 직선의 방정식을 구하시오.

(2) 두 점 A, B와 점 $C(k, k-1)$이 한 직선 위에 있을 때, 실수 k의 값을 구하시오.

날선 Guide (1) 직선 AB의 기울기가

$$\frac{4-2}{1-(-2)}=\frac{2}{3}$$

이므로 기울기가 $\frac{2}{3}$이고, 점 $(2, 1)$을 지나는 직선의 방정식을 구한다.

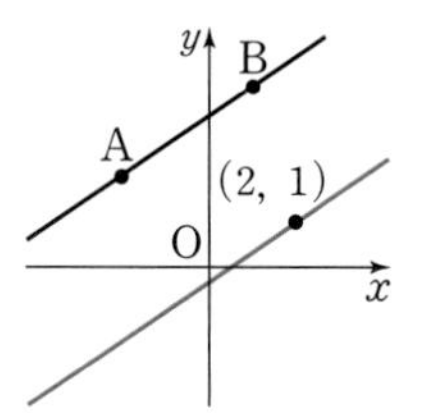

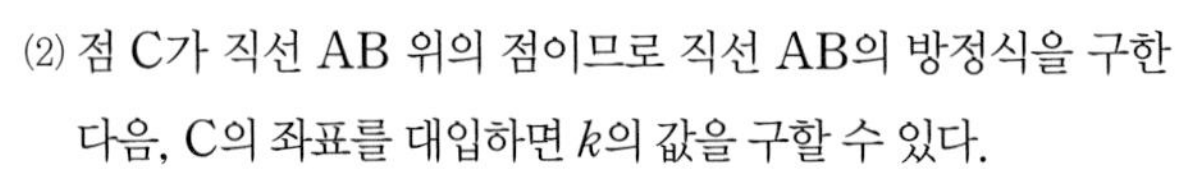

(2) 점 C가 직선 AB 위의 점이므로 직선 AB의 방정식을 구한 다음, C의 좌표를 대입하면 k의 값을 구할 수 있다.

직선 AB의 기울기 $\frac{4-2}{1-(-2)}$와

직선 AC의 기울기 $\frac{k-1-2}{k-(-2)}$가 같음을 이용할 수도 있다.

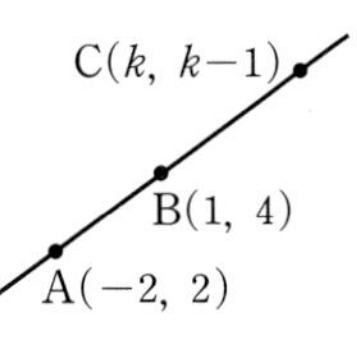

참고 직선 $ax+by+c=0$에 평행한 직선은 $ax+by+c'=0$ 꼴이다.

답 (1) $y=\frac{2}{3}x-\frac{1}{3}$ (2) 13

- 평행한 두 직선 ➡ 기울기가 같다.
- 세 점이 한 직선 위에 있을 조건
  ➡ 두 점을 지나는 직선 위에 나머지 한 점이 있다.

4-1 다음 물음에 답하시오.

(1) 직선 $3x-y+2=0$에 평행하고 점 $(1, -2)$를 지나는 직선의 방정식을 구하시오.

(2) x절편이 2, y절편이 -3인 직선에 평행하고 점 $(1, 2)$를 지나는 직선의 방정식을 구하시오.

4-2 세 점 $A(-4, 3)$, $B(1, 8)$, $C(a, 5)$가 한 직선 위에 있을 때, 실수 a의 값을 구하시오.

수선, 수선의 발

◆ 정답 및 풀이 116쪽

두 점 $A(-1, 0)$, $B(1, 4)$에 대하여 다음 물음에 답하시오.

(1) 선분 AB의 수직이등분선의 방정식을 구하시오.

(2) 점 $C(4, 1)$에서 직선 AB에 내린 수선의 발의 좌표를 구하시오.

날선 Guide (1) 직선 AB의 기울기가

$$\frac{4-0}{1-(-1)}=2$$

이므로 선분 AB의 중점을 지나고, 선분 AB에 수직인 직선의 방정식을 구한다.

(2) 수선의 발의 좌표는 점 C를 지나고 직선 AB에 수직인 직선이 직선 AB와 만나는 점의 좌표이다.

따라서 직선 AB의 방정식과 점 C를 지나고 직선 AB에 수직인 직선의 방정식을 연립하여 풀면 된다.

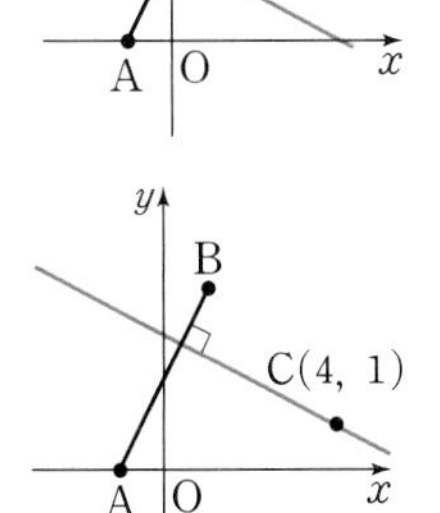

참고 직선 $ax+by+c=0$에 수직인 직선은 $bx-ay+c'=0$ 꼴이다.

답 (1) $y=-\frac{1}{2}x+2$ (2) $\left(\frac{2}{5}, \frac{14}{5}\right)$

수직인 두 직선
➡ 기울기의 곱이 -1이다.

5-1 다음 물음에 답하시오.

(1) 두 직선 $x-2y=5$, $3x+2y=-1$의 교점을 지나고 직선 $x+3y=0$에 수직인 직선의 방정식을 구하시오.

(2) 직선 $x+2y-4=0$과 x축, y축이 만나 생기는 선분을 수직이등분하는 직선의 방정식을 구하시오.

UP **5-2** 세 점 $A(-1, 0)$, $B(5, 0)$, $C(1, 4)$가 꼭짓점인 삼각형 ABC에 대하여 다음 물음에 답하시오.

(1) 점 A에서 변 BC에 내린 수선의 발의 좌표를 구하시오.

(2) 점 A에서 변 BC에 그은 수선과 점 C에서 변 AB에 그은 수선의 교점의 좌표를 구하시오.

두 직선의 위치 관계

◆ 정답 및 풀이 117쪽

두 직선 $kx+y+2=0$, $(k+2)x+ky-1=0$에 대하여 다음 물음에 답하시오.

(1) 두 직선이 평행할 때, 실수 k의 값을 모두 구하시오.

(2) 두 직선이 수직일 때, 실수 k의 값을 모두 구하시오.

(3) 두 직선의 교점이 $(a,\ -2)$일 때, 실수 k와 a의 값을 모두 구하시오.

낱선 Guide (1) 평행하므로 계수를 비교하면

$$\frac{k}{k+2}=\frac{1}{k}\neq\frac{2}{-1}$$

(2) 수직이므로

$$k(k+2)+1\times k=0$$

(3) 교점이 $(a,\ -2)$이므로 각 식에 대입하면

$$ka=0,\ (k+2)a-2k-1=0$$

두 식을 연립하여 풀면 k와 a의 값을 구할 수 있다.

참고 (1), (2)는 $y=mx+n$ 꼴로 고치고
평행하면 기울기가 같고, 수직이면 기울기의 곱이 -1임을 이용해도 된다.

답 (1) -1, 2 (2) 0, -3 (3) $k=0$, $a=\frac{1}{2}$ 또는 $k=-\frac{1}{2}$, $a=0$

낱선 Point

- 두 직선 $y=mx+n$, $y=m'x+n'$에 대하여
  평행 ➡ $m=m'$, 수직 ➡ $mm'=-1$
- 두 직선 $ax+by+c=0$, $a'x+b'y+c'=0$에 대하여
  평행 ➡ $\frac{a}{a'}=\frac{b}{b'}\neq\frac{c}{c'}$, 수직 ➡ $aa'+bb'=0$

6-1 두 직선 $kx+y+k+2=0$, $4x+ky+3k+9=0$에 대하여 다음 물음에 답하시오.

(1) 두 직선이 평행할 때, 실수 k의 값을 모두 구하시오.

(2) 두 직선이 점 $(-3,\ a)$에서 만날 때, 실수 k와 a의 값을 모두 구하시오.

up **6-2** 직선 $x+ay+1=0$이 직선 $2x+(a-1)y+1=0$에 평행하고 직선 $bx-2y-4=0$에 수직일 때, 실수 a, b의 값을 구하시오.

대표 Q7 정점을 지나는 문제

◆ 정답 및 풀이 118쪽

다음 물음에 답하시오.

(1) 두 직선 $x+y=2$, $y=m(x-3)+2$가 제1사분면에서 만날 때, 실수 m값의 범위를 구하시오.

(2) 직선 $(k-3)x+2(k-1)y+k-5=0$이 실수 k의 값에 관계없이 항상 지나는 점의 좌표를 구하시오.

날선 Guide (1) $y=m(x-3)+2$에서 $y-2=m(x-3)$이므로

점 $(3, 2)$를 지나고 기울기가 m인 직선이다.

곧, 점 $(3, 2)$를 지나는 직선의 기울기를 생각하면 조건이 성립하는 m값의 범위를 구할 수 있다.

예를 들어 $m=1$이면 그림과 같이 직선 $x+y=2$와 제1사분면에서 만나지만 $m=-2$이면 제1사분면에서 만나지 않는다.

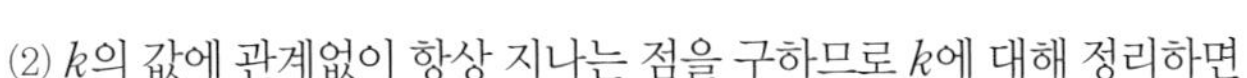

(2) k의 값에 관계없이 항상 지나는 점을 구하므로 k에 대해 정리하면

$$k(x+2y+1)-3x-2y-5=0$$

이 식은 $x+2y+1=0$이고 $-3x-2y-5=0$이면 k의 값에 관계없이 항상 성립한다.

따라서 두 직선

$$x+2y+1=0,\ -3x-2y-5=0$$

의 교점을 지난다.

참고 k의 값에 관계없이 ➡ k에 대해 정리한다.

답 (1) $0<m<2$ (2) $\left(-2, \frac{1}{2}\right)$

- $y-y_1=m(x-x_1)$은 점 (x_1, y_1)을 지나고 기울기가 m인 직선이다.
- $k(ax+by+c)+a'x+b'y+c'=0$은 두 직선 $ax+by+c=0$, $a'x+b'y+c'=0$의 교점을 지나는 직선이다.

7-1 $y=|x|$의 그래프와 직선 $y=m(x+2)-1$이 두 점에서 만날 때, 실수 m값의 범위를 구하시오.

7-2 직선 $(k-2)x+(3k-1)y-6k+7=0$이 실수 k의 값에 관계없이 항상 지나는 점의 좌표를 구하시오.

15-5 점과 직선 사이의 거리

점 (x_0, y_0)과 직선 $ax+by+c=0$ 사이의 거리 d는

$$d=\frac{|ax_0+by_0+c|}{\sqrt{a^2+b^2}}$$

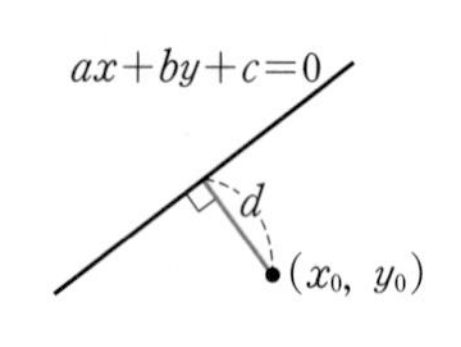

점과 직선 사이의 거리

점 $A(x_0, y_0)$과 직선 $ax+by+c=0$ 사이의 거리 d는 직각삼각형의 넓이를 이용하여 구할 수 있다.

(i) $a\neq0$, $b\neq0$일 때, 직선 $ax+by+c=0$ 위의 x좌표가 x_0인 점 $B(x_0, y_1)$, y좌표가 y_0인 점 $C(x_2, y_0)$을 잡으면

$$ax_0+by_1+c=0,\ ax_2+by_0+c=0 \quad \cdots ㉠$$

삼각형 ABC는 직각삼각형이므로

$$\overline{BC}^2=\overline{AB}^2+\overline{AC}^2=(y_1-y_0)^2+(x_0-x_2)^2$$

㉠에서 $y_1=-\frac{a}{b}x_0-\frac{c}{b}$, $y_0=-\frac{a}{b}x_2-\frac{c}{b}$이므로

$$\overline{BC}^2=\left\{-\frac{a}{b}(x_0-x_2)\right\}^2+(x_0-x_2)^2=\left(1+\frac{a^2}{b^2}\right)(x_0-x_2)^2$$

삼각형 ABC의 넓이에서 $\frac{1}{2}\overline{AB}\times\overline{AC}=\frac{1}{2}d\times\overline{BC}$이고,

$\overline{AB}=|y_1-y_0|=\left|-\frac{a}{b}x_0-\frac{c}{b}-y_0\right|$, $\overline{AC}=|x_0-x_2|$이므로

$$\left|-\frac{a}{b}x_0-\frac{c}{b}-y_0\right|\times|x_0-x_2|=d\times\sqrt{1+\frac{a^2}{b^2}}\times|x_0-x_2|$$

양변에 b를 곱하고 정리하면 $d=\frac{|ax_0+by_0+c|}{\sqrt{a^2+b^2}}$ $\cdots$ ㉡

(ii) $b=0$일 때, 직선의 방정식은 $x=-\frac{c}{a}$이므로

$$d=\overline{AH}=\left|x_0+\frac{c}{a}\right|=\frac{|ax_0+c|}{|a|}$$

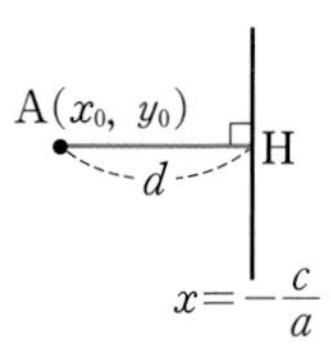

따라서 ㉡이 성립한다.

(iii) $a=0$일 때에도 같은 방법으로 하면 ㉡이 성립한다.

개념 Check

◆ 정답 및 풀이 119쪽

9 다음 점과 직선 사이의 거리를 구하시오.

(1) 점 $(0,\ 0)$, 직선 $x+y-4=0$

(2) 점 $(2,\ 0)$, 직선 $3x+4y-1=0$

(3) 점 $(-2,\ -1)$, 직선 $x-2y=-5$

대표 Q8

점과 직선 사이의 거리

◆ 정답 및 풀이 119쪽

다음 물음에 답하시오.

(1) 직선 $2x-y-6=0$에 평행하고 점 $(-1, -1)$로부터 거리가 5인 직선의 방정식을 모두 구하시오.

(2) 평행한 두 직선 $2x-y-6=0$, $4x-2y-3=0$ 사이의 거리를 구하시오.

날선 Guide (1) $2x-y-6=0$에서 평행한 직선은 $2x-y+c=0$으로 놓을 수 있다.
점 $(-1, -1)$과 이 직선 사이의 거리가 5가 되는 c의 값을 모두 찾는다.

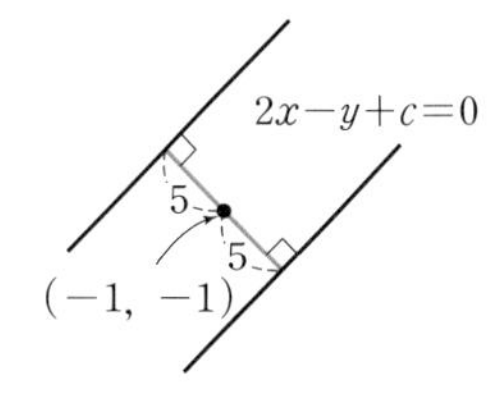

(2) 두 직선이 평행하면 두 직선 사이에 공통으로 수직인 선분을 그을 수 있다. 이 공통인 수선의 길이는 그림과 같이 항상 일정하다. 이 길이를 두 직선 사이의 거리라 한다.
두 직선 사이의 거리를 구할 때에는
직선 $2x-y-6=0$ 위의 한 점, 예를 들어 점 $(3, 0)$과 다른 직선 $4x-2y-3=0$ 사이의 거리를 구한다.
이때 한 점은 계산이 쉬운 점을 찾는다.

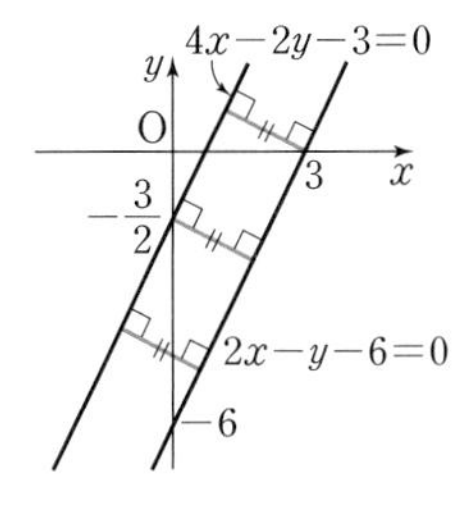

답 (1) $2x-y+1+5\sqrt{5}=0$, $2x-y+1-5\sqrt{5}=0$ (2) $\frac{9\sqrt{5}}{10}$

점 (x_0, y_0)과 직선 $ax+by+c=0$ 사이의 거리 d는

$$d=\frac{|ax_0+by_0+c|}{\sqrt{a^2+b^2}}$$

8-1 두 직선 $3x-4y-6=0$, $3x-4y+3=0$ 사이의 거리를 구하시오.

8-2 직선 $\frac{x}{2}-\frac{y}{4}=1$과 점 $(2, a)$ 사이의 거리가 $\sqrt{5}$일 때, 실수 a의 값을 모두 구하시오.

8-3 두 직선 $ax+by=5$, $ax+by=10$이 평행하고 $a^2+b^2=4$일 때, 두 직선 사이의 거리를 구하시오.

점이 그리는 도형의 방정식

◆ 정답 및 풀이 120쪽

다음 물음에 답하시오.

(1) 두 점 $A(-1,\ 2)$, $B(3,\ 4)$에서 같은 거리에 있는 점 P가 그리는 도형의 방정식을 구하시오.

(2) 두 직선 $4x+3y-11=0$, $3x-4y-2=0$이 이루는 각을 이등분하는 직선의 방정식을 모두 구하시오.

날선 Guide (1) $\overline{PA}=\overline{PB}$, 곧 $\overline{PA}^2=\overline{PB}^2$이므로 $P(x,\ y)$라 하면

$$(x+1)^2+(y-2)^2=(x-3)^2+(y-4)^2$$

정리하면 점 P가 그리는 도형의 방정식을 구할 수 있다.

참고 점 P는 선분 AB의 수직이등분선 위의 점이므로 선분 AB의 수직이등분선의 방정식을 구해도 된다.

(2) 점 P가 두 직선이 만드는 각의 이등분선 위에 있으면 점 P에서 두 직선에 이르는 거리가 같다.

$P(x,\ y)$라 하면

$$\frac{|4x+3y-11|}{\sqrt{4^2+3^2}}=\frac{|3x-4y-2|}{\sqrt{3^2+(-4)^2}}$$

이 식은 양변을 제곱하는 것보다

$|a|=b\ (b\ge 0)$ ➡ $a=b$ 또는 $a=-b$

$|a|=|b|$ ➡ $a=b$ 또는 $a=-b$

를 이용하여 정리하는 것이 쉽다.

답 (1) $2x+y-5=0$ (2) $x+7y-9=0$, $7x-y-13=0$

점 P가 그리는 도형의 방정식
➡ $P(x,\ y)$로 놓고 $x,\ y$의 관계를 구한다.

9-1 두 점 $A(1,\ 2)$, $B(-3,\ -2)$에서 같은 거리에 있는 점 P가 그리는 도형의 방정식을 구하시오.

9-2 두 직선 $x+2y-4=0$, $2x-y-1=0$으로부터 같은 거리에 있는 점 P가 그리는 도형의 방정식을 모두 구하시오.

15 직선의 방정식

01 다음 직선 중 나머지 넷과 다른 것은?

① 기울기가 3이고 y절편이 -5인 직선

② 점 $(2,\ 1)$을 지나고 기울기가 3인 직선

③ 두 점 $(1,\ -2)$, $(3,\ 4)$를 지나는 직선

④ x절편이 3이고 y절편이 -5인 직선

⑤ 일차방정식 $3x-y-5=0$이 나타내는 도형

02 방정식 $x+ay+b=0$이 좌표평면에서 나타내는 도형은 기울기가 2이고 y절편이 3인 직선이다. a, b의 값과 직선의 x절편을 구하시오.

03 이차함수 $y=ax^2+bx+c$의 그래프가 그림과 같을 때, 직선 $ax+by+c=0$의 개형은?

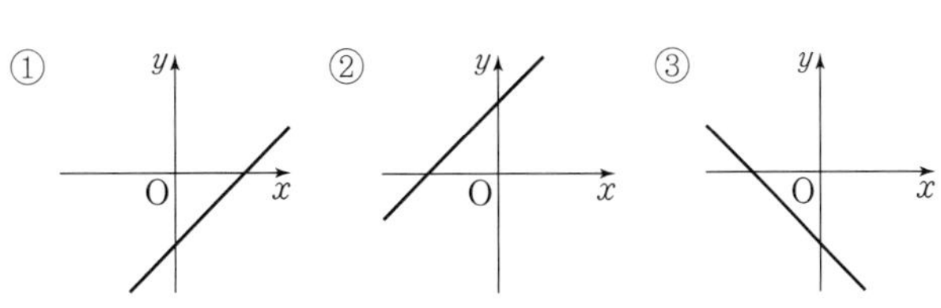

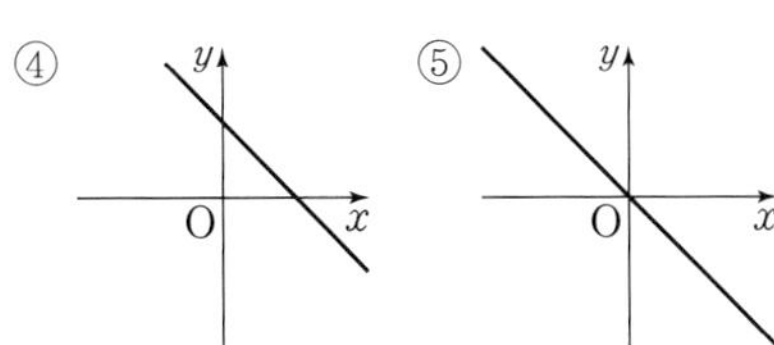

04 그림의 직사각형 ABCD의 넓이를 이등분하고 점 $(-1,\ -3)$을 지나는 직선의 기울기를 구하시오.

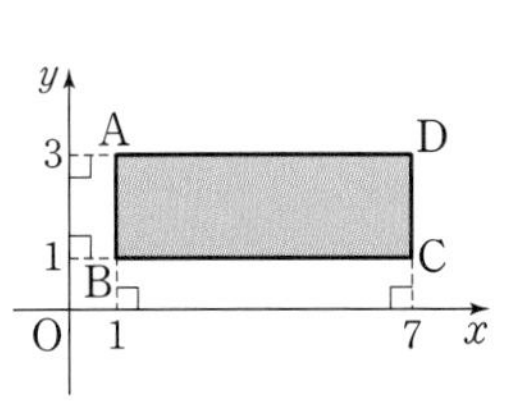

05 점 $(1,\ 1)$을 지나는 직선의 x절편이 y절편의 2배일 때, 이 직선과 x축, y축으로 둘러싸인 도형의 넓이를 구하시오.

06 직선 $l: 2x-3y+1=0$에 대하여 다음 물음에 답하시오.

(1) l에 평행하고 점 $(3,\ 1)$을 지나는 직선의 방정식을 구하시오.

(2) l에 수직이고 점 $(2,\ -4)$를 지나는 직선의 방정식을 구하시오.

07 두 직선 $ax+2y+2=0$, $x+(a+1)y+2=0$이 수직일 때와 평행할 때 a의 값을 각각 구하시오.

08 직선 $l: x+2y-1=0$에 대하여 l에 평행하고 y절편이 -2인 직선과 l에 수직이고 x절편이 2인 직선의 교점의 좌표를 구하시오.

09 세 직선 $2x+y-3=0$, $x+y-1=0$, $ax-2y-4=0$이 오직 한 점에서 만날 때, 상수 a의 값을 구하시오.

10 두 직선 $2x+3y-1=0$, $x-2y-4=0$의 교점과 직선 $x+2y-1=0$ 사이의 거리를 구하시오.

11 두 점 (5, 7), (8, 4)를 지나는 직선이 두 직선 $y=2x$, $y=3x$와 만나는 점을 각각 A, B라 할 때, 삼각형 OAB의 넓이를 구하시오. (단, O는 원점이다.)

12 두 점 A(3, 91), B(24, −7)을 이은 선분 AB 위의 점 중에서 x좌표와 y좌표가 모두 정수인 점의 개수는?

① 6　　② 7　　③ 8　　④ 9　　⑤ 10

교육청 기출

13 그림과 같이 원점을 지나는 직선 l이 원점 O와 점 A(5, 0), B(5, 1), C(3, 1), D(3, 3), E(0, 3)을 선분으로 이은 도형 OABCDE의 넓이를 이등분한다. 이때 직선 l의 기울기는 $\frac{q}{p}$이다. $p+q$의 값은? (단, p, q는 서로소인 자연수이다.)

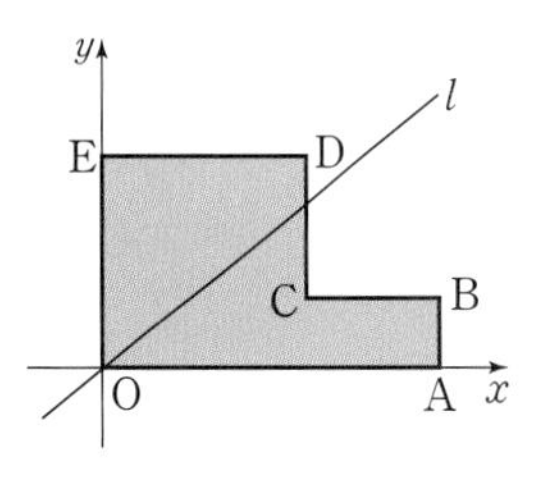

① 15　　② 16　　③ 17　　④ 18　　⑤ 19

14 함수 $y=-x^2-2x+5$의 그래프에 접하고 직선 $y=-\frac{1}{2}x+6$에 수직인 직선의 x절편을 구하시오.

15 세 점 A(5, $k+3$), B(k, $k-1$), C($k-2$, -2)가 한 직선 위에 있을 때, 실수 k의 값을 모두 구하시오.

16 두 직선 $l_1 : kx-y+k+1=0$, $l_2 : 3x+4y-12=0$에 대하여 다음 물음에 답하시오.

(1) 직선 l_1이 k의 값에 관계없이 항상 지나는 점의 좌표를 구하시오.

(2) 두 직선 l_1, l_2가 제1사분면에서 만날 때, 실수 k값의 범위를 구하시오.

교육청 기출

17 그림과 같이 좌표평면 위의 점 A$(8, 6)$에서 x축에 내린 수선의 발을 H라 하고, 선분 OH 위의 점 B에서 선분 OA에 내린 수선의 발을 I라 하자. $\overline{\mathrm{BH}}=\overline{\mathrm{BI}}$일 때, 직선 AB의 방정식은 $y=mx+n$이다. $m+n$의 값은? (단, O는 원점이다.)

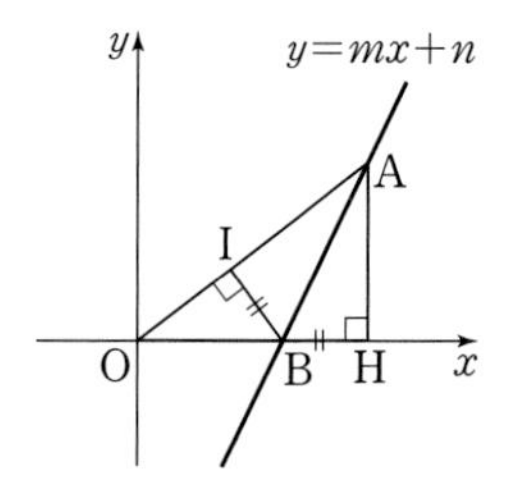

① -10 ② -9 ③ -8
④ -7 ⑤ -6

18 서로 다른 세 직선 $3x+y+1=0$, $2x-3y-14=0$, $ax-y=0$이 좌표평면을 6개 영역으로 나눌 때, a의 값을 모두 구하시오.

19 원점 $(0, 0)$과 직선 $(1-k)x+2y+3+k=0$ 사이의 거리가 최대일 때, k의 값과 거리의 최댓값을 구하시오.

20 점 P에서 두 직선 $2x+y-3=0$, $x-2y+1=0$에 각각 이르는 거리의 비가 $3 : 1$일 때, 점 P가 그리는 도형의 방정식을 모두 구하시오.

평면 위의 한 점에서 같은 거리에 있는 점의 모임을 원이라 한다.
이 원을 좌표평면 위에 나타내기 위하여 원의 중심으로부터 일정한 거리를 식으로 나타내면 x, y에 대한 이차방정식이 나오는데, 이것을 원의 방정식이라 한다.

이 단원에서는 좌표평면 위에 원을 나타내는 원의 방정식과 두 원의 위치 관계, 원과 직선의 위치 관계에 대하여 알아보고, 원에 접하는 직선의 방정식을 구하는 방법을 알아보자.

원의 방정식

16-1 원의 방정식, 표준형

개념

중심이 점 (a, b)이고 반지름의 길이가 r인 원의 방정식은

$$(x-a)^2+(y-b)^2=r^2$$

이 식을 원의 방정식의 표준형이라 한다.

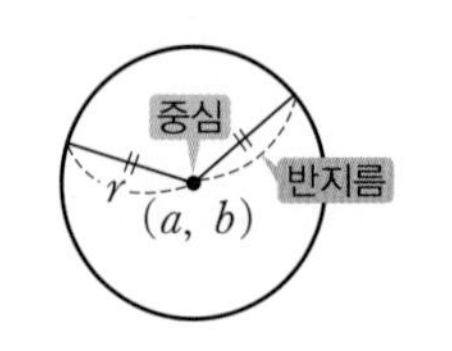

원의 방정식

그림은 좌표평면에서 중심이 점 $A(4, 3)$이고 반지름의 길이가 2인 원이다. 그리고 원은 점 A에서 거리가 2인 점의 모임이라 생각할 수 있다.

따라서 원 위의 점을 $P(x, y)$라 하면 $\overline{AP}^2=2^2$이므로

$$(x-4)^2+(y-3)^2=2^2$$

이 식은 중심이 점 $A(4, 3)$이고 반지름의 길이가 2인 원의 방정식이다.

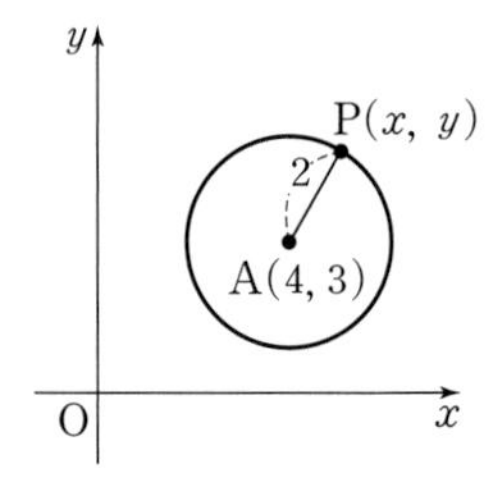

원의 방정식의 표준형

좌표평면에서 중심이 점 $A(a, b)$이고 반지름의 길이가 r인 원 위의 점을 $P(x, y)$라 하면 $\overline{AP}^2=r^2$이므로

$$\boldsymbol{(x-a)^2+(y-b)^2=r^2}$$

이 식을 원의 방정식의 표준형이라 한다.

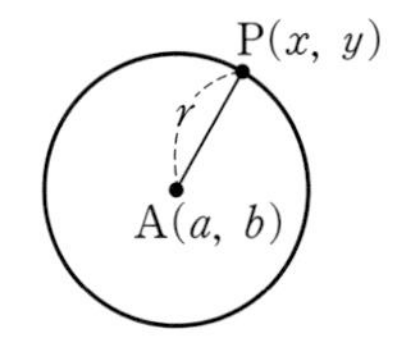

중심이 원점인 원의 방정식

특히 중심이 원점 O이고 반지름의 길이가 r인 원의 방정식은 $a=0$, $b=0$이므로

$$\boldsymbol{x^2+y^2=r^2}$$

이다.

개념 Check

정답 및 풀이 124쪽

1 다음 원의 방정식을 구하시오.

(1) 중심이 점 $(-4, -1)$이고 반지름의 길이가 4인 원

(2) 중심이 원점이고 반지름의 길이가 3인 원

2 다음 그림과 같이 x축 또는 y축에 접하는 원의 방정식을 구하시오.

(1)

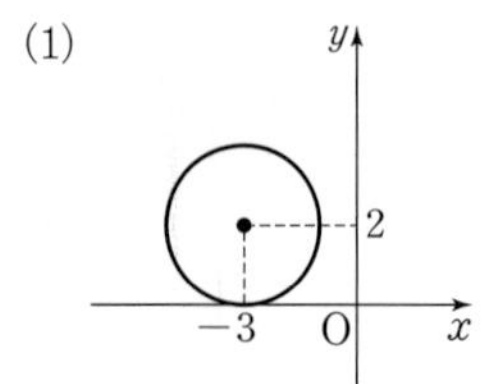

(2)

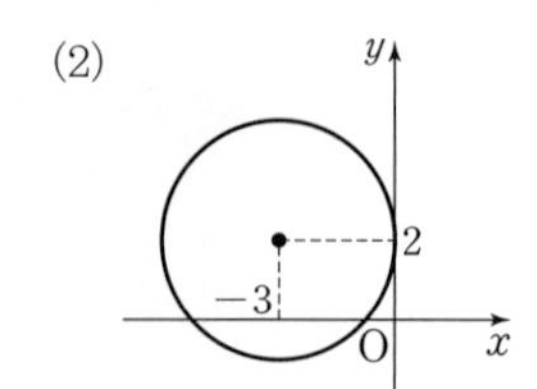

16-2 원의 방정식, 일반형

1 원의 방정식은 다음 꼴로 나타낼 수 있다.

$$x^2+y^2+Ax+By+C=0$$

이 식을 원의 방정식의 일반형이라 한다.

2 원의 방정식의 일반형은 표준형으로 고쳐 중심의 좌표와 반지름의 길이를 찾는다.

원의 방정식의 일반형

원 $(x-4)^2+(y-3)^2=2^2$을 전개하고 정리하면

$$x^2+y^2-8x-6y+21=0$$

이와 같이 원은 x^2과 y^2의 계수가 같고 xy항이 없는 이차식이다.

일반적으로 원의 방정식 $(x-a)^2+(y-b)^2=r^2$을 전개하면

$$x^2-2ax+a^2+y^2-2by+b^2=r^2$$

$-2a=A$, $-2b=B$, $a^2+b^2-r^2=C$라 생각하면

$$\boldsymbol{x^2+y^2+Ax+By+C=0}$$

이다. 이 식을 원의 방정식의 일반형이라 한다.

원의 방정식의 표준형으로 나타내기

예를 들어 방정식 $x^2+y^2+4x-2y+3=0$을 완전제곱 꼴로 고치면

$$(x^2+4x+4)+(y^2-2y+1)=-3+4+1 \qquad \therefore (x+2)^2+(y-1)^2=2$$

따라서 이 방정식은 중심이 점 $(-2, 1)$이고 반지름의 길이가 $\sqrt{2}$인 원을 나타낸다.

원을 나타내지 않는 경우

방정식 $x^2+y^2+4x-2y+10=0$을 완전제곱 꼴로 고치면

$$(x+2)^2+(y-1)^2=-5$$

x, y가 실수이면 (좌변)≥ 0, (우변)<0이므로 모순이다.

따라서 이 방정식은 x^2과 y^2의 계수가 같고 xy항이 없는 이차식이지만 원을 나타내지는 않는다.

원 $f(x, y)=0$

원의 방정식은 간단히 원 $f(x, y)=0$으로 쓰기도 한다.

곧, 원 $f(x, y)=0$이라 하면 $f(x, y)=x^2+y^2+Ax+By+C$ 꼴임을 뜻한다.

같은 이유로 직선 $g(x, y)=0$이라 하면 $g(x, y)=ax+by+c$ 꼴임을 뜻한다.

개념 Check

◆ 정답 및 풀이 124쪽

3 방정식 $x^2+y^2+Ax+By+C=0$이 나타내는 도형은 중심이 점 $(-1, 2)$이고 반지름의 길이가 3인 원이다. A, B, C의 값을 구하시오.

4 다음 방정식이 나타내는 원의 중심의 좌표와 반지름의 길이를 구하시오.

(1) $x^2+y^2+4x=0$ (2) $x^2+y^2-4x+8y-5=0$

16-3 두 원

1 중심이 점 O_1, O_2이고 반지름의 길이가 r_1, r_2인 두 원이 접하면

$\overline{O_1O_2}=r_1+r_2$ 또는 $\overline{O_1O_2}=|r_1-r_2|$

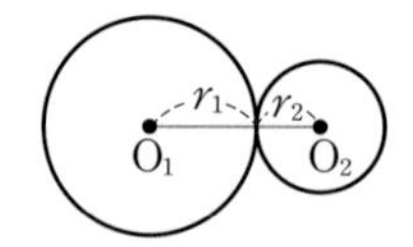

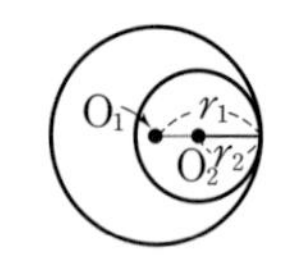

2 두 원 $x^2+y^2+Ax+By+C=0$, $x^2+y^2+A'x+B'y+C'=0$의 교점을 지나는 원의 방정식은 다음과 같이 쓸 수 있다.

$$m(x^2+y^2+Ax+By+C)+(x^2+y^2+A'x+B'y+C')=0$$

특히 $m=-1$이면 두 원의 교점을 지나는 직선의 방정식이다.

두 원의 위치 관계

다음 세 원의 위치 관계를 알아보자.

$C_1 : x^2+y^2=3^2$ ➡ $C_1(0, 0)$, $r_1=3$

$C_2 : (x-3)^2+(y-4)^2=2^2$ ➡ $C_2(3, 4)$, $r_2=2$

$C_3 : (x-1)^2+y^2=2^2$ ➡ $C_3(1, 0)$, $r_3=2$

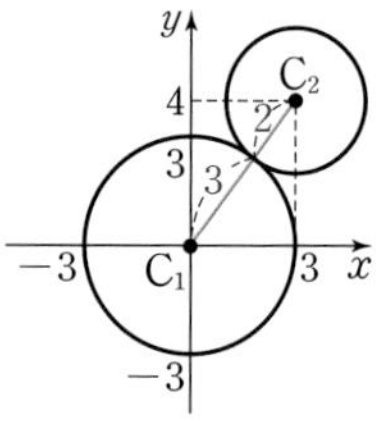

두 원 C_1, C_2의 중심 사이의 거리는 $\overline{C_1C_2}=5$이고,

반지름 길이의 합 $r_1+r_2=5$와 같다.

따라서 두 원은 그림과 같이 외부의 한 점에서 만난다.

또 두 원 C_1, C_3의 중심 사이의 거리는 $\overline{C_1C_3}=1$이고,

반지름 길이의 차 $r_1-r_3=1$과 같다.

따라서 두 원은 그림과 같이 내부의 한 점에서 만난다.

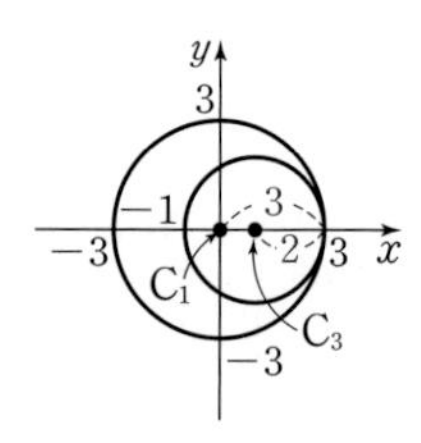

이와 같이 두 원의 중심 사이의 거리가 반지름의 길이의 합 또는 차와 같으면 두 원은 한 점에서 만난다. 이때 두 원은 접한다고 한다.

두 원의 교점을 지나는 원과 직선의 방정식

방정식 $m(x^2+y^2-4)+x^2+y^2-4x-2y+2=0$ $\cdots$ ㉠

은 m의 값에 관계없이

$x^2+y^2-4=0$ $\cdots C_1$

$x^2+y^2-4x-2y+2=0$ $\cdots C_2$

이면 성립한다.

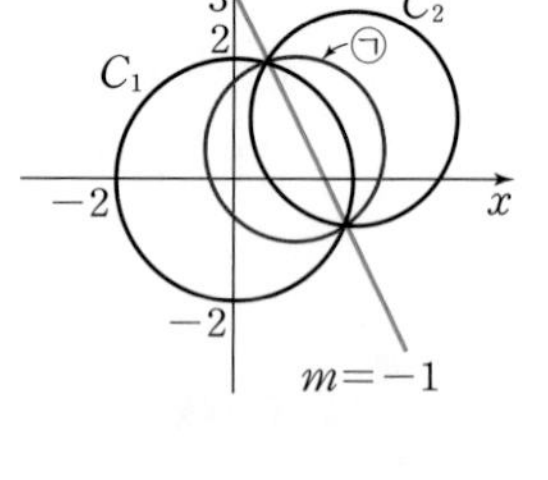

따라서 ㉠은 두 방정식 C_1, C_2를 동시에 만족시키는 점, 곧 두 원 C_1, C_2의 교점을 지난다.

역으로 두 원 C_1, C_2가 만날 때, ㉠은 두 원의 교점을 지나는 원의 방정식이다.

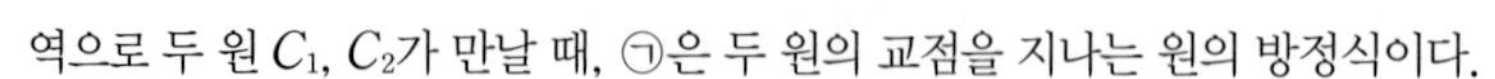

특히 $m=-1$이면 ㉠은 $-4x-2y+6=0$이므로 일차방정식이다.

이 직선은 두 원의 교점을 지난다. 그리고 이 직선과 C_1을 연립하여 풀면 교점의 좌표도 구할 수 있다.

원의 방정식

◆ 정답 및 풀이 124쪽

다음 물음에 답하시오.

(1) 중심이 점 $(-2,\ 3)$이고 점 $(-1,\ 1)$을 지나는 원의 방정식을 구하시오.

(2) 두 점 $\mathrm{A}(1,\ 0)$, $\mathrm{B}(5,\ 6)$을 이은 선분 AB가 지름인 원의 방정식을 구하시오.

(3) 세 점 $\mathrm{P}(1,\ 3)$, $\mathrm{Q}(4,\ 2)$, $\mathrm{R}(5,\ 1)$을 지나는 원의 방정식을 구하시오.

날선 Guide (1) 원의 반지름의 길이를 r라 하면 중심이 점 $(-2,\ 3)$이므로

$$(x+2)^2+(y-3)^2=r^2$$

이 원이 점 $(-1,\ 1)$을 지날 때 r의 값을 구한다.

(2) 선분 AB의 중점을 M이라 하면

점 M이 원의 중심이고 선분 AM의 길이가 원의 반지름의 길이이다.

참고 점 $\mathrm{P}(x,\ y)$가 원 위의 점이면 $\angle\mathrm{APB}=90^\circ$이므로

직선 AP와 직선 BP가 수직이다.

$$\frac{y-0}{x-1}\times\frac{y-6}{x-5}=-1$$

이 식을 정리해도 원의 방정식을 구할 수 있다.

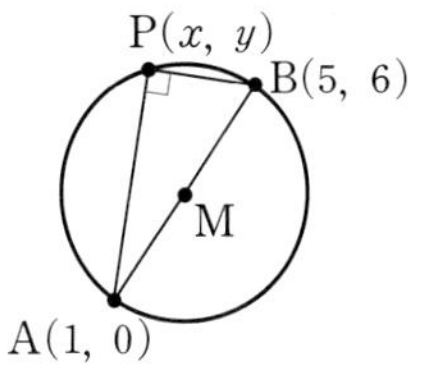

(3) 원의 방정식을 $x^2+y^2+Ax+By+C=0$으로 놓고

세 점의 좌표를 대입하여 A, B, C의 값을 구한다.

답 (1) $(x+2)^2+(y-3)^2=5$ (2) $(x-3)^2+(y-3)^2=13$ (3) $x^2+y^2-2x+4y-20=0$

- 중심이나 반지름의 길이가 주어진 원의 방정식
  ➡ $(x-a)^2+(y-b)^2=r^2$을 이용한다.
- 세 점이 주어진 원의 방정식
  ➡ $x^2+y^2+Ax+By+C=0$을 이용한다.

1-1 다음 물음에 답하시오.

(1) 중심이 점 $(1,\ -3)$이고 원점을 지나는 원의 방정식을 구하시오.

(2) 두 점 $(-4,\ -3)$, $(2,\ 5)$가 지름의 양 끝 점인 원의 방정식을 구하시오.

1-2 다음 원의 중심의 좌표와 반지름의 길이를 구하시오.

(1) 중심이 x축 위에 있고 두 점 $(1,\ 4)$, $(2,\ -3)$을 지난다.

(2) 세 점 $(0,\ 3)$, $(-3,\ 6)$, $(-2,\ 1)$을 지난다.

축에 접하는 원

◆ 정답 및 풀이 126쪽

다음 물음에 답하시오.

(1) x축과 y축에 동시에 접하고 점 $(-2,\ 4)$를 지나는 원의 방정식을 모두 구하시오.

(2) 중심이 직선 $y=x+2$ 위에 있고, x축에 접하며 점 $(4,\ 3)$을 지나는 원의 방정식을 모두 구하시오.

날선 Guide (1) 반지름의 길이가 r이고 x축, y축에 접하는 원은 그림과 같이 4개이다. 이 중에서 점 $(-2,\ 4)$를 지나는 원은 중심이 제2사분면 위에 있으므로

$$(x+r)^2+(y-r)^2=r^2\ (r>0)$$

으로 놓고 푼다.

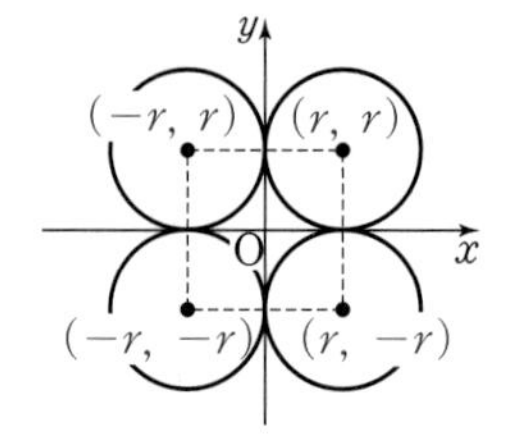

(2) x축에 접하고 점 $(4,\ 3)$을 지나는 원은 그림과 같다.
원의 중심을 점 $(a,\ b)$라 하면 반지름의 길이가 b이므로

$$(x-a)^2+(y-b)^2=b^2$$

으로 놓자. 그리고 중심이 직선 $y=x+2$ 위에 있을 조건과 원이 점 $(4,\ 3)$을 지날 조건을 이용한다.

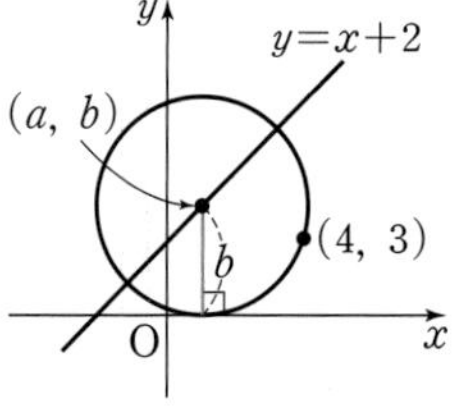

답 (1) $(x+2)^2+(y-2)^2=4$, $(x+10)^2+(y-10)^2=100$
(2) $(x-1)^2+(y-3)^2=9$, $(x-13)^2+(y-15)^2=225$

날선 Point 원 $(x-a)^2+(y-b)^2=r^2$이 x축 또는 y축에 접하는 경우를 정리하면 다음과 같다.

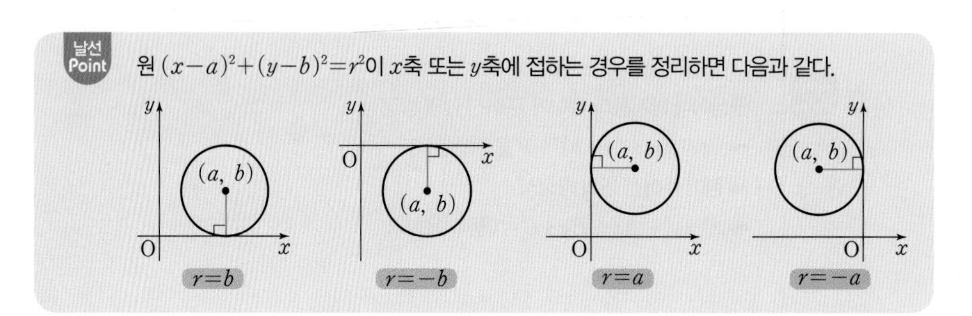

2-1 원 $x^2+y^2-4x+2ky+10=0$이 y축에 접할 때, k의 값을 모두 구하시오.

2-2 x축과 y축에 접하고 중심이 반직선 $y=-2x+1\ (y\le 0)$ 위에 있는 원의 방정식을 구하시오.

2-3 점 $(0,\ 3)$에서 y축에 접하고 점 $(-1,\ 1)$을 지나는 원의 중심의 좌표를 구하시오.

대표 Q3 두 원의 위치 관계

◆ 정답 및 풀이 126쪽

두 원 $x^2+y^2=r^2$, $x^2+y^2-6x-8y+21=0$에 대하여 다음 물음에 답하시오.

(1) 두 원이 두 점에서 만날 때, 양수 r값의 범위를 구하시오.

(2) 두 원이 접할 때, 양수 r의 값을 모두 구하시오.

날선 Guide (1) 두 원의 반지름의 길이와 중심 사이의 거리를 구한 다음

$$|r_1-r_2|<d<r_1+r_2$$

일 조건을 찾는다.

(2) 두 원이 한 점에서 만날 때, 접한다고 한다.

접하는 경우는 외부에서 접하는 경우(외접)와 내부에서 접하는 경우(내접)가 있다. 곧,

$$d=r_1+r_2 \text{ 또는 } d=|r_1-r_2|$$

일 조건을 찾는다.

참고 반지름의 길이가 r_1, r_2이고 중심 사이의 거리가 d인 두 원의 위치 관계

외부에 있다.

$d>r_1+r_2$

외접한다.

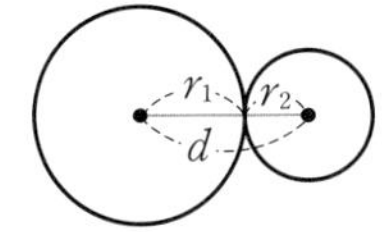

$d=r_1+r_2$

두 점에서 만난다.

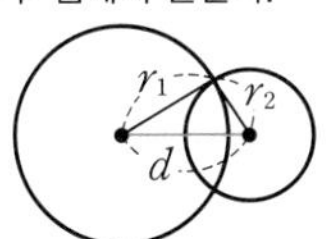

$|r_1-r_2|<d<r_1+r_2$

내접한다.

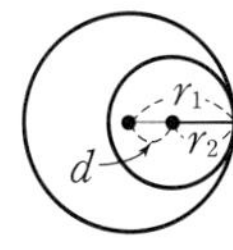

$d=|r_1-r_2|$

내부에 있다.

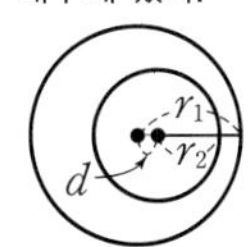

$d<|r_1-r_2|$

답 (1) $3<r<7$ (2) 3, 7

두 원의 위치 관계

➡ 두 원의 반지름의 길이와 중심 사이의 거리를 생각한다.

3-1 두 원 $x^2+y^2=r^2$, $(x-4)^2+(y-3)^2=16$이 접할 때, 양수 r의 값을 모두 구하시오.

3-2 두 원 $x^2+y^2=1$, $(x-a)^2+(y-2a)^2=16$이 두 점에서 만날 때, 양수 a값의 범위를 구하시오.

대표 Q4 두 원의 교점을 지나는 원과 직선의 방정식

◆ 정답 및 풀이 127쪽

두 원 $x^2+y^2-2=0$, $x^2+y^2-4x+4y-2=0$에 대하여 다음 물음에 답하시오.

(1) 두 원의 교점과 점 $(2,\ 0)$을 지나는 원의 방정식을 구하시오.

(2) 두 원의 교점을 지나는 직선의 방정식을 구하시오.

날선 Guide (1) C_1 : $x^2+y^2-2=0$

C_2 : $x^2+y^2-4x+4y-2=0$에서 $(x-2)^2+(y+2)^2=10$

따라서 두 원 C_1, C_2는 그림과 같이 두 점에서 만난다.

이때 방정식

$$m(x^2+y^2-2)+x^2+y^2-4x+4y-2=0 \quad \cdots ㉠$$

은 $m\neq-1$일 때, m의 값에 관계없이 두 원 C_1, C_2의 교점을 지나는 원의 방정식이다. 이 원이 점 $(2,\ 0)$을 지날 조건을 찾는다.

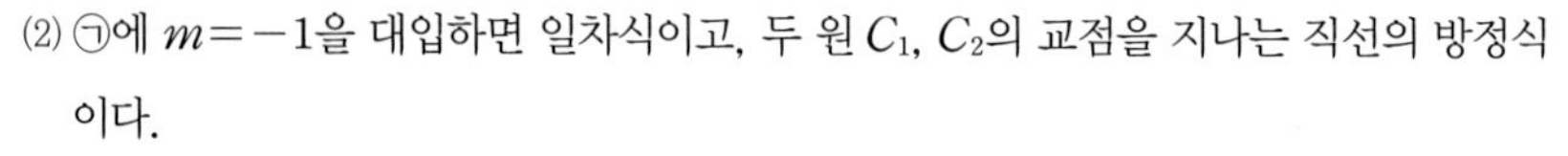

(2) ㉠에 $m=-1$을 대입하면 일차식이고, 두 원 C_1, C_2의 교점을 지나는 직선의 방정식이다.

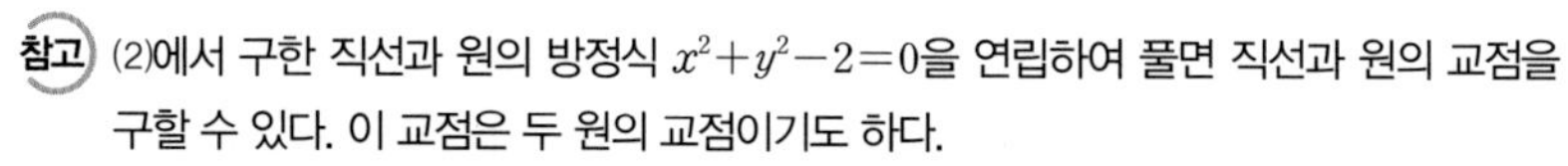

참고 (2)에서 구한 직선과 원의 방정식 $x^2+y^2-2=0$을 연립하여 풀면 직선과 원의 교점을 구할 수 있다. 이 교점은 두 원의 교점이기도 하다.
이와 같이 두 원의 교점을 구하는 경우 두 원의 교점을 지나는 직선을 찾은 다음, 직선과 한 원의 교점을 찾는 것이 편하다.

답 (1) $x^2+y^2-x+y-2=0$ (2) $x-y=0$

날선 Point 두 원 $x^2+y^2+Ax+By+C=0$, $x^2+y^2+A'x+B'y+C'=0$의 교점을 지나는 원은

$$m(x^2+y^2+Ax+By+C)+(x^2+y^2+A'x+B'y+C')=0$$

특히 $m=-1$이면 두 원의 교점을 지나는 직선의 방정식이다.

4-1 두 원 $x^2+y^2+6x-5=0$, $x^2+y^2-4x-2y+1=0$에 대하여 다음 물음에 답하시오.

(1) 두 원의 교점과 점 $(-1,\ -1)$을 지나는 원의 방정식을 구하시오.

(2) 두 원의 교점을 지나는 직선의 방정식을 구하시오.

up 4-2 원 $x^2+y^2+2x-4y=0$과 직선 $x-y+2=0$의 교점과 점 $(1,\ 0)$을 지나는 원의 방정식을 구하시오.

대표 Q5

움직이는 점이 나타내는 도형의 방정식

◆ 정답 및 풀이 127쪽

두 점 $A(2, 2)$, $B(-1, -1)$에 대하여 $\overline{PA} : \overline{PB} = 1 : 2$를 만족시키는 점 P는 원 위를 움직인다. 다음 물음에 답하시오.

(1) 점 P가 움직이는 원의 중심의 좌표와 반지름의 길이를 구하시오.

(2) 선분 OP의 길이의 최댓값과 최솟값을 구하시오. (단, O는 원점이다.)

날선 Guide (1) $2\overline{PA} = \overline{PB}$이므로 $4\overline{PA}^2 = \overline{PB}^2$

$P(x, y)$라 하면

$$4\{(x-2)^2+(y-2)^2\}=(x+1)^2+(y+1)^2$$

이 식을 정리하면 점 P가 움직이는 원의 방정식을 구할 수 있다.

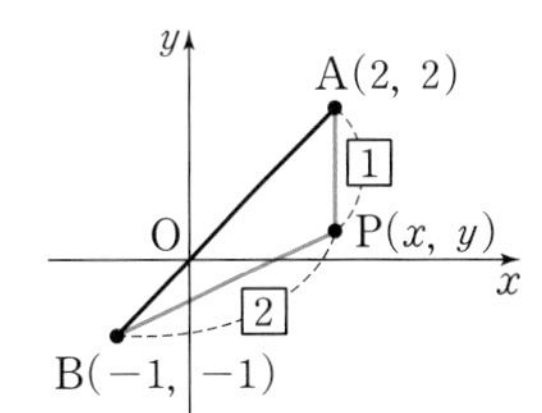

(2) 그림과 같이 점 P가 원점 O와 원의 중심을 연결한 직선 위의 점일 때, 선분 OP의 길이가 최대 또는 최소이다.
이와 같이 원 위를 움직이는 점에 대한 최댓값 또는 최솟값은 원의 지름 또는 반지름을 이용할 수 있는지 확인한다.

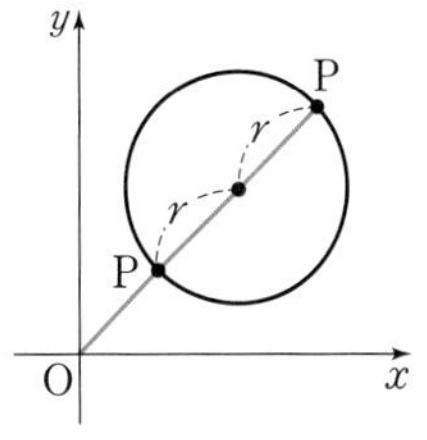

답 (1) 중심의 좌표 : $(3, 3)$, 반지름의 길이 : $2\sqrt{2}$ (2) 최댓값 : $5\sqrt{2}$, 최솟값 : $\sqrt{2}$

점 P가 움직이는 도형의 방정식
➡ $P(x, y)$로 놓고 x, y의 관계식을 구한다.

5-1 두 점 $A(-2, 0)$, $B(3, 0)$에 대하여 다음 물음에 답하시오.

(1) $\overline{PA} : \overline{PB} = 2 : 3$인 점 P가 그리는 도형의 길이를 구하시오.

(2) 선분 AB를 $2 : 3$으로 내분하는 점과 외분하는 점을 연결하는 선분이 지름인 원의 방정식을 구하시오.

5-2 두 점 $A(1, 1)$, $B(5, 3)$에 대하여 점 P가 $\overline{PA}^2 + \overline{PB}^2 = 28$을 만족시킬 때, 다음 물음에 답하시오.

(1) 점 P가 그리는 도형의 넓이를 구하시오.

(2) 선분 OP의 길이의 최댓값과 최솟값을 구하시오. (단, O는 원점이다.)

16-4 원과 직선의 위치 관계

원 $f(x, y)=0$과 직선 $y=mx+n$에서 y를 소거한 방정식 $f(x, mx+n)=0$의 판별식을 D라 하면

	방정식의 해	원과 직선의 위치 관계
$D>0$	두 실근	두 점에서 만난다.
$D=0$	중근	한 점에서 만난다.(접한다.)
$D<0$	허근	만나지 않는다.

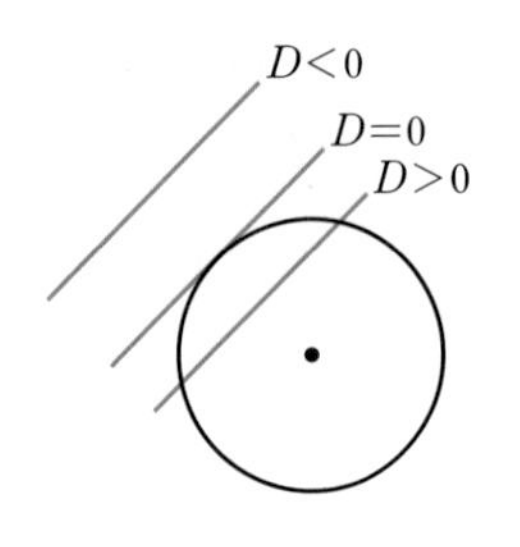

원과 직선의 위치 관계 ($D>0$)

판별식을 이용하면 원과 직선의 위치 관계를 알 수 있다.

원 $x^2+y^2=4$와 직선 $y=-x+1$에서 y를 소거하면

$$x^2+(-x+1)^2=4,\ 2x^2-2x-3=0 \quad \cdots ㉠$$

판별식이 $D=(-2)^2-4\times2\times(-3)>0$이므로 ㉠은 두 실근을 가진다. 그리고 원과 직선은 두 점에서 만나고 두 실근은 그림에서 교점의 x좌표이다.

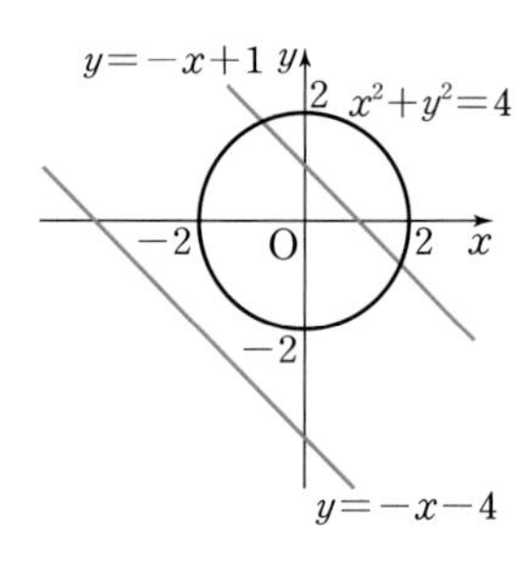

원과 직선의 위치 관계 ($D<0$)

원 $x^2+y^2=4$와 직선 $y=-x-4$에서 y를 소거하면

$$x^2+(-x-4)^2=4,\ x^2+4x+6=0 \quad \cdots ㉡$$

판별식이 $D=4^2-4\times1\times6<0$이므로 ㉡은 허근을 가진다.
그리고 원과 직선은 만나지 않는다.

원과 직선의 위치 관계 ($D=0$)

원 $x^2+y^2=4$와 직선 $y=-x+2\sqrt{2}$에서 y를 소거하면

$$x^2+(-x+2\sqrt{2})^2=4,\ x^2-2\sqrt{2}x+2=0 \quad \cdots ㉢$$

판별식이 $D=(-2\sqrt{2})^2-4\times1\times2=0$이므로 ㉢은 중근을 가진다. 그리고 원과 직선은 한 점에서 만나고(접하고) 접점의 x좌표는 ㉢의 해 $x=\sqrt{2}$이다.

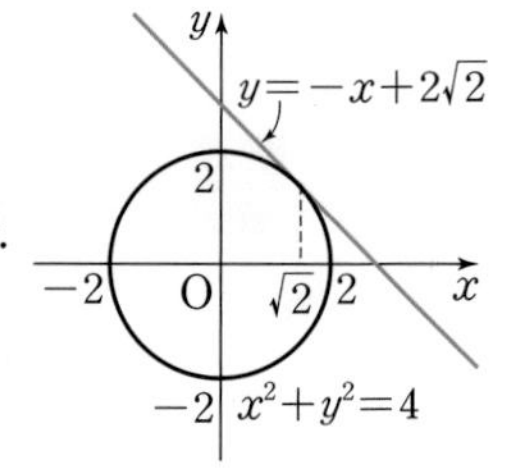

거리를 이용한 원과 직선의 위치 관계

원의 중심과 직선 사이의 거리 d와 원의 반지름의 길이 r를 비교해도 원과 직선의 위치 관계를 알 수 있다.

(1) **$d<r$이면 두 점에서 만난다.**

(2) **$d=r$이면 한 점에서 만난다.(접한다.)**

(3) **$d>r$이면 만나지 않는다.**

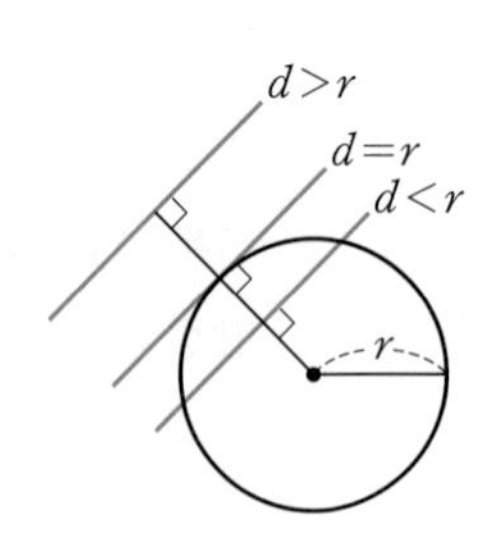

개념 Check

◆ 정답 및 풀이 128쪽

5 원 $x^2+y^2=2$와 다음 직선의 위치 관계를 구하시오.

(1) $2x+y=1$ (2) $2x-y=4$

16-5 원의 접선의 방정식

1 접선의 방정식을 구할 때에는

(1) 원의 접선의 성질을 이용한다. (2) 판별식을 이용한다.

2 원 $x^2+y^2=r^2$에 접하고

(1) 기울기가 m인 접선의 방정식 ➡ $y=mx\pm r\sqrt{m^2+1}$

(2) 원 위의 점 (x_1, y_1)에서의 접선의 방정식 ➡ $x_1x+y_1y=r^2$

기울기가 주어진 원의 접선의 방정식

원 $x^2+y^2=r^2$에 접하고 기울기가 m인 접선의 방정식은 다음과 같이 구한다.

방법 1 원의 접선의 성질 이용

접선의 방정식을 $y=mx+k$라 하자.

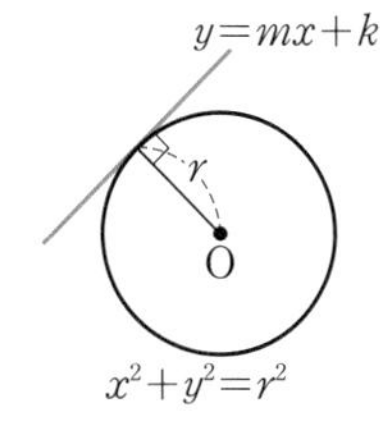

원의 중심 O와 접선 사이의 거리가 반지름의 길이 r이므로

$$\frac{|k|}{\sqrt{m^2+1}}=r \qquad \therefore k=\pm r\sqrt{m^2+1}$$

따라서 접선은 2개이고 접선의 방정식은 $\boldsymbol{y=mx\pm r\sqrt{m^2+1}}$

방법 2 판별식 이용

접선의 방정식을 $y=mx+k$라 하고 $x^2+y^2=r^2$에 대입하면

$$x^2+(mx+k)^2=r^2,\ (m^2+1)x^2+2mkx+k^2-r^2=0$$

접하므로 $\dfrac{D}{4}=m^2k^2-(m^2+1)(k^2-r^2)=0$

$$-k^2+r^2(m^2+1)=0 \qquad \therefore k=\pm r\sqrt{m^2+1}$$

따라서 접선의 방정식은 $y=mx\pm r\sqrt{m^2+1}$

예를 들어 원 $x^2+y^2=4$에 접하고 기울기가 -2인 접선의 방정식은

$$y=-2x\pm2\sqrt{(-2)^2+1},\ \text{곧}\ y=-2x\pm2\sqrt{5}$$

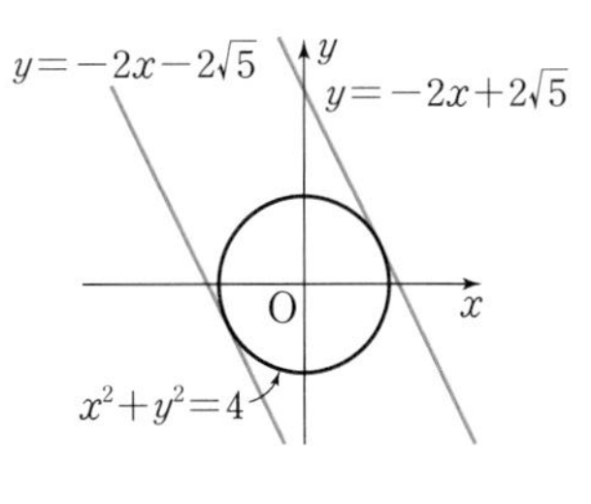

원 위의 점에서의 접선의 방정식

원 $x^2+y^2=r^2$ 위의 점 $A(x_1, y_1)$에서 접하는 직선의 방정식은 다음과 같이 구한다.

방법 1 원의 접선의 성질 이용

반지름 OA와 접선이 수직이고 $x_1\neq0$, $y_1\neq0$일 때,

반지름 OA의 기울기가 $\dfrac{y_1}{x_1}$이므로 접선의 기울기는 $-\dfrac{x_1}{y_1}$이다.

따라서 점 $A(x_1, y_1)$을 지나는 접선의 방정식은

$$y-y_1=-\frac{x_1}{y_1}(x-x_1),\ x_1x+y_1y={x_1}^2+{y_1}^2$$

점 A는 원 위의 점이므로 ${x_1}^2+{y_1}^2=r^2$이다.

따라서 접선의 방정식은 $\boldsymbol{x_1x+y_1y=r^2}$

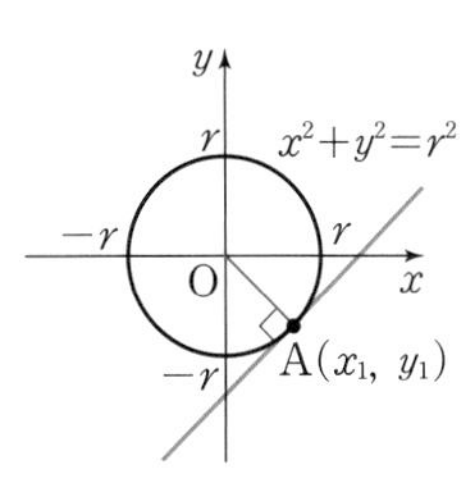

16 원의 방정식

$x_1=0$일 때, $y_1=\pm r$이므로 접선의 방정식은 $y=\pm r$

$y_1=0$일 때, $x_1=\pm r$이므로 접선의 방정식은 $x=\pm r$

따라서 $x_1=0$ 또는 $y_1=0$일 때에도 $x_1x+y_1y=r^2$은 성립한다.

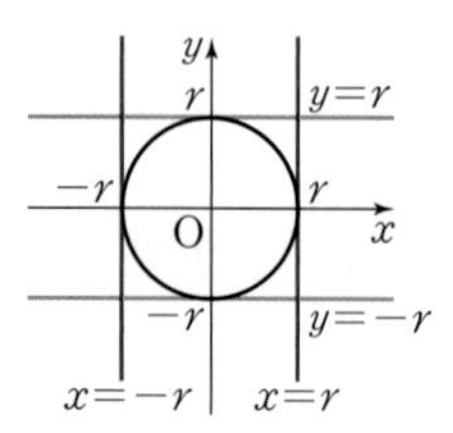

방법 2 판별식 이용

$y_1\neq0$일 때 접선의 방정식을 $y=m(x-x_1)+y_1$이라 하고 $x^2+y^2=r^2$에 대입하면

$$x^2+(mx-mx_1+y_1)^2=r^2$$

$$(m^2+1)x^2-2m(mx_1-y_1)x+m^2x_1^2-2mx_1y_1+y_1^2-r^2=0$$

$x_1^2+y_1^2=r^2$이므로

$$(m^2+1)x^2-2m(mx_1-y_1)x+m^2x_1^2-2mx_1y_1-x_1^2=0$$

접하므로

$$\frac{D}{4}=m^2(mx_1-y_1)^2-(m^2+1)(m^2x_1^2-2mx_1y_1-x_1^2)=0$$

$$y_1^2m^2+2x_1y_1m+x_1^2=0,\ (y_1m+x_1)^2=0$$

곧, $m=-\dfrac{x_1}{y_1}$이므로

$$y=-\frac{x_1}{y_1}(x-x_1)+y_1,\ x_1x+y_1y=x_1^2+y_1^2$$

$x_1^2+y_1^2=r^2$이므로 접선의 방정식은 $x_1x+y_1y=r^2$

예를 들어 원 $x^2+y^2=4$ 위의 점 $(\sqrt{3},\ 1)$에서의 접선의 방정식은

$$\sqrt{3}x+y=4$$

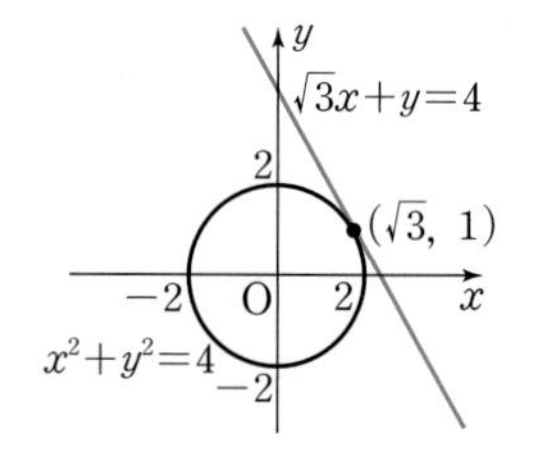

참고 접선에 대한 공식 $y=mx\pm r\sqrt{m^2+1}$과 $x_1x+y_1y=r^2$은 원의 중심이 원점일 때에만 성립한다. 원의 중심이 원점이 아닌 경우 도형의 성질이나 판별식을 이용하여 접선을 구해야 한다.

개념 Check

◆ 정답 및 풀이 128쪽

6 원 $x^2+y^2=9$에 접하고 기울기가 3인 접선의 방정식을 모두 구하시오.

7 원 $x^2+y^2=r^2$에 직선 $y=-x+2$가 접할 때, 양수 r의 값을 구하시오.

8 원 $x^2+y^2=8$ 위의 다음 점에서 접선의 방정식을 구하시오.

(1) $(2,\ 2)$　　　　(2) $(-2,\ 2)$

대표 Q6

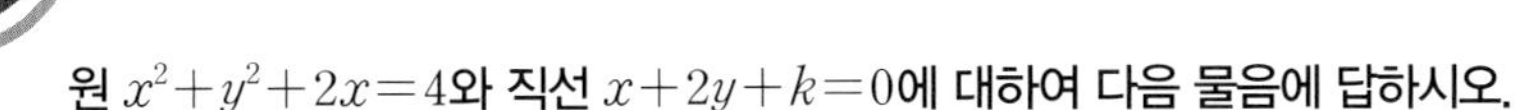

원과 직선의 위치 관계

◆ 정답 및 풀이 129쪽

원 $x^2+y^2+2x=4$와 직선 $x+2y+k=0$에 대하여 다음 물음에 답하시오.

(1) 두 점에서 만날 때, 실수 k값의 범위를 구하시오.

(2) 접할 때, 실수 k의 값을 모두 구하시오.

(3) 만나지 않을 때, 실수 k값의 범위를 구하시오.

날선 Guide $x^2+y^2+2x=4$에서

$$(x+1)^2+y^2=5$$

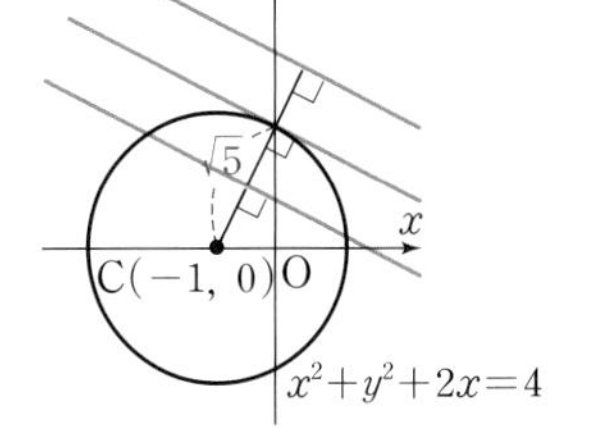

이므로 중심이 점 C$(-1, 0)$, 반지름의 길이가 $\sqrt{5}$인 원이다.
따라서 그림과 같이 원의 중심 C와 직선 사이의 거리 d와 반지름의 길이 r를 비교한다.

(1) $d<\sqrt{5}$ ➡ 두 점에서 만난다.

(2) $d=\sqrt{5}$ ➡ 접한다.(한 점에서 만난다.)

(3) $d>\sqrt{5}$ ➡ 만나지 않는다.

참고 $x^2+y^2+2x=4$와 $x+2y+k=0$에서
y를 소거하면 $x^2+\left(\frac{-x-k}{2}\right)^2+2x=4$
이 식에서 $D>0$, $D=0$, $D<0$일 조건을 찾아도 된다.
또 두 식에서 x를 소거하면 $(-2y-k)^2+y^2+2(-2y-k)=4$
이 식은 y에 대한 이차방정식이므로 역시 $D>0$, $D=0$, $D<0$일 조건을 찾아도 된다.

답 (1) $-4<k<6$ (2) $-4, 6$ (3) $k<-4$ 또는 $k>6$

원과 직선의 위치 관계
➡ 반지름의 길이와 원의 중심과 직선 사이의 거리 또는 이차방정식의 판별식을 이용한다.

6-1 원 $x^2+y^2-2y=r^2-1$과 직선 $y=-2x+4$에 대하여 다음 물음에 답하시오.

(1) 두 점에서 만날 때, 양수 r값의 범위를 구하시오.

(2) 접할 때, 양수 r의 값을 구하시오.

(3) 만나지 않을 때, 양수 r값의 범위를 구하시오.

현의 길이

◆ 정답 및 풀이 129쪽

원 C_1 : $x^2+y^2-2x-8=0$에 대하여 다음 물음에 답하시오.

(1) 원 C_1과 직선 $y=2x+k$가 만나서 생기는 현의 길이가 4일 때, k의 값을 모두 구하시오.

(2) 원 C_1과 원 C_2 : $x^2+y^2-6x+2y-14=0$이 만나서 생기는 현의 길이를 구하시오.

날선 Guide (1) 원 C_1의 중심 O_1에서 현에 내린 수선의 발을 H라 하면
수선 O_1H가 현을 수직이등분하므로 $\overline{AH}=2$
또 $\overline{O_1A}$는 반지름의 길이이다.
이를 이용하여 삼각형 AO_1H에서 선분 O_1H의 길이를 구한 다음,
점과 직선 사이의 거리 공식을 이용하여 상수 k의 값을 구한다.

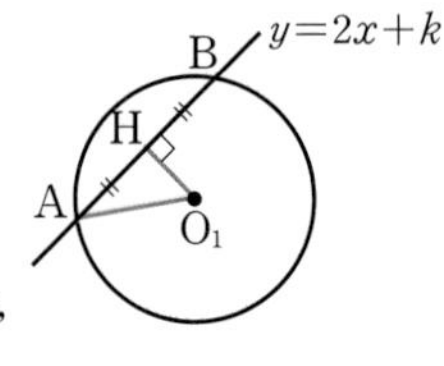

(2) 두 원의 교점을 지나는 직선의 방정식은

$$(x^2+y^2-2x-8)$$
$$+m(x^2+y^2-6x+2y-14)=0$$

으로 놓고 $m=-1$을 대입하면 구할 수 있다. → C_1-C_2라 생각해도 된다.
중심 O_1과 이 직선 사이의 거리를 구한 다음,
(1)과 같은 방법으로 현의 길이를 구한다.
두 원이 만나 생기는 현을 공통현이라 한다.

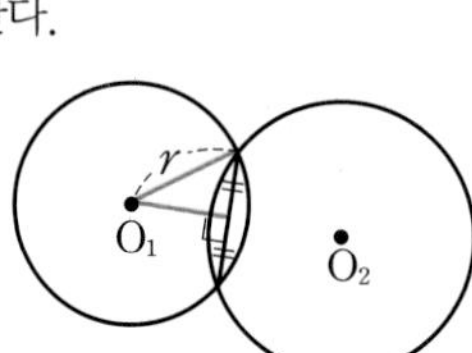

답 (1) -7, 3 (2) 4

- 현에 대한 문제
  ➡ 원의 중심에서 현에 내린 수선은 현을 수직이등분함을 이용한다.
- 공통현 ➡ 두 원의 교점을 지나는 직선의 방정식을 구한다.

7-1 원 $x^2+y^2+2x-4y-4=0$과 직선 $y=x+k$가 만나서 생기는 현의 길이가 4일 때, 상수 k의 값을 모두 구하시오.

up 7-2 두 원 C_1 : $x^2+y^2-5=0$, C_2 : $x^2+y^2-8x-6y+15=0$에 대하여 다음 물음에 답하시오.

(1) 공통현의 길이를 구하시오.

(2) 두 원의 교점을 지나는 원의 넓이의 최솟값을 구하시오.

대표 Q8 접선의 방정식

◆ 정답 및 풀이 130쪽

원 C : $(x+1)^2+(y-2)^2=8$에 대하여 다음 물음에 답하시오.

(1) 기울기가 2인 접선의 방정식을 모두 구하시오.

(2) 원 C 위의 점 $\mathrm{A}(1,\ 0)$에서 접하는 직선의 방정식을 구하시오.

(3) 원 C 밖의 점 $\mathrm{B}(2,\ 1)$을 지나는 접선의 방정식을 모두 구하시오.

날선 Guide 중심이 원점인 원, 곧 $x^2+y^2=r^2$ 꼴의 원이 아니므로 공식을 바로 이용할 수는 없다.
판별식을 이용하는 것보다 원과 접선의 성질을 이용하는 것이 편하다.

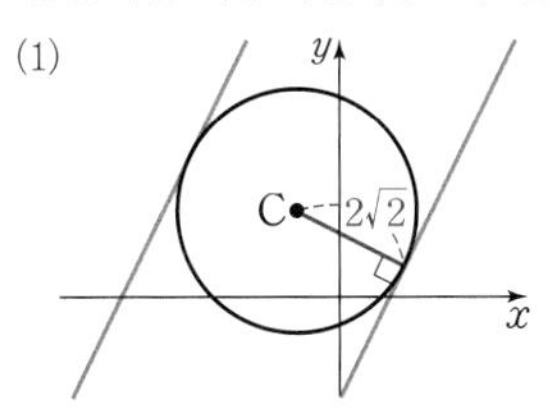

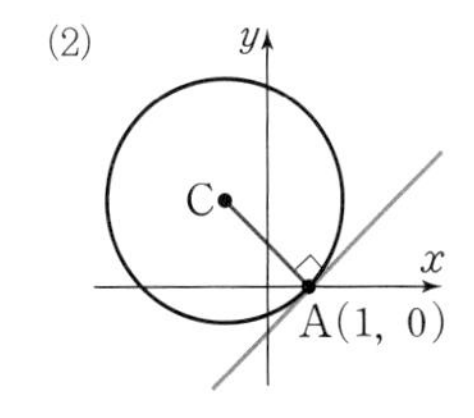

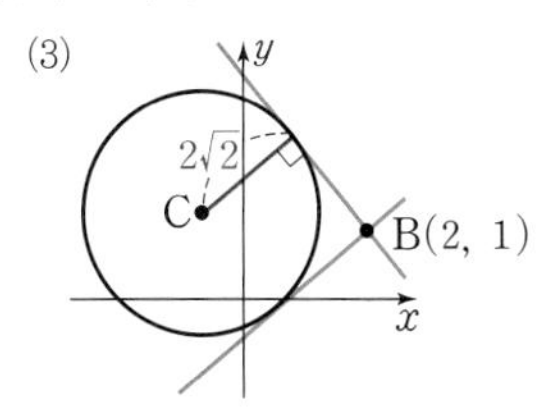

(1) 접선의 방정식을 $y=2x+k$로 놓고
원의 중심 $\mathrm{C}(-1,\ 2)$와 접선 사이의 거리가 반지름의 길이 $2\sqrt{2}$임을 이용한다.

참고 $y=2x+k$를 원의 방정식에 대입하면

$$(x+1)^2+(2x+k-2)^2=8$$

이 방정식이 중근을 가지므로 $D=0$임을 이용할 수도 있다.

(2) 접선의 방정식을 $y=m(x-1)$로 놓고 반지름 CA와 접선이 수직임을 이용한다.

(3) 접선의 방정식을 $y-1=m(x-2)$로 놓고
원의 중심 $\mathrm{C}(-1,\ 2)$와 접선 사이의 거리가 반지름의 길이 $2\sqrt{2}$임을 이용한다.

답 (1) $y=2x+4+2\sqrt{10}$, $y=2x+4-2\sqrt{10}$
(2) $y=x-1$ (3) $y=-7x+15$, $y=x-1$

날선 Point 접선의 방정식을 구할 때는 다음 성질을 이용한다.

- 원의 중심과 접선 사이의 거리가 반지름의 길이와 같다.
- 접점에서의 반지름은 접선과 수직이다.

8-1 원 C : $x^2+y^2+2y-1=0$에 대하여 다음 물음에 답하시오.

(1) 기울기가 1인 접선의 방정식을 모두 구하시오.

(2) 원 C 위의 점 $\mathrm{A}(1,\ 0)$에서 접하는 직선의 방정식을 구하시오.

(3) 원 C 밖의 점 $\mathrm{B}(2,\ 3)$을 지나는 접선의 방정식을 모두 구하시오.

원과 점 또는 직선 사이의 거리

◆ 정답 및 풀이 131쪽

원 C : $x^2+y^2+6x-4y+4=0$에 대하여 다음 물음에 답하시오.

(1) 점 A(3, 0)에서 원에 그은 접선이 원과 만나는 점을 P라 할 때, 선분 PA의 길이를 구하시오.

(2) 원 C 위를 움직이는 점 Q와 직선 $x+y=5$ 사이의 거리의 최댓값을 구하시오.

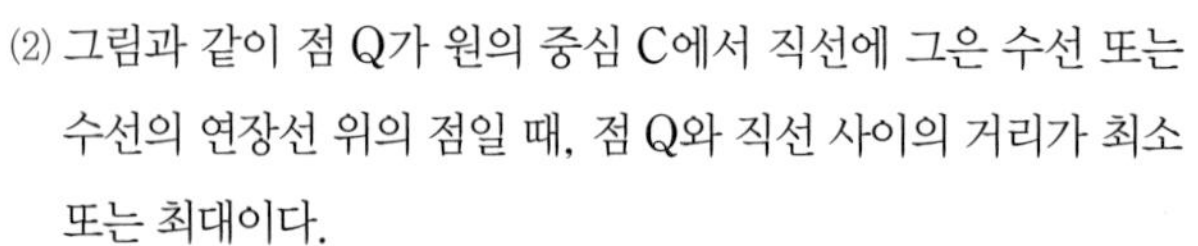

날선 Guide (1) 원의 중심을 C, 반지름의 길이를 r라 하면 직선 PA가 접선이므로

$$\angle CPA=90°,\ \overline{CP}=r$$

따라서 피타고라스 정리를 이용하여 선분 PA의 길이를 구한다.

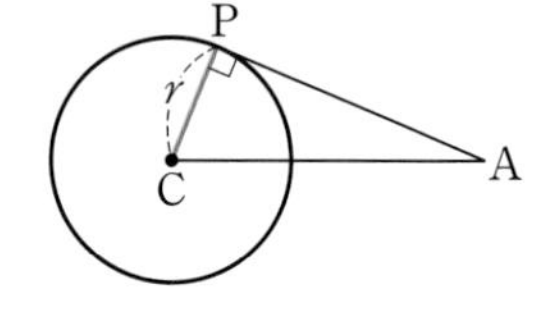

(2) 그림과 같이 점 Q가 원의 중심 C에서 직선에 그은 수선 또는 수선의 연장선 위의 점일 때, 점 Q와 직선 사이의 거리가 최소 또는 최대이다.
따라서 원의 중심과 직선 사이의 거리와 반지름의 길이를 이용한다.

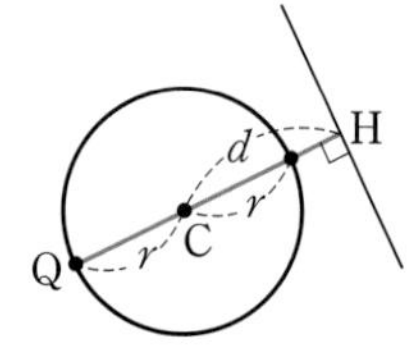

답 (1) $\sqrt{31}$ (2) $3+3\sqrt{2}$

날선 Point

- 접선의 길이
  ➡ 접선은 접점을 지나는 반지름에 수직임을 이용한다.
- 원과 직선 사이의 거리의 최댓값과 최솟값
  ➡ 원의 중심과 직선 사이의 거리와 반지름의 길이를 이용한다.

9-1 점 A(0, −3)에서 원 C : $x^2+y^2+2x-4y-4=0$에 그은 접선의 접점을 P라 할 때, 다음 물음에 답하시오.

(1) 선분 PA의 길이를 구하시오.

(2) 원 C의 중심과 두 점 P, A를 지나는 원의 방정식을 구하시오.

9-2 원 $x^2+y^2-2x+4y+3=0$ 위를 움직이는 점 P와 두 점 A(2, −5), B(4, −3)이 꼭짓점인 삼각형 PAB의 넓이의 최댓값과 최솟값을 구하시오.

◆ 정답 및 풀이 132쪽

16 원의 방정식

01 $x^2+y^2+3axy-4x+2y+b=0$은 반지름의 길이가 2인 원의 방정식이다. $a+b$의 값은?

① 1　② 2　③ 3　④ 4　⑤ 5

02 원 $x^2+y^2+2(a-2)x-4ay+7a^2-3=0$의 넓이가 최대일 때, 원의 중심의 좌표를 구하시오.

03 두 원 $x^2+y^2+4x-6y-3=0$, $x^2+y^2-2x+8y+13=0$의 넓이를 동시에 이등분하는 직선의 방정식을 구하시오.

04 중심이 직선 $y=x$ 위에 있고 두 점 $(0, -1)$, $(3, 2)$를 지나는 원의 방정식을 구하시오.

05 두 점 $(0, -2)$, $(-1, -5)$를 지나고 x축에 접하는 원의 방정식을 모두 구하시오.

06 두 원 $x^2+y^2+6x-4y=0$, $x^2+y^2-2x+4y=20$의 교점을 지나고 중심이 y축 위에 있는 원의 방정식을 구하시오.

07 두 원 $x^2+y^2-3x+ay+5=0$, $x^2+y^2+2x+4y+1=0$의 교점을 지나는 직선이 직선 $x+5y-2=0$과 수직으로 만날 때, a의 값을 구하시오.

08 두 점 $\mathrm{A}(-3, 2)$, $\mathrm{B}(1, 4)$에 대하여 $\angle \mathrm{APB}=90^\circ$를 만족시키는 점 P가 움직이는 도형의 방정식은?

① $(x-1)^2+(y+3)^2=5$　② $(x+1)^2+(y-3)^2=5$
③ $(x-1)^2+(y-3)^2=5$　④ $(x+1)^2+(y+3)^2=10$
⑤ $(x+1)^2+(y-3)^2=10$

09 원 $(x-2)^2+(y-6)^2=r^2$과 직선 $3x+4y+5=0$이 두 점에서 만날 때, 양의 정수 r의 최솟값을 구하시오.

10 그림과 같이 원 $x^2+y^2-2x-4y+k=0$과 직선 $2x-y+5=0$이 두 점 A, B에서 만난다. $\overline{\mathrm{AB}}=4$일 때, k의 값은?

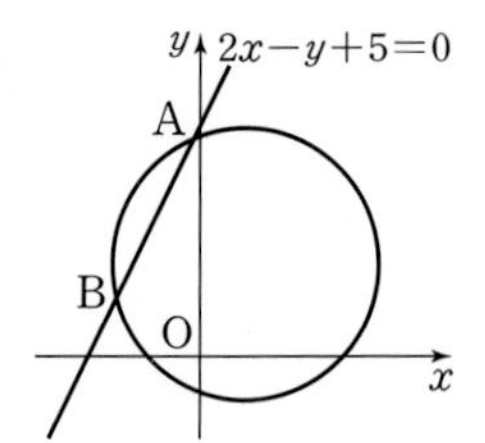

① -4　② -3　③ -2
④ -1　⑤ 0

11 원 $C : x^2+y^2=5$에 대하여 다음 물음에 답하시오.

(1) 원 C 위의 점 $\mathrm{A}(1, 2)$에서 접하는 직선의 방정식을 구하시오.
(2) 원 C에 접하고 기울기가 2인 직선의 방정식을 모두 구하시오.
(3) 점 $\mathrm{B}(3, -1)$에서 원 C에 그은 접선의 방정식을 모두 구하시오.

12 점 $A(-3, 2)$에서 원 $(x-1)^2+y^2=r^2$에 그은 두 접선이 이루는 각의 크기가 $60°$일 때, 양수 r의 값을 구하시오.

13 원 $x^2+y^2-4x-2y=a-3$이 x축과 만나고 y축과 만나지 않을 때, 실수 a값의 범위를 구하시오.

14 중심이 직선 $x+y-5=0$ 위에 있고 x축의 양의 부분에서 접하는 원이 있다. 원과 y축이 만나서 생기는 현의 길이가 2일 때, 원의 반지름의 길이는?

① $\frac{8}{5}$ ② $\frac{9}{5}$ ③ 2 ④ $\frac{13}{5}$ ⑤ $\frac{14}{5}$

15 원 $x^2+y^2+8x-6y+16=0$과 제2사분면 위에서 외접하고 x축, y축에 동시에 접하는 원은 2개이다. 두 원의 넓이의 합을 구하시오.

16 직선 $y=x+k$가 두 원 $x^2+(y-3)^2=1$, $(x-4)^2+y^2=1$ 사이를 지날 때, 실수 k값의 범위를 구하시오.

17 두 원 $x^2+y^2=8$, $x^2+y^2-4x+4y+4=0$의 교점을 이은 선분의 중점의 좌표를 구하시오.

교육청 기출

18 원 $C: x^2+y^2-5x=0$ 위의 점 P가 다음 조건을 모두 만족시킨다.

> (가) $\overline{OP}=3$
> (나) 점 P는 제1사분면 위의 점이다.

원 C 위의 점 P에서의 접선의 기울기를 구하시오. (단, O는 원점이다.)

교육청 기출

19 두 원 $C_1: x^2+y^2=1$, $C_2: x^2+y^2-8x+6y+21=0$ 이 있다. 그림과 같이 x축 위의 점 P에서 원 C_1에 그은 한 접선의 접점을 Q, 점 P에서 원 C_2에 그은 한 접선의 접점을 R라 하자. $\overline{PQ}=\overline{PR}$일 때, 점 P의 x좌표는?

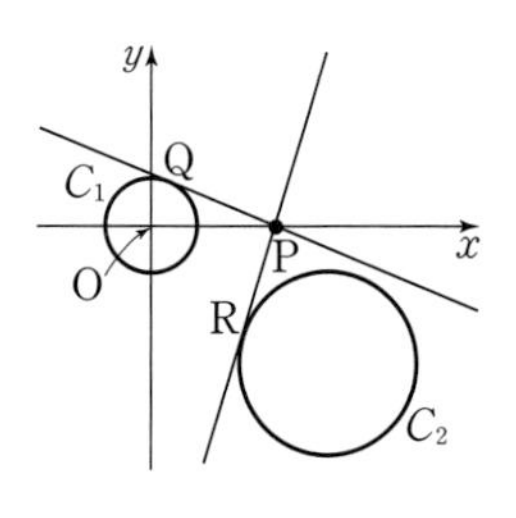

① $\dfrac{19}{8}$　② $\dfrac{5}{2}$　③ $\dfrac{21}{8}$　④ $\dfrac{11}{4}$　⑤ $\dfrac{23}{8}$

20 두 원 $x^2+y^2=20$, $(x-a)^2+y^2=4$가 두 점에서 만난다. 두 교점을 이은 선분의 길이가 최대일 때, 양수 a의 값을 구하시오.

교육청 기출

21 원 $C: (x-1)^2+(y-2)^2=4$와 두 점 A(4, 3), B(1, 7)이 있다. 점 P가 원 C 위를 움직일 때, 삼각형 PAB의 무게중심과 직선 AB 사이의 거리의 최솟값은?

① $\dfrac{1}{15}$　② $\dfrac{2}{15}$　③ $\dfrac{1}{5}$　④ $\dfrac{4}{15}$　⑤ $\dfrac{1}{3}$

정답 개수 : /21　오답 번호 Check :

좌표평면에서 점의 이동뿐 아니라 직선, 원, 포물선과 같은 도형의 이동도 생각할 수 있다. 또 좌표평면에서 도형의 이동을 수학적으로 다루는 데 기본이 되는 것으로 평행이동과 대칭이동이 있다. 평행이동은 어떤 점이나 도형을 위, 아래, 왼쪽, 오른쪽으로 이동하는 것이고, 대칭이동은 어떤 점이나 도형을 점 또는 직선에 대하여 같은 거리만큼 반대쪽으로 이동하는 것이다. 평행이동과 대칭이동에 의해 도형의 위치는 변하지만, 도형의 크기나 모양은 변하지 않는다.

점과 도형의 평행이동, 대칭이동을 이해하면 평행이동하거나 대칭이동한 점의 좌표와 도형의 방정식도 구할 수 있다. 방정식으로 나타낸 도형을 평행이동, 대칭이동한 결과는 어떻게 나타내는지 알아보자.

도형의 이동

17-1 평행이동

개념

x축 방향으로 m만큼, y축 방향으로 n만큼 평행이동하면

1 점 : $(x, y) \longrightarrow (x+m, y+n)$

2 도형 : $f(x, y)=0 \longrightarrow f(x-m, y-n)=0$

점, 도형의 평행이동

점 $(2, 1)$을

x축 방향으로 3만큼, y축 방향으로 2만큼

평행이동하면 점 $(5, 3)$이다.

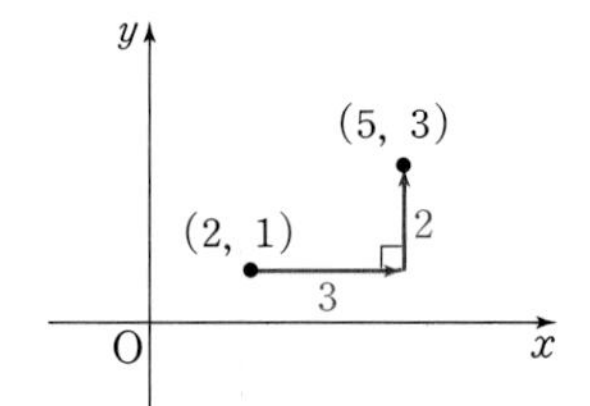

또 원 $x^2+y^2=2^2$을

x축 방향으로 3만큼, y축 방향으로 2만큼

평행이동하면 원 $(x-3)^2+(y-2)^2=2^2$이다.

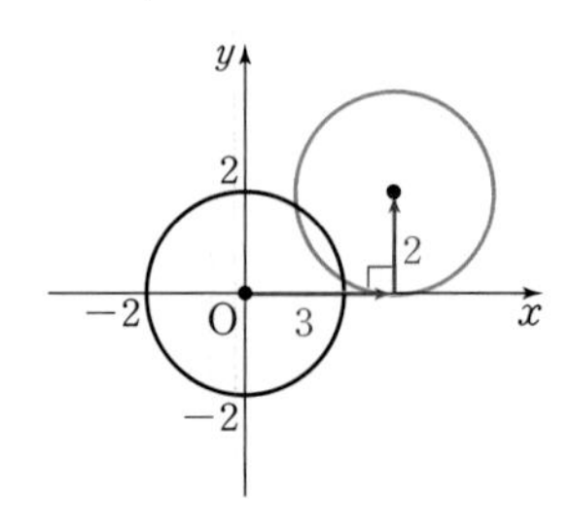

따라서 다음과 같이 정리할 수 있다.

점 : $(2, 1) \longrightarrow (2+3, 1+2)$ (x좌표 $+3$, y좌표 $+2$)

도형 : $x^2+y^2=2^2 \longrightarrow (x-3)^2+(y-2)^2=2^2$ (x에 -3, y에 -2)

도형 $f(x, y)=0$의 평행이동

도형 $f(x, y)=0$ 위의 점 $\mathrm{P}(x, y)$를

x축 방향으로 m만큼, y축 방향으로 n만큼

평행이동한 점을 $\mathrm{P}'(x', y')$이라 하면

$x'=x+m$, $y'=y+n$

곧, $x=x'-m$, $y=y'-n$

x, y를 $f(x, y)=0$에 대입하면

$f(x'-m, y'-n)=0$ $\cdots$ ㉠

따라서 평행이동한 점 $\mathrm{P}'(x', y')$은 ㉠이 나타내는 도형 위의 점이다.

x'을 x로, y'을 y로 바꾸면

$\boldsymbol{f(x-m, y-n)=0}$ $\longrightarrow$ x, y에 $x-m$, $y-n$을 대입

개념 Check

◆ 정답 및 풀이 137쪽

1 다음을 x축 방향으로 -2만큼, y축 방향으로 -1만큼 평행이동한 점의 좌표 또는 도형의 방정식을 구하시오.

(1) 원점 (2) 점 $(2, 1)$ (3) 원 $x^2+y^2=3$

17-2 축, 원점에 대칭이동

	점 (x, y)	도형 $f(x, y)=0$
x축에 대칭이동	$(x, -y)$	$f(x, -y)=0$
y축에 대칭이동	$(-x, y)$	$f(-x, y)=0$
원점에 대칭이동	$(-x, -y)$	$f(-x, -y)=0$

점과 도형이 같은 꼴이다.

축, 원점에 대한 점의 대칭이동

그림과 같이 점 A$(2, 1)$을

x축에 대칭이동하면 $(2, -1)$,

y축에 대칭이동하면 $(-2, 1)$,

원점에 대칭이동하면 $(-2, -1)$

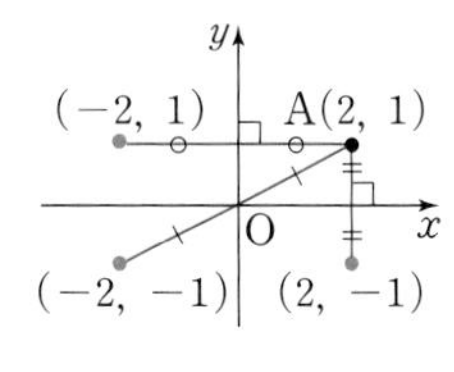

이다. 점 (x, y)의 경우도 좌표평면에서 생각하면 다음과 같다.

x축에 대칭이동 : $(x, y) \longrightarrow (x, -y)$

y축에 대칭이동 : $(x, y) \longrightarrow (-x, y)$

원점에 대칭이동 : $(x, y) \longrightarrow (-x, -y)$

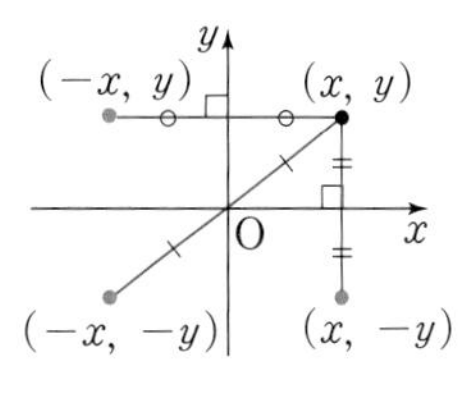

축, 원점에 대한 도형의 대칭이동

점 (x, y)를 x축에 대칭이동하면 점 $(x, -y)$이므로

도형 $f(x, y)=0$ 위의 점 P(x, y)를 x축에 대칭이동한

점을 P$'(x', y')$이라 하면 $x'=x$, $y'=-y$

곧, $x=x'$, $y=-y'$이므로 $f(x, y)=0$에 대입하면

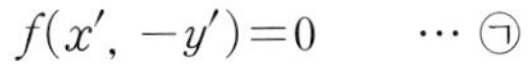

$f(x', -y')=0$ $\cdots$ ㉠

따라서 점 P$'(x', y')$은 ㉠이 나타내는 도형 위의 점이다.

x'을 x로, y'을 y로 바꾸면 $\boldsymbol{f(x, -y)=0}$

예를 들어 직선 $x-y-1=0$을 x축에 대칭이동하면

$x-y-1=0 \longrightarrow x+y-1=0$ → y에 $-y$를 대입

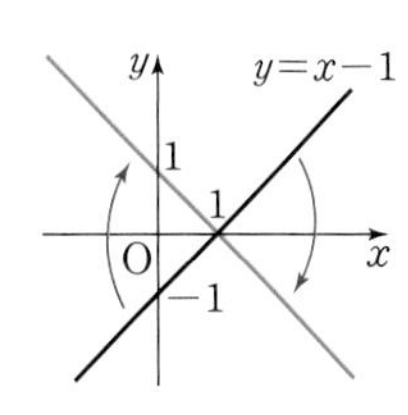

같은 방법으로 생각하면

y축에 대칭이동 : $f(x, y)=0 \longrightarrow f(-x, y)=0$ → x에 $-x$를 대입

원점에 대칭이동 : $f(x, y)=0 \longrightarrow f(-x, -y)=0$ → x, y에 $-x$, $-y$를 대입

개념 Check

◆ 정답 및 풀이 137쪽

2 다음을 x축, y축, 원점에 대칭이동한 점의 좌표 또는 도형의 방정식을 구하시오.

(1) 점 $(-2, 3)$ (2) 직선 $x+2y-3=0$

17-3 직선 $y=x$, $y=-x$에 대칭이동

	점 (x, y)	도형 $f(x, y)=0$
직선 $y=x$에 대칭이동	(y, x)	$f(y, x)=0$
직선 $y=-x$에 대칭이동	$(-y, -x)$	$f(-y, -x)=0$

점과 도형이 같은 꼴이다.

직선 $y=x$에 대한 점의 대칭이동

점 $\mathrm{A}(3, 1)$을 직선 $y=x$에 대칭이동한 점을 B라 하면

그림에서 $\triangle \mathrm{OAA'} \equiv \triangle \mathrm{OBB'}$

따라서 점 B의 좌표는 x와 y가 바뀌어 $\mathrm{B}(1, 3)$이다.

같은 이유로

$$\textbf{직선 } y=x\textbf{에 대칭이동} : (x, y) \longrightarrow (y, x)$$

이다.

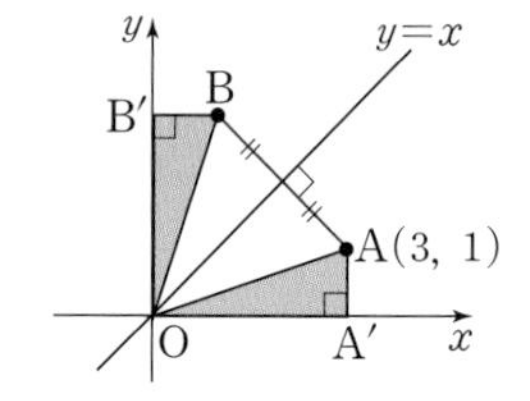

직선 $y=x$에 대한 도형의 대칭이동

도형 $f(x, y)=0$ 위의 점 $\mathrm{P}(x, y)$를 직선 $y=x$에 대칭이동한 점을 $\mathrm{P'}(x', y')$이라 하면 $x'=y$, $y'=x$

곧, $x=y'$, $y=x'$이므로 $f(x, y)=0$에 대입하면

$$f(y', x')=0$$

x'을 x로, y'을 y로 바꾸면 $\boldsymbol{f(y, x)=0}$

곧, 도형에서도 점의 대칭이동과 같이 x와 y를 바꾸면 된다.

예를 들어 직선 $2x-3y+1=0$을 직선 $y=x$에 대칭이동한 직선은 $2y-3x+1=0$이다.

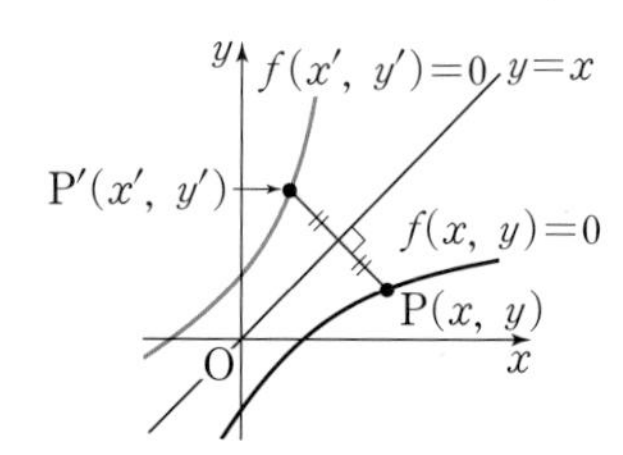

직선 $y=-x$에 대칭이동

점 $\mathrm{A}(3, 1)$을 직선 $y=-x$에 대칭이동한 점을 C라 하면

C는 A를 직선 $y=x$에 대칭이동한 점 $\mathrm{B}(1, 3)$을 원점에 대칭이동한 점이므로 $\mathrm{C}(-1, -3)$이다.

이와 같이 직선 $y=-x$에 대칭이동하면 직선 $y=x$에 대칭이동한 다음, 원점에 대칭이동했다고 생각하면 된다.

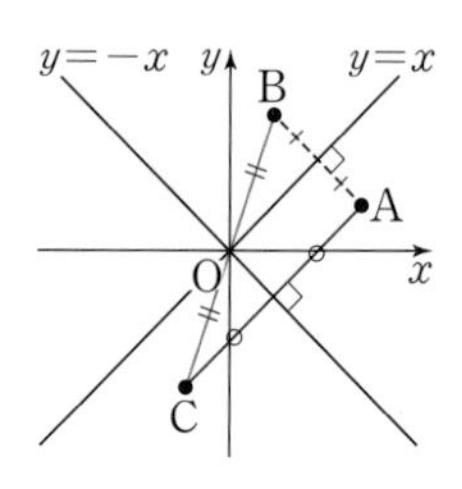

점 : $(x, y) \xrightarrow{y=x\text{에 대칭}} (y, x) \xrightarrow{\text{원점에 대칭}} (-y, -x)$

도형 : $f(x, y)=0 \xrightarrow{y=x\text{에 대칭}} f(y, x)=0 \xrightarrow{\text{원점에 대칭}} f(-y, -x)=0$

개념 Check

◆ 정답 및 풀이 137쪽

3 다음을 직선 $y=x$, $y=-x$에 대칭이동한 점의 좌표 또는 도형의 방정식을 구하시오.

(1) 점 $(-2, 3)$

(2) 직선 $x+2y-3=0$

17-4 점, 축에 평행한 직선에 대칭이동

	점 (x, y)	도형 $f(x, y)=0$
점 (a, b)에 대칭이동	$(2a-x,\ 2b-y)$	$f(2a-x,\ 2b-y)=0$
직선 $x=a$에 대칭이동	$(2a-x,\ y)$	$f(2a-x,\ y)=0$
직선 $y=b$에 대칭이동	$(x,\ 2b-y)$	$f(x,\ 2b-y)=0$

점과 도형이 같은 꼴이다.

점의 점, 축에 평행한 직선에 대한 대칭이동

(i) 점 $P(x, y)$를 점 $A(a, b)$에 대칭이동한 점을 $P'(x', y')$이라 하면 A는 선분 PP′의 중점이므로

$$a=\frac{x+x'}{2},\ b=\frac{y+y'}{2}$$

곧, $x'=2a-x,\ y'=2b-y$이므로 $P'(2a-x,\ 2b-y)$이다.

(ii) 점 $P(x, y)$를 직선 $x=a$에 대칭이동한 점을 $P_1(x_1, y_1)$이라 하면

$$\frac{x+x_1}{2}=a,\ y=y_1$$

이므로 $P_1(2a-x,\ y)$이다.

같은 방법으로 점 $P(x, y)$를 직선 $y=b$에 대칭이동한 점을 $P_2(x_2, y_2)$라 하면

$$x=x_2,\ \frac{y+y_2}{2}=b$$

이므로 $P_2(x,\ 2b-y)$이다.

이와 같이 점이나 직선에 대칭이동한 문제는

① **점 $P(x, y)$를 대칭이동한 점을 $P'(x', y')$이라 하고**

② **중점, 수직이등분선의 성질을 이용하여 x와 x', y와 y'의 관계를 구한다.**

도형의 점에 대한 대칭이동

도형 $f(x, y)=0$을 점 (a, b)에 대칭이동한 도형의 방정식은 다음과 같이 구한다.

도형 $f(x, y)=0$ 위의 점 $P(x, y)$를 대칭이동한 점을 $P'(x', y')$이라 하면

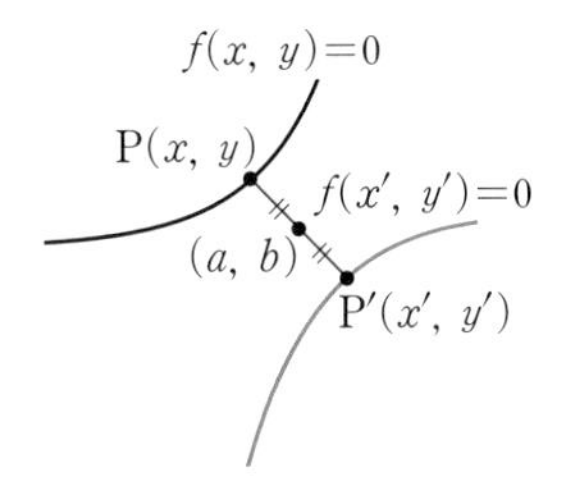

$$x'=2a-x,\ y'=2b-y$$

곧, $x=2a-x',\ y=2b-y'$을 $f(x, y)=0$에 대입하면

$$f(2a-x',\ 2b-y')=0$$

x'을 x로, y'을 y로 바꾸면 $f(2a-x,\ 2b-y)=0$

개념 Check

정답 및 풀이 137쪽

4 점 $(4, -1)$을 다음에 대칭이동한 점의 좌표를 구하시오.

(1) 점 $(1, -2)$ (2) 직선 $y=1$

평행이동

◆ 정답 및 풀이 137쪽

점 $(2, 3)$을 점 $(4, 0)$으로 옮기는 평행이동에 대하여 다음 물음에 답하시오.

(1) 원점으로 이동하는 점의 좌표를 구하시오.

(2) 직선 $2x+3y-1=0$이 이동하는 직선의 방정식을 구하시오.

(3) 원 $x^2+y^2-4x+2y+1=0$이 이동하는 원의 방정식을 구하시오.

날선 Guide 점 $(2, 3)$을 점 $(4, 0)$으로 옮기는 평행이동은 x축 방향으로 2만큼, y축 방향으로 -3만큼 평행이동하는 것이다.

(1) 구하는 점의 좌표를 (a, b)라 하면 평행이동한 점의 좌표는 $(a+2, b-3)$이다.

(2) $2x+3y-1=0$의 x에 $x-2$, y에 $y+3$을 대입하면 된다.

(3) 주어진 식을 완전제곱 꼴로 고친 다음 x에 $x-2$, y에 $y+3$을 대입하는 것이 편하다.

답 (1) $(-2, 3)$ (2) $2x+3y+4=0$ (3) $(x-4)^2+(y+4)^2=4$

날선 Point x축 방향으로 m만큼, y축 방향으로 n만큼 평행이동하면

점 : $(x, y) \longrightarrow (x+m, y+n)$ — 부호 그대로

도형 : $f(x, y)=0 \longrightarrow f(x-m, y-n)=0$ — 부호 반대로

1-1 점 $(a, 3)$을 x축 방향으로 -2만큼, y축 방향으로 b만큼 평행이동한 점의 좌표가 $(1, 1)$일 때, 다음 물음에 답하시오.

(1) 원점이 이 평행이동에 의해 옮겨지는 점의 좌표를 구하시오.

(2) 직선 $2x-y-1=0$이 이 평행이동에 의해 이동하는 직선의 방정식을 구하시오.

(3) 원 $x^2+y^2-6x+2y+1=0$이 이 평행이동에 의해 이동하는 원의 방정식을 구하시오.

1-2 포물선 $y=x^2+3x$를 x축 방향으로 1만큼, y축 방향으로 n만큼 평행이동한 도형의 방정식이 $y=x^2+ax+2$일 때, 상수 a, n의 값을 구하시오.

대표 Q2 원의 대칭이동

◆ 정답 및 풀이 138쪽

원 $x^2+y^2+2x-4y-4=0$을 다음 점이나 직선에 대칭이동한 원의 방정식을 구하시오.

(1) x축 (2) 원점 (3) 직선 $y=x$

(4) 점 $\mathrm{A}(1,\ -1)$ (5) 직선 $x=-3$

날선 Guide 원을 평행이동하거나 대칭이동하면 반지름의 길이는 변하지 않으므로 원의 중심만 찾아 평행이동하거나 대칭이동하면 된다.

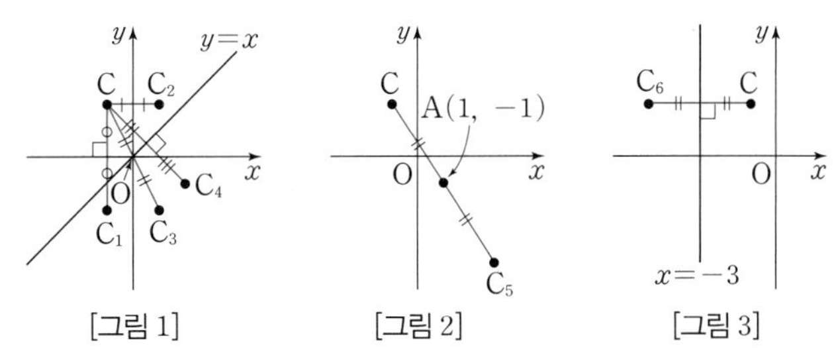

[그림 1] [그림 2] [그림 3]

(1)~(3) 원 $x^2+y^2+2x-4y-4=0$의 중심을 $\mathrm{C}(a,\ b)$라 할 때,

x축, y축, 원점, 직선 $y=x$에 대칭이동하면 [그림 1]과 같으므로 각각

$$\mathrm{C_1}(a,\ -b),\ \mathrm{C_2}(-a,\ b),\ \mathrm{C_3}(-a,\ -b),\ \mathrm{C_4}(b,\ a)$$

이다.

(4) 점 C와 점 $\mathrm{C_5}$가 점 A에 대칭이면 [그림 2]와 같이 A는 선분 $\mathrm{CC_5}$의 중점이다.

(5) 점 C와 점 $\mathrm{C_6}$이 직선 $x=-3$에 대칭이면 [그림 3]과 같이 C와 $\mathrm{C_6}$의 y좌표는 같고 x좌표의 평균은 -3이다.

답 (1) $(x+1)^2+(y+2)^2=9$ (2) $(x-1)^2+(y+2)^2=9$ (3) $(x-2)^2+(y+1)^2=9$

(4) $(x-3)^2+(y+4)^2=9$ (5) $(x+5)^2+(y-2)^2=9$

원의 평행이동, 대칭이동

➡ 반지름의 길이는 변하지 않으므로 원의 중심의 이동만 생각한다.

2-1 원 $x^2+y^2-6x+5=0$을 다음 점이나 직선에 대칭이동한 원의 방정식을 구하시오.

(1) x축 (2) y축 (3) 직선 $y=x$

(4) 직선 $y=-x$ (5) 점 $\mathrm{A}(4,\ 2)$ (6) 직선 $y=2$

대표 Q3 도형의 대칭이동

◆ 정답 및 풀이 139쪽

포물선 $y=2x^2-4x+3$을 다음 점이나 직선에 대칭이동한 도형의 방정식을 구하시오.

(1) x축　　(2) y축

(3) 원점　　(4) 직선 $y=-1$

날선 Guide 도형의 대칭이동은 점의 대칭이동과 같다.
따라서 그림과 같이 점의 대칭이동을 생각하면 도형의 대칭 이동도 쉽게 알 수 있다.

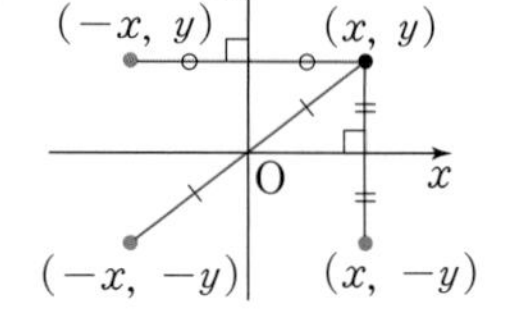

(1) x축에 대칭이동하면 y에 $-y$를 대입하여 정리한다.

(2) y축에 대칭이동하면 x에 $-x$를 대입하여 정리한다.

(3) 원점에 대칭이동하면 x에 $-x$, y에 $-y$를 대입하여 정리한다.

(4) $y=2x^2-4x+3$에서 $y=2(x-1)^2+1$이므로 직선 $y=-1$에 대칭이동한 포물선은 그림과 같다. 이 대칭이동에서 포물선의 폭은 변하지 않으므로 꼭짓점의 대칭이동만 생각해도 충분하다.

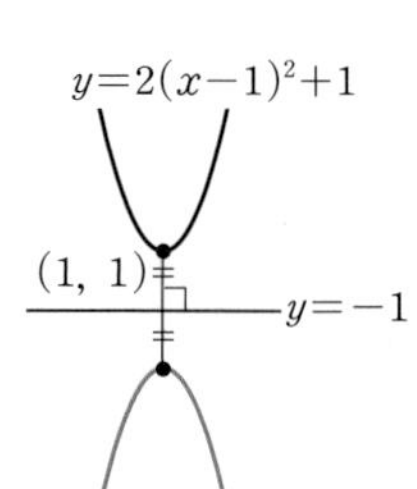

답 (1) $y=-2x^2+4x-3$　(2) $y=2x^2+4x+3$
(3) $y=-2x^2-4x-3$　(4) $y=-2(x-1)^2-3$

도형 $f(x, y)=0$을 x축에 대칭이동하면 $f(x, -y)=0$
y축에 대칭이동하면 $f(-x, y)=0$
원점에 대칭이동하면 $f(-x, -y)=0$

3-1 직선 $x+2y+3=0$을 y축에 대칭이동한 직선이 $ax+by-3=0$일 때, a, b의 값을 구하시오.

3-2 직선 $2x-y+2=0$을 원점에 대칭이동한 직선과 x축 방향으로 m만큼, y축 방향으로 $-2m$만큼 평행이동한 직선이 일치할 때, m의 값을 구하시오.

3-3 포물선 $y=-x^2+4x+2$를 다음 직선에 대칭이동한 도형의 방정식을 구하시오.

(1) x축　　(2) y축　　(3) 직선 $y=2$

대표 **Q4** **길이 합의 최솟값**

◆ 정답 및 풀이 139쪽

두 점 $\mathrm{A}(0, -1)$, $\mathrm{B}(5, 2)$와 직선 $y=x$ 위를 움직이는 점 P가 있다. $\overline{\mathrm{PA}}+\overline{\mathrm{PB}}$의 최솟값과 최소일 때 P의 좌표를 구하시오.

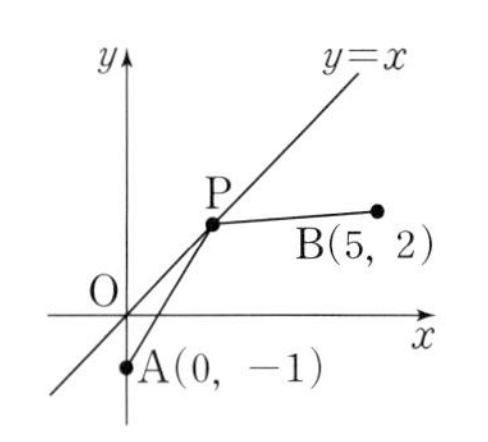

날선 Guide 점 B를 직선 $y=x$에 대칭이동한 점을 B′이라 하면
직선 $y=x$ 위의 점 P에 대하여 $\overline{\mathrm{PB}}=\overline{\mathrm{PB'}}$이므로

$$\overline{\mathrm{PA}}+\overline{\mathrm{PB}}=\overline{\mathrm{PA}}+\overline{\mathrm{PB'}}$$

그런데 $\overline{\mathrm{PA}}+\overline{\mathrm{PB'}}$은 선분 AB′의 길이보다 항상 크거나 같다.
따라서 P가 선분 AB′과 직선 $y=x$의 교점일 때, $\overline{\mathrm{PA}}+\overline{\mathrm{PB}}$의 값이 최소이다.
그리고 최솟값은 선분 AB′의 길이이다.
이 풀이법은 공식처럼 기억해야 한다.

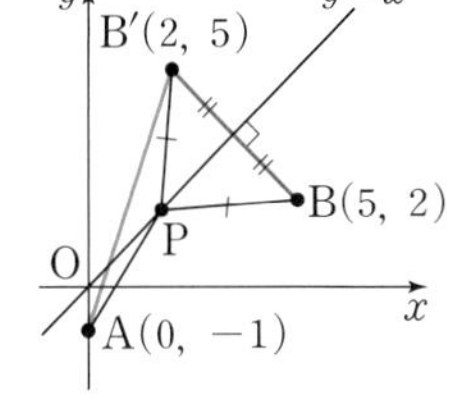

참고 점 P가 직선 $y=x$ 위의 점이므로 $\mathrm{P}(x, x)$로 놓고

$$\overline{\mathrm{PA}}^2+\overline{\mathrm{PB}}^2=\{(0-x)^2+(-1-x)^2\}+\{(5-x)^2+(2-x)^2\}$$

을 정리하면 $\overline{\mathrm{PA}}^2+\overline{\mathrm{PB}}^2$의 최솟값을 구할 수 있다.

답 최솟값 : $2\sqrt{10}$, $\mathrm{P}\left(\frac{1}{2}, \frac{1}{2}\right)$

길이 합의 최솟값에 관한 문제
➡ 대칭을 이용할 수 있는지 확인한다.

4-1 두 점 $\mathrm{A}(1, 5)$, $\mathrm{B}(4, 1)$과 x축 위를 움직이는 점 P가 있다. $\overline{\mathrm{PA}}+\overline{\mathrm{PB}}$의 최솟값과 최소일 때 P의 좌표를 구하시오.

4-2 두 점 $\mathrm{A}(1, 3)$, $\mathrm{B}(3, -1)$과 직선 $x+y=0$ 위를 움직이는 점 P가 있다. $\overline{\mathrm{PA}}+\overline{\mathrm{PB}}$의 최솟값을 구하시오.

그래프의 이동

◆ 정답 및 풀이 140쪽

함수 $y=f(x)$의 그래프가 그림과 같을 때, 다음 식의 그래프를 그리시오.

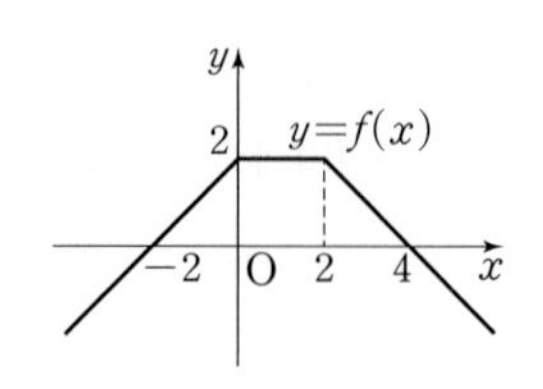

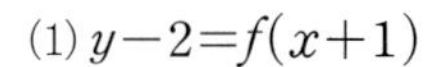
(1) $y-2=f(x+1)$ (2) $y=-f(x)$

(3) $y=|f(x)|$ (4) $x=f(y)$

날선 Guide (1) $y=f(x)$의 x에 $x-(-1)$, y에 $y-2$를 대입한 꼴이다.

$y=f(x)$의 그래프를 x축 방향으로 -1만큼, y축 방향으로 2만큼 평행이동하여 그린다.

(2) $-y=f(x)$이므로 $y=f(x)$의 y에 $-y$를 대입한 꼴이다.

$y=f(x)$의 그래프를 x축에 대칭이동하여 그린다.

(3) $f(x)\geq 0$일 때, $y=f(x)$이고

$f(x)<0$일 때, $y=-f(x)$이다.

$y=-f(x)$의 그래프는 $y=f(x)$의 그래프와 x축에 대칭이므로 그림과 같이 $y<0$인 부분을 x축에 대칭이동하여 그린다.

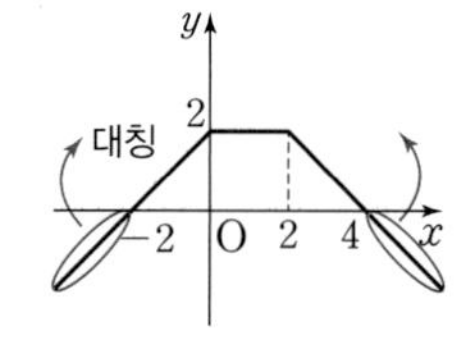

(4) x와 y가 바뀐 꼴이므로 직선 $y=x$에 대칭이동하면 된다.

그림과 같이 직선 $y=x$를 그리고 $y=f(x)$의 그래프를 직선 $y=x$에 대칭이동하여 그린다.

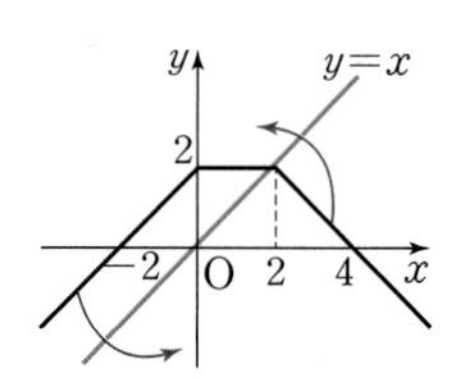

답 풀이 참조

절댓값을 포함한 그래프 ➡ 대칭이동을 생각한다.

5-1 함수 $y=f(x)$의 그래프가 그림과 같을 때, 다음 식의 그래프를 그리시오.

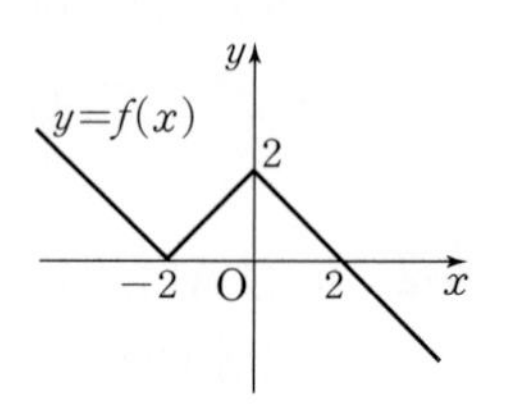

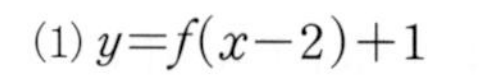
(1) $y=f(x-2)+1$ (2) $y=f(-x)$

(3) $y=|f(x)|$ (4) $x=f(y)$

날선 Q6 평행이동, 대칭이동한 도형의 방정식

◆ 정답 및 풀이 141쪽

그림에서 도형 A와 B는 지름의 길이가 1인 반원이다. A의 방정식이 $f(x, y)=0$일 때, 다음 물음에 답하시오.

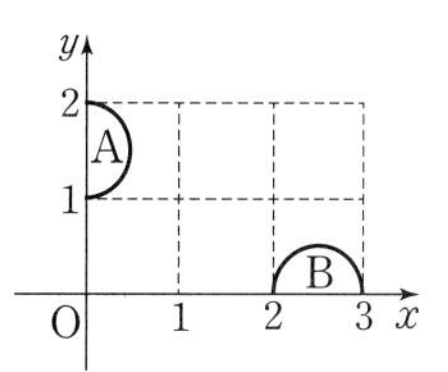

(1) B의 방정식이 $f(y+a,\ x+b)=0$일 때, a, b의 값을 구하시오.

(2) 방정식 $f(y+1,\ -x)=0$이 나타내는 도형을 그리시오.

날선 Guide (1) 그림과 같이 도형 C를 생각하면 대칭이동과 평행이동으로 나눌 수 있다.

(i) A → C : 직선 $y=x$에 대칭이동
이므로 도형의 방정식에서 x와 y를 바꾼다.

(ii) C → B : x축 방향으로 1만큼 평행이동
이므로 도형의 방정식의 x에 $x-1$을 대입한다.

(2) 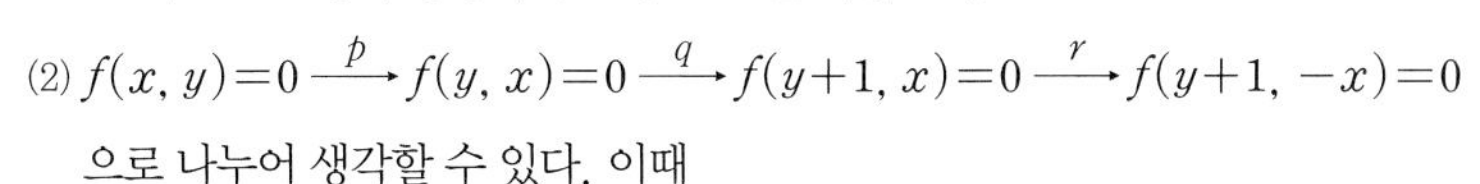
$f(x,\ y)=0 \xrightarrow{p} f(y,\ x)=0 \xrightarrow{q} f(y+1,\ x)=0 \xrightarrow{r} f(y+1,\ -x)=0$

으로 나누어 생각할 수 있다. 이때

p : x에 y, y에 x를 대입한 꼴이므로 직선 $y=x$에 대칭이동

q : y에 $y+1$을 대입한 꼴이므로 y축 방향으로 -1만큼 평행이동

r : x에 $-x$를 대입한 꼴이므로 y축에 대칭이동

이다.

답 (1) $a=0$, $b=-1$ (2) 풀이 참조

- x축 방향으로 m만큼, y축 방향으로 n만큼 평행이동하면

$f(x, y)=0 \Rightarrow f(x-m, y-n)=0$

$f(y, x)=0 \Rightarrow f(y-n, x-m)=0$

- x축에 대칭이동하면

$f(x, y)=0 \Rightarrow f(x, -y)=0$

$f(y, x)=0 \Rightarrow f(-y, x)=0$

6-1 그림에서 도형 A와 B는 지름의 길이가 1인 반원이다. A의 방정식이 $f(x, y)=0$일 때, 다음 물음에 답하시오.

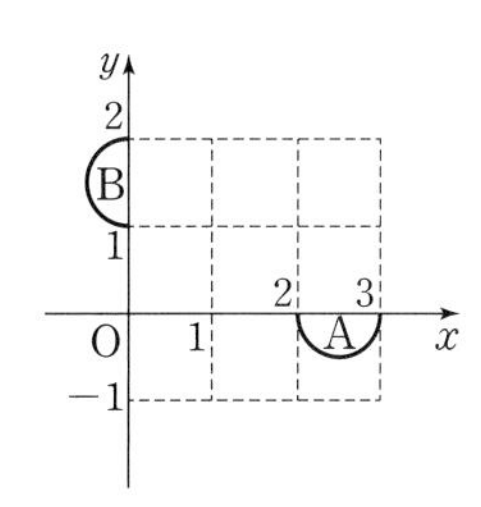

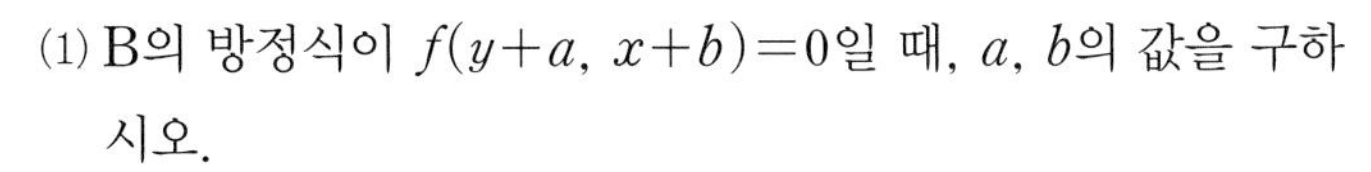
(1) B의 방정식이 $f(y+a,\ x+b)=0$일 때, a, b의 값을 구하시오.

(2) 방정식 $f(-y+1,\ x-1)=0$이 나타내는 도형을 그리시오.

01 직선 $2x-y+1=0$을 x축 방향으로 a만큼, y축 방향으로 b만큼 평행이동하였더니 직선 $2x-y+3=0$과 일치하였다. b를 a에 대한 식으로 나타내시오.

02 직선 $ax-y-b=0$을 x축 방향으로 -1만큼, y축 방향으로 2만큼 평행이동하면 직선 $x-2y+6=0$과 y축 위의 점에서 수직으로 만난다. a, b의 값을 구하시오.

03 점 $(3, 2)$를 직선 $y=x$에 대칭이동한 점을 A, 점 A를 원점에 대칭이동한 점을 B라 할 때, 선분 AB의 길이는?

① $2\sqrt{13}$ ② $3\sqrt{6}$ ③ $2\sqrt{14}$ ④ $\sqrt{58}$ ⑤ $2\sqrt{15}$

04 원 $x^2+y^2+10x-12y+45=0$을 원점에 대칭이동한 원을 C_1, 원 C_1을 x축 방향으로 -1만큼, y축 방향으로 3만큼 평행이동한 원을 C_2라 하자. 원 C_2의 중심의 좌표를 구하시오.

05 곡선 $y=x^2+2x+2$가 곡선 $y=-x^2+6x-10$과 점 (a, b)에 대칭일 때, a, b의 값을 구하시오.

06 두 점 A$(1, 5)$, B$(4, 1)$이 있다. 점 P가 x축 위를, 점 Q가 y축 위를 움직일 때, $\overline{AQ}+\overline{QP}+\overline{PB}$의 최솟값을 구하시오.

07 그림과 같은 직선 l과 l을 x축에 대칭이동한 직선, y축에 대칭이동한 직선, x축 방향으로 2만큼 평행이동한 직선으로 둘러싸인 도형의 넓이를 구하시오.

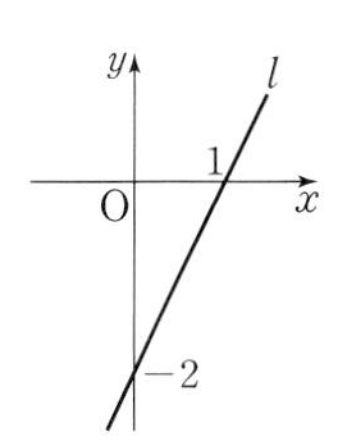

08 점 $(1, 1)$을 점 $(-1, k)$로 옮기는 평행이동에 의해 직선 $l: 3x-4y+4=0$이 옮겨진 직선을 l'이라 하자. l과 l' 사이의 거리가 2일 때, 양수 k의 값은?

① $\frac{1}{2}$ ② 1 ③ $\frac{3}{2}$ ④ 2 ⑤ $\frac{5}{2}$

교육청 기출

09 직선 $y=2x+k$를 x축 방향으로 2만큼, y축 방향으로 -3만큼 평행이동한 직선이 원 $x^2+y^2=5$와 한 점에서 만날 때, k의 값을 모두 구하시오.

10 곡선 $y=2(x-3)^2-1$을 직선 $x=1$에 대칭이동한 다음 직선 $y=3$에 대칭이동한 도형의 방정식을 구하시오.

11 점 $\mathrm{A}(1, 3)$을 직선 $3x-y-10=0$에 대칭이동한 점 B의 좌표를 구하시오.

12 원 $(x-2)^2+(y+1)^2=4$를 직선 l에 대칭이동하였더니 원 $(x+3)^2+(y-4)^2=4$가 되었다. 직선 l의 방정식을 구하시오.

교육청 기출

13 그림과 같이 두 대각선 AC, BD의 교점이 원점이고 네 변이 각각 x축 또는 y축에 평행한 직사각형 ABCD가 다음 조건을 만족시킬 때, 직사각형 ABCD의 넓이를 구하시오. (단, 점 A는 제2사분면 위의 점이다.)

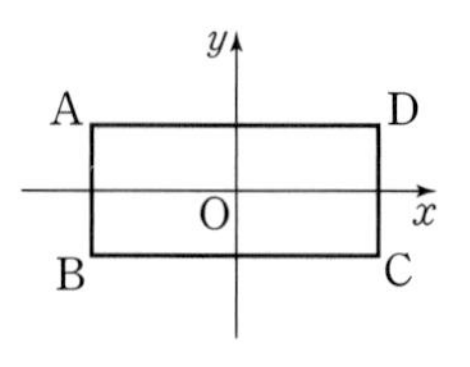

(가) $\overline{AD}>\overline{AB}>2$
(나) 직사각형 ABCD를 y축 방향으로 2만큼 평행이동한 직사각형의 내부와 직사각형 ABCD 내부와의 공통부분의 넓이는 18이다.
(다) 직사각형 ABCD를 직선 $y=x$에 대칭이동한 직사각형의 내부와 직사각형 ABCD 내부와의 공통부분의 넓이는 16이다.

14 그림과 같이 점 A$(-1, 0)$과 원 $C : (x+3)^2+(y-8)^2=5$가 있다. 점 P가 y축 위를 움직이고 점 Q가 원 C 위를 움직일 때, $\overline{AP}+\overline{PQ}$의 최솟값을 구하시오.

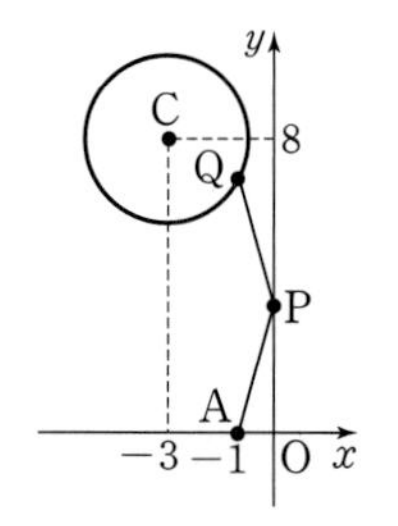

교육청 기출

15 방정식 $f(x, y)=0$이 나타내는 도형이 오른쪽 그림과 같은 ㄱ 모양일 때, 다음 중 방정식 $f(x+1, 2-y)=0$이 나타내는 도형은?

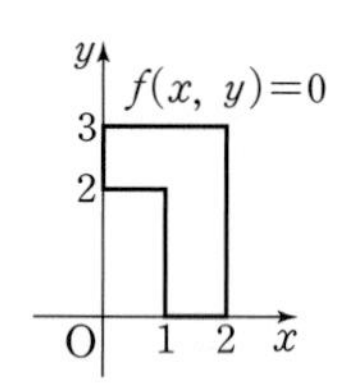

① 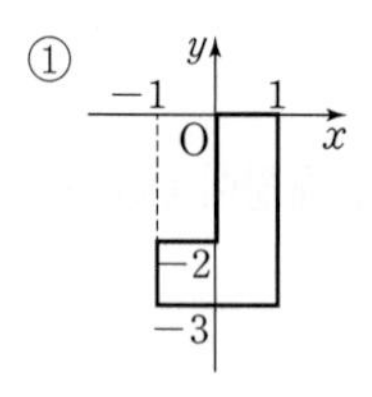

② 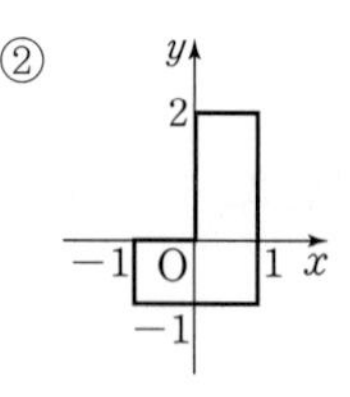

③ 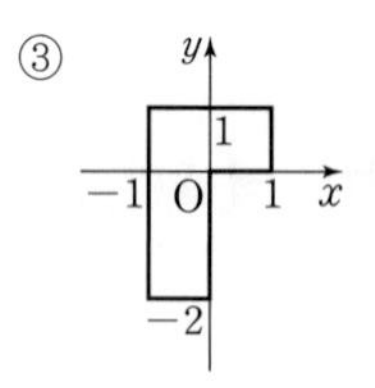

④ 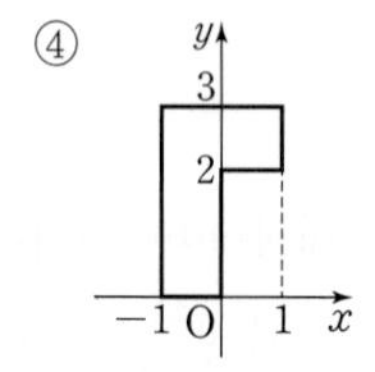

⑤ 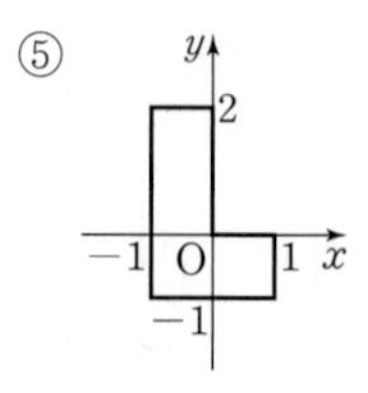

부록

• 도형의 기본 성질

도형의 기본 성질

❶ 평행선

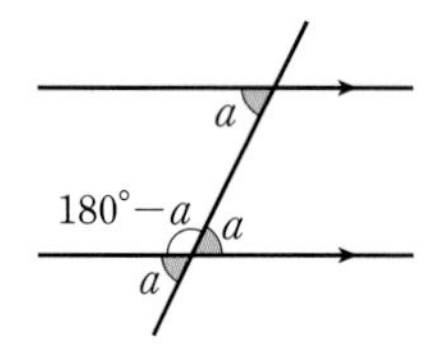

1-1 평행한 두 직선이 한 직선과 만날 때

① 동위각의 크기는 같다.

② 엇각의 크기는 같다.

③ 동측내각의 크기의 합은 180°이다.

1-2 두 직선이 한 직선과 만날 때

① 동위각의 크기가 같으면 두 직선은 평행하다.

② 엇각의 크기가 같으면 두 직선은 평행하다.

③ 동측내각의 크기의 합이 180°이면 두 직선은 평행하다.

❷ 삼각형의 합동

2-1 두 삼각형은 다음의 경우에 합동이다.

① 대응하는 세 변의 길이가 각각 같다. (SSS 합동)

② 대응하는 두 변의 길이가 각각 같고, 끼인각의 크기가 같다. (SAS 합동)

③ 대응하는 한 변의 길이가 같고, 양 끝 각의 크기가 각각 같다. (ASA 합동)

❸ 다각형의 성질

3-1 n각형의 한 꼭짓점에서 그을 수 있는 대각선의 개수는 $(n-3)$이다.

또 n각형의 모든 대각선의 개수는 $\frac{n(n-3)}{2}$이다.

3-2 삼각형의 한 외각의 크기는 그와 이웃하지 않는 두 내각의 크기의 합과 같다.

3-3 n각형의 내각의 크기의 합은 $180^\circ \times (n-2)$이다.

또 n각형의 외각의 크기의 합은 항상 360°이다.

❹ 부채꼴과 중심각

4-1 한 원 또는 합동인 두 원에서 중심각의 크기가 같은 두 부채꼴의 호의 길이와 넓이는 각각 같다.

4-2 반지름의 길이가 r이고 중심각의 크기가 a°인 부채꼴에서 호의 길이를 l, 넓이를 S라 하면

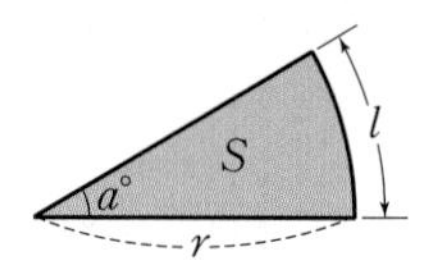

$l=2\pi r\times\frac{a}{360}$, $S=\pi r^2\times\frac{a}{360}$

❺ 정다면체

5-1 모든 면이 합동인 정다각형이고 각 꼭짓점에 모인 면의 개수가 같은 다면체를 정다면체라 한다.

정다면체는 다음의 5가지가 있다.

정사면체

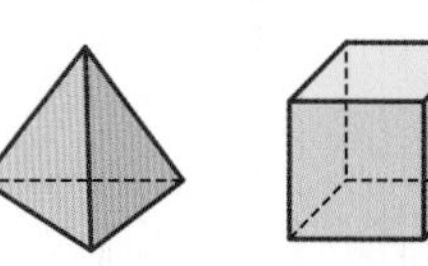

정육면체

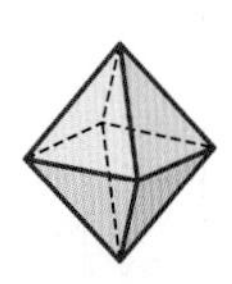

정팔면체

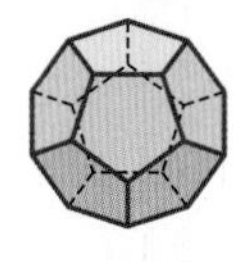

정십이면체

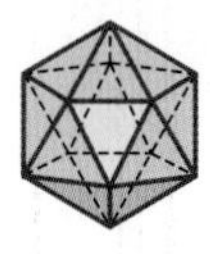

정이십면체

❻ 이등변삼각형의 성질

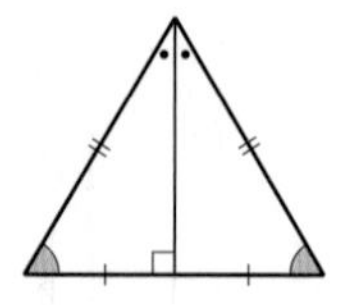

6-1 이등변삼각형의 두 밑각의 크기는 같다.

또 두 내각의 크기가 같은 삼각형은 이등변삼각형이다.

6-2 이등변삼각형의 꼭지각의 이등분선은 밑변을 수직이등분한다.

❼ 직각삼각형의 합동 조건

7-1 두 직각삼각형은 다음의 경우에 합동이다.

① 빗변의 길이와 한 예각의 크기가 각각 같다.
(RHA 합동)

② 빗변의 길이와 다른 한 변의 길이가 각각 같다.
(RHS 합동)

❽ 삼각형의 외심

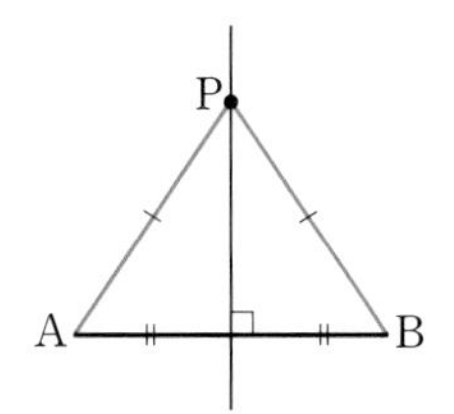

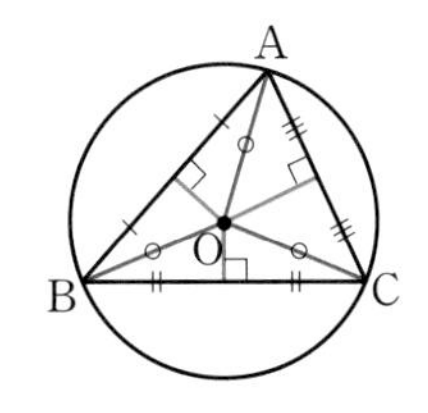

8-1 [수직이등분선의 성질] 선분 AB의 수직이등분선 위의 한 점 P에서 두 점 A, B에 이르는 거리는 같다.
또 한 점 P에서 두 점 A, B에 이르는 거리가 같으면 점 P는 선분 AB의 수직이등분선 위에 있다.

8-2 삼각형의 세 변의 수직이등분선은 한 점(외심)에서 만난다.

8-3 외심에서 세 꼭짓점에 이르는 거리는 같다.

❾ 삼각형의 내심

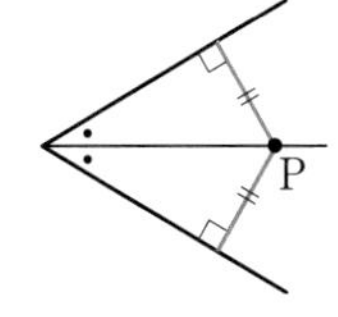

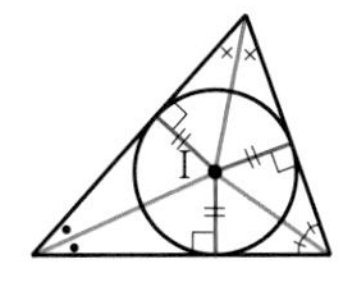

9-1 [각의 이등분선의 성질] 각의 이등분선 위의 한 점 P에서 각의 두 변에 이르는 거리는 같다.
또 각의 두 변에 이르는 거리가 같은 점 P는 각의 이등분선 위에 있다.

9-2 삼각형의 세 내각의 이등분선은 한 점(내심)에서 만난다.

9-3 내심에서 세 변에 이르는 거리는 같다.

❿ 삼각형의 무게중심

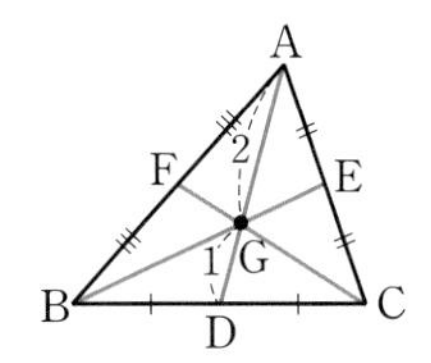

10-1 삼각형의 세 중선은 한 점(무게중심)에서 만난다.

10-2 무게중심은 중선의 길이를 꼭짓점으로부터 2 : 1로 나눈다.

➡ $\overline{AG}:\overline{GD}=\overline{BG}:\overline{GE}=\overline{CG}:\overline{GF}=2:1$

10-3 세 중선에 의해 나누어지는 6개의 삼각형의 넓이는 같다.

➡ $\triangle GAF=\triangle GBF=\triangle GBD=\triangle GCD$
$=\triangle GCE=\triangle GAE$

⓫ 삼각형의 수심, 방심

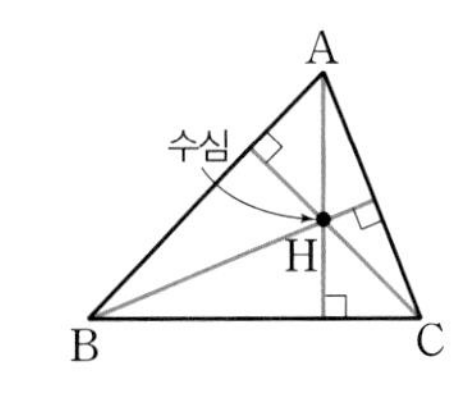

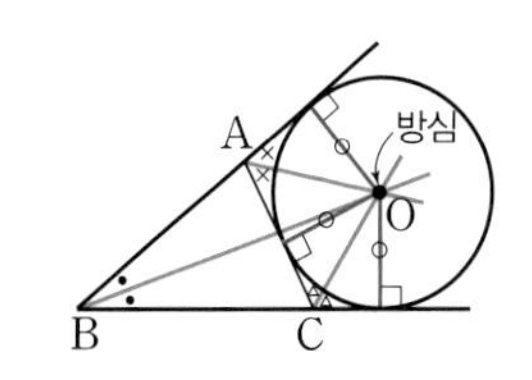

11-1 삼각형의 세 꼭짓점에서 그 대변 또는 대변의 연장선에 그은 수선은 한 점(수심)에서 만난다.

11-2 삼각형의 한 내각의 이등분선과 다른 두 외각의 이등분선은 한 점(방심)에서 만난다.
또 방심에서 삼각형의 두 변의 연장선과 나머지 한 변에 이르는 거리는 같다.

⓬ 평행사변형의 성질

12-1 평행사변형의 성질

① 두 쌍의 대변의 길이가 각각 같다.

② 두 쌍의 대각의 크기가 각각 같고, 이웃하는 두 내각의 크기의 합은 180°이다.

③ 두 대각선은 서로 이등분한다.

12-2 다음 조건 중 하나를 만족시키는 사각형은 평행사변형이다.

① 두 쌍의 대변이 각각 평행하다. (평행사변형의 뜻)

② 두 쌍의 대변의 길이가 각각 같다.

③ 두 쌍의 대각의 크기가 각각 같다.

④ 두 대각선은 서로 이등분한다.

⑤ 한 쌍의 대변이 평행하고 그 길이가 같다.

⑬ 마름모, 직사각형, 정사각형

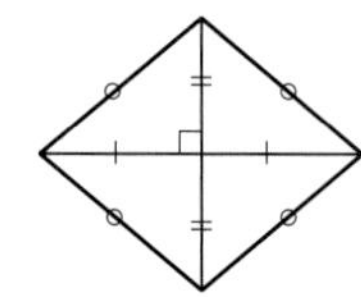
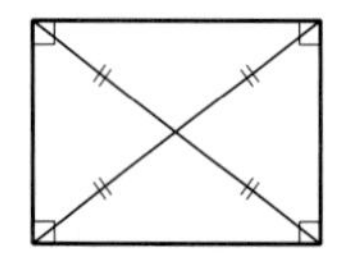
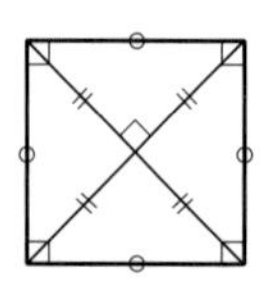

13-1 평행사변형이 다음 중 하나를 만족시키면 마름모이다.

① 이웃하는 두 변의 길이가 같다.

② 두 대각선이 수직으로 만난다.

13-2 평행사변형이 다음 중 하나를 만족시키면 직사각형이다.

① 이웃하는 두 내각의 크기가 같다. (또는 한 내각이 직각이다.)

② 두 대각선의 길이가 같다.

13-3 평행사변형이 다음 중 하나를 만족시키면 정사각형이다.

① 이웃하는 두 변의 길이가 같고, 이웃하는 두 내각의 크기가 같다.

② 두 대각선의 길이가 같고, 수직으로 만난다.

⑭ 삼각형의 닮음

14-1 두 삼각형은 다음의 경우에 닮음이다.

① 세 쌍의 대응하는 변의 길이의 비가 같다. (SSS 닮음)

② 두 쌍의 대응하는 변의 길이의 비가 같고, 끼인각의 크기가 같다.(SAS 닮음)

③ 두 쌍의 대응하는 각의 크기가 각각 같다. (AA 닮음)

⑮ 직각삼각형의 닮음과 길이의 비

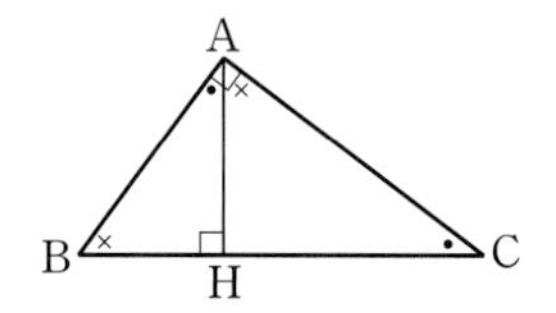

15-1 $\angle A=90°$인 삼각형 ABC에서

$\triangle ABC \backsim \triangle HBA \backsim \triangle HAC$

15-2 대응하는 변의 길이의 비에서

$\overline{AB}^2=\overline{BH}\times\overline{BC}$, $\overline{AC}^2=\overline{CH}\times\overline{CB}$,

$\overline{AH}^2=\overline{HB}\times\overline{HC}$

⑯ 삼각형과 평행선

16-1 $\overline{BC} /\!/ \overline{DE}$일 때

(1) $\overline{AB} : \overline{AD}=\overline{AC} : \overline{AE}=\overline{BC} : \overline{DE}$

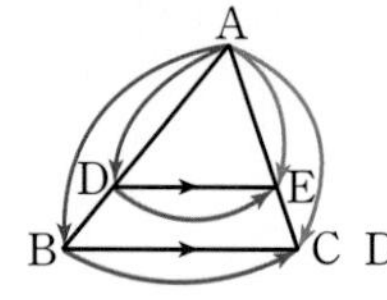

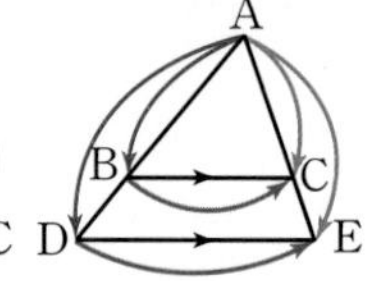

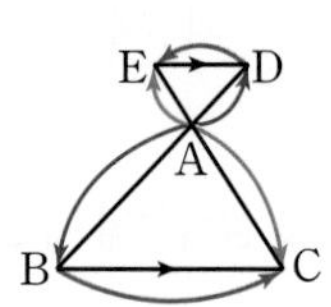

(2) $\overline{AD} : \overline{DB}=\overline{AE} : \overline{EC}$

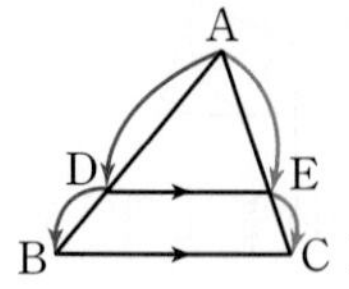

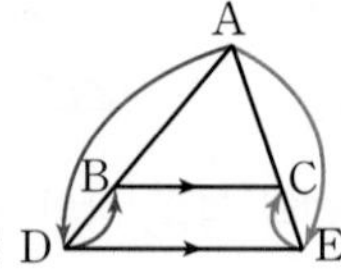

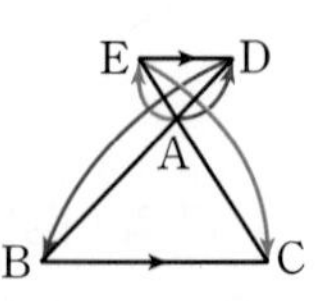

⑰ 삼각형에서 각의 이등분선과 길이의 비

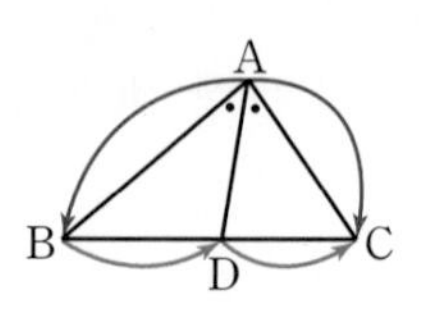

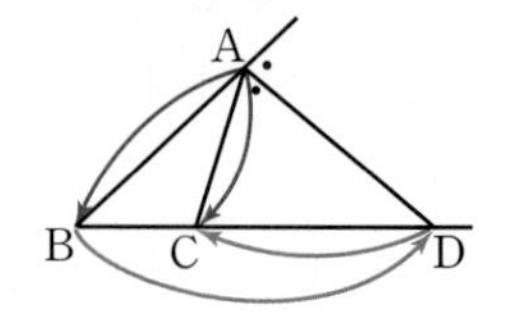

17-1 삼각형 ABC에서 $\angle A$의 이등분선이 변 BC와 만나는 점을 D라 하면 $\overline{AB} : \overline{AC} = \overline{BD} : \overline{DC}$

17-2 삼각형 ABC에서 $\angle A$의 외각의 이등분선이 변 BC의 연장선과 만나는 점을 D라 하면
$\overline{AB} : \overline{AC} = \overline{BD} : \overline{DC}$

⑱ 삼각형의 중점 연결 정리

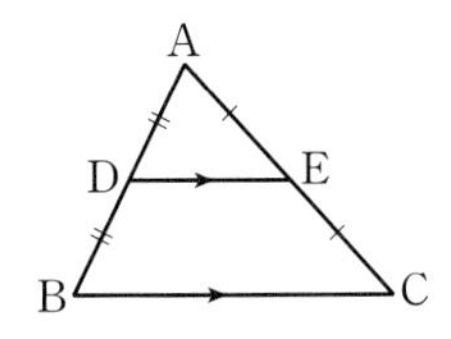

18-1 삼각형 ABC에서 변 AB와 AC의 중점을 각각 D, E라 하면 $\overline{BC} /\!/ \overline{DE}$, $\overline{DE} = \frac{1}{2}\overline{BC}$

18-2 삼각형 ABC에서 변 AB의 중점 D를 지나고 변 BC에 평행한 직선이 변 AC와 만나는 점을 E라 하면 점 E는 변 AC의 중점이다.

⑲ 피타고라스 정리

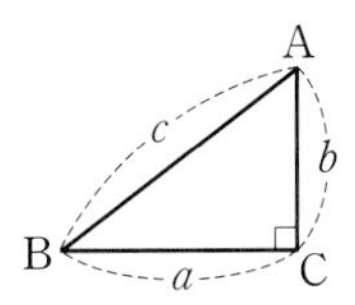

19-1 삼각형 ABC에서
$\overline{AB} = c$, $\overline{BC} = a$, $\overline{CA} = b$일 때
$\angle C = 90°$이면 $c^2 = a^2 + b^2$
또 $c^2 = a^2 + b^2$이면 $\angle C = 90°$

⑳ 직사각형, 정사각형의 대각선의 길이

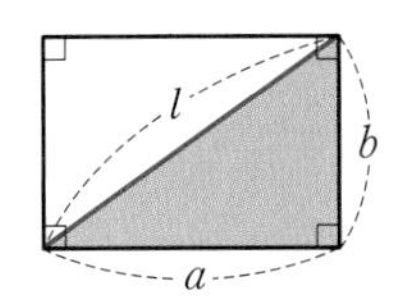

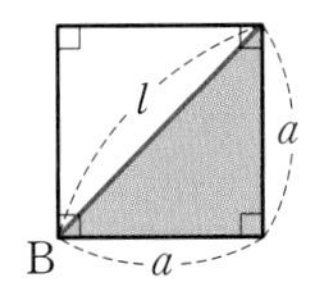

20-1 가로, 세로의 길이가 각각 a, b인 직사각형의 대각선의 길이를 l이라 하면 $l = \sqrt{a^2 + b^2}$

20-2 한 변의 길이가 a인 정사각형의 대각선의 길이를 l이라 하면 $l = \sqrt{2}a$

㉑ 정삼각형의 높이와 넓이

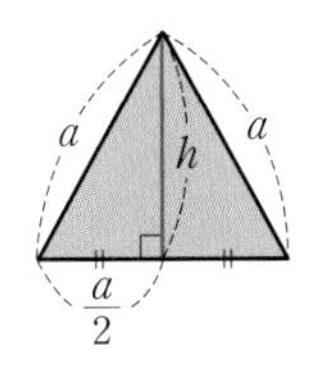

21-1 한 변의 길이가 a인 정삼각형의 높이를 h라 하면 $h = \frac{\sqrt{3}}{2}a$

21-2 한 변의 길이가 a인 정삼각형의 넓이를 S라 하면 $S = \frac{\sqrt{3}}{4}a^2$

㉒ 직육면체, 정육면체의 대각선의 길이

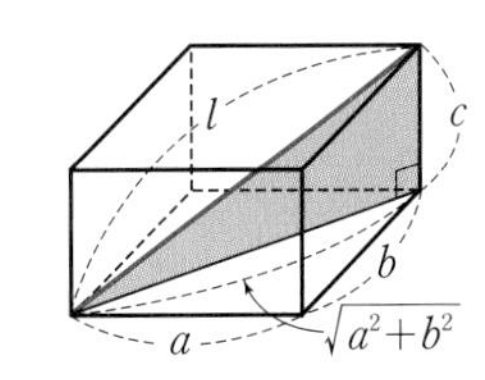

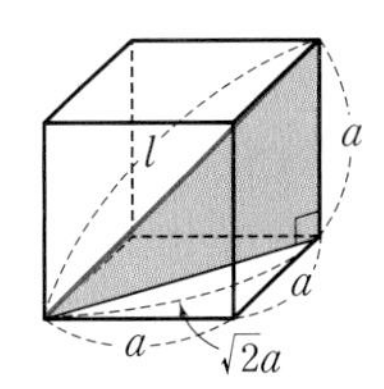

22-1 세 모서리의 길이가 각각 a, b, c인 직육면체의 대각선의 길이를 l이라 하면 $l = \sqrt{a^2 + b^2 + c^2}$

22-2 한 모서리의 길이가 a인 정육면체의 대각선의 길이를 l이라 하면 $l = \sqrt{3}a$

㉓ 원과 현

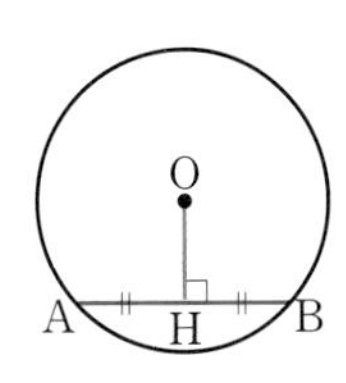

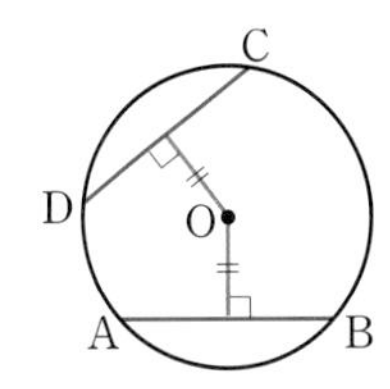

23-1 원의 중심 O에서 현 AB에 그은 수선 OH는 현 AB를 수직이등분한다.
또 현의 수직이등분선은 원의 중심을 지난다.

부록

23-2 원의 중심에서 같은 거리에 있는 두 현의 길이는 같다.

또 두 현의 길이가 같으면 원의 중심에서 두 현에 이르는 거리가 같다.

㉔ 원과 접선

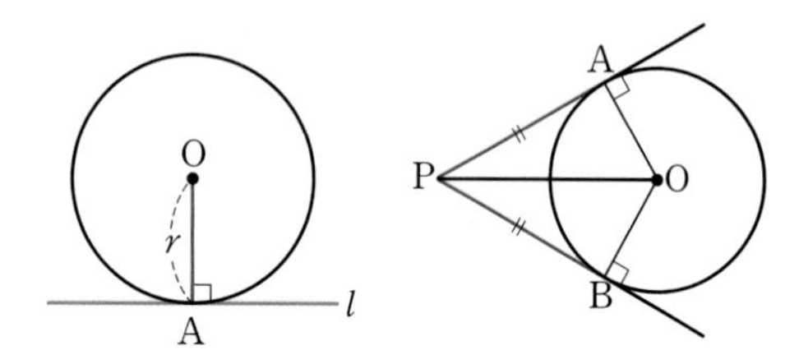

24-1 직선 l이 원 O와 점 A에서 접하면 반지름 OA는 직선 l과 수직으로 만난다.

또 직선 l이 원 O와 점 A에서 만나고 반지름 OA가 직선 l에 수직이면 직선 l은 원 O에 접한다.

24-2 원 밖의 한 점에서 원에 접선을 두 개 그을 수 있다. 이때 두 접선의 길이는 같다.

㉕ 원주각의 성질

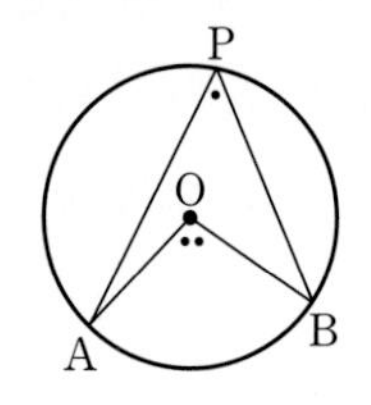

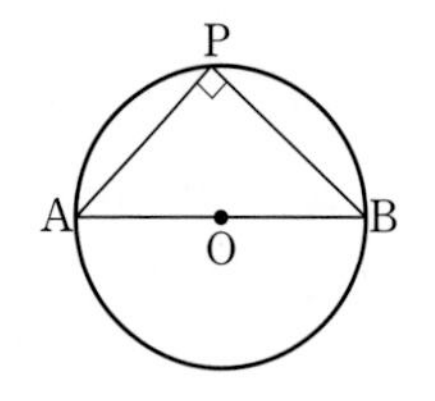

25-1 원에서 한 호에 대한 원주각의 크기는 이 호에 대한 중심각의 크기의 $\frac{1}{2}$이다.

25-2 반원에 대한 원주각의 크기는 $90°$이다.

또 호 AB에 대한 원주각인 $\angle$APB의 크기가 $90°$이면 현 AB는 원 O의 지름이다.

25-3 한 원에서 길이가 같은 호에 대한 원주각의 크기는 같다.

또 크기가 같은 원주각에 대한 호의 길이는 같다.

㉖ 원주각과 사각형

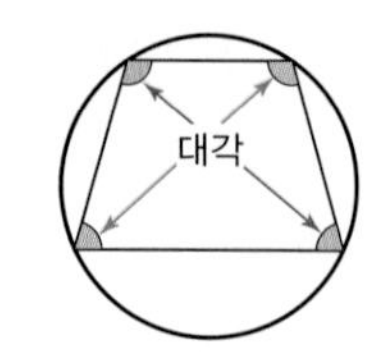

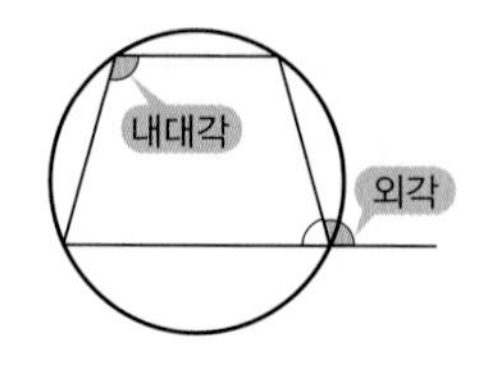

26-1 사각형이 원에 내접하면 한 쌍의 대각의 크기의 합은 $180°$이다.

또 사각형에서 한 쌍의 대각의 크기의 합이 $180°$이면 네 꼭짓점을 지나는 원이 있다.

26-2 사각형이 원에 내접하면 한 외각의 크기는 그 내대각의 크기와 같다.

또 사각형에서 한 외각의 크기가 그 내대각의 크기와 같으면 네 꼭짓점을 지나는 원이 있다.

memo

memo

날선개념 학습 Note

고등 수학 (상)

날선개념 학습 Note

날선개념 학습 Note는 다음 세 부분으로 구성되어 있습니다.

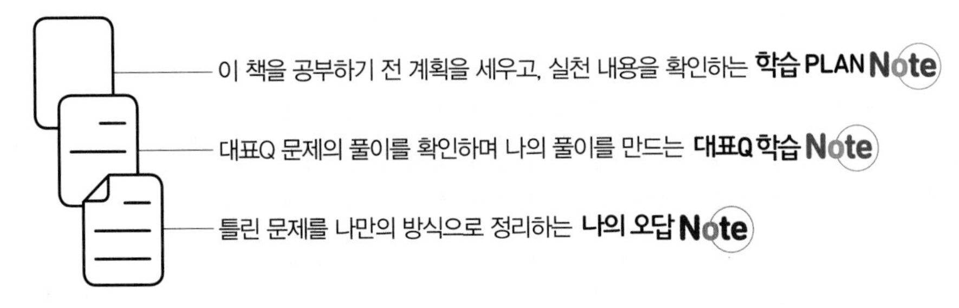

날선개념 학습 Note 한 권이면

학습 계획부터 대표Q 문제와 나의 풀이, 오답노트까지

수학 공부에 필요한 모든 내용을 담을 수 있습니다.

"
공부를 시작하는 순간부터 시험 직전까지
날선개념 학습 Note와 함께하세요.
"

이 책을 시작하는 나에게

공부 계획/목표

- ☑
- ☑
- ☑
- ☑

My Wish List

- ☑
- ☑
- ☑
- ☑

학습 PLAN Note 사용 설명서 How to use the note

이 책을 공부하는 나의 꿈과 계획, 구체적인 실천 결과를 기록하고 시험 전에 살펴보세요.
부족한 점이 무엇인지, 기억할 것이 무엇인지 확인할 수 있을 거예요.

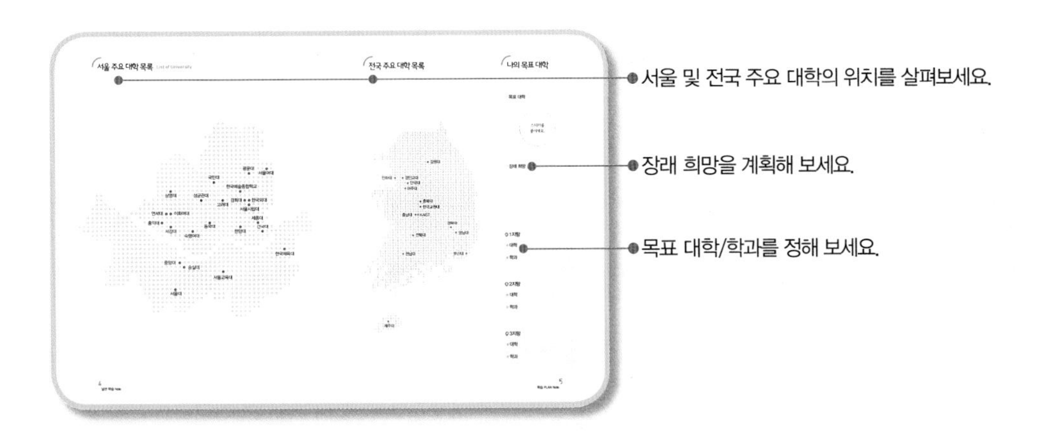

- 서울 및 전국 주요 대학의 위치를 살펴보세요.
- 장래 희망을 계획해 보세요.
- 목표 대학/학과를 정해 보세요.

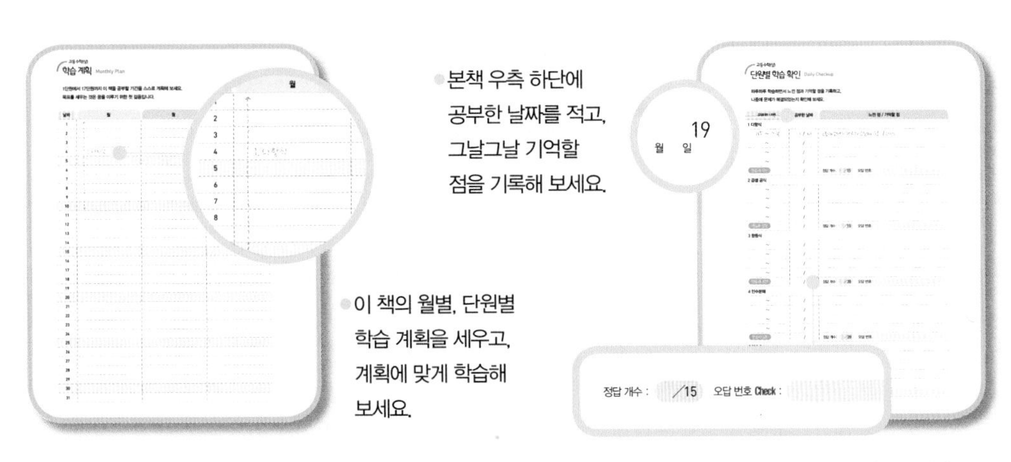

- 본책 우측 하단에 공부한 날짜를 적고, 그날그날 기억할 점을 기록해 보세요.
- 이 책의 월별, 단원별 학습 계획을 세우고, 계획에 맞게 학습해 보세요.
- 본책 '연습과 실전'에서 정답 개수와 오답 번호를 Check하고, 틀린 문제는 나의 오답 Note를 활용해 정리해 보세요.

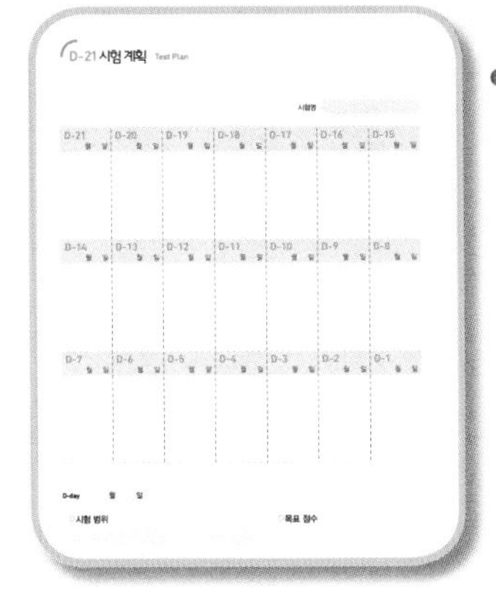

- 시험 D-21의 계획을 세우고 목표대로 학습하면 반드시 좋은 결과가 있을 거예요.

학습 PLAN Note 한글파일은 동아출판 홈페이지 (http://www.bookdonga.com)에서 다운로드 받을 수 있습니다.

서울 주요 대학 목록 List of University

전국 주요 대학 목록

강원대
인하대
경인교대
단국대
아주대
충북대
한국교원대
충남대
KAIST
경북대
영남대
전북대
전남대
부산대
제주대

나의 목표 대학

- 목표 대학

스티커를 붙이세요.

- 장래 희망

1지망

- 대학
- 학과

2지망

- 대학
- 학과

3지망

- 대학
- 학과

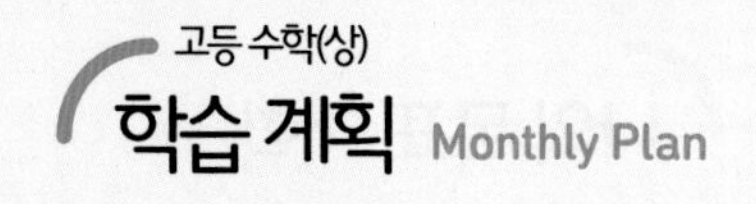

고등 수학(상)

학습 계획 Monthly Plan

1단원에서 17단원까지 이 책을 공부할 기간을 스스로 계획해 보세요.
목표를 세우는 것은 꿈을 이루기 위한 첫 걸음입니다.

날짜	월	월	월
1			
2			
3			
4	1. 다항식		
5			
6			
7			
8			
9			
10			
11			
12			
13			
14			
15			
16			
17			
18			
19			
20			
21			
22			
23			
24			
25			
26			
27			
28			
29			
30			
31			

고등 수학(상)

단원별 학습 확인 Daily Checkup

하루하루 학습하면서 느낀 점과 기억할 점을 기록하고,
나중에 문제가 해결되었는지 확인해 보세요.

공부한 내용	공부한 날짜	느낀 점 / 기억할 점
1 다항식		
8쪽 ~ 10쪽	3 / 10	조립제법에서 계수가 0일때 0을 꼭 쓰자!
~	/	
~	/	
~	/	
연습과 실전	/	정답 개수: ／15 오답 번호:
2 곱셈 공식		
~	/	
~	/	
~	/	
~	/	
연습과 실전	/	정답 개수: ／15 오답 번호:
3 항등식		
~	/	
~	/	
~	/	
~	/	
연습과 실전	/	정답 개수: ／20 오답 번호:
4 인수분해		
~	/	
~	/	
~	/	
~	/	
연습과 실전	/	정답 개수: ／20 오답 번호:
5 복소수		
~	/	
~	/	
~	/	
~	/	
연습과 실전	/	정답 개수: ／16 오답 번호:

단원별 학습 확인 Daily Checkup

공부한 내용	공부한 날짜	느낀 점 / 기억할 점
6 이차방정식		
~	/	
~	/	
~	/	
연습과 실전	/	정답 개수: /20 오답 번호:
7 근과 계수의 관계		
~	/	
~	/	
~	/	
연습과 실전	/	정답 개수: /17 오답 번호:
8 이차함수		
~	/	
~	/	
~	/	
~	/	
연습과 실전	/	정답 개수: /20 오답 번호:
9 이차함수와 이차방정식		
~	/	
~	/	
~	/	
연습과 실전	/	정답 개수: /18 오답 번호:
10 삼차, 사차방정식		
~	/	
~	/	
~	/	
연습과 실전	/	정답 개수: /15 오답 번호:
11 연립방정식		
~	/	
~	/	
~	/	
~	/	
연습과 실전	/	정답 개수: /15 오답 번호:

공부한 내용	공부한 날짜	느낀 점 / 기억할 점
12 여러 가지 부등식		
~	/	
~	/	
~	/	
~	/	
연습과 실전	/	정답 개수: /15 오답 번호:
13 부등식과 이차함수, 방정식		
~	/	
~	/	
~	/	
연습과 실전	/	정답 개수: /15 오답 번호:
14 점과 좌표		
~	/	
~	/	
~	/	
연습과 실전	/	정답 개수: /17 오답 번호:
15 직선의 방정식		
~	/	
~	/	
~	/	
~	/	
연습과 실전	/	정답 개수: /20 오답 번호:
16 원의 방정식		
~	/	
~	/	
~	/	
연습과 실전	/	정답 개수: /21 오답 번호:
17 도형의 이동		
~	/	
~	/	
~	/	
연습과 실전	/	정답 개수: /15 오답 번호:

D-21 시험 계획 Test Plan

시험명

D-21 월 일	D-20 월 일	D-19 월 일	D-18 월 일	D-17 월 일	D-16 월 일	D-15 월 일
D-14 월 일	D-13 월 일	D-12 월 일	D-11 월 일	D-10 월 일	D-9 월 일	D-8 월 일
D-7 월 일	D-6 월 일	D-5 월 일	D-4 월 일	D-3 월 일	D-2 월 일	D-1 월 일

D-day 월 일

시험 범위

목표 점수

대표Q 학습 Note 사용 설명서 How to use the note

대표Q 문제의 (날선 Guide)에는 문제의 출제 의도와 해결 원리, 떠올려야 할 핵심 개념과 Keyword가 수록되어 있습니다. (날선 Guide)를 모티브로 하여 대표Q 문제를 해결할 수 있도록 노력해 보세요.

"배운 개념이 어떻게 활용되는지 스스로 생각하고 학습할 수 있는 힘이 길러집니다."

단순히 유형별로 분류된 문제의 풀이 방법을 외우는 것으로는 개념을 온전히 내 것으로 만들 수 없어요.
만약 (날선 Guide)만으로 대표Q 문제가 해결되지 않으면 **대표Q 학습 Note**를 활용해 보세요.
대표Q 학습 Note에는 본책의 대표Q 문제의 (날선 Guide)에 따른 자세한 해설이 수록되어 있습니다.
아래 방법을 참고하여 **대표Q 학습 Note**를 활용해 보세요.

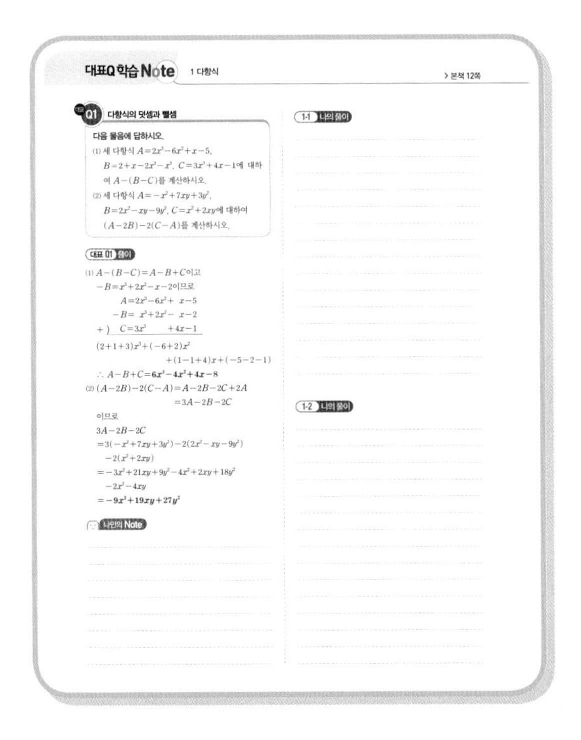

Step1

대표Q 문제를 해결하고 유제를 풀 때 **대표Q 학습 Note**의 자세한 풀이를 참고해 보세요. **대표Q 문제**를 해결한 개념과 원리를 이용하면 유제를 어렵지 않게 해결 할 수 있을 거예요.

Step2

대표Q 문제를 해결할 때의 핵심 공식과 기억할 것, 주의할 점, 선생님 강의 내용, 나의 풀이 등을 **나만의 Note**에 필기해 두세요. 따로 노트를 준비할 필요 없이 **대표Q 학습 Note** 한 권으로 충분합니다.

Step3

대표Q 학습 Note에는 대표Q 문제 & 풀이, 나만의 Note, 나의 풀이까지 알아야 할 모든 내용이 담겨 있습니다. **대표Q 학습 Note**가 나만의 수학 노하우가 담긴 훌륭한 친구가 될 거예요. 평소 수학을 공부할 때, 시험 기간에 빠르게 내용을 훑어보고 싶을 때, 모의고사 보기 직전 등 다양하게 활용해 보세요.

대표 Q1 다항식의 덧셈과 뺄셈

다음 물음에 답하시오.

(1) 세 다항식 $A=2x^3-6x^2+x-5$, $B=2+x-2x^2-x^3$, $C=3x^3+4x-1$에 대하여 $A-(B-C)$를 계산하시오.

(2) 세 다항식 $A=-x^2+7xy+3y^2$, $B=2x^2-xy-9y^2$, $C=x^2+2xy$에 대하여 $(A-2B)-2(C-A)$를 계산하시오.

대표 Q1 풀이

(1) $A-(B-C)=A-B+C$이고

$-B=x^3+2x^2-x-2$이므로

$$\begin{array}{rl} A= & 2x^3-6x^2+x-5 \\ -B= & x^3+2x^2-x-2 \\ +)\ C= & 3x^3\qquad\ +4x-1 \\ \hline \end{array}$$

$(2+1+3)x^3+(-6+2)x^2+(1-1+4)x+(-5-2-1)$

$\therefore A-B+C=\mathbf{6x^3-4x^2+4x-8}$

(2) $(A-2B)-2(C-A)=A-2B-2C+2A$
$=3A-2B-2C$

이므로

$3A-2B-2C$
$=3(-x^2+7xy+3y^2)-2(2x^2-xy-9y^2)-2(x^2+2xy)$
$=-3x^2+21xy+9y^2-4x^2+2xy+18y^2-2x^2-4xy$
$=\mathbf{-9x^2+19xy+27y^2}$

나만의 Note

1-1 나의 풀이

1-2 나의 풀이

> 본책 13쪽

대표 Q2 다항식의 곱셈

다음 물음에 답하시오.

(1) $(x^2-3x+1)(2x^2-x-3)$을 전개하시오.

(2) $(2x+y-4)(3x+2y-1)$의 전개식에서 xy의 계수와 상수항의 합을 구하시오.

대표 Q2 풀이

(1) $(x^2-3x+1)(2x^2-x-3)$

$=(x^2-3x+1)\times 2x^2+(x^2-3x+1)\times(-x)$
$\quad+(x^2-3x+1)\times(-3)$

$=2x^4-6x^3+2x^2-x^3+3x^2-x-3x^2+9x-3$

$=2x^4+(-6-1)x^3+(2+3-3)x^2$
$\quad+(-1+9)x-3$

$=\mathbf{2x^4-7x^3+2x^2+8x-3}$

(2) $(2x+y-4)(3x+2y-1)$의 전개식에서

xy가 나오는 곱만 생각하면

$2x\times 2y+y\times 3x=7xy$

상수항이 나오는 곱만 생각하면

$-4\times(-1)=4$

따라서 합은

$7+4=\mathbf{11}$

나만의 Note

2-1 나의 풀이

2-2 나의 풀이

본책 16쪽

다항식의 나눗셈

다음 물음에 답하시오.

(1) 다항식 x^3-3x^2+1을 x^2-2x+2로 나눈 몫과 나머지를 구하시오.

(2) 다항식 x^3-x^2+2x+1을 다항식 P로 나눈 몫이 $x-1$, 나머지가 $x+2$일 때, 다항식 P를 구하시오.

대표 Q3 풀이

(1) x의 계수가 0이라 생각하여 다음과 같이 $0\times x$를 쓰고 나누면

$$\begin{array}{r}
x-1 \\
x^2-2x+2\,\overline{)\,x^3-3x^2+0\times x+1} \\
\underline{x^3-2x^2+\quad 2x\quad} \\
-\ x^2-\quad 2x+1 \\
\underline{-\ x^2+\quad 2x-2} \\
-4x+3
\end{array}$$

따라서 **몫 : $x-1$, 나머지 : $-4x+3$**

(2) $x^3-x^2+2x+1=P\times(x-1)+x+2$이므로

$P\times(x-1)=x^3-x^2+2x+1-(x+2)$

$=x^3-x^2+x-1$

x^3-x^2+x-1을 $x-1$로 직접 나누면

$$\begin{array}{r}
x^2+1 \\
x-1\,\overline{)\,x^3-x^2+x-1} \\
\underline{x^3-x^2\qquad\quad} \\
x-1 \\
\underline{x-1} \\
0
\end{array}$$

$\therefore P=(x^3-x^2+x-1)\div(x-1)$

$=\boldsymbol{x^2+1}$

나만의 Note

3-1 나의 풀이

대표 Q4 조립제법

조립제법을 이용하여 다음 나눗셈의 몫과 나머지를 구하시오.

(1) $(3x^4-6x^2-x+1)\div(x+2)$

(2) $(2x^3+x^2+5)\div(2x-3)$

대표 Q4 풀이

(1) x^3의 계수가 0이라 생각하여 다음과 같이 계수를 쓰고 조립제법을 이용하면

$$\begin{array}{r|rrrr|r} -2 & 3 & 0 & -6 & -1 & 1 \\ & & -6 & 12 & -12 & 26 \\ \hline & 3 & -6 & 6 & -13 & 27 \end{array}$$

이므로 **몫 : $\boldsymbol{3x^3-6x^2+6x-13}$, 나머지 : 27**

(2) $2x-3=0$인 x의 값이 $\frac{3}{2}$임에 착안하여 $2x^3+x^2+5$를 $x-\frac{3}{2}$으로 나눈 몫을 $Q(x)$, 나머지를 R라 하면

$$\begin{array}{r|rrr|r} \frac{3}{2} & 2 & 1 & 0 & 5 \\ & & 3 & 6 & 9 \\ \hline & 2 & 4 & 6 & 14 \end{array}$$

에서 $Q(x)=2x^2+4x+6$, $R=14$

따라서

$$2x^3+x^2+5=\left(x-\frac{3}{2}\right)Q(x)+R$$
$$=(2x-3)\left\{\frac{1}{2}Q(x)\right\}+R$$

이므로 $2x^3+x^2+5$를 $2x-3$으로 나눈

몫은 $\frac{1}{2}Q(x)=\boldsymbol{x^2+2x+3}$, **나머지는** $R=\mathbf{14}$이다.

나만의 Note

4-1 나의 풀이

4-2 나의 풀이

대표 Q1 곱셈 공식

다음 식을 전개하시오.

(1) $(2x-y)^3$

(2) $(2x+3y)(4x^2-6xy+9y^2)$

(3) $(x^2-x+1)^2$

(4) $(x-a)(x-b)(x-c)$

대표 Q1 풀이

(1) $(2x-y)^3=(2x)^3-3\times(2x)^2\times y+3\times 2x\times y^2-y^3$
$=\mathbf{8x^3-12x^2y+6xy^2-y^3}$

(2) $(2x+3y)(4x^2-6xy+9y^2)$
$=(2x+3y)\{(2x)^2-2x\times 3y+(3y)^2\}$
$=(2x)^3+(3y)^3=\mathbf{8x^3+27y^3}$

(3) $(x^2-x+1)^2$
$=(x^2)^2+(-x)^2+1^2+2\times x^2\times(-x)$
$+2\times(-x)\times 1+2\times 1\times x^2$
$=x^4+x^2+1-2x^3-2x+2x^2$
$=\mathbf{x^4-2x^3+3x^2-2x+1}$

(4) $(x-a)(x-b)(x-c)$
$=\mathbf{x^3-(a+b+c)x^2+(ab+bc+ca)x-abc}$

나만의 Note

1-1 나의 풀이

1-2 나의 풀이

> 본책 25쪽

대표 Q2 공통부분이 있는 다항식의 전개

다음 식을 전개하시오.

(1) $(x^2+x+1)(x^2+x-3)$

(2) $(x-1)(x-2)(x-3)(x-4)$

대표 Q2 풀이

(1) $x^2+x=A$로 놓으면

$(x^2+x+1)(x^2+x-3)$
$=(A+1)(A-3)$
$=A^2-2A-3$
$=(x^2+x)^2-2(x^2+x)-3$
$=x^4+2x^3+x^2-2x^2-2x-3$
$=\mathbf{x^4+2x^3-x^2-2x-3}$

(2) $(x-1)(x-2)(x-3)(x-4)$
$=\{(x-1)(x-4)\}\{(x-2)(x-3)\}$
$=(x^2-5x+4)(x^2-5x+6)$
에서 $x^2-5x=A$로 놓으면
$(A+4)(A+6)$
$=A^2+10A+24$
$=(x^2-5x)^2+10(x^2-5x)+24$
$=x^4-10x^3+25x^2+10x^2-50x+24$
$=\mathbf{x^4-10x^3+35x^2-50x+24}$

나만의 Note

2-1 나의 풀이

2-2 나의 풀이

대표 Q3 곱셈 공식의 변형

다음 물음에 답하시오.

(1) $x+y=3$, $x^2+y^2=7$일 때, x^3+y^3과 x^4+y^4의 값을 구하시오.

(2) $x+y=4$, $xy=2$일 때, x^2-y^2의 값을 모두 구하시오.

대표 Q3 풀이

(1) $(x+y)^2=x^2+y^2+2xy$에서 $3^2=7+2xy$

$\therefore xy=1$

① $\boldsymbol{x^3+y^3}=(x+y)^3-3xy(x+y)$

$=3^3-3\times1\times3=\mathbf{18}$

② $(x^2+y^2)^2=x^4+y^4+2x^2y^2$에서

$\boldsymbol{x^4+y^4}=(x^2+y^2)^2-2(xy)^2=7^2-2\times1^2=\mathbf{47}$

(2) $(x-y)^2=(x+y)^2-4xy=4^2-4\times2=8$

이므로 $x-y=\pm2\sqrt{2}$

$\therefore x^2-y^2=(x+y)(x-y)=4\times(\pm2\sqrt{2})$

$=\boldsymbol{\pm8\sqrt{2}}$

나만의 Note

3-1 나의 풀이

3-2 나의 풀이

> 본책 28쪽

대표 Q4 $x+\frac{1}{x}$, $x-\frac{1}{x}$ 꼴의 변형

다음 물음에 답하시오.

(1) $x+\frac{1}{x}=3$일 때, $x^2+\frac{1}{x^2}$, $x^3+\frac{1}{x^3}$의 값을 구하시오.

(2) $x+\frac{1}{x}=4$이고 $0<x<1$일 때, $x-\frac{1}{x}$의 값을 구하시오.

(3) $x^2+3x+1=0$일 때, $x^3+\frac{1}{x^3}$의 값을 구하시오.

대표 Q4 풀이

(1) $\left(x+\frac{1}{x}\right)^2=x^2+2\times x\times\frac{1}{x}+\frac{1}{x^2}$에서

$\boldsymbol{x^2+\frac{1}{x^2}}=\left(x+\frac{1}{x}\right)^2-2=3^2-2=\mathbf{7}$

$\left(x+\frac{1}{x}\right)^3=x^3+3\times x^2\times\frac{1}{x}+3\times x\times\frac{1}{x^2}+\frac{1}{x^3}$

$=x^3+\frac{1}{x^3}+3\left(x+\frac{1}{x}\right)$

$\therefore \boldsymbol{x^3+\frac{1}{x^3}}=\left(x+\frac{1}{x}\right)^3-3\left(x+\frac{1}{x}\right)$

$=3^3-3\times3=\mathbf{18}$

(2) $\left(x-\frac{1}{x}\right)^2=x^2-2+\frac{1}{x^2}$

$=\left(x+\frac{1}{x}\right)^2-4=4^2-4=12$

$0<x<1$에서 $x<\frac{1}{x}$이므로 $x-\frac{1}{x}<0$이다.

$\therefore x-\frac{1}{x}=\mathbf{-2\sqrt{3}}$

(3) $x^2+3x+1=0$이면 $x\neq0$이므로 양변을 x로 나누면

$x+3+\frac{1}{x}=0 \qquad \therefore x+\frac{1}{x}=-3$

$\left(x+\frac{1}{x}\right)^3=x^3+3\left(x+\frac{1}{x}\right)+\frac{1}{x^3}$이므로

$x^3+\frac{1}{x^3}=\left(x+\frac{1}{x}\right)^3-3\left(x+\frac{1}{x}\right)$

$=(-3)^3-3\times(-3)=\mathbf{-18}$

나만의 Note

4-1 나의 풀이

4-2 나의 풀이

본책 29쪽

대표 Q5 곱셈 공식의 활용

다음 물음에 답하시오.

(1) $x+y+z=0$, $x^2+y^2+z^2=3$일 때, $x^2y^2+y^2z^2+z^2x^2$의 값을 구하시오.

(2) 직육면체의 모서리의 길이의 합이 20이고, 겉넓이가 16일 때, 대각선의 길이를 구하시오.

대표 Q5 풀이

(1) $(x+y+z)^2=x^2+y^2+z^2+2(xy+yz+zx)$이므로

$0^2=3+2(xy+yz+zx)$

$\therefore xy+yz+zx=-\dfrac{3}{2}$

$(xy+yz+zx)^2$

$=x^2y^2+y^2z^2+z^2x^2+2xy^2z+2xyz^2+2x^2yz$

$=x^2y^2+y^2z^2+z^2x^2+2xyz(x+y+z)$

이므로

$x^2y^2+y^2z^2+z^2x^2$

$=(xy+yz+zx)^2-2xyz(x+y+z)$

$=\left(-\dfrac{3}{2}\right)^2-2\times xyz\times 0=\mathbf{\dfrac{9}{4}}$

(2) 세 모서리의 길이를 x, y, z라 하자.

모서리의 길이의 합이 20이므로

$4(x+y+z)=20 \qquad \therefore x+y+z=5$

겉넓이가 16이므로

$2(xy+yz+zx)=16 \qquad \therefore xy+yz+zx=8$

$x^2+y^2+z^2=(x+y+z)^2-2(xy+yz+zx)$

$=5^2-2\times 8=9$

이므로 대각선의 길이는 $\sqrt{x^2+y^2+z^2}=\mathbf{3}$

나만의 Note

5-1 나의 풀이

5-2 나의 풀이

대표 Q1 미정계수법

다음 물음에 답하시오.

(1) 등식

$(x-1)(x^2+ax+b)+2x+c=x^3-2x^2+x+5$

가 모든 실수 x에 대하여 성립할 때, 상수 a, b, c의 값을 구하시오.

(2) 다항식 $f(x)$에 대하여 등식

$(x-1)(x+2)f(x)=x^4+ax+b$가 x에 대한 항등식일 때, 상수 a, b의 값을 구하시오.

대표 Q1 풀이

(1) 좌변을 정리한 다음 양변의 x^3, x^2, x의 계수와 상수항을 비교한다.

좌변을 전개하면

$(x-1)x^2+(x-1)ax+(x-1)b+2x+c$

$=x^3-x^2+ax^2-ax+bx-b+2x+c$

$=x^3+(a-1)x^2+(b-a+2)x-b+c$

우변과 비교하면

$a-1=-2$, $b-a+2=1$, $-b+c=5$

$\therefore$ $\boldsymbol{a=-1}$, $\boldsymbol{b=-2}$, $\boldsymbol{c=3}$

(2) $f(x)$가 소거될 수 있게 양변에 $x=1$, $x=-2$를 대입한다.

$x=1$을 대입하면 $0=1+a+b$

$x=-2$를 대입하면 $0=16-2a+b$

두 식을 연립하여 풀면 $\boldsymbol{a=5}$, $\boldsymbol{b=-6}$

나만의 Note

1-1 나의 풀이

1-2 나의 풀이

> 본책 37쪽

대표 Q2 항등식을 정리하는 문제

다음 물음에 답하시오.

(1) 등식 $(2k+1)x+(k+1)y-2k+3=0$이 k의 값에 관계없이 항상 성립할 때, 상수 x, y의 값을 구하시오.

(2) $x+y=2$를 만족시키는 모든 실수 x, y가 등식 $ax^2+by^2+cx=4$를 만족시킬 때, 상수 a, b, c의 값을 구하시오.

대표 Q2 풀이

(1) 좌변을 k에 대해 정리하면

$(2x+y-2)k+x+y+3=0$

k의 값에 관계없이 항상 성립하므로

$2x+y-2=0$, $x+y+3=0$

두 식을 연립하여 풀면 $\boldsymbol{x=5}$, $\boldsymbol{y=-8}$

(2) $x+y=2$에서 $y=2-x$

$ax^2+by^2+cx=4$에 $y=2-x$를 대입하면

$ax^2+b(2-x)^2+cx=4$

$ax^2+b(x^2-4x+4)+cx=4$

$(a+b)x^2+(-4b+c)x+4b=4$

양변의 동류항의 계수를 비교하면

$a+b=0$, $-4b+c=0$, $4b=4$

$\therefore \boldsymbol{b=1}$, $\boldsymbol{a=-1}$, $\boldsymbol{c=4}$

나만의 Note

2-1 나의 풀이

2-2 나의 풀이

$A=BQ+R$ 꼴의 항등식

다항식 $f(x)=x^3+px^2+qx-2$에 대하여 다음 물음에 답하시오.

(1) $f(x)$를 이차식 x^2+1로 나눈 나머지가 $x-3$일 때, 상수 p, q의 값과 몫을 구하시오.

(2) $f(x)$를 이차식 $(x-1)(x+2)$로 나눈 나머지가 $-2x$일 때, 상수 p, q의 값을 구하시오.

대표 Q3 풀이

(1) $f(x)$는 삼차식이고 x^3의 계수가 1이므로 몫은 일차식이고 x의 계수가 1이다.

$f(x)$를 x^2+1로 나눈 몫을 $x+b$라 하면

$$x^3+px^2+qx-2=(x^2+1)(x+b)+x-3$$
$$=x^3+bx^2+2x+b-3$$

양변의 동류항의 계수를 비교하면

$p=b$, $q=2$, $-2=b-3$

곧, $b=1$이므로 $\boldsymbol{p=1}$, $\boldsymbol{q=2}$, **몫 : $\boldsymbol{x+1}$**

(2) $f(x)$를 $(x-1)(x+2)$로 나눈 몫을 $x+b$라 하면

$$x^3+px^2+qx-2=(x-1)(x+2)(x+b)-2x$$

양변에 $x=1$을 대입하면 $1+p+q-2=-2$

$\therefore p+q=-1 \quad \cdots ㉠$

양변에 $x=-2$를 대입하면 $-8+4p-2q-2=4$

$\therefore 2p-q=7 \quad \cdots ㉡$

㉠, ㉡을 연립하여 풀면 $\boldsymbol{p=2}$, $\boldsymbol{q=-3}$

나만의 Note

3-1 나의 풀이

3-2 나의 풀이

대표 Q4 나머지가 주어질 때, 미정계수 구하기

다항식 $f(x)=2x^3+ax^2-2x+b$에 대하여 다음 물음에 답하시오.

(1) $f(x)$를 $x+1$, $x-2$로 나눈 나머지가 모두 8일 때, 상수 a, b의 값을 구하시오.

(2) $f(x)$가 x^2+x-2로 나누어떨어질 때, 상수 a, b의 값을 구하시오.

대표 Q4 풀이

(1) $f(-1)=8$이므로 $-2+a+2+b=8$

$\therefore a+b=8$ $\cdots$ ㉠

$f(2)=8$이므로 $16+4a-4+b=8$

$\therefore 4a+b=-4$ $\cdots$ ㉡

㉠, ㉡을 연립하여 풀면 $\boldsymbol{a=-4}$, $\boldsymbol{b=12}$

(2) $x^2+x-2=(x-1)(x+2)$이므로

$f(x)$는 $x-1$과 $x+2$로 나누어떨어진다.

$f(1)=0$이므로 $2+a-2+b=0$

$\therefore a+b=0$ $\cdots$ ㉠

$f(-2)=0$이므로 $-16+4a+4+b=0$

$\therefore 4a+b=12$ $\cdots$ ㉡

㉠, ㉡을 연립하여 풀면 $\boldsymbol{a=4}$, $\boldsymbol{b=-4}$

나만의 Note

4-1 나의 풀이

4-2 나의 풀이

본책 41쪽

대표 Q5 이차식으로 나눈 나머지

다항식 $f(x)$를 $x-1$로 나눈 나머지가 1이고, $x-2$로 나눈 나머지가 2일 때, $f(x)$를 x^2-3x+2로 나눈 나머지를 구하시오.

대표 Q5 풀이

$f(x)$를 x^2-3x+2로 나눈 몫을 $Q(x)$, 나머지를 $ax+b$라 하면

$f(x)=(x^2-3x+2)Q(x)+ax+b$

$=(x-1)(x-2)Q(x)+ax+b$ … ㉠

조건에서 $f(1)=1$, $f(2)=2$이므로

㉠의 양변에 $x=1$을 대입하면 $f(1)=a+b$

$\therefore a+b=1$ … ㉡

㉠의 양변에 $x=2$를 대입하면 $f(2)=2a+b$

$\therefore 2a+b=2$ … ㉢

㉡, ㉢을 연립하여 풀면 $a=1$, $b=0$

따라서 구하는 나머지는 $\boldsymbol{x}$

나만의 Note

5-1 나의 풀이

5-2 나의 풀이

> 본책 42쪽

대표 Q6 몫에 대한 조건이 주어질 때

다항식 $f(x)$를 $x-1$로 나눈 나머지는 2이고, $f(x)$를 $x-1$로 나눈 몫을 $x-3$으로 나눈 나머지는 -2이다. 다음 물음에 답하시오.

(1) $f(x)$를 $(x-1)(x-3)$으로 나눈 나머지를 구하시오.

(2) $f(x)$를 $x-3$으로 나눈 나머지를 구하시오.

대표 Q6 풀이

$f(x)$를 $x-1$로 나눈 몫을 $Q(x)$라 하면

$f(x)=(x-1)Q(x)+2$

$Q(x)$를 $x-3$으로 나눈 몫을 $Q_1(x)$라 하면

$Q(x)=(x-3)Q_1(x)-2$

$\therefore f(x)=(x-1)\{(x-3)Q_1(x)-2\}+2$

$=(x-1)(x-3)Q_1(x)-2(x-1)+2$

$=(x-1)(x-3)Q_1(x)-2x+4$

(1) $f(x)$를 $(x-1)(x-3)$으로 나눈 나머지는 $\mathbf{-2x+4}$

(2) $f(3)=-6+4=-2$

따라서 $f(x)$를 $x-3$으로 나눈 나머지는 $\mathbf{-2}$

나만의 Note

6-1 나의 풀이

6-2 나의 풀이

> 본책 43쪽

인수정리와 다항식

다음 물음에 답하시오.

(1) $f(x)$는 삼차식이고 $f(1)=1$, $f(2)=2$, $f(3)=3$이다. $f(0)=-6$일 때, $f(-1)$의 값을 구하시오.

(2) $f(x)$는 x^3의 계수가 2인 삼차식이다. $(x+3)f(x)=xf(x+1)$일 때, $f(x)$를 구하시오.

대표 Q7 풀이

(1) $g(x)=f(x)-x$라 하면 $g(x)$는 삼차식이다.
또 $g(1)=g(2)=g(3)=0$이므로
$g(x)$는 $x-1$, $x-2$, $x-3$으로 나누어떨어진다.
따라서 $g(x)=a(x-1)(x-2)(x-3)$으로 놓을 수 있다. 곧,
$f(x)-x=a(x-1)(x-2)(x-3)$
$f(0)=-6$이므로
$-6=a\times(-1)\times(-2)\times(-3)$
$\therefore a=1$
따라서 $f(x)=(x-1)(x-2)(x-3)+x$이므로
$f(-1)=(-2)\times(-3)\times(-4)-1=\mathbf{-25}$

(2) $(x+3)f(x)=xf(x+1)$ $\cdots$ ㉠
양변에 $x=0$을 대입하면 $3f(0)=0$
$\therefore f(0)=0$
양변에 $x=-3$을 대입하면 $0=-3f(-2)$
$\therefore f(-2)=0$
이때 $f(x)$는 x^3의 계수가 2인 삼차식이므로
$f(x)=x(x+2)(2x+a)$로 놓을 수 있다.
㉠에 대입하면
$(x+3)x(x+2)(2x+a)$
$=x(x+1)(x+3)(2x+a+2)$
양변에 $x=-1$을 대입하면 $-2(-2+a)=0$
$\therefore a=2$
$\therefore f(x)=x(x+2)(2x+2)=\mathbf{2x(x+1)(x+2)}$

나만의 Note

7-1 나의 풀이

7-2 나의 풀이

> 본책 44쪽

날선 Q8 이차식으로 나눈 나머지가 주어질 때

다항식 $f(x)$를 $(x-1)^2$으로 나눈 나머지가 $3x-1$이고, $x-2$로 나눈 나머지가 4일 때, $f(x)$를 $(x-1)^2(x-2)$로 나눈 나머지를 구하시오.

날선 Q8 풀이

$f(x)$를 $(x-1)^2(x-2)$로 나눈 몫을 $Q(x)$, 나머지를 ax^2+bx+c라 하면

$f(x)=(x-1)^2(x-2)Q(x)+ax^2+bx+c$ $\cdots$ ㉠

$f(x)$를 $(x-1)^2$으로 나눈 나머지가 $3x-1$이고 $(x-1)^2(x-2)Q(x)$는 $(x-1)^2$으로 나누어떨어지므로 ax^2+bx+c를 $(x-1)^2$으로 나눈 나머지가 $3x-1$이다.

$\therefore$ $ax^2+bx+c=a(x-1)^2+3x-1$

이 식을 ㉠에 대입하면

$f(x)=(x-1)^2(x-2)Q(x)+a(x-1)^2+3x-1$

$f(2)=4$이므로 양변에 $x=2$를 대입하면

$4=a+5$ $\quad$ $\therefore$ $a=-1$

따라서 $f(x)$를 $(x-1)^2(x-2)$로 나눈 나머지는

$-(x-1)^2+3x-1=\boldsymbol{-x^2+5x-2}$

나만의 Note

8-1 나의 풀이

8-2 나의 풀이

대표 Q1 항이 두 개인 식의 인수분해

다음 식을 인수분해하시오.

(1) $4x^3-xy^2$ (2) x^4-y^4

(3) x^3+1 (4) x^3-8

(5) x^6-y^6 (6) $(x+y)^3+(x-y)^3$

대표 Q1 풀이

(1) $4x^3-xy^2=x(4x^2-y^2)=x\{(2x)^2-y^2\}$
$=\mathbf{x(2x+y)(2x-y)}$

(2) $x^4-y^4=(x^2)^2-(y^2)^2=(x^2+y^2)(x^2-y^2)$
$=\mathbf{(x^2+y^2)(x+y)(x-y)}$

(3) $x^3+1=\mathbf{(x+1)(x^2-x+1)}$

(4) $x^3-8=x^3-2^3=\mathbf{(x-2)(x^2+2x+4)}$

(5) x^6-y^6
$=(x^3)^2-(y^3)^2=(x^3+y^3)(x^3-y^3)$
$=\mathbf{(x+y)(x^2-xy+y^2)(x-y)(x^2+xy+y^2)}$

(6) $(x+y)^3+(x-y)^3$
$=\{(x+y)+(x-y)\}$
$\times\{(x+y)^2-(x+y)(x-y)+(x-y)^2\}$
$=2x(x^2+2xy+y^2-x^2+y^2+x^2-2xy+y^2)$
$=\mathbf{2x(x^2+3y^2)}$

나만의 Note

1-1 나의 풀이

본책 54쪽

대표 Q2 항이 세 개인 식의 인수분해

다음 식을 인수분해하시오.

(1) $4x^3+12x^2y+9xy^2$

(2) $x^2y^2-2xy-15$

(3) $x^2+7xy+6y^2$

(4) $2x^2+(p+1)x-p(p-1)$

대표 Q2 풀이

(1) $4x^3+12x^2y+9xy^2=x(4x^2+12xy+9y^2)$
$=\boldsymbol{x(2x+3y)^2}$

(2) $x^2y^2-2xy-15=(xy)^2-2xy-15$
$=\boldsymbol{(xy+3)(xy-5)}$

(3) 합이 $7y$, 곱이 $6y^2$인 두 식은 $6y$, y이므로
$x^2+7xy+6y^2=\boldsymbol{(x+6y)(x+y)}$

(4)
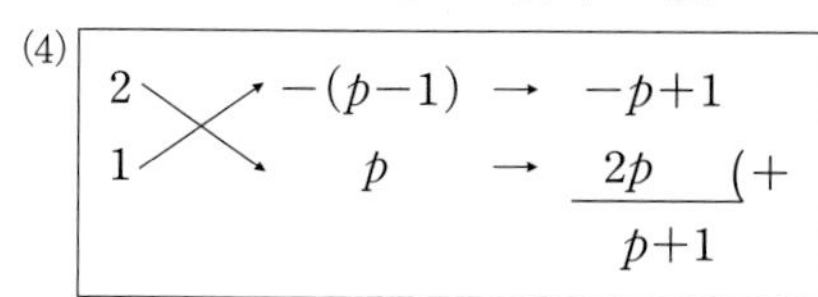

$\therefore 2x^2+(p+1)x-p(p-1)$
$=\{2x-(p-1)\}(x+p)$
$=\boldsymbol{(2x-p+1)(x+p)}$

나만의 Note

2-1 나의 풀이

2-2 나의 풀이

대표 Q3 항이 네 개인 식의 인수분해

다음 식을 인수분해하시오.

(1) $ab+a+b+1$

(2) x^3+2x^2+2x+1

(3) $9x^2+6xy+y^2-16z^2$

(4) $27x^3-27x^2y+9xy^2-y^3$

대표 Q3 풀이

(1) $ab+a+b+1=b(a+1)+(a+1)$
$=\mathbf{(a+1)(b+1)}$

(2) x^3+2x^2+2x+1
$=(x^3+1)+2x(x+1)$
$=(x+1)(x^2-x+1)+2x(x+1)$
$=(x+1)(x^2-x+1+2x)$
$=\mathbf{(x+1)(x^2+x+1)}$

(3) $9x^2+6xy+y^2-16z^2$
$=(9x^2+6xy+y^2)-16z^2$
$=(3x+y)^2-(4z)^2$
$=\mathbf{(3x+y+4z)(3x+y-4z)}$

(4) $27x^3=(3x)^3$, y^3에 착안하면
$27x^3-27x^2y+9xy^2-y^3$
$=(3x)^3-3\times(3x)^2\times y+3\times 3x\times y^2-y^3$
$=\mathbf{(3x-y)^3}$

나만의 Note

3-1 나의 풀이

3-2 나의 풀이

Q4 $a^3+b^3+c^3-3abc$의 활용

다음 물음에 답하시오.

(1) $a-b=2+\sqrt{3}$, $b-c=-4$일 때, $a^2+b^2+c^2-ab-bc-ca$의 값을 구하시오.

(2) 세 변의 길이가 a, b, c이고 $a^3+b^3+c^3-3abc=0$인 삼각형은 어떤 삼각형인지 구하시오.

대표 Q4 풀이

(1) $a-b=2+\sqrt{3}$, $b-c=-4$를 변변 더하면

$a-c=-2+\sqrt{3}$ $\quad\therefore c-a=2-\sqrt{3}$

$\therefore a^2+b^2+c^2-ab-bc-ca$

$=\frac{1}{2}\{(a-b)^2+(b-c)^2+(c-a)^2\}$

$=\frac{1}{2}\{(2+\sqrt{3})^2+(-4)^2+(2-\sqrt{3})^2\}$

$=\frac{1}{2}(4+4\sqrt{3}+3+16+4-4\sqrt{3}+3)=\mathbf{15}$

(2) $a^3+b^3+c^3-3abc$

$=(a+b+c)(a^2+b^2+c^2-ab-bc-ca)=0$

이므로

$a+b+c=0$ 또는 $a^2+b^2+c^2-ab-bc-ca=0$

a, b, c는 삼각형의 세 변의 길이이므로 $a+b+c\neq0$

따라서 $a^2+b^2+c^2-ab-bc-ca=0$에서

$\frac{1}{2}\{(a-b)^2+(b-c)^2+(c-a)^2\}=0$

$a=b=c$이므로 **정삼각형**이다.

나만의 Note

4-1 나의 풀이

4-2 나의 풀이

4-3 나의 풀이

대표 Q5 치환하는 문제

다음 식을 인수분해하시오.

(1) $(x^2+2x)^2-2(x^2+2x)-3$

(2) $(x+1)(x+3)(x-2)(x-4)+24$

대표 Q5 풀이

(1) $(x^2+2x)^2-2(x^2+2x)-3$에서

$x^2+2x=X$로 놓으면

$X^2-2X-3=(X+1)(X-3)$

$=(x^2+2x+1)(x^2+2x-3)$

$=\mathbf{(x+1)^2(x+3)(x-1)}$

(2) $(x+1)(x+3)(x-2)(x-4)+24$

$=\{(x+1)(x-2)\}\{(x+3)(x-4)\}+24$

$=(x^2-x-2)(x^2-x-12)+24$

에서 $x^2-x=X$로 놓으면

$(X-2)(X-12)+24$

$=X^2-14X+48$

$=(X-6)(X-8)$

$=(x^2-x-6)(x^2-x-8)$

$=\mathbf{(x+2)(x-3)(x^2-x-8)}$

나만의 Note

5-1 나의 풀이

5-2 나의 풀이

> 본책 60쪽

대표 Q6 문자가 두 개 이상인 식의 인수분해

다음 식을 인수분해하시오.

(1) $x^2+y^2-2xy-yz+zx$

(2) $x^2+2y^2+3xy-x-3y-2$

(3) $a^2(b-c)+b^2(c-a)+c^2(a-b)$

대표 Q6 풀이

(1) 차수가 가장 낮은 z에 대해 정리하면

$$\begin{aligned}x^2+y^2-2xy-yz+zx&=(x-y)z+x^2+y^2-2xy\\&=(x-y)z+(x-y)^2\\&=(x-y)(z+x-y)\\&=\boldsymbol{(x-y)(x-y+z)}\end{aligned}$$

(2) x^2의 계수가 1이므로 x에 대해 정리하면

$x^2+2y^2+3xy-x-3y-2$

$=x^2+(3y-1)x+2y^2-3y-2$

$=x^2+(3y-1)x+(2y+1)(y-2)$

곱이 $(2y+1)(y-2)$, 합이 $3y-1$인 두 식은

$2y+1$, $y-2$이므로

$x^2+2y^2+3xy-x-3y-2$

$=\boldsymbol{(x+2y+1)(x+y-2)}$

(3) 주어진 식을 전개하면

$a^2b-a^2c+b^2c-b^2a+c^2a-c^2b$

a에 대해 정리하면

$(b-c)a^2-(b^2-c^2)a+b^2c-bc^2$

$=(b-c)a^2-(b+c)(b-c)a+bc(b-c)$

$=(b-c)\{a^2-(b+c)a+bc\}$

$=(b-c)(a-b)(a-c)$

$=\boldsymbol{-(a-b)(b-c)(c-a)}$

나만의 Note

6-1 나의 풀이

6-2 나의 풀이

> 본책 61쪽

x^4+ax^2+b 꼴의 인수분해

다음 식을 인수분해하시오.

(1) x^4+4x^2-5 (2) x^4-6x^2+1

(3) x^4+4

대표 Q7 풀이

(1) $x^2=X$로 놓으면

$$x^4+4x^2-5=X^2+4X-5=(X-1)(X+5)$$
$$=(x^2-1)(x^2+5)$$
$$=\mathbf{(x+1)(x-1)(x^2+5)}$$

(2) $x^4-6x^2+1=x^4-2x^2+1-4x^2$

$$=(x^2-1)^2-(2x)^2$$
$$=(x^2-1+2x)(x^2-1-2x)$$
$$=\mathbf{(x^2+2x-1)(x^2-2x-1)}$$

(3) $x^4+4=x^4+4x^2+4-4x^2$

$$=(x^2+2)^2-(2x)^2$$
$$=(x^2+2+2x)(x^2+2-2x)$$
$$=\mathbf{(x^2+2x+2)(x^2-2x+2)}$$

나만의 Note

7-1 나의 풀이

> 본책 62쪽

인수정리를 이용한 인수분해

다음 식을 인수분해하시오.

(1) $x^4-4x^3+5x^2-4x+4$

(2) $2x^3+x^2+5x-3$

대표 Q8 풀이

(1) $f(x)=x^4-4x^3+5x^2-4x+4$로 놓고

±1, ±2, ±4를 차례로 대입할 때

$f(2)=2^4-4\times2^3+5\times2^2-4\times2+4=0$

$f(x)$를 $x-2$로 나누면

2	1	-4	5	-4	4
		2	-4	2	-4
	1	-2	1	-2	0

$\therefore f(x)=(x-2)(x^3-2x^2+x-2)$

$g(x)=x^3-2x^2+x-2$로 놓고

±1, ±2를 차례로 대입할 때

$g(2)=2^3-2\times2^2+2-2=0$

$g(x)$를 $x-2$로 나누면

2	1	-2	1	-2
		2	0	2
	1	0	1	0

$\therefore g(x)=(x-2)(x^2+1)$

$\therefore f(x)=\mathbf{(x-2)^2(x^2+1)}$

(2) $f(x)=2x^3+x^2+5x-3$으로 놓고

±1, ±3, $\pm\frac{1}{2}$, $\pm\frac{3}{2}$을 차례로 대입할 때

$f\left(\frac{1}{2}\right)=2\times\left(\frac{1}{2}\right)^3+\left(\frac{1}{2}\right)^2+5\times\frac{1}{2}-3=0$

$f(x)$를 $x-\frac{1}{2}$로 나누면

$\frac{1}{2}$	2	1	5	-3
		1	1	3
	2	2	6	0

$\therefore f(x)=\left(x-\frac{1}{2}\right)(2x^2+2x+6)$

$=\mathbf{(2x-1)(x^2+x+3)}$

8-1 나의 풀이

본책 63쪽

대표 Q9 인수분해의 활용

다음 물음에 답하시오.

(1) $2\times19^3+5\times19^2+4\times19+1$을 400으로 나눈 몫과 나머지를 구하시오.

(2) $\sqrt{37\times38\times39\times40+1}=a\times10^3+b\times10^2+c\times10+d$일 때, 한 자리 자연수 a, b, c, d의 값을 구하시오.

대표 Q9 풀이

(1) $19=x$로 놓으면 주어진 식은 $2x^3+5x^2+4x+1$

$f(x)=2x^3+5x^2+4x+1$로 놓으면

$f(-1)=-2+5-4+1=0$

$f(x)$를 $x+1$로 나누면

-1	2	5	4	1
		-2	-3	-1
	2	3	1	0

$\therefore f(x)=(x+1)(2x^2+3x+1)$

$=(x+1)(2x+1)(x+1)$

$=(x+1)^2(2x+1)$

$x=19$를 대입하면 $f(19)=20^2\times39$

곧, $2\times19^3+5\times19^2+4\times19+1=20^2\times39$이므로 400으로 나눈 **몫은 39, 나머지는 0**이다.

(2) $37=x$로 놓으면

$37\times38\times39\times40+1$

$=x(x+1)(x+2)(x+3)+1$

$=\{x(x+3)\}\{(x+1)(x+2)\}+1$

$=(x^2+3x)(x^2+3x+2)+1$

에서 $x^2+3x=X$로 놓으면

$X(X+2)+1=X^2+2X+1=(X+1)^2$

$=(x^2+3x+1)^2$

$=(37^2+3\times37+1)^2$

$=(37\times40+1)^2=1481^2$

따라서 $\sqrt{37\times38\times39\times40+1}=1481$이므로

$\boldsymbol{a=1,\ b=4,\ c=8,\ d=1}$

나만의 Note

9-1 나의 풀이

9-2 나의 풀이

9-3 나의 풀이

본책 64쪽

날선 Q10 $(x-a)^2$ 꼴로 나누어떨어지는 다항식

다항식 $f(x)=ax^4+bx^3+1$이 $(x-1)^2$으로 나누어떨어질 때, a, b의 값을 구하고 $f(x)$를 인수분해하시오.

날선 Q10 풀이

$f(x)$를 $(x-1)^2$으로 나눈 몫을 $Q(x)$라 하면

$ax^4+bx^3+1=(x-1)^2Q(x)$ $\cdots$ ㉠

양변에 $x=1$을 대입하면

$a+b+1=0$ $\therefore b=-a-1$ $\cdots$ ㉡

$\therefore f(x)=ax^4-(a+1)x^3+1$

$f(x)$를 $x-1$로 나누면

$$\begin{array}{c|ccccc} 1 & a & -(a+1) & 0 & 0 & 1 \\ & & a & -1 & -1 & -1 \\ \hline & a & -1 & -1 & -1 & \boxed{0} \end{array}$$

$\therefore f(x)=(x-1)(ax^3-x^2-x-1)$

㉠의 좌변에 대입하면

$(x-1)(ax^3-x^2-x-1)=(x-1)^2Q(x)$

x에 대한 항등식이므로 양변을 $x-1$로 나누어도 성립한다. 양변을 $x-1$로 나누면

$ax^3-x^2-x-1=(x-1)Q(x)$

양변에 $x=1$을 대입하면 $a-1-1-1=0$

$\therefore \boldsymbol{a=3,\ b=-4}$ ($\because$ ㉡)

$f(x)$를 인수분해하면

$f(x)=3x^4-4x^3+1$

$=(x-1)(3x^3-x^2-x-1)$

$=\boldsymbol{(x-1)^2(3x^2+2x+1)}$

나만의 Note

10-1 나의 풀이

대표 Q1 복소수의 사칙연산

다음을 $a+bi$ (a, b는 실수) 꼴로 나타내시오.

(1) $(1-\sqrt{2}i)^2$

(2) $(2+\sqrt{-5})(1-2\sqrt{-5})$

(3) $\frac{3-i}{1+2i}+\frac{3+i}{1-2i}$

대표 Q1 풀이

(1) $(1-\sqrt{2}i)^2=1-2\sqrt{2}i+2i^2=\mathbf{-1-2\sqrt{2}i}$

(2) $(2+\sqrt{-5})(1-2\sqrt{-5})=(2+\sqrt{5}i)(1-2\sqrt{5}i)$

$=2-4\sqrt{5}i+\sqrt{5}i-10i^2$

$=\mathbf{12-3\sqrt{5}i}$

(3) $\frac{3-i}{1+2i}+\frac{3+i}{1-2i}$

$=\frac{(3-i)(1-2i)}{(1+2i)(1-2i)}+\frac{(3+i)(1+2i)}{(1-2i)(1+2i)}$

$=\frac{3-6i-i+2i^2}{1+4}+\frac{3+6i+i+2i^2}{1+4}$

$=\frac{1-7i}{5}+\frac{1+7i}{5}=\mathbf{\frac{2}{5}}$

나만의 Note

1-1 나의 풀이

본책 75쪽

대표 Q2 복소수의 거듭제곱

다음을 $a+bi$ (a, b는 실수) 꼴로 나타내시오.

(1) $i+i^2+i^3+i^4+\cdots+i^{50}$

(2) $\left(\frac{1+i}{1-i}\right)^{101}$

(3) $(1+\sqrt{3}i)^{10}$

대표 Q2 풀이

i, i^2, i^3, i^4, i^5, i^6, $\cdots$은 i, -1, $-i$, 1, i, -1, $\cdots$과 같이 순환하고, n이 자연수일 때 $i^{4n}=1$이므로

(1) $i+i^2+i^3+i^4=i-1-i+1=0$,

$i^5+i^6+i^7+i^8=i^4(i+i^2+i^3+i^4)=0$,

$i^9+i^{10}+i^{11}+i^{12}=i^8(i+i^2+i^3+i^4)=0$,

$\cdots$

$i^{45}+i^{46}+i^{47}+i^{48}=i^{44}(i+i^2+i^3+i^4)=0$

$\therefore\ i+i^2+i^3+i^4+\ \cdots\ +i^{50}$

$=i^{49}+i^{50}=i^{48}(i+i^2)=1\times(i-1)=\boldsymbol{-1+i}$

(2) $\frac{1+i}{1-i}=\frac{(1+i)(1+i)}{(1-i)(1+i)}=\frac{1+2i+i^2}{1+1}=\frac{2i}{2}=i$

$\therefore\ \left(\frac{1+i}{1-i}\right)^{101}=i^{101}=(i^4)^{25}\times i=\boldsymbol{i}$

(3) $(1+\sqrt{3}i)^2=1+2\sqrt{3}i+3i^2=-2+2\sqrt{3}i$

$(1+\sqrt{3}i)^3=(-2+2\sqrt{3}i)(1+\sqrt{3}i)$

$=-2-2\sqrt{3}i+2\sqrt{3}i+6i^2=-8$

$(1+\sqrt{3}i)^9=\{(1+\sqrt{3}i)^3\}^3=(-8)^3=-512$

$\therefore\ (1+\sqrt{3}i)^{10}=-512(1+\sqrt{3}i)=\boldsymbol{-512-512\sqrt{3}i}$

나만의 Note

2-1 나의 풀이

본책 76쪽

대표 Q3 $\bar{z}$의 사칙연산

다음 물음에 답하시오.

(1) $x=\frac{\sqrt{3}+i}{2}$, $y=\frac{\sqrt{3}-i}{2}$일 때, x^3+y^3의 값을 구하시오.

(2) 두 복소수 $\alpha=3-i$, $\beta=-1+2i$에 대하여 $\alpha\bar{\alpha}+\alpha\bar{\beta}+\bar{\alpha}\beta+\beta\bar{\beta}$의 값을 구하시오.

대표 Q3 풀이

(1) $x+y=\frac{2\sqrt{3}}{2}=\sqrt{3}$, $xy=\left(\frac{\sqrt{3}}{2}\right)^2-\left(\frac{i}{2}\right)^2=1$

$\therefore x^3+y^3=(x+y)^3-3xy(x+y)$

$=(\sqrt{3})^3-3\times1\times\sqrt{3}=\mathbf{0}$

(2) $\alpha\bar{\alpha}+\alpha\bar{\beta}+\bar{\alpha}\beta+\beta\bar{\beta}=\alpha(\bar{\alpha}+\bar{\beta})+\beta(\bar{\alpha}+\bar{\beta})$

$=(\alpha+\beta)(\bar{\alpha}+\bar{\beta})$

그런데 $\alpha+\beta=2+i$, $\bar{\alpha}+\bar{\beta}=\overline{\alpha+\beta}=2-i$ 이므로

$(\alpha+\beta)(\bar{\alpha}+\bar{\beta})=(2+i)(2-i)$

$=4+1=\mathbf{5}$

나만의 Note

3-1 나의 풀이

3-2 나의 풀이

> 본책 77쪽

대표 Q4 z^2이 양수, 음수일 조건

복소수 $z=(i+1)x^2-ix-2i-4$에 대하여 다음 물음에 답하시오.

(1) z가 0이 아닌 실수일 때, 실수 x의 값을 구하시오.

(2) z^2이 음의 실수일 때, 실수 x의 값을 구하시오.

대표 Q4 풀이

$z=(i+1)x^2-ix-2i-4=x^2i+x^2-xi-2i-4$

$=x^2-4+(x^2-x-2)i \quad \cdots ㉠$

(1) z가 0이 아닌 실수이므로 ㉠에서

$x^2-4\neq 0$이고 $x^2-x-2=0$

$x^2-x-2=0$에서 $(x+1)(x-2)=0$

$\therefore x=-1$ 또는 $x=2$

$x^2-4\neq 0$이므로 $x=\mathbf{-1}$

(2) z^2이 음의 실수이므로 z는 순허수이다.

㉠에서 $x^2-4=0$이고 $x^2-x-2\neq 0$

$x^2-4=0$에서 $x=\pm 2$

$x^2-x-2\neq 0$이므로 $x=\mathbf{-2}$

나만의 Note

4-1 나의 풀이

Q5 음수의 제곱근

다음 물음에 답하시오.

(1) 다음을 $a+bi$ (a, b는 실수) 꼴로 나타내시오.

$$\sqrt{-3}\sqrt{-12}-\sqrt{-3}\sqrt{3}+\frac{\sqrt{-16}}{\sqrt{-4}}-\frac{\sqrt{16}}{\sqrt{-4}}$$

(2) 다음 등식을 만족시키는 정수 a의 개수를 구하시오.

$$\sqrt{1-a}\sqrt{a-4}=-\sqrt{(1-a)(a-4)}$$

대표 Q5 풀이

(1) $\sqrt{-3}\sqrt{-12}-\sqrt{-3}\sqrt{3}+\frac{\sqrt{-16}}{\sqrt{-4}}-\frac{\sqrt{16}}{\sqrt{-4}}$

$=\sqrt{3}i\times\sqrt{12}i-\sqrt{3}i\times\sqrt{3}+\frac{4i}{2i}-\frac{4}{2i}$

$=6i^2-3i+2-\frac{2}{i}=-6-3i+2+2i=\mathbf{-4-i}$

(2) $\sqrt{a}\sqrt{b}=-\sqrt{ab}$이려면 $a<0$, $b<0$이거나 a 또는 b가 0이다.

(i) $1-a<0$, $a-4<0$일 때,
$a>1$이고 $a<4$이므로 정수 a는 2, 3

(ii) $1-a=0$ 또는 $a-4=0$일 때,
$a=1$ 또는 $a=4$

(i), (ii)에서 정수 a는 **4**개이다.

나만의 Note

5-1 나의 풀이

5-2 나의 풀이

> 본책 80쪽

대표 Q6 복소수가 서로 같을 조건

다음 물음에 답하시오.

(1) 다음 등식을 만족시키는 실수 x, y의 값을 구하시오.

$$(2+i)x+(2-i)y=6+i$$

(2) 등식 $(3+2i)z-2i\bar{z}=2+3i$를 만족시키는 복소수 z를 구하시오.

대표 Q6 풀이

(1) 주어진 식에서

$2x+xi+2y-yi=6+i$

$(2x+2y)+(x-y)i=6+i$

x, y가 실수이므로 $2x+2y=6$, $x-y=1$

두 식을 연립하여 풀면 $\boldsymbol{x=2}$, $\boldsymbol{y=1}$

(2) $z=a+bi$ (a, b는 실수)라 하면 $\bar{z}=a-bi$

주어진 식에 대입하면

$(3+2i)(a+bi)-2i(a-bi)=2+3i$

$3a+3bi+2ai+2bi^2-2ai+2bi^2=2+3i$

$(3a-4b)+3bi=2+3i$

a, b가 실수이므로 $3a-4b=2$, $3b=3$

두 식을 연립하여 풀면 $a=2$, $b=1$

$\therefore z=\boldsymbol{2+i}$

나만의 Note

6-1 나의 풀이

6-2 나의 풀이

Q7 복소수의 성질에 대한 참, 거짓

z가 복소수일 때, 보기에서 옳은 것만을 있는 대로 고른 것은?

보기

ㄱ. $z\bar{z}=0$이면 $z=0$이다.

ㄴ. z가 실수가 아니고 $z\alpha$가 실수이면 $\alpha=\bar{z}$이다.

ㄷ. $\frac{z}{1+z}$가 실수이면 z는 실수이다.

① ㄱ ② ㄷ ③ ㄱ, ㄴ
④ ㄱ, ㄷ ⑤ ㄱ, ㄴ, ㄷ

날선 Q7 풀이

$z=a+bi$ (a, b는 실수)라 하자.

ㄱ. $\bar{z}=a-bi$이므로

$z\bar{z}=(a+bi)(a-bi)=a^2+b^2$

a, b가 실수이므로 $z\bar{z}=0$이면 $a=b=0$

$\therefore z=0$ (참)

ㄴ. (반례) $z=i$, $\alpha=0$이면 z는 실수가 아니고,

$z\alpha=i\times 0=0$은 실수이다.

그런데 $\bar{z}=-i$이므로 $\alpha\neq\bar{z}$이다. (거짓)

ㄷ. $\frac{z}{1+z}=\frac{a+bi}{1+a+bi}=\frac{(a+bi)(a+1-bi)}{(a+1+bi)(a+1-bi)}$

$=\frac{a^2+a-abi+abi+bi+b^2}{(a+1)^2+b^2}$

$=\frac{a^2+a+b^2+bi}{(a+1)^2+b^2}$

따라서 $\frac{z}{1+z}$가 실수이면

$\frac{b}{(a+1)^2+b^2}=0$, $b=0$

$z=a$이므로 z는 실수이다. (참)

따라서 옳은 것은 ④ ㄱ, ㄷ이다.

나만의 Note

7-1 나의 풀이

> 본책 88쪽

대표 Q1 절댓값 기호를 포함한 방정식

다음 방정식의 해를 구하시오.

(1) $|2x+1|=3$

(2) $|x+1|+2|x-2|=6$

(3) $x^2-3|x-1|-1=0$

대표 Q1 풀이

(1) $2x+1=\pm3$

(i) $2x+1=3$일 때, $x=1$

(ii) $2x+1=-3$일 때, $x=-2$

(i), (ii)에서 $\boldsymbol{x=-2}$ **또는** $\boldsymbol{x=1}$

(2) $|x+1|+2|x-2|=6$에서

(i) $x<-1$일 때, $-(x+1)-2(x-2)=6$

$\therefore x=-1$ (범위에 속하지 않는다.)

(ii) $-1\le x<2$일 때, $(x+1)-2(x-2)=6$

$\therefore x=-1$ (범위에 속한다.)

(iii) $x\ge2$일 때, $(x+1)+2(x-2)=6$

$\therefore x=3$ (범위에 속한다.)

(i), (ii), (iii)에서 $\boldsymbol{x=-1}$ **또는** $\boldsymbol{x=3}$

(3) $x^2-3|x-1|-1=0$에서

(i) $x\ge1$일 때,

$x^2-3(x-1)-1=0$, $x^2-3x+2=0$

$(x-1)(x-2)=0$

$\therefore x=1$ 또는 $x=2$ (둘 다 범위에 속한다.)

(ii) $x<1$일 때,

$x^2+3(x-1)-1=0$, $x^2+3x-4=0$

$(x+4)(x-1)=0$

$\therefore x=-4$ 또는 $x=1$ (-4만 범위에 속한다.)

(i), (ii)에서 $\boldsymbol{x=-4}$ **또는** $\boldsymbol{x=1}$ **또는** $\boldsymbol{x=2}$

나만의 Note

1-1 나의 풀이

본책 89쪽

Q2 문자를 포함한 방정식

다음 물음에 답하시오.

(1) 방정식 $(p^2-2p)x-p=3x+1$의 해가 수 전체일 때, p의 값을 구하시오.

(2) 이차방정식 $x^2+2(a-b)x-4ab=0$의 해를 구하시오.

대표 Q2 풀이

(1) $(p^2-2p)x-p=3x+1$에서

$(p^2-2p-3)x=p+1$, $(p+1)(p-3)x=p+1$

(i) $p=-1$일 때, $0\times x=0$이므로 해가 수 전체이다.

(ii) $p=3$일 때, $0\times x=4$이므로 해가 없다.

(iii) $p\neq-1$, $p\neq3$일 때, $x=\dfrac{1}{p-3}$

(i), (ii), (iii)에서 $p=\mathbf{-1}$일 때 해가 수 전체이다.

(2) $x^2+2(a-b)x-4ab=0$의 좌변을 인수분해하면

$(x+2a)(x-2b)=0$

$\therefore$ $\boldsymbol{x=-2a}$ **또는** $\boldsymbol{x=2b}$

나만의 Note

2-1 나의 풀이

2-2 나의 풀이

> 본책 90쪽

대표 Q3 해에 대한 조건이 주어진 문제

다음 물음에 답하시오.

(1) x에 대한 방정식 $px^2+(k+2)x+p^2-2k=0$은 k의 값에 관계없이 항상 $x=\alpha$가 해이다. 실수 α, p의 값을 구하시오.

(2) 이차방정식 $f(x)=0$의 두 근의 합이 4일 때, 이차방정식 $f(2x-3)=0$의 두 근의 합을 구하시오.

대표 Q3 풀이

(1) α가 해이므로 $px^2+(k+2)x+p^2-2k=0$에 $x=\alpha$를 대입하면

$p\alpha^2+(k+2)\alpha+p^2-2k=0$

k에 대해 정리하면

$(\alpha-2)k+p\alpha^2+p^2+2\alpha=0$

k의 값에 관계없이 항상 성립하므로

$$\begin{cases}\alpha-2=0 & \cdots ㉠\\ p\alpha^2+p^2+2\alpha=0 & \cdots ㉡\end{cases}$$

㉠에서 $\boldsymbol{\alpha=2}$

㉡에 대입하면 $4p+p^2+4=0$, $(p+2)^2=0$

$\therefore \boldsymbol{p=-2}$

(2) 이차방정식 $f(x)=0$의 두 근을 α, β라 하면

$\alpha+\beta=4$

이차방정식 $f(2x-3)=0$에서

$2x-3=\alpha$, $2x-3=\beta$인 x, 곧

$x=\frac{\alpha+3}{2}$, $x=\frac{\beta+3}{2}$이 $f(2x-3)=0$의 해이다.

따라서 $f(2x-3)=0$의 두 근의 합은

$\frac{\alpha+3}{2}+\frac{\beta+3}{2}=\frac{\alpha+\beta+6}{2}=\frac{4+6}{2}=\boldsymbol{5}$

나만의 Note

3-1 나의 풀이

3-2 나의 풀이

가우스 기호 [ ]를 포함한 방정식

실수 x에 대하여 $[x]$가 x보다 크지 않은 최대 정수를 나타낼 때, 다음 물음에 답하시오.

(1) $[1]+[\sqrt{2}+1]+[-1.2]$의 값을 구하시오.

(2) 방정식 $2x^2-[x]x-3=0$ $(1<x<3)$의 해를 구하시오.

날선 Q4 풀이

(1) $\sqrt{2}+1=2.4\times\times\times$이므로

$[1]+[\sqrt{2}+1]+[-1.2]=1+2-2=\mathbf{1}$

(2) $2x^2-[x]x-3=0$에서

(i) $1<x<2$일 때, $[x]=1$이므로

$2x^2-x-3=0$, $(x+1)(2x-3)=0$

$\therefore x=-1$ 또는 $x=\frac{3}{2}$ $\left(\frac{3}{2}\text{만 범위에 속한다.}\right)$

(ii) $2\le x<3$일 때, $[x]=2$이므로

$2x^2-2x-3=0$ $\quad\therefore x=\frac{1\pm\sqrt{7}}{2}$

그런데

$\frac{1-\sqrt{7}}{2}<0$, $\frac{1+\sqrt{7}}{2}=\frac{1+2.\times\times\times}{2}<2$

이므로 $2\le x<3$을 만족시키지 않는다.

(i), (ii)에서 $\boldsymbol{x=\frac{3}{2}}$

나만의 Note

4-1 나의 풀이

> 본책 93쪽

대표 Q5 이차방정식의 근의 판별

x에 대한 이차방정식
$mx^2+2(m+1)x+m+3=0$에 대하여 다음 물음에 답하시오.

(1) 서로 다른 두 실근을 가질 때, 실수 m값의 범위를 구하시오.

(2) 중근을 가질 때, 실수 m의 값을 구하시오.

(3) 허근을 가질 때, 실수 m값의 범위를 구하시오.

대표 Q5 풀이

이차방정식이므로 $m\neq0$

또 $\frac{D}{4}=(m+1)^2-m(m+3)=-m+1$

(1) $\frac{D}{4}>0$에서 $-m+1>0$　　$\therefore m<1$

　$m\neq0$이므로 $\boldsymbol{m<0}$ **또는** $\boldsymbol{0<m<1}$

(2) $\frac{D}{4}=0$에서 $-m+1=0$　　$\therefore \boldsymbol{m=1}$

(3) $\frac{D}{4}<0$에서 $-m+1<0$　　$\therefore \boldsymbol{m>1}$

나만의 Note

5-1 나의 풀이

5-2 나의 풀이

본책 94쪽

중근을 가질 조건

다음 물음에 답하시오.

(1) k가 실수일 때, x에 대한 이차방정식 $x^2-2(k-a)x+k^2+a^2-b+1=0$이 k의 값에 관계없이 항상 중근을 가진다. 실수 a, b의 값을 구하시오.

(2) x에 대한 이차식 $x^2+(2k-1)x+2k^2-k-1$이 완전제곱식일 때, 실수 k의 값을 모두 구하시오.

대표 Q6 풀이

(1) 중근을 가지므로

$$\frac{D}{4}=\{-(k-a)\}^2-(k^2+a^2-b+1)=0$$

$$-2ak+b-1=0$$

k의 값에 관계없이 항상 성립하므로

$-2a=0$이고 $b-1=0$

$\therefore$ $\boldsymbol{a=0,\ b=1}$

(2) 완전제곱식이므로

$$D=(2k-1)^2-4(2k^2-k-1)=0$$

$$-4k^2+5=0,\ k^2=\frac{5}{4}$$

$$\therefore\ k=\pm\frac{\sqrt{5}}{2}$$

나만의 Note

6-1 나의 풀이

6-2 나의 풀이

6-3 나의 풀이

대표 Q1 이차방정식의 근과 계수의 관계

이차방정식 $2x^2-2x+3=0$의 두 근을 α, β라 할 때, 다음 식의 값을 구하시오.

(1) $\alpha^2+\beta^2$ (2) $\alpha^3+\beta^3$

(3) $(2\alpha-1)(2\beta-1)$ (4) $(\alpha-\beta)^2$

(5) $\dfrac{1}{\alpha}+\dfrac{1}{\beta}$ (6) $\dfrac{\beta^2}{\alpha}+\dfrac{\alpha^2}{\beta}$

대표 Q1 풀이

근과 계수의 관계에서 $\alpha+\beta=-\dfrac{-2}{2}=1$, $\alpha\beta=\dfrac{3}{2}$

(1) $\alpha^2+\beta^2=(\alpha+\beta)^2-2\alpha\beta$
$=1^2-2\times\dfrac{3}{2}=\mathbf{-2}$

(2) $\alpha^3+\beta^3=(\alpha+\beta)^3-3\alpha\beta(\alpha+\beta)$
$=1^3-3\times\dfrac{3}{2}\times1=\mathbf{-\dfrac{7}{2}}$

(3) $(2\alpha-1)(2\beta-1)=4\alpha\beta-2(\alpha+\beta)+1$
$=4\times\dfrac{3}{2}-2\times1+1=\mathbf{5}$

(4) $(\alpha-\beta)^2=(\alpha+\beta)^2-4\alpha\beta$
$=1^2-4\times\dfrac{3}{2}=\mathbf{-5}$

(5) $\dfrac{1}{\alpha}+\dfrac{1}{\beta}=\dfrac{\beta}{\alpha\beta}+\dfrac{\alpha}{\alpha\beta}=\dfrac{\alpha+\beta}{\alpha\beta}=\dfrac{1}{\frac{3}{2}}=\mathbf{\dfrac{2}{3}}$

(6) $\dfrac{\beta^2}{\alpha}+\dfrac{\alpha^2}{\beta}=\dfrac{\beta^3}{\alpha\beta}+\dfrac{\alpha^3}{\alpha\beta}=\dfrac{\alpha^3+\beta^3}{\alpha\beta}=\dfrac{-\frac{7}{2}}{\frac{3}{2}}=\mathbf{-\dfrac{7}{3}}$

나만의 Note

1-1 나의 풀이

본책 104쪽

대표 Q2 켤레근을 이용하는 문제

다음 물음에 답하시오.

(1) 이차방정식 $x^2+ax+b=0$의 한 근이 $3+2i$일 때, 실수 a, b의 값을 구하시오.

(2) 이차방정식 $x^2+ax+b=0$의 한 근이 $3+2\sqrt{2}$일 때, 유리수 a, b의 값을 구하시오.

대표 Q2 풀이

(1) 나머지 한 근은 $3-2i$이므로

$(3+2i)+(3-2i)=-a$ $\quad\therefore$ $\boldsymbol{a=-6}$

$(3+2i)(3-2i)=b$ $\quad\therefore$ $\boldsymbol{b}=3^2-4i^2=\boldsymbol{13}$

(2) 나머지 한 근은 $3-2\sqrt{2}$이므로

$(3+2\sqrt{2})+(3-2\sqrt{2})=-a$ $\quad\therefore$ $\boldsymbol{a=-6}$

$(3+2\sqrt{2})(3-2\sqrt{2})=b$ $\quad\therefore$ $\boldsymbol{b}=3^2-(2\sqrt{2})^2=\boldsymbol{1}$

나만의 Note

2-1 나의 풀이

본책 105쪽

대표 Q3 해의 조건이 주어진 문제

다음 물음에 답하시오.

(1) 방정식 $x^2+mx+3=0$의 두 근의 차가 2일 때, m의 값을 모두 구하시오.

(2) 방정식 $x^2+(p-1)x+p=0$의 두 근의 비가 $2:3$일 때, p의 값을 모두 구하시오.

(3) 방정식 $x^2+(2k-1)x-64=0$의 두 근의 절댓값의 비가 $1:4$일 때, k의 값을 모두 구하시오.

대표 Q3 풀이

(1) 두 근을 α, $\alpha-2$로 놓으면

$\alpha+(\alpha-2)=-m$ $\cdots$ ㉠

$\alpha(\alpha-2)=3$ $\cdots$ ㉡

㉡에서 $(\alpha+1)(\alpha-3)=0$

$\therefore \alpha=-1$ 또는 $\alpha=3$

㉠에 대입하면 $\boldsymbol{m=\pm 4}$

(2) 두 근을 2α, $3\alpha\ (\alpha\neq 0)$로 놓으면

$2\alpha+3\alpha=-(p-1)$ $\cdots$ ㉠

$2\alpha\times 3\alpha=p$ $\cdots$ ㉡

㉡에서 $p=6\alpha^2$을 ㉠에 대입하면

$5\alpha=-6\alpha^2+1$, $6\alpha^2+5\alpha-1=0$

$(\alpha+1)(6\alpha-1)=0$ $\quad\therefore \alpha=-1$ 또는 $\alpha=\frac{1}{6}$

㉡에 대입하면 $\boldsymbol{p=6}$ 또는 $\boldsymbol{p=\frac{1}{6}}$

(3) 두 근의 곱이 음수이므로 두 근을 α, $-4\alpha\ (\alpha\neq 0)$로 놓으면

$\alpha+(-4\alpha)=-(2k-1)$ $\cdots$ ㉠

$\alpha\times(-4\alpha)=-64$ $\cdots$ ㉡

㉡에서 $-4\alpha^2=-64$, $\alpha^2=16$ $\quad\therefore \alpha=\pm 4$

㉠에 대입하면

$\boldsymbol{k=\frac{13}{2}}$ 또는 $\boldsymbol{k=-\frac{11}{2}}$

나만의 Note

3-1 나의 풀이

대표 Q4 두 근의 합과 곱을 이용하여 방정식 만들기

다음 물음에 답하시오.

(1) 이차방정식 $x^2-3x+1=0$의 두 근을 α, β라 할 때, 두 근이 $2\alpha+1$, $2\beta+1$이고 x^2의 계수가 1인 이차방정식을 구하시오.

(2) 이차방정식 $x^2-ax+b=0$의 두 근을 α, β라 하자. $\alpha+\beta$, $\alpha\beta$가 두 근인 이차방정식이 $x^2-(2a+1)x+2=0$일 때, 양수 a, b의 값을 구하시오.

대표 Q4 풀이

(1) $x^2-3x+1=0$의 두 근이 α, β이므로

$\alpha+\beta=3$, $\alpha\beta=1$

따라서

$(2\alpha+1)+(2\beta+1)=2(\alpha+\beta)+2$

$=2\times3+2=8$

$(2\alpha+1)(2\beta+1)=4\alpha\beta+2(\alpha+\beta)+1$

$=4\times1+2\times3+1=11$

구하는 이차방정식은 $\boldsymbol{x^2-8x+11=0}$

(2) $x^2-ax+b=0$의 두 근이 α, β이므로

$\alpha+\beta=a$, $\alpha\beta=b$ $\cdots$ ㉠

또 $x^2-(2a+1)x+2=0$의 두 근이 $\alpha+\beta$, $\alpha\beta$이므로

$(\alpha+\beta)+\alpha\beta=2a+1$, $(\alpha+\beta)\alpha\beta=2$

㉠을 대입하면

$a+b=2a+1$, $ab=2$

$a+b=2a+1$에서 $b=a+1$을 $ab=2$에 대입하면

$a(a+1)=2$, $a^2+a-2=0$

$(a-1)(a+2)=0$

a는 양수이므로 $\boldsymbol{a=1}$, $\boldsymbol{b}=a+1=\boldsymbol{2}$

나만의 Note

4-1 나의 풀이

4-2 나의 풀이

4-3 나의 풀이

본책 107쪽

날선 Q5 이차식의 인수분해

다음 물음에 답하시오.

(1) $x^2-6x+10$을 복소수 범위에서 두 일차식의 곱으로 나타내시오.

(2) $x^2-4xy+ky^2+2x-8y-3$을 x, y에 대한 두 일차식의 곱으로 나타낼 수 있을 때, 실수 k의 값을 구하시오.

날선 Q5 풀이

(1) $x^2-6x+10=0$이라 하면 방정식의 해는

$x=3\pm i$

$\therefore x^2-6x+10=\{x-(3+i)\}\{x-(3-i)\}$

$=\boldsymbol{(x-3-i)(x-3+i)}$

(2) $x^2-4xy+ky^2+2x-8y-3=A$

라 하고 x에 대해 정리하면

$A=x^2-2(2y-1)x+ky^2-8y-3$ $\cdots$ ㉠

A는 x에 대한 이차식이므로 이차방정식 $A=0$의 해를 α, β라 하면

$A=(x-\alpha)(x-\beta)$

따라서 A를 x, y에 대한 두 일차식의 곱으로 나타낼 수 있으면 이차방정식 $A=0$의 해 α, β가 y에 대한 일차식이다.

α, β는 근의 공식에서

$x=2y-1\pm\sqrt{\{-(2y-1)\}^2-(ky^2-8y-3)}$

$=2y-1\pm\sqrt{(4-k)y^2+4y+4}$

이때 근호 안의 식

$(4-k)y^2+4y+4$ $\cdots$ ㉡

가 완전제곱식이므로

$\dfrac{D}{4}=2^2-(4-k)\times4=0$ $\cdots$ ㉢

$\therefore \boldsymbol{k=3}$

나만의 Note

5-1 나의 풀이

5-2 나의 풀이

대표 Q1 이차함수의 식 구하기

다음 그래프를 나타내는 이차함수의 식을 구하시오.

(1) 꼭짓점이 점 $(3,\ -1)$이고, 점 $(1,\ 3)$을 지난다.

(2) x축과 x좌표가 -1, 4인 점에서 만나고, y축과 y좌표가 4인 점에서 만난다.

(3) 세 점 $(0,\ 1)$, $(1,\ 0)$, $(3,\ 4)$를 지난다.

대표 Q1 풀이

(1) 꼭짓점이 점 $(3,\ -1)$이므로 이차함수의 식을
$y=a(x-3)^2-1$
로 놓자.
그래프가 점 $(1,\ 3)$을 지나므로
$3=a(1-3)^2-1 \qquad \therefore a=1$
이차함수의 식은 $\boldsymbol{y=(x-3)^2-1}$

(2) x축과 $x=-1$, $x=4$인 점에서 만나므로 이차함수의 식을
$y=a(x+1)(x-4)$
로 놓자.
y축과 $y=4$인 점에서 만나므로
$4=a(0+1)(0-4) \qquad \therefore a=-1$
이차함수의 식은 $\boldsymbol{y=-(x+1)(x-4)}$

(3) $y=ax^2+bx+c$로 놓자.
점 $(0,\ 1)$을 지나므로
$1=a\times 0^2+b\times 0+c \qquad \therefore c=1$
점 $(1,\ 0)$을 지나므로
$0=a\times 1^2+b\times 1+c$
$\therefore a+b=-1 \qquad \cdots$ ㉠
점 $(3,\ 4)$를 지나므로
$4=a\times 3^2+b\times 3+c$
$\therefore 3a+b=1 \qquad \cdots$ ㉡
㉠, ㉡을 연립하여 풀면 $a=1$, $b=-2$
이차함수의 식은 $\boldsymbol{y=x^2-2x+1}$

나만의 Note

1-1 나의 풀이

본책 116쪽

대표 Q2 절댓값 기호를 포함한 함수의 그래프

다음 함수의 그래프를 그리시오.

(1) $y=|2x-1|$ (2) $y=|x^2-4x+3|$

대표 Q2 풀이

(1) $x\geq\frac{1}{2}$일 때, $y=2x-1$

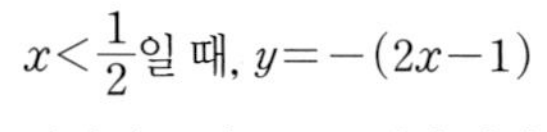

$x<\frac{1}{2}$일 때, $y=-(2x-1)$

따라서 그래프는 그림과 같다.

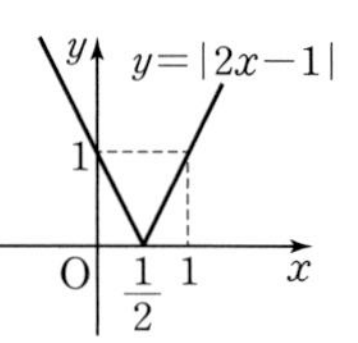

(2) $f(x)=x^2-4x+3$이라 하면

$f(x)=x^2-4x+3=(x-2)^2-1$

이므로 꼭짓점은 점 $(2,\ -1)$

또 $y=f(x)$에 $x=0$을 대입하면 $y=3$

$y=0$을 대입하면

$0=x^2-4x+3$

$(x-1)(x-3)=0$

$\therefore\ x=1$ 또는 $x=3$

따라서 $y=f(x)$의 그래프는 그림과 같다.

$x\leq1$ 또는 $x\geq3$일 때

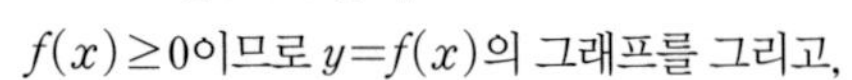

$f(x)\geq0$이므로 $y=f(x)$의 그래프를 그리고, $1<x<3$일 때 $f(x)<0$이므로 $y=-f(x)$의 그래프를 그린다.

따라서 $y=|x^2-4x+3|$의 그래프는 그림과 같다.

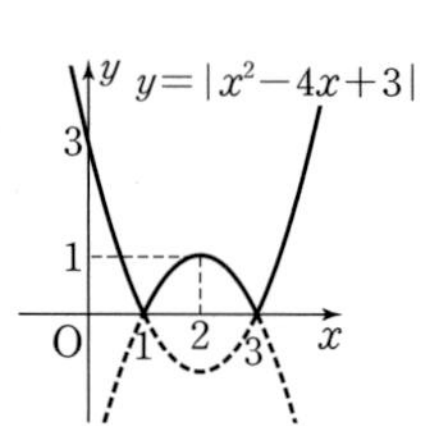

나만의 Note

2-1 나의 풀이

대표 Q3 이차함수의 그래프

이차함수 $f(x)=ax^2+bx+c$는 모든 x에 대하여 $f(2-x)=f(2+x)$를 만족시킨다.
$f(0)>0$, $f(-1)<0$일 때, 다음 중 옳은 것은?

① $a>0$ ② $b<0$ ③ $f(2)>0$
④ $f(x)>f(2)$인 x가 적어도 하나 있다.
⑤ 방정식 $ax^2+bx+c=0$의 두 근의 합은 2이다.

대표 Q3 풀이

$f(2-x)=f(2+x)$이므로 $y=f(x)$의 그래프는 직선 $x=2$에 대칭이다.
따라서 축이 직선 $x=2$이고, $f(0)>0$, $f(-1)<0$을 만족시키는 이차함수의 그래프는 그림과 같다.

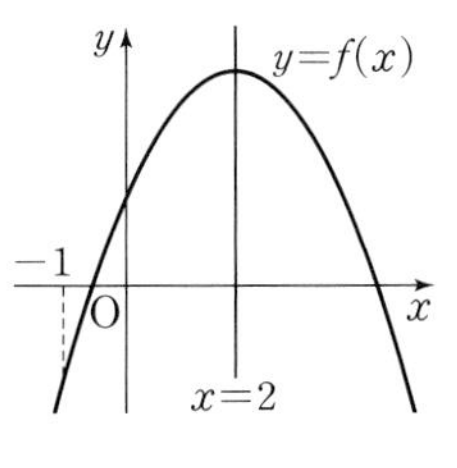

$y=ax^2+bx+c=a\left(x+\frac{b}{2a}\right)^2-\frac{b^2}{4a}+c$

① 함수의 그래프가 위로 볼록하므로 $a<0$이다. (거짓)
② 축이 직선 $x=2$이므로 $-\frac{b}{2a}=2>0$이고 $a<0$이므로 $b>0$이다. (거짓)
③ 그래프에서 $f(2)>0$이다. (참)
④ 함수 $f(x)$가 $x=2$일 때 최대이므로 모든 x에 대하여 $f(x)\le f(2)$이다. 곧, $f(x)>f(2)$인 x는 존재하지 않는다. (거짓)
⑤ 그래프가 x축과 만나는 두 점은 직선 $x=2$에 대칭이다. 따라서 방정식 $ax^2+bx+c=0$의 두 근은 $2-\alpha$, $2+\alpha$ 꼴이고 두 근의 합은 4이다. (거짓)

따라서 옳은 것은 ③이다.

나만의 Note

3-1 나의 풀이

3-2 나의 풀이

대표 Q4 이차함수의 최대, 최소

함수 $f(x)=2x^2+4x$에 대하여 다음 물음에 답하시오.

(1) $f(x)$의 최댓값 또는 최솟값을 구하시오.

(2) $-2\le x\le 2$일 때, $f(x)$의 최댓값과 최솟값을 구하시오.

(3) $-1\le x\le 2$일 때, $|f(x)|$의 최댓값과 최솟값을 구하시오.

대표 Q4 풀이

$f(x)=2(x^2+2x)$

$\quad=2(x+1)^2-2$

이므로 $y=f(x)$의 그래프는 그림과 같다.

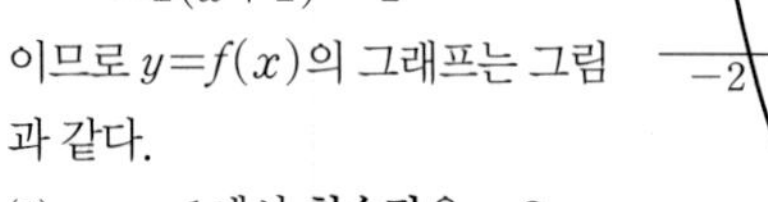

(1) $x=-1$에서 **최솟값은 -2,**

최댓값은 없다.

(2) $-2\le x\le 2$에서 생각하면

$x=-1$에서 **최솟값은 -2**

$x=2$에서 **최댓값은** $f(2)=$**16**

(3) $f(x)=0$에서

$(x+2)x=0$

$\therefore x=-2$ 또는 $x=0$

따라서 $-1\le x\le 2$에서

$y=|f(x)|$의 그래프는 그림과 같다.

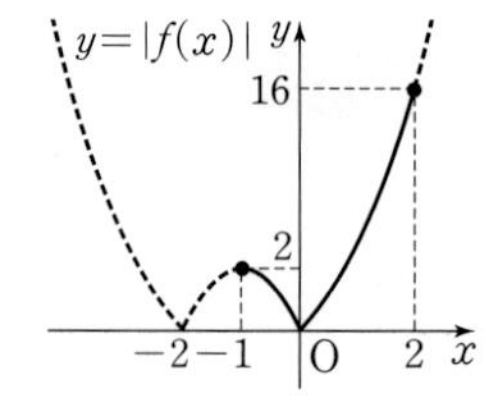

$x=0$에서 **최솟값은 0**

$x=2$에서 **최댓값은** $|f(2)|=$**16**

나만의 Note

4-1 나의 풀이

4-2 나의 풀이

최댓값, 최솟값이 주어지는 경우

다음 물음에 답하시오.

(1) 이차함수 $y=ax^2-2ax+a^2+a-1$의 최댓값이 3일 때, 실수 a의 값을 구하시오.

(2) $0\le x\le 3$에서 함수 $y=-x^2+2x+k$의 최댓값이 1일 때, 실수 k의 값과 함수의 최솟값을 구하시오.

대표 Q5 풀이

(1) $y=ax^2-2ax+a^2+a-1$

$=a(x^2-2x+1)+a^2-1$

$=a(x-1)^2+a^2-1$

최댓값이 3이므로 $a<0$이고

$a^2-1=3$, $a^2=4$

$a<0$이므로 $a=\mathbf{-2}$

(2) $y=-x^2+2x+k$

$=-(x-1)^2+k+1$

이므로 $0\le x\le 3$에서 그래프는 그림과 같다.

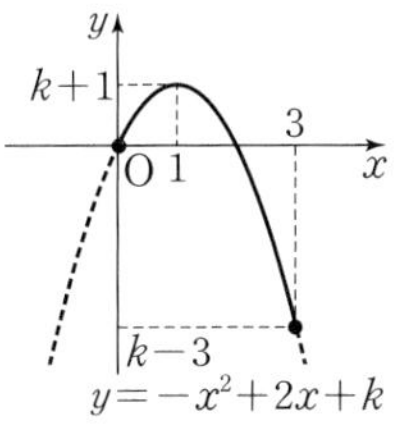

$x=1$에서 최댓값은 $k+1$

최댓값이 1이므로

$k+1=1$ $\quad\therefore$ $\boldsymbol{k=0}$

$x=3$에서 **최솟값**은

$-3^2+2\times 3+k=k-3=\mathbf{-3}$

나만의 Note

5-1 나의 풀이

5-2 나의 풀이

본책 122쪽

Q6 치환하는 최대, 최소 문제

이차함수 $f(x)$의 최댓값은 $x=2$에서 1이다. $f(1)=0$일 때, 다음 물음에 답하시오.

(1) $f(x)$를 구하시오.

(2) $0\le x\le 3$에서 $y=\{f(x)\}^2-6f(x)+5$의 최댓값과 최솟값을 구하시오.

대표 Q6 풀이

(1) $x=2$에서 최댓값이 1이므로

$f(x)=a(x-2)^2+1\ (a<0)$

로 놓을 수 있다.

$f(1)=0$이므로

$a(1-2)^2+1=0 \qquad \therefore a=-1$

$\therefore \boldsymbol{f(x)=-(x-2)^2+1}$

(2) $f(x)=t$로 놓으면 주어진 식은

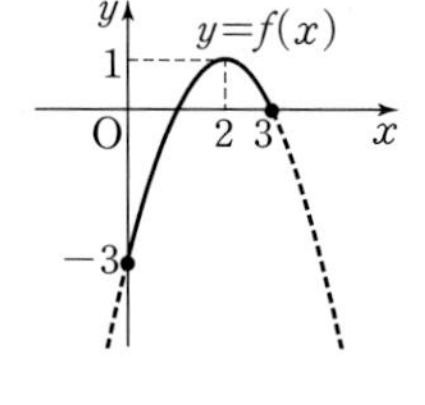

$y=t^2-6t+5$

$=(t-3)^2-4$

$0\le x\le 3$에서

$-3\le f(x)\le 1$이므로

$-3\le t\le 1$

$-3\le t\le 1$에서

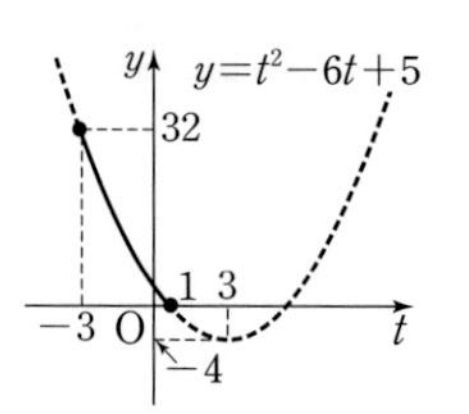

$y=t^2-6t+5$의 그래프는

오른쪽 그림과 같다.

$t=-3$에서 **최댓값**은

$(-3-3)^2-4=\mathbf{32}$

$t=1$에서 **최솟값**은 $(1-3)^2-4=\mathbf{0}$

나만의 Note

6-1 나의 풀이

6-2 나의 풀이

변수를 소거하는 최대, 최소 문제

x, y는 실수이고 $2x+y=1$일 때, 다음 물음에 답하시오.

(1) x^2+2x+y^2의 최솟값을 구하시오.

(2) $x\geq 0$, $y\geq 0$일 때, x^2+2x+y^2의 최댓값과 최솟값을 구하시오.

대표 Q7 풀이

(1) $2x+y=1$에서 $y=1-2x$를

x^2+2x+y^2에 대입하면

$$\begin{aligned}x^2+2x+y^2&=x^2+2x+(1-2x)^2\\&=5x^2-2x+1\\&=5\left(x^2-\frac{2}{5}x+\frac{1}{25}-\frac{1}{25}\right)+1\\&=5\left(x-\frac{1}{5}\right)^2+\frac{4}{5}\end{aligned}$$

따라서 $x=\frac{1}{5}$일 때, 최솟값은 $\mathbf{\frac{4}{5}}$이다.

(2) $2x+y=1$에서 $y=1-2x$

$y\geq 0$이므로 $1-2x\geq 0$ $\quad\therefore x\leq\frac{1}{2}$

$x\geq 0$이므로 $0\leq x\leq\frac{1}{2}$

$t=5\left(x-\frac{1}{5}\right)^2+\frac{4}{5}$라 하면

$0\leq x\leq\frac{1}{2}$에서 그래프는 그림과 같다.

$t=5\left(x-\frac{1}{5}\right)^2+\frac{4}{5}$

따라서

$x=\frac{1}{5}$에서 **최솟값은** $\mathbf{\frac{4}{5}}$

$x=\frac{1}{2}$에서 **최댓값은** $5\left(\frac{1}{2}-\frac{1}{5}\right)^2+\frac{4}{5}=\mathbf{\frac{5}{4}}$

7-1 나의 풀이

7-2 나의 풀이

대표 Q8 이차함수의 최대, 최소의 활용

그림과 같이 길이가 20 m인 철망을 'ㄷ'자 모양으로 벽에 둘러쳐서 직사각형 모양의 닭장을 만들려고 한다. 닭장 넓이의 최댓값을 구하시오. (단, 철망의 두께는 생각하지 않는다.)

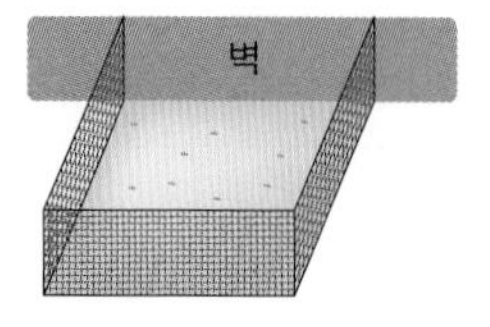

대표 Q8 풀이

닭장 세로의 길이를 x m, 넓이를 y m^{2}라 하자.

닭장 가로의 길이가 $(20-2x)$ m이므로

$y=x(20-2x)=-2x^2+20x$

$=-2(x^2-10x+25-25)$

$=-2(x-5)^2+50$ $\cdots$ ㉠

변의 길이는 양수이므로

$x>0,\ 20-2x>0$ $\quad\therefore\ 0<x<10$

이 범위에서 ㉠의 최댓값은 $x=5$일 때 50이다.

따라서 닭장 넓이의 최댓값은 **50 m^2**이다.

나만의 Note

8-1 나의 풀이

8-2 나의 풀이

대표 Q1 이차함수의 그래프와 x축의 위치 관계

이차함수 $y=x^2-2kx+k^2-2k+1$의 그래프에 대하여 다음 물음에 답하시오.

(1) x축과 두 점에서 만날 때, 실수 k값의 범위를 구하시오.

(2) x축과 접할 때, 실수 k의 값을 구하시오.

(3) x축과 만나지 않을 때, 실수 k값의 범위를 구하시오.

대표 Q1 풀이

$\frac{D}{4}=k^2-(k^2-2k+1)=2k-1$

(1) $\frac{D}{4}>0$에서 $2k-1>0$ $\quad\therefore \boldsymbol{k>\frac{1}{2}}$

(2) $\frac{D}{4}=0$에서 $2k-1=0$ $\quad\therefore \boldsymbol{k=\frac{1}{2}}$

(3) $\frac{D}{4}<0$에서 $2k-1<0$ $\quad\therefore \boldsymbol{k<\frac{1}{2}}$

나만의 Note

1-1 나의 풀이

본책 134쪽

대표 Q2 이차함수의 그래프와 직선의 위치 관계

이차함수 $y=-2x^2+x+2$의 그래프와 직선 $y=-x+n$에 대하여 다음 물음에 답하시오.

(1) 만나지 않을 때, 실수 n값의 범위를 구하시오.

(2) 만날 때, 실수 n값의 범위를 구하시오.

(3) 접할 때, 실수 n의 값과 접점의 좌표를 구하시오.

대표 Q2 풀이

$y=-2x^2+x+2$와 $y=-x+n$에서

$-2x^2+x+2=-x+n$, $2x^2-2x+n-2=0$ … ㉠

이때 $\frac{D}{4}=(-1)^2-2(n-2)=-2n+5$

(1) $\frac{D}{4}<0$에서 $-2n+5<0$ $\therefore \boldsymbol{n>\frac{5}{2}}$

(2) $\frac{D}{4}\geq 0$에서 $-2n+5\geq 0$ $\therefore \boldsymbol{n\leq\frac{5}{2}}$

(3) $\frac{D}{4}=0$에서 $-2n+5=0$ $\therefore \boldsymbol{n=\frac{5}{2}}$

㉠에 $n=\frac{5}{2}$를 대입하면

$2x^2-2x+\frac{1}{2}=0$, $4x^2-4x+1=0$

$(2x-1)^2=0$ $\therefore x=\frac{1}{2}$

$x=\frac{1}{2}$을 $y=-x+\frac{5}{2}$에 대입하면 $y=2$

따라서 접점의 좌표는 $\boldsymbol{\left(\frac{1}{2}, 2\right)}$이다.

나만의 Note

2-1 나의 풀이

본책 135쪽

대표 Q3 이차함수의 그래프에 접하는 직선

다음 물음에 답하시오.

(1) 이차함수 $y=x^2+4x+5$의 그래프에 접하고 직선 $y=-2x+1$에 평행한 직선의 방정식을 구하시오.

(2) 이차함수 $y=x^2+ax+b$의 그래프가 직선 $y=x$와 점 $(1,\ c)$에서 접할 때, a, b, c의 값을 구하시오.

대표 Q3 풀이

(1) 직선 $y=-2x+1$에 평행한 직선은 기울기가 -2이므로 직선의 방정식을 $y=-2x+n$으로 놓자.

$y=x^2+4x+5$와 $y=-2x+n$에서

$x^2+4x+5=-2x+n$, $x^2+6x+5-n=0$

접하므로

$\frac{D}{4}=3^2-(5-n)=0 \qquad \therefore n=-4$

따라서 접선의 방정식은 $\boldsymbol{y=-2x-4}$

(2) 직선 $y=x$가 점 $(1,\ c)$를 지나므로 $\boldsymbol{c=1}$

함수 $y=x^2+ax+b$의 그래프가 점 $(1,\ 1)$을 지나므로

$1=1+a+b \qquad \therefore b=-a$

이때 이차함수는 $y=x^2+ax-a$이다.

이차함수의 그래프와 직선 $y=x$가 접하므로

$x^2+ax-a=x$, $x^2+(a-1)x-a=0$

에서

$D=(a-1)^2+4a=0$, $(a+1)^2=0$

$\therefore \boldsymbol{a=-1,\ b=1}$

나만의 Note

3-1 나의 풀이

3-2 나의 풀이

› 본책 136쪽

이차함수의 그래프와 직선의 교점에 대한 문제

다음 물음에 답하시오.

(1) 이차함수 $y=f(x)$의 그래프는 직선 $y=3$과 x좌표가 1, 3인 점에서 만난다. $f(0)=-3$일 때, $f(x)$를 구하시오.

(2) 이차함수 $y=x^2$의 그래프와 직선 $y=kx+2$가 두 점 A, B에서 만난다. 선분 AB가 y축과 만나는 점을 C라 하면 $\overline{AC}:\overline{CB}=1:2$일 때, 상수 k의 값을 모두 구하시오.

대표 Q4 풀이

(1) $y=f(x)$의 그래프와 직선 $y=3$의 교점의 x좌표는 방정식 $f(x)=3$, 곧 $f(x)-3=0$의 해이다.
해가 $x=1$ 또는 $x=3$이므로
$f(x)-3=a(x-1)(x-3)$ $\cdots$ ㉠
으로 놓을 수 있다.
$f(0)=-3$이므로 ㉠에 $x=0$을 대입하면
$-3-3=a\times(-1)\times(-3)$ $\quad\therefore a=-2$
㉠에 대입하면 $f(x)-3=-2(x-1)(x-3)$
$\therefore$ $\boldsymbol{f(x)=-2x^2+8x-3}$

(2) 이차함수 $y=x^2$의 그래프와 직선 $y=kx+2$가 그림과 같이 두 점에서 만나고
$\overline{AC}:\overline{CB}=1:2$이므로
점 A의 x좌표를 $-\alpha$라 하면
점 B의 x좌표는 2α이다.
$y=x^2$과 $y=kx+2$에서
$x^2=kx+2$ $\quad\therefore x^2-kx-2=0$
해가 $-\alpha$, 2α이므로 근과 계수의 관계에서
$-\alpha+2\alpha=k$ $\cdots$ ㉠
$-\alpha\times2\alpha=-2$ $\cdots$ ㉡
㉡에서 $\alpha^2=1$ $\quad\therefore \alpha=\pm1$
㉠에 대입하면 $\boldsymbol{k=\pm1}$

나만의 Note

4-1 나의 풀이

4-2 나의 풀이

대표 Q1 인수분해 공식을 이용하는 방정식

다음 방정식을 푸시오.

(1) $x^3+8=0$ (2) $x^4=1$

(3) $x^4-2x^2-3=0$

(4) $x(x+1)(x+2)(x+3)=24$

대표 Q1 풀이

(1) $x^3+8=0$에서

$(x+2)(x^2-2x+4)=0$

$x+2=0$ 또는 $x^2-2x+4=0$

$x+2=0$에서 $x=-2$

$x^2-2x+4=0$에서

$x=1\pm\sqrt{3}i$

$\therefore$ **$x=-2$ 또는 $x=1\pm\sqrt{3}i$**

(2) $x^4=1$에서 $x^4-1=0$

$(x^2+1)(x^2-1)=0$

$x^2+1=0$에서 $x=\pm i$

$x^2-1=0$에서 $x=\pm 1$

$\therefore$ **$x=\pm i$ 또는 $x=\pm 1$**

(3) $x^4-2x^2-3=0$에서 $x^2=t$로 놓으면

$t^2-2t-3=0$, $(t+1)(t-3)=0$

$\therefore t=-1$ 또는 $t=3$

(i) $t=-1$일 때, $x^2=-1$에서 $x=\pm i$

(ii) $t=3$일 때, $x^2=3$에서 $x=\pm\sqrt{3}$

(i), (ii)에서 **$x=\pm i$ 또는 $x=\pm\sqrt{3}$**

(4) $x(x+1)(x+2)(x+3)=24$에서

$\{x(x+3)\}\{(x+1)(x+2)\}=24$

$(x^2+3x)(x^2+3x+2)=24$

$x^2+3x=t$로 놓으면

$t(t+2)=24$, $t^2+2t-24=0$, $(t+6)(t-4)=0$

$\therefore t=-6$ 또는 $t=4$

(i) $t=-6$일 때,

$x^2+3x=-6$에서 $x^2+3x+6=0$

$\therefore x=\frac{-3\pm\sqrt{3^2-4\times 6}}{2}=\frac{-3\pm\sqrt{15}i}{2}$

(ii) $t=4$일 때,

$x^2+3x=4$에서 $x^2+3x-4=0$

$(x+4)(x-1)=0$ $\therefore x=-4$ 또는 $x=1$

(i), (ii)에서 **$x=\frac{-3\pm\sqrt{15}i}{2}$ 또는 $x=-4$ 또는 $x=1$**

1-1 나의 풀이

1-2 나의 풀이

본책 146쪽

Q2 인수정리를 이용하는 방정식

다음 물음에 답하시오.

(1) 방정식 $x^3+6x^2+11x+6=0$을 푸시오.

(2) 삼차방정식 $x^3+ax^2+3x+a-1=0$의 한 근이 -2일 때, 상수 a의 값과 나머지 두 근을 구하시오.

대표 Q2 풀이

(1) $f(x)=x^3+6x^2+11x+6$이라 하자.

$f(-1)=0$이므로 $f(x)$는 $x+1$로 나누어떨어진다.

$$\begin{array}{r|rrrr} -1 & 1 & 6 & 11 & 6 \\ & & -1 & -5 & -6 \\ \hline & 1 & 5 & 6 & 0 \end{array}$$

$f(x)=(x+1)(x^2+5x+6)$

$\quad=(x+1)(x+2)(x+3)$

$f(x)=0$에서

$\boldsymbol{x=-1}$ **또는** $\boldsymbol{x=-2}$ **또는** $\boldsymbol{x=-3}$

(2) $x^3+ax^2+3x+a-1=0$의 한 근이 -2이므로

$x=-2$를 대입하면

$(-2)^3+a\times(-2)^2+3\times(-2)+a-1=0$

$5a=15 \qquad \therefore \boldsymbol{a=3}$

따라서 $f(x)=x^3+3x^2+3x+2$라 하면

$f(x)$는 $x+2$로 나누어떨어진다.

$$\begin{array}{r|rrrr} -2 & 1 & 3 & 3 & 2 \\ & & -2 & -2 & -2 \\ \hline & 1 & 1 & 1 & 0 \end{array}$$

$(x+2)(x^2+x+1)=0$

따라서 나머지 두 근은 $x^2+x+1=0$에서

$\boldsymbol{x=\dfrac{-1\pm\sqrt{3}i}{2}}$

나만의 Note

2-1 나의 풀이

2-2 나의 풀이

본책 147쪽

대표 Q3 삼차방정식 해의 판별

삼차방정식 $x^3+5x^2+(a-5)x-a-1=0$에 대하여 다음 물음에 답하시오.

(1) 세 근이 모두 실수일 때, 실수 a값의 범위를 구하시오.

(2) 중근을 가질 때, 상수 a의 값을 모두 구하시오.

대표 Q3 풀이

(1) $f(x)=x^3+5x^2+(a-5)x-a-1$이라 하자.

$f(1)=0$이므로 $f(x)$는 $x-1$로 나누어떨어진다.

$$\begin{array}{c|cccc} 1 & 1 & 5 & a-5 & -a-1 \\ & & 1 & 6 & a+1 \\ \hline & 1 & 6 & a+1 & 0 \end{array}$$

$f(x)=(x-1)(x^2+6x+a+1)$

$f(x)=0$에서

$x-1=0$ 또는 $x^2+6x+a+1=0$

세 근이 모두 실수이므로 방정식 $x^2+6x+a+1=0$이 실근을 갖는다.

$\frac{D}{4}=3^2-(a+1)\ge0 \qquad \therefore \boldsymbol{a\le8}$

(2) $(x-1)(x^2+6x+a+1)=0$에서

(i) $x^2+6x+a+1=0$이 중근을 가질 때,

$\frac{D}{4}=3^2-(a+1)=0 \qquad \therefore a=8$

(ii) $x^2+6x+a+1=0$이 $x=1$을 해로 가질 때,

$1+6+a+1=0 \qquad \therefore a=-8$

(i), (ii)에서 a의 값은 $\mathbf{-8,\ 8}$

나만의 Note

3-1 나의 풀이

3-2 나의 풀이

본책 148쪽

대표 Q4 $x^3=1$의 허근 ω의 성질

방정식 $x^3=1$의 한 허근을 ω라 할 때, 다음 식의 값을 구하시오.

(1) $\omega+\frac{1}{\omega}$ (2) $\omega^{100}+\omega^{101}$

(3) $1+\omega+\omega^2+\omega^3+\cdots+\omega^{100}+\omega^{101}$

대표 Q4 풀이

$x^3-1=0$에서 $(x-1)(x^2+x+1)=0$이고
한 허근이 ω이므로
$\omega^3=1$, $\omega^2+\omega+1=0$

(1) $\omega+\frac{1}{\omega}=\frac{\omega^2+1}{\omega}=\frac{-\omega}{\omega}=\mathbf{-1}$

(2) $\omega^{100}=\omega^{3\times33+1}=(\omega^3)^{33}\times\omega=1^{33}\times\omega=\omega$
$\omega^{101}=\omega^{3\times33+2}=(\omega^3)^{33}\times\omega^2=1^{33}\times\omega^2=\omega^2$
$\therefore\ \omega^{100}+\omega^{101}=\omega+\omega^2=\mathbf{-1}$

(3) $1+\omega+\omega^2+\omega^3+\cdots+\omega^{100}+\omega^{101}$
$=(1+\omega+\omega^2)+(\omega^3+\omega^4+\omega^5)+\cdots+(\omega^{99}+\omega^{100}+\omega^{101})$
$=(1+\omega+\omega^2)+\omega^3(1+\omega+\omega^2)+\cdots+\omega^{99}(1+\omega+\omega^2)$
$=0+0+\cdots+0=\mathbf{0}$

나만의 Note

4-1 나의 풀이

4-2 나의 풀이

본책 149쪽

대표 Q5 삼차방정식의 근과 계수의 관계

삼차방정식 $x^3+x^2+px+q=0$의 한 근이 $1+i$일 때, 실수 p, q의 값과 나머지 두 근을 구하시오.

대표 Q5 풀이

한 근이 $1+i$이므로 $\mathbf{1-i}$도 한 근이다.
나머지 한 근을 α라 하면

방법 1

$x^3+x^2+px+q=\{x-(1+i)\}\{x-(1-i)\}(x-\alpha)$
우변을 전개하면
$\{x-(1+i)\}\{x-(1-i)\}(x-\alpha)$
$=(x^2-2x+2)(x-\alpha)$
$=x^3-(\alpha+2)x^2+2(\alpha+1)x-2\alpha$
좌변과 비교하면
$-(\alpha+2)=1$, $2(\alpha+1)=p$, $-2\alpha=q$
$\therefore \boldsymbol{\alpha=-3}$, $\boldsymbol{p=-4}$, $\boldsymbol{q=6}$

방법 2

삼차방정식의 근과 계수의 관계에서
$(1+i)+(1-i)+\alpha=-1$ … ㉠
$(1+i)(1-i)+(1-i)\alpha+(1+i)\alpha=p$ … ㉡
$(1+i)(1-i)\alpha=-q$ … ㉢
㉠에서 $\boldsymbol{\alpha=-3}$
㉡에 대입하면 $\boldsymbol{p=-4}$
㉢에 대입하면 $\boldsymbol{q=6}$

나만의 Note

5-1 나의 풀이

5-2 나의 풀이

대표 Q1 연립일차방정식

다음 물음에 답하시오.

(1) 다음 일차방정식을 연립하여 푸시오.

$2x+y+z=-2$, $2x+3y-z=-10$,

$x-4y+3z=13$

(2) 다음 방정식을 연립하여 풀면 해가 있을 때, 상수 a의 값과 해를 구하시오.

$x+2y=a$, $2x+3y=2a-2$,

$2x-y=-a-1$

대표 Q1 풀이

(1) $\begin{cases} 2x+y+z=-2 & \cdots ㉠ \\ 2x+3y-z=-10 & \cdots ㉡ \\ x-4y+3z=13 & \cdots ㉢ \end{cases}$

㉠+㉡을 하면 $4x+4y=-12$

$\therefore x+y=-3$ … ㉣

㉠×3−㉢을 하면 $5x+7y=-19$ … ㉤

㉣×5−㉤을 하면 $-2y=4$ $\quad\therefore \boldsymbol{y=-2}$

$y=-2$를 ㉣에 대입하면 $\boldsymbol{x=-1}$

$x=-1$, $y=-2$를 ㉠에 대입하면

$-2-2+z=-2$ $\quad\therefore \boldsymbol{z=2}$

(2) x, y, a에 대한 연립방정식으로 보고 정리하면

$\begin{cases} x+2y-a=0 & \cdots ㉠ \\ 2x+3y-2a=-2 & \cdots ㉡ \\ 2x-y+a=-1 & \cdots ㉢ \end{cases}$

㉠×2−㉡을 하면 $\boldsymbol{y=2}$

$y=2$를 ㉠에 대입하면 $x+4-a=0$ … ㉣

$y=2$를 ㉢에 대입하면 $2x-2+a=-1$ … ㉤

㉣, ㉤을 연립하여 풀면 $\boldsymbol{x=-1}$, $\boldsymbol{a=3}$

나만의 Note

1-1 나의 풀이

1-2 나의 풀이

본책 157쪽

Q2 연립이차방정식

다음 연립방정식을 푸시오.

(1) $\begin{cases} x-2y=1 \\ x^2+y^2=2 \end{cases}$　　(2) $\begin{cases} x^2-3xy+2y^2=0 \\ x^2+y^2=20 \end{cases}$

대표 Q2 풀이

(1) $\begin{cases} x-2y=1 & \cdots ㉠ \\ x^2+y^2=2 & \cdots ㉡ \end{cases}$

㉠에서 $x=2y+1$을 ㉡에 대입하면

$(2y+1)^2+y^2=2$, $5y^2+4y-1=0$

$(y+1)(5y-1)=0$

$\therefore y=-1$ 또는 $y=\frac{1}{5}$

㉠에 대입하면 $\begin{cases} \boldsymbol{x=-1} \\ \boldsymbol{y=-1} \end{cases}$ 또는 $\begin{cases} \boldsymbol{x=\frac{7}{5}} \\ \boldsymbol{y=\frac{1}{5}} \end{cases}$

(2) $\begin{cases} x^2-3xy+2y^2=0 & \cdots ㉠ \\ x^2+y^2=20 & \cdots ㉡ \end{cases}$

㉠에서 $(x-y)(x-2y)=0$

$\therefore x=y$ 또는 $x=2y$

$x=y$를 ㉡에 대입하면

$y^2+y^2=20$　$\therefore y=\pm\sqrt{10}$

$x=y$이므로 $\begin{cases} \boldsymbol{x=\sqrt{10}} \\ \boldsymbol{y=\sqrt{10}} \end{cases}$ 또는 $\begin{cases} \boldsymbol{x=-\sqrt{10}} \\ \boldsymbol{y=-\sqrt{10}} \end{cases}$

$x=2y$를 ㉡에 대입하면

$4y^2+y^2=20$　$\therefore y=\pm 2$

$x=2y$이므로 $\begin{cases} \boldsymbol{x=4} \\ \boldsymbol{y=2} \end{cases}$ 또는 $\begin{cases} \boldsymbol{x=-4} \\ \boldsymbol{y=-2} \end{cases}$

나만의 Note

2-1 나의 풀이

2-2 나의 풀이

대표 Q3 $x+y=a,\ xy=b$ 꼴의 연립방정식

다음 연립방정식을 푸시오.

(1) $\begin{cases} x+y=4 \\ xy=2 \end{cases}$ (2) $\begin{cases} x^2+y^2=5 \\ xy-x-y=-3 \end{cases}$

대표 Q3 풀이

(1) $\begin{cases} x+y=4 & \cdots ㉠ \\ xy=2 & \cdots ㉡ \end{cases}$

이므로 x, y는 이차방정식 $t^2-4t+2=0$의 두 근이다. 이 방정식의 해는

$t=2\pm\sqrt{4-2}=2\pm\sqrt{2}$

이므로

$\begin{cases} \boldsymbol{x=2-\sqrt{2}} \\ \boldsymbol{y=2+\sqrt{2}} \end{cases}$ 또는 $\begin{cases} \boldsymbol{x=2+\sqrt{2}} \\ \boldsymbol{y=2-\sqrt{2}} \end{cases}$

(2) $x^2+y^2=(x+y)^2-2xy$이므로

$x+y=a,\ xy=b$

로 놓으면 주어진 연립방정식은

$\begin{cases} a^2-2b=5 & \cdots ㉠ \\ b-a=-3 & \cdots ㉡ \end{cases}$

㉡에서 $b=a-3$을 ㉠에 대입하면

$a^2-2(a-3)=5,\ a^2-2a+1=0,\ (a-1)^2=0$

$\therefore a=1,\ b=-2$

곧, $x+y=1$, $xy=-2$이므로 x, y는 이차방정식 $t^2-t-2=0$의 해이다.

$(t+1)(t-2)=0$의 해는 -1 또는 2이므로

$\begin{cases} \boldsymbol{x=-1} \\ \boldsymbol{y=2} \end{cases}$ 또는 $\begin{cases} \boldsymbol{x=2} \\ \boldsymbol{y=-1} \end{cases}$

나만의 Note

3-1 나의 풀이

> 본책 159쪽

대표 Q4 연립방정식과 이차방정식

다음 물음에 답하시오.

(1) 연립방정식 $\begin{cases} x+y=2 \\ x^2+y^2+xy=k \end{cases}$ 의 해가 한 쌍일 때, 실수 k의 값과 해를 구하시오.

(2) 두 이차방정식

$$x^2+ax-4=0,\ x^2+x+a-2=0$$

의 공통인 실근이 있을 때, 실수 a의 값과 공통인 해를 구하시오.

대표 Q4 풀이

(1) $\begin{cases} x+y=2 & \cdots ㉠ \\ x^2+y^2+xy=k & \cdots ㉡ \end{cases}$

㉠에서 $y=2-x$를 ㉡에 대입하면

$x^2+(2-x)^2+x(2-x)=k$

$\therefore x^2-2x+4-k=0 \quad \cdots ㉢$

㉢의 해가 하나이므로

$\dfrac{D}{4}=(-1)^2-(4-k)=0 \quad \therefore \boldsymbol{k=3}$

이때 ㉢은 $x^2-2x+1=0$

$(x-1)^2=0 \quad \therefore \boldsymbol{x=1}$ (중근)

$y=2-x$이므로 $\boldsymbol{y=1}$

(2) 공통인 실근을 p라 하면 p가 공통인 해이므로

$p^2+ap-4=0 \quad \cdots ㉠$

$p^2+p+a-2=0 \quad \cdots ㉡$

㉡에서 $a=-p^2-p+2$이므로 ㉠에 대입하면

$p^2+(-p^2-p+2)p-4=0,\ p^3-2p+4=0$

$\therefore (p+2)(p^2-2p+2)=0$

p는 실수이므로 $\boldsymbol{p=-2} \quad \therefore \boldsymbol{a=0}$

나만의 Note

4-1 나의 풀이

4-2 나의 풀이

본책 160쪽

연립방정식의 활용

삼각형 ABC의 꼭짓점 A에서 그은 중선과 꼭짓점 B에서 그은 중선이 서로 수직으로 만난다. $\overline{BC}=14$, $\overline{AC}=8$일 때, 다음 물음에 답하시오.

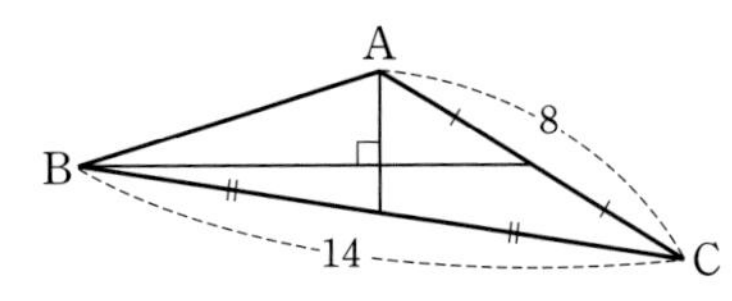

(1) $\overline{AB}$의 길이를 구하시오.

(2) A에서 그은 중선의 길이와 B에서 그은 중선의 길이를 구하시오.

대표 Q5 풀이

변 BC, AC의 중점을 각각 D, E라 하고
두 중선의 교점을 G라 하자.
G는 삼각형 ABC의 무게중심이므로
$\overline{AG}:\overline{GD}=\overline{BG}:\overline{GE}=2:1$
따라서 $\overline{AG}=2x$, $\overline{GD}=x$, $\overline{BG}=2y$, $\overline{GE}=y$로 놓으면

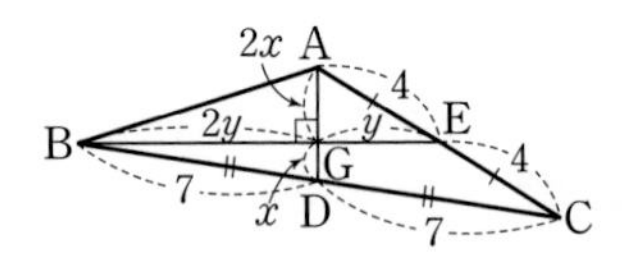

직각삼각형 AGE에서 $4x^2+y^2=16$ … ㉠
직각삼각형 BDG에서 $x^2+4y^2=49$ … ㉡
직각삼각형 ABG에서 $4x^2+4y^2=\overline{AB}^2$ … ㉢
㉠+㉡을 하면 $5x^2+5y^2=65$
$\therefore x^2+y^2=13$ … ㉣

(1) ㉣을 ㉢에 대입하면 $\overline{AB}^2=52$
$\overline{AB}>0$이므로 $\overline{AB}=\mathbf{2\sqrt{13}}$

(2) ㉠−㉣을 하면 $3x^2=3$ $\therefore x=1$ ($\because x>0$)
$x=1$을 ㉣에 대입하면 $y^2=12$
$\therefore y=2\sqrt{3}$ ($\because y>0$)
따라서 **A에서 그은 중선의 길이는** $3x=\mathbf{3}$이고,
B에서 그은 중선의 길이는 $3y=\mathbf{6\sqrt{3}}$이다.

나만의 Note

5-1 나의 풀이

5-2 나의 풀이

> 본책 162쪽

해가 정수인 방정식

다음 물음에 답하시오.

(1) 방정식 $x^2-xy=2$를 만족시키는 정수 x, y의 값을 모두 구하시오.

(2) 방정식 $xy-3x-2y=2$를 만족시키는 자연수 x, y의 값을 모두 구하시오.

대표 Q6 풀이

(1) $x^2-xy=2$에서 $x(x-y)=2$

x, $x-y$는 정수이므로 가능한 값은 다음 표와 같다.

x	1	2	-1	-2
$x-y$	2	1	-2	-1

$\therefore \begin{cases} x=1 \\ y=-1 \end{cases}$ 또는 $\begin{cases} x=2 \\ y=1 \end{cases}$ 또는 $\begin{cases} x=-1 \\ y=1 \end{cases}$ 또는 $\begin{cases} x=-2 \\ y=-1 \end{cases}$

(2) $xy-3x-2y=2$에서

$x(y-3)-2(y-3)=2+6 \quad \therefore (x-2)(y-3)=8$

x, y가 자연수이므로 $x-2$, $y-3$은

$x-2\geq-1$, $y-3\geq-2$인 정수이다.

따라서 가능한 값은 다음 표와 같다.

$x-2$	1	2	4	8
$y-3$	8	4	2	1

$\therefore \begin{cases} x=3 \\ y=11 \end{cases}$ 또는 $\begin{cases} x=4 \\ y=7 \end{cases}$ 또는 $\begin{cases} x=6 \\ y=5 \end{cases}$ 또는 $\begin{cases} x=10 \\ y=4 \end{cases}$

나만의 Note

6-1 나의 풀이

> 본책 163쪽

대표 Q7 해가 실수인 방정식

다음 등식을 만족시키는 실수 x, y의 값을 구하시오.

$$2x^2-2xy+y^2-2x+1=0$$

대표 Q7 풀이

$2x^2-2xy+y^2-2x+1=0$에서

$x^2-2xy+y^2+x^2-2x+1=0$

$\therefore (x-y)^2+(x-1)^2=0$

$x-y$, $x-1$은 실수이므로 $x-y=0$, $x-1=0$

$\therefore$ $\boldsymbol{x=1}$, $\boldsymbol{y=1}$

나만의 Note

7-1 나의 풀이

대표 Q1 연립일차부등식

다음 연립부등식을 푸시오.

(1) $\begin{cases} 2x+4 \geq 2(2x-3) \\ 1-2x < 3(x-3) \end{cases}$ (2) $\begin{cases} 2(x-5) \geq 2-x \\ \dfrac{x-3}{2} \leq \dfrac{x-4}{3} \end{cases}$

(3) $\dfrac{2x-5}{3} < \dfrac{x-3}{2} \leq x+1$

대표 Q1 풀이

(1) $2x+4 \geq 2(2x-3)$에서

$2x+4 \geq 4x-6$, $-2x \geq -10$

$\therefore x \leq 5$ $\cdots$ ㉠

$1-2x < 3(x-3)$에서

$1-2x < 3x-9$, $-5x < -10$

$\therefore x > 2$ $\cdots$ ㉡

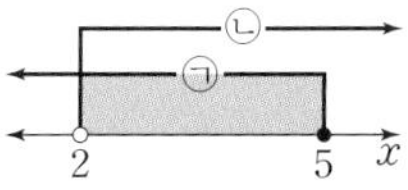

㉠, ㉡의 공통부분은 $\mathbf{2 < x \leq 5}$

(2) $2(x-5) \geq 2-x$에서

$2x-10 \geq 2-x$, $3x \geq 12$

$\therefore x \geq 4$ $\cdots$ ㉠

$\dfrac{x-3}{2} \leq \dfrac{x-4}{3}$의 양변에 6을 곱하면

$3(x-3) \leq 2(x-4)$

$3x-9 \leq 2x-8$

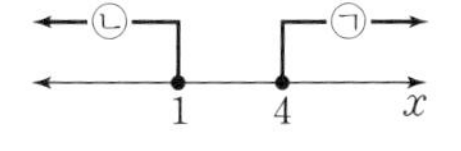

$\therefore x \leq 1$ $\cdots$ ㉡

㉠, ㉡의 공통부분이 없으므로 **해는 없다.**

(3) $\dfrac{2x-5}{3} < \dfrac{x-3}{2}$의 양변에 6을 곱하면

$2(2x-5) < 3(x-3)$, $4x-10 < 3x-9$

$\therefore x < 1$ $\cdots$ ㉠

$\dfrac{x-3}{2} \leq x+1$의 양변에 2를 곱하면

$x-3 \leq 2(x+1)$

$x-3 \leq 2x+2$

$\therefore x \geq -5$ $\cdots$ ㉡

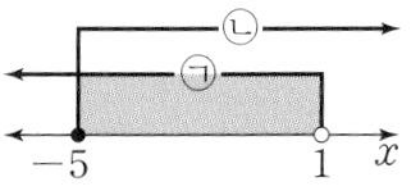

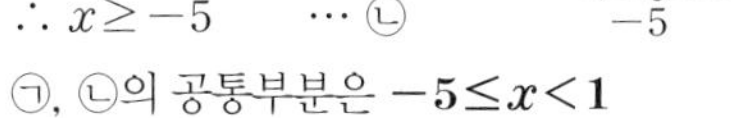

㉠, ㉡의 공통부분은 $\mathbf{-5 \leq x < 1}$

나만의 Note

1-1 나의 풀이

1-2 나의 풀이

본책 171쪽

대표 Q2 절댓값 기호를 포함한 일차부등식

다음 부등식을 푸시오.

(1) $|2x+1|\le 2$　　(2) $|x-2|>2x$

(3) $|x+1|+|x-2|\le 3$

대표 Q2 풀이

(1) $|2x+1|\le 2$에서

$-2\le 2x+1\le 2$, $-3\le 2x\le 1$

$\therefore\ -\dfrac{3}{2}\le x\le \dfrac{1}{2}$

(2) $|x-2|>2x$에서

(i) $x\ge 2$일 때,　… ㉠

$x-2>2x$　$\therefore\ x<-2$

㉠에서 생각하면 해는 없다.

(ii) $x<2$일 때,　… ㉡

$-(x-2)>2x$, $-3x>-2$　$\therefore\ x<\dfrac{2}{3}$

㉡에서 생각하면 $x<\dfrac{2}{3}$

(i), (ii)에서 $x<\dfrac{2}{3}$

(3) $|x+1|+|x-2|\le 3$에서

(i) $x<-1$일 때,　… ㉠

$x+1<0$, $x-2<0$이므로

$-(x+1)-(x-2)\le 3$

$-2x+1\le 3$, $-2x\le 2$

$\therefore\ x\ge -1$

㉠에서 생각하면 해는 없다.

(ii) $-1\le x<2$일 때,

$x+1\ge 0$, $x-2<0$이므로

$(x+1)-(x-2)\le 3$

$3\le 3$

항상 성립하므로 $-1\le x<2$

(iii) $x\ge 2$일 때,　… ㉡

$x+1>0$, $x-2\ge 0$이므로

$(x+1)+(x-2)\le 3$

$2x-1\le 3$, $2x\le 4$

$\therefore\ x\le 2$

㉡에서 생각하면 해는 $x=2$

(i), (ii), (iii)에서 $-1\le x\le 2$

2-1 나의 풀이

대표 Q3 해의 조건이 주어진 연립일차부등식

연립부등식 $\begin{cases} 3x+2\geq 2(x+a) \\ 2x+5<9 \end{cases}$에 대하여 다음 물음에 답하시오.

(1) 연립부등식의 해가 없을 때, 실수 a값의 범위를 구하시오.

(2) 연립부등식을 만족시키는 정수가 3개일 때, 실수 a값의 범위를 구하시오.

대표 Q3 풀이

$3x+2\geq 2(x+a)$에서 $x\geq 2a-2$ … ㉠

$2x+5<9$에서 $2x<4$ $\therefore x<2$ … ㉡

(1) ㉠, ㉡의 공통부분이 없어야 하므로

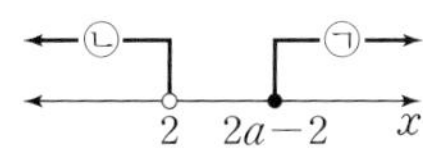

$2a-2\geq 2$, $2a\geq 4$ $\therefore$ $\boldsymbol{a\geq 2}$

(2) $\begin{cases} x\geq 2a-2 \\ x<2 \end{cases}$에서

공통부분의 정수가 3개이므로 공통부분이 -1, 0, 1을 포함하고, -2는 포함하지 않는다.

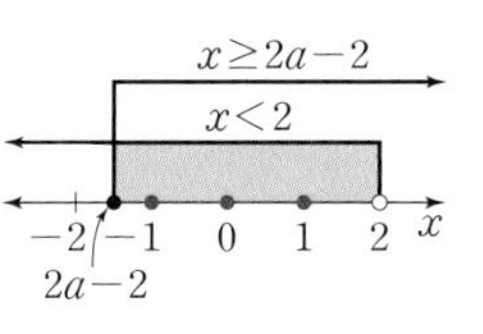

$-2<2a-2\leq -1$이므로 $\boldsymbol{0<a\leq \frac{1}{2}}$

나만의 Note

3-1 나의 풀이

3-2 나의 풀이

3-3 나의 풀이

본책 173쪽

대표 Q4 연립일차부등식의 활용

어느 동아리 회원들이 긴 의자에 앉을 때, 한 의자에 4명씩 앉으면 5명이 남고, 5명씩 앉으면 의자가 2개 남는다고 한다. 이 동아리 회원이 68명을 넘지 않는다고 할 때, 회원 수를 구하시오.

대표 Q4 풀이

회원 수를 x, 의자 수를 y라 하자.

한 의자에 4명씩 앉으면 5명이 남으므로

$x=4y+5$ … ㉠

한 의자에 5명씩 앉으면 의자가 2개 남으므로

$5(y-3)+1\le x\le 5(y-3)+5$ … ㉡

회원은 68명 이하이므로 $x\le 68$ … ㉢

㉠을 ㉡에 대입하면

$5(y-3)+1\le 4y+5\le 5(y-3)+5$

$5(y-3)+1\le 4y+5$에서 $y\le 19$

$4y+5\le 5(y-3)+5$에서 $y\ge 15$

$\therefore 15\le y\le 19$ … ㉣

또 ㉠을 ㉢에 대입하면 $4y+5\le 68$

$\therefore y\le \frac{63}{4}$ … ㉤

y는 ㉣, ㉤을 동시에 만족시키는 자연수이므로 $y=15$

㉠에 대입하면 $x=65$

따라서 회원 수는 **65**이다.

나만의 Note

4-1 나의 풀이

4-2 나의 풀이

› 본책 176쪽

이차부등식

다음 부등식을 푸시오.

(1) $3x^2>2x+5$　　(2) $x^2-4x-2\le0$

(3) $x^2-x+1\le0$　　(4) $x^2>4x-4$

대표 Q5 풀이

(1) $3x^2>2x+5$에서 $3x^2-2x-5>0$

$(x+1)(3x-5)>0$

$\therefore$ $\boldsymbol{x<-1}$ **또는** $\boldsymbol{x>\frac{5}{3}}$

(2) $x^2-4x-2=0$의 해는

$x=2\pm\sqrt{6}$

$\therefore$ $\boldsymbol{2-\sqrt{6}\le x\le 2+\sqrt{6}}$

(3) $x^2-x+1\le0$에서

$D=(-1)^2-4\times1\times1$

$=-3<0$

이므로 $y=x^2-x+1$의 그래프는 그림과 같이 x축 위쪽에 있다.

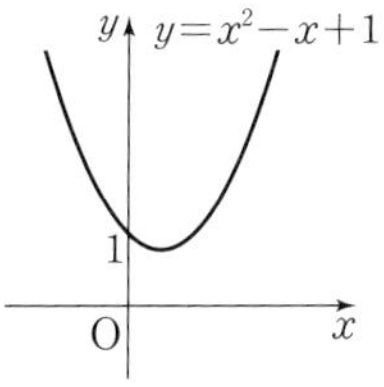

따라서 부등식의 **해는 없다.**

(4) $x^2>4x-4$에서

$x^2-4x+4>0$

$(x-2)^2>0$

$y=x^2-4x+4=(x-2)^2$

의 그래프는 그림과 같다.

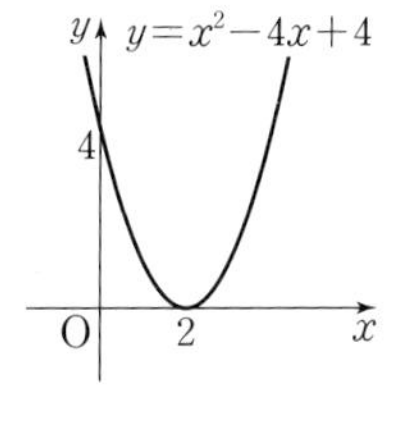

따라서 부등식의 **해는** $\boldsymbol{x\neq2}$ **인 모든 실수**이다.

나만의 Note

5-1 나의 풀이

5-2 나의 풀이

본책 177쪽

연립이차부등식

다음 물음에 답하시오.

(1) 연립부등식 $\begin{cases} x^2-x>0 \\ x^2-2x-35\le 0 \end{cases}$ 을 푸시오.

(2) 연립부등식 $\begin{cases} x^2+4x-21\le 0 \\ x^2+5kx-6k^2>0 \end{cases}$ 의 해가 있을 때, 양수 k값의 범위를 구하시오.

대표 Q6 풀이

(1) $x^2-x>0$에서 $x(x-1)>0$

$\therefore x<0$ 또는 $x>1$ ⋯ ㉠

$x^2-2x-35\le 0$에서 $(x+5)(x-7)\le 0$

$\therefore -5\le x\le 7$ ⋯ ㉡

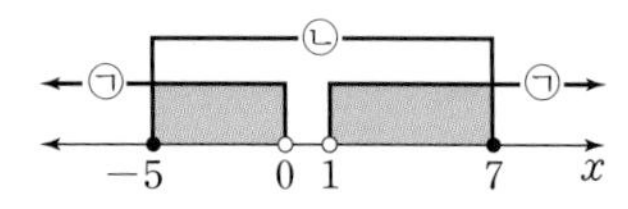

㉠, ㉡의 공통부분은

$-5\le x<0$ 또는 $1<x\le 7$

(2) $x^2+4x-21\le 0$에서 $(x+7)(x-3)\le 0$

$\therefore -7\le x\le 3$ ⋯ ㉠

$x^2+5kx-6k^2>0$에서 $(x+6k)(x-k)>0$

$k>0$이므로 $x<-6k$ 또는 $x>k$ ⋯ ㉡

연립부등식의 해가 존재하므로 ㉠, ㉡의 공통부분이 존재한다.

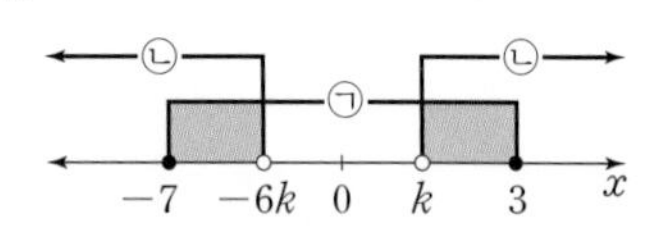

(i) $-6k>-7$일 때, $0<k<\frac{7}{6}$

(ii) $k<3$일 때, $0<k<3$

(i), (ii)에서 $0<k<\frac{7}{6}$ 또는 $0<k<3$이므로

$0<k<3$

6-1 나의 풀이

6-2 나의 풀이

절댓값 기호를 포함한 이차부등식

다음 부등식을 푸시오.

(1) $|x^2-4x-1|<4$ (2) $(x+2)(|x|-3)\le 0$

(3) $x^2-|x-1|-1\ge 0$

대표 Q7 풀이

(1) $|x^2-4x-1|<4$에서 절댓값 기호를 풀면

$-4<x^2-4x-1<4$

$-4<x^2-4x-1$에서

$x^2-4x+3>0$, $(x-1)(x-3)>0$

$\therefore x<1$ 또는 $x>3$ ⋯ ㉠

$x^2-4x-1<4$에서

$x^2-4x-5<0$, $(x+1)(x-5)<0$

$\therefore -1<x<5$ ⋯ ㉡

㉠, ㉡의 공통부분은

$\mathbf{-1<x<1}$ **또는** $\mathbf{3<x<5}$

(2) $(x+2)(|x|-3)\le 0$에서

(i) $x\ge 0$일 때, ⋯ ㉠

$(x+2)(x-3)\le 0$이므로

$-2\le x\le 3$

㉠에서 생각하면 $0\le x\le 3$

(ii) $x<0$일 때, ⋯ ㉡

$(x+2)(-x-3)\le 0$이므로

$(x+2)(x+3)\ge 0$

$\therefore x\le -3$ 또는 $x\ge -2$

㉡에서 생각하면

$x\le -3$ 또는 $-2\le x<0$

(i), (ii)에서 $\mathbf{x\le -3}$ **또는** $\mathbf{-2\le x\le 3}$

(3) $x^2-|x-1|-1\ge 0$에서

(i) $x\ge 1$일 때, ⋯ ㉠

$x^2-(x-1)-1\ge 0$이므로

$x^2-x\ge 0$, $x(x-1)\ge 0$

$\therefore x\le 0$ 또는 $x\ge 1$

㉠에서 생각하면 $x\ge 1$

(ii) $x<1$일 때, ⋯ ㉡

$x^2+(x-1)-1\ge 0$이므로

$x^2+x-2\ge 0$, $(x+2)(x-1)\ge 0$

$\therefore x\le -2$ 또는 $x\ge 1$

㉡에서 생각하면 $x\le -2$

(i), (ii)에서 $\mathbf{x\le -2}$ **또는** $\mathbf{x\ge 1}$

7-1 나의 풀이

해가 주어진 부등식

다음 물음에 답하시오.

(1) 부등식 $ax>b$의 해가 $x>-2$일 때, 부등식 $(a+b)x+3a-b>0$을 푸시오.

(2) 이차부등식 $ax^2+bx+c>0$의 해가 $-3<x<2$일 때, 이차부등식 $bx^2+ax+c+4a<0$을 푸시오.

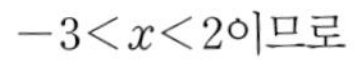

(1) $ax>b$의 해가 $x>-2$이므로 $a>0$이고

$x>\frac{b}{a}$에서 $\frac{b}{a}=-2$ $\quad\therefore b=-2a$

$b=-2a$를 $(a+b)x+3a-b>0$에 대입하면

$(a-2a)x+3a-(-2a)>0$

$-ax+5a>0$, $ax<5a$

$a>0$이므로 $\boldsymbol{x<5}$

(2) $ax^2+bx+c>0$의 해가 $-3<x<2$이므로 $y=ax^2+bx+c$의 그래프는 그림과 같다.

$y=ax^2+bx+c$, y, -3, 2, O, x

따라서 $a<0$이고

$ax^2+bx+c=a(x+3)(x-2)$

$ax^2+bx+c=ax^2+ax-6a$

$\therefore a=b,\ c=-6a$ $\quad\cdots$ ㉠

㉠을 $bx^2+ax+c+4a<0$에 대입하면

$ax^2+ax-6a+4a<0$, $a(x^2+x-2)<0$

$a(x+2)(x-1)<0$

$a<0$이므로 $(x+2)(x-1)>0$

$\therefore$ **$x<-2$ 또는 $x>1$**

나만의 Note

8-1 나의 풀이

8-2 나의 풀이

8-3 나의 풀이

부등식과 최대, 최소

다음 물음에 답하시오.

(1) x, y가 실수이고 $x^2+y^2=4$일 때, $2x+y^2$의 최댓값과 최솟값을 구하시오.

(2) x에 대한 방정식 $x^2+2kx+2k^2-4=0$이 실근 α, β를 가질 때, $(1-\alpha)(1-\beta)$의 최댓값과 최솟값을 구하시오. (단, k는 실수)

대표 Q9 풀이

(1) $x^2+y^2=4$에서 $y^2=4-x^2$을 $2x+y^2$에 대입하면

$$2x+(4-x^2)=-x^2+2x+4$$
$$=-(x-1)^2+5 \quad \cdots ㉠$$

y는 실수이므로 $y^2\geq 0$에서

$4-x^2\geq 0$, $x^2-4\leq 0$

$(x+2)(x-2)\leq 0 \quad \therefore -2\leq x\leq 2$

이 범위에서 ㉠의 최댓값과 최솟값을 구하면

$x=1$일 때, **최댓값은 5**

$x=-2$일 때,

최솟값은 $-(-2-1)^2+5=\mathbf{-4}$

(2) 근과 계수의 관계에서

$\alpha+\beta=-2k$, $\alpha\beta=2k^2-4$

이므로 $(1-\alpha)(1-\beta)$에 대입하면

$$(1-\alpha)(1-\beta)=1-(\alpha+\beta)+\alpha\beta$$
$$=1-(-2k)+2k^2-4$$
$$=2k^2+2k-3$$
$$=2\left(k+\frac{1}{2}\right)^2-\frac{7}{2} \quad \cdots ㉠$$

또 $x^2+2kx+2k^2-4=0$이 실근을 가지므로

$\frac{D}{4}=k^2-(2k^2-4)\geq 0$, $k^2-4\leq 0$

$(k+2)(k-2)\leq 0 \quad \therefore -2\leq k\leq 2$

이 범위에서 ㉠의 최댓값과 최솟값을 구하면

$k=2$일 때, **최댓값은** $2\times 2^2+2\times 2-3=\mathbf{9}$

$k=-\frac{1}{2}$일 때, **최솟값은** $\mathbf{-\frac{7}{2}}$

나만의 Note

9-1 나의 풀이

9-2 나의 풀이

본책 181쪽

대표 Q10 연립이차부등식의 활용

그림과 같이 무대 위에 직사각형 모양의 스크린을 3개 설치하려 한다. 양옆 스크린의 하단이 무대와 만나는 부분을 선분 CA, BD라 하고, 중앙 스크린의 하단이 무대와 만나는 부분을 선분 AB라 하자. 사각형 ACDB는 $\overline{AC}=\overline{BD}$, $\overline{CD}=20\,\text{m}$, $\angle BAC=120°$인 등변사다리꼴이다. 선분 AB의 길이는 선분 AC의 길이의 4배보다 크지 않고, 사다리꼴 ACDB의 넓이는 $75\sqrt{3}\,\text{m}^2$ 미만일 때, 선분 AB 길이의 범위를 구하시오.

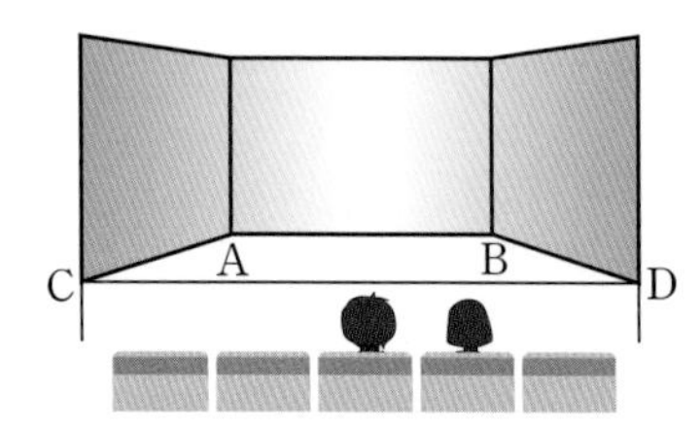

대표 Q10 풀이

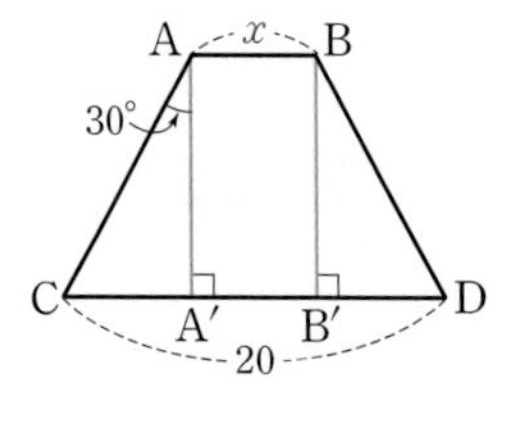

두 점 A, B에서 변 CD에 내린 수선의 발을 각각 A′, B′이라 하고, $\overline{AB}=x$라 하면
$\overline{A'B'}=x$,

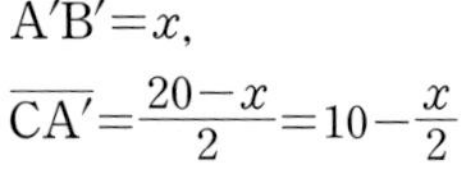

$\overline{CA'}=\frac{20-x}{2}=10-\frac{x}{2}$

삼각형 AA′C는 $\angle CAA'=30°$인 직각삼각형이므로
$\overline{AC}=20-x$, $\overline{AA'}=\sqrt{3}\left(10-\frac{x}{2}\right)$

$\overline{AB}\le 4\overline{AC}$이므로
$x\le 4(20-x)$, $x\le 80-4x$
$5x\le 80$ $\quad\therefore x\le 16$ $\quad\cdots$ ㉠

사다리꼴 ACDB의 넓이가 $75\sqrt{3}\,\text{m}^2$보다 작으므로
$\frac{1}{2}\times(x+20)\times\sqrt{3}\left(10-\frac{x}{2}\right)<75\sqrt{3}$
$(x+20)(20-x)<300$
$x^2-100>0$, $(x+10)(x-10)>0$
$\therefore x<-10$ 또는 $x>10$ $\quad\cdots$ ㉡

㉠, ㉡의 공통부분은 $10<x\le 16$
따라서 선분 AB의 길이는 **10 m 초과 16 m 이하**이다.

10-1 나의 풀이

본책 189쪽

대표 Q1 그래프와 부등식의 해

이차함수 $y=f(x)$의 그래프와 일차함수 $y=g(x)$의 그래프가 그림과 같을 때, 다음 물음에 답하시오.

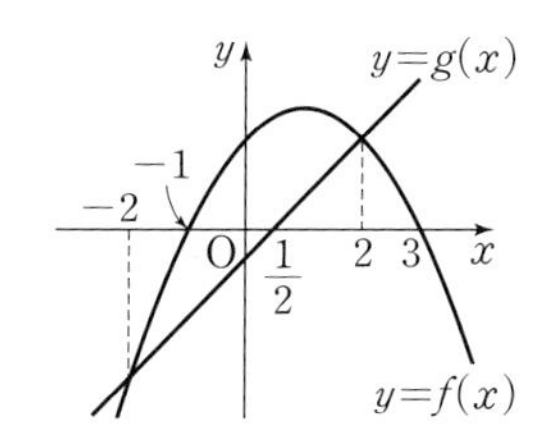

(1) 방정식 $f(x)=g(x)$를 푸시오.

(2) 부등식 $f(x)>g(x)$를 푸시오.

(3) 부등식 $f(x)g(x)>0$을 푸시오.

대표 Q1 풀이

(1) 방정식 $f(x)=g(x)$의 해는 두 그래프 $y=f(x)$와 $y=g(x)$ 교점의 x좌표이므로

$x=-2$ 또는 $x=2$

(2) 부등식 $f(x)>g(x)$의 해는 $y=f(x)$의 그래프가 $y=g(x)$의 그래프보다 위쪽에 있는 x값의 범위이므로

$-2<x<2$

(3) $f(x)g(x)>0$이면 $\begin{cases} f(x)>0 \\ g(x)>0 \end{cases}$ 또는 $\begin{cases} f(x)<0 \\ g(x)<0 \end{cases}$

(i) $\begin{cases} f(x)>0 \\ g(x)>0 \end{cases}$일 때, $\frac{1}{2}<x<3$

(ii) $\begin{cases} f(x)<0 \\ g(x)<0 \end{cases}$일 때, $x<-1$

(i), (ii)에서 **$x<-1$ 또는 $\frac{1}{2}<x<3$**

나만의 Note

1-1 나의 풀이

본책 190쪽

대표 Q2 해가 특수한 이차부등식

다음 물음에 답하시오.

(1) 이차부등식 $kx^2+4x+k>0$의 해가 실수 전체일 때, 실수 k값의 범위를 구하시오.

(2) 이차부등식 $ax^2+bx+c\geq0$의 해가 $x=-1$일 때, $bx^2+cx-a\geq0$의 해를 구하시오.

대표 Q2 풀이

(1) $kx^2+4x+k>0$의 해가 실수 전체이므로 x^2의 계수가 양수이다.

$\therefore k>0$ … ㉠

판별식이 음수이므로

$\frac{D}{4}=4-k^2<0$, $(k+2)(k-2)>0$

$\therefore k<-2$ 또는 $k>2$ … ㉡

㉠, ㉡의 공통부분은 $\boldsymbol{k>2}$

(2) $ax^2+bx+c\geq0$의 해가 $x=-1$이므로

$a<0$이고 $ax^2+bx+c=a(x+1)^2$이다.

$ax^2+bx+c=a(x+1)^2$에서

$ax^2+bx+c=ax^2+2ax+a$

$\therefore b=2a$, $c=a$ … ㉠

㉠을 $bx^2+cx-a\geq0$에 대입하면

$2ax^2+ax-a\geq0$

$a<0$이므로 양변을 a로 나누면

$2x^2+x-1\leq0$, $(x+1)(2x-1)\leq0$

$\therefore \boldsymbol{-1\leq x\leq\frac{1}{2}}$

나만의 Note

2-1 나의 풀이

2-2 나의 풀이

그래프와 이차부등식

다음 물음에 답하시오.

(1) 이차함수 $y=x^2+(k+1)x+k^2$의 그래프가 직선 $y=x+k$보다 항상 위쪽에 있을 때, 실수 k값의 범위를 구하시오.

(2) $-1\le x\le 2$에서 부등식 $x^2+2x-3<kx+2$가 성립할 때, 실수 k값의 범위를 구하시오.

대표 Q3 풀이

(1) 모든 실수 x에 대하여

$x^2+(k+1)x+k^2>x+k$이므로

$x^2+kx+k^2-k>0$에서

$D=k^2-4(k^2-k)<0$

$-3k^2+4k<0$, $k(3k-4)>0$

$\therefore$ **$k<0$ 또는 $k>\frac{4}{3}$**

(2) $x^2+2x-3<kx+2$에서 $x^2+(2-k)x-5<0$

$f(x)=x^2+(2-k)x-5$라 하면 $y=f(x)$의 그래프가 $-1\le x\le 2$에서 x축 아래쪽에 있어야 한다.

$f(-1)<0$에서 $1-2+k-5<0$

$\therefore k<6$ ⋯ ㉠

$f(2)<0$에서 $4+4-2k-5<0$, $-2k<-3$

$\therefore k>\frac{3}{2}$ ⋯ ㉡

㉠, ㉡의 공통부분은 **$\frac{3}{2}<k<6$**

나만의 Note

3-1 나의 풀이

3-2 나의 풀이

대표 Q4 이차방정식 해의 부호

다음 물음에 답하시오.

(1) 이차방정식 $x^2+2(k-1)x+2k+6=0$의 두 근이 모두 양수일 때, 실수 k값의 범위를 구하시오.

(2) x에 대한 이차방정식
$x^2+(k^2-3k+2)x+3k^2-2k-1=0$의 두 근의 부호가 다를 때, 실수 k값의 범위를 구하시오.

대표 Q4 풀이

(1) $x^2+2(k-1)x+2k+6=0$의 두 근을 α, β라 하자.

(i) $\frac{D}{4}=(k-1)^2-(2k+6)\geq 0$에서

$k^2-4k-5\geq 0$, $(k+1)(k-5)\geq 0$

$\therefore k\leq -1$ 또는 $k\geq 5$ ⋯ ㉠

(ii) $\alpha+\beta=-2(k-1)>0$ $\therefore k<1$ ⋯ ㉡

(iii) $\alpha\beta=2k+6>0$ $\therefore k>-3$ ⋯ ㉢

㉠, ㉡, ㉢의 공통부분은 $\mathbf{-3<k\leq -1}$

(2) (두 근의 곱)$=3k^2-2k-1<0$이므로

$(3k+1)(k-1)<0$ $\therefore \mathbf{-\frac{1}{3}<k<1}$

나만의 Note

4-1 나의 풀이

4-2 나의 풀이

대표 Q5 이차방정식 해의 범위

다음 물음에 답하시오.

(1) x에 대한 이차방정식 $x^2-4x+k^2-1=0$의 두 근이 모두 1보다 클 때, 실수 k값의 범위를 구하시오.

(2) 이차방정식 $x^2-2kx-k+5=0$의 한 근만 0과 1 사이에 있을 때, 실수 k값의 범위를 구하시오.

대표 Q5 풀이

(1) $f(x)=x^2-4x+k^2-1$이라 하면 $y=f(x)$의 그래프가 $x>1$인 부분에서 x축과 두 점에서 만나거나 접한다.

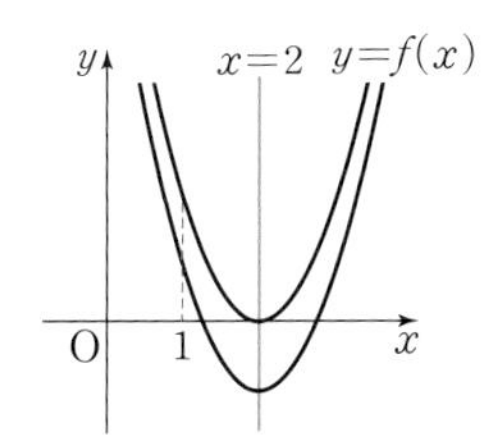

그래프의 축이 직선 $x=2$이므로

$\frac{D}{4}\geq 0$이고 $f(1)>0$

(i) $\frac{D}{4}=4-(k^2-1)\geq 0$에서

$k^2-5\leq 0$, $(k+\sqrt{5})(k-\sqrt{5})\leq 0$

$\therefore -\sqrt{5}\leq k\leq \sqrt{5}$ $\cdots$ ㉠

(ii) $f(1)=1-4+k^2-1>0$에서

$k^2-4>0$, $(k+2)(k-2)>0$

$\therefore k<-2$ 또는 $k>2$ $\cdots$ ㉡

㉠, ㉡의 공통부분은

$\boldsymbol{-\sqrt{5}\leq k<-2}$ **또는** $\boldsymbol{2<k\leq\sqrt{5}}$

(2) $f(x)=x^2-2kx-k+5$라 하면 $y=f(x)$의 그래프가 $0<x<1$인 부분에서 x축과 접하지 않고 한 점에서만 만난다.

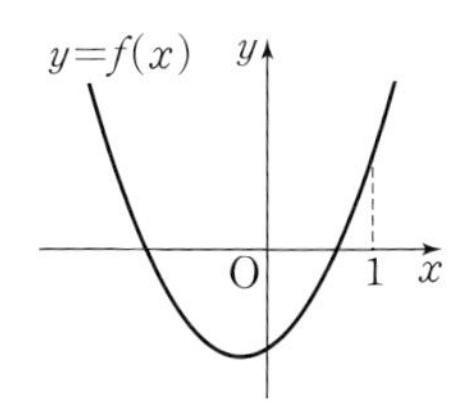

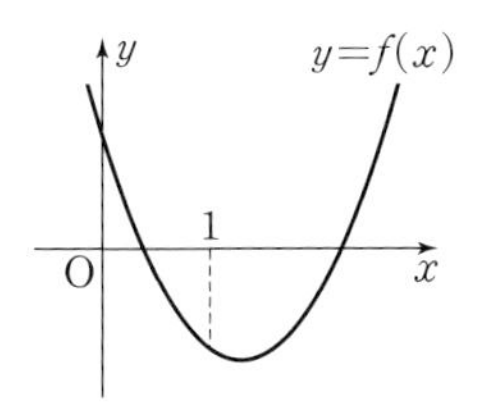

(i) $f(0)<0$이고 $f(1)>0$일 때,

$-k+5<0$이고 $1-2k-k+5>0$

$k>5$이고 $k<2$이므로 모순이다.

(ii) $f(0)>0$이고 $f(1)<0$일 때,

$-k+5>0$이고 $1-2k-k+5<0$

$k<5$이고 $k>2$ $\quad\therefore 2<k<5$

(i), (ii)에서 $\boldsymbol{2<k<5}$

5-1 나의 풀이

5-2 나의 풀이

대표 Q1 두 점 사이의 거리, 내분점과 외분점

두 점 $\mathrm{A}(-3,\ 0)$, $\mathrm{B}(7,\ 5)$에 대하여 다음 물음에 답하시오.

(1) 선분 AB의 길이를 구하시오.

(2) 선분 AB의 중점 M의 좌표를 구하시오.

(3) 선분 AB를 $2:3$으로 내분하는 점 P의 좌표를 구하시오.

(4) 선분 AB를 $2:3$으로 외분하는 점 Q의 좌표와 $3:2$로 외분하는 점 R의 좌표를 구하시오.

대표 Q1 풀이

(1) $\overline{\mathrm{AB}}=\sqrt{\{7-(-3)\}^2+(5-0)^2}=\mathbf{5\sqrt{5}}$

(2) $\mathrm{M}\left(\frac{-3+7}{2},\ \frac{0+5}{2}\right)=\mathbf{M\left(2,\ \frac{5}{2}\right)}$

(3) $\mathrm{P}\left(\frac{2\times7+3\times(-3)}{2+3},\ \frac{2\times5+3\times0}{2+3}\right)$

$=\mathbf{P(1,\ 2)}$

(4) $\mathrm{Q}\left(\frac{2\times7-3\times(-3)}{2-3},\ \frac{2\times5-3\times0}{2-3}\right)$

$=\mathbf{Q(-23,\ -10)}$

$\mathrm{R}\left(\frac{3\times7-2\times(-3)}{3-2},\ \frac{3\times5-2\times0}{3-2}\right)$

$=\mathbf{R(27,\ 15)}$

나만의 Note

1-1 나의 풀이

본책 203쪽

두 점 사이 거리의 활용

두 점 A(2, 1), B(5, 2)에 대하여 다음 물음에 답하시오.

(1) 점 P가 직선 $y=x+2$ 위에 있고 $\overline{PA}=\overline{PB}$일 때, P의 좌표를 구하시오.

(2) 점 C(1, a)에 대하여 삼각형 ABC가 이등변삼각형일 때, 실수 a의 값을 모두 구하시오.

대표 Q2 풀이

(1) 점 P가 직선 $y=x+2$ 위의 점이므로 $P(p, p+2)$라 하면

$\overline{PA}=\sqrt{(2-p)^2+(1-p-2)^2}=\sqrt{2p^2-2p+5}$

$\overline{PB}=\sqrt{(5-p)^2+(2-p-2)^2}=\sqrt{2p^2-10p+25}$

$\overline{PA}=\overline{PB}$에서 $\overline{PA}^2=\overline{PB}^2$이므로

$2p^2-2p+5=2p^2-10p+25$

$8p=20 \qquad \therefore p=\frac{5}{2}$

$\therefore \mathbf{P\left(\frac{5}{2}, \frac{9}{2}\right)}$

(2) $\overline{AB}^2=(5-2)^2+(2-1)^2=10$

$\overline{BC}^2=(1-5)^2+(a-2)^2=a^2-4a+20$

$\overline{CA}^2=(2-1)^2+(1-a)^2=a^2-2a+2$

(i) $\overline{AB}=\overline{BC}$일 때, $\overline{AB}^2=\overline{BC}^2$에서

$10=a^2-4a+20 \qquad \therefore a^2-4a+10=0$

$\frac{D}{4}=(-2)^2-10<0$

이므로 실수 a는 없다.

(ii) $\overline{BC}=\overline{CA}$일 때, $\overline{BC}^2=\overline{CA}^2$에서

$a^2-4a+20=a^2-2a+2 \qquad \therefore a=9$

(iii) $\overline{CA}=\overline{AB}$일 때, $\overline{CA}^2=\overline{AB}^2$에서

$a^2-2a+2=10$, $a^2-2a-8=0$

$(a+2)(a-4)=0 \qquad \therefore a=-2$ 또는 $a=4$

(i), (ii), (iii)에서 a의 값은 $\mathbf{-2, 4, 9}$

나만의 Note

2-1 나의 풀이

2-2 나의 풀이

본책 204쪽

대표 Q3 평면도형과 내분점

세 점 $A(1, 2)$, $B(-2, -2)$, $C(1, -1)$에 대하여 다음 물음에 답하시오.

(1) $\angle BAC$의 이등분선이 선분 BC와 만나는 점의 좌표를 구하시오.

(2) 네 점 A, B, C, D가 꼭짓점인 사각형 ABCD가 평행사변형일 때, D의 좌표를 구하시오.

대표 Q3 풀이

(1) 삼각형 ABC에서

$\overline{AB}=\sqrt{(-2-1)^2+(-2-2)^2}=5$

$\overline{AC}=\sqrt{(1-1)^2+(-1-2)^2}=3$

$\angle A$의 이등분선이 선분 BC와 만나는 점을 $E(a, b)$라 하면 $\overline{BE} : \overline{EC}=\overline{AB} : \overline{AC}=5 : 3$

곧, 점 E는 선분 BC를 $5 : 3$으로 내분하는 점이므로

$a=\dfrac{5\times1+3\times(-2)}{5+3}=-\dfrac{1}{8}$

$b=\dfrac{5\times(-1)+3\times(-2)}{5+3}=-\dfrac{11}{8}$

$\therefore \left(-\dfrac{1}{8}, -\dfrac{11}{8}\right)$

(2) $D(a, b)$라 하면 평행사변형 ABCD의 두 대각선 AC와 BD의 중점이 일치한다.

$\overline{AC}$의 중점의 좌표는 $\left(1, \dfrac{1}{2}\right)$,

$\overline{BD}$의 중점의 좌표는 $\left(\dfrac{-2+a}{2}, \dfrac{-2+b}{2}\right)$이므로

$1=\dfrac{-2+a}{2}$, $\dfrac{1}{2}=\dfrac{-2+b}{2}$ $\quad\therefore a=4, b=3$

$\therefore$ **D(4, 3)**

나만의 Note

3-1 나의 풀이

3-2 나의 풀이

대표 Q4 삼각형의 무게중심

다음 물음에 답하시오.

(1) 삼각형 ABC에서 A(3, 5), B(−1, 2)이고 무게중심이 G(1, 1)일 때, 점 C의 좌표를 구하시오.

(2) 삼각형 ABC에서 A(1, 1), B(4, a)이고 변 BC의 중점이 D(5, 3), 변 AC의 중점이 E(b, 0)이다. 이때 삼각형 ABC의 무게중심의 좌표를 구하시오.

대표 Q4 풀이

(1) C(a, b)라 하면 $G\left(\frac{3-1+a}{3}, \frac{5+2+b}{3}\right)$

이 점의 좌표가 (1, 1)이므로

$\frac{3-1+a}{3}=1$, $\frac{5+2+b}{3}=1$ $\therefore a=1, b=-4$

$\therefore$ **C(1, −4)**

(2) C(c, d)라 하면

$D\left(\frac{4+c}{2}, \frac{a+d}{2}\right)$, $E\left(\frac{1+c}{2}, \frac{1+d}{2}\right)$

D(5, 3)이므로 $\frac{4+c}{2}=5$, $\frac{a+d}{2}=3$

E(b, 0)이므로 $\frac{1+c}{2}=b$, $\frac{1+d}{2}=0$

연립하여 풀면 $a=7$, $b=\frac{7}{2}$, $c=6$, $d=-1$

A(1, 1), B(4, 7), C(6, −1)이므로 삼각형 ABC의 무게중심의 좌표는

$\left(\frac{1+4+6}{3}, \frac{1+7-1}{3}\right)=\left(\mathbf{\frac{11}{3}}, \mathbf{\frac{7}{3}}\right)$

나만의 Note

4-1 나의 풀이

4-2 나의 풀이

Q5 중선정리

삼각형 ABC에서 변 BC의 중점을 M이라 할 때, 다음 물음에 답하시오.

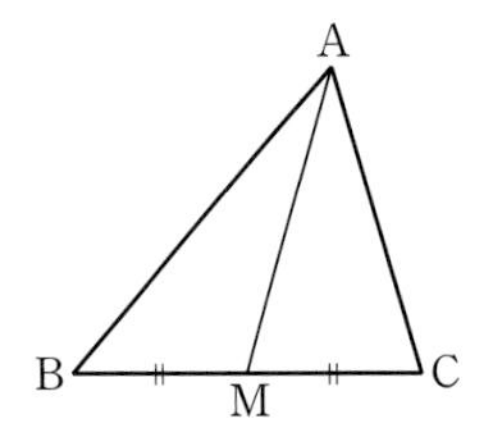

(1) $\overline{AB}^2+\overline{AC}^2=2(\overline{AM}^2+\overline{BM}^2)$이 성립함을 보이시오.

(2) $\overline{AB}=9$, $\overline{BC}=8$, $\overline{CA}=7$일 때, $\overline{AM}$의 길이를 구하시오.

날선 Q5 풀이

(1) 그림과 같이 직선 BC를 x축, 점 M이 원점인 좌표평면을 생각하자.

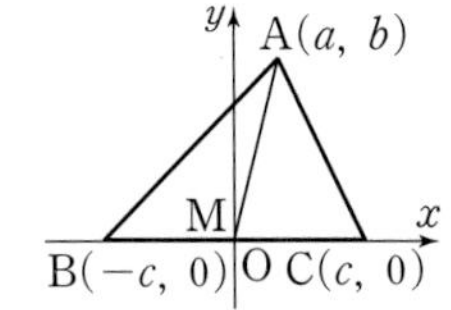

$A(a,\ b)$, $B(-c,\ 0)$, $C(c,\ 0)$이라 하면

$\overline{AB}^2=(a+c)^2+b^2$, $\overline{AC}^2=(c-a)^2+b^2$이므로

$\overline{AB}^2+\overline{AC}^2=2a^2+2c^2+2b^2$

$\overline{AM}^2=a^2+b^2$, $\overline{BM}^2=c^2$이므로

$2(\overline{AM}^2+\overline{BM}^2)=2(a^2+b^2+c^2)$

$\therefore\ \overline{AB}^2+\overline{AC}^2=2(\overline{AM}^2+\overline{BM}^2)$

(2) 점 M은 $\overline{BC}$의 중점이므로 $\overline{BM}=\frac{1}{2}\overline{BC}=4$

$\overline{AB}^2+\overline{AC}^2=2(\overline{AM}^2+\overline{BM}^2)$에서

$9^2+7^2=2(\overline{AM}^2+4^2)$, $\overline{AM}^2=49$

$\overline{AM}>0$이므로 $\overline{AM}=\mathbf{7}$

나만의 Note

5-1 나의 풀이

5-2 나의 풀이

대표 Q1 직선의 방정식

다음 물음에 답하시오.

(1) 기울기가 -3이고, 직선 $y=x+2$와 y축에서 만나는 직선의 방정식을 구하시오.

(2) 두 직선 $y=2x$, $y=-x+3$의 교점과 점 $(-2, 3)$을 지나는 직선의 방정식을 구하시오.

(3) x절편이 4, y절편이 -2인 직선의 방정식을 구하시오.

대표 Q1 풀이

(1) 직선 $y=x+2$는 $x=0$일 때 $y=2$이므로 y축과 점 $(0, 2)$에서 만난다.
기울기가 -3이고, 점 $(0, 2)$를 지나는 직선의 방정식은
$\boldsymbol{y=-3x+2}$

(2) 두 직선 $y=2x$, $y=-x+3$의 교점은
$2x=-x+3$에서 $x=1$
이때 $y=2$이므로 교점의 좌표는 $(1, 2)$이다.
두 점 $(-2, 3)$, $(1, 2)$를 지나는 직선의 방정식은
$y-3=\frac{2-3}{1-(-2)}\{x-(-2)\}$
$\therefore \boldsymbol{y=-\frac{1}{3}x+\frac{7}{3}}$

(3) 직선의 x절편이 4이므로 점 $(4, 0)$을 지나고, y절편이 -2이므로 점 $(0, -2)$를 지난다.
두 점 $(4, 0)$, $(0, -2)$를 지나는 직선의 방정식은
$y-0=\frac{-2-0}{0-4}(x-4)$ $\quad\therefore \boldsymbol{y=\frac{1}{2}x-2}$

나만의 Note

1-1 나의 풀이

1-2 나의 풀이

> 본책 216쪽

대표 Q2 직선의 방정식의 일반형

실수 a, b, c가 다음을 만족시킬 때, 직선 $ax+by+c=0$이 지나는 사분면을 모두 구하시오.

(1) $ab>0$, $bc<0$

(2) $ac<0$, $bc>0$

(3) $b=0$, $ac<0$

대표 Q2 풀이

(1) $ax+by+c=0$에서 $b\neq0$이므로

$by=-ax-c$, $y=-\frac{a}{b}x-\frac{c}{b}$

$ab>0$이므로 $-\frac{a}{b}<0$ ➡ 기울기가 음수

$bc<0$이므로 $-\frac{c}{b}>0$ ➡ y절편이 양수

따라서 주어진 직선은 **제1, 2, 4사분면**을 지난다.

(2) $b\neq0$이므로 $y=-\frac{a}{b}x-\frac{c}{b}$

$bc>0$이므로 $-\frac{c}{b}<0$ ➡ y절편이 음수

$ac<0$, $bc>0$이므로 $\begin{cases} c>0\text{이면 } a<0,\ b>0 \\ c<0\text{이면 } a>0,\ b<0 \end{cases}$

곧, a와 b의 부호가 다르므로

$-\frac{a}{b}>0$ ➡ 기울기가 양수

따라서 주어진 직선은 **제1, 3, 4사분면**을 지난다.

(3) $b=0$, $a\neq0$이므로 $ax+c=0$, $x=-\frac{c}{a}$

$ac<0$이므로 $-\frac{c}{a}>0$

따라서 y축에 평행하고 x절편이 양수이므로 **제1, 4사분면**을 지난다.

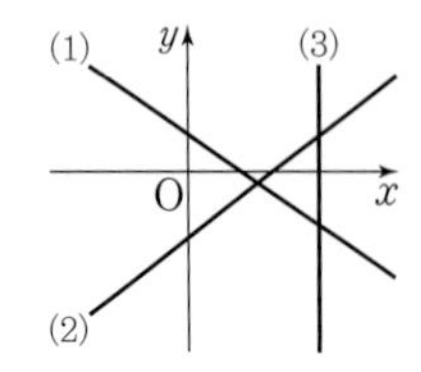

나만의 Note

2-1 나의 풀이

2-2 나의 풀이

본책 217쪽

대표 Q3 직선의 방정식과 도형의 넓이

다음 물음에 답하시오.

(1) 직선 $ax-2y-2a=0$이 x축, y축과 만나 생기는 삼각형의 넓이가 3일 때, 양수 a의 값을 구하시오.

(2) 직선 $y=-2x+6$이 x축, y축과 만나 생기는 삼각형의 넓이를 직선 $y=mx+1$이 이등분할 때, m의 값을 구하시오.

대표 Q3 풀이

(1) $ax-2y-2a=0$에서

$x=0$을 대입하면 $-2y-2a=0$ $\quad\therefore y=-a$

$y=0$을 대입하면 $ax-2a=0$ $\quad\therefore x=2$

따라서 x절편이 2, y절편이 $-a$이고 $a>0$이므로 직선이 x축, y축과 만나 생기는 삼각형은 그림과 같다. 삼각형 OAB의 넓이가 3이고, $\overline{OA}=2$, $\overline{OB}=a$이므로

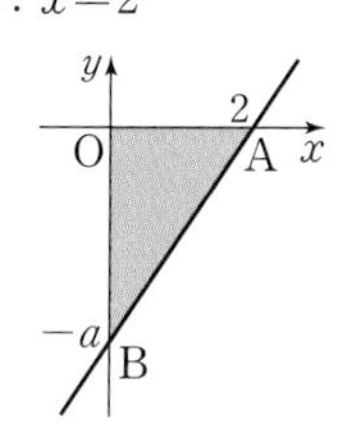

$\frac{1}{2}\times2\times a=3$ $\quad\therefore a=\mathbf{3}$

(2) 직선 $y=mx+1$은 y절편이 1인 직선이다.

직선 $y=-2x+6$이 x축, y축과 만나는 점의 좌표는 각각 $(3,\ 0)$, $(0,\ 6)$이므로 이 직선이 x축, y축과 만나 생기는 삼각형의 넓이는 9이다.

C가 직선 $y=-2x+6$ 위의 점이므로 $C(a,\ -2a+6)$이라 할 수 있다.

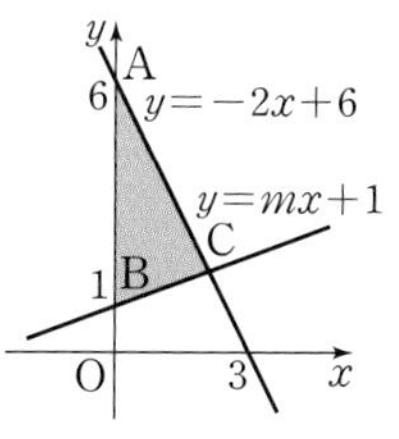

삼각형 ABC의 넓이가 $\frac{9}{2}$이므로

$\frac{1}{2}\times5\times a=\frac{9}{2}$ $\quad\therefore a=\frac{9}{5}$

따라서 직선 $y=mx+1$이 점 $C\left(\frac{9}{5},\ \frac{12}{5}\right)$를 지나므로

$\frac{12}{5}=\frac{9}{5}m+1$ $\quad\therefore m=\mathbf{\frac{7}{9}}$

나만의 Note

3-1 나의 풀이

3-2 나의 풀이

> 본책 220쪽

대표 Q4 기울기가 같은 직선의 방정식

두 점 $A(-2,\ 2)$, $B(1,\ 4)$에 대하여 다음 물음에 답하시오.

(1) 직선 AB에 평행하고 점 $(2,\ 1)$을 지나는 직선의 방정식을 구하시오.

(2) 두 점 A, B와 점 $C(k,\ k-1)$이 한 직선 위에 있을 때, 실수 k의 값을 구하시오.

대표 Q4 풀이

(1) 직선 AB의 기울기가

$$\frac{4-2}{1-(-2)}=\frac{2}{3}$$

이므로 기울기가 $\frac{2}{3}$이고, 점 $(2,\ 1)$을 지나는 직선의 방정식은

$$y-1=\frac{2}{3}(x-2) \qquad \therefore \boldsymbol{y=\frac{2}{3}x-\frac{1}{3}}$$

(2) 두 점 A, B를 지나는 직선의 방정식은

$$y-2=\frac{4-2}{1-(-2)}\{x-(-2)\}$$

$$\therefore y=\frac{2}{3}x+\frac{10}{3}$$

점 C가 이 직선 위에 있으므로 $x=k$, $y=k-1$을 대입하면

$$k-1=\frac{2}{3}k+\frac{10}{3},\ \frac{k}{3}=\frac{13}{3}$$

$$\therefore k=\mathbf{13}$$

나만의 Note

4-1 나의 풀이

4-2 나의 풀이

대표 Q5 수선, 수선의 발

두 점 A$(-1, 0)$, B$(1, 4)$에 대하여 다음 물음에 답하시오.

(1) 선분 AB의 수직이등분선의 방정식을 구하시오.

(2) 점 C$(4, 1)$에서 직선 AB에 내린 수선의 발의 좌표를 구하시오.

대표 Q5 풀이

(1) 선분 AB의 중점의 좌표는

$\left(\frac{-1+1}{2}, \frac{0+4}{2}\right)$, 곧 $(0, 2)$

직선 AB의 기울기는 $\frac{4-0}{1-(-1)}=2$

따라서 직선 AB에 수직인 직선의 기울기는 $-\frac{1}{2}$이다.

선분 AB의 수직이등분선은 기울기가 $-\frac{1}{2}$이고, 점 $(0, 2)$를 지나므로

$y-2=-\frac{1}{2}(x-0)$ $\therefore$ $\boldsymbol{y=-\frac{1}{2}x+2}$

(2) 직선 AB의 방정식은

$y-0=\frac{4-0}{1-(-1)}\{x-(-1)\}$

$\therefore y=2x+2$ $\cdots$ ㉠

점 C에서 직선 AB에 내린 수선의 발을 H라 하면 직선 CH는 기울기가 $-\frac{1}{2}$이고, 점 $(4, 1)$을 지나므로

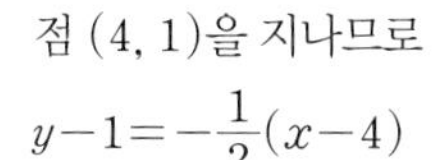

$y-1=-\frac{1}{2}(x-4)$

$\therefore y=-\frac{1}{2}x+3$ $\cdots$ ㉡

수선의 발은 두 직선 ㉠, ㉡의 교점이므로 ㉠, ㉡을 연립하여 풀면

$x=\frac{2}{5}, y=\frac{14}{5}$

따라서 수선의 발의 좌표는 $\boldsymbol{\left(\frac{2}{5}, \frac{14}{5}\right)}$

나만의 Note

5-1 나의 풀이

5-2 나의 풀이

본책 222쪽

대표 Q6 두 직선의 위치 관계

두 직선 $kx+y+2=0$, $(k+2)x+ky-1=0$에 대하여 다음 물음에 답하시오.

(1) 두 직선이 평행할 때, 실수 k의 값을 모두 구하시오.

(2) 두 직선이 수직일 때, 실수 k의 값을 모두 구하시오.

(3) 두 직선의 교점이 $(a, -2)$일 때, 실수 k와 a의 값을 모두 구하시오.

대표 Q6 풀이

(1) $\frac{k}{k+2}=\frac{1}{k}\neq\frac{2}{-1}$이므로

$\frac{k}{k+2}=\frac{1}{k}$에서 $k^2=k+2$, $(k+1)(k-2)=0$

$\therefore$ $\mathbf{k=-1}$ 또는 $\mathbf{k=2}$

이때 $\frac{1}{k}\neq\frac{2}{-1}$이므로 성립한다.

(2) $k(k+2)+1\times k=0$에서 $k(k+3)=0$

$\therefore$ $\mathbf{k=0}$ 또는 $\mathbf{k=-3}$

(3) 교점이 $(a, -2)$이므로

$ka=0$, $(k+2)a-2k-1=0$

(i) $k=0$일 때,

$2a-1=0$ $\therefore$ $a=\frac{1}{2}$

(ii) $a=0$일 때,

$-2k-1=0$ $\therefore$ $k=-\frac{1}{2}$

(i), (ii)에서 $\mathbf{k=0,\ a=\frac{1}{2}}$ 또는 $\mathbf{k=-\frac{1}{2},\ a=0}$

나만의 Note

6-1 나의 풀이

6-2 나의 풀이

정점을 지나는 문제

다음 물음에 답하시오.

(1) 두 직선 $x+y=2$, $y=m(x-3)+2$가 제1사분면에서 만날 때, 실수 m값의 범위를 구하시오.

(2) 직선 $(k-3)x+2(k-1)y+k-5=0$이 실수 k의 값에 관계없이 항상 지나는 점의 좌표를 구하시오.

대표 Q7 풀이

(1) $y-2=m(x-3)$은 기울기가 m이고, 점 $(3, 2)$를 지나는 직선이므로 그림에서 색칠한 부분에 있을 때 제1사분면에서 선분 AB와 만난다. (단, 양 끝 점은 제외)

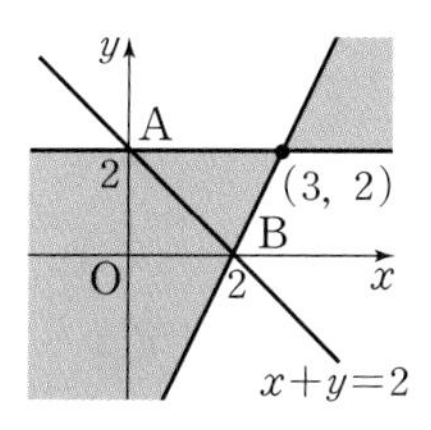

(i) 직선 $y=m(x-3)+2$가 점 $A(0, 2)$를 지날 때,
$2=m(0-3)+2 \quad \therefore m=0$

(ii) 직선 $y=m(x-3)+2$가 점 $B(2, 0)$을 지날 때,
$0=m(2-3)+2 \quad \therefore m=2$

(i), (ii)에서 $\mathbf{0<m<2}$

(2) $(k-3)x+2(k-1)y+k-5=0$을 k에 대해 정리하면 $k(x+2y+1)-3x-2y-5=0$
k의 값에 관계없이 항상 성립하면
$x+2y+1=0$이고 $-3x-2y-5=0$
두 식을 연립하여 풀면 $x=-2$, $y=\frac{1}{2}$
따라서 점 $\left(\mathbf{-2, \frac{1}{2}}\right)$을 지난다.

나만의 Note

7-1 나의 풀이

7-2 나의 풀이

본책 225쪽

대표 Q8 점과 직선 사이의 거리

다음 물음에 답하시오.

(1) 직선 $2x-y-6=0$에 평행하고 점 $(-1, -1)$로부터 거리가 5인 직선의 방정식을 모두 구하시오.

(2) 평행한 두 직선 $2x-y-6=0$, $4x-2y-3=0$ 사이의 거리를 구하시오.

대표 Q8 풀이

(1) 직선 $2x-y-6=0$에 평행한 직선을 $2x-y+c=0$이라 하자. 점 $(-1, -1)$과 이 직선 사이의 거리가 5이므로

$$\frac{|2\times(-1)-(-1)+c|}{\sqrt{2^2+(-1)^2}}=5$$

$$\frac{|c-1|}{\sqrt{5}}=5,\ |c-1|=5\sqrt{5}$$

$$\therefore c=1\pm5\sqrt{5}$$

따라서 직선의 방정식은

$\mathbf{2x-y+1+5\sqrt{5}=0}$ 또는 $\mathbf{2x-y+1-5\sqrt{5}=0}$

(2) 두 직선이 평행하므로 직선 $2x-y-6=0$ 위의 한 점 $(3, 0)$과 직선 $4x-2y-3=0$ 사이의 거리가 두 직선 사이의 거리이다.

$$\frac{|4\times3-2\times0-3|}{\sqrt{4^2+(-2)^2}}=\frac{9}{2\sqrt{5}}=\mathbf{\frac{9\sqrt{5}}{10}}$$

나만의 Note

8-1 나의 풀이

8-2 나의 풀이

8-3 나의 풀이

> 본책 226쪽

대표 Q9 점이 그리는 도형의 방정식

다음 물음에 답하시오.

(1) 두 점 $A(-1, 2)$, $B(3, 4)$에서 같은 거리에 있는 점 P가 그리는 도형의 방정식을 구하시오.

(2) 두 직선 $4x+3y-11=0$, $3x-4y-2=0$이 이루는 각을 이등분하는 직선의 방정식을 모두 구하시오.

대표 Q9 풀이

(1) $P(x, y)$라 하면 $\overline{PA}^2=\overline{PB}^2$이므로

$(x+1)^2+(y-2)^2=(x-3)^2+(y-4)^2$

$x^2+2x+1+y^2-4y+4=x^2-6x+9+y^2-8y+16$

$8x+4y-20=0 \qquad \therefore \mathbf{2x+y-5=0}$

(2) 각의 이등분선 위의 점을 $P(x, y)$라 하자.

점 P에서 두 직선에 이르는 거리가 같으므로

$$\frac{|4x+3y-11|}{\sqrt{4^2+3^2}}=\frac{|3x-4y-2|}{\sqrt{3^2+(-4)^2}}$$

$|4x+3y-11|=|3x-4y-2|$

(i) $4x+3y-11=3x-4y-2$일 때,

$x+7y-9=0$

(ii) $4x+3y-11=-(3x-4y-2)$일 때,

$7x-y-13=0$

(i), (ii)에서

$\mathbf{x+7y-9=0}$ 또는 $\mathbf{7x-y-13=0}$

나만의 Note

9-1 나의 풀이

9-2 나의 풀이

본책 235쪽

대표 Q1 원의 방정식

다음 물음에 답하시오.

(1) 중심이 점 $(-2, 3)$이고 점 $(-1, 1)$을 지나는 원의 방정식을 구하시오.

(2) 두 점 $A(1, 0)$, $B(5, 6)$을 이은 선분 AB가 지름인 원의 방정식을 구하시오.

(3) 세 점 $P(1, 3)$, $Q(4, 2)$, $R(5, 1)$을 지나는 원의 방정식을 구하시오.

대표 Q1 풀이

(1) 중심이 점 $(-2, 3)$이므로 반지름의 길이를 r라 하면

$(x+2)^2+(y-3)^2=r^2$

이 원이 점 $(-1, 1)$을 지나므로

$(-1+2)^2+(1-3)^2=r^2$ $\quad\therefore r^2=5$

$\therefore$ **$(x+2)^2+(y-3)^2=5$**

(2) 선분 AB의 중점을 M이라 하면 점 M이 원의 중심이고 선분 AM의 길이가 원의 반지름의 길이이다.

$M\left(\frac{1+5}{2}, \frac{0+6}{2}\right)=M(3, 3)$

반지름의 길이는

$\overline{AM}=\sqrt{(3-1)^2+(3-0)^2}=\sqrt{13}$

$\therefore$ **$(x-3)^2+(y-3)^2=13$**

(3) 원의 방정식을 $x^2+y^2+Ax+By+C=0$으로 놓자.

점 $P(1, 3)$을 지나므로

$1+9+A+3B+C=0$ $\quad\cdots$ ㉠

점 $Q(4, 2)$를 지나므로

$16+4+4A+2B+C=0$ $\quad\cdots$ ㉡

점 $R(5, 1)$을 지나므로

$25+1+5A+B+C=0$ $\quad\cdots$ ㉢

㉡−㉠을 하면 $10+3A-B=0$ $\quad\cdots$ ㉣

㉢−㉡을 하면 $6+A-B=0$ $\quad\cdots$ ㉤

㉣, ㉤을 연립하여 풀면 $A=-2$, $B=4$

㉠에 대입하면 $C=-20$

$\therefore$ **$x^2+y^2-2x+4y-20=0$**

나만의 Note

1-1 나의 풀이

1-2 나의 풀이

본책 236쪽

대표 Q2 축에 접하는 원

다음 물음에 답하시오.

(1) x축과 y축에 동시에 접하고 점 $(-2, 4)$를 지나는 원의 방정식을 모두 구하시오.

(2) 중심이 직선 $y=x+2$ 위에 있고, x축에 접하며 점 $(4, 3)$을 지나는 원의 방정식을 모두 구하시오.

대표 Q2 풀이

(1) x축과 y축에 동시에 접하고 점 $(-2, 4)$를 지나는 원은 중심이 제2사분면 위에 있으므로 반지름의 길이를 r라 하면

$(x+r)^2+(y-r)^2=r^2$

점 $(-2, 4)$를 지나므로

$(-2+r)^2+(4-r)^2=r^2$, $r^2-12r+20=0$

$(r-2)(r-10)=0$ $\quad\therefore r=2$ 또는 $r=10$

$\therefore$ $\mathbf{(x+2)^2+(y-2)^2=4}$,

$\mathbf{(x+10)^2+(y-10)^2=100}$

(2) 원의 중심을 점 (a, b)라 하면 x축에 접하고 점 $(4, 3)$을 지나므로 $b>0$이고 반지름의 길이가 b이다.

$\therefore (x-a)^2+(y-b)^2=b^2$ $\quad\cdots$ ㉠

원의 중심이 직선 $y=x+2$ 위에 있으므로

$b=a+2$ $\quad\cdots$ ㉡

원 ㉠이 점 $(4, 3)$을 지나므로

$(4-a)^2+(3-b)^2=b^2$

㉡을 대입하면

$(4-a)^2+(1-a)^2=(a+2)^2$, $a^2-14a+13=0$

$(a-1)(a-13)=0$ $\quad\therefore a=1$ 또는 $a=13$

㉡에서 $a=1$일 때 $b=3$ 또는 $a=13$일 때 $b=15$

$\therefore$ $\mathbf{(x-1)^2+(y-3)^2=9}$,

$\mathbf{(x-13)^2+(y-15)^2=225}$

나만의 Note

2-1 나의 풀이

2-2 나의 풀이

2-3 나의 풀이

> 본책 237쪽

대표 Q3 두 원의 위치 관계

두 원 $x^2+y^2=r^2$, $x^2+y^2-6x-8y+21=0$에 대하여 다음 물음에 답하시오.

(1) 두 원이 두 점에서 만날 때, 양수 r값의 범위를 구하시오.

(2) 두 원이 접할 때, 양수 r의 값을 모두 구하시오.

대표 Q3 풀이

$x^2+y^2=r^2$ $\cdots$ ㉠

$x^2+y^2-6x-8y+21=0$ $\cdots$ ㉡

원 ㉠의 중심은 점 $O(0, 0)$, 반지름의 길이는 r이다.

㉡을 완전제곱 꼴로 고치면

$(x-3)^2+(y-4)^2=4$

따라서 중심은 점 $C(3, 4)$, 반지름의 길이는 2이다.

또 두 원의 중심 사이의 거리는 $\overline{OC}=\sqrt{3^2+4^2}=5$

(1) 두 원이 두 점에서 만나면 $|r-2|<5<r+2$

(i) $5<r+2$에서 $r>3$

(ii) $|r-2|<5$에서

$-5<r-2<5$ $\quad\therefore -3<r<7$

$r>0$이므로 $0<r<7$

(i), (ii)에서 $\mathbf{3<r<7}$

(2) (i) 두 원이 외접할 때, $r+2=5$ $\quad\therefore r=3$

(ii) 두 원이 내접할 때, $|r-2|=5$, $r-2=\pm5$

$r>0$이므로 $r=7$

(i), (ii)에서 $r=\mathbf{3}$ 또는 $r=\mathbf{7}$

나만의 Note

3-1 나의 풀이

3-2 나의 풀이

대표 Q4 두 원의 교점을 지나는 원과 직선의 방정식

두 원 $x^2+y^2-2=0$, $x^2+y^2-4x+4y-2=0$에 대하여 다음 물음에 답하시오.

(1) 두 원의 교점과 점 $(2, 0)$을 지나는 원의 방정식을 구하시오.

(2) 두 원의 교점을 지나는 직선의 방정식을 구하시오.

대표 Q4 풀이

$m(x^2+y^2-2)+x^2+y^2-4x+4y-2=0$ ⋯ ㉠

(1) 두 원의 교점을 지나는 원의 방정식은 ㉠ 꼴로 나타낼 수 있다.

이 원이 점 $(2, 0)$을 지나므로

$m(4+0-2)+4+0-8+0-2=0$

$\therefore m=3$

㉠에 대입하면

$3(x^2+y^2-2)+x^2+y^2-4x+4y-2=0$

$\therefore \boldsymbol{x^2+y^2-x+y-2=0}$

(2) ㉠에서 $m=-1$이면 두 원의 교점을 지나는 직선의 방정식이다.

$-(x^2+y^2-2)+x^2+y^2-4x+4y-2=0$

$\therefore \boldsymbol{x-y=0}$

나만의 Note

4-1 나의 풀이

4-2 나의 풀이

본책 239쪽

대표 Q5 움직이는 점이 나타내는 도형의 방정식

두 점 A(2, 2), B(−1, −1)에 대하여 $\overline{PA} : \overline{PB} = 1 : 2$를 만족시키는 점 P는 원 위를 움직인다. 다음 물음에 답하시오.

(1) 점 P가 움직이는 원의 중심의 좌표와 반지름의 길이를 구하시오.

(2) 선분 OP의 길이의 최댓값과 최솟값을 구하시오. (단, O는 원점이다.)

대표 Q5 풀이

(1) $P(x, y)$라 하면

$2\overline{PA} = \overline{PB}$이므로 $4\overline{PA}^2 = \overline{PB}^2$

$4\{(x-2)^2+(y-2)^2\} = (x+1)^2+(y+1)^2$

$x^2-6x+y^2-6y+10=0$

$\therefore (x-3)^2+(y-3)^2=8$

따라서 **중심**이 점 **(3, 3)**이고 **반지름의 길이**가 $\mathbf{2\sqrt{2}}$인 원이다.

(2) 원의 중심을 C라 하면

$\overline{OC} = 3\sqrt{2}$이므로

$\overline{OP}$의 **최솟값**은

$\overline{OP_1} = \overline{OC} - r = \mathbf{\sqrt{2}}$

$\overline{OP}$의 **최댓값**은

$\overline{OP_2} = \overline{OC} + r = \mathbf{5\sqrt{2}}$

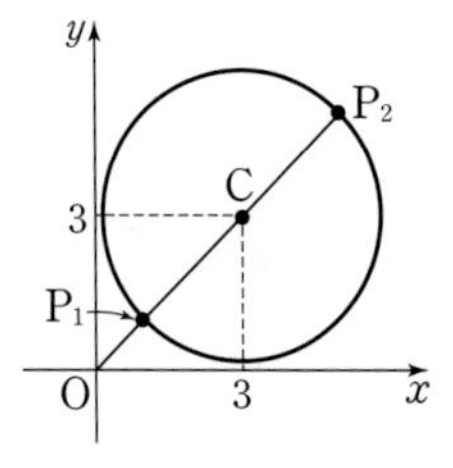

나만의 Note

5-1 나의 풀이

5-2 나의 풀이

대표 Q6 원과 직선의 위치 관계

원 $x^2+y^2+2x=4$와 직선 $x+2y+k=0$에 대하여 다음 물음에 답하시오.

(1) 두 점에서 만날 때, 실수 k값의 범위를 구하시오.

(2) 접할 때, 실수 k의 값을 모두 구하시오.

(3) 만나지 않을 때, 실수 k값의 범위를 구하시오.

대표 Q6 풀이

$x^2+y^2+2x=4$를 완전제곱 꼴로 고치면
$(x+1)^2+y^2=5$이므로 중심이 점 $(-1, 0)$이고 반지름의 길이가 $\sqrt{5}$인 원이다.
직선 $x+2y+k=0$과 점 $(-1, 0)$ 사이의 거리를 d라 하면

$$d=\frac{|-1+k|}{\sqrt{1^2+2^2}}=\frac{|k-1|}{\sqrt{5}}$$

(1) $d<\sqrt{5}$일 때, 두 점에서 만나므로

$\frac{|k-1|}{\sqrt{5}}<\sqrt{5}$, $|k-1|<5$

$-5<k-1<5$ $\therefore$ $\boldsymbol{-4<k<6}$

(2) $d=\sqrt{5}$일 때, 접하므로

$\frac{|k-1|}{\sqrt{5}}=\sqrt{5}$, $|k-1|=5$

$k-1=\pm5$ $\therefore$ $\boldsymbol{k=-4}$ **또는** $\boldsymbol{k=6}$

(3) $d>\sqrt{5}$일 때, 만나지 않으므로

$\frac{|k-1|}{\sqrt{5}}>\sqrt{5}$, $|k-1|>5$

$k-1<-5$ 또는 $k-1>5$

$\therefore$ $\boldsymbol{k<-4}$ **또는** $\boldsymbol{k>6}$

나만의 Note

6-1 나의 풀이

> 본책 244쪽

대표 Q7 현의 길이

원 C_1 : $x^2+y^2-2x-8=0$에 대하여 다음 물음에 답하시오.

(1) 원 C_1과 직선 $y=2x+k$가 만나서 생기는 현의 길이가 4일 때, k의 값을 모두 구하시오.

(2) 원 C_1과 원 C_2 : $x^2+y^2-6x+2y-14=0$이 만나서 생기는 현의 길이를 구하시오.

대표 Q7 풀이

(1) $x^2+y^2-2x-8=0$을 완전제곱 꼴로 고치면 $(x-1)^2+y^2=9$이므로 원 C_1은 중심이 점 $O_1(1, 0)$이고 반지름의 길이가 3인 원이다.

원 C_1과 직선 $y=2x+k$의 두 교점을 A, B, 중심 O_1에서 현 AB에 내린 수선의 발을 H라 하자.

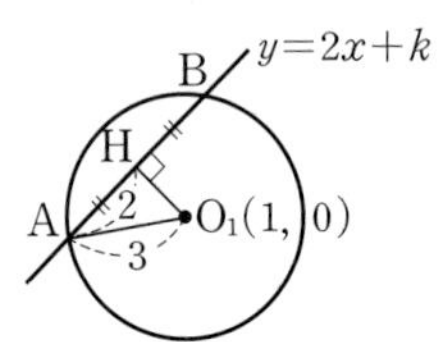

수선 O_1H가 현 AB를 수직이등분하므로 $\overline{AH}=2$

삼각형 AO_1H에서 $\overline{O_1H}=\sqrt{3^2-2^2}=\sqrt{5}$

점 $(1, 0)$과 직선 $2x-y+k=0$ 사이의 거리가 $\sqrt{5}$이므로

$\dfrac{|2+k|}{\sqrt{2^2+(-1)^2}}=\sqrt{5}$, $|k+2|=5$

$k+2=\pm5$ $\quad\therefore$ $k=\mathbf{-7}$ **또는** $k=\mathbf{3}$

(2) 두 원 C_1, C_2의 교점을 지나는 방정식은

$x^2+y^2-2x-8-(x^2+y^2-6x+2y-14)=0$

$\therefore$ $2x-y+3=0$

두 원의 교점을 A, B, 중심 O_1에서 현 AB에 내린 수선의 발을 H라 하면 수선 O_1H가 공통현 AB를 수직이등분한다.

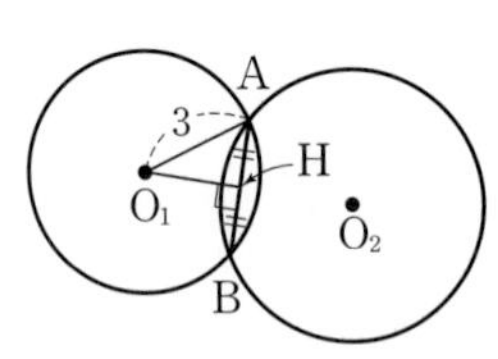

점 $O_1(1, 0)$과 직선 $2x-y+3=0$ 사이의 거리는

$\overline{O_1H}=\dfrac{|2+3|}{\sqrt{2^2+(-1)^2}}=\dfrac{5}{\sqrt{5}}=\sqrt{5}$

삼각형 AO_1H에서 $\overline{AH}=\sqrt{3^2-(\sqrt{5})^2}=2$

따라서 공통현의 길이는 $\overline{AB}=2\overline{AH}=\mathbf{4}$

7-1 나의 풀이

7-2 나의 풀이

> 본책 245쪽

대표 Q8 접선의 방정식

원 C : $(x+1)^2+(y-2)^2=8$에 대하여 다음 물음에 답하시오.

(1) 기울기가 2인 접선의 방정식을 모두 구하시오.

(2) 원 C 위의 점 A(1, 0)에서 접하는 직선의 방정식을 구하시오.

(3) 원 C 밖의 점 B(2, 1)을 지나는 접선의 방정식을 모두 구하시오.

대표 Q8 풀이

(1) 접선의 방정식을 $y=2x+k$로 놓자.

원의 중심 $C(-1, 2)$와 접선 $2x-y+k=0$ 사이의 거리가 반지름의 길이 $2\sqrt{2}$와 같으므로

$\dfrac{|-2-2+k|}{\sqrt{2^2+(-1)^2}}=2\sqrt{2}$, $|k-4|=2\sqrt{10}$

$k-4=\pm2\sqrt{10}$ $\quad\therefore k=4\pm2\sqrt{10}$

$\therefore$ $\boldsymbol{y=2x+4+2\sqrt{10}, y=2x+4-2\sqrt{10}}$

(2) 반지름 CA와 접선이 수직이다.

직선 CA는 두 점 $(-1, 2)$, $(1, 0)$을 지나므로 기울기는 $\dfrac{0-2}{1-(-1)}=-1$이다.

따라서 접선의 기울기는 1이다.

접선의 방정식은

$y=1\times(x-1)$ $\quad\therefore$ $\boldsymbol{y=x-1}$

(3) 접선의 방정식을 $y-1=m(x-2)$로 놓자.

원의 중심 $C(-1, 2)$와 접선 사이의 거리가 반지름의 길이 $2\sqrt{2}$이므로

$\dfrac{|-m-2-2m+1|}{\sqrt{m^2+(-1)^2}}=2\sqrt{2}$

$(3m+1)^2=8(m^2+1)$, $m^2+6m-7=0$

$(m+7)(m-1)=0$ $\quad\therefore m=-7$ 또는 $m=1$

$\therefore$ $\boldsymbol{y=-7x+15, y=x-1}$

나만의 Note

8-1 나의 풀이

> 본책 246쪽

대표 Q9 원과 점 또는 직선 사이의 거리

원 C : $x^2+y^2+6x-4y+4=0$에 대하여 다음 물음에 답하시오.

(1) 점 A(3, 0)에서 원에 그은 접선이 원과 만나는 점을 P라 할 때, 선분 PA의 길이를 구하시오.

(2) 원 C 위를 움직이는 점 Q와 직선 $x+y=5$ 사이의 거리의 최댓값을 구하시오.

대표 Q9 풀이

C : $x^2+y^2+6x-4y+4=0$을 완전제곱 꼴로 고치면

$(x+3)^2+(y-2)^2=9$

이므로 원 C의 중심은 점 C$(-3, 2)$이고 반지름의 길이는 3이다.

(1) $\overline{AC}=\sqrt{(-6)^2+2^2}=2\sqrt{10}$

$\overline{CP}=3$

삼각형 APC는 직각삼각형이므로

$\overline{PA}=\sqrt{(2\sqrt{10})^2-3^2}=\mathbf{\sqrt{31}}$

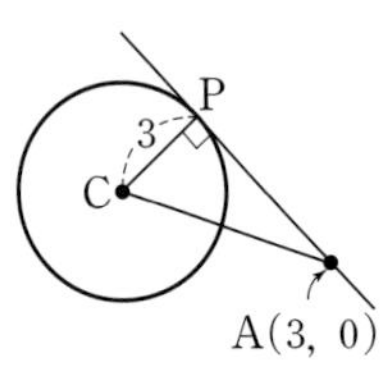

(2) 원 C의 중심에서 직선 $x+y-5=0$에 내린 수선의 발을 H라 하면

$\overline{CH}=\dfrac{|-3+2-5|}{\sqrt{1^2+1^2}}=3\sqrt{2}$

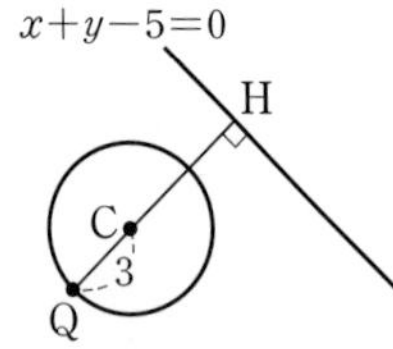

점 Q와 직선 $x+y-5=0$ 사이의 거리의 최댓값은

$\overline{CH}+r=\mathbf{3+3\sqrt{2}}$

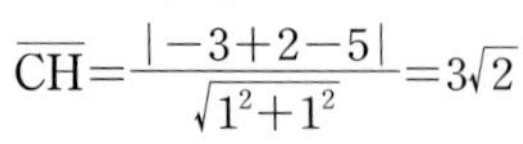

나만의 Note

9-1 나의 풀이

9-2 나의 풀이

본책 256쪽

대표 Q1 평행이동

점 $(2, 3)$을 점 $(4, 0)$으로 옮기는 평행이동에 대하여 다음 물음에 답하시오.

(1) 원점으로 이동하는 점의 좌표를 구하시오.

(2) 직선 $2x+3y-1=0$이 이동하는 직선의 방정식을 구하시오.

(3) 원 $x^2+y^2-4x+2y+1=0$이 이동하는 원의 방정식을 구하시오.

대표 Q1 풀이

점 $(2, 3)$을 점 $(4, 0)$으로 옮기는 평행이동은

$(x, y) \longrightarrow (x+2, y-3)$

(1) 구하는 점의 좌표를 (a, b)라 하면

점 $(a+2, b-3)$이 원점 $(0, 0)$이므로

$a+2=0, b-3=0 \qquad \therefore a=-2, b=3$

$\therefore$ **$(-2, 3)$**

(2) $2x+3y-1=0$의 x에 $x-2$, y에 $y+3$을 대입하면

$2(x-2)+3(y+3)-1=0$

$\therefore$ **$2x+3y+4=0$**

(3) $x^2+y^2-4x+2y+1=0$을 완전제곱 꼴로 고치면

$(x-2)^2+(y+1)^2=4$

이 식의 x에 $x-2$, y에 $y+3$을 대입하면

$(x-2-2)^2+(y+3+1)^2=4$

$\therefore$ **$(x-4)^2+(y+4)^2=4$**

나만의 Note

1-1 나의 풀이

1-2 나의 풀이

대표 Q2 원의 대칭이동

원 $x^2+y^2+2x-4y-4=0$을 다음 점이나 직선에 대칭이동한 원의 방정식을 구하시오.

(1) x축　　(2) 원점
(3) 직선 $y=x$　　(4) 점 $\mathrm{A}(1,\ -1)$
(5) 직선 $x=-3$

대표 Q2 풀이

$x^2+y^2+2x-4y-4=0$을 완전제곱 꼴로 고치면
$(x+1)^2+(y-2)^2=9$
곧, 중심이 점 $\mathrm{C}(-1, 2)$, 반지름의 길이가 3인 원이다.
따라서 중심이 점 C를 대칭이동한 점 $\mathrm{C}'(a',\ b')$이고 반지름의 길이가 3인 원을 구하면 된다.

(1) 점 C를 x축에 대칭이동하면 점 $\mathrm{C}'(-1,\ -2)$이므로
　$\boldsymbol{(x+1)^2+(y+2)^2=9}$

(2) 점 C를 원점에 대칭이동하면 점 $\mathrm{C}'(1,\ -2)$이므로
　$\boldsymbol{(x-1)^2+(y+2)^2=9}$

(3) 점 C를 직선 $y=x$에 대칭이동하면 점 $\mathrm{C}'(2,\ -1)$이므로
　$\boldsymbol{(x-2)^2+(y+1)^2=9}$

(4) 선분 CC′의 중점이 $\mathrm{A}(1,\ -1)$이므로
　$\dfrac{-1+a'}{2}=1,\ \dfrac{2+b'}{2}=-1$
　$\therefore a'=3,\ b'=-4$
　곧, $\mathrm{C}'(3,\ -4)$이므로
　$\boldsymbol{(x-3)^2+(y+4)^2=9}$

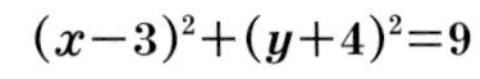
(5) 선분 CC′의 중점의 x좌표가 -3이므로

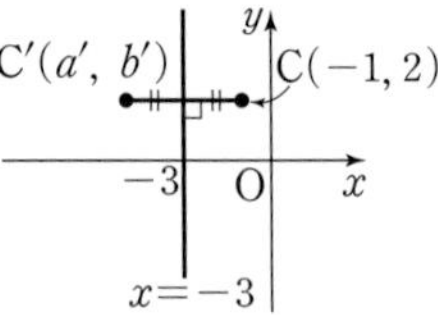

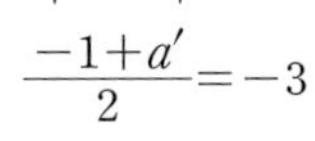
　$\dfrac{-1+a'}{2}=-3$
　$\therefore a'=-5$
　두 점 C, C′의 y좌표가 같으므로 $b'=2$
　곧, $\mathrm{C}'(-5,\ 2)$이므로
　$\boldsymbol{(x+5)^2+(y-2)^2=9}$

나만의 Note

2-1 나의 풀이

> 본책 258쪽

대표 Q3 도형의 대칭이동

포물선 $y=2x^2-4x+3$을 다음 점이나 직선에 대칭이동한 도형의 방정식을 구하시오.

(1) x축 (2) y축

(3) 원점 (4) 직선 $y=-1$

대표 Q3 풀이

(1) $y=2x^2-4x+3$의 x에 x, y에 $-y$를 대입하면

$-y=2x^2-4x+3$

$\therefore$ $\boldsymbol{y=-2x^2+4x-3}$

(2) $y=2x^2-4x+3$의 x에 $-x$, y에 y를 대입하면

$y=2\times(-x)^2-4\times(-x)+3$

$\therefore$ $\boldsymbol{y=2x^2+4x+3}$

(3) $y=2x^2-4x+3$의 x에 $-x$, y에 $-y$를 대입하면

$-y=2\times(-x)^2-4\times(-x)+3$

$\therefore$ $\boldsymbol{y=-2x^2-4x-3}$

(4) $y=2x^2-4x+3=2(x-1)^2+1$

이므로 꼭짓점의 좌표가 $(1, 1)$인 포물선이다.

따라서 포물선을 직선 $y=-1$에 대칭이동하면 그림과 같이 꼭짓점의 좌표가 $(1, -3)$이고, 그래프의 폭은 변하지 않으므로

$\boldsymbol{y=-2(x-1)^2-3}$

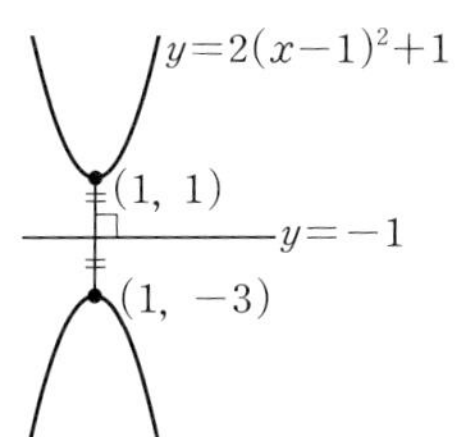

나만의 Note

3-1 나의 풀이

3-2 나의 풀이

3-3 나의 풀이

> 본책 259쪽

길이 합의 최솟값

두 점 $A(0, -1)$, $B(5, 2)$와 직선 $y=x$ 위를 움직이는 점 P가 있다. $\overline{PA}+\overline{PB}$의 최솟값과 최소일 때 P의 좌표를 구하시오.

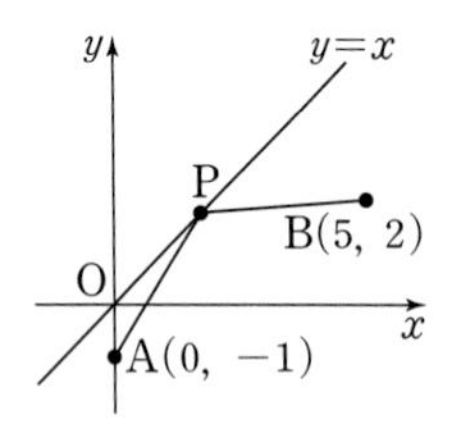

대표 Q4 풀이

점 B를 직선 $y=x$에 대칭이동한 점을 B′이라 하면

$\overline{PB}=\overline{PB'}$이므로

$\overline{PA}+\overline{PB}=\overline{PA}+\overline{PB'}\geq\overline{AB'}$

$B'(2, 5)$이므로

$\overline{PA}+\overline{PB}$의 **최솟값은**

$\overline{AB'}=\sqrt{(2-0)^2+(5+1)^2}$

$=\mathbf{2\sqrt{10}}$

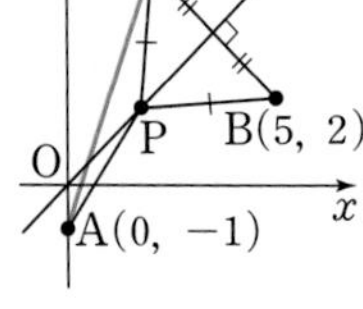

이때 점 P는 직선 $y=x$와 $\overline{AB'}$의 교점이다.

직선 AB′의 방정식은

$y+1=\dfrac{5-(-1)}{2-0}(x-0)$ $\quad\therefore y=3x-1$

이 식을 $y=x$와 연립하여 풀면

$x=\dfrac{1}{2}, y=\dfrac{1}{2}$ $\quad\therefore \mathbf{P\left(\dfrac{1}{2}, \dfrac{1}{2}\right)}$

나만의 Note

4-1 나의 풀이

4-2 나의 풀이

> 본책 260쪽

대표 Q5 그래프의 이동

함수 $y=f(x)$의 그래프가 그림과 같을 때, 다음 식의 그래프를 그리시오.

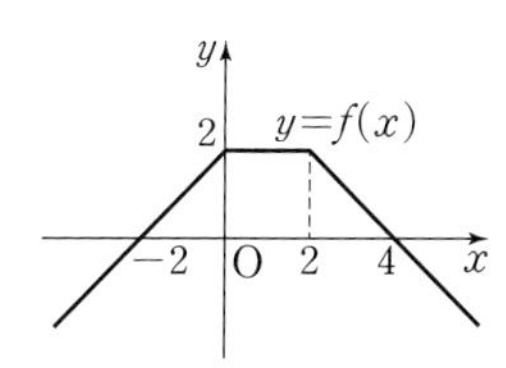

(1) $y-2=f(x+1)$　　(2) $y=-f(x)$

(3) $y=|f(x)|$　　(4) $x=f(y)$

대표 Q5 풀이

(1) $y=f(x)$의 x에 $x+1$, y에 $y-2$를 대입한 꼴이므로 $y=f(x)$의 그래프를 x축 방향으로 -1만큼, y축 방향으로 2만큼 평행이동한다.
따라서 그래프는 그림과 같다.

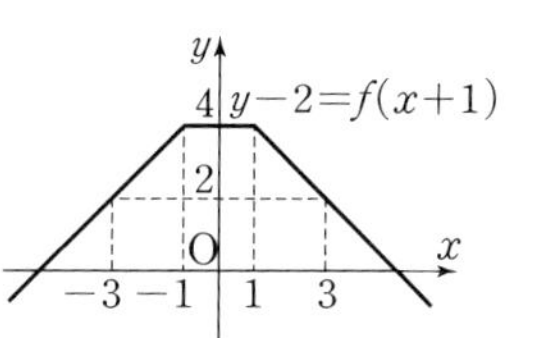

(2) $-y=f(x)$이므로 $y=f(x)$의 y에 $-y$를 대입한 꼴이다.
곧, $y=f(x)$의 그래프를 x축에 대칭이동한다.
따라서 그래프는 그림과 같다.

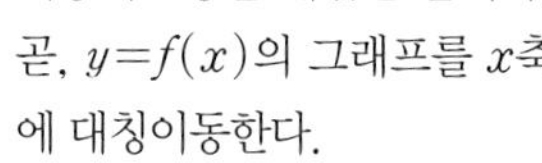

(3) $f(x)\geq 0$일 때, $y=f(x)$
$f(x)<0$일 때, $y=-f(x)$
이므로 $y\geq 0$인 부분은 그대로 두고, $y<0$인 부분만 x축에 대칭이동한 그래프를 그린다.
따라서 그래프는 그림과 같다.

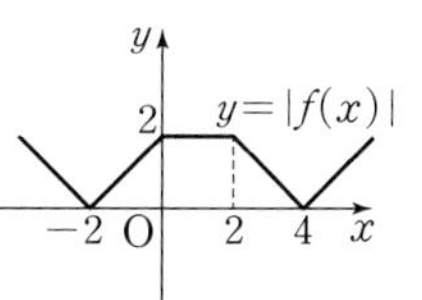

(4) x와 y가 바뀐 꼴이므로 $y=f(x)$의 그래프를 직선 $y=x$에 대칭이동한다.
따라서 그래프는 그림과 같다.

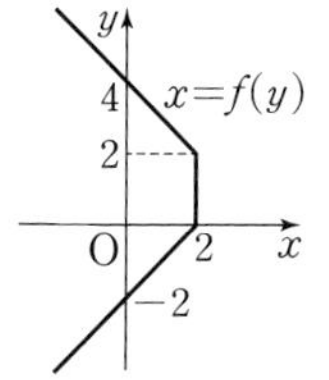

5-1 나의 풀이

날선 Q6 평행이동, 대칭이동한 도형의 방정식

그림에서 도형 A와 B는 지름의 길이가 1인 반원이다. A의 방정식이 $f(x, y)=0$일 때, 다음 물음에 답하시오.

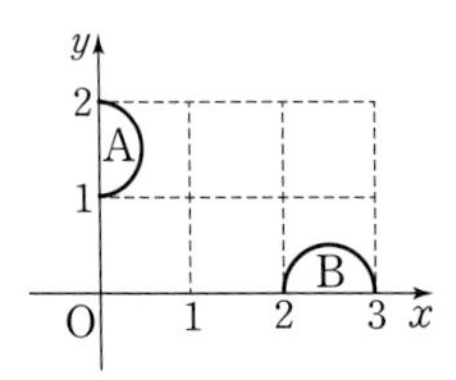

(1) B의 방정식이 $f(y+a,\ x+b)=0$일 때, a, b의 값을 구하시오.

(2) 방정식 $f(y+1,\ -x)=0$이 나타내는 도형을 그리시오.

날선 Q6 풀이

(1) 도형 C를 생각하면

(i) A → C : 직선 $y=x$에 대칭이동

(ii) C → B : x축 방향으로 1만큼 평행이동

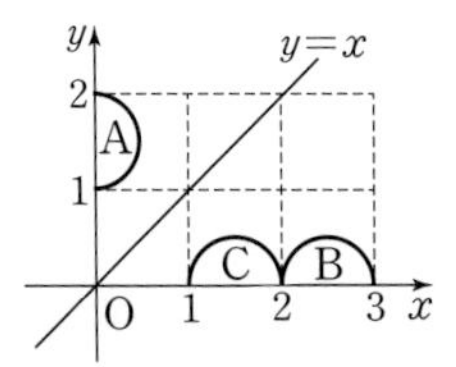

따라서 도형 A를 직선 $y=x$에 대칭이동한 다음 x축 방향으로 1만큼 평행이동하면 도형 B가 된다.

직선 $y=x$에 대칭이동하면 x에 y, y에 x를 대입해야 하므로 $f(y, x)=0$

x축 방향으로 1만큼 평행이동하면 x에 $x-1$을 대입해야 하므로 $f(y, x-1)=0$

$\therefore$ $\boldsymbol{a=0, b=-1}$

(2) $f(x, y)=0$에서

$f(y, x)=0$: x에 y, y에 x를 대입한 꼴이므로 직선 $y=x$에 대칭이동(E)

$f(y+1, x)=0$: y에 $y+1$을 대입한 꼴이므로 y축 방향으로 -1만큼 평행이동(F)

$f(y+1, -x)=0$: x에 $-x$를 대입한 꼴이므로 y축에 대칭이동(G)

따라서 구하는 도형은 그림에서 도형 G이다.

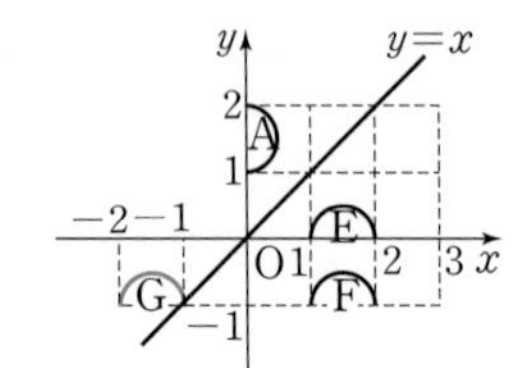

6-1 나의 풀이

나의 오답 Note 사용 설명서 How to use the note

문제를 푸는 건 내가 무엇을 알고 무엇을 모르는지 확인하는 단계입니다.
문제를 다 풀고 정답만 채점한 후에 책을 덮어버리면 성적이 절대 오르지 않아요.
확실히 맞은 문제, 잘 못 이해해서 틀린 문제, 풀이 과정을 몰라서 틀린 문제를 구분하여 표시해 두고,
틀린 문제는 나의 오답 Note를 이용하여 틀린 이유와 내가 몰랐던 개념을 정리해 두세요.

"나의 오답 Note는 이렇게 작성하세요."

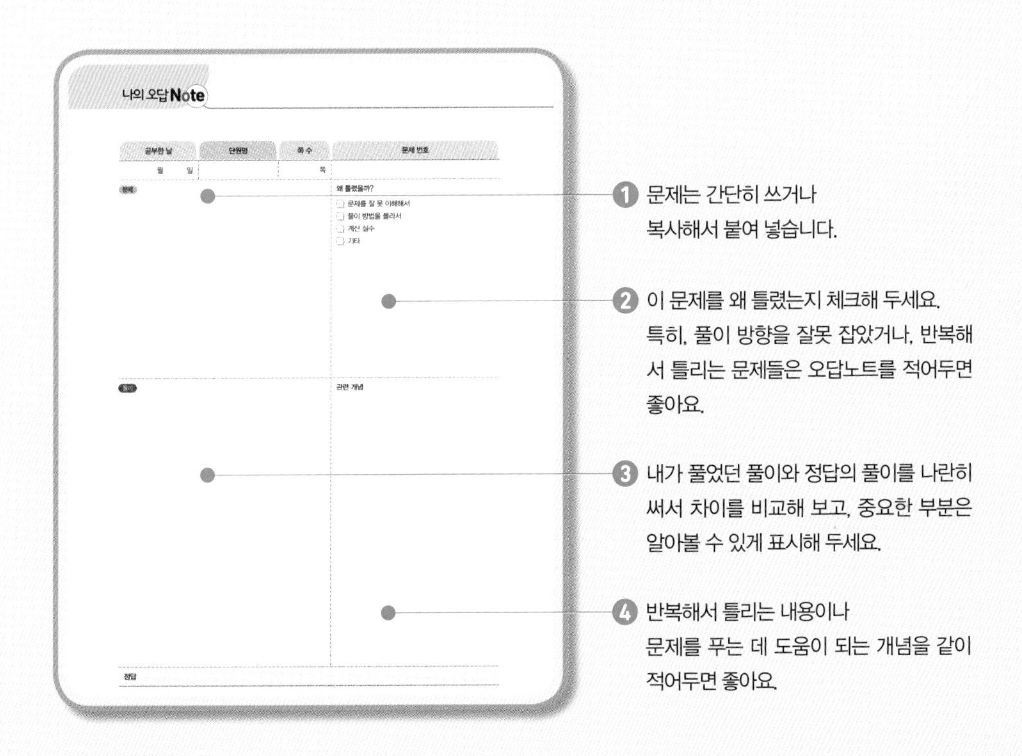

마지막으로!

오답노트를 만들기만 하고 다시 보지 않으면 아무 의미가 없어요!
다시 문제를 정확히 맞을 때까지 반복해서 풀어 보세요.

나의 오답 Note 한글파일은 동아출판 홈페이지
(http://www.bookdonga.com)에서 다운로드 받을 수 있습니다.

나의 오답 Note

공부한 날	단원명	쪽 수	문제 번호
월 일		쪽	

문제

왜 틀렸을까?

- [ ] 문제를 잘 못 이해해서
- [ ] 풀이 방법을 몰라서
- [ ] 계산 실수
- [ ] 기타

풀이

관련 개념

정답

공부한 날	단원명	쪽 수	문제 번호
월 일		쪽	

문제

왜 틀렸을까?

- ☐ 문제를 잘 못 이해해서
- ☐ 풀이 방법을 몰라서
- ☐ 계산 실수
- ☐ 기타

풀이

관련 개념

정답

나의 오답 Note

공부한 날	단원명	쪽 수	문제 번호
월 일		쪽	

문제

왜 틀렸을까?

- ☐ 문제를 잘 못 이해해서
- ☐ 풀이 방법을 몰라서
- ☐ 계산 실수
- ☐ 기타

풀이

관련 개념

정답

날선개념
학습 Note

필수개념으로 꽉 채운 개념기본서

날선개념

고등 수학(상)

정답 및 풀이

동아출판

날선개념

정답 및 풀이 사용 설명서

1. 풀이를 보기 전에 최대한 고민하고, 그래도 해결되지 않을 때 풀이를 보세요.
2. 풀이의 전략이 있는 문제는 전략 부분에서 힌트를 얻어 다시 풀어 보세요.
3. 다른 풀이, 참고는 다양한 사고력을 키워주므로 꼭 읽어 보세요.

* 대표Q & 날선Q 문제의 풀이는 [날선개념 학습 Note]에서도 확인할 수 있습니다.

1 다항식

개념 Check 8쪽~10쪽

1

답 (1) $x^4-x^3-4x^2+3$ (2) $3-4x^2-x^3+x^4$

2

답 $x^2+3xy+y^2+y+1$

3

(1)
$$\begin{array}{rr} & x^2-3x+1 \\ +) & -3x^2+2x-4 \\ \hline & -2x^2-\ x-3 \end{array}$$

(2)
$$\begin{array}{rr} & x^2-3x+1 \\ -) & -3x^2+2x-4 \\ \hline & 4x^2-5x+5 \end{array}$$

답 (1) $-2x^2-x-3$ (2) $4x^2-5x+5$

4

(1) $A+2B=(-x^2+2xy)+2(2x^2+3xy)$
$=-x^2+2xy+4x^2+6xy$
$=3x^2+8xy$

(2) $2A-B=2(-x^2+2xy)-(2x^2+3xy)$
$=-2x^2+4xy-2x^2-3xy$
$=-4x^2+xy$

답 (1) $3x^2+8xy$ (2) $-4x^2+xy$

5

(1) $-2x^2(1-2x+x^2)$
$=-2x^2\times1-2x^2\times(-2x)-2x^2\times x^2$
$=-2x^2+4x^3-2x^4$

(2) $xy(x^2-2xy-3y)$
$=xy\times x^2+xy\times(-2xy)+xy\times(-3y)$
$=x^3y-2x^2y^2-3xy^2$

답 (1) $-2x^2+4x^3-2x^4$ (2) $x^3y-2x^2y^2-3xy^2$

6

(1) $(x-1)(x^2-1)=(x-1)\times x^2+(x-1)\times(-1)$
$=x^3-x^2-x+1$

(2) $(x+2)(x^2-3x+3)$
$=(x+2)\times x^2+(x+2)\times(-3x)+(x+2)\times3$
$=x^3+2x^2-3x^2-6x+3x+6$
$=x^3-x^2-3x+6$

답 (1) x^3-x^2-x+1 (2) x^3-x^2-3x+6

대표Q 12쪽~13쪽

대표 01

(1) $A-(B-C)=A-B+C$이고
$-B=x^3+2x^2-x-2$이므로
$$\begin{array}{rr} & A=2x^3-6x^2+\ x-5 \\ & -B=\ x^3+2x^2-\ x-2 \\ +) & C=3x^3 \qquad +4x-1 \\ \hline \end{array}$$
$(2+1+3)x^3+(-6+2)x^2$
$+(1-1+4)x+(-5-2-1)$
$\therefore A-B+C=6x^3-4x^2+4x-8$

(2) $(A-2B)-2(C-A)=A-2B-2C+2A$
$=3A-2B-2C$
이므로
$3A-2B-2C$
$=3(-x^2+7xy+3y^2)-2(2x^2-xy-9y^2)$
$-2(x^2+2xy)$
$=-3x^2+21xy+9y^2-4x^2+2xy+18y^2$
$-2x^2-4xy$
$=-9x^2+19xy+27y^2$

답 (1) $6x^3-4x^2+4x-8$ (2) $-9x^2+19xy+27y^2$

1-1

A를 x에 대한 내림차순으로 정리하면
$A=-2x^3-x^2+4$

(1) $A+2B-3C$
$=(-2x^3-x^2+4)+2(-x^3+2x+1)$
$-3(x^3-x^2+3x-2)$
$=-2x^3-x^2+4-2x^3+4x+2-3x^3+3x^2-9x+6$
$=-7x^3+2x^2-5x+12$

(2) $2(2B-A)+X=3(B+C)$에서
$4B-2A+X=3B+3C$
$X=3B+3C-4B+2A$
$\therefore X=2A-B+3C$
$=2(-2x^3-x^2+4)-(-x^3+2x+1)$
$+3(x^3-x^2+3x-2)$
$=-4x^3-2x^2+8+x^3-2x-1$
$+3x^3-3x^2+9x-6$
$=-5x^2+7x+1$

답 (1) $-7x^3+2x^2-5x+12$ (2) $-5x^2+7x+1$

1-2

A를 x에 대한 내림차순으로 정리하면

$A=3x^3-x^2y-xy^2+3y^3$

(1) $A-(B+C)=A-B-C$이므로

$A-B-C$

$=(3x^3-x^2y-xy^2+3y^3)-(-2x^3-2xy^2+y^3)$
$\quad-(x^3+3x^2y-2y^3)$

$=3x^3-x^2y-xy^2+3y^3+2x^3+2xy^2-y^3$
$\quad-x^3-3x^2y+2y^3$

$=4x^3-4x^2y+xy^2+4y^3$

(2) $-A+2B-2(C-A)$

$=-A+2B-2C+2A$

$=A+2B-2C$

이므로

$A+2B-2C$

$=(3x^3-x^2y-xy^2+3y^3)+2(-2x^3-2xy^2+y^3)$
$\quad-2(x^3+3x^2y-2y^3)$

$=3x^3-x^2y-xy^2+3y^3-4x^3-4xy^2+2y^3$
$\quad-2x^3-6x^2y+4y^3$

$=-3x^3-7x^2y-5xy^2+9y^3$

답 (1) $4x^3-4x^2y+xy^2+4y^3$
(2) $-3x^3-7x^2y-5xy^2+9y^3$

대표 Q2

(1) $(x^2-3x+1)(2x^2-x-3)$

$=(x^2-3x+1)\times 2x^2+(x^2-3x+1)\times(-x)$
$\quad+(x^2-3x+1)\times(-3)$

$=2x^4-6x^3+2x^2-x^3+3x^2-x-3x^2+9x-3$

$=2x^4+(-6-1)x^3+(2+3-3)x^2$
$\quad+(-1+9)x-3$

$=2x^4-7x^3+2x^2+8x-3$

(2) $(2x+y-4)(3x+2y-1)$의 전개식에서

xy가 나오는 곱만 생각하면

$2x\times 2y+y\times 3x=7xy$

상수항이 나오는 곱만 생각하면

$-4\times(-1)=4$

따라서 합은 $7+4=11$

답 (1) $2x^4-7x^3+2x^2+8x-3$ (2) 11

2-1

(1) $(x^2+x-2)^2$

$=(x^2+x-2)(x^2+x-2)$

$=(x^2+x-2)\times x^2+(x^2+x-2)\times x$
$\quad+(x^2+x-2)\times(-2)$

$=x^4+x^3-2x^2+x^3+x^2-2x-2x^2-2x+4$

$=x^4+2x^3-3x^2-4x+4$

(2) $(x+2y)(x^2-2xy+4y^2)$

$=(x+2y)\times x^2+(x+2y)\times(-2xy)$
$\quad+(x+2y)\times 4y^2$

$=x^3+2x^2y-2x^2y-4xy^2+4xy^2+8y^3$

$=x^3+8y^3$

답 (1) $x^4+2x^3-3x^2-4x+4$ (2) x^3+8y^3

2-2

$(x-y+1)(2x+ay-3)$의 전개식에서

xy가 나오는 곱만 생각하면

$x\times ay-y\times 2x=axy-2xy=(a-2)xy$

$a-2=3$이므로 $a=5$

답 5

개념 Check 14쪽~15쪽

7

$$(x^2y^3+3x^2y-xy^2)\div 2xy=\frac{x^2y^3}{2xy}+\frac{3x^2y}{2xy}-\frac{xy^2}{2xy}$$
$$=\frac{xy^2}{2}+\frac{3x}{2}-\frac{y}{2}$$
$$=\frac{1}{2}(xy^2+3x-y)$$

답 $\frac{1}{2}(xy^2+3x-y)$

8

$$\begin{array}{r@{}l} & 3x-4 \\ x+1\,\big) & 3x^2-\ x+1 \\ & 3x^2+3x \\ \hline & \quad -4x+1 \\ & \quad -4x-4 \\ \hline & \qquad\quad 5 \end{array}$$

이므로 몫 : $3x-4$, 나머지 : 5

답 몫 : $3x-4$, 나머지 : 5

9

(1) 다항식 x^3-3x^2+x+6을 $x-2$로 나누면

$$\begin{array}{r|rrrr} 2 & 1 & -3 & 1 & 6 \\ & & 2 & -2 & -2 \\ \hline & 1 & -1 & -1 & \boxed{4} \end{array}$$

이므로 몫 : x^2-x-1, 나머지 : 4

(2) 다항식 x^3-2x+1을 $x+1$로 나누면

$$\begin{array}{r|rrrr} -1 & 1 & 0 & -2 & 1 \\ & & -1 & 1 & 1 \\ \hline & 1 & -1 & -1 & \boxed{2} \end{array}$$

이므로 몫 : x^2-x-1, 나머지 : 2

답 (1) 몫 : x^2-x-1, 나머지 : 4
(2) 몫 : x^2-x-1, 나머지 : 2

대표Q 16쪽~17쪽

대표 03

(1) x의 계수가 0이라 생각하여 다음과 같이 $0\times x$를 쓰고 나누면

$$\begin{array}{r} x-1 \\ x^2-2x+2 \,\big)\, \overline{x^3-3x^2+0\times x+1} \\ x^3-2x^2+\;\;2x \\ \hline -\;x^2-\;\;2x+1 \\ -\;x^2+\;\;2x-2 \\ \hline -4x+3 \end{array}$$

따라서 몫 : $x-1$, 나머지 : $-4x+3$

(2) $x^3-x^2+2x+1=P\times(x-1)+x+2$이므로

$P\times(x-1)=x^3-x^2+2x+1-(x+2)$
$=x^3-x^2+x-1$

x^3-x^2+x-1을 $x-1$로 직접 나누면

$$\begin{array}{r} x^2+1 \\ x-1 \,\big)\, \overline{x^3-x^2+x-1} \\ x^3-x^2 \\ \hline x-1 \\ x-1 \\ \hline 0 \end{array}$$

$\therefore P=(x^3-x^2+x-1)\div(x-1)$
$=x^2+1$

답 (1) 몫 : $x-1$, 나머지 : $-4x+3$ (2) x^2+1

참고 (2) 조립제법을 이용하여 x^3-x^2+x-1을 $x-1$로 나누면

$$\begin{array}{r|rrrr} 1 & 1 & -1 & 1 & -1 \\ & & 1 & 0 & 1 \\ \hline & 1 & 0 & 1 & \boxed{0} \end{array}$$

따라서 $x^3-x^2+x-1=(x-1)(x^2+1)$이므로 $P=x^2+1$이다.

3-1

(1)

$$\begin{array}{r} x-3 \\ x^2-2 \,\big)\, \overline{x^3-3x^2+\;\;x+3} \\ x^3 -2x \\ \hline -3x^2+3x+3 \\ -3x^2 +6 \\ \hline 3x-3 \end{array}$$

따라서 몫 : $x-3$, 나머지 : $3x-3$

(2) $x^3-3x^2+x+3=P\times(x^2-4x+5)-2$이므로

$P\times(x^2-4x+5)=x^3-3x^2+x+3+2$
$=x^3-3x^2+x+5$

x^3-3x^2+x+5를 x^2-4x+5로 직접 나누면

$$\begin{array}{r} x+1 \\ x^2-4x+5 \,\big)\, \overline{x^3-3x^2+\;\;x+5} \\ x^3-4x^2+5x \\ \hline x^2-4x+5 \\ x^2-4x+5 \\ \hline 0 \end{array}$$

$\therefore P=(x^3-3x^2+x+5)\div(x^2-4x+5)$
$=x+1$

답 (1) 몫 : $x-3$, 나머지 : $3x-3$ (2) $x+1$

대표 04

(1) x^3의 계수가 0이라 생각하여 다음과 같이 계수를 쓰고 조립제법을 이용하면

$$\begin{array}{r|rrrrr} -2 & 3 & 0 & -6 & -1 & 1 \\ & & -6 & 12 & -12 & 26 \\ \hline & 3 & -6 & 6 & -13 & \boxed{27} \end{array}$$

이므로 몫 : $3x^3-6x^2+6x-13$, 나머지 : 27

(2) $2x-3=0$인 x의 값이 $\frac{3}{2}$임에 착안하여 $2x^3+x^2+5$를 $x-\frac{3}{2}$으로 나눈 몫을 $Q(x)$, 나머지를 R라 하면

$\frac{3}{2}$	2	1	0	5
		3	6	9
	2	4	6	14

에서 $Q(x)=2x^2+4x+6$, $R=14$
따라서

$$2x^3+x^2+5=\left(x-\frac{3}{2}\right)Q(x)+R$$
$$=(2x-3)\left\{\frac{1}{2}Q(x)\right\}+R$$

이므로 $2x^3+x^2+5$를 $2x-3$으로 나눈 몫은 $\frac{1}{2}Q(x)=x^2+2x+3$, 나머지는 $R=14$이다.

답 (1) 몫 : $3x^3-6x^2+6x-13$, 나머지 : 27
(2) 몫 : x^2+2x+3, 나머지 : 14

4-1

(1)

-3	1	4	1	-3	5
		-3	-3	6	-9
	1	1	-2	3	-4

따라서 몫 : x^3+x^2-2x+3, 나머지 : -4

(2) $3x+1=0$인 x의 값이 $-\frac{1}{3}$임에 착안하여 $3x^4+4x^3-2x^2-1$을 $x+\frac{1}{3}$로 나누면

$-\frac{1}{3}$	3	4	-2	0	-1
		-1	-1	1	$-\frac{1}{3}$
	3	3	-3	1	$-\frac{4}{3}$

$$\therefore 3x^4+4x^3-2x^2-1$$
$$=\left(x+\frac{1}{3}\right)(3x^3+3x^2-3x+1)-\frac{4}{3}$$
$$=(3x+1)\left(x^3+x^2-x+\frac{1}{3}\right)-\frac{4}{3}$$

곧, $3x^4+4x^3-2x^2-1$을 $3x+1$로 나눈 몫은 $x^3+x^2-x+\frac{1}{3}$, 나머지는 $-\frac{4}{3}$이다.

답 (1) 몫 : x^3+x^2-2x+3, 나머지 : -4
(2) 몫 : $x^3+x^2-x+\frac{1}{3}$, 나머지 : $-\frac{4}{3}$

4-2

x^3, x^2, x의 계수가 0이라 생각하여 다음과 같이 계수를 쓰고 조립제법을 이용하면

1	1	0	0	0	1
		1	1	1	1
	1	1	1	1	2

따라서 몫 : x^3+x^2+x+1, 나머지 : 2

답 몫 : x^3+x^2+x+1, 나머지 : 2

1 다항식

18쪽~20쪽

01 (1) $-x^3+(2y+3)x^2+2y^2-4y+5$
(2) $2y^2+2(x^2-2)y-x^3+3x^2+5$
02 ⑤ **03** ②
04 (1) x^4+x^2+1 (2) $x^4-2x^3-3x^2+4x+4$
05 15 **06** $a+1$
07 (1) 몫 : x^2+5x+5, 나머지 : 3
(2) 몫 : $2x^2-x+1$, 나머지 : 2
08 $-x^3+11x^2+12x-5$ **09** ② **10** ① **11** 28
12 $2xy+4x+2y+4$ **13** ⑤
14 $a=2$, $b=2$, $c=2$, $d=4$, $e=2$ **15** ③

01

답 (1) $-x^3+(2y+3)x^2+2y^2-4y+5$
(2) $2y^2+2(x^2-2)y-x^3+3x^2+5$

02

$4A-(A+B)=4A-A-B=3A-B$이므로

$$3A-B=3(3x^2-xy-y^2)-(x^2-xy+y^2)$$
$$=9x^2-3xy-3y^2-x^2+xy-y^2$$
$$=8x^2-2xy-4y^2$$

답 ⑤

03

$2(A-X)+B=3B$에서
$2A-2X+B=3B$, $-2X=2B-2A$

$\therefore\ X=A-B$

$=2x^3-x^2+4-(x^3+2x^2-x+6)$

$=x^3-3x^2+x-2$

답 ②

04

(1) $(x^2+x+1)(x^2-x+1)$

$=(x^2+x+1)\times x^2+(x^2+x+1)\times(-x)$

$\quad+(x^2+x+1)\times 1$

$=x^4+x^3+x^2-x^3-x^2-x+x^2+x+1$

$=x^4+x^2+1$

(2) $(x+1)^2(x-2)^2$

$=\{(x+1)(x-2)\}^2=(x^2-x-2)^2$

$=(x^2-x-2)(x^2-x-2)$

$=(x^2-x-2)\times x^2+(x^2-x-2)\times(-x)$

$\quad+(x^2-x-2)\times(-2)$

$=x^4-x^3-2x^2-x^3+x^2+2x-2x^2+2x+4$

$=x^4-2x^3-3x^2+4x+4$

답 (1) x^4+x^2+1 (2) $x^4-2x^3-3x^2+4x+4$

05

$(x+6)(2x^2+3x+1)$

$=x(2x^2+3x+1)+6(2x^2+3x+1)$

$=2x^3+3x^2+x+12x^2+18x+6$

$=2x^3+15x^2+19x+6$

따라서 x^2의 계수는 15이다.

다른 풀이

다음과 같이 전개했을 때 x^2이 나오는 항만 찾아 곱해도 된다.

$x\times 3x+6\times 2x^2=3x^2+12x^2=15x^2$

답 15

06

$a^3+3a^2-6a-8=(a^2+2a-8)\times$(높이)

이므로 다음과 같이 a^3+3a^2-6a-8을 a^2+2a-8로 직접 나누면

$$\begin{array}{r}
a+1 \\
a^2+2a-8\ \overline{)\ a^3+3a^2-6a-8} \\
\underline{a^3+2a^2-8a} \\
a^2+2a-8 \\
\underline{a^2+2a-8} \\
0
\end{array}$$

따라서 높이는 $a+1$이다.

다른 풀이

$a^2+2a-8=(a-2)(a+4)$이므로

a^3+3a^2-6a-8을 조립제법을 이용하여

$a-2$, $a+4$로 차례로 나누면

2	1	3	−6	−8
		2	10	8
−4	1	5	4	0
		−4	−4	
	1	1	0	

따라서 높이는 $a+1$임을 알 수 있다.

답 $a+1$

07

(1) 다항식 x^3+3x^2-5x-7을 $x-2$로 나누면

2	1	3	−5	−7
		2	10	10
	1	5	5	3

따라서 몫 : x^2+5x+5, 나머지 : 3

(2) $6x^3-7x^2+5x$를 $x-\frac{2}{3}$로 나누면

$\frac{2}{3}$	6	−7	5	0
		4	−2	2
	6	−3	3	2

따라서

$6x^3-7x^2+5x=\left(x-\frac{2}{3}\right)(6x^2-3x+3)+2$

$=(3x-2)(2x^2-x+1)+2$

이므로 $6x^3-7x^2+5x$를 $3x-2$로 나눈 몫은 $2x^2-x+1$, 나머지는 2이다.

답 (1) 몫 : x^2+5x+5, 나머지 : 3
(2) 몫 : $2x^2-x+1$, 나머지 : 2

08 전략 구하는 식을 먼저 간단히 정리하고, 주어진 다항식을 내림차순으로 정리하여 계산한다.

$4A+5B-3C-3\{A+2(B-C)\}$

$=4A+5B-3C-3A-6B+6C$

$=A-B+3C$

이므로

$$\begin{array}{rr} A= & 4x^3+2x^2 \quad\quad -1 \\ -B= & -2x^3 \quad\quad +3x-1 \\ +)\quad 3C= & -3x^3+9x^2+9x-3 \\ \hline A-B+3C= & -x^3+11x^2+12x-5 \end{array}$$

답 $-x^3+11x^2+12x-5$

09 전략 주어진 식을 연립하여 풀면 A, B를 구할 수 있다.

$A-B=3x^3-4x+5$ ⋯ ㉠

$2A+3B=x^3-5x^2+12x$ ⋯ ㉡

에서

㉠×3+㉡을 하면

$5A=10x^3-5x^2+15$ $\quad\therefore A=2x^3-x^2+3$

㉠×2−㉡을 하면

$-5B=5x^3+5x^2-20x+10$

$\therefore B=-x^3-x^2+4x-2$

$\therefore A+B=(2x^3-x^2+3)+(-x^3-x^2+4x-2)$

$=x^3-2x^2+4x+1$

답 ②

10 전략 곱하여 x^2이 나오는 경우만 생각한다.

$(x^2+2x-a)(2x-1)^2=(x^2+2x-a)(4x^2-4x+1)$

에서 x^2이 나오는 항만 찾아 곱하면

$x^2\times1+2x\times(-4x)+(-a)\times4x^2=(-4a-7)x^2$

$-4a-7=1$이므로 $a=-2$

답 ①

11 전략 곱하여 x^3, x^5이 나오는 경우만 생각한다.

x^3이 나오는 항만 찾아 곱하면

$1\times5x^3+2x^2\times2x=9x^3$ $\quad\therefore a_3=9$

x^5이 나오는 항만 찾아 곱하면

$1\times3x^5+2x^2\times5x^3+3x^4\times2x=19x^5$ $\quad\therefore a_5=19$

$\therefore a_3+a_5=28$

답 28

12 전략 직사각형 ABCD의 가로와 세로의 길이를 구한다.

$\overline{OC}+\overline{CD}=x+y+3$ ⋯ ㉠

$\overline{DA}+\overline{AB}+\overline{BO}=3x+y+5$ ⋯ ㉡

$\overline{BO}=\overline{OC}$, $\overline{AB}=\overline{CD}$이므로 ㉡−㉠을 하면

$\overline{DA}+\overline{AB}+\overline{BO}-(\overline{OC}+\overline{CD})$

$=3x+y+5-(x+y+3)$

$\therefore \overline{DA}=2x+2$

또 $\overline{DA}=\overline{BO}+\overline{OC}=2\overline{OC}$이므로 $\overline{OC}=x+1$

㉠에서 $x+1+\overline{CD}=x+y+3$

$\therefore \overline{CD}=y+2$

따라서 직사각형 ABCD의 넓이는

$(2x+2)(y+2)=2xy+4x+2y+4$

답 $2xy+4x+2y+4$

13 전략 $f(x)=BQ(x)+R$의 형태로 나타낸다.

$f(x)$를 $x+\frac{1}{2}$로 나눈 몫이 $Q(x)$, 나머지가 R이므로

식으로 나타내면

$f(x)=\left(x+\frac{1}{2}\right)Q(x)+R=\frac{1}{2}(2x+1)Q(x)+R$

따라서 $f(x)$를 $2x+1$로 나눈 몫은 $\frac{1}{2}Q(x)$, 나머지는 R이다.

답 ⑤

14 전략 필요한 부분을 곱으로 바꾸어 생각한다.

$(ax+1)\times x^2=bx^3+x^2$에서 $a=b$

$(2x^3+x^2)-(bx^3+x^2)=0$이므로

$b=2$, $a=2$

$(ax+1)\times c=dx+e$에서

$ac=d$, $c=e$

$(4x+4)-(dx+e)=2$이므로

$d=4$, $e=2$, $c=2$

답 $a=2$, $b=2$, $c=2$, $d=4$, $e=2$

15 전략 주어진 조립제법에서 a의 값을 먼저 구한다.

$2a$가 2이므로 $a=1$

다항식 $2x^3+3x+4$를 $x-1$로 나누면

$$\begin{array}{r|rrrr} 1 & 2 & 0 & 3 & 4 \\ & & 2 & 2 & 5 \\ \hline & 2 & 2 & 5 & 9 \end{array}$$

이므로 $b=9$

$\therefore a+b=10$

답 ③

2 곱셈 공식

개념 Check 23쪽

1

(5) $(x+1)(x+2)(x+3)$
$=x^3+(1+2+3)x^2+(1\times2+2\times3+3\times1)x$
$+1\times2\times3$
$=x^3+6x^2+11x+6$

답 (1) x^3+3x^2+3x+1 (2) x^3-64
(3) $x^2+y^2+z^2+2xy-2yz-2zx$
(4) x^4+x^2+1 (5) $x^3+6x^2+11x+6$

대표Q 24쪽~25쪽

대표 Q1

(1) $(2x-y)^3=(2x)^3-3\times(2x)^2\times y+3\times2x\times y^2-y^3$
$=8x^3-12x^2y+6xy^2-y^3$

(2) $(2x+3y)(4x^2-6xy+9y^2)$
$=(2x+3y)\{(2x)^2-2x\times3y+(3y)^2\}$
$=(2x)^3+(3y)^3=8x^3+27y^3$

(3) $(x^2-x+1)^2$
$=(x^2)^2+(-x)^2+1^2+2\times x^2\times(-x)$
$+2\times(-x)\times1+2\times1\times x^2$
$=x^4+x^2+1-2x^3-2x+2x^2$
$=x^4-2x^3+3x^2-2x+1$

(4) $(x-a)(x-b)(x-c)$
$=x^3-(a+b+c)x^2+(ab+bc+ca)x-abc$

답 (1) $8x^3-12x^2y+6xy^2-y^3$ (2) $8x^3+27y^3$
(3) $x^4-2x^3+3x^2-2x+1$
(4) $x^3-(a+b+c)x^2+(ab+bc+ca)x-abc$

1-1

(1) $(3x+2y)^3=(3x)^3+3\times(3x)^2\times2y$
$+3\times3x\times(2y)^2+(2y)^3$
$=27x^3+54x^2y+36xy^2+8y^3$

(2) $(4x-y)(16x^2+4xy+y^2)$
$=(4x-y)\{(4x)^2+4x\times y+y^2\}$
$=(4x)^3-y^3$
$=64x^3-y^3$

(3) $(x^2+x+2)^2$
$=(x^2)^2+x^2+2^2+2(x^2\times x+x\times2+2\times x^2)$
$=x^4+x^2+4+2x^3+4x+4x^2$
$=x^4+2x^3+5x^2+4x+4$

(4) $(x+a)(x+2a)(x-b)$
$=x^3+(a+2a-b)x^2$
$+\{a\times2a+2a\times(-b)+(-b)\times a\}x$
$+a\times2a\times(-b)$
$=x^3+(3a-b)x^2+(2a^2-3ab)x-2a^2b$

답 (1) $27x^3+54x^2y+36xy^2+8y^3$ (2) $64x^3-y^3$
(3) $x^4+2x^3+5x^2+4x+4$
(4) $x^3+(3a-b)x^2+(2a^2-3ab)x-2a^2b$

1-2

(1) $(x+y)(x-y)=x^2-y^2$이므로
$(x+y)^3(x-y)^3$
$=\{(x+y)(x-y)\}^3=(x^2-y^2)^3$
$=(x^2)^3-3\times(x^2)^2\times y^2+3\times x^2\times(y^2)^2-(y^2)^3$
$=x^6-3x^4y^2+3x^2y^4-y^6$

(2) $(x-2)(x^2+2x+4)=x^3-8$이므로
$(x-2)^2(x^2+2x+4)^2=\{(x-2)(x^2+2x+4)\}^2$
$=(x^3-8)^2$
$=x^6-16x^3+64$

답 (1) $x^6-3x^4y^2+3x^2y^4-y^6$ (2) x^6-16x^3+64

대표 Q2

(1) $x^2+x=A$로 놓으면
$(x^2+x+1)(x^2+x-3)$
$=(A+1)(A-3)$
$=A^2-2A-3$
$=(x^2+x)^2-2(x^2+x)-3$
$=x^4+2x^3+x^2-2x^2-2x-3$
$=x^4+2x^3-x^2-2x-3$

(2) $(x-1)(x-2)(x-3)(x-4)$
$=\{(x-1)(x-4)\}\{(x-2)(x-3)\}$
$=(x^2-5x+4)(x^2-5x+6)$

에서 $x^2-5x=A$로 놓으면
$(A+4)(A+6)$
$=A^2+10A+24$
$=(x^2-5x)^2+10(x^2-5x)+24$
$=x^4-10x^3+25x^2+10x^2-50x+24$
$=x^4-10x^3+35x^2-50x+24$

답 (1) $x^4+2x^3-x^2-2x-3$
(2) $x^4-10x^3+35x^2-50x+24$

2-1

(1) $x^2+4=A$로 놓으면
$(x^2+2x+4)(x^2-2x+4)$
$=(A+2x)(A-2x)$
$=A^2-4x^2$
$=(x^2+4)^2-4x^2$
$=x^4+8x^2+16-4x^2$
$=x^4+4x^2+16$

다른 풀이
$(a^2+ab+b^2)(a^2-ab+b^2)=a^4+a^2b^2+b^4$
을 이용하면
$a=x$, $b=2$이므로
$(x^2+2x+4)(x^2-2x+4)=x^4+4x^2+16$

(2) $x-z=A$로 놓으면
$(x+y-z)(x-y-z)$
$=(A+y)(A-y)$
$=A^2-y^2$
$=(x-z)^2-y^2$
$=x^2-2xz+z^2-y^2$

(3) $(x+1)(x-2)(x+3)(x-4)$
$=\{(x+1)(x-2)\}\{(x+3)(x-4)\}$
$=(x^2-x-2)(x^2-x-12)$
에서 $x^2-x=A$로 놓으면
$(A-2)(A-12)$
$=A^2-14A+24$
$=(x^2-x)^2-14(x^2-x)+24$
$=x^4-2x^3+x^2-14x^2+14x+24$
$=x^4-2x^3-13x^2+14x+24$

답 (1) x^4+4x^2+16
(2) $x^2-2xz+z^2-y^2$
(3) $x^4-2x^3-13x^2+14x+24$

2-2

$x+y=A$, $z-w=B$로 놓으면
$(x+y+z-w)(x+y-z+w)$
$=(A+B)(A-B)$
$=A^2-B^2$
$=(x+y)^2-(z-w)^2$
$=x^2+2xy+y^2-(z^2-2zw+w^2)$
$=x^2+y^2-z^2-w^2+2xy+2zw$

답 $x^2+y^2-z^2-w^2+2xy+2zw$

개념 Check

26쪽

2

(1) $(x+y)^2=x^2+2xy+y^2$에서
$x^2+y^2=(x+y)^2-2xy=2^2-2\times(-1)=6$

(2) $(x+y)^3=x^3+3x^2y+3xy^2+y^3$
$=x^3+y^3+3xy(x+y)$
에서
$x^3+y^3=(x+y)^3-3xy(x+y)$
$=2^3-3\times(-1)\times2=14$

답 (1) 6 (2) 14

3

$(a+b+c)^2=a^2+b^2+c^2+2(ab+bc+ca)$에서
$5^2=20+2(ab+bc+ca)$ $\quad\therefore ab+bc+ca=\frac{5}{2}$

답 $\frac{5}{2}$

대표Q

27쪽~29쪽

대표 Q3

(1) $(x+y)^2=x^2+y^2+2xy$에서 $3^2=7+2xy$
$\therefore xy=1$
① $x^3+y^3=(x+y)^3-3xy(x+y)$
$=3^3-3\times1\times3=18$
② $(x^2+y^2)^2=x^4+y^4+2x^2y^2$에서
$x^4+y^4=(x^2+y^2)^2-2(xy)^2=7^2-2\times1^2=47$

(2) $(x-y)^2=(x+y)^2-4xy=4^2-4\times2=8$
이므로 $x-y=\pm2\sqrt{2}$
$\therefore x^2-y^2=(x+y)(x-y)=4\times(\pm2\sqrt{2})=\pm8\sqrt{2}$

답 (1) $x^3+y^3=18$, $x^4+y^4=47$ (2) $\pm8\sqrt{2}$

3-1

(1) $x^2+y^2=(x+y)^2-2xy=3^2-2\times(-3)=15$

(2) $x^3+y^3=(x+y)^3-3xy(x+y)$

$=3^3-3\times(-3)\times3=54$

(3) $(x^2+y^2)^2=x^4+2x^2y^2+y^4$에서

$x^4+y^4=(x^2+y^2)^2-2(xy)^2$

$=15^2-2\times(-3)^2=207$

답 (1) 15 (2) 54 (3) 207

3-2

(1) $(x-y)^3=x^3-3x^2y+3xy^2-y^3$이므로

$x^3-y^3=(x-y)^3+3xy(x-y)$

$=3^3+3\times(-2)\times3=9$

(2) $(x+y)^2=(x-y)^2+4xy=3^2+4\times(-2)=1$

이므로 $x+y=\pm1$

답 (1) 9 (2) ±1

대표 Q4

(1) $\left(x+\frac{1}{x}\right)^2=x^2+2\times x\times\frac{1}{x}+\frac{1}{x^2}$에서

$x^2+\frac{1}{x^2}=\left(x+\frac{1}{x}\right)^2-2=3^2-2=7$

$\left(x+\frac{1}{x}\right)^3=x^3+3\times x^2\times\frac{1}{x}+3\times x\times\frac{1}{x^2}+\frac{1}{x^3}$

$=x^3+\frac{1}{x^3}+3\left(x+\frac{1}{x}\right)$

$\therefore x^3+\frac{1}{x^3}=\left(x+\frac{1}{x}\right)^3-3\left(x+\frac{1}{x}\right)=3^3-3\times3=18$

(2) $\left(x-\frac{1}{x}\right)^2=x^2-2+\frac{1}{x^2}$

$=\left(x+\frac{1}{x}\right)^2-4=4^2-4=12$

$0<x<1$에서 $x<\frac{1}{x}$이므로 $x-\frac{1}{x}<0$이다.

$\therefore x-\frac{1}{x}=-2\sqrt{3}$

(3) $x^2+3x+1=0$이면 $x\neq0$이므로 양변을 x로 나누면

$x+3+\frac{1}{x}=0 \qquad \therefore x+\frac{1}{x}=-3$

$\left(x+\frac{1}{x}\right)^3=x^3+3\left(x+\frac{1}{x}\right)+\frac{1}{x^3}$이므로

$x^3+\frac{1}{x^3}=\left(x+\frac{1}{x}\right)^3-3\left(x+\frac{1}{x}\right)$

$=(-3)^3-3\times(-3)=-18$

답 (1) $x^2+\frac{1}{x^2}=7$, $x^3+\frac{1}{x^3}=18$ (2) $-2\sqrt{3}$ (3) -18

참고 (3)에서 $x=0$을 $x^2+3x+1=0$에 대입하면 (좌변)$=1\neq0$이므로 $x\neq0$이다.

4-1

(1) $x^2+\frac{1}{x^2}=\left(x+\frac{1}{x}\right)^2-2=4^2-2=14$

(2) $x^3+\frac{1}{x^3}=\left(x+\frac{1}{x}\right)^3-3\left(x+\frac{1}{x}\right)$

$=4^3-3\times4=52$

(3) $\left(x-\frac{1}{x}\right)^2=x^2+\frac{1}{x^2}-2=\left(x+\frac{1}{x}\right)^2-4$

$=4^2-4=12$

$x>1$에서 $x>\frac{1}{x}$이므로 $x-\frac{1}{x}>0$이다.

$\therefore x-\frac{1}{x}=2\sqrt{3}$

답 (1) 14 (2) 52 (3) $2\sqrt{3}$

4-2

$x^2-4x-1=0$이면 $x\neq0$이므로 양변을 x로 나누면

$x-4-\frac{1}{x}=0 \qquad \therefore x-\frac{1}{x}=4$

$\left(x-\frac{1}{x}\right)^3=x^3-3\times x^2\times\frac{1}{x}+3\times x\times\frac{1}{x^2}-\frac{1}{x^3}$

$=x^3-\frac{1}{x^3}-3\left(x-\frac{1}{x}\right)$

이므로 $4^3=x^3-\frac{1}{x^3}-3\times4$

$\therefore x^3-\frac{1}{x^3}=76$

답 76

대표 Q5

(1) $(x+y+z)^2=x^2+y^2+z^2+2(xy+yz+zx)$이므로

$0^2=3+2(xy+yz+zx)$

$\therefore xy+yz+zx=-\frac{3}{2}$

$(xy+yz+zx)^2$

$=x^2y^2+y^2z^2+z^2x^2+2xy^2z+2xyz^2+2x^2yz$

$=x^2y^2+y^2z^2+z^2x^2+2xyz(x+y+z)$

이므로

$x^2y^2+y^2z^2+z^2x^2$

$=(xy+yz+zx)^2-2xyz(x+y+z)$

$=\left(-\frac{3}{2}\right)^2-2\times xyz\times0=\frac{9}{4}$

(2) 세 모서리의 길이를 x, y, z라 하자.

모서리의 길이의 합이 20이므로

$4(x+y+z)=20 \qquad \therefore x+y+z=5$

겉넓이가 16이므로

$2(xy+yz+zx)=16 \qquad \therefore xy+yz+zx=8$

$x^2+y^2+z^2=(x+y+z)^2-2(xy+yz+zx)$

$=5^2-2\times8=9$

이므로 대각선의 길이는 $\sqrt{x^2+y^2+z^2}=3$

답 (1) $\frac{9}{4}$ (2) 3

참고 (2) 세 모서리의 길이가 각각 x, y, z인 직육면체의 대각선의 길이는 $\sqrt{x^2+y^2+z^2}$

5-1

$(x+y+z)^2=x^2+y^2+z^2+2(xy+yz+zx)$이므로

$2^2=16+2(xy+yz+zx) \qquad \therefore xy+yz+zx=-6$

(1) $(x-y)^2+(y-z)^2+(z-x)^2$

$=2(x^2+y^2+z^2)-2(xy+yz+zx)$

$=2\times16-2\times(-6)=44$

(2) $(xy+yz+zx)^2$

$=x^2y^2+y^2z^2+z^2x^2+2xy^2z+2xyz^2+2x^2yz$

$=x^2y^2+y^2z^2+z^2x^2+2xyz(x+y+z)$

이므로

$(-6)^2=x^2y^2+y^2z^2+z^2x^2+2\times(-4)\times2$

$\therefore x^2y^2+y^2z^2+z^2x^2=52$

답 (1) 44 (2) 52

5-2

(1) $\frac{1}{2}\times(a\pi+b\pi+c\pi)=12\pi$이므로 $a+b+c=24$

(2) (1)에서 $a+b+c=24$이므로

$a^2+b^2+c^2=(a+b+c)^2-2(ab+bc+ca)$

$=24^2-2\times188=200$

따라서 색칠한 부분의 넓이는

$\frac{1}{2}\times\left\{\left(\frac{a}{2}\right)^2\pi+\left(\frac{b}{2}\right)^2\pi+\left(\frac{c}{2}\right)^2\pi\right\}$

$=\frac{1}{8}(a^2+b^2+c^2)\pi$

$=\frac{1}{8}\times200\times\pi=25\pi$

답 (1) 24 (2) 25π

연습과 실전 2 곱셈 공식

30쪽~32쪽

01 (1) $a^2+4b^2+c^2-4ab+4bc-2ca$
(2) x^3-27 (3) $x^4-4x^3+6x^2-4x+1$
(4) $x^3+x^2-14x-24$

02 (1) $x^4-4x^3+3x^2+2x-12$
(2) $4x^4+2x^3-8x^2+x+1$

03 (1) 14 (2) 52 (3) 14 **04** ① **05** ③

06 (1) $10^{12}-1$ (2) 2.0006 **07** 14

08 $P=x^2+3ax+a^2$, $Q=a^2$ **09** (1) 6 (2) 82

10 ② **11** $\frac{3}{2}$ **12** 135 **13** 20 **14** ② **15** 3

01

(1) $(a-2b-c)^2$

$=a^2+(-2b)^2+(-c)^2+2\times a\times(-2b)$

$+2\times(-2b)\times(-c)+2\times(-c)\times a$

$=a^2+4b^2+c^2-4ab+4bc-2ca$

(2) $(x-3)(x^2+3x+9)=x^3-3^3=x^3-27$

(3) $(x-1)^4=\{(x-1)^2\}^2=(x^2-2x+1)^2$

$=(x^2)^2+(-2x)^2+1^2+2\times x^2\times(-2x)$

$+2\times(-2x)\times1+2\times1\times x^2$

$=x^4+4x^2+1-4x^3-4x+2x^2$

$=x^4-4x^3+6x^2-4x+1$

(4) $(x+2)(x+3)(x-4)$

$=x^3+(2+3-4)x^2$

$+\{2\times3+3\times(-4)+(-4)\times2\}x$

$+2\times3\times(-4)$

$=x^3+x^2-14x-24$

답 (1) $a^2+4b^2+c^2-4ab+4bc-2ca$ (2) x^3-27
(3) $x^4-4x^3+6x^2-4x+1$
(4) $x^3+x^2-14x-24$

02

(1) $x^2-2x=A$로 놓으면

$(x^2-2x+3)(x^2-2x-4)$

$=(A+3)(A-4)$

$=A^2-A-12$

$=(x^2-2x)^2-(x^2-2x)-12$

$=x^4-4x^3+4x^2-x^2+2x-12$

$=x^4-4x^3+3x^2+2x-12$

(2) $2x^2+1=A$로 놓으면

$$(2x^2-3x+1)(2x^2+4x+1)$$
$$=(A-3x)(A+4x)$$
$$=A^2+xA-12x^2$$
$$=(2x^2+1)^2+x(2x^2+1)-12x^2$$
$$=4x^4+4x^2+1+2x^3+x-12x^2$$
$$=4x^4+2x^3-8x^2+x+1$$

답 (1) $x^4-4x^3+3x^2+2x-12$
(2) $4x^4+2x^3-8x^2+x+1$

03

$x+y=(2+\sqrt{3})+(2-\sqrt{3})=4$

$xy=(2+\sqrt{3})(2-\sqrt{3})=2^2-(\sqrt{3})^2=1$

(1) $x^2+y^2=(x+y)^2-2xy=4^2-2\times1=14$

(2) $x^3+y^3=(x+y)^3-3xy(x+y)$
$=4^3-3\times1\times4=52$

(3) $\dfrac{y}{x}+\dfrac{x}{y}=\dfrac{x^2+y^2}{xy}=\dfrac{14}{1}=14$

답 (1) 14 (2) 52 (3) 14

04

$\dfrac{1}{x}+\dfrac{1}{y}=-2$에서 $\dfrac{x+y}{xy}=-2$

$xy=1$이므로 $x+y=-2$

$\therefore (x-y)^2=(x+y)^2-4xy=(-2)^2-4\times1=0$

답 ①

05

$$(x-1)(x+1)(x^2+1)(x^4+1)$$
$$=(x^2-1)(x^2+1)(x^4+1)=(x^4-1)(x^4+1)$$
$$=x^8-1=2020-1=2019$$

답 ③

06

(1) $1000=10^3=a$로 놓으면

$$999\times1001\times1000001=(a-1)(a+1)(a^2+1)$$
$$=(a^2-1)(a^2+1)$$
$$=a^4-1=10^{12}-1$$

(2) $0.01=a$로 놓으면

$$1.01^3+0.99^3=(1+a)^3+(1-a)^3$$
$$=1+3a+3a^2+a^3+1-3a+3a^2-a^3$$
$$=2+6a^2=2+0.0006=2.0006$$

답 (1) $10^{12}-1$ (2) 2.0006

07

전략 $a^2-2a=1$이므로 식을 a^2-2a의 값을 이용할 수 있는 꼴로 전개한다.

$a^2-2a-1=0$에서 $a^2-2a=1$이므로

$$(a+1)(a+2)(a-3)(a-4)$$
$$=\{(a+1)(a-3)\}\{(a+2)(a-4)\}$$
$$=(a^2-2a-3)(a^2-2a-8)$$
$$=(1-3)(1-8)=14$$

답 14

08

전략 직사각형의 가로와 세로의 길이를 x, a에 대한 식으로 나타낸다.

[그림 1]에서 잘라 낸 직사각형 1개의 가로의 길이는

$$\frac{1}{2}\times\{(x+a)(x+2a)-x(x+3a)\}$$
$$=\frac{1}{2}\times(x^2+3ax+2a^2-x^2-3ax)=\frac{1}{2}\times2a^2=a^2$$

이므로 $Q=a^2$

또 [그림 2]에서

$P=x(x+3a)+Q=x^2+3ax+a^2$

답 $P=x^2+3ax+a^2$, $Q=a^2$

09

전략 ab의 값부터 구한다.

$a^3+b^3=(a+b)^3-3ab(a+b)$이므로

$14=2^3-3ab\times2$ $\quad\therefore ab=-1$

(1) $a^2+b^2=(a+b)^2-2ab=2^2-2\times(-1)=6$

(2) $a^5+b^5=(a^2+b^2)(a^3+b^3)-a^2b^2(a+b)$이고
$a^2+b^2=6$, $a^3+b^3=14$, $ab=-1$, $a+b=2$이므로
$a^5+b^5=6\times14-(-1)^2\times2=82$

답 (1) 6 (2) 82

10

전략 $a^2+\dfrac{1}{a^2}=\left(a-\dfrac{1}{a}\right)^2+2$를 이용하여 $a-\dfrac{1}{a}$의 값부터 구한다.

$a^2+\dfrac{1}{a^2}=\left(a-\dfrac{1}{a}\right)^2+2$이므로

$\left(a-\dfrac{1}{a}\right)^2+2=6$, $\left(a-\dfrac{1}{a}\right)^2=4$

$0<a<1$에서 $a<\dfrac{1}{a}$이므로 $a-\dfrac{1}{a}<0$이다.

$\therefore a-\dfrac{1}{a}=-2$

$$\therefore a^3-\frac{1}{a^3}=\left(a-\frac{1}{a}\right)\left(a^2+1+\frac{1}{a^2}\right)$$
$$=(-2)\times(6+1)=-14$$

답 ②

11 **전략** $ab+bc+ca$, abc의 값을 먼저 구한다.

$(a+b+c)^2=a^2+b^2+c^2+2(ab+bc+ca)$에서

$1^2=9+2(ab+bc+ca)$ $\quad\therefore ab+bc+ca=-4$

$\frac{1}{a}+\frac{1}{b}+\frac{1}{c}=\frac{ab+bc+ca}{abc}=1$에서

$\frac{-4}{abc}=1$ $\quad\therefore abc=-4$

$\therefore \frac{1}{a^2}+\frac{1}{b^2}+\frac{1}{c^2}$

$=\frac{a^2b^2+b^2c^2+c^2a^2}{a^2b^2c^2}$

$=\frac{(ab+bc+ca)^2-2(ab\times bc+bc\times ca+ca\times ab)}{(abc)^2}$

$=\frac{(ab+bc+ca)^2-2abc(a+b+c)}{(abc)^2}$

$=\frac{(-4)^2-2\times(-4)\times 1}{(-4)^2}=\frac{3}{2}$

답 $\frac{3}{2}$

12 **전략** $x=3$ 또는 $2z=3$인 경우로 나누어 계산한다.

(가)에서 x(또는 y)가 3이거나 $2z$가 3이다.

(i) $x=3$일 때,

(나)에서

$3(3+y+2z)=3y+2yz+6z$

$9=2yz$, $yz=\frac{9}{2}$

$\therefore 10xyz=10\times 3\times\frac{9}{2}=135$

(ii) $2z=3$일 때,

(나)에서

$3(x+y+3)=xy+3y+3x$, $xy=9$

$\therefore 10xyz=10\times 9\times\frac{3}{2}=135$

(i), (ii)에서 $10xyz=135$

다른 풀이

(가)에서

$(3-x)(3-y)(3-2z)=0$

이므로

$3^3-(x+y+2z)\times 3^2+(xy+2yz+2zx)\times 3-2xyz$

$=0$

(나)에서 $3(x+y+2z)=xy+2yz+2zx$이므로

$3^3-2xyz=0$ $\quad\therefore 2xyz=3^3$

$\therefore 10xyz=5\times 3^3=135$

답 135

13 **전략** $\overline{OA}=a$, $\overline{OB}=b$, $\overline{OC}=c$로 놓고 조건을 a, b, c에 대한 식으로 나타낸다.

$\overline{OA}=a$, $\overline{OB}=b$, $\overline{OC}=c$라 하자.

(나)에서 $\overline{OA}+\overline{OB}+\overline{OC}=8$이므로 $a+b+c=8$

(다)에서 세 삼각형 OAB, OBC, OCA의 넓이의 합은 11이므로

$\frac{1}{2}ab+\frac{1}{2}bc+\frac{1}{2}ca=11$ $\quad\therefore ab+bc+ca=22$

$\therefore \overline{OA}^2+\overline{OB}^2+\overline{OC}^2$

$=a^2+b^2+c^2$

$=(a+b+c)^2-2(ab+bc+ca)$

$=8^2-2\times 22=20$

답 20

14 **전략** 직육면체의 가로의 길이, 세로의 길이, 높이를 각각 a, b, c로 놓고 대각선의 길이를 a, b, c에 대한 식으로 나타낸다.

[그림 1]의 직육면체의 가로의 길이, 세로의 길이, 높이를 각각 a, b, c라 하면 [그림 1]과 [그림 2]의 겉넓이는 같으므로

$2(ab+bc+ca)=236$ $\quad\therefore ab+bc+ca=118$

또 [그림 2]의 모서리의 길이의 합은 [그림 1]의 모서리의 길이의 합보다 6만큼 크므로

$4(a+b+c)+6=82$ $\quad\therefore a+b+c=19$

[그림 1]의 대각선의 길이는 $\sqrt{a^2+b^2+c^2}$이므로

$\sqrt{a^2+b^2+c^2}=\sqrt{(a+b+c)^2-2(ab+bc+ca)}$

$=\sqrt{19^2-2\times 118}=\sqrt{125}=5\sqrt{5}$

답 ②

15 **전략** $a+b+c=1$에서 $a+b=1-c$, $b+c=1-a$, $c+a=1-b$임을 이용한다.

$a+b=1-c$, $b+c=1-a$, $c+a=1-b$이므로

$(a+b)(b+c)(c+a)$

$=(1-c)(1-a)(1-b)$

$=1-(a+b+c)+(ab+bc+ca)-abc$

$=1-1+8-5=3$

답 3

참고 $(x+a)(x+b)(x+c)$

$=x^3+(a+b+c)x^2+(ab+bc+ca)x+abc$

의 x, a, b, c에 1, $-a$, $-b$, $-c$를 각각 대입하면

$(1-a)(1-b)(1-c)$

$=1-(a+b+c)+(ab+bc+ca)-abc$

3 항등식

개념 Check 34쪽~35쪽

1

① 등식이 아니다.

② $x=\pm2$일 때에만 성립하는 방정식이다.

④ 부등식이다.

③, ⑤ 모든 x에 대하여 성립하는 항등식이다.

답 ③, ⑤

2

(1) $a+2=0$, $-3-b=0$이므로 $a=-2$, $b=-3$

(2) $a-b=0$, $b-3=0$, $c-a=0$이므로

$b=3$, $a=3$, $c=3$

답 (1) $a=-2$, $b=-3$ (2) $a=3$, $b=3$, $c=3$

3

(1) 좌변을 정리하면 $ax+2a=(b-1)x+2$

$a=b-1$, $2a=2$이므로 $a=1$, $b=2$

(2) $a=2$, $a-1=c$, $-b=b+2$이므로

$a=2$, $c=1$, $b=-1$

답 (1) $a=1$, $b=2$ (2) $a=2$, $b=-1$, $c=1$

대표Q 36쪽~38쪽

대표 Q1

(1) 좌변을 정리한 다음 양변의 x^3, x^2, x의 계수와 상수항을 비교한다.

좌변을 전개하면

$(x-1)x^2+(x-1)ax+(x-1)b+2x+c$

$=x^3-x^2+ax^2-ax+bx-b+2x+c$

$=x^3+(a-1)x^2+(b-a+2)x-b+c$

우변과 비교하면

$a-1=-2$, $b-a+2=1$, $-b+c=5$

$\therefore a=-1$, $b=-2$, $c=3$

(2) $f(x)$가 소거될 수 있게 양변에 $x=1$, $x=-2$를 대입한다.

$x=1$을 대입하면 $0=1+a+b$

$x=-2$를 대입하면 $0=16-2a+b$

두 식을 연립하여 풀면 $a=5$, $b=-6$

다른 풀이

우변이 사차식이므로 $f(x)$는 이차식이다.

또 x^4의 계수가 1이므로 $f(x)$에서 x^2의 계수는 1이다.

따라서 $f(x)=x^2+cx+d$로 놓으면

$(x-1)(x+2)(x^2+cx+d)=x^4+ax+b$

좌변을 전개하면

$(x^2+x-2)(x^2+cx+d)$

$=x^4+(c+1)x^3+(c+d-2)x^2$

$+(-2c+d)x-2d$

우변과 비교하면

$c+1=0$, $c+d-2=0$, $-2c+d=a$, $-2d=b$

$\therefore c=-1$, $d=3$, $a=5$, $b=-6$

답 (1) $a=-1$, $b=-2$, $c=3$ (2) $a=5$, $b=-6$

1-1

좌변을 전개하면

$(x^2-x+3)ax+(x^2-x+3)b$

$=ax^3-ax^2+3ax+bx^2-bx+3b$

$=ax^3+(b-a)x^2+(3a-b)x+3b$

우변과 비교하면

$a=c$, $b-a=-2$, $3a-b=4$, $3b=d$

$b-a=-2$, $3a-b=4$를 연립하여 풀면

$a=1$, $b=-1$

$\therefore c=a=1$, $d=3b=-3$

답 $a=1$, $b=-1$, $c=1$, $d=-3$

1-2

양변에

$x=0$을 대입하면 $c\times(-1)=5$ $\therefore c=-5$

$x=1$을 대입하면 $b\times(-1)=4$ $\therefore b=-4$

$x=2$를 대입하면 $a\times2+c=9$, $2a-5=9$ $\therefore a=7$

답 $a=7$, $b=-4$, $c=-5$

대표 Q2

(1) 좌변을 k에 대해 정리하면

$(2x+y-2)k+x+y+3=0$

k의 값에 관계없이 항상 성립하므로

$2x+y-2=0$, $x+y+3=0$

두 식을 연립하여 풀면 $x=5$, $y=-8$

(2) $x+y=2$에서 $y=2-x$

$ax^2+by^2+cx=4$에 $y=2-x$를 대입하면

$ax^2+b(2-x)^2+cx=4$

$ax^2+b(x^2-4x+4)+cx=4$

$(a+b)x^2+(-4b+c)x+4b=4$

양변의 동류항의 계수를 비교하면

$a+b=0$, $-4b+c=0$, $4b=4$

$\therefore b=1$, $a=-1$, $c=4$

답 (1) $x=5$, $y=-8$ (2) $a=-1$, $b=1$, $c=4$

2-1

좌변을 k에 대해 정리하면

$(x-3y+4)k+2x+4y=0$

k의 값에 관계없이 항상 성립하므로

$x-3y+4=0$, $2x+4y=0$

두 식을 연립하여 풀면 $x=-\frac{8}{5}$, $y=\frac{4}{5}$

$\therefore \frac{x}{y}=\left(-\frac{8}{5}\right)\times\frac{5}{4}=-2$

답 -2

2-2

$x+2y-2=0$에서 $x=2-2y$

$ax+b(2y+3)+10=0$에 $x=2-2y$를 대입하면

$a(2-2y)+b(2y+3)+10=0$

$2a-2ay+2by+3b+10=0$

$(-2a+2b)y+2a+3b+10=0$

양변의 동류항의 계수를 비교하면

$-2a+2b=0$, $2a+3b+10=0$

두 식을 연립하여 풀면 $a=-2$, $b=-2$

답 $a=-2$, $b=-2$

대표 03

(1) $f(x)$는 삼차식이고 x^3의 계수가 1이므로 몫은 일차식이고 x의 계수가 1이다.

$f(x)$를 x^2+1로 나눈 몫을 $x+b$라 하면

$x^3+px^2+qx-2=(x^2+1)(x+b)+x-3$

$=x^3+bx^2+2x+b-3$

양변의 동류항의 계수를 비교하면

$p=b$, $q=2$, $-2=b-3$

곧, $b=1$이므로 $p=1$, $q=2$, 몫 : $x+1$

(2) $f(x)$를 $(x-1)(x+2)$로 나눈 몫을 $x+b$라 하면

$x^3+px^2+qx-2=(x-1)(x+2)(x+b)-2x$

양변에 $x=1$을 대입하면 $1+p+q-2=-2$

$\therefore p+q=-1$ $\cdots$ ㉠

양변에 $x=-2$를 대입하면 $-8+4p-2q-2=4$

$\therefore 2p-q=7$ $\cdots$ ㉡

㉠, ㉡을 연립하여 풀면 $p=2$, $q=-3$

답 (1) $p=1$, $q=2$, 몫 : $x+1$ (2) $p=2$, $q=-3$

3-1

x^3+px+3을 x^2-x+2로 나눈 몫을 $x+b$라 하면

$x^3+px+3=(x^2-x+2)(x+b)+3x+q$

우변을 전개하면

$(x^2-x+2)x+(x^2-x+2)b+3x+q$

$=x^3-x^2+2x+bx^2-bx+2b+3x+q$

$=x^3+(b-1)x^2+(5-b)x+2b+q$

좌변과 비교하면

$0=b-1$, $p=5-b$, $3=2b+q$

곧, $b=1$이므로 $p=4$, $q=1$, 몫 : $x+1$

답 $p=4$, $q=1$, 몫 : $x+1$

3-2

x^3-3x^2+px+q를 $(x+1)(x-3)$으로 나눈 몫을 $Q(x)$라 하면

$x^3-3x^2+px+q=(x+1)(x-3)Q(x)-2x+1$

양변에 $x=-1$을 대입하면 $-1-3-p+q=3$

$\therefore -p+q=7$ $\cdots$ ㉠

양변에 $x=3$을 대입하면 $27-27+3p+q=-5$

$\therefore 3p+q=-5$ $\cdots$ ㉡

㉠, ㉡을 연립하여 풀면 $p=-3$, $q=4$

답 $p=-3$, $q=4$

개념 Check 39쪽

4

(1) $f(3)=27-18-12+1=-2$

(2) $f\left(-\frac{1}{2}\right)=-\frac{1}{8}-\frac{1}{2}+2+1$

$=\frac{19}{8}$

답 (1) -2 (2) $\frac{19}{8}$

5

$f(-1)=0$이므로

$-2-3-a-2=0$

$-a-7=0 \qquad \therefore a=-7$

답 -7

대표Q 40쪽 ~ 44쪽

대표 Q4

(1) $f(-1)=8$이므로 $-2+a+2+b=8$

$\therefore a+b=8 \qquad \cdots ㉠$

$f(2)=8$이므로 $16+4a-4+b=8$

$\therefore 4a+b=-4 \qquad \cdots ㉡$

㉠, ㉡을 연립하여 풀면 $a=-4$, $b=12$

(2) $x^2+x-2=(x-1)(x+2)$이므로

$f(x)$는 $x-1$과 $x+2$로 나누어떨어진다.

$f(1)=0$이므로 $2+a-2+b=0$

$\therefore a+b=0 \qquad \cdots ㉠$

$f(-2)=0$이므로 $-16+4a+4+b=0$

$\therefore 4a+b=12 \qquad \cdots ㉡$

㉠, ㉡을 연립하여 풀면 $a=4$, $b=-4$

답 (1) $a=-4$, $b=12$ (2) $a=4$, $b=-4$

4-1

(1) $f(1)=5$이므로 $4+a+b=5$

$\therefore a+b=1 \qquad \cdots ㉠$

$f\left(\frac{1}{2}\right)=2$이므로 $\frac{1}{2}+\frac{1}{2}a+b=2$

$\therefore a+2b=3 \qquad \cdots ㉡$

㉠, ㉡을 연립하여 풀면 $a=-1$, $b=2$

(2) $f(x)=4x^3-x+2$이므로

$f\left(-\frac{1}{2}\right)=-\frac{1}{2}+\frac{1}{2}+2=2$

답 (1) $a=-1$, $b=2$ (2) 2

4-2

$x^2-4=(x+2)(x-2)$이므로

$f(x)$는 $x+2$와 $x-2$로 나누어떨어진다.

$f(-2)=0$이므로 $16+4a-2b+a-1=0$

$\therefore 5a-2b=-15 \qquad \cdots ㉠$

$f(2)=0$이므로 $16+4a+2b+a-1=0$

$\therefore 5a+2b=-15 \qquad \cdots ㉡$

㉠, ㉡을 연립하여 풀면 $a=-3$, $b=0$

답 $a=-3$, $b=0$

대표 Q5

$f(x)$를 x^2-3x+2로 나눈 몫을 $Q(x)$, 나머지를 $ax+b$라 하면

$f(x)=(x^2-3x+2)Q(x)+ax+b$

$\quad=(x-1)(x-2)Q(x)+ax+b \qquad \cdots ㉠$

조건에서 $f(1)=1$, $f(2)=2$이므로

㉠의 양변에 $x=1$을 대입하면 $f(1)=a+b$

$\therefore a+b=1 \qquad \cdots ㉡$

㉠의 양변에 $x=2$를 대입하면 $f(2)=2a+b$

$\therefore 2a+b=2 \qquad \cdots ㉢$

㉡, ㉢을 연립하여 풀면 $a=1$, $b=0$

따라서 구하는 나머지는 x

답 x

5-1

$f(x)$를 x^2-2x-3으로 나눈 몫을 $Q(x)$, 나머지를 $ax+b$라 하면

$f(x)=(x^2-2x-3)Q(x)+ax+b$

$\quad=(x+1)(x-3)Q(x)+ax+b \qquad \cdots ㉠$

조건에서 $f(-1)=-5$, $f(3)=3$이므로

㉠의 양변에 $x=-1$을 대입하면 $f(-1)=-a+b$

$\therefore -a+b=-5 \qquad \cdots ㉡$

㉠의 양변에 $x=3$을 대입하면 $f(3)=3a+b$

$\therefore 3a+b=3 \qquad \cdots ㉢$

㉡, ㉢을 연립하여 풀면 $a=2$, $b=-3$

따라서 구하는 나머지는 $2x-3$

답 $2x-3$

5-2

$f(x)$를 x^3-x로 나눈 몫을 $Q(x)$, 나머지를 ax^2+bx+c라 하면

$f(x)=(x^3-x)Q(x)+ax^2+bx+c$

$\quad=x(x+1)(x-1)Q(x)+ax^2+bx+c \qquad \cdots ㉠$

조건에서 $f(0)=0$, $f(1)=1$, $f(-1)=-3$이므로

㉠의 양변에 $x=0$을 대입하면 $f(0)=c \qquad \therefore c=0$

㉠의 양변에 $x=1$을 대입하면 $f(1)=a+b+c$

$a+b+c=1 \qquad \therefore a+b=1 \qquad \cdots ㉡$

㉠의 양변에 $x=-1$을 대입하면 $f(-1)=a-b+c$

$a-b+c=-3$ $\therefore a-b=-3$ $\cdots$ ㉢

㉡, ㉢을 연립하여 풀면 $a=-1$, $b=2$

따라서 구하는 나머지는 $-x^2+2x$

답 $-x^2+2x$

대표 06

$f(x)$를 $x-1$로 나눈 몫을 $Q(x)$라 하면

$f(x)=(x-1)Q(x)+2$

$Q(x)$를 $x-3$으로 나눈 몫을 $Q_1(x)$라 하면

$Q(x)=(x-3)Q_1(x)-2$

$\therefore f(x)=(x-1)\{(x-3)Q_1(x)-2\}+2$

$=(x-1)(x-3)Q_1(x)-2(x-1)+2$

$=(x-1)(x-3)Q_1(x)-2x+4$

(1) $f(x)$를 $(x-1)(x-3)$으로 나눈 나머지는 $-2x+4$

(2) $f(3)=-6+4=-2$

따라서 $f(x)$를 $x-3$으로 나눈 나머지는 -2

답 (1) $-2x+4$ (2) -2

6-1

$Q(x)$를 $x-2$로 나눈 몫을 $Q_1(x)$라 하면

$Q(x)=(x-2)Q_1(x)+2$

$\therefore f(x)=(x+2)Q(x)+3$

$=(x+2)\{(x-2)Q_1(x)+2\}+3$

$=(x+2)(x-2)Q_1(x)+2(x+2)+3$

$=(x+2)(x-2)Q_1(x)+2x+7$ $\cdots$ ㉠

(1) $(x+2)(x-2)=x^2-4$

이므로 ㉠에서 나머지는 $2x+7$

(2) $f(2)=4+7=11$

따라서 $f(x)$를 $x-2$로 나눈 나머지는 11

답 (1) $2x+7$ (2) 11

6-2

(1) $f(x)=x^5-ax+3$이라 하자.

$f(1)=4$이므로 양변에 $x=1$을 대입하면

$4=1-a+3$ $\therefore a=0$

(2) $f(x)=x^5+3$이므로

$x^5+3=(x-1)Q(x)+4$

양변에 $x=-2$를 대입하면

$-32+3=-3Q(-2)+4$ $\therefore Q(-2)=11$

따라서 $Q(x)$를 $x+2$로 나눈 나머지는 11

답 (1) 0 (2) 11

대표 07

(1) $g(x)=f(x)-x$라 하면 $g(x)$는 삼차식이다.

또 $g(1)=g(2)=g(3)=0$이므로

$g(x)$는 $x-1$, $x-2$, $x-3$으로 나누어떨어진다.

따라서 $g(x)=a(x-1)(x-2)(x-3)$으로 놓을 수 있다. 곧,

$f(x)-x=a(x-1)(x-2)(x-3)$

$f(0)=-6$이므로

$-6=a\times(-1)\times(-2)\times(-3)$

$\therefore a=1$

따라서 $f(x)=(x-1)(x-2)(x-3)+x$이므로

$f(-1)=(-2)\times(-3)\times(-4)-1=-25$

(2) $(x+3)f(x)=xf(x+1)$ $\cdots$ ㉠

양변에 $x=0$을 대입하면 $3f(0)=0$

$\therefore f(0)=0$

양변에 $x=-3$을 대입하면 $0=-3f(-2)$

$\therefore f(-2)=0$

이때 $f(x)$는 x^3의 계수가 2인 삼차식이므로

$f(x)=x(x+2)(2x+a)$로 놓을 수 있다.

㉠에 대입하면

$(x+3)x(x+2)(2x+a)$

$=x(x+1)(x+3)(2x+a+2)$

양변에 $x=-1$을 대입하면 $-2(-2+a)=0$

$\therefore a=2$

$\therefore f(x)=x(x+2)(2x+2)=2x(x+1)(x+2)$

답 (1) -25 (2) $2x(x+1)(x+2)$

7-1

$f(-1)-2=0$, $f(1)-2=0$, $f(-3)-2=0$이므로

$f(x)-2$는 $x+1$, $x-1$, $x+3$으로 나누어떨어진다.

또 $f(x)-2$는 삼차식이므로

$f(x)-2=a(x+1)(x-1)(x+3)$으로 놓을 수 있다.

$f(2)=-13$이므로 $-15=a\times3\times1\times5$

$\therefore a=-1$

$\therefore f(x)=-(x+1)(x-1)(x+3)+2$

$=-(x^2-1)(x+3)+2$

$=-x^3-3x^2+x+5$

답 $-x^3-3x^2+x+5$

7-2

$(x-1)f(x)=(x-3)(x+1)g(x)$ …… ㉠

에서 $g(x)$는 x의 계수가 3인 일차식이므로

$f(x)$는 x^2의 계수가 3인 이차식이다.

㉠의 양변에 $x=-1$, $x=3$을 대입하면

$f(-1)=0$, $f(3)=0$이므로

$f(x)=3(x+1)(x-3)$

답 $3(x+1)(x-3)$

참고 $(x-1)3(x+1)(x-3)=(x-3)(x+1)g(x)$
이므로 $g(x)=3(x-1)$이다.

날선 08

$f(x)$를 $(x-1)^2(x-2)$로 나눈 몫을 $Q(x)$, 나머지를 ax^2+bx+c라 하면

$f(x)=(x-1)^2(x-2)Q(x)+ax^2+bx+c$ …… ㉠

$f(x)$를 $(x-1)^2$으로 나눈 나머지가 $3x-1$이고 $(x-1)^2(x-2)Q(x)$는 $(x-1)^2$으로 나누어떨어지므로 ax^2+bx+c를 $(x-1)^2$으로 나눈 나머지가 $3x-1$이다.

$\therefore\ ax^2+bx+c=a(x-1)^2+3x-1$

이 식을 ㉠에 대입하면

$f(x)=(x-1)^2(x-2)Q(x)+a(x-1)^2+3x-1$

$f(2)=4$이므로 양변에 $x=2$를 대입하면

$4=a+5 \qquad \therefore\ a=-1$

따라서 $f(x)$를 $(x-1)^2(x-2)$로 나눈 나머지는

$-(x-1)^2+3x-1=-x^2+5x-2$

답 $-x^2+5x-2$

8-1

$f(x)$를 $(x^2+1)(x+1)$로 나눈 몫을 $Q(x)$, 나머지를 ax^2+bx+c라 하면

$f(x)=(x^2+1)(x+1)Q(x)+ax^2+bx+c$ …… ㉠

$f(x)$를 x^2+1로 나눈 나머지가 $-x+3$이고

$(x^2+1)(x+1)Q(x)$는 x^2+1로 나누어떨어지므로

ax^2+bx+c를 x^2+1로 나눈 나머지가 $-x+3$이다.

$\therefore\ ax^2+bx+c=a(x^2+1)-x+3$

이 식을 ㉠에 대입하면

$f(x)=(x^2+1)(x+1)Q(x)+a(x^2+1)-x+3$

$f(-1)=-2$이므로 양변에 $x=-1$을 대입하면

$-2=2a+4 \qquad \therefore\ a=-3$

따라서 $f(x)$를 $(x^2+1)(x+1)$로 나눈 나머지는

$-3(x^2+1)-x+3=-3x^2-x$

답 $-3x^2-x$

8-2

$f(x)$는 x^3의 계수가 1인 삼차식이므로 x^2+4로 나눈 몫을 $x+b$라 하면

$f(x)=(x^2+4)(x+b)-4x+1$

$f(-1)=f(2)$이므로

$5(-1+b)+5=8(2+b)-7$

$5b=8b+9 \qquad \therefore\ b=-3$

$\therefore\ f(x)=(x^2+4)(x-3)-4x+1$

$=x^3-3x^2+4x-12-4x+1$

$=x^3-3x^2-11$

답 x^3-3x^2-11

연습과 실전 3 항등식

45쪽~48쪽

01 (1) $a=-3$, $b=3$, $c=-6$
(2) $a=1$, $b=-2$, $c=4$
(3) $a=-1$, $b=-2$, $c=-1$

02 ③ 03 ① 04 $a=-1$, $b=3$, $c=1$ 05 ⑤

06 $p=\frac{1}{2}$, $q=1$ 07 4 08 3 09 $a=3$, $b=-2$

10 ① 11 (1) -125 (2) -1 12 ② 13 40

14 ② 15 $2x-1$ 16 ④ 17 52 18 -23

19 $x+2$ 20 ②

01

(1) $a+b=0$, $b-3=0$, $2b+c=0$이므로
$b=3$, $a=-3$, $c=-6$

(2) 좌변을 전개하면
$(x+2)(ax-b)=ax^2+(2a-b)x-2b$
우변과 동류항의 계수를 비교하면
$a=1$, $2a-b=4$, $-2b=c$
$\therefore\ a=1$, $b=-2$, $c=4$

(3) 좌변을 전개하면
$(x^2-x-2)(x+a)$
$=x^3+ax^2-x^2-ax-2x-2a$
$=x^3+(a-1)x^2-(a+2)x-2a$
우변과 동류항의 계수를 비교하면

$a-1=b,\ -a-2=c,\ -2a=2$

$\therefore a=-1,\ b=-2,\ c=-1$

답 (1) $a=-3,\ b=3,\ c=-6$
(2) $a=1,\ b=-2,\ c=4$
(3) $a=-1,\ b=-2,\ c=-1$

02

양변에 $x=2$를 대입하면

$4+6+2=b \qquad \therefore b=12$

우변에 $b=12$를 대입하여 전개하면

$(x-2)^2+a(x-2)+12=x^2-4x+4+ax-2a+12$

$=x^2+(a-4)x-2a+16$

좌변과 동류항의 계수를 비교하면

$a-4=3 \qquad \therefore a=7$

$\therefore a+b=19$

다른 풀이

양변에 $x=3$을 대입하면

$9+9+2=1+a+b$

$\therefore a+b=19$

답 ③

03

좌변을 전개하여 k에 대해 정리하면

$kx+2x-2ky+3y+5k-4=0$

$(x-2y+5)k+2x+3y-4=0$

$x-2y+5=0,\ 2x+3y-4=0$이므로

두 식을 연립하여 풀면 $x=-1,\ y=2$

$\therefore x+y=1$

답 ①

04

$x^3-2x^2+3x+c=(x^2+ax+b)(x-1)-x+4$

이므로 우변을 전개하면

$x^3-x^2+ax^2-ax+bx-b-x+4$

$=x^3+(a-1)x^2+(b-a-1)x-b+4$

좌변과 동류항의 계수를 비교하면

$-2=a-1,\ 3=b-a-1,\ c=-b+4$

$\therefore a=-1,\ b=3,\ c=1$

답 $a=-1,\ b=3,\ c=1$

05

$f(x)=2x^3+ax^2+bx-3$이라 하면

$f(-3)=0$이므로 $-54+9a-3b-3=0$

$\therefore 3a-b=19 \quad \cdots$ ㉠

$f(4)=21$이므로 $128+16a+4b-3=21$

$\therefore 4a+b=-26 \quad \cdots$ ㉡

㉠, ㉡을 연립하여 풀면 $a=-1,\ b=-22$

$\therefore a-b=21$

답 ⑤

06

$x^2-1=(x+1)(x-1)$이므로

$x^4+px^3+(p+1)x+q$를 x^2-1로 나눈 몫을 $Q(x)$라 하면

$x^4+px^3+(p+1)x+q$

$=(x+1)(x-1)Q(x)+2x+2$

양변에 $x=1$을 대입하면 $1+p+p+1+q=2+2$

$\therefore 2p+q=2 \quad \cdots$ ㉠

양변에 $x=-1$을 대입하면 $1-p-p-1+q=-2+2$

$\therefore -2p+q=0 \quad \cdots$ ㉡

㉠, ㉡을 연립하여 풀면 $p=\frac{1}{2},\ q=1$

답 $p=\frac{1}{2},\ q=1$

07

$f(x+2)$를 $x+1$로 나눈 몫을 $Q(x)$라 하면

$f(x+2)=(x+1)Q(x)$

양변에 $x=-1$을 대입하면 $f(1)=0$

$f(x)=x^3-2x^2+ax-3$에서 $f(1)=a-4$이므로

$a-4=0 \qquad \therefore a=4$

답 4

08 **전략** $f(x)$를 모르므로 x에 적당한 수를 대입하여 $f(x)$를 소거한다.

양변에 $x=-1$을 대입하면 $1+a+b=4$

$\therefore a+b=3 \quad \cdots$ ㉠

양변에 $x=3$을 대입하면 $81-27a+9b=0$

$\therefore -3a+b=-9 \quad \cdots$ ㉡

㉠, ㉡을 연립하여 풀면 $a=3,\ b=0$

$\therefore x^4-3x^3=(x+1)(x-3)f(x)-x+3$

이 식의 양변에 $x=2$를 대입하면

$16-24=3\times(-1)\times f(2)-2+3$

$\therefore f(2)=3$

답 3

09 전략 x, y에 대한 항등식이므로
$Ax+By+C=0$ 꼴로 정리하면 $A=0$, $B=0$, $C=0$이다.

좌변을 전개하여 x, y에 대해 정리하면
$ax+2ay-3bx+by-9x-4y=0$
$(a-3b-9)x+(2a+b-4)y=0$
$a-3b-9=0$, $2a+b-4=0$이므로
두 식을 연립하여 풀면 $a=3$, $b=-2$

답 $a=3$, $b=-2$

10 전략 $x+y=1$을 이용하여 x나 y를 소거한다.

$x+y=1$에서 $y=1-x$
$axy+bx+cy+5=0$에 $y=1-x$를 대입하면
$ax(1-x)+bx+c(1-x)+5=0$
$-ax^2+(a+b-c)x+c+5=0$
$-a=0$, $a+b-c=0$, $c+5=0$이므로
$a=0$, $c=-5$, $b=-5$
$\therefore a+b+c=-10$

답 ①

11 전략 x에 적당한 수를 대입하여 주어진 식의 꼴을 만든다.

(1) 양변에 $x=1$을 대입하면
$(1-2-4)^3=a_0+a_1+a_2+a_3+a_4+a_5+a_6$ ⋯ ㉠
$\therefore a_0+a_1+a_2+a_3+a_4+a_5+a_6=-125$

(2) 양변에 $x=-1$을 대입하면
$(1+2-4)^3=a_0-a_1+a_2-a_3+a_4-a_5+a_6$ ⋯ ㉡
$\therefore a_0-a_1+a_2-a_3+a_4-a_5+a_6=-1$

답 (1) -125 (2) -1

참고 ㉠+㉡, ㉠−㉡을 하면 $a_0+a_2+a_4+a_6$, $a_1+a_3+a_5$의 값도 구할 수 있다.

12 전략 x^3의 계수가 1이므로 x^2-x+1로 나눈 몫을 $x+c$로 놓을 수 있다.

x^3+ax+b를 x^2-x+1로 나눈 몫을 $x+c$라 하면
$x^3+ax+b=(x^2-x+1)(x+c)$
$=x^3+(c-1)x^2+(1-c)x+c$
양변의 동류항의 계수를 비교하면
$0=c-1$, $a=1-c$, $b=c$
$\therefore c=1$, $a=0$, $b=1$

다른 풀이

다음과 같이 직접 나눗셈을 이용할 수도 있다.

$$\begin{array}{r|l} & x+1 \\ \hline x^2-x+1 & x^3 \quad + \quad ax+b \\ & x^3-x^2+\quad x \\ \hline & x^2+(a-1)x+b \\ & x^2-\quad x+1 \\ \hline & ax+b-1 \end{array}$$

$ax+b-1=0$이므로 $a=0$, $b=1$

답 ②

13 전략 $P(k)+P(-k)=8$을 이용하여 k의 값을 구한다.

$P(k)+P(-k)=8$이므로
$k^3+k^2+k+1-k^3+k^2-k+1=8$ $\therefore k^2=3$
따라서 $P(x)$를 $x-k^2$으로 나눈 나머지는
$P(3)=27+9+3+1=40$

답 40

14 전략 이차식으로 나누므로 나머지를 $ax+b$로 놓고 $A=BQ+R$를 이용한다.

$(x^2+2x)f(x)$를 $x^2-x-2=(x-2)(x+1)$로 나눈 몫을 $Q(x)$, 나머지를 $ax+b$라 하면
$(x^2+2x)f(x)=(x-2)(x+1)Q(x)+ax+b$ ⋯ ㉠
$f(2)=3$, $f(-1)=-3$이므로
㉠의 양변에 $x=2$를 대입하면 $8f(2)=2a+b$
$\therefore 2a+b=24$ ⋯ ㉡
㉠의 양변에 $x=-1$을 대입하면 $-f(-1)=-a+b$
$\therefore -a+b=3$ ⋯ ㉢
㉡, ㉢을 연립하여 풀면 $a=7$, $b=10$
따라서 $(x^2+2x)f(x)$를 x^2-x-2로 나눈 나머지는
$7x+10$

답 ②

15 전략 $x^2-4=(x+2)(x-2)$로 나눈 나머지를 구해야 하므로 조건에서 $f(2)$, $f(-2)$의 값을 구한다.

$x^2+x-6=(x-2)(x+3)$,
$x^2+x-2=(x+2)(x-1)$이므로
$f(x)$를 x^2+x-6, x^2+x-2로 나눈 몫을 각각 $Q_1(x)$, $Q_2(x)$라 하면
$f(x)=(x-2)(x+3)Q_1(x)+2x-1$ ⋯ ㉠
$f(x)=(x+2)(x-1)Q_2(x)+x-3$ ⋯ ㉡
㉠에서 $f(2)=4-1=3$
㉡에서 $f(-2)=-2-3=-5$

$f(x)$를 $x^2-4=(x-2)(x+2)$로 나눈 몫을 $Q(x)$, 나머지를 $ax+b$라 하면

$f(x)=(x-2)(x+2)Q(x)+ax+b$

양변에 $x=2$를 대입하면 $f(2)=2a+b$

$\therefore 2a+b=3$ … ㉢

양변에 $x=-2$를 대입하면 $f(-2)=-2a+b$

$\therefore -2a+b=-5$ … ㉣

㉢, ㉣을 연립하여 풀면 $a=2$, $b=-1$

따라서 $f(x)$를 x^2-4로 나눈 나머지는 $2x-1$

답 $2x-1$

16 전략 $f(2x)$를 $x-1$로 나눈 나머지는 $f(2x)$에 $x=1$을 대입한 값이다.

$f(2x)$를 $x-1$로 나눈 몫을 $Q_1(x)$, 나머지를 R라 하면

$f(2x)=(x-1)Q_1(x)+R$

양변에 $x=1$을 대입하면 $R=f(2)$ … ㉠

$f(x)$를 $(x-1)(x-2)$로 나눈 몫을 $Q(x)$라 하면

$f(x)=(x-1)(x-2)Q(x)+4x+3$

양변에 $x=2$를 대입하면 $f(2)=11$ … ㉡

㉠, ㉡에서 $R=11$

답 ④

17 전략 $f(x)$, $Q(x)$를 각각 몫과 나머지를 이용하여 $BQ'+R$ 꼴로 나타낸다.

조건에서 $f(x)=(x+3)Q(x)-1$ … ㉠

$Q(x)$를 $x-4$로 나눈 몫을 $Q_1(x)$라 하면

$Q(x)=(x-4)Q_1(x)+2$

이 식을 ㉠에 대입하면

$f(x)=(x+3)\{(x-4)Q_1(x)+2\}-1$

$\quad=(x+3)(x-4)Q_1(x)+2x+5$

따라서 $xf(x)$를 $x-4$로 나눈 나머지는

$4f(4)=4\times(2\times4+5)=52$

답 52

18 전략 $f(1)=1^2, f(2)=2^2, f(3)=3^2$이므로 $f(x)=a(x-1)(x-2)(x-3)+x^2$으로 놓을 수 있다.

$f(1)=1^2, f(2)=2^2, f(3)=3^2$에서

$f(1)-1^2=0, f(2)-2^2=0, f(3)-3^2=0$이므로

삼차식 $f(x)$는

$f(x)-x^2=a(x-1)(x-2)(x-3)$ (a는 상수)

으로 놓을 수 있다.

삼차항의 계수가 1이므로

$f(x)=(x-1)(x-2)(x-3)+x^2$

$f(x)$를 $x+1$로 나눈 나머지는 $f(-1)$이므로

$f(-1)=(-2)\times(-3)\times(-4)+1=-23$

답 -23

19 전략 $x^2-3x+2=(x-1)(x-2)$이므로 $f(1)$, $f(2)$의 값을 구해 본다.

$f(x)$를 $x^2-3x+2=(x-1)(x-2)$로 나눈 몫을 $Q(x)$, 나머지를 $ax+b$라 하면

$f(x)=(x-1)(x-2)Q(x)+ax+b$ … ㉠

$f(x+1)=f(x)+x^2$의 양변에 $x=0$, $x=1$을 대입하면

$f(1)=f(0)=3$

$f(2)=f(1)+1=3+1=4$

또 ㉠의 양변에 $x=1$, $x=2$를 대입하면

$f(1)=a+b, f(2)=2a+b$

$\therefore a+b=3,\ 2a+b=4$

두 식을 연립하여 풀면 $a=1$, $b=2$

따라서 구하는 나머지는 $x+2$

답 $x+2$

20 전략 삼차식으로 나눈 나머지는 이차식, 일차식 또는 상수이므로 $R(x)=ax^2+bx+c$ (a, b, c는 상수)로 놓는다.

$f(x)$를 $(x-2)(x^2-4)=(x-2)^2(x+2)$로 나눈 몫을 $Q(x)$, 나머지를 $R(x)=ax^2+bx+c$라 하면

$f(x)=(x-2)^2(x+2)Q(x)+ax^2+bx+c$

이때 $(x-2)^2(x+2)Q(x)$는 $(x-2)^2$으로 나누어떨어지므로 $f(x)$를 $(x-2)^2$으로 나눈 나머지는 ax^2+bx+c를 $(x-2)^2$으로 나눈 나머지와 같다.

곧, ax^2+bx+c를 $(x-2)^2$으로 나눈 나머지가 $2x+1$이므로

$R(x)=ax^2+bx+c=a(x-2)^2+2x+1$ … ㉠

$\therefore f(x)=(x-2)^2(x+2)Q(x)+a(x-2)^2+2x+1$

이때 $f(-2)=1$이므로

$16a-4+1=1 \qquad \therefore a=\frac{1}{4}$

㉠에 대입하면 $R(x)=\frac{1}{4}x^2+x+2$이므로

$R(0)=2$

답 ②

인수분해

개념 Check

51쪽 ~ 52쪽

1

(2) $a(x-y)+b(y-x)=a(x-y)-b(x-y)$
$=(a-b)(x-y)$

(3) 공통인수가 있도록 두 항씩 묶으면
$ac+bd+ad+bc=(ac+ad)+(bc+bd)$
$=a(c+d)+b(c+d)$
$=(a+b)(c+d)$

답 (1) $xy^2(y^2-2x+3)$ (2) $(a-b)(x-y)$
(3) $(a+b)(c+d)$

2

답 (1) $(3x+1)^2$ (2) $(3x-2y)^2$
(3) $(x+1)^3$ (4) $(a-2b)^3$

3

(1) $x^2-4y^2=x^2-(2y)^2=(x+2y)(x-2y)$

(2) $4-x^2y^2=2^2-(xy)^2=(2+xy)(2-xy)$

(3) $x^3+27y^3=x^3+(3y)^3$
$=(x+3y)\{x^2-x\times 3y+(3y)^2\}$
$=(x+3y)(x^2-3xy+9y^2)$

(4) $27a^3-8b^3=(3a)^3-(2b)^3$
$=(3a-2b)\{(3a)^2+3a\times 2b+(2b)^2\}$
$=(3a-2b)(9a^2+6ab+4b^2)$

답 (1) $(x+2y)(x-2y)$ (2) $(2+xy)(2-xy)$
(3) $(x+3y)(x^2-3xy+9y^2)$
(4) $(3a-2b)(9a^2+6ab+4b^2)$

4

(1) 합이 2, 곱이 -8인 두 수는 4, -2이므로
$x^2+2x-8=(x+4)(x-2)$

(2)
```
3 ╲╱  1  →   1
1 ╱╲ -2  →  -6 (+
            ----
            -5
```

$\therefore 3x^2-5x-2=(3x+1)(x-2)$

답 (1) $(x+4)(x-2)$ (2) $(3x+1)(x-2)$

5

$x^2+y^2+z^2-2xy+2yz-2zx$
$=x^2+(-y)^2+(-z)^2+2x(-y)+2(-y)(-z)$
$\quad+2(-z)x$
$=(x-y-z)^2$

다른 풀이

공식이 기억나지 않으면 x에 대해 정리하여 푼다.
$x^2+y^2+z^2-2xy+2yz-2zx$
$=x^2-2(y+z)x+y^2+z^2+2yz$
$=x^2-2(y+z)x+(y+z)^2$
에서 $y+z=A$로 놓으면
$x^2-2Ax+A^2=(x-A)^2=(x-y-z)^2$

답 $(x-y-z)^2$

6

$x^3+y^3-z^3+3xyz$
$=x^3+y^3+(-z)^3-3xy(-z)$
$=(x+y-z)(x^2+y^2+z^2-xy+yz+zx)$

답 $(x+y-z)(x^2+y^2+z^2-xy+yz+zx)$

대표Q

53쪽 ~ 56쪽

대표 01

(1) $4x^3-xy^2=x(4x^2-y^2)=x\{(2x)^2-y^2\}$
$=x(2x+y)(2x-y)$

(2) $x^4-y^4=(x^2)^2-(y^2)^2=(x^2+y^2)(x^2-y^2)$
$=(x^2+y^2)(x+y)(x-y)$

(4) $x^3-8=x^3-2^3=(x-2)(x^2+2x+4)$

(5) x^6-y^6
$=(x^3)^2-(y^3)^2=(x^3+y^3)(x^3-y^3)$
$=(x+y)(x^2-xy+y^2)(x-y)(x^2+xy+y^2)$

다른 풀이

x^6-y^6
$=(x^2)^3-(y^2)^3$
$=(x^2-y^2)\{(x^2)^2+x^2y^2+(y^2)^2\}$
$=(x+y)(x-y)(x^4+x^2y^2+y^4)$
$=(x+y)(x-y)(x^2+xy+y^2)(x^2-xy+y^2)$

(6) $(x+y)^3+(x-y)^3$
$=\{(x+y)+(x-y)\}$
$\quad\times\{(x+y)^2-(x+y)(x-y)+(x-y)^2\}$
$=2x(x^2+2xy+y^2-x^2+y^2+x^2-2xy+y^2)$
$=2x(x^2+3y^2)$

답 (1) $x(2x+y)(2x-y)$
(2) $(x^2+y^2)(x+y)(x-y)$
(3) $(x+1)(x^2-x+1)$
(4) $(x-2)(x^2+2x+4)$
(5) $(x+y)(x^2-xy+y^2)(x-y)(x^2+xy+y^2)$
(6) $2x(x^2+3y^2)$

1-1

(1) $3xy^2-27x=3x(y^2-9)=3x(y+3)(y-3)$

(2) $(x+1)^4-81$
$=\{(x+1)^2\}^2-(3^2)^2$
$=\{(x+1)^2+3^2\}\{(x+1)^2-3^2\}$
$=(x^2+2x+1+9)(x+1+3)(x+1-3)$
$=(x^2+2x+10)(x+4)(x-2)$

(3) $x^3+\frac{1}{8}y^3=\frac{1}{8}(8x^3+y^3)=\frac{1}{8}\{(2x)^3+y^3\}$
$=\frac{1}{8}(2x+y)\{(2x)^2-2x\times y+y^2\}$
$=\frac{1}{8}(2x+y)(4x^2-2xy+y^2)$

(4) $32x^3-108y^3$
$=4(8x^3-27y^3)=4\{(2x)^3-(3y)^3\}$
$=4(2x-3y)\{(2x)^2+2x\times 3y+(3y)^2\}$
$=4(2x-3y)(4x^2+6xy+9y^2)$

(5) $x^6+y^6=(x^2)^3+(y^2)^3$
$=(x^2+y^2)(x^4-x^2y^2+y^4)$

(6) $x^3-(y+z)^3$
$=\{x-(y+z)\}\{x^2+x\times(y+z)+(y+z)^2\}$
$=(x-y-z)(x^2+xy+xz+y^2+2yz+z^2)$
$=(x-y-z)(x^2+y^2+z^2+xy+2yz+zx)$

답 (1) $3x(y+3)(y-3)$
(2) $(x^2+2x+10)(x+4)(x-2)$
(3) $\frac{1}{8}(2x+y)(4x^2-2xy+y^2)$
(4) $4(2x-3y)(4x^2+6xy+9y^2)$
(5) $(x^2+y^2)(x^4-x^2y^2+y^4)$
(6) $(x-y-z)(x^2+y^2+z^2+xy+2yz+zx)$

참고 (3) $x^3+\left(\frac{1}{2}y\right)^3=\left(x+\frac{1}{2}y\right)\left(x^2-\frac{1}{2}xy+\frac{1}{4}y^2\right)$
이라 해도 된다.
(5) $(x^3)^2+(y^3)^2$으로 고쳐서 인수분해할 수는 없다.

대표 Q2

(1) $4x^3+12x^2y+9xy^2=x(4x^2+12xy+9y^2)$
$=x(2x+3y)^2$

(2) $x^2y^2-2xy-15=(xy)^2-2xy-15$
$=(xy+3)(xy-5)$

(3) 합이 $7y$, 곱이 $6y^2$인 두 식은 $6y$, y이므로
$x^2+7xy+6y^2=(x+6y)(x+y)$

(4)
$$\begin{array}{ccccc} 2 & \diagdown\!\!\!\diagup & -(p-1) & \rightarrow & -p+1 \\ 1 & & p & \rightarrow & 2p \ (+ \\ \hline & & & & p+1 \end{array}$$

$\therefore 2x^2+(p+1)x-p(p-1)$
$=\{2x-(p-1)\}(x+p)=(2x-p+1)(x+p)$

답 (1) $x(2x+3y)^2$ (2) $(xy+3)(xy-5)$
(3) $(x+6y)(x+y)$ (4) $(2x-p+1)(x+p)$

2-1

(1) $x^4-8x^2y^2+16y^4=(x^2)^2-2\times x^2\times 4y^2+(4y^2)^2$
$=(x^2-4y^2)^2$
$=\{(x+2y)(x-2y)\}^2$
$=(x+2y)^2(x-2y)^2$

(2) $4x^2y^2-12xyz+9z^2$
$=(2xy)^2-2\times 2xy\times 3z+(3z)^2$
$=(2xy-3z)^2$

답 (1) $(x+2y)^2(x-2y)^2$ (2) $(2xy-3z)^2$

2-2

(1) 합이 $-(2a+b)$, 곱이 $2ab$인 두 식은 $-2a$, $-b$이므로 $x^2-(2a+b)x+2ab=(x-2a)(x-b)$

(2)
$$\begin{array}{ccccc} 1 & \diagdown\!\!\!\diagup & -3y & \rightarrow & -9y \\ 3 & & -y & \rightarrow & -y \ (+ \\ \hline & & & & -10y \end{array}$$

$\therefore 3x^2-10xy+3y^2=(x-3y)(3x-y)$

(3)
$$\begin{array}{ccccc} 1 & \diagdown\!\!\!\diagup & -(y-1) & \rightarrow & -2y+2 \\ 2 & & 2y+1 & \rightarrow & 2y+1 \ (+ \\ \hline & & & & 3 \end{array}$$

$\therefore 2x^2+3x-(2y+1)(y-1)$
$=\{x-(y-1)\}(2x+2y+1)$
$=(x-y+1)(2x+2y+1)$

답 (1) $(x-2a)(x-b)$ (2) $(x-3y)(3x-y)$
(3) $(x-y+1)(2x+2y+1)$

대표 03

(1) $ab+a+b+1=b(a+1)+(a+1)$
$=(a+1)(b+1)$

(2) x^3+2x^2+2x+1
$=(x^3+1)+2x(x+1)$
$=(x+1)(x^2-x+1)+2x(x+1)$
$=(x+1)(x^2-x+1+2x)$
$=(x+1)(x^2+x+1)$

(3) $9x^2+6xy+y^2-16z^2$
$=(9x^2+6xy+y^2)-16z^2$
$=(3x+y)^2-(4z)^2$
$=(3x+y+4z)(3x+y-4z)$

(4) $27x^3=(3x)^3$, y^3에 착안하면
$27x^3-27x^2y+9xy^2-y^3$
$=(3x)^3-3\times(3x)^2\times y+3\times 3x\times y^2-y^3$
$=(3x-y)^3$

다른 풀이

$27x^3-27x^2y+9xy^2-y^3$
$=(27x^3-y^3)-(27x^2y-9xy^2)$
$=(3x-y)(9x^2+3xy+y^2)-9xy(3x-y)$
$=(3x-y)(9x^2+3xy+y^2-9xy)$
$=(3x-y)(9x^2-6xy+y^2)$
$=(3x-y)(3x-y)^2$
$=(3x-y)^3$

답 (1) $(a+1)(b+1)$ (2) $(x+1)(x^2+x+1)$
(3) $(3x+y+4z)(3x+y-4z)$ (4) $(3x-y)^3$

3-1

(1) $ax+by-bx-ay=x(a-b)+y(b-a)$
$=x(a-b)-y(a-b)$
$=(a-b)(x-y)$

(2) $x^3+6x^2-4x-24=x^2(x+6)-4(x+6)$
$=(x+6)(x^2-4)$
$=(x+6)(x+2)(x-2)$

(3) $x^2-y^2-z^2+2yz=x^2-(y^2-2yz+z^2)$
$=x^2-(y-z)^2$
$=(x+y-z)(x-y+z)$

답 (1) $(a-b)(x-y)$ (2) $(x+6)(x+2)(x-2)$
(3) $(x+y-z)(x-y+z)$

3-2

(1) $8x^3-12x^2+6x-1$
$=(2x)^3-3\times(2x)^2\times 1+3\times 2x\times 1^2-1^3$
$=(2x-1)^3$

(2) $2x^3y+18x^2yz+54xyz^2+54yz^3$
$=2y(x^3+9x^2z+27xz^2+27z^3)$
$=2y\{x^3+3\times x^2\times 3z+3\times x\times(3z)^2+(3z)^3\}$
$=2y(x+3z)^3$

답 (1) $(2x-1)^3$ (2) $2y(x+3z)^3$

대표 04

(1) $a-b=2+\sqrt{3}$, $b-c=-4$를 변변 더하면
$a-c=-2+\sqrt{3}$ $\quad\therefore c-a=2-\sqrt{3}$
$\therefore a^2+b^2+c^2-ab-bc-ca$
$=\frac{1}{2}\{(a-b)^2+(b-c)^2+(c-a)^2\}$
$=\frac{1}{2}\{(2+\sqrt{3})^2+(-4)^2+(2-\sqrt{3})^2\}$
$=\frac{1}{2}(4+4\sqrt{3}+3+16+4-4\sqrt{3}+3)=15$

(2) $a^3+b^3+c^3-3abc$
$=(a+b+c)(a^2+b^2+c^2-ab-bc-ca)=0$
이므로
$a+b+c=0$ 또는 $a^2+b^2+c^2-ab-bc-ca=0$
a, b, c는 삼각형의 세 변의 길이이므로 $a+b+c\neq 0$
따라서 $a^2+b^2+c^2-ab-bc-ca=0$에서
$\frac{1}{2}\{(a-b)^2+(b-c)^2+(c-a)^2\}=0$
$a=b=c$이므로 정삼각형이다.

답 (1) 15 (2) 정삼각형

4-1

$x^3+y^3-27z^3+9xyz$
$=(x+y-3z)\{x^2+y^2+(-3z)^2-xy-y(-3z)$
$-(-3z)x\}$
$=(x+y-3z)(x^2+y^2+9z^2-xy+3yz+3zx)$

답 $(x+y-3z)(x^2+y^2+9z^2-xy+3yz+3zx)$

4-2

(1) $(a+b+c)^2=a^2+b^2+c^2+2(ab+bc+ca)$이므로

$3^2=5+2(ab+bc+ca)$ $\quad\therefore ab+bc+ca=2$

(2) $a^3+b^3+c^3-3abc$

$=(a+b+c)(a^2+b^2+c^2-ab-bc-ca)$

에서

$a^3+b^3+c^3$

$=(a+b+c)(a^2+b^2+c^2-ab-bc-ca)+3abc$

이므로

$a^3+b^3+c^3=3\times(5-2)+3\times(-4)=-3$

답 (1) 2 (2) -3

4-3

$a^3+b^3+c^3-3abc=0$에서

$(a+b+c)(a^2+b^2+c^2-ab-bc-ca)=0$

$\frac{1}{2}(a+b+c)\{(a-b)^2+(b-c)^2+(c-a)^2\}=0$

$a+b+c\neq0$이므로

$(a-b)^2+(b-c)^2+(c-a)^2=0$

곧, $a=b=c$이므로

$\frac{b+c}{3a}+\frac{c+a}{3b}+\frac{a+b}{3c}=\frac{2a}{3a}+\frac{2a}{3a}+\frac{2a}{3a}$

$=\frac{2}{3}+\frac{2}{3}+\frac{2}{3}=2$

답 2

개념 Check 58쪽

7

(1) $f(x)=x^3+x^2+x-3$으로 놓고

±1, ±3을 차례로 대입할 때

$f(1)=1+1+1-3=0$

$f(x)$를 $x-1$로 나누면

$$\begin{array}{r|rrrr} 1 & 1 & 1 & 1 & -3 \\ & & 1 & 2 & 3 \\ \hline & 1 & 2 & 3 & 0 \end{array}$$

$f(x)=(x-1)(x^2+2x+3)$

(2) $f(x)=x^3-3x^2+4$로 놓고

±1, ±2, ±4를 차례로 대입할 때

$f(-1)=-1-3+4=0$

$f(x)$를 $x+1$로 나누면

$$\begin{array}{r|rrrr} -1 & 1 & -3 & 0 & 4 \\ & & -1 & 4 & -4 \\ \hline & 1 & -4 & 4 & 0 \end{array}$$

$f(x)=(x+1)(x^2-4x+4)$

$=(x+1)(x-2)^2$

답 (1) $(x-1)(x^2+2x+3)$ (2) $(x+1)(x-2)^2$

대표Q 59쪽~64쪽

대표 Q5

(1) $(x^2+2x)^2-2(x^2+2x)-3$에서

$x^2+2x=X$로 놓으면

$X^2-2X-3=(X+1)(X-3)$

$=(x^2+2x+1)(x^2+2x-3)$

$=(x+1)^2(x+3)(x-1)$

(2) $(x+1)(x+3)(x-2)(x-4)+24$

$=\{(x+1)(x-2)\}\{(x+3)(x-4)\}+24$

$=(x^2-x-2)(x^2-x-12)+24$

에서 $x^2-x=X$로 놓으면

$(X-2)(X-12)+24$

$=X^2-14X+48$

$=(X-6)(X-8)$

$=(x^2-x-6)(x^2-x-8)$

$=(x+2)(x-3)(x^2-x-8)$

답 (1) $(x+1)^2(x+3)(x-1)$

(2) $(x+2)(x-3)(x^2-x-8)$

5-1

(1) $(x^2+x)^2-7x^2-7x+6$

$=(x^2+x)^2-7(x^2+x)+6$

에서 $x^2+x=X$로 놓으면

$X^2-7X+6=(X-1)(X-6)$

$=(x^2+x-1)(x^2+x-6)$

$=(x^2+x-1)(x+3)(x-2)$

(2) $(x^2+2x-6)(x^2+3x-6)-2x^2$

$=(x^2-6+2x)(x^2-6+3x)-2x^2$

에서 $x^2-6=X$로 놓으면

$(X+2x)(X+3x)-2x^2$

$=X^2+5xX+6x^2-2x^2$

$=X^2+5xX+4x^2$

$=(X+x)(X+4x)$
$=(x^2-6+x)(x^2-6+4x)$
$=(x+3)(x-2)(x^2+4x-6)$

답 (1) $(x^2+x-1)(x+3)(x-2)$
(2) $(x+3)(x-2)(x^2+4x-6)$

5-2

$(x-1)(x-2)(x+2)(x+3)+k$
$=\{(x-1)(x+2)\}\{(x-2)(x+3)\}+k$
$=(x^2+x-2)(x^2+x-6)+k$
에서 $x^2+x=X$로 놓으면
$(X-2)(X-6)+k=X^2-8X+12+k$ … ㉠
이 식이 완전제곱 꼴이면
$12+k=4^2$ $\therefore k=4$
이때 ㉠은
$X^2-8X+16=(X-4)^2=(x^2+x-4)^2$
$\therefore a=1,\ b=-4$

답 $k=4,\ a=1,\ b=-4$

대표 06

(1) 차수가 가장 낮은 z에 대해 정리하면
$x^2+y^2-2xy-yz+zx=(x-y)z+x^2+y^2-2xy$
$=(x-y)z+(x-y)^2$
$=(x-y)(z+x-y)$
$=(x-y)(x-y+z)$

(2) x^2의 계수가 1이므로 x에 대해 정리하면
$x^2+2y^2+3xy-x-3y-2$
$=x^2+(3y-1)x+2y^2-3y-2$
$=x^2+(3y-1)x+(2y+1)(y-2)$
곱이 $(2y+1)(y-2)$, 합이 $3y-1$인 두 식은
$2y+1,\ y-2$이므로
$x^2+2y^2+3xy-x-3y-2$
$=(x+2y+1)(x+y-2)$

(3) 주어진 식을 전개하면
$a^2b-a^2c+b^2c-b^2a+c^2a-c^2b$
a에 대해 정리하면
$(b-c)a^2-(b^2-c^2)a+b^2c-bc^2$
$=(b-c)a^2-(b+c)(b-c)a+bc(b-c)$
$=(b-c)\{a^2-(b+c)a+bc\}$
$=(b-c)(a-b)(a-c)$
$=-(a-b)(b-c)(c-a)$

답 (1) $(x-y)(x-y+z)$
(2) $(x+2y+1)(x+y-2)$
(3) $-(a-b)(b-c)(c-a)$

6-1

(1) 차수가 가장 낮은 y에 대해 정리하면
$4x^2+4xz+z^2-4xy-2yz$
$=(-4x-2z)y+4x^2+4xz+z^2$
$=-2(2x+z)y+(2x+z)^2$
$=(2x+z)(-2y+2x+z)$
$=(2x+z)(2x-2y+z)$

(2) 차수가 낮은 y에 대해 정리하면
$x^3+2x^2y-x-2y=(2x^2-2)y+x^3-x$
$=2(x^2-1)y+x(x^2-1)$
$=(x^2-1)(2y+x)$
$=(x+1)(x-1)(x+2y)$

다른 풀이

앞의 두 항과 뒤의 두 항을 묶으면
$x^3+2x^2y-x-2y=x^2(x+2y)-(x+2y)$
$=(x^2-1)(x+2y)$
$=(x+1)(x-1)(x+2y)$

(3) x^2의 계수가 1이므로 x에 대해 정리하면
$x^2+xy-2y^2+5x+4y+6$
$=x^2+(y+5)x-2y^2+4y+6$
$=x^2+(y+5)x-2(y+1)(y-3)$
곱이 $-2(y+1)(y-3)$, 합이 $y+5$인 두 식은
$-(y-3),\ 2(y+1)$, 곧 $-y+3,\ 2y+2$이므로
$x^2+xy-2y^2+5x+4y+6$
$=(x-y+3)(x+2y+2)$

(4) 주어진 식을 전개하면
$a^2b+a^2c+b^2c+ab^2+ac^2+bc^2+2abc$
a에 대해 정리하면
$(b+c)a^2+(b^2+2bc+c^2)a+bc(b+c)$
$=(b+c)a^2+(b+c)^2a+bc(b+c)$
$=(b+c)\{a^2+(b+c)a+bc\}$
$=(b+c)(a+b)(a+c)$
$=(a+b)(b+c)(c+a)$

답 (1) $(2x+z)(2x-2y+z)$
(2) $(x+1)(x-1)(x+2y)$
(3) $(x-y+3)(x+2y+2)$
(4) $(a+b)(b+c)(c+a)$

6-2

x^2의 계수가 1이므로 x에 대해 정리하면

$x^2+4y^2+4z^2+4xy+8yz+4zx$

$=x^2+4(y+z)x+4y^2+4z^2+8yz$

$=x^2+4(y+z)x+4(y+z)^2$

에서 $y+z=X$로 놓으면

$x^2+4Xx+4X^2=(x+2X)^2=(x+2y+2z)^2$

답 $(x+2y+2z)^2$

참고 $a^2+b^2+c^2+2ab+2bc+2ca=(a+b+c)^2$에서 $a=x$, $b=2y$, $c=2z$인 경우임을 이용해도 된다.

대표 07

(1) $x^2=X$로 놓으면

$x^4+4x^2-5=X^2+4X-5=(X-1)(X+5)$

$=(x^2-1)(x^2+5)$

$=(x+1)(x-1)(x^2+5)$

(2) $x^4-6x^2+1=x^4-2x^2+1-4x^2$

$=(x^2-1)^2-(2x)^2$

$=(x^2-1+2x)(x^2-1-2x)$

$=(x^2+2x-1)(x^2-2x-1)$

(3) $x^4+4=x^4+4x^2+4-4x^2$

$=(x^2+2)^2-(2x)^2$

$=(x^2+2+2x)(x^2+2-2x)$

$=(x^2+2x+2)(x^2-2x+2)$

답 (1) $(x+1)(x-1)(x^2+5)$
(2) $(x^2+2x-1)(x^2-2x-1)$
(3) $(x^2+2x+2)(x^2-2x+2)$

7-1

(1) $x^2=X$로 놓으면

$x^4-x^2-2=X^2-X-2=(X-2)(X+1)$

$=(x^2-2)(x^2+1)$

(2) $x^2=X$로 놓으면

$x^4-5x^2+4=X^2-5X+4=(X-1)(X-4)$

$=(x^2-1)(x^2-4)$

$=(x+1)(x-1)(x+2)(x-2)$

(3) $x^4+7x^2+16=x^4+8x^2+16-x^2=(x^2+4)^2-x^2$

$=(x^2+4+x)(x^2+4-x)$

$=(x^2+x+4)(x^2-x+4)$

(4) $x^4-3x^2y^2+y^4=x^4-2x^2y^2+y^4-x^2y^2$

$=(x^2-y^2)^2-(xy)^2$

$=(x^2-y^2+xy)(x^2-y^2-xy)$

$=(x^2+xy-y^2)(x^2-xy-y^2)$

답 (1) $(x^2-2)(x^2+1)$
(2) $(x+1)(x-1)(x+2)(x-2)$
(3) $(x^2+x+4)(x^2-x+4)$
(4) $(x^2+xy-y^2)(x^2-xy-y^2)$

대표 08

(1) $f(x)=x^4-4x^3+5x^2-4x+4$로 놓고

±1, ±2, ±4를 차례로 대입할 때

$f(2)=2^4-4\times2^3+5\times2^2-4\times2+4=0$

$f(x)$를 $x-2$로 나누면

2	1	−4	5	−4	4
		2	−4	2	−4
	1	−2	1	−2	0

$\therefore f(x)=(x-2)(x^3-2x^2+x-2)$

$g(x)=x^3-2x^2+x-2$로 놓고

±1, ±2를 차례로 대입할 때

$g(2)=2^3-2\times2^2+2-2=0$

$g(x)$를 $x-2$로 나누면

2	1	−2	1	−2
		2	0	2
	1	0	1	0

$\therefore g(x)=(x-2)(x^2+1)$

$\therefore f(x)=(x-2)^2(x^2+1)$

(2) $f(x)=2x^3+x^2+5x-3$으로 놓고

±1, ±3, $\pm\frac{1}{2}$, $\pm\frac{3}{2}$을 차례로 대입할 때

$f\left(\frac{1}{2}\right)=2\times\left(\frac{1}{2}\right)^3+\left(\frac{1}{2}\right)^2+5\times\frac{1}{2}-3=0$

$f(x)$를 $x-\frac{1}{2}$로 나누면

$\frac{1}{2}$	2	1	5	−3
		1	1	3
	2	2	6	0

$\therefore f(x)=\left(x-\frac{1}{2}\right)(2x^2+2x+6)$

$=(2x-1)(x^2+x+3)$

답 (1) $(x-2)^2(x^2+1)$ (2) $(2x-1)(x^2+x+3)$

참고 (1) $g(x)=x^2(x-2)+x-2=(x-2)(x^2+1)$
과 같이 인수분해해도 된다.

8-1

(1) $f(x)=x^3+3x^2-4$로 놓고
±1, ±2, ±4를 차례로 대입할 때
$f(1)=1+3-4=0$
$f(x)$를 $x-1$로 나누면

$$\begin{array}{r|rrrr} 1 & 1 & 3 & 0 & -4 \\ & & 1 & 4 & 4 \\ \hline & 1 & 4 & 4 & \boxed{0} \end{array}$$

$\therefore f(x)=(x-1)(x^2+4x+4)$
$=(x-1)(x+2)^2$

(2) $f(x)=3x^3+4x^2+4x+1$로 놓고
±1, $\pm\frac{1}{3}$을 차례로 대입할 때

$$f\left(-\frac{1}{3}\right)=3\times\left(-\frac{1}{3}\right)^3+4\times\left(-\frac{1}{3}\right)^2+4\times\left(-\frac{1}{3}\right)+1$$
$$=0$$

$f(x)$를 $x+\frac{1}{3}$로 나누면

$$\begin{array}{r|rrrr} -\frac{1}{3} & 3 & 4 & 4 & 1 \\ & & -1 & -1 & -1 \\ \hline & 3 & 3 & 3 & \boxed{0} \end{array}$$

$\therefore f(x)=\left(x+\frac{1}{3}\right)(3x^2+3x+3)$
$=(3x+1)(x^2+x+1)$

(3) $f(x)=x^4+x^3-7x^2-x+6$으로 놓고
±1, ±2, ±3, ±6을 차례로 대입할 때
$f(1)=1+1-7-1+6=0$
$f(x)$를 $x-1$로 나누면

$$\begin{array}{r|rrrrr} 1 & 1 & 1 & -7 & -1 & 6 \\ & & 1 & 2 & -5 & -6 \\ \hline & 1 & 2 & -5 & -6 & \boxed{0} \end{array}$$

$\therefore f(x)=(x-1)(x^3+2x^2-5x-6)$
$g(x)=x^3+2x^2-5x-6$으로 놓고
±1, ±2, ±3, ±6을 차례로 대입할 때
$g(-1)=-1+2+5-6=0$
$g(x)$를 $x+1$로 나누면

$$\begin{array}{r|rrrr} -1 & 1 & 2 & -5 & -6 \\ & & -1 & -1 & 6 \\ \hline & 1 & 1 & -6 & \boxed{0} \end{array}$$

$\therefore g(x)=(x+1)(x^2+x-6)$
$=(x+1)(x-2)(x+3)$
$\therefore f(x)=(x-1)(x+1)(x-2)(x+3)$

(4) $f(x)=2x^4+x^3+4x^2+4x+1$로 놓고
±1, $\pm\frac{1}{2}$을 차례로 대입할 때

$$f\left(-\frac{1}{2}\right)=2\times\left(-\frac{1}{2}\right)^4+\left(-\frac{1}{2}\right)^3+4\times\left(-\frac{1}{2}\right)^2$$
$$+4\times\left(-\frac{1}{2}\right)+1$$
$$=0$$

$f(x)$를 $x+\frac{1}{2}$로 나누면

$$\begin{array}{r|rrrrr} -\frac{1}{2} & 2 & 1 & 4 & 4 & 1 \\ & & -1 & 0 & -2 & -1 \\ \hline & 2 & 0 & 4 & 2 & \boxed{0} \end{array}$$

$\therefore f(x)=\left(x+\frac{1}{2}\right)(2x^3+4x+2)$
$=(2x+1)(x^3+2x+1)$

답 (1) $(x-1)(x+2)^2$
(2) $(3x+1)(x^2+x+1)$
(3) $(x-1)(x+1)(x-2)(x+3)$
(4) $(2x+1)(x^3+2x+1)$

참고 (4) $g(x)=x^3+2x+1$로 놓을 때,
$g(1)\neq0$, $g(-1)\neq0$이므로 $g(x)$는 더 이상 인수분해되지 않는다.

대표 09

(1) $19=x$로 놓으면 주어진 식은 $2x^3+5x^2+4x+1$
$f(x)=2x^3+5x^2+4x+1$로 놓으면
$f(-1)=-2+5-4+1=0$
$f(x)$를 $x+1$로 나누면

$$\begin{array}{r|rrrr} -1 & 2 & 5 & 4 & 1 \\ & & -2 & -3 & -1 \\ \hline & 2 & 3 & 1 & \boxed{0} \end{array}$$

$\therefore f(x)=(x+1)(2x^2+3x+1)$
$=(x+1)(2x+1)(x+1)$
$=(x+1)^2(2x+1)$

$x=19$를 대입하면 $f(19)=20^2\times 39$

곧, $2\times 19^3+5\times 19^2+4\times 19+1=20^2\times 39$이므로

400으로 나눈 몫은 39, 나머지는 0이다.

(2) $37=x$로 놓으면

$37\times 38\times 39\times 40+1$
$=x(x+1)(x+2)(x+3)+1$
$=\{x(x+3)\}\{(x+1)(x+2)\}+1$
$=(x^2+3x)(x^2+3x+2)+1$

에서 $x^2+3x=X$로 놓으면

$X(X+2)+1=X^2+2X+1=(X+1)^2$
$=(x^2+3x+1)^2$
$=(37^2+3\times 37+1)^2$
$=(37\times 40+1)^2=1481^2$

따라서 $\sqrt{37\times 38\times 39\times 40+1}=1481$이므로

$a=1,\ b=4,\ c=8,\ d=1$

답 (1) 몫 : 39, 나머지 : 0
(2) $a=1,\ b=4,\ c=8,\ d=1$

9-1

$999=x$로 놓으면

$$\frac{999^3+1}{998\times 999+1}=\frac{x^3+1}{(x-1)x+1}=\frac{(x+1)(x^2-x+1)}{x^2-x+1}$$
$$=x+1=999+1=1000$$

답 1000

9-2

$11=x$로 놓으면

$11^3+11^2-11+2=x^3+x^2-x+2$

$f(x)=x^3+x^2-x+2$로 놓으면

$f(-2)=(-2)^3+(-2)^2-(-2)+2=0$

$f(x)$를 $x+2$로 나누면

-2	1	1	-1	2
		-2	2	-2
	1	-1	1	0

$\therefore f(x)=(x+2)(x^2-x+1)$
$=(11+2)(11^2-11+1)$
$=13\times 111=3\times 13\times 37$

따라서 세 소수는 3, 13, 37이다.

답 3, 13, 37

9-3

$11=x$로 놓으면

(좌변)$=11\times 13\times 14\times 16$
$=x(x+2)(x+3)(x+5)$
$=\{x(x+5)\}\{(x+2)(x+3)\}$
$=(x^2+5x)(x^2+5x+6)$

(우변)$=N^2-9=(N+3)(N-3)$

곧, $(x^2+5x)(x^2+5x+6)=(N+3)(N-3)$이므로

$N=x^2+5x+3$
$=11^2+5\times 11+3=179$

답 179

날선 Q10

$f(x)$를 $(x-1)^2$으로 나눈 몫을 $Q(x)$라 하면

$ax^4+bx^3+1=(x-1)^2Q(x)$ … ㉠

양변에 $x=1$을 대입하면

$a+b+1=0$ $\therefore b=-a-1$ … ㉡

$\therefore f(x)=ax^4-(a+1)x^3+1$

$f(x)$를 $x-1$로 나누면

1	a	$-(a+1)$	0	0	1
		a	-1	-1	-1
	a	-1	-1	-1	0

$\therefore f(x)=(x-1)(ax^3-x^2-x-1)$

㉠의 좌변에 대입하면

$(x-1)(ax^3-x^2-x-1)=(x-1)^2Q(x)$

x에 대한 항등식이므로 양변을 $x-1$로 나누어도 성립한다. 양변을 $x-1$로 나누면

$ax^3-x^2-x-1=(x-1)Q(x)$

양변에 $x=1$을 대입하면 $a-1-1-1=0$

$\therefore a=3,\ b=-4$ ($\because$ ㉡)

$f(x)$를 인수분해하면

$f(x)=3x^4-4x^3+1$
$=(x-1)(3x^3-x^2-x-1)$
$=(x-1)^2(3x^2+2x+1)$

다른 풀이

$Q(x)$가 이차식이므로 $Q(x)=px^2+qx+r$로 놓으면

$ax^4+bx^3+1=(x-1)^2(px^2+qx+r)$

x^4의 계수가 a, 상수항이 1이므로 $a=p,\ r=1$

$\therefore\ ax^4+bx^3+1=(x-1)^2(ax^2+qx+1)$

$\qquad\qquad\qquad=(x^2-2x+1)(ax^2+qx+1)$

x^3의 계수가 b이므로 $q-2a=b$ … ㉢

x^2의 계수가 0이므로 $1-2q+a=0$ … ㉣

x의 계수가 0이므로 $-2+q=0$ … ㉤

㉢, ㉣, ㉤을 연립하여 풀면

$a=3,\ b=-4,\ q=2$

$\therefore\ 3x^4-4x^3+1=(x-1)^2(3x^2+2x+1)$

답 $a=3,\ b=-4,\ (x-1)^2(3x^2+2x+1)$

10-1

$f(x)$를 $(x+1)^2$으로 나눈 몫을 $Q(x)$라 하면

$x^4+ax+b=(x+1)^2Q(x)$ … ㉠

양변에 $x=-1$을 대입하면

$1-a+b=0 \quad \therefore\ b=a-1$ … ㉡

$\therefore\ f(x)=x^4+ax+a-1$

$f(x)$를 $x+1$로 나누면

-1	1	0	0	a	$a-1$
		-1	1	-1	$-a+1$
	1	-1	1	$a-1$	0

$\therefore\ f(x)=(x+1)(x^3-x^2+x+a-1)$

㉠의 좌변에 대입하면

$(x+1)(x^3-x^2+x+a-1)=(x+1)^2Q(x)$

x에 대한 항등식이므로 양변을 $x+1$로 나누어도 성립한다. 양변을 $x+1$로 나누면

$x^3-x^2+x+a-1=(x+1)Q(x)$

양변에 $x=-1$을 대입하면 $-1-1-1+a-1=0$

$\therefore\ a=4,\ b=3\ (\because$ ㉡$)$

$f(x)$를 인수분해하면

$f(x)=x^4+4x+3$

$\quad=(x+1)(x^3-x^2+x+3)$

$\quad=(x+1)^2(x^2-2x+3)$

답 $a=4,\ b=3,\ (x+1)^2(x^2-2x+3)$

4 인수분해

65쪽 ~ 68쪽

01 (1) $(x-2y)(x-2y+4)$
(2) $(x+y)(x-y)(x+z)$

02 (1) $(x-y-3)^2$ (2) $-(2x-3y)^3$
(3) $(x-y+2z)^2$ (4) $(x^2+x+1)(x^2-x+1)$

03 ④

04 (1) $(2x+y+2)(x-y+3)$
(2) $(x-2y-3)(x+y+1)$

05 (1) $(x^2+3x+3)(x^2+3x-6)$
(2) $(x+2)^2(x^2+4x-6)$ **06** ①

07 (1) $(x-2)(x+3)(x-4)$
(2) $(x+1)(x-2)(x^2-x+3)$

08 ② **09** 1337 **10** ① **11** $a=3,\ b=2$ **12** ②

13 (1) $(a+b)(b+c)(c+a)$
(2) $(a-b)(b-c)(c-a)$

14 $a=-1,\ b=-2$ **15** ② **16** ③ **17** $\frac{13}{2}$

18 (1) $(x-1)(x^4+x^3+x^2+x+1)$
(2) $(x+1)(x^4-x^3+x^2-x+1)$

19 $a=-9,\ b=2,\ (x-1)(x+1)(x+2)(x-4)$

20 9

01

(1) $4x-8y+(x-2y)^2=4(x-2y)+(x-2y)^2$

$\qquad\qquad\qquad=(x-2y)(4+x-2y)$

$\qquad\qquad\qquad=(x-2y)(x-2y+4)$

(2) $x^3-xy^2-y^2z+x^2z=x(x^2-y^2)+z(x^2-y^2)$

$\qquad\qquad\qquad=(x^2-y^2)(x+z)$

$\qquad\qquad\qquad=(x+y)(x-y)(x+z)$

답 (1) $(x-2y)(x-2y+4)$
(2) $(x+y)(x-y)(x+z)$

02

(1) $(x-y)^2-6(x-y)+9$

$=(x-y)^2-2\times(x-y)\times3+3^2$

$=(x-y-3)^2$

(2) $-8x^3+36x^2y-54xy^2+27y^3$

$=-(8x^3-36x^2y+54xy^2-27y^3)$

$=-\{(2x)^3-3\times(2x)^2\times3y+3\times2x\times(3y)^2-(3y)^3\}$

$=-(2x-3y)^3$

(3) $x^2+y^2+4z^2-2xy-4yz+4zx$
$=x^2+(-y)^2+(2z)^2+2\times x\times(-y)$
$\quad+2\times(-y)\times 2z+2\times 2z\times x$
$=(x-y+2z)^2$

(4) $x^4+x^2+1=(x^2+x+1)(x^2-x+1)$

다른 풀이

$x^4+x^2+1=x^4+2x^2+1-x^2$
$=(x^2+1)^2-x^2$
$=(x^2+1+x)(x^2+1-x)$
$=(x^2+x+1)(x^2-x+1)$

답 (1) $(x-y-3)^2$ (2) $-(2x-3y)^3$
(3) $(x-y+2z)^2$ (4) $(x^2+x+1)(x^2-x+1)$

03

① $x^3-27=x^3-3^3=(x-3)(x^2+3x+9)$
② $x^4-18x^2y^2+81y^4=(x^2-9y^2)^2$
$=(x+3y)^2(x-3y)^2$
③ $x^2+y^2-z^2-2xy=(x-y)^2-z^2$
$=(x-y+z)(x-y-z)$
④ $x^2+y^2+z^2-2xy+2yz-2zx=(x-y-z)^2$
⑤ $x^4-1=(x^2-1)(x^2+1)=(x+1)(x-1)(x^2+1)$
따라서 인수분해가 잘못된 것은 ④이다.

답 ④

04

(1) $2x^2-(y-8)x-y^2+y+6$
$=2x^2-(y-8)x-(y+2)(y-3)$
$=(2x+y+2)\{x-(y-3)\}$
$=(2x+y+2)(x-y+3)$

(2) $x^2-2y^2-xy-2x-5y-3$
$=x^2-(y+2)x-(2y^2+5y+3)$
$=x^2-(y+2)x-(2y+3)(y+1)$
$=\{x-(2y+3)\}\{x+(y+1)\}$
$=(x-2y-3)(x+y+1)$

답 (1) $(2x+y+2)(x-y+3)$
(2) $(x-2y-3)(x+y+1)$

05

(1) $x^2+3x=X$로 놓으면
$(x^2+3x)(x^2+3x-3)-18$
$=X(X-3)-18$
$=X^2-3X-18$
$=(X+3)(X-6)$
$=(x^2+3x+3)(x^2+3x-6)$

(2) $(x-1)(x+1)(x+3)(x+5)-9$
$=\{(x-1)(x+5)\}\{(x+1)(x+3)\}-9$
$=(x^2+4x-5)(x^2+4x+3)-9$
에서 $x^2+4x=X$로 놓으면
$(X-5)(X+3)-9=X^2-2X-24$
$=(X+4)(X-6)$
$=(x^2+4x+4)(x^2+4x-6)$
$=(x+2)^2(x^2+4x-6)$

답 (1) $(x^2+3x+3)(x^2+3x-6)$
(2) $(x+2)^2(x^2+4x-6)$

06

$x^4+7x^2+16=x^4+8x^2+16-x^2$
$=(x^2+4)^2-x^2$
$=(x^2+4+x)(x^2+4-x)$
$=(x^2+x+4)(x^2-x+4)$
$a>0$, $b>0$이므로 $a=1$, $b=4$
$\therefore a+b=5$

답 ①

07

(1) $f(x)=x^3-3x^2-10x+24$로 놓으면
$f(2)=8-12-20+24=0$
$f(x)$를 $x-2$로 나누면

2	1	−3	−10	24
		2	−2	−24
	1	−1	−12	0

$\therefore f(x)=(x-2)(x^2-x-12)$
$=(x-2)(x+3)(x-4)$

(2) $f(x)=x^4-2x^3+2x^2-x-6$으로 놓으면
$f(-1)=1+2+2+1-6=0$
$f(x)$를 $x+1$로 나누면

−1	1	−2	2	−1	−6
		−1	3	−5	6
	1	−3	5	−6	0

$\therefore f(x)=(x+1)(x^3-3x^2+5x-6)$
$g(x)=x^3-3x^2+5x-6$으로 놓으면
$g(2)=8-12+10-6=0$
$g(x)$를 $x-2$로 나누면

$$\begin{array}{r|rrrr} 2 & 1 & -3 & 5 & -6 \\ & & 2 & -2 & 6 \\ \hline & 1 & -1 & 3 & 0 \end{array}$$

$\therefore g(x)=(x-2)(x^2-x+3)$

$\therefore f(x)=(x+1)(x-2)(x^2-x+3)$

답 (1) $(x-2)(x+3)(x-4)$
(2) $(x+1)(x-2)(x^2-x+3)$

08

$11^4-6^4=(11^2+6^2)(11^2-6^2)$
$=(121+36)(11+6)(11-6)$
$=157\times17\times5$

$a=5,\ b=17$ 또는 $a=17,\ b=5$이므로

$a+b=22$

답 ②

09

$1339=x$로 놓으면

$$\frac{1339^3-8}{1339\times1341+4}=\frac{x^3-8}{x(x+2)+4}=\frac{(x-2)(x^2+2x+4)}{x^2+2x+4}=x-2=1339-2=1337$$

답 1337

10

$n^3+5n^2+4n=n(n^2+5n+4)=n(n+1)(n+4)$

$n^2+4n+3=(n+1)(n+3)$

이므로 필요한 타일의 개수는

$n(n+4)\times(n+3)=(n+0)(n+3)(n+4)$

$\therefore a+b+c=7$

답 ①

11 전략 $x-1=X,\ x+2=Y$로 치환하여 인수분해한다.

$x-1=X,\ x+2=Y$로 놓으면

$2(x-1)^2+3(x-1)(x+2)+(x+2)^2$
$=2X^2+3XY+Y^2=(2X+Y)(X+Y)$
$=\{2(x-1)+x+2\}(x-1+x+2)=3x(2x+1)$

이므로 $a=3,\ b=2$

답 $a=3,\ b=2$

12 전략 주어진 식을 인수분해하고 245는 소인수분해한다.

$a^2b+2ab+a^2+2a+b+1$
$=b(a^2+2a+1)+(a^2+2a+1)$
$=(b+1)(a+1)^2$

$245=5\times7^2$이므로

$a+1=7,\ b+1=5\qquad\therefore a=6,\ b=4$

$\therefore a+b=10$

답 ②

13 전략 전개한 다음 한 문자에 대해 내림차순으로 정리하여 인수분해한다.

(1) $(a+b+c)(bc+ca+ab)-abc$
$=abc+a^2c+a^2b+b^2c+abc+ab^2+bc^2+ac^2+abc-abc$
$=(b+c)a^2+(b^2+2bc+c^2)a+b^2c+bc^2$
$=(b+c)a^2+(b+c)^2a+bc(b+c)$
$=(b+c)\{a^2+(b+c)a+bc\}$
$=(b+c)(a+b)(a+c)$
$=(a+b)(b+c)(c+a)$

(2) $a(b^2-c^2)+b(c^2-a^2)+c(a^2-b^2)$
$=ab^2-ac^2+bc^2-a^2b+a^2c-b^2c$
$=(c-b)a^2+(b^2-c^2)a+bc^2-b^2c$
$=(c-b)a^2-(c^2-b^2)a+bc(c-b)$
$=(c-b)\{a^2-(c+b)a+bc\}$
$=(c-b)(a-b)(a-c)$
$=(a-b)(b-c)(c-a)$

답 (1) $(a+b)(b+c)(c+a)$
(2) $(a-b)(b-c)(c-a)$

14 전략 $a^3+b^3+c^3-3abc=(a+b+c)(a^2+b^2+c^2-ab-bc-ca)$를 이용하여 인수분해한다.

$x^3-y^3-6xy-8$
$=x^3+(-y)^3+(-2)^3-3\times x\times(-y)\times(-2)$
$=(x-y-2)(x^2+y^2+4+xy-2y+2x)$
$=(x-y-2)(x^2+y^2+xy+2x-2y+4)$

$\therefore a=-1,\ b=-2$

답 $a=-1,\ b=-2$

15 전략 주어진 식을 공통부분이 있도록 변형하여 인수분해한다.

$(x^2+3x+2)(x^2+7x+12)-3$
$=(x+1)(x+2)(x+3)(x+4)-3$
$=\{(x+1)(x+4)\}\{(x+2)(x+3)\}-3$
$=(x^2+5x+4)(x^2+5x+6)-3$
에서 $x^2+5x=X$로 놓으면
$(X+4)(X+6)-3$
$=X^2+10X+21$
$=(X+3)(X+7)$
$=(x^2+5x+3)(x^2+5x+7)$
따라서
$(x^2+3x+2)(x^2+7x+12)-3$
$=(x^2+5x+3)(x^2+5x+7)$
이므로 $a+b+c+d=5+3+5+7=20$

답 ②

16 전략 주어진 식을 인수분해하고 a, b, c 사이의 관계를 구한다.

주어진 등식의 좌변을 b에 대해 정리하면
$a^3-c^3+ab^2+a^2c+b^2c-ac^2$
$=(a+c)b^2+a^3+a^2c-ac^2-c^3$
$=(a+c)b^2+a^2(a+c)-c^2(a+c)$
$=(a+c)(b^2+a^2-c^2)=0$
$a+c>0$이므로 $a^2+b^2-c^2=0$, 곧 $a^2+b^2=c^2$
따라서 이 삼각형은 빗변의 길이가 c인 직각삼각형이다.

답 ③

17 전략 주어진 식을 인수분해하고 a, b, c 사이의 관계를 구한다.

주어진 등식의 좌변을 a에 대해 정리하면
$a^4+b^4+c^4+2a^2b^2-2b^2c^2-2c^2a^2$
$=a^4+(2b^2-2c^2)a^2+b^4-2b^2c^2+c^4$
$=a^4+2(b^2-c^2)a^2+(b^2-c^2)^2=0$
b^2-c^2을 한 문자처럼 생각하면
$(a^2+b^2-c^2)^2=0$ $\quad\therefore a^2+b^2=c^2$ $\quad\cdots$ ㉠
따라서 이 삼각형은 빗변의 길이가 c인 직각삼각형이다.
넓이가 $\frac{15}{2}$이므로 $\frac{1}{2}ab=\frac{15}{2}$ $\quad\therefore ab=15$ $\quad\cdots$ ㉡
둘레의 길이가 15이므로 $a+b+c=15$
$\therefore a+b=15-c$
양변을 제곱하면 $a^2+b^2+2ab=(15-c)^2$
위의 식에 ㉠, ㉡을 대입하면
$c^2+30=c^2-30c+225$, $30c=195$
$\therefore c=\frac{13}{2}$

답 $\frac{13}{2}$

18 전략 다항식을 $f(x)$로 놓고 $f(\alpha)=0$인 α를 찾는다.

(1) $f(x)=x^5-1$로 놓으면 $f(1)=0$이므로
$f(x)$를 $x-1$로 나누면

1	1	0	0	0	0	−1
		1	1	1	1	1
	1	1	1	1	1	0

$\therefore f(x)=(x-1)(x^4+x^3+x^2+x+1)$

(2) $f(x)=x^5+1$로 놓으면 $f(-1)=0$이므로
$f(x)$를 $x+1$로 나누면

−1	1	0	0	0	0	1
		−1	1	−1	1	−1
	1	−1	1	−1	1	0

$\therefore f(x)=(x+1)(x^4-x^3+x^2-x+1)$

답 (1) $(x-1)(x^4+x^3+x^2+x+1)$
(2) $(x+1)(x^4-x^3+x^2-x+1)$

19 전략 $x-\alpha$가 $f(x)$의 인수이면 $f(\alpha)=0$이다.

인수정리에 의하여 $f(1)=0$, $f(-1)=0$이므로
$f(1)=1-2+a+b+8=0$ $\quad\therefore a+b=-7$
$f(-1)=1+2+a-b+8=0$ $\quad\therefore a-b=-11$
두 식을 연립하여 풀면 $a=-9$, $b=2$
$\therefore f(x)=x^4-2x^3-9x^2+2x+8$
$f(x)$를 $x-1$, $x+1$로 차례로 나누면

1	1	−2	−9	2	8
		1	−1	−10	−8
−1	1	−1	−10	−8	0
		−1	2	8	
	1	−2	−8	0	

$\therefore f(x)=(x-1)(x+1)(x^2-2x-8)$
$=(x-1)(x+1)(x+2)(x-4)$

답 $a=-9$, $b=2$, $(x-1)(x+1)(x+2)(x-4)$

20 전략 인수분해가 가능한 식을 처음부터 몇 개 찾아 인수분해하고 규칙을 찾는다.

인수분해되는 식을 몇 개 찾아보면

$x^2-x-2=(x+1)(x-2)$

$x^2-x-6=(x+2)(x-3)$

$x^2-x-12=(x+3)(x-4)$

$\vdots$

이때 주어진 이차식들이 모두 x^2의 계수가 1이고, 상수항이 음수이므로 두 일차식의 곱으로 인수분해되면 다음과 같은 꼴이다.

$(x+a)(x-b)$ (a, b는 자연수)

이 식을 전개하면

$x^2+(a-b)x-ab$

따라서

$a-b=-1$ $\cdots$ ㉠

$ab=1, 2, 3, \cdots, 100$ $\cdots$ ㉡

이어야 한다.

㉠에서 $b=a+1$을 ㉡에 대입하면

$a(a+1)=1, 2, 3, \cdots, 100$

곧, 가능한 자연수 a는 1, 2, 3, $\cdots$, 9이므로 계수가 정수인 두 일차식의 곱으로 인수분해할 수 있는 이차식은 9개이다.

 9

5 복소수

개념 Check

70쪽 ~ 73쪽

1

답 (1) 실수부분 : 4, 허수부분 : 2

(2) 실수부분 : 2, 허수부분 : -3

(3) 실수부분 : 0, 허수부분 : 5

2

답 (1) $-3-i$ (2) $5+2i$ (3) -2 (4) $-6i$

3

(1) $(4-2i)+(1+3i)=(4+1)+(-2+3)i$
$=5+i$

(2) $(4-2i)-(1+3i)=(4-1)+(-2-3)i$
$=3-5i$

(3) $(4-2i)(1+3i)=4+12i-2i-6i^2$
$=4+(12-2)i+6$
$=10+10i$

(4) $(4-2i)\div(1+3i)=\dfrac{4-2i}{1+3i}=\dfrac{(4-2i)(1-3i)}{(1+3i)(1-3i)}$
$=\dfrac{4-12i-2i+6i^2}{1-9i^2}$
$=\dfrac{-2-14i}{10}=-\dfrac{1}{5}-\dfrac{7}{5}i$

답 (1) $5+i$ (2) $3-5i$ (3) $10+10i$ (4) $-\dfrac{1}{5}-\dfrac{7}{5}i$

4

$i+i^2+i^3+i^4=i+(-1)+(-i)+1=0$

답 0

5

$\overline{z_1}\times\overline{z_2}=\overline{z_1 z_2}=3+2i$

답 $3+2i$

6

(3) $\pm\sqrt{-4}$이므로 $\pm\sqrt{4}i=\pm 2i$

(4) $\pm\sqrt{-\dfrac{2}{9}}$이므로 $\pm\sqrt{\dfrac{2}{9}}i=\pm\dfrac{\sqrt{2}}{3}i$

답 (1) $\sqrt{5}i$ (2) $-\sqrt{10}i$ (3) $\pm 2i$ (4) $\pm\dfrac{\sqrt{2}}{3}i$

7

(1) $\sqrt{2}\sqrt{-8}=\sqrt{2}\sqrt{8}i=\sqrt{16}i=4i$

(2) $\frac{\sqrt{2}}{\sqrt{-8}}=\frac{\sqrt{2}}{\sqrt{8}i}=\frac{\sqrt{2}i}{\sqrt{8}i^2}=\frac{i}{-\sqrt{4}}=-\frac{i}{2}$

답 (1) $4i$ (2) $-\frac{i}{2}$

대표Q 74쪽~78쪽

대표 Q1

(1) $(1-\sqrt{2}i)^2=1-2\sqrt{2}i+2i^2=-1-2\sqrt{2}i$

(2) $(2+\sqrt{-5})(1-2\sqrt{-5})=(2+\sqrt{5}i)(1-2\sqrt{5}i)$
$=2-4\sqrt{5}i+\sqrt{5}i-10i^2$
$=12-3\sqrt{5}i$

(3) $\frac{3-i}{1+2i}+\frac{3+i}{1-2i}$
$=\frac{(3-i)(1-2i)}{(1+2i)(1-2i)}+\frac{(3+i)(1+2i)}{(1-2i)(1+2i)}$
$=\frac{3-6i-i+2i^2}{1+4}+\frac{3+6i+i+2i^2}{1+4}$
$=\frac{1-7i}{5}+\frac{1+7i}{5}=\frac{2}{5}$

답 (1) $-1-2\sqrt{2}i$ (2) $12-3\sqrt{5}i$ (3) $\frac{2}{5}$

1-1

(1) $(5+4i)^2=25+40i+16i^2$
$=25+40i-16=9+40i$

(2) $(1-\sqrt{-2})(1+\sqrt{-2})=(1-\sqrt{2}i)(1+\sqrt{2}i)$
$=1-2i^2=3$

(3) $(2-\sqrt{3}i)(-3+2\sqrt{3}i)+(2-\sqrt{3}i)(5-\sqrt{3}i)$
$=-6+4\sqrt{3}i+3\sqrt{3}i-6i^2+10-2\sqrt{3}i-5\sqrt{3}i+3i^2$
$=-6+7\sqrt{3}i+6+10-7\sqrt{3}i-3=7$

(4) $\frac{1}{3+4i}+\frac{1}{3-4i}$
$=\frac{3-4i}{(3+4i)(3-4i)}+\frac{3+4i}{(3-4i)(3+4i)}$
$=\frac{3-4i}{9+16}+\frac{3+4i}{9+16}$
$=\frac{6}{25}$

(5) $\frac{1-\sqrt{3}i}{1+\sqrt{3}i}+\frac{\sqrt{3}}{1+i}$
$=\frac{(1-\sqrt{3}i)^2}{(1+\sqrt{3}i)(1-\sqrt{3}i)}+\frac{\sqrt{3}(1-i)}{(1+i)(1-i)}$
$=\frac{1-2\sqrt{3}i+3i^2}{1+3}+\frac{\sqrt{3}-\sqrt{3}i}{1+1}$
$=\frac{-1-\sqrt{3}i}{2}+\frac{\sqrt{3}-\sqrt{3}i}{2}$
$=\frac{-1+\sqrt{3}}{2}-\sqrt{3}i$

답 (1) $9+40i$ (2) 3 (3) 7 (4) $\frac{6}{25}$
(5) $\frac{-1+\sqrt{3}}{2}-\sqrt{3}i$

대표 Q2

$i, i^2, i^3, i^4, i^5, i^6, \cdots$은 $i, -1, -i, 1, i, -1, \cdots$과 같이 순환하고, n이 자연수일 때 $i^{4n}=1$이므로

(1) $i+i^2+i^3+i^4=i-1-i+1=0$,
$i^5+i^6+i^7+i^8=i^4(i+i^2+i^3+i^4)=0$,
$i^9+i^{10}+i^{11}+i^{12}=i^8(i+i^2+i^3+i^4)=0$,
$\cdots$
$i^{45}+i^{46}+i^{47}+i^{48}=i^{44}(i+i^2+i^3+i^4)=0$
$\therefore\ i+i^2+i^3+i^4+\cdots+i^{50}$
$=i^{49}+i^{50}=i^{48}(i+i^2)=1\times(i-1)=-1+i$

(2) $\frac{1+i}{1-i}=\frac{(1+i)(1+i)}{(1-i)(1+i)}=\frac{1+2i+i^2}{1+1}=\frac{2i}{2}=i$
$\therefore \left(\frac{1+i}{1-i}\right)^{101}=i^{101}=(i^4)^{25}\times i=i$

(3) $(1+\sqrt{3}i)^2=1+2\sqrt{3}i+3i^2=-2+2\sqrt{3}i$
$(1+\sqrt{3}i)^3=(-2+2\sqrt{3}i)(1+\sqrt{3}i)$
$=-2-2\sqrt{3}i+2\sqrt{3}i+6i^2=-8$
$(1+\sqrt{3}i)^9=\{(1+\sqrt{3}i)^3\}^3=(-8)^3=-512$
$\therefore (1+\sqrt{3}i)^{10}=-512(1+\sqrt{3}i)=-512-512\sqrt{3}i$

답 (1) $-1+i$ (2) i (3) $-512-512\sqrt{3}i$

2-1

(1) $i^6=i^4\times i^2=-1$,
$i^{14}=i^{12}\times i^2=-1$,
$i^{19}=i^{16}\times i^3=-i$,
$i^{21}=i^{20}\times i=i$이므로
$i+i^6+i^{14}+i^{19}+i^{21}=i-1-1-i+i=-2+i$

(2) $\frac{1}{i}+\frac{1}{i^2}+\frac{1}{i^3}+\frac{1}{i^4}=\frac{i^3+i^2+i+1}{i^4}$

$=\frac{-i-1+i+1}{i^4}=0$,

$\frac{1}{i^5}+\frac{1}{i^6}+\frac{1}{i^7}+\frac{1}{i^8}=\frac{i^3+i^2+i+1}{i^8}$

$=\frac{-i-1+i+1}{i^8}=0$

이므로

$\frac{1}{i}+\frac{1}{i^2}+\frac{1}{i^3}+\cdots+\frac{1}{i^9}=\frac{1}{i^9}=\frac{1}{i^8\times i}$

$=\frac{1}{i}=\frac{i}{i^2}=-i$

(3) $(1+i)^2=1+2i+i^2=2i$

$\therefore (1+i)^{12}=(2i)^6=2^6i^6=2^6i^2=-64$

(4) $\left(\frac{1}{2}-\frac{\sqrt{3}}{2}i\right)^2=\frac{1}{4}-\frac{\sqrt{3}}{2}i+\frac{3}{4}i^2=-\frac{1}{2}-\frac{\sqrt{3}}{2}i$

$\left(\frac{1}{2}-\frac{\sqrt{3}}{2}i\right)^3=\left(-\frac{1}{2}-\frac{\sqrt{3}}{2}i\right)\left(\frac{1}{2}-\frac{\sqrt{3}}{2}i\right)$

$=-\frac{1}{4}+\frac{\sqrt{3}}{4}i-\frac{\sqrt{3}}{4}i+\frac{3}{4}i^2=-1$

$\therefore \left(\frac{1}{2}-\frac{\sqrt{3}}{2}i\right)^{20}=\left(\frac{1}{2}-\frac{\sqrt{3}}{2}i\right)^{18}\times\left(\frac{1}{2}-\frac{\sqrt{3}}{2}i\right)^2$

$=(-1)^6\times\left(-\frac{1}{2}-\frac{\sqrt{3}}{2}i\right)$

$=-\frac{1}{2}-\frac{\sqrt{3}}{2}i$

답 (1) $-2+i$ (2) $-i$ (3) -64 (4) $-\frac{1}{2}-\frac{\sqrt{3}}{2}i$

참고 (2) $\frac{1}{i}=\frac{i}{i^2}=-i$, $\frac{1}{i^2}=-1$, $\frac{1}{i^3}=\frac{i}{i^4}=i$, $\frac{1}{i^4}=1$, $\cdots$이므로 $\frac{1}{i}+\frac{1}{i^2}+\frac{1}{i^3}+\frac{1}{i^4}=0$이라 해도 된다.

대표 Q3

(1) $x+y=\frac{2\sqrt{3}}{2}=\sqrt{3}$, $xy=\left(\frac{\sqrt{3}}{2}\right)^2-\left(\frac{i}{2}\right)^2=1$

$\therefore x^3+y^3=(x+y)^3-3xy(x+y)$

$=(\sqrt{3})^3-3\times1\times\sqrt{3}=0$

(2) $\alpha\overline{\alpha}+\alpha\overline{\beta}+\overline{\alpha}\beta+\beta\overline{\beta}=\alpha(\overline{\alpha}+\overline{\beta})+\beta(\overline{\alpha}+\overline{\beta})$

$=(\alpha+\beta)(\overline{\alpha}+\overline{\beta})$

그런데 $\alpha+\beta=2+i$, $\overline{\alpha}+\overline{\beta}=\overline{\alpha+\beta}=2-i$

이므로

$(\alpha+\beta)(\overline{\alpha}+\overline{\beta})=(2+i)(2-i)=4+1=5$

답 (1) 0 (2) 5

3-1

$x=\sqrt{3}-\sqrt{-2}=\sqrt{3}-\sqrt{2}i$, $y=\sqrt{3}+\sqrt{-2}=\sqrt{3}+\sqrt{2}i$

이므로

$x+y=2\sqrt{3}$, $xy=(\sqrt{3})^2-(\sqrt{2}i)^2=5$

(1) $x^2+y^2=(x+y)^2-2xy=(2\sqrt{3})^2-2\times5=2$

(2) $x^3+y^3=(x+y)^3-3xy(x+y)$

$=(2\sqrt{3})^3-3\times5\times2\sqrt{3}=-6\sqrt{3}$

답 (1) 2 (2) $-6\sqrt{3}$

3-2

(1) $\overline{\alpha}-\overline{\beta}=\overline{\alpha-\beta}=4-3i$

(2) $\alpha\overline{\alpha}-\alpha\overline{\beta}-\overline{\alpha}\beta+\beta\overline{\beta}=\alpha(\overline{\alpha}-\overline{\beta})-\beta(\overline{\alpha}-\overline{\beta})$

$=(\alpha-\beta)(\overline{\alpha}-\overline{\beta})$

$=(4+3i)(4-3i)$

$=16+9=25$

답 (1) $4-3i$ (2) 25

대표 Q4

$z=(i+1)x^2-ix-2i-4=x^2i+x^2-xi-2i-4$

$=x^2-4+(x^2-x-2)i$ $\cdots$ ㉠

(1) z가 0이 아닌 실수이므로 ㉠에서

$x^2-4\neq0$이고 $x^2-x-2=0$

$x^2-x-2=0$에서 $(x+1)(x-2)=0$

$\therefore x=-1$ 또는 $x=2$

$x^2-4\neq0$이므로 $x=-1$

(2) z^2이 음의 실수이므로 z는 순허수이다.

㉠에서 $x^2-4=0$이고 $x^2-x-2\neq0$

$x^2-4=0$에서 $x=\pm2$

$x^2-x-2\neq0$이므로 $x=-2$

답 (1) -1 (2) -2

4-1

$z=ix^2+(2i+1)x-3(i+1)=x^2i+2xi+x-3i-3$

$=x-3+(x^2+2x-3)i$ $\cdots$ ㉠

(1) z가 순허수이므로 ㉠에서

$x-3=0$이고 $x^2+2x-3\neq0$ $\therefore x=3$

(2) z^2이 양의 실수이므로 z는 실수이다.

㉠에서 $x-3\neq0$이고 $x^2+2x-3=0$

$x^2+2x-3=0$에서 $(x-1)(x+3)=0$

$\therefore x=1$ 또는 $x=-3$

(3) z^2이 음의 실수이므로 z는 순허수이다.

(1)에 의해 $x=3$

답 (1) 3 (2) 1, -3 (3) 3

대표 Q5

(1) $\sqrt{-3}\sqrt{-12}-\sqrt{-3}\sqrt{3}+\dfrac{\sqrt{-16}}{\sqrt{-4}}-\dfrac{\sqrt{16}}{\sqrt{-4}}$

$=\sqrt{3}i\times\sqrt{12}i-\sqrt{3}i\times\sqrt{3}+\dfrac{4i}{2i}-\dfrac{4}{2i}$

$=6i^2-3i+2-\dfrac{2}{i}=-6-3i+2+2i=-4-i$

다른 풀이

$\sqrt{-3}\sqrt{-12}-\sqrt{-3}\sqrt{3}+\dfrac{\sqrt{-16}}{\sqrt{-4}}-\dfrac{\sqrt{16}}{\sqrt{-4}}$

$=-\sqrt{(-3)\times(-12)}-\sqrt{(-3)\times3}+\sqrt{\dfrac{-16}{-4}}$

$+\sqrt{\dfrac{16}{-4}}$

$=-6-3i+2+2i=-4-i$

(2) $\sqrt{a}\sqrt{b}=-\sqrt{ab}$이면 $a<0$, $b<0$이거나 a 또는 b가 0이다.

(i) $1-a<0$, $a-4<0$일 때,

$a>1$이고 $a<4$이므로 정수 a는 2, 3

(ii) $1-a=0$ 또는 $a-4=0$일 때,

$a=1$ 또는 $a=4$

(i), (ii)에서 정수 a는 4개이다.

답 (1) $-4-i$ (2) 4

5-1

(1) $\sqrt{2}\sqrt{-3}=\sqrt{-6}=\sqrt{6}i$, $\sqrt{-2}\sqrt{3}=\sqrt{-6}=\sqrt{6}i$,

$\sqrt{-2}\sqrt{-3}=-\sqrt{(-2)(-3)}=-\sqrt{6}$이므로

(주어진 식)$=\sqrt{6}i+\sqrt{6}i-\sqrt{6}=-\sqrt{6}+2\sqrt{6}i$

다른 풀이

(주어진 식)$=\sqrt{2}\sqrt{3}i+\sqrt{2}i\times\sqrt{3}+\sqrt{2}\sqrt{3}i^2$

$=\sqrt{6}i+\sqrt{6}i-\sqrt{6}=-\sqrt{6}+2\sqrt{6}i$

(2) $\dfrac{\sqrt{-3}}{\sqrt{2}}=\sqrt{-\dfrac{3}{2}}=\sqrt{\dfrac{3}{2}}i$,

$\dfrac{\sqrt{3}}{\sqrt{-2}}=-\sqrt{\dfrac{3}{-2}}=-\sqrt{\dfrac{3}{2}}i$,

$\dfrac{\sqrt{-3}}{\sqrt{-2}}=\sqrt{\dfrac{-3}{-2}}=\sqrt{\dfrac{3}{2}}$이므로

(주어진 식)$=\sqrt{\dfrac{3}{2}}i-\sqrt{\dfrac{3}{2}}i+\sqrt{\dfrac{3}{2}}=\sqrt{\dfrac{3}{2}}=\dfrac{\sqrt{6}}{2}$

다른 풀이

(주어진 식)$=\dfrac{\sqrt{3}i}{\sqrt{2}}+\dfrac{\sqrt{3}}{\sqrt{2}i}+\dfrac{\sqrt{3}i}{\sqrt{2}i}=\dfrac{\sqrt{3}}{\sqrt{2}}i+\dfrac{\sqrt{3}i}{\sqrt{2}i^2}+\dfrac{\sqrt{3}}{\sqrt{2}}$

$=\dfrac{\sqrt{3}}{\sqrt{2}}i-\dfrac{\sqrt{3}}{\sqrt{2}}i+\dfrac{\sqrt{3}}{\sqrt{2}}=\dfrac{\sqrt{3}}{\sqrt{2}}=\dfrac{\sqrt{6}}{2}$

답 (1) $-\sqrt{6}+2\sqrt{6}i$ (2) $\dfrac{\sqrt{6}}{2}$

5-2

$\dfrac{\sqrt{a}}{\sqrt{b}}=-\sqrt{\dfrac{a}{b}}$이면 $a>0$, $b<0$이거나 a가 0이다.

(i) $a+1>0$, $a-4<0$일 때,

$a>-1$이고 $a<4$이므로 정수 a는 0, 1, 2, 3

(ii) $a+1=0$일 때, $a=-1$

(i), (ii)에서 정수 a는 5개이다.

답 5

개념 Check 79쪽

8

$a-3=2$, $b=a$이므로 $a=b=5$

답 $a=5$, $b=5$

대표Q 80쪽~81쪽

대표 Q6

(1) 주어진 식에서

$2x+xi+2y-yi=6+i$

$(2x+2y)+(x-y)i=6+i$

x, y가 실수이므로 $2x+2y=6$, $x-y=1$

두 식을 연립하여 풀면 $x=2$, $y=1$

(2) $z=a+bi$ (a, b는 실수)라 하면 $\overline{z}=a-bi$

주어진 식에 대입하면

$(3+2i)(a+bi)-2i(a-bi)=2+3i$

$3a+3bi+2ai+2bi^2-2ai+2bi^2=2+3i$

$(3a-4b)+3bi=2+3i$

a, b가 실수이므로 $3a-4b=2$, $3b=3$

두 식을 연립하여 풀면 $a=2$, $b=1$

$\therefore z=2+i$

답 (1) $x=2$, $y=1$ (2) $2+i$

6-1

(1) 주어진 식에서

$x-xi+2i-2i^2=5+yi$

$x+2+(-x+2)i=5+yi$

x, y가 실수이므로 $x+2=5$, $-x+2=y$

두 식을 연립하여 풀면 $x=3$, $y=-1$

(2) 주어진 식에서

$$\frac{x(1-i)}{(1+i)(1-i)}+\frac{y(1+i)}{(1-i)(1+i)}=1-2i$$

$$\frac{x-xi}{1+1}+\frac{y+yi}{1+1}=1-2i$$

$$\frac{x+y}{2}+\frac{-x+y}{2}i=1-2i$$

x, y가 실수이므로 $x+y=2$, $-x+y=-4$

두 식을 연립하여 풀면 $x=3$, $y=-1$

답 (1) $x=3$, $y=-1$ (2) $x=3$, $y=-1$

6-2

$z=a+bi$ (a, b는 실수, $b\neq0$)라 하면 $\bar{z}=a-bi$

주어진 식에 대입하면

$(1+i)(a+bi)+i(a-bi)=-2$

$a+bi+ai+bi^2+ai-bi^2=-2$

$a+(2a+b)i=-2$

a, b가 실수이므로 $a=-2$, $2a+b=0$

$b=4$이므로 $z=-2+4i$

답 $-2+4i$

날선 Q7

$z=a+bi$ (a, b는 실수)라 하자.

ㄱ. $\bar{z}=a-bi$이므로

$z\bar{z}=(a+bi)(a-bi)=a^2+b^2$

a, b가 실수이므로 $z\bar{z}=0$이면 $a=b=0$

$\therefore z=0$ (참)

ㄴ. (반례) $z=i$, $\alpha=0$이면 z는 실수가 아니고,

$z\alpha=i\times0=0$은 실수이다.

그런데 $\bar{z}=-i$이므로 $\alpha\neq\bar{z}$이다. (거짓)

ㄷ. $$\frac{z}{1+z}=\frac{a+bi}{1+a+bi}=\frac{(a+bi)(a+1-bi)}{(a+1+bi)(a+1-bi)}$$

$$=\frac{a^2+a-abi+abi+bi+b^2}{(a+1)^2+b^2}$$

$$=\frac{a^2+a+b^2+bi}{(a+1)^2+b^2}$$

따라서 $\frac{z}{1+z}$가 실수이면

$$\frac{b}{(a+1)^2+b^2}=0,\ b=0$$

$z=a$이므로 z는 실수이다. (참)

따라서 옳은 것은 ㄱ, ㄷ이다.

다른 풀이

ㄷ. $\frac{z}{1+z}$가 실수이면 $\frac{z}{1+z}=\overline{\left(\frac{z}{1+z}\right)}$이므로

$\frac{z}{1+z}=\frac{\bar{z}}{1+\bar{z}}$, $z(1+\bar{z})=\bar{z}(1+z)$ $\quad\therefore z=\bar{z}$

따라서 z는 실수이다.

답 ④

7-1

$z=a+bi$ (a, b는 실수)라 하자.

ㄱ. $\bar{z}=a-bi$이므로

$z^2+(\bar{z})^2=(a+bi)^2+(a-bi)^2=2(a^2-b^2)$

$z^2+(\bar{z})^2=0$이면 $a^2-b^2=0$에서 $a=\pm b$

곧, $z=a\pm ai$ 꼴이므로 $z\neq0$일 수 있다. (거짓)

ㄴ. $i(z-\bar{z})=i\{a+bi-(a-bi)\}=i(2bi)=-2b$

따라서 $i(z-\bar{z})$는 실수이다. (거짓)

ㄷ. z가 실수가 아니므로 $b\neq0$

$(z-1)^2=\{(a-1)+bi\}^2$

$=(a-1)^2-b^2+2(a-1)bi$

$(z-1)^2$이 실수이면 $2(a-1)b=0$

$b\neq0$이므로 $a=1$

$z=1+bi$이므로 $z+\bar{z}=2$이다. (참)

따라서 옳은 것은 ㄷ이다.

답 ②

연습과 실전 5 복소수

82쪽 ~ 84쪽

01 ⑤	02 0	03 25	04 1	
05 (1) $-4-i$	(2) $-10+7\sqrt{2}i$		06 $-i$	07 -2
08 ⑤	09 ②	10 1	11 ⑤	12 8
13 $c+d$	14 9	15 ③, ⑤		16 ④

01

$(1-2i)(4+3i)=4+3i-8i+6=10-5i$

$$\frac{4-3i}{3+4i}=\frac{(4-3i)(3-4i)}{(3+4i)(3-4i)}=\frac{12-16i-9i-12}{9+16}$$

$$=\frac{-25i}{25}=-i$$

이므로 주어진 등식의 좌변은 $10-5i-i=10-6i$

a, b가 실수이므로 $a=10$, $b=-6$

$\therefore a-b=16$

답 ⑤

02

$\frac{1-i}{1+i}=\frac{(1-i)^2}{(1+i)(1-i)}=\frac{1-2i-1}{1+1}=-i$

$\frac{1+i}{1-i}=\frac{(1+i)^2}{(1-i)(1+i)}=\frac{1+2i-1}{1+1}=i$

$(-i)^4=i^4=1$이므로 $(-i)^{32}=i^{32}=1$

$\therefore \left(\frac{1-i}{1+i}\right)^{33}+\left(\frac{1+i}{1-i}\right)^{33}=(-i)^{33}+i^{33}$

$=(-i)^{32}\times(-i)+i^{32}\times i$

$=(-i)+i=0$

답 0

03

$\overline{z-5i}=3+i$에서 $z-5i=3-i$이므로 $z=3+4i$

$\therefore z\bar{z}=(3+4i)(3-4i)=9+16=25$

답 25

04

$z=(i+3)x-i+7=(3x+7)+(x-1)i$

z^2이 양의 실수이므로 z는 0이 아닌 실수이다.

$\therefore x=1$

답 1

05

(1) (주어진 식)$=\sqrt{2}i\times2\sqrt{2}i+\sqrt{3}i\times\sqrt{3}+\frac{2\sqrt{2}i}{\sqrt{2}i}\times\frac{2\sqrt{5}}{\sqrt{5}i}$

$=-4+3i+\frac{4}{i}=-4+3i-4i$

$=-4-i$

(2) (주어진 식)$=\left(\frac{\sqrt{2}}{2i}+\sqrt{2}i\times2\sqrt{2}i\right)(2-2\sqrt{2}i)$

$=\left(-\frac{\sqrt{2}}{2}i-4\right)(2-2\sqrt{2}i)$

$=-\sqrt{2}i-2-8+8\sqrt{2}i$

$=-10+7\sqrt{2}i$

답 (1) $-4-i$ (2) $-10+7\sqrt{2}i$

06

$b-a>0,\ a-b<0,\ a<0,\ b<0$이므로

$\frac{\sqrt{b-a}}{\sqrt{a-b}}+\frac{\sqrt{-a}}{\sqrt{a}}+\frac{\sqrt{b}}{\sqrt{-b}}$

$=-\sqrt{\frac{b-a}{a-b}}+\left(-\sqrt{\frac{-a}{a}}\right)+\sqrt{\frac{b}{-b}}$

$=-\sqrt{-1}-\sqrt{-1}+\sqrt{-1}$

$=-i-i+i=-i$

다른 풀이

$\frac{\sqrt{b-a}}{\sqrt{a-b}}+\frac{\sqrt{-a}}{\sqrt{a}}+\frac{\sqrt{b}}{\sqrt{-b}}$

$=\frac{\sqrt{b-a}}{\sqrt{-(a-b)}i}+\frac{\sqrt{-a}}{\sqrt{-a}i}+\frac{\sqrt{-b}i}{\sqrt{-b}}$

$=\frac{1}{i}+\frac{1}{i}+i=-i-i+i=-i$

답 $-i$

07

주어진 등식에서 $(x+y)+(2x-y)i=-1+4i$

x, y가 실수이므로 $x+y=-1$, $2x-y=4$

두 식을 연립하여 풀면 $x=1$, $y=-2$

$\therefore xy=-2$

답 -2

08

$\frac{z}{\bar{z}}=\frac{a+bi}{a-bi}=\frac{(a+bi)^2}{(a-bi)(a+bi)}=\frac{a^2+2abi-b^2}{a^2+b^2}$

$=\frac{a^2-b^2}{a^2+b^2}+\frac{2ab}{a^2+b^2}i$

실수부분이 0이므로 $\frac{a^2-b^2}{a^2+b^2}=0$

$a^2-b^2=0 \quad \therefore (a+b)(a-b)=0$

a, b는 자연수이므로 $a-b=0$

a, b는 5 이하의 자연수이므로

$a=b=1,\ a=b=2,\ \cdots,\ a=b=5$

따라서 z는 5개이다.

답 ⑤

09 전략 α^2, β^2의 값을 먼저 구한다.

$\alpha^2=\left(\frac{1+i}{2i}\right)^2=\frac{1+2i-1}{-4}=-\frac{1}{2}i$이므로

$2\alpha^2+3=2\times\left(-\frac{1}{2}i\right)+3=-i+3$

$\beta^2=\left(\frac{1-i}{2i}\right)^2=\frac{1-2i-1}{-4}=\frac{1}{2}i$이므로

$2\beta^2+3=2\times\frac{1}{2}i+3=i+3$

$\therefore (2\alpha^2+3)(2\beta^2+3)=(-i+3)(i+3)$

$=1+9=10$

답 ②

10 전략 z^2, z^3, $\cdots$을 차례로 구하여 규칙을 찾는다.

$z^2=\left(\frac{\sqrt{2}}{1-i}\right)^2=\frac{2}{1-2i-1}=-\frac{1}{i}=i$이므로

$z^3=z^2z=iz$, $z^4=(z^2)^2=i^2=-1$,
$z^5=z^4z=-z$, $z^6=z^4z^2=-i$,
$z^7=z^4z^3=-iz$, $z^8=(z^4)^2=1$
$\therefore$ (주어진 식)$=1+z+i+iz-1-z-i-iz+1=1$

답 1

11 전략 $\bar{z}=\dfrac{3\bar{\alpha}+5}{\bar{\alpha}+3}$임을 이용하여 $z\bar{z}$를 α, $\bar{\alpha}$로 나타낸다.

$$z\bar{z}=\left(\frac{3\alpha+5}{\alpha+3}\right)\left(\frac{3\bar{\alpha}+5}{\bar{\alpha}+3}\right)=\frac{(3\alpha+5)(3\bar{\alpha}+5)}{(\alpha+3)(\bar{\alpha}+3)}$$
$$=\frac{9\alpha\bar{\alpha}+15\alpha+15\bar{\alpha}+25}{\alpha\bar{\alpha}+3\alpha+3\bar{\alpha}+9}=\frac{15\alpha+15\bar{\alpha}+70}{3\alpha+3\bar{\alpha}+14}$$
$$=\frac{5(3\alpha+3\bar{\alpha}+14)}{3\alpha+3\bar{\alpha}+14}=5$$

답 ⑤

12 전략 $\overline{\alpha+\beta}=\bar{\alpha}+\bar{\beta}$, $\overline{\alpha\beta}=\bar{\alpha}\,\bar{\beta}$임을 이용하여 $\alpha+\beta$, $\alpha\beta$부터 구한다.

$\bar{\alpha}+\bar{\beta}=\overline{\alpha+\beta}=3-2i$이므로 $\alpha+\beta=3+2i$
$\bar{\alpha}\,\bar{\beta}=\overline{\alpha\beta}=5-i$이므로 $\alpha\beta=5+i$
$\therefore (\alpha-\beta)^2=(\alpha+\beta)^2-4\alpha\beta=(3+2i)^2-4(5+i)$
$=5+12i-20-4i=-15+8i$
따라서 허수부분은 8이다.

답 8

13 전략 a, b, c, d가 0이 아니므로 $\sqrt{ab}=-\sqrt{a}\sqrt{b}$에서 $a<0$, $b<0$, $\dfrac{\sqrt{d}}{\sqrt{c}}=-\sqrt{\dfrac{d}{c}}$에서 $c<0$, $d>0$이다.

$\sqrt{ab}=-\sqrt{a}\sqrt{b}$에서 $a<0$, $b<0$,
$\dfrac{\sqrt{d}}{\sqrt{c}}=-\sqrt{\dfrac{d}{c}}$에서 $c<0$, $d>0$
이므로 $c+a<0$, $b-d<0$
$\therefore |a|-\sqrt{b^2}-|c+a|+\sqrt{(b-d)^2}$
$=-a-(-b)-\{-(c+a)\}-(b-d)$
$=c+d$

답 $c+d$

14 전략 $a+bi=c+di$(a, b, c, d는 실수)이면 $a=c$, $b=d$이다.

양변의 실수부분, 허수부분을 비교하면
$x^2-y^2-3x+3y=0$ $\cdots$ ㉠
$4-xy=2$ $\cdots$ ㉡
㉡에서 $xy=2$
㉠에서 $(x+y)(x-y)-3(x-y)=0$
$(x-y)(x+y-3)=0$
$x\neq y$이므로 $x+y=3$
$\therefore x^3+y^3=(x+y)^3-3xy(x+y)$
$=3^3-3\times2\times3=9$

답 9

15 전략 $z=a+bi$(a, b는 실수)를 대입하여 정리한 다음 허수부분이 0인 것을 찾는다.

$z=a+bi$(a, b는 실수)로 놓으면 $\bar{z}=a-bi$
① $z^2=(a+bi)^2=(a^2-b^2)+2abi$
이므로 $ab\neq0$이면 실수가 아니다.
② $z^2-(\bar{z})^2=(z+\bar{z})(z-\bar{z})=2a\times2bi=4abi$
이므로 $ab\neq0$이면 실수가 아니다.
③ $(1+z)(1+\bar{z})=\{(a+1)+bi\}\{(a+1)-bi\}$
$=(a+1)^2+b^2$
이므로 항상 실수이다.
④ $i(z+\bar{z})=i\times2a=2ai$
이므로 $a\neq0$이면 실수가 아니다.
⑤ $\dfrac{1}{z}+\dfrac{1}{\bar{z}}=\dfrac{1}{a+bi}+\dfrac{1}{a-bi}$
$=\dfrac{a-bi}{a^2+b^2}+\dfrac{a+bi}{a^2+b^2}=\dfrac{2a}{a^2+b^2}$
이므로 항상 실수이다.
따라서 항상 실수인 것은 ③, ⑤이다.

답 ③, ⑤

16 전략 $z=a+bi$, $\bar{z}=a-bi$를 $iz=\bar{z}$에 대입하여 a, b의 관계를 찾는다.

$z=a+bi$, $\bar{z}=a-bi$를 $iz=\bar{z}$에 대입하면
$i(a+bi)=a-bi$, $ai-b=a-bi$
$\therefore a=-b$
ㄱ. $z+\bar{z}=a+bi+a-bi=2a=-2b$ (거짓)
ㄴ. $i\bar{z}=i(a-bi)=ai+b$
$=-bi-a=-(a+bi)=-z$ (참)
ㄷ. $\dfrac{\bar{z}}{z}+\dfrac{z}{\bar{z}}=\dfrac{(\bar{z})^2+z^2}{z\bar{z}}=\dfrac{(a-bi)^2+(a+bi)^2}{(a+bi)(a-bi)}$
$=\dfrac{2(a^2-b^2)}{a^2+b^2}$
$a^2-b^2=(-b)^2-b^2=0$이므로 $\dfrac{\bar{z}}{z}+\dfrac{z}{\bar{z}}=0$ (참)
따라서 옳은 것은 ㄴ, ㄷ이다.

답 ④

6 이차방정식

개념 Check

86쪽~87쪽

1

$|x-2|=-2x+1$에서

(i) $x\ge 2$일 때, $x-2=-2x+1$

$\therefore x=1$ (범위에 속하지 않는다.)

(ii) $x<2$일 때, $-(x-2)=-2x+1$

$\therefore x=-1$ (범위에 속한다.)

(i), (ii)에서 $x=-1$

답 $x=-1$

2

(1) $x=\dfrac{-1\pm\sqrt{1^2-4\times1\times(-1)}}{2}=\dfrac{-1\pm\sqrt{5}}{2}$ (실근)

(2) $x=\dfrac{-1\pm\sqrt{1^2-4\times1\times2}}{2}=\dfrac{-1\pm\sqrt{-7}}{2}$

$=\dfrac{-1\pm\sqrt{7}i}{2}$ (허근)

답 (1) $x=\dfrac{-1\pm\sqrt{5}}{2}$, 실근 (2) $x=\dfrac{-1\pm\sqrt{7}i}{2}$, 허근

대표Q

88쪽~91쪽

대표 01

(1) $2x+1=\pm3$

(i) $2x+1=3$일 때, $x=1$

(ii) $2x+1=-3$일 때, $x=-2$

(i), (ii)에서 $x=-2$ 또는 $x=1$

다른 풀이

$|2x+1|=3$에서

(i) $x\ge-\dfrac{1}{2}$일 때, $2x+1=3$

$\therefore x=1$ (범위에 속한다.)

(ii) $x<-\dfrac{1}{2}$일 때, $-(2x+1)=3$

$\therefore x=-2$ (범위에 속한다.)

(i), (ii)에서 $x=-2$ 또는 $x=1$

(2) $|x+1|+2|x-2|=6$에서

(i) $x<-1$일 때, $-(x+1)-2(x-2)=6$

$\therefore x=-1$ (범위에 속하지 않는다.)

(ii) $-1\le x<2$일 때, $(x+1)-2(x-2)=6$

$\therefore x=-1$ (범위에 속한다.)

(iii) $x\ge2$일 때, $(x+1)+2(x-2)=6$

$\therefore x=3$ (범위에 속한다.)

(i), (ii), (iii)에서 $x=-1$ 또는 $x=3$

(3) $x^2-3|x-1|-1=0$에서

(i) $x\ge1$일 때,

$x^2-3(x-1)-1=0$, $x^2-3x+2=0$

$(x-1)(x-2)=0$

$\therefore x=1$ 또는 $x=2$ (둘 다 범위에 속한다.)

(ii) $x<1$일 때,

$x^2+3(x-1)-1=0$, $x^2+3x-4=0$

$(x+4)(x-1)=0$

$\therefore x=-4$ 또는 $x=1$ (-4만 범위에 속한다.)

(i), (ii)에서 $x=-4$ 또는 $x=1$ 또는 $x=2$

답 (1) $x=-2$ 또는 $x=1$ (2) $x=-1$ 또는 $x=3$
(3) $x=-4$ 또는 $x=1$ 또는 $x=2$

1-1

(1) $1-2x=\pm2$

(i) $1-2x=2$일 때, $x=-\dfrac{1}{2}$

(ii) $1-2x=-2$일 때, $x=\dfrac{3}{2}$

(i), (ii)에서 $x=-\dfrac{1}{2}$ 또는 $x=\dfrac{3}{2}$

(2) $2|x+4|=|x+2|-2$에서

(i) $x<-4$일 때, $-2(x+4)=-(x+2)-2$

$\therefore x=-4$ (범위에 속하지 않는다.)

(ii) $-4\le x<-2$일 때, $2(x+4)=-(x+2)-2$

$\therefore x=-4$ (범위에 속한다.)

(iii) $x\ge-2$일 때, $2(x+4)=(x+2)-2$

$\therefore x=-8$ (범위에 속하지 않는다.)

(i), (ii), (iii)에서 $x=-4$

(3) $x^2-2|x|-15=0$에서

(i) $x\ge0$일 때,

$x^2-2x-15=0$, $(x+3)(x-5)=0$

$\therefore x=-3$ 또는 $x=5$ (5만 범위에 속한다.)

(ii) $x<0$일 때,

$x^2+2x-15=0$, $(x+5)(x-3)=0$

$\therefore x=-5$ 또는 $x=3$ (-5만 범위에 속한다.)

(i), (ii)에서 $x=-5$ 또는 $x=5$

답 (1) $x=-\frac{1}{2}$ 또는 $x=\frac{3}{2}$
(2) $x=-4$ (3) $x=-5$ 또는 $x=5$

대표 Q2

(1) $(p^2-2p)x-p=3x+1$에서
$(p^2-2p-3)x=p+1$, $(p+1)(p-3)x=p+1$
(i) $p=-1$일 때, $0\times x=0$이므로 해가 수 전체이다.
(ii) $p=3$일 때, $0\times x=4$이므로 해가 없다.
(iii) $p\neq-1$, $p\neq3$일 때, $x=\frac{1}{p-3}$
(i), (ii), (iii)에서 $p=-1$일 때 해가 수 전체이다.

(2) $x^2+2(a-b)x-4ab=0$의 좌변을 인수분해하면
$(x+2a)(x-2b)=0$
$\therefore x=-2a$ 또는 $x=2b$

다른 풀이
근의 공식에 대입하면
$x=-(a-b)\pm\sqrt{(a-b)^2+4ab}$
$=-(a-b)\pm\sqrt{(a+b)^2}$
$=-(a-b)\pm(a+b)$
$\therefore x=-2a$ 또는 $x=2b$

답 (1) -1 (2) $x=-2a$ 또는 $x=2b$

2-1

$a^2(x+1)=4x-2a$에서
$a^2x+a^2=4x-2a$, $(a^2-4)x=-a^2-2a$
$(a+2)(a-2)x=-a(a+2)$
$a\neq\pm2$이면 $x=-\frac{a}{a-2}$
(1) $a=-2$일 때, $0\times x=0$이므로 해가 수 전체이다.
(2) $a=2$일 때, $0\times x=-8$이므로 해가 없다.

답 (1) -2 (2) 2

2-2

(1) 방정식의 양변에 $\sqrt{2}+1$을 곱하면
$(\sqrt{2}-1)(\sqrt{2}+1)x^2+2\sqrt{2}(\sqrt{2}+1)x$
$+(3+\sqrt{2})(\sqrt{2}+1)=0$
$x^2+2(2+\sqrt{2})x+5+4\sqrt{2}=0$
근의 공식에 대입하면
$x=-(2+\sqrt{2})\pm\sqrt{(2+\sqrt{2})^2-(5+4\sqrt{2})}$
$=-(2+\sqrt{2})\pm1$
$\therefore x=-1-\sqrt{2}$ 또는 $x=-3-\sqrt{2}$

(2) $x^2-bx-a(a-b)=0$에서 합이 $-b$, 곱이 $-a(a-b)$인 두 식은 $-a$, $a-b$이므로
$(x-a)(x+a-b)=0$
$\therefore x=a$ 또는 $x=-a+b$

답 (1) $x=-1-\sqrt{2}$ 또는 $x=-3-\sqrt{2}$
(2) $x=a$ 또는 $x=-a+b$

대표 Q3

(1) α가 해이므로 $px^2+(k+2)x+p^2-2k=0$에 $x=\alpha$를 대입하면
$p\alpha^2+(k+2)\alpha+p^2-2k=0$
k에 대해 정리하면
$(\alpha-2)k+p\alpha^2+p^2+2\alpha=0$
k의 값에 관계없이 항상 성립하므로
$\begin{cases}\alpha-2=0 & \cdots ㉠\\ p\alpha^2+p^2+2\alpha=0 & \cdots ㉡\end{cases}$
㉠에서 $\alpha=2$
㉡에 대입하면 $4p+p^2+4=0$, $(p+2)^2=0$
$\therefore p=-2$

(2) 이차방정식 $f(x)=0$의 두 근을 α, β라 하면
$\alpha+\beta=4$
이차방정식 $f(2x-3)=0$에서
$2x-3=\alpha$, $2x-3=\beta$인 x, 곧
$x=\frac{\alpha+3}{2}$, $x=\frac{\beta+3}{2}$이 $f(2x-3)=0$의 해이다.
따라서 $f(2x-3)=0$의 두 근의 합은
$\frac{\alpha+3}{2}+\frac{\beta+3}{2}=\frac{\alpha+\beta+6}{2}=\frac{4+6}{2}=5$

답 (1) $\alpha=2$, $p=-2$ (2) 5

참고 (2) 두 근이 α, β인 이차방정식은
$a(x-\alpha)(x-\beta)=0$ $(a\neq0)$이므로
$f(x)=a(x-\alpha)(x-\beta)$
로 놓을 수 있다. 이때
$f(2x-3)=a(2x-3-\alpha)(2x-3-\beta)$
이므로 이차방정식 $f(2x-3)=0$의 해는
$x=\frac{\alpha+3}{2}$ 또는 $x=\frac{\beta+3}{2}$

3-1

$(a^2-1)x^2+(a+2)x-3=0$에 $x=-1$을 대입하면
$(a^2-1)-(a+2)-3=0$, $a^2-a-6=0$
$(a+2)(a-3)=0$ $\therefore a=-2$ 또는 $a=3$

(i) $a=-2$일 때, 방정식은 $3x^2-3=0$ $\quad\therefore x=\pm1$

(ii) $a=3$일 때, 방정식은 $8x^2+5x-3=0$

$(x+1)(8x-3)=0$ $\quad\therefore x=-1$ 또는 $x=\frac{3}{8}$

(i), (ii)에서 $a=-2$일 때, 나머지 한 근은 $x=1$

$a=3$일 때, 나머지 한 근은 $x=\frac{3}{8}$

답 $a=-2$일 때 $x=1$, $a=3$일 때 $x=\frac{3}{8}$

3-2

이차방정식 $f(x)=0$의 두 근을 α, β라 하면

$\alpha+\beta=3$, $\alpha\beta=3$

이차방정식 $f\left(\frac{1}{2}x+1\right)=0$에서

$\frac{1}{2}x+1=\alpha$, $\frac{1}{2}x+1=\beta$인 x, 곧

$x=2\alpha-2$, $x=2\beta-2$가 $f\left(\frac{1}{2}x+1\right)=0$의 해이다.

따라서 $f\left(\frac{1}{2}x+1\right)=0$의 두 근의 곱은

$$\begin{aligned}(2\alpha-2)(2\beta-2)&=4\alpha\beta-4(\alpha+\beta)+4\\&=4\times3-4\times3+4=4\end{aligned}$$

답 4

날선 Q4

(1) $\sqrt{2}+1=2.4\times\times\times$이므로

$[1]+[\sqrt{2}+1]+[-1.2]=1+2-2=1$

(2) $2x^2-[x]x-3=0$에서

(i) $1<x<2$일 때, $[x]=1$이므로

$2x^2-x-3=0$, $(x+1)(2x-3)=0$

$\therefore x=-1$ 또는 $x=\frac{3}{2}$ $\left(\frac{3}{2}\text{만 범위에 속한다.}\right)$

(ii) $2\le x<3$일 때, $[x]=2$이므로

$2x^2-2x-3=0$ $\quad\therefore x=\frac{1\pm\sqrt{7}}{2}$

그런데

$\frac{1-\sqrt{7}}{2}<0$, $\frac{1+\sqrt{7}}{2}=\frac{1+2.\times\times\times}{2}<2$

이므로 $2\le x<3$을 만족시키지 않는다.

(i), (ii)에서 $x=\frac{3}{2}$

답 (1) 1 (2) $x=\frac{3}{2}$

4-1

(1) $2x^2=2[x]+1$에서

(i) $0<x<1$일 때, $[x]=0$이므로

$2x^2=1$ $\quad\therefore x=\pm\frac{1}{\sqrt{2}}=\pm\frac{\sqrt{2}}{2}$

$0<\frac{\sqrt{2}}{2}<1$이므로 $x=\frac{\sqrt{2}}{2}$

(ii) $1\le x<2$일 때, $[x]=1$이므로

$2x^2=3$ $\quad\therefore x=\pm\sqrt{\frac{3}{2}}=\pm\frac{\sqrt{6}}{2}$

$1<\frac{\sqrt{6}}{2}<2$이므로 $x=\frac{\sqrt{6}}{2}$

(iii) $2\le x<3$일 때, $[x]=2$이므로

$2x^2=5$ $\quad\therefore x=\pm\sqrt{\frac{5}{2}}=\pm\frac{\sqrt{10}}{2}$

$3<\sqrt{10}<4$이므로 $1<\frac{\sqrt{10}}{2}<2$

따라서 범위에 속하지 않는다.

(i), (ii), (iii)에서

$x=\frac{\sqrt{2}}{2}$ 또는 $x=\frac{\sqrt{6}}{2}$

(2) $0<x<2$이므로 $0<x^2<4$

$[x^2]+1=2x$에서

(i) $0<x<1$일 때,

$0<x^2<1$, 곧 $[x^2]=0$이므로

$0+1=2x$ $\quad\therefore x=\frac{1}{2}$

(ii) $1\le x<\sqrt{2}$일 때,

$1\le x^2<2$, 곧 $[x^2]=1$이므로

$1+1=2x$ $\quad\therefore x=1$

(iii) $\sqrt{2}\le x<\sqrt{3}$일 때,

$2\le x^2<3$, 곧 $[x^2]=2$이므로

$2+1=2x$ $\quad\therefore x=\frac{3}{2}$

(iv) $\sqrt{3}\le x<2$일 때,

$3\le x^2<4$, 곧 $[x^2]=3$이므로

$3+1=2x$ $\quad\therefore x=2$ (범위에 속하지 않는다.)

(i)~(iv)에서

$x=\frac{1}{2}$ 또는 $x=1$ 또는 $x=\frac{3}{2}$

답 (1) $x=\frac{\sqrt{2}}{2}$ 또는 $x=\frac{\sqrt{6}}{2}$

(2) $x=\frac{1}{2}$ 또는 $x=1$ 또는 $x=\frac{3}{2}$

개념 Check
92쪽

3

(1) $D=4^2-4\times1\times2=8>0$이므로 서로 다른 두 실근
(2) $D=(-5)^2-4\times2\times4=-7<0$이므로 서로 다른 두 허근
(3) $D=12^2-4\times4\times9=0$이므로 중근

답 (1) 서로 다른 두 실근 (2) 서로 다른 두 허근 (3) 중근

대표Q
93쪽~94쪽

대표 Q5

이차방정식이므로 $m\neq0$

또 $\frac{D}{4}=(m+1)^2-m(m+3)=-m+1$

(1) $\frac{D}{4}>0$에서 $-m+1>0$ $\therefore m<1$

$m\neq0$이므로 $m<0$ 또는 $0<m<1$

(2) $\frac{D}{4}=0$에서 $-m+1=0$ $\therefore m=1$

(3) $\frac{D}{4}<0$에서 $-m+1<0$ $\therefore m>1$

답 (1) $m<0$ 또는 $0<m<1$ (2) $m=1$ (3) $m>1$

참고 (2) $m=1$일 때 방정식은
$x^2+4x+4=0$, $(x+2)^2=0$
이고 중근은 $x=-2$이다.

5-1

$\frac{D}{4}=(m-1)^2-(m^2-3)=-2m+4$

(1) $\frac{D}{4}=0$에서 $-2m+4=0$ $\therefore m=2$

(2) $\frac{D}{4}<0$에서 $-2m+4<0$ $\therefore m>2$

답 (1) $m=2$ (2) $m>2$

5-2

주어진 이차방정식을 정리하면
$(k-2)x^2+2kx+k-2=0$
이차방정식이므로 $k\neq2$
또 실근을 가지므로 $\frac{D}{4}=k^2-(k-2)^2\geq0$
$4k-4\geq0$ $\therefore k\geq1$
$k\neq2$이므로 $1\leq k<2$ 또는 $k>2$

답 $1\leq k<2$ 또는 $k>2$

대표 Q6

(1) 중근을 가지므로
$\frac{D}{4}=\{-(k-a)\}^2-(k^2+a^2-b+1)=0$
$-2ak+b-1=0$
k의 값에 관계없이 항상 성립하므로
$-2a=0$이고 $b-1=0$
$\therefore a=0,\ b=1$

(2) 완전제곱식이므로
$D=(2k-1)^2-4(2k^2-k-1)=0$
$-4k^2+5=0$, $k^2=\frac{5}{4}$
$\therefore k=\pm\frac{\sqrt{5}}{2}$

답 (1) $a=0,\ b=1$ (2) $\pm\frac{\sqrt{5}}{2}$

6-1

이차식이므로 $k-1\neq0$, 곧 $k\neq1$
또 완전제곱식이므로
$\frac{D}{4}=4(k-1)^2-(k-1)(2k+1)=0$
$(k-1)\{4(k-1)-(2k+1)\}=0$
$(k-1)(2k-5)=0$
$\therefore k=1$ 또는 $k=\frac{5}{2}$

그런데 $k\neq1$이므로 $k=\frac{5}{2}$

답 $\frac{5}{2}$

6-2

중근을 가지므로
$D=(-a)^2-4\{a(k+2)+kb\}=0$
$-4(a+b)k+a^2-8a=0$
k의 값에 관계없이 항상 성립하므로
$a+b=0$이고 $a^2-8a=0$
$a^2-8a=0$에서 $a(a-8)=0$
$\therefore a=0$ 또는 $a=8$
따라서 $a=0$일 때 $b=0$, $a=8$일 때 $b=-8$

답 $a=0$일 때 $b=0$, $a=8$일 때 $b=-8$

6-3

이차방정식을 정리하면

$(a+b)x^2+2cx+a-b=0$

중근을 가지므로

$\frac{D}{4}=c^2-(a+b)(a-b)=0$

$c^2-(a^2-b^2)=0 \quad \therefore b^2+c^2=a^2$

따라서 빗변의 길이가 a인 직각삼각형이다.

답 빗변의 길이가 a인 직각삼각형

연습과 실전 6 이차방정식 95쪽~98쪽

01 $x=-1$ 또는 $x=4$　02 ②

03 (1) $x=0$ 또는 $x=1$

(2) $x=1-\sqrt{3}$ 또는 $x=2+\sqrt{2}$

04 $2\le x<3$　05 (1) -2 (2) 48　06 ①

07 (1) $a<-\frac{3}{4}$ (2) $a=-\frac{3}{4}$ (3) $a>-\frac{3}{4}$　08 ⑤

09 서로 다른 두 실근　10 $k=-1$, $x=1$

11 (1) $x=-\frac{a-b}{a+b}$ 또는 $x=-1$

(2) $x=2$ 또는 $x=2+2\sqrt{3}$

12 ②　13 $\frac{9}{2}\le x<\frac{11}{2}$　14 19

15 가로의 길이 : 9, 세로의 길이 : 3　16 ①

17 9　18 $a=b=c$　19 ②　20 -1, 2

01

$x=2$를 $x^2-(a-1)x+4a=0$에 대입하면

$4-2(a-1)+4a=0$, $2a+6=0$

$\therefore a=-3$

$a=-3$을 $x^2+ax-a^2+5=0$에 대입하면

$x^2-3x-4=0$, $(x+1)(x-4)=0$

$\therefore x=-1$ 또는 $x=4$

답 $x=-1$ 또는 $x=4$

02

x항을 좌변으로, 상수항을 우변으로 이항하여 정리하면

$(a^2-5a+6)x=a-2$

$(a-2)(a-3)x=a-2$

(i) $a=2$일 때, $0\times x=0$이므로 해가 무수히 많다.

$\therefore p=2$

(ii) $a=3$일 때, $0\times x=1$이므로 해가 없다. $\therefore q=3$

(iii) $a\ne2$, $a\ne3$일 때, $x=\frac{1}{a-3}$

(i), (ii), (iii)에서 $p+q=5$

답 ②

03

(1) $|x-2|=|2-3x|$에서

(i) $x<\frac{2}{3}$일 때,

$-x+2=2-3x$

$\therefore x=0$ (범위에 속한다.)

(ii) $\frac{2}{3}\le x<2$일 때,

$-x+2=-2+3x$

$\therefore x=1$ (범위에 속한다.)

(iii) $x\ge2$일 때,

$x-2=-2+3x$

$\therefore x=0$ (범위에 속하지 않는다.)

(i), (ii), (iii)에서 $x=0$ 또는 $x=1$

(2) $x^2-3x=|x-2|$에서

(i) $x\ge2$일 때,

$x^2-3x=x-2$, $x^2-4x+2=0$

$\therefore x=2\pm\sqrt{2}$ ($2+\sqrt{2}$만 범위에 속한다.)

(ii) $x<2$일 때,

$x^2-3x=-x+2$, $x^2-2x-2=0$

$\therefore x=1\pm\sqrt{3}$ ($1-\sqrt{3}$만 범위에 속한다.)

(i), (ii)에서 $x=1-\sqrt{3}$ 또는 $x=2+\sqrt{2}$

답 (1) $x=0$ 또는 $x=1$

(2) $x=1-\sqrt{3}$ 또는 $x=2+\sqrt{2}$

04

$3[x]^2-5[x]-2=0$에서

$(3[x]+1)([x]-2)=0$

$\therefore [x]=-\frac{1}{3}$ 또는 $[x]=2$

$[x]$의 값은 정수이므로 $[x]=2$

$\therefore 2\le x<3$

답 $2\le x<3$

05

(1) α가 해이므로 $\alpha^2+2\alpha+3=0$

$\alpha\ne0$이므로 양변을 α로 나누면

$\alpha+2+\frac{3}{\alpha}=0 \quad \therefore \alpha+\frac{3}{\alpha}=-2$

(2) α, β가 해이므로

$\alpha^2+2\alpha+3=0$, $\beta^2+2\beta+3=0$

$\therefore \alpha^2+2\alpha=-3$, $\beta^2+2\beta=-3$

$\therefore (\alpha^2+2\alpha-3)(\beta^2+2\beta-5)$

$=(-3-3)\times(-3-5)=48$

답 (1) -2 (2) 48

06

이차방정식 $f(x)=0$의 두 근을 α, β라 하면

$\alpha+\beta=-7$

이차방정식 $f(3x+1)=0$에서

$3x+1=\alpha$, $3x+1=\beta$인 x, 곧

$x=\frac{\alpha-1}{3}$, $x=\frac{\beta-1}{3}$이 $f(3x+1)=0$의 해이다.

따라서 $f(3x+1)=0$의 두 근의 합은

$\frac{\alpha-1}{3}+\frac{\beta-1}{3}=\frac{\alpha+\beta-2}{3}=\frac{-7-2}{3}=-3$

답 ①

07

$D=(2a-1)^2-4(a^2+1)=-4a-3$

(1) $D=-4a-3>0 \quad \therefore a<-\frac{3}{4}$

(2) $D=-4a-3=0 \quad \therefore a=-\frac{3}{4}$

(3) $D=-4a-3<0 \quad \therefore a>-\frac{3}{4}$

답 (1) $a<-\frac{3}{4}$ (2) $a=-\frac{3}{4}$ (3) $a>-\frac{3}{4}$

08

해가 실수이므로

$\frac{D}{4}=(-4)^2-(2k+3)=13-2k\ge0 \quad \therefore k\le\frac{13}{2}$

따라서 k의 값이 될 수 없는 것은 13이다.

답 ⑤

09

$x^2+4x+2k=0$의 판별식을 D라 하면 해가 허수이므로

$\frac{D}{4}=2^2-2k<0 \quad \therefore k>2$

$x^2+2kx+4=0$의 판별식을 D'이라 하면

$\frac{D'}{4}=k^2-4$

$k>2$이므로 $\frac{D'}{4}>0$

따라서 $x^2+2kx+4=0$의 해는 서로 다른 두 실근이다.

답 서로 다른 두 실근

10

중근을 가지므로

$D=\{-(k+3)\}^2-4(k+2)=0$

$k^2+2k+1=0$, $(k+1)^2=0$

$\therefore k=-1$

$k=-1$을 방정식에 대입하면

$x^2-2x+1=0$, $(x-1)^2=0$

따라서 중근은 $x=1$이다.

답 $k=-1$, $x=1$

11 전략 인수분해하거나 근의 공식을 이용한다.

(1)

$a+b$	↘↗	$a-b$	→	$a-b$
1		1	→	$a+b$ (+
				$2a$

$\{(a+b)x+(a-b)\}(x+1)=0$

$a+b\ne0$이므로 $x=-\frac{a-b}{a+b}$ 또는 $x=-1$

(2) $(2-\sqrt{3})x^2-2x+4\sqrt{3}-4=0$의 양변에 $2+\sqrt{3}$을 곱하여 정리하면

$x^2-2(2+\sqrt{3})x+4+4\sqrt{3}=0$

$x=(2+\sqrt{3})\pm\sqrt{\{-(2+\sqrt{3})\}^2-(4+4\sqrt{3})}$

$=(2+\sqrt{3})\pm\sqrt{3}$

$\therefore x=2$ 또는 $x=2+2\sqrt{3}$

답 (1) $x=-\frac{a-b}{a+b}$ 또는 $x=-1$

(2) $x=2$ 또는 $x=2+2\sqrt{3}$

12 전략 x, k가 실수이므로

( )+( )$i=0$ 꼴로 정리한다.

$x^2+(3+i)x-k-2i=0$에서

$(x^2+3x-k)+(x-2)i=0$

x, k가 실수이므로

$\begin{cases} x^2+3x-k=0 & \cdots ㉠ \\ x-2=0 & \cdots ㉡ \end{cases}$

㉡에서 $x=2$

㉠에 대입하면 $k=2^2+3\times2=10$

$\therefore x+k=12$

답 ②

13 전략 $n\le x<n+\frac{1}{2}$, $n+\frac{1}{2}\le x<n+1$ (n은 정수) 일 때로 나누어 생각한다.

(i) $n\le x<n+\frac{1}{2}$ (n은 정수)일 때,

$n+1\le x+1<n+\frac{3}{2}$이므로 $[x+1]=n+1$

$2n-1\le 2x-1<2n$이므로 $[2x-1]=2n-1$

곧, $n+1=2n-1-3$이므로 $n=5$

$\therefore 5\le x<\frac{11}{2}$

(ii) $n+\frac{1}{2}\le x<n+1$ (n은 정수)일 때,

$n+\frac{3}{2}\le x+1<n+2$이므로 $[x+1]=n+1$

$2n\le 2x-1<2n+1$이므로 $[2x-1]=2n$

곧, $n+1=2n-3$이므로 $n=4$

$\therefore \frac{9}{2}\le x<5$

(i), (ii)에서 $\frac{9}{2}\le x<\frac{11}{2}$

답 $\frac{9}{2}\le x<\frac{11}{2}$

14 전략 t초 후 직사각형의 넓이를 식으로 나타낸다.

t초 후 직사각형의 넓이는 $(60-2t)(33+3t)$ cm^2이므로

$(60-2t)(33+3t)=60\times33$

$6t^2-114t=0$, $t(t-19)=0$

$t>0$이므로 $t=19$

답 19

15 전략 직사각형의 한 변의 길이를 x로 놓고, 피타고라스 정리를 이용한다.

직사각형의 둘레의 길이가 24이므로 직사각형의 가로, 세로 길이의 합은 12이다.

가로의 길이를 x라 하면 세로의 길이는 $12-x$이므로

$x^2+(12-x)^2=(3\sqrt{10})^2$

$x^2-12x+27=0$, $(x-3)(x-9)=0$

$\therefore x=3$ 또는 $x=9$

가로의 길이가 세로의 길이보다 길므로 가로의 길이는 9, 세로의 길이는 3이다.

답 가로의 길이 : 9, 세로의 길이 : 3

16 전략 m의 값에 관계없이 성립하므로 D를 m에 대해 정리한다.

중근을 가지므로

$\frac{D}{4}=\{-(a-m)\}^2-(m^2+a^2+3b-6)=0$에서

$-2am-3b+6=0$

m의 값에 관계없이 항상 성립하므로

$-2a=0$이고 $-3b+6=0$

$\therefore a=0$, $b=2$

$\therefore a+b=2$

답 ①

17 전략 $D=a^2-4b<0$에서 a 또는 b에 1, 2, 3, 4를 차례로 대입한다.

허근을 가지므로 $D=a^2-4b<0$

a, b가 4 이하의 자연수이므로

$b=1$이면 $a^2-4<0$ $\quad\therefore a=1$

$b=2$이면 $a^2-8<0$ $\quad\therefore a=1, 2$

$b=3$이면 $a^2-12<0$ $\quad\therefore a=1, 2, 3$

$b=4$이면 $a^2-16<0$ $\quad\therefore a=1, 2, 3$

따라서 순서쌍 (a, b)의 개수는 9이다.

답 9

18 전략 완전제곱식이면 $D=0$임을 이용한다.

완전제곱식이므로

$\frac{D}{4}=(a+b+c)^2-3(ab+bc+ca)$

$=a^2+b^2+c^2-ab-bc-ca$

$=\frac{1}{2}\{(a-b)^2+(b-c)^2+(c-a)^2\}=0$

a, b, c가 실수이므로

$a-b=0,\ b-c=0,\ c-a=0$

$\therefore a=b=c$

답 $a=b=c$

19 전략 서로 다른 두 실근을 가지면 $D>0$임을 이용한다.

서로 다른 두 실근을 가지므로

$\frac{D}{4}=c^2-(a+b)(a-b)>0$

$c^2-(a^2-b^2)>0$

$\therefore c^2+b^2>a^2$

a가 가장 긴 변의 길이이므로 세 변의 길이가 $a,\ b,\ c$인 삼각형은 예각삼각형이다.

답 ②

20 전략 $\alpha^2-p\alpha+p+2=0$임을 이용하여 α^3을 α에 대한 일차식으로 나타내고 α가 허수임을 이용한다.

α가 방정식 $x^2-px+p+2=0$의 근이므로

$\alpha^2-p\alpha+p+2=0 \qquad \therefore \alpha^2=p\alpha-p-2$

$\therefore \alpha^3=\alpha^2\alpha=(p\alpha-p-2)\alpha=p\alpha^2-(p+2)\alpha$

$=p(p\alpha-p-2)-(p+2)\alpha$

α가 허수, p가 실수이므로 우변을 α에 대해 정리하면

$\alpha^3=(p^2-p-2)\alpha-p(p+2)$

α^3이 실수이므로 $p^2-p-2=0$

$(p+1)(p-2)=0 \qquad \therefore p=-1$ 또는 $p=2$

이 값을 방정식

$x^2-px+p+2=0$

에 대입하면 허근을 가지므로 성립한다.

답 $-1,\ 2$

근과 계수의 관계

100쪽 ~ 102쪽

1

(1) (합)$=-\frac{-3}{3}=1$, (곱)$=\frac{-1}{3}=-\frac{1}{3}$

(2) (합)$=-\frac{0}{2}=0$, (곱)$=\frac{-5}{2}=-\frac{5}{2}$

답 (1) 합 : 1, 곱 : $-\frac{1}{3}$ (2) 합 : 0, 곱 : $-\frac{5}{2}$

2

$3+(-2)=-\frac{3}{a} \qquad \therefore a=-3$

$3\times(-2)=\frac{b}{a},\ -6=\frac{b}{-3} \qquad \therefore b=18$

답 $a=-3,\ b=18$

3

(1) (합)$=2+(-3)=-1$,

(곱)$=2\times(-3)=-6$이므로

$x^2+x-6=0$

(2) (합)$=(1+\sqrt{2})+(1-\sqrt{2})=2$,

(곱)$=(1+\sqrt{2})(1-\sqrt{2})=1-2=-1$이므로

$x^2-2x-1=0$

답 (1) $x^2+x-6=0$ (2) $x^2-2x-1=0$

4

답 $x^2-3x+3=0$

5

답 (1) $-1+i$ (2) $-2\sqrt{2}-3$

대표Q

103쪽 ~ 107쪽

대표 01

근과 계수의 관계에서 $\alpha+\beta=-\frac{-2}{2}=1,\ \alpha\beta=\frac{3}{2}$

(1) $\alpha^2+\beta^2=(\alpha+\beta)^2-2\alpha\beta$

$=1^2-2\times\frac{3}{2}=-2$

(2) $\alpha^3+\beta^3=(\alpha+\beta)^3-3\alpha\beta(\alpha+\beta)$

$=1^3-3\times\frac{3}{2}\times1=-\frac{7}{2}$

(3) $(2\alpha-1)(2\beta-1)=4\alpha\beta-2(\alpha+\beta)+1$

$=4\times\frac{3}{2}-2\times1+1=5$

(4) $(\alpha-\beta)^2=(\alpha+\beta)^2-4\alpha\beta$

$=1^2-4\times\frac{3}{2}=-5$

(5) $\frac{1}{\alpha}+\frac{1}{\beta}=\frac{\beta}{\alpha\beta}+\frac{\alpha}{\alpha\beta}=\frac{\alpha+\beta}{\alpha\beta}=\frac{1}{\frac{3}{2}}=\frac{2}{3}$

(6) $\frac{\beta^2}{\alpha}+\frac{\alpha^2}{\beta}=\frac{\beta^3}{\alpha\beta}+\frac{\alpha^3}{\alpha\beta}=\frac{\alpha^3+\beta^3}{\alpha\beta}=\frac{-\frac{7}{2}}{\frac{3}{2}}=-\frac{7}{3}$

답 (1) -2 (2) $-\frac{7}{2}$ (3) 5 (4) -5 (5) $\frac{2}{3}$ (6) $-\frac{7}{3}$

1-1

근과 계수의 관계에서 $\alpha+\beta=-2$, $\alpha\beta=-2$

(1) $\alpha^3+\beta^3=(\alpha+\beta)^3-3\alpha\beta(\alpha+\beta)$

$=(-2)^3-3\times(-2)\times(-2)=-20$

(2) $\alpha^2+\beta^2=(\alpha+\beta)^2-2\alpha\beta$

$=(-2)^2-2\times(-2)=8$

이므로

$\alpha^4+\beta^4=(\alpha^2+\beta^2)^2-2\alpha^2\beta^2$

$=8^2-2\times(-2)^2=56$

(3) $(3\alpha-\beta)(3\beta-\alpha)=9\alpha\beta-3\alpha^2-3\beta^2+\alpha\beta$

$=10\alpha\beta-3(\alpha^2+\beta^2)$

$=10\times(-2)-3\times8=-44$

(4) $\frac{\beta}{\alpha}+\frac{\alpha}{\beta}=\frac{\beta^2}{\alpha\beta}+\frac{\alpha^2}{\alpha\beta}=\frac{\alpha^2+\beta^2}{\alpha\beta}=\frac{8}{-2}=-4$

답 (1) -20 (2) 56 (3) -44 (4) -4

대표 02

(1) 나머지 한 근은 $3-2i$이므로

$(3+2i)+(3-2i)=-a$ $\quad\therefore a=-6$

$(3+2i)(3-2i)=b$ $\quad\therefore b=3^2-4i^2=13$

(2) 나머지 한 근은 $3-2\sqrt{2}$이므로

$(3+2\sqrt{2})+(3-2\sqrt{2})=-a$ $\quad\therefore a=-6$

$(3+2\sqrt{2})(3-2\sqrt{2})=b$ $\quad\therefore b=3^2-(2\sqrt{2})^2=1$

답 (1) $a=-6$, $b=13$ (2) $a=-6$, $b=1$

2-1

(1) 나머지 한 근은 $2+5i$이므로

$(2-5i)+(2+5i)=-a$ $\quad\therefore a=-4$

$(2-5i)(2+5i)=b$ $\quad\therefore b=2^2-25i^2=29$

(2) 나머지 한 근은 $-3-\sqrt{3}$이므로

$(-3+\sqrt{3})+(-3-\sqrt{3})=-a$ $\quad\therefore a=6$

$(-3+\sqrt{3})(-3-\sqrt{3})=b$

$\therefore b=(-3)^2-(\sqrt{3})^2=6$

답 (1) $a=-4$, $b=29$ (2) $a=6$, $b=6$

대표 03

(1) 두 근을 α, $\alpha-2$로 놓으면

$\alpha+(\alpha-2)=-m$ $\quad\cdots$ ㉠

$\alpha(\alpha-2)=3$ $\quad\cdots$ ㉡

㉡에서 $(\alpha+1)(\alpha-3)=0$

$\therefore \alpha=-1$ 또는 $\alpha=3$

㉠에 대입하면 $m=\pm4$

(2) 두 근을 2α, $3\alpha\ (\alpha\neq0)$로 놓으면

$2\alpha+3\alpha=-(p-1)$ $\quad\cdots$ ㉠

$2\alpha\times3\alpha=p$ $\quad\cdots$ ㉡

㉡에서 $p=6\alpha^2$을 ㉠에 대입하면

$5\alpha=-6\alpha^2+1$, $6\alpha^2+5\alpha-1=0$

$(\alpha+1)(6\alpha-1)=0$ $\quad\therefore \alpha=-1$ 또는 $\alpha=\frac{1}{6}$

㉡에 대입하면 $p=6$ 또는 $p=\frac{1}{6}$

(3) 두 근의 곱이 음수이므로 두 근을 α, $-4\alpha\ (\alpha\neq0)$로 놓으면

$\alpha+(-4\alpha)=-(2k-1)$ $\quad\cdots$ ㉠

$\alpha\times(-4\alpha)=-64$ $\quad\cdots$ ㉡

㉡에서 $-4\alpha^2=-64$, $\alpha^2=16$ $\quad\therefore \alpha=\pm4$

㉠에 대입하면

$k=\frac{13}{2}$ 또는 $k=-\frac{11}{2}$

답 (1) ±4 (2) 6, $\frac{1}{6}$ (3) $\frac{13}{2}$, $-\frac{11}{2}$

3-1

(1) 두 근을 α, $\alpha-3$으로 놓으면

$\alpha+(\alpha-3)=5$ $\quad\cdots$ ㉠

$\alpha(\alpha-3)=-m$ $\quad\cdots$ ㉡

㉠에서 $\alpha=4$

㉡에 대입하면 $m=-4$

(2) 두 근을 α, $2\alpha\ (\alpha\neq0)$로 놓으면

$\alpha+2\alpha=p$ $\quad\cdots$ ㉠

$\alpha\times2\alpha=-p+2$ $\quad\cdots$ ㉡

㉠에서 $p=3\alpha$를 ㉡에 대입하면
$2\alpha^2=-3\alpha+2$, $2\alpha^2+3\alpha-2=0$
$(\alpha+2)(2\alpha-1)=0$ $\quad\therefore \alpha=-2$ 또는 $\alpha=\frac{1}{2}$
㉠에 대입하면 $p=-6$ 또는 $p=\frac{3}{2}$

(3) 두 근의 곱이 양수이므로 두 근을 α, $3\alpha\ (\alpha\neq0)$로 놓으면
$\alpha+3\alpha=-k$ $\quad\cdots$ ㉠
$\alpha\times3\alpha=12$ $\quad\cdots$ ㉡
㉡에서 $3\alpha^2=12$, $\alpha^2=4$ $\quad\therefore \alpha=\pm2$
㉠에 대입하면 $k=-8$ 또는 $k=8$

답 (1) -4 (2) -6, $\frac{3}{2}$ (3) ±8

대표 Q4

(1) $x^2-3x+1=0$의 두 근이 α, β이므로
$\alpha+\beta=3$, $\alpha\beta=1$
따라서
$(2\alpha+1)+(2\beta+1)=2(\alpha+\beta)+2$
$=2\times3+2=8$
$(2\alpha+1)(2\beta+1)=4\alpha\beta+2(\alpha+\beta)+1$
$=4\times1+2\times3+1=11$
구하는 이차방정식은 $x^2-8x+11=0$

(2) $x^2-ax+b=0$의 두 근이 α, β이므로
$\alpha+\beta=a$, $\alpha\beta=b$ $\quad\cdots$ ㉠
또 $x^2-(2a+1)x+2=0$의 두 근이 $\alpha+\beta$, $\alpha\beta$이므로
$(\alpha+\beta)+\alpha\beta=2a+1$, $(\alpha+\beta)\alpha\beta=2$
㉠을 대입하면
$a+b=2a+1$, $ab=2$
$a+b=2a+1$에서 $b=a+1$을 $ab=2$에 대입하면
$a(a+1)=2$, $a^2+a-2=0$
$(a-1)(a+2)=0$
a는 양수이므로 $a=1$, $b=a+1=2$

답 (1) $x^2-8x+11=0$ (2) $a=1$, $b=2$

4-1

계수가 실수이므로 나머지 한 근은 $-3+2i$이다.
따라서 두 근의 합과 곱은
$(-3-2i)+(-3+2i)=-6$
$(-3-2i)(-3+2i)=(-3)^2-4i^2=13$
구하는 이차방정식은 $x^2+6x+13=0$

답 $x^2+6x+13=0$

참고 $\{x-(-3-2i)\}\{x-(-3+2i)\}=0$
을 전개해도 된다.

4-2

$x^2-2x+3=0$의 두 근이 α, β이므로
$\alpha+\beta=2$, $\alpha\beta=3$
$\alpha+\beta$, $\alpha\beta$의 합과 곱은
$(\alpha+\beta)+\alpha\beta=2+3=5$
$(\alpha+\beta)\alpha\beta=2\times3=6$
구하는 이차방정식은 $x^2-5x+6=0$

답 $x^2-5x+6=0$

참고 $(x-2)(x-3)=0$이라 해도 된다.

4-3

$x^2-ax+b=0$의 두 근이 α, β이므로
$\alpha+\beta=a$, $\alpha\beta=b$ $\quad\cdots$ ㉠
또 $x^2+bx+a=0$의 두 근이 $\alpha-1$, $\beta-1$이므로
$(\alpha-1)+(\beta-1)=-b$, $(\alpha-1)(\beta-1)=a$
$\therefore (\alpha+\beta)-2=-b$, $\alpha\beta-(\alpha+\beta)+1=a$
㉠을 대입하면 $a-2=-b$, $b-a+1=a$
$\therefore a+b=2$, $2a-b=1$
두 식을 연립하여 풀면 $a=1$, $b=1$

답 $a=1$, $b=1$

날선 05

(1) $x^2-6x+10=0$이라 하면 방정식의 해는
$x=3\pm i$
$\therefore x^2-6x+10=\{x-(3+i)\}\{x-(3-i)\}$
$=(x-3-i)(x-3+i)$

(2) $x^2-4xy+ky^2+2x-8y-3=A$
라 하고 x에 대해 정리하면
$A=x^2-2(2y-1)x+ky^2-8y-3$ $\quad\cdots$ ㉠
A는 x에 대한 이차식이므로 이차방정식 $A=0$의 해를 α, β라 하면
$A=(x-\alpha)(x-\beta)$
따라서 A를 x, y에 대한 두 일차식의 곱으로 나타낼 수 있으면 이차방정식 $A=0$의 해 α, β가 y에 대한 일차식이다.
α, β는 근의 공식에서
$x=2y-1\pm\sqrt{\{-(2y-1)\}^2-(ky^2-8y-3)}$
$=2y-1\pm\sqrt{(4-k)y^2+4y+4}$

이때 근호 안의 식

$(4-k)y^2+4y+4$ $\cdots$ ㉡

가 완전제곱식이므로

$\dfrac{D}{4}=2^2-(4-k)\times4=0$ $\cdots$ ㉢

$\therefore k=3$

답 (1) $(x-3-i)(x-3+i)$ (2) 3

참고 (2) ㉡은 ㉠의 판별식,

㉢은 ㉡의 판별식, 곧 ㉠의 판별식의 판별식이다.

5-1

(1) $x^2+9=0$이라 하면 해는 $x=\pm3i$

$\therefore x^2+9=(x-3i)(x+3i)$

(2) $x^2-2x+4=0$이라 하면 해는

$x=1\pm\sqrt{3}i$

$\therefore x^2-2x+4=\{x-(1+\sqrt{3}i)\}\{x-(1-\sqrt{3}i)\}$

$=(x-1-\sqrt{3}i)(x-1+\sqrt{3}i)$

답 (1) $(x-3i)(x+3i)$

(2) $(x-1-\sqrt{3}i)(x-1+\sqrt{3}i)$

5-2

$x^2-2xy+ky^2-2x+14y-8=A$

라 하고 x에 대해 정리하면

$A=x^2-2(y+1)x+ky^2+14y-8$

x에 대한 이차방정식 $A=0$의 판별식을 D라 하면

$\dfrac{D}{4}=\{-(y+1)\}^2-(ky^2+14y-8)$

$=(1-k)y^2-12y+9$

주어진 식을 두 일차식의 곱으로 나타낼 수 있으면 $\dfrac{D}{4}$가 완전제곱식이다.

따라서 $(1-k)y^2-12y+9=0$의 판별식을 D'이라 하면

$\dfrac{D'}{4}=(-6)^2-9(1-k)=0$ $\therefore k=-3$

이때 방정식 $A=0$, 곧

$x^2-2(y+1)x-3y^2+14y-8=0$의 해는

$x=(y+1)\pm\sqrt{\{-(y+1)\}^2-(-3y^2+14y-8)}$

$=(y+1)\pm\sqrt{(2y-3)^2}$

$=(y+1)\pm(2y-3)$

$\therefore x=3y-2$ 또는 $x=-y+4$

A를 인수분해하면

$A=\{x-(3y-2)\}\{x-(-y+4)\}$

$=(x-3y+2)(x+y-4)$

답 $k=-3$, $(x-3y+2)(x+y-4)$

7 근과 계수의 관계

108쪽~110쪽

01 $-\dfrac{13}{18}$ 02 $a=1$, $b=-10$ 03 15

04 4 05 (1) $x^2-x-\dfrac{5}{2}=0$ (2) $x^2-10x+\dfrac{1}{4}=0$ (3) $x^2+20x+1=0$

06 ④ 07 24 08 $a=-\dfrac{7}{2}$, $b=-\dfrac{5}{2}$ 09 1, 2

10 $x=1\pm2\sqrt{3}i$ 11 13 12 -12 13 14 14 -4

15 24 16 ③ 17 ⑤

01

$\alpha+\beta=-4$, $\alpha\beta=\dfrac{3}{2}$이므로

$$\left(\alpha+\frac{1}{\beta^2}\right)\left(\beta+\frac{1}{\alpha^2}\right)=\alpha\beta+\frac{1}{\alpha}+\frac{1}{\beta}+\frac{1}{\alpha^2\beta^2}$$
$$=\alpha\beta+\frac{\alpha+\beta}{\alpha\beta}+\left(\frac{1}{\alpha\beta}\right)^2$$
$$=\frac{3}{2}+\frac{-4}{\frac{3}{2}}+\left(\frac{2}{3}\right)^2=-\frac{13}{18}$$

답 $-\dfrac{13}{18}$

02

나머지 한 근은 $5+\sqrt{2}i$이므로

$(5-\sqrt{2}i)+(5+\sqrt{2}i)=-\dfrac{b}{a}$ $\cdots$ ㉠

$(5-\sqrt{2}i)(5+\sqrt{2}i)=\dfrac{27}{a}$ $\cdots$ ㉡

㉡에서 $25+2=\dfrac{27}{a}$ $\therefore a=1$

$a=1$을 ㉠에 대입하여 정리하면

$10=-\dfrac{b}{1}$ $\therefore b=-10$

답 $a=1$, $b=-10$

03

방정식 $x^2-8x+k=0$의 두 근을 3α, $5\alpha(\alpha\neq0)$로 놓으면

$3\alpha+5\alpha=8$, $3\alpha\times5\alpha=k$ $\therefore \alpha=1$, $k=15$

따라서 $x^2-kx+2k-4=0$의 두 근의 합은 $k=15$

답 15

04

(i) 두 근의 합이 0이므로

$k^2-3k-4=0$, $(k+1)(k-4)=0$

$\therefore$ $k=-1$ 또는 $k=4$

(ii) 두 근의 곱이 음이므로

$-k+2<0$ $\quad\therefore$ $k>2$

(i), (ii)에서 $k=4$

답 4

05

이차방정식 $2x^2-6x-1=0$의 두 근이 α, β이므로

$\alpha+\beta=3$, $\alpha\beta=-\frac{1}{2}$

(1) $(\alpha-1)+(\beta-1)=(\alpha+\beta)-2=3-2=1$

$$(\alpha-1)(\beta-1)=\alpha\beta-\alpha-\beta+1$$
$$=\alpha\beta-(\alpha+\beta)+1$$
$$=-\frac{1}{2}-3+1=-\frac{5}{2}$$

$\therefore$ $x^2-x-\frac{5}{2}=0$

(2) $\alpha^2+\beta^2=(\alpha+\beta)^2-2\alpha\beta=9+1=10$

$\alpha^2\beta^2=(\alpha\beta)^2=\frac{1}{4}$

$\therefore$ $x^2-10x+\frac{1}{4}=0$

(3) $\frac{\beta}{\alpha}+\frac{\alpha}{\beta}=\frac{\alpha^2+\beta^2}{\alpha\beta}=\frac{10}{-\frac{1}{2}}=-20$

$\frac{\beta}{\alpha}\times\frac{\alpha}{\beta}=\frac{\alpha\beta}{\alpha\beta}=1$

$\therefore$ $x^2+20x+1=0$

답 (1) $x^2-x-\frac{5}{2}=0$ (2) $x^2-10x+\frac{1}{4}=0$

(3) $x^2+20x+1=0$

06

$3x^2-3x+2=0$이라 하면 해는

$x=\frac{1}{2}\pm\frac{\sqrt{15}}{6}i$

따라서

$3x^2-3x+2=3\left(x-\frac{1}{2}-\frac{\sqrt{15}}{6}i\right)\left(x-\frac{1}{2}+\frac{\sqrt{15}}{6}i\right)$

답 ④

07 전략 근과 계수의 관계와

$\alpha^2+4\alpha-3=0$, $\beta^2+4\beta-3=0$임을 이용한다.

α, β가 방정식 $x^2+4x-3=0$의 근이므로

$\alpha^2+4\alpha-3=0$, $\beta^2+4\beta-3=0$

또 근과 계수의 관계에서 $\alpha+\beta=-4$이므로

$$\frac{6\beta}{\alpha^2+4\alpha-4}+\frac{6\alpha}{\beta^2+4\beta-4}$$
$$=\frac{6\beta}{(\alpha^2+4\alpha-3)-1}+\frac{6\alpha}{(\beta^2+4\beta-3)-1}$$
$$=-6(\alpha+\beta)=24$$

답 24

08 전략 $\alpha+\beta=-a$, $\alpha\beta=b$임을 이용하여 조건식을 a, b로 나타낸다.

$\alpha+\beta=-a$, $\alpha\beta=b$이므로

$(\alpha+1)(\beta+1)=2$에서

$\alpha\beta+\alpha+\beta+1=2$

$\therefore$ $b-a+1=2$ $\quad\cdots$ ㉠

$(2\alpha+1)(2\beta+1)=-2$에서

$4\alpha\beta+2(\alpha+\beta)+1=-2$

$\therefore$ $4b-2a+1=-2$ $\quad\cdots$ ㉡

㉠, ㉡을 연립하여 풀면

$a=-\frac{7}{2}$, $b=-\frac{5}{2}$

답 $a=-\frac{7}{2}$, $b=-\frac{5}{2}$

09 전략 두 방정식에서 각각 근과 계수의 관계를 이용한다.

$x^2-px+q=0$의 두 근이 α, β이므로

$\alpha+\beta=p$, $\alpha\beta=q$

$x^2-3px-2q-1=0$의 두 근이 α^2, β^2이므로

$$\begin{cases}\alpha^2+\beta^2=3p & \cdots \text{㉠}\\ \alpha^2\beta^2=-2q-1 & \cdots \text{㉡}\end{cases}$$

㉡에서 $q^2=-2q-1$이므로

$(q+1)^2=0$ $\quad\therefore$ $q=-1$

㉠에서

$\alpha^2+\beta^2=(\alpha+\beta)^2-2\alpha\beta=p^2-2q=p^2+2$

$p^2-3p+2=0$, $(p-1)(p-2)=0$

$\therefore$ $p=1$ 또는 $p=2$

답 1, 2

10 전략 동연이의 풀이에서는 b의 값을, 윤주의 풀이에서는 a의 값을 알 수 있다.

동연이는 b를 옳게 보았으므로

$b=(2+3i)(2-3i)=4+9=13$

윤주는 a를 옳게 보았으므로

$-a=(1+i)+(1-i)=2 \quad \therefore a=-2$

따라서 주어진 방정식은 $x^2-2x+13=0$이므로 해는

$x=1\pm2\sqrt{3}i$

답 $x=1\pm2\sqrt{3}i$

11 전략 한 근을 α로 놓으면 나머지 한 근은 $\alpha-4$이다.

두 근을 α, $\alpha-4$라 하면

$\alpha+(\alpha-4)=3m-1 \quad \cdots ㉠$

$\alpha(\alpha-4)=2m^2-4m-7 \quad \cdots ㉡$

㉠에서 $\alpha=\frac{3m+3}{2}$을 ㉡에 대입하면

$\frac{3m+3}{2}\times\frac{3m-5}{2}=2m^2-4m-7$

$9m^2-6m-15=8m^2-16m-28$

$\therefore m^2+10m+13=0$

따라서 m값의 곱은 13이다.

다른 풀이

두 근을 α, β라 하면

$\alpha+\beta=3m-1$, $\alpha\beta=2m^2-4m-7$

$|\alpha-\beta|=4$이고

$(\alpha-\beta)^2=(\alpha+\beta)^2-4\alpha\beta$

$=(3m-1)^2-4(2m^2-4m-7)$

$=m^2+10m+29$

이므로

$m^2+10m+29=16$, $m^2+10m+13=0$

따라서 m값의 곱은 13이다.

답 13

12 전략 부호를 알 수 없는 경우 양수일 때와 음수일 때로 나누어 생각한다.

$3x^2-9x+k=0$의 두 근을 α, β라 하면

$\alpha+\beta=3 \quad \cdots ㉠$

조건에서 $|\alpha|+|\beta|=5$이므로

$\alpha\ge0$, $\beta\ge0$이면 $\alpha+\beta=5$ (㉠에 모순)

$\alpha<0$, $\beta<0$이면 $-\alpha-\beta=5$ (㉠에 모순)

곧, ㉠을 만족시키려면 α, β는 서로 다른 부호이므로

$\alpha>0$, $\beta<0$이라 해도 된다. 이때

$\alpha-\beta=5 \quad \cdots ㉡$

㉠, ㉡을 연립하여 풀면 $\alpha=4$, $\beta=-1$

따라서 $\alpha\beta=\frac{k}{3}$에 대입하면 $k=-12$

답 -12

13 전략 근과 계수의 관계와 $2\alpha=\beta-\gamma$를 이용하여 a, b에 대한 식을 만든다.

$x^2+(a-4)x-1=0$의 두 근이 α, β이므로

$\alpha+\beta=-a+4 \quad \cdots ㉠$

$x^2+ax+b=0$의 두 근이 α, γ이므로

$\alpha+\gamma=-a \quad \cdots ㉡$

㉠, ㉡을 변변 빼면 $\beta-\gamma=4$

곧, $2\alpha=\beta-\gamma=4$이므로 $\alpha=2$

α는 두 이차방정식의 근이므로 각각 대입하면

$4+2a-8-1=0$, $4+2a+b=0$

$2a=5$, $b=-9$

$\therefore 2a-b=14$

답 14

14 전략 $|x|=a$이면 $x=\pm a$임을 이용한다.

$x^2-6x+1=\pm2$이므로

$x^2-6x+1=2$에서 $x^2-6x-1=0 \quad \cdots ㉠$

$x^2-6x+1=-2$에서 $x^2-6x+3=0 \quad \cdots ㉡$

㉠의 근을 α, β라 하고, ㉡의 근을 γ, δ라 해도 되므로

$\alpha+\beta=6$, $\alpha\beta=-1$, $\gamma+\delta=6$, $\gamma\delta=3$

$\therefore \frac{1}{\alpha}+\frac{1}{\beta}=\frac{\alpha+\beta}{\alpha\beta}=\frac{6}{-1}=-6$

$\frac{1}{\gamma}+\frac{1}{\delta}=\frac{\gamma+\delta}{\gamma\delta}=\frac{6}{3}=2$

$\therefore \frac{1}{\alpha}+\frac{1}{\beta}+\frac{1}{\gamma}+\frac{1}{\delta}=-6+2=-4$

답 -4

15 전략 $f(\alpha)-5\alpha=0$이면 α는 방정식 $f(x)-5x=0$의 해이다.

$f(\alpha)-5\alpha=0$, $f(\beta)-5\beta=0$이므로

α, β는 방정식 $f(x)-5x=0$의 두 근이다.

α, β는 $x^2-10x+8=0$의 두 근이므로

$f(x)-5x=k(x^2-10x+8)$

로 놓을 수 있다.

$f(1)=3$이므로 $x=1$을 대입하면

$3-5=k(1-10+8) \quad \therefore k=2$

$\therefore f(x)=2(x^2-10x+8)+5x$

$=2x^2-15x+16$

$\alpha\beta=8$이므로 $f(\alpha\beta)=f(8)=24$

답 24

16 **전략** $D>0$과 근과 계수의 관계를 이용한다.

$x^2+kx+2=0$의 두 실근이 α, β이므로

$\alpha+\beta=-k$, $\alpha\beta=2$

ㄱ. $\alpha\beta=2>0$이므로 α, β는 같은 부호이다.

$\therefore |\alpha+\beta|=|\alpha|+|\beta|$ (참)

ㄴ. $\beta=\dfrac{2}{\alpha}$이므로 $\alpha>2$이면 $0<\beta<1$이다. (참)

ㄷ. $\alpha^2+\beta^2=(\alpha+\beta)^2-2\alpha\beta=k^2-4$ $\cdots$ ㉠

서로 다른 두 실근을 가지므로 $D=k^2-8>0$이다.

따라서 ㉠에서 $\alpha^2+\beta^2=k^2-4>4$ (거짓)

따라서 옳은 것은 ㄱ, ㄴ이다.

답 ③

17 **전략** 삼각형의 닮음을 이용하여 정사각형의 한 변의 길이를 먼저 구한다.

$x^2-4x+2=0$의 두 실근이 α, β이므로

$\alpha+\beta=4$, $\alpha\beta=2$ $\cdots$ ㉠

그림과 같이 직각삼각형에 내접하는 정사각형을 BDEF라 하고, 이 정사각형의 한 변의 길이를 k라 하자.

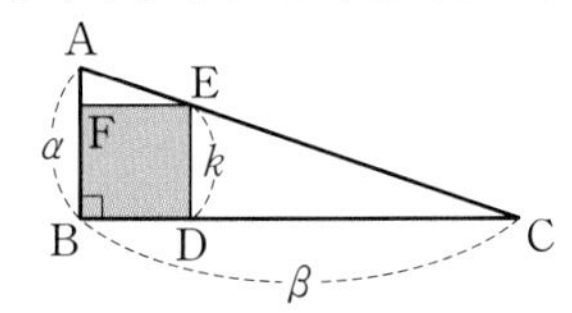

$\overline{FE}=k$, $\overline{ED}=k$이므로 $\overline{AF}=\alpha-k$, $\overline{DC}=\beta-k$

이고, $\triangle AFE \backsim \triangle EDC$ (AA 닮음)이므로

$\overline{AF} : \overline{FE}=\overline{ED} : \overline{DC}$에서

$(\alpha-k) : k=k : (\beta-k)$, $(\alpha-k)(\beta-k)=k^2$

$\alpha\beta-k(\alpha+\beta)=0$

㉠을 대입하면 $2-4k=0$ $\quad\therefore k=\dfrac{1}{2}$

따라서 정사각형의 둘레의 길이와 넓이는 각각

$4k=2$, $k^2=\dfrac{1}{4}$

이므로

이차방정식 $4x^2+mx+n=0$의 근과 계수의 관계에서

$-\dfrac{m}{4}=2+\dfrac{1}{4}$, $\dfrac{n}{4}=2\times\dfrac{1}{4}$

$\therefore m=-9$, $n=2$

$\therefore m+n=-7$

답 ⑤

8 이차함수

개념 Check

112쪽 ~ 114쪽

1

(1) $y=\dfrac{1}{2}x+1$에서

y절편은 1이다.

x절편은 $y=0$을 대입하면

$0=\dfrac{1}{2}x+1$ $\quad\therefore x=-2$

따라서 함수의 그래프는 그림과 같다.

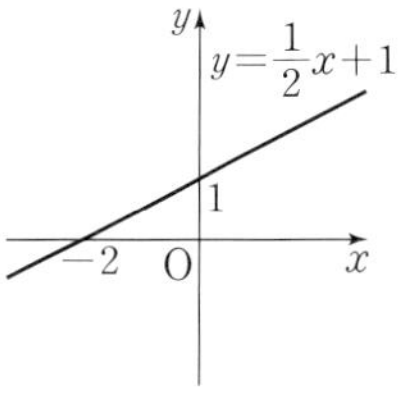

(2) $y=-2x-3$에서

y절편은 -3이다.

x절편은 $y=0$을 대입하면

$0=-2x-3$ $\quad\therefore x=-\dfrac{3}{2}$

따라서 함수의 그래프는 그림과 같다.

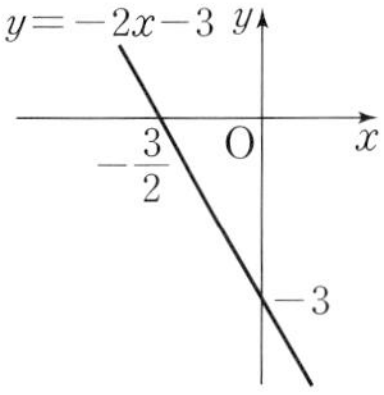

(3) $y=-2$에서 y절편은 -2이다.

x축에 평행하므로 함수의 그래프는 그림과 같다.

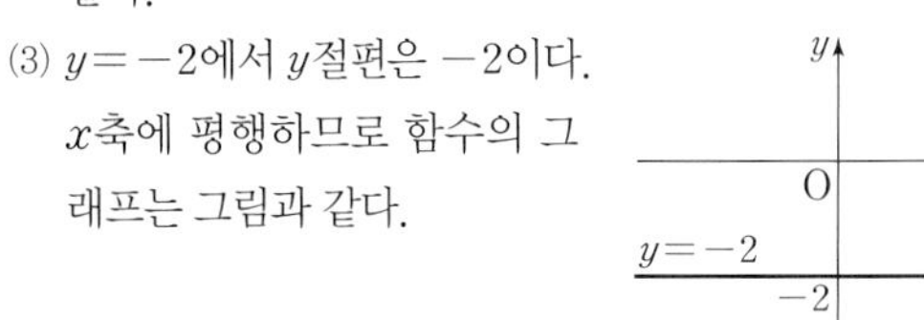
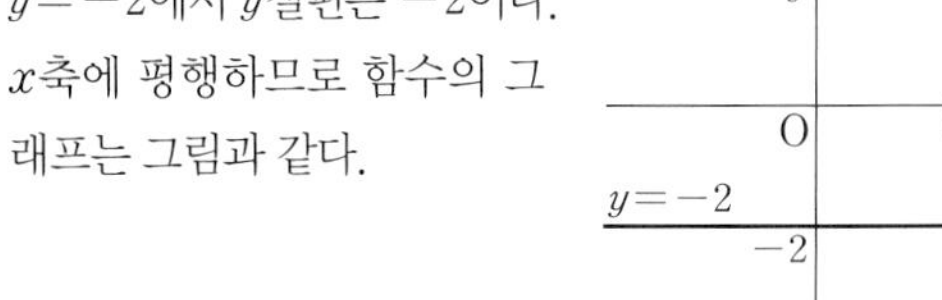

답 (1) 풀이 참조 (2) 풀이 참조 (3) 풀이 참조

2

(1) $y=2(x+2)^2-2$에서

꼭짓점이 점 $(-2, -2)$이다.

따라서 함수의 그래프는 그림과 같다.

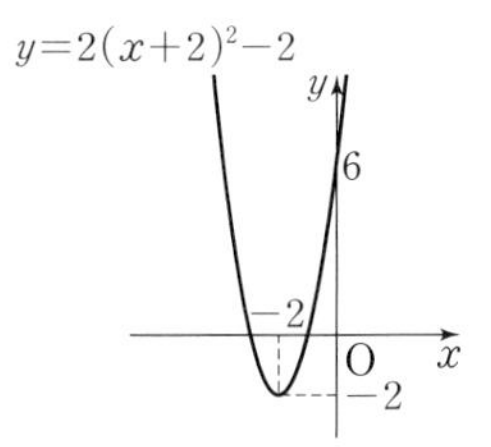

(2) $y=-\dfrac{1}{2}(x-2)^2+1$에서

꼭짓점이 점 $(2, 1)$이다.

따라서 함수의 그래프는 그림과 같다.

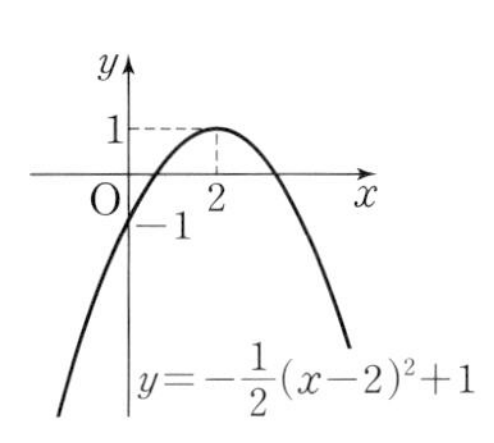

답 (1) 풀이 참조 (2) 풀이 참조

3

(1) $y=2x^2-4x-6=2(x^2-2x)-6$
$=2(x^2-2x+1-1)-6$
$=2(x-1)^2-8$
이므로 꼭짓점의 좌표는 $(1,\ -8)$
$y=0$을 대입하면
$0=2x^2-4x-6$
$(x+1)(x-3)=0$
$\therefore\ x=-1$ 또는 $x=3$
따라서 x축과 만나는 점의 좌표는 $(-1,\ 0)$, $(3,\ 0)$

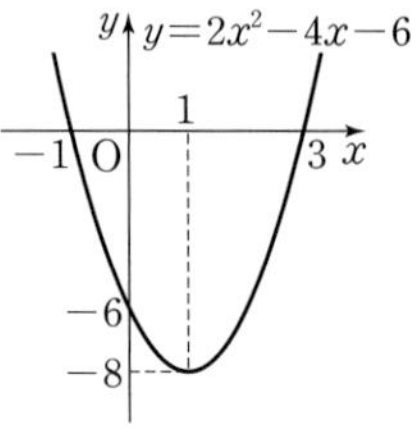

(2) $y=-x^2+5x-6=-(x^2-5x)-6$
$=-\left(x^2-5x+\frac{25}{4}-\frac{25}{4}\right)-6$
$=-\left(x-\frac{5}{2}\right)^2+\frac{1}{4}$
이므로 꼭짓점의 좌표는 $\left(\frac{5}{2},\ \frac{1}{4}\right)$
$y=0$을 대입하면
$0=-x^2+5x-6$
$(x-2)(x-3)=0$
$\therefore\ x=2$ 또는 $x=3$
따라서 x축과 만나는 점의 좌표는 $(2,\ 0)$, $(3,\ 0)$

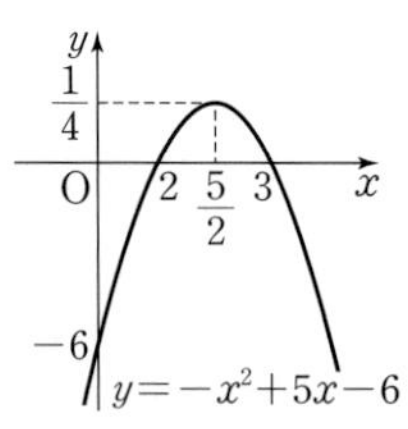

답 (1) 꼭짓점 : $(1,\ -8)$,
x축과 만나는 점 : $(-1,\ 0)$, $(3,\ 0)$
(2) 꼭짓점 : $\left(\frac{5}{2},\ \frac{1}{4}\right)$,
x축과 만나는 점 : $(2,\ 0)$, $(3,\ 0)$

대표Q 115쪽 ~ 117쪽

대표 Q1

(1) 꼭짓점이 점 $(3,\ -1)$이므로 이차함수의 식을
$y=a(x-3)^2-1$
로 놓자.
그래프가 점 $(1,\ 3)$을 지나므로
$3=a(1-3)^2-1\qquad \therefore\ a=1$
이차함수의 식은 $y=(x-3)^2-1$

(2) x축과 $x=-1$, $x=4$인 점에서 만나므로 이차함수의 식을
$y=a(x+1)(x-4)$
로 놓자.
y축과 $y=4$인 점에서 만나므로
$4=a(0+1)(0-4)\qquad \therefore\ a=-1$
이차함수의 식은 $y=-(x+1)(x-4)$

(3) $y=ax^2+bx+c$로 놓자.
점 $(0,\ 1)$을 지나므로
$1=a\times0^2+b\times0+c\qquad \therefore\ c=1$
점 $(1,\ 0)$을 지나므로
$0=a\times1^2+b\times1+c$
$\therefore\ a+b=-1\qquad \cdots$ ㉠
점 $(3,\ 4)$를 지나므로
$4=a\times3^2+b\times3+c$
$\therefore\ 3a+b=1\qquad \cdots$ ㉡
㉠, ㉡을 연립하여 풀면 $a=1$, $b=-2$
이차함수의 식은 $y=x^2-2x+1$

답 (1) $y=(x-3)^2-1$ (2) $y=-(x+1)(x-4)$
(3) $y=x^2-2x+1$

참고 (1), (2) 전개하여 답을 각각
$y=x^2-6x+8$, $y=-x^2+3x+4$라 해도 된다.

1-1

(1) 꼭짓점이 점 $(-2,\ 1)$이므로 이차함수의 식을
$y=a(x+2)^2+1$
로 놓자.
y축과 $y=-3$인 점에서 만나므로
$-3=a\times4+1\qquad \therefore\ a=-1$
이차함수의 식은 $y=-(x+2)^2+1$

(2) x축과 $x=-4$, $x=-2$인 점에서 만나므로 이차함수의 식을
$y=a(x+2)(x+4)$
로 놓자.
점 $(-1,\ 6)$을 지나므로
$6=a(-1+2)(-1+4)\qquad \therefore\ a=2$
이차함수의 식은 $y=2(x+2)(x+4)$

(3) $y=ax^2+bx+c$로 놓자.
점 $(-1,\ 4)$를 지나므로 $4=a-b+c\qquad \cdots$ ㉠
점 $(1,\ 4)$를 지나므로 $4=a+b+c\qquad \cdots$ ㉡
점 $(0,\ 6)$을 지나므로 $c=6\qquad \cdots$ ㉢
㉠−㉡에서 $0=-2b\qquad \therefore\ b=0$
㉢과 $b=0$을 ㉠에 대입하면 $a+6=4\qquad \therefore\ a=-2$

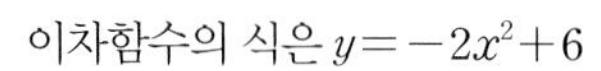
이차함수의 식은 $y=-2x^2+6$

답 (1) $y=-(x+2)^2+1$ (2) $y=2(x+2)(x+4)$
(3) $y=-2x^2+6$

대표 Q2

(1) $x\ge\frac{1}{2}$일 때, $y=2x-1$

$x<\frac{1}{2}$일 때, $y=-(2x-1)$

따라서 그래프는 그림과 같다.

(2) $f(x)=x^2-4x+3$이라 하면

$f(x)=x^2-4x+3=(x-2)^2-1$

이므로 꼭짓점은 점 $(2,\ -1)$

또 $y=f(x)$에 $x=0$을 대입하면 $y=3$

$y=0$을 대입하면

$0=x^2-4x+3$

$(x-1)(x-3)=0$

$\therefore\ x=1$ 또는 $x=3$

따라서 $y=f(x)$의 그래프는 그림과 같다.

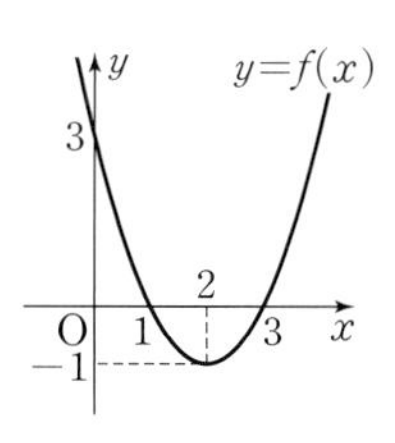

$x\le1$ 또는 $x\ge3$일 때

$f(x)\ge0$이므로 $y=f(x)$의 그래프를 그리고,

$1<x<3$일 때 $f(x)<0$이므로 $y=-f(x)$의 그래프를 그린다.

따라서 $y=|x^2-4x+3|$의 그래프는 그림과 같다.

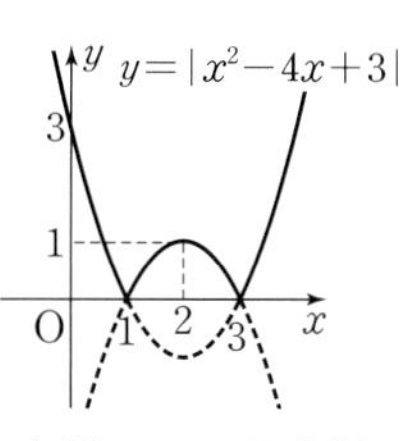

답 (1) 풀이 참조 (2) 풀이 참조

2-1

(1) $x\ge0$일 때, $y=x+1$

$x<0$일 때, $y=-x+1$

따라서 그래프는 그림과 같다.

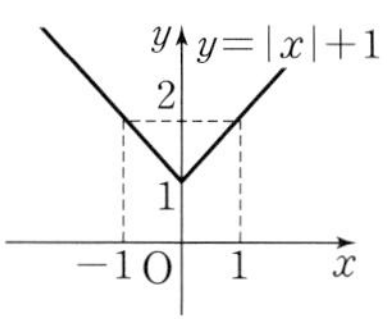

(2) $f(x)=x^2-2x-3$이라 하자.

$f(x)=x^2-2x-3=(x-1)^2-4$

이므로 꼭짓점은 점 $(1,\ -4)$

또 $y=f(x)$에 $x=0$을 대입하면 $y=-3$

$y=0$을 대입하면

$0=x^2-2x-3$

$(x+1)(x-3)=0$

$\therefore\ x=-1$ 또는 $x=3$

따라서 함수 $y=f(x)$의 그래프는 그림과 같다.

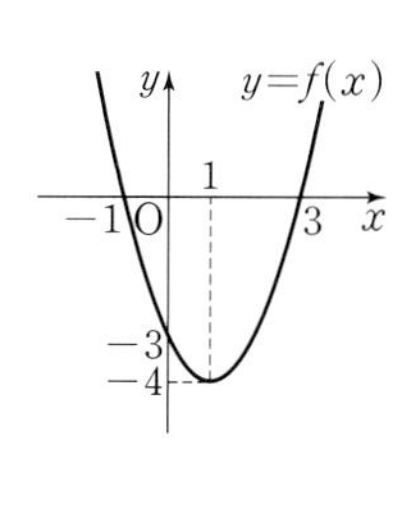

$x\le-1$ 또는 $x\ge3$인 부분에는 $y=f(x)$의 그래프를 그리고, $-1<x<3$인 부분에는 $y=-f(x)$의 그래프를 그리면 $y=|x^2-2x-3|$의 그래프는 그림과 같다.

답 (1) 풀이 참조 (2) 풀이 참조

대표 Q3

$f(2-x)=f(2+x)$이므로 $y=f(x)$의 그래프는 직선 $x=2$에 대칭이다.

따라서 축이 직선 $x=2$이고, $f(0)>0$, $f(-1)<0$을 만족시키는 이차함수의 그래프는 그림과 같다.

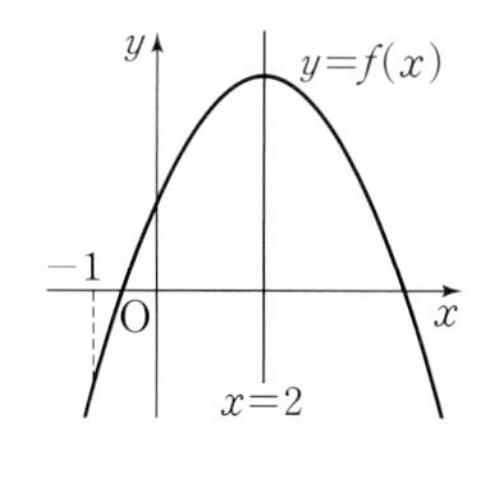

$y=ax^2+bx+c=a\left(x+\frac{b}{2a}\right)^2-\frac{b^2}{4a}+c$

① 함수의 그래프가 위로 볼록하므로 $a<0$이다. (거짓)

② 축이 직선 $x=2$이므로 $-\frac{b}{2a}=2>0$이고

$a<0$이므로 $b>0$이다. (거짓)

③ 그래프에서 $f(2)>0$이다. (참)

④ 함수 $f(x)$가 $x=2$일 때 최대이므로 모든 x에 대하여 $f(x)\le f(2)$이다. 곧, $f(x)>f(2)$인 x는 존재하지 않는다. (거짓)

⑤ 그래프가 x축과 만나는 두 점은 직선 $x=2$에 대칭이다. 따라서 방정식 $ax^2+bx+c=0$의 두 근은 $2-\alpha$, $2+\alpha$ 꼴이고 두 근의 합은 4이다. (거짓)

따라서 옳은 것은 ③이다.

답 ③

3-1

$y=ax^2+bx+c=a\left(x+\frac{b}{2a}\right)^2-\frac{b^2}{4a}+c$

함수의 그래프가 아래로 볼록하므로 $a>0$

축이 직선 $x=-\frac{b}{2a}$이므로 $-\frac{b}{2a}<0$이고

$a>0$이므로 $b>0$

원점을 지나므로 $c=0$

따라서 $y=cx^2+bx+a$에서

$y=bx+a$

기울기와 y절편이 모두 양수이므로 그래프는 그림과 같이 제4사분면을 지나지 않는다.

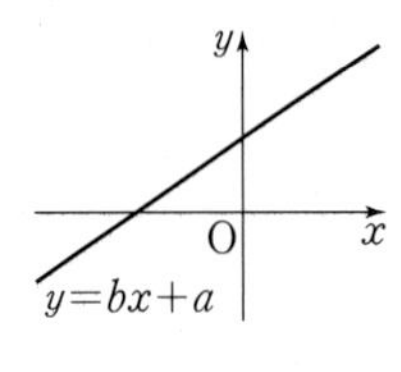

답 제4사분면

3-2

$f(-1-x)=f(-1+x)$이면 $y=f(x)$의 그래프는 직선 $x=-1$에 대칭이다.

방정식 $f(x)=0$의 두 근은 그래프가 x축과 만나는 점의 x좌표이다. 따라서 한 근이 -3이면 나머지 한 근은 1이다.

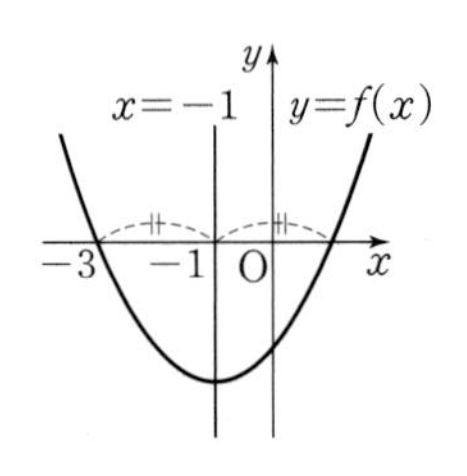

답 1

개념 Check

118쪽~119쪽

4

(1) $y=\frac{1}{2}x^2+2$의 그래프는 그림과 같다.

$x=0$에서 최솟값은 2, 최댓값은 없다.

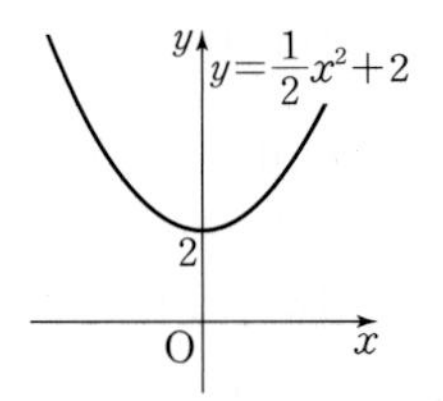

(2) $y=2(x+2)^2-2$의 그래프는 그림과 같다.

$x=-2$에서 최솟값은 -2, 최댓값은 없다.

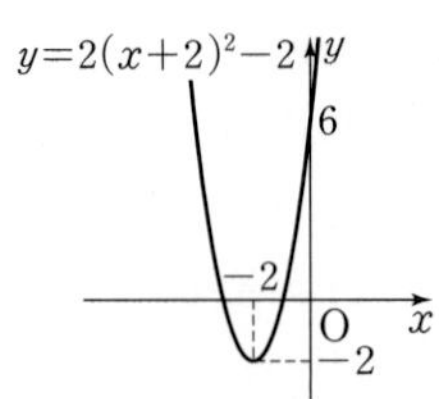

(3) $y=-2x^2$의 그래프는 그림과 같다.

$x=0$에서 최댓값은 0, 최솟값은 없다.

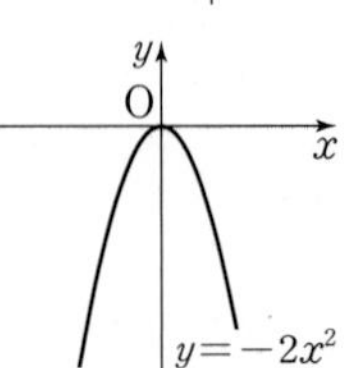

(4) $y=-3(x+1)^2+2$의 그래프는 그림과 같다.

$x=-1$에서 최댓값은 2, 최솟값은 없다.

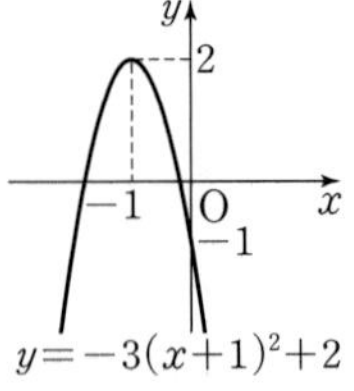

답 (1) 최댓값 : 없다., 최솟값 : 2
(2) 최댓값 : 없다., 최솟값 : -2
(3) 최댓값 : 0, 최솟값 : 없다.
(4) 최댓값 : 2, 최솟값 : 없다.

5

(1) $-3\le x\le 0$에서

$y=(x+1)^2+2$의 그래프는 그림과 같다.

$x=-3$에서 최댓값은

$(-3+1)^2+2=6$

$x=-1$에서 최솟값은 2

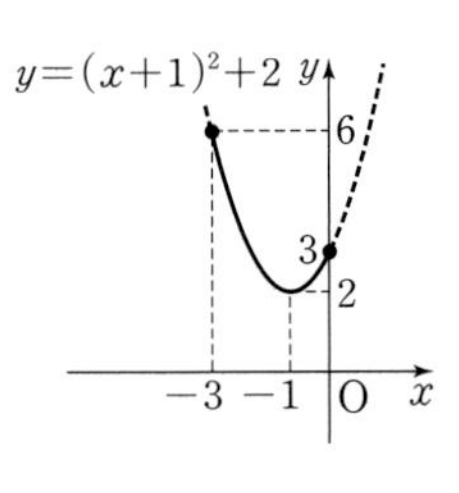

(2) $0\le x\le 2$에서

$y=(x+1)^2+2$의 그래프는 그림과 같다.

$x=2$에서 최댓값은

$(2+1)^2+2=11$

$x=0$에서 최솟값은 3

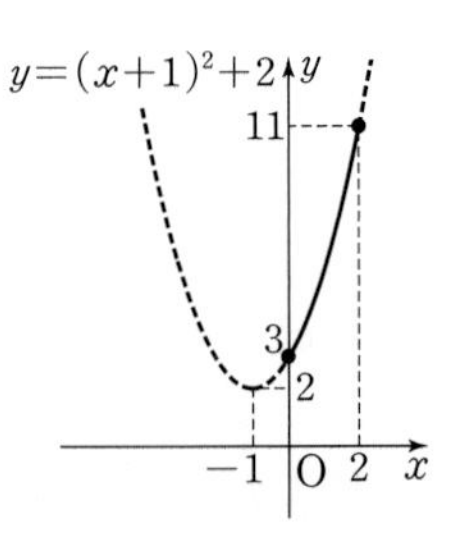

답 (1) 최댓값 : 6, 최솟값 : 2
(2) 최댓값 : 11, 최솟값 : 3

6

(1) $x\le 0$에서

$y=-(x+1)^2+4$의 그래프는 그림과 같다.

$x=-1$에서 최댓값은 4, 최솟값은 없다.

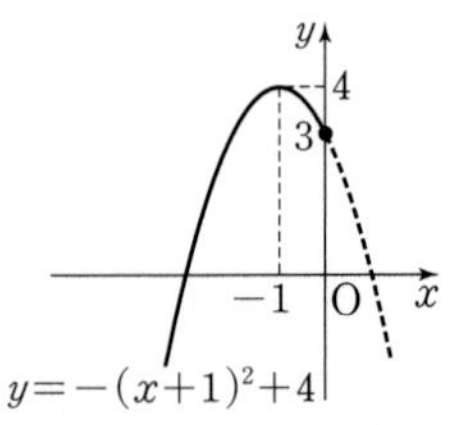

(2) $-3\le x\le 0$에서

$y=-(x+1)^2+4$의 그래프는 그림과 같다.

$x=-1$에서 최댓값은 4,

$x=-3$에서 최솟값은

$-(-3+1)^2+4=0$

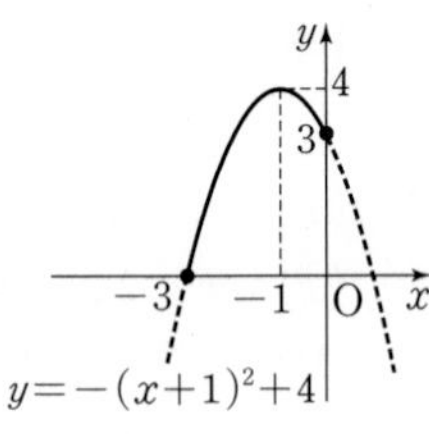

답 (1) 최댓값 : 4, 최솟값 : 없다.
(2) 최댓값 : 4, 최솟값 : 0

대표Q 120쪽 ~ 124쪽

대표 Q4

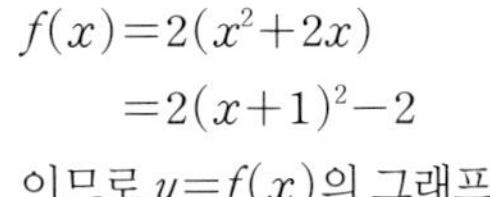

$f(x)=2(x^2+2x)$
$=2(x+1)^2-2$
이므로 $y=f(x)$의 그래프는 그림과 같다.

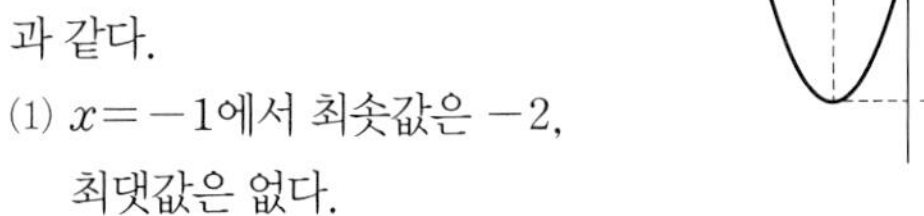

(1) $x=-1$에서 최솟값은 -2,
최댓값은 없다.

(2) $-2\le x\le 2$에서 생각하면
$x=-1$에서 최솟값은 -2
$x=2$에서 최댓값은 $f(2)=16$

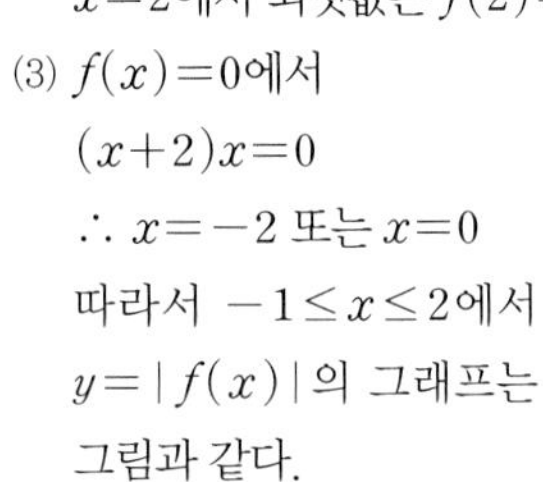

(3) $f(x)=0$에서
$(x+2)x=0$
$\therefore$ $x=-2$ 또는 $x=0$
따라서 $-1\le x\le 2$에서
$y=|f(x)|$의 그래프는
그림과 같다.

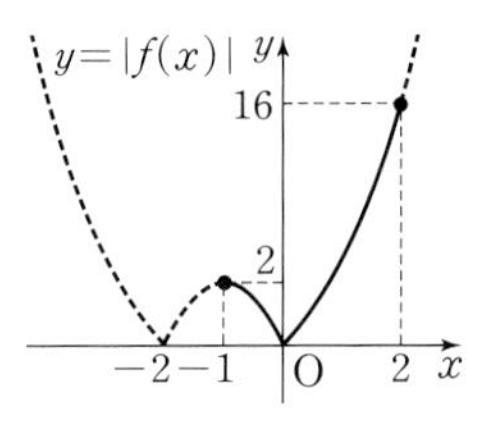

$x=0$에서 최솟값은 0
$x=2$에서 최댓값은 $|f(2)|=16$

답 (1) 최댓값 : 없다., 최솟값 : -2
(2) 최댓값 : 16, 최솟값 : -2
(3) 최댓값 : 16, 최솟값 : 0

4-1

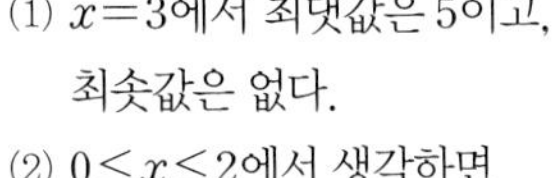

$f(x)=-x^2+6x-4$
$=-(x-3)^2+5$
이므로 $y=f(x)$의 그래프는 그림과 같다.
(1) $x=3$에서 최댓값은 5이고,
최솟값은 없다.
(2) $0\le x\le 2$에서 생각하면
$x=0$에서 최솟값은 -4
$x=2$에서 최댓값은 $f(2)=4$
(3) $x\ge 1$에서 생각하면
$x=3$에서 최댓값은 5이고, 최솟값은 없다.

답 (1) 최댓값 : 5, 최솟값 : 없다.
(2) 최댓값 : 4, 최솟값 : -4
(3) 최댓값 : 5, 최솟값 : 없다.

4-2

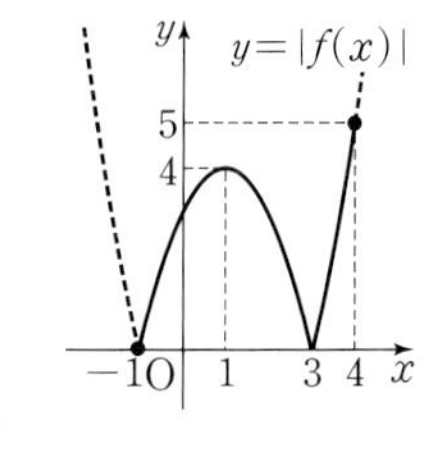

$f(x)=x^2-2x-3$이라 하면
$f(x)=(x-1)^2-4$
$f(x)=0$에서
$(x+1)(x-3)=0$
$\therefore$ $x=-1$ 또는 $x=3$
따라서 $y=|f(x)|$의 그래프는
그림과 같다.
$x=-1$ 또는 $x=3$에서 최솟값은 0
$x=4$에서 최댓값은 5

답 최댓값 : 5, 최솟값 : 0

대표 Q5

(1) $y=ax^2-2ax+a^2+a-1$
$=a(x^2-2x+1)+a^2-1$
$=a(x-1)^2+a^2-1$
최댓값이 3이므로 $a<0$이고
$a^2-1=3$, $a^2=4$
$a<0$이므로 $a=-2$

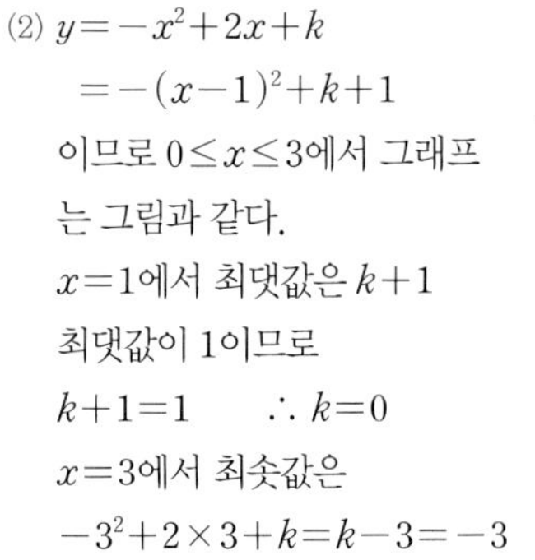

(2) $y=-x^2+2x+k$
$=-(x-1)^2+k+1$
이므로 $0\le x\le 3$에서 그래프는 그림과 같다.

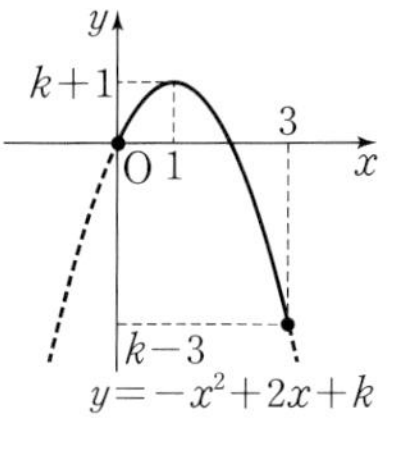

$x=1$에서 최댓값은 $k+1$
최댓값이 1이므로
$k+1=1$ $\therefore$ $k=0$
$x=3$에서 최솟값은
$-3^2+2\times 3+k=k-3=-3$

답 (1) -2 (2) $k=0$, 최솟값 : -3

5-1

$y=ax^2+2ax+a^2-2$
$=a(x^2+2x+1-1)+a^2-2$
$=a(x+1)^2+a^2-a-2$
최솟값이 0이므로 $a>0$이고
$a^2-a-2=0$, $(a+1)(a-2)=0$
$a>0$이므로 $a=2$

답 2

5-2

$y=3x^2+6x+k$

$=3(x+1)^2+k-3$

$-2\le x\le 2$에서 그래프는 그림과 같다.

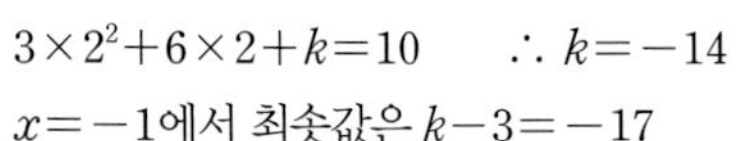

$x=2$에서 최대이고 최댓값이 10이므로

$3\times 2^2+6\times 2+k=10 \qquad \therefore k=-14$

$x=-1$에서 최솟값은 $k-3=-17$

답 $k=-14$, 최솟값 : -17

대표 06

(1) $x=2$에서 최댓값이 1이므로

$f(x)=a(x-2)^2+1\ (a<0)$

로 놓을 수 있다.

$f(1)=0$이므로

$a(1-2)^2+1=0 \qquad \therefore a=-1$

$\therefore f(x)=-(x-2)^2+1$

(2) $f(x)=t$로 놓으면 주어진 식은

$y=t^2-6t+5$

$=(t-3)^2-4$

$0\le x\le 3$에서

$-3\le f(x)\le 1$이므로

$-3\le t\le 1$

$-3\le t\le 1$에서

$y=t^2-6t+5$의 그래프는 오른쪽 그림과 같다.

$t=-3$에서 최댓값은

$(-3-3)^2-4=32$

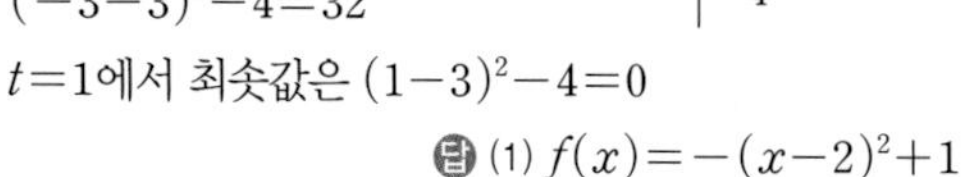

$t=1$에서 최솟값은 $(1-3)^2-4=0$

답 (1) $f(x)=-(x-2)^2+1$

(2) 최댓값 : 32, 최솟값 : 0

6-1

(1) 함수의 최솟값이 -3이고, 그래프의 축이 직선 $x=1$이므로

$f(x)=a(x-1)^2-3\ (a>0)$

으로 놓을 수 있다.

그래프가 점 $(0,\ -2)$를 지나므로

$-2=a-3 \qquad \therefore a=1$

$\therefore f(x)=(x-1)^2-3$

(2) $f(x)=t$로 놓으면 주어진 식은

$y=t^2+2t-3$

$=(t+1)^2-4$

$-1\le x\le 2$에서

$-3\le f(x)\le 1$이므로

$-3\le t\le 1$

$-3\le t\le 1$에서

$y=t^2+2t-3$의 그래프는 오른쪽 그림과 같으므로

$t=1$(또는 $t=-3$)에서

최댓값은 $(1+1)^2-4=0$

$t=-1$에서 최솟값은 -4

답 (1) $f(x)=(x-1)^2-3$

(2) 최댓값 : 0, 최솟값 : -4

6-2

$x^2+x=t$로 놓으면

$t=x^2+x$

$=\left(x+\frac{1}{2}\right)^2-\frac{1}{4}\ge-\frac{1}{4} \quad \cdots ㉠$

또 주어진 함수는

$y=(1-t)(3+t)-5$

$=-t^2-2t-2$

$=-(t+1)^2-1$

㉠의 범위에서 생각하면

$t=-\frac{1}{4}$에서 최댓값은

$-\left(-\frac{1}{4}+1\right)^2-1=-\frac{25}{16}$

최솟값은 없다.

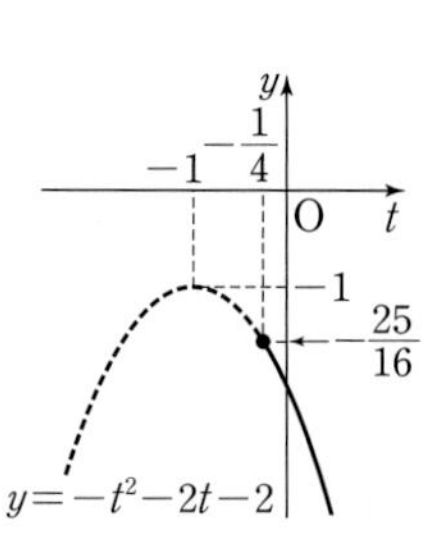

답 최댓값 : $-\frac{25}{16}$, 최솟값 : 없다.

대표 07

(1) $2x+y=1$에서 $y=1-2x$를

x^2+2x+y^2에 대입하면

$x^2+2x+y^2=x^2+2x+(1-2x)^2$

$=5x^2-2x+1$

$=5\left(x^2-\frac{2}{5}x+\frac{1}{25}-\frac{1}{25}\right)+1$

$=5\left(x-\frac{1}{5}\right)^2+\frac{4}{5}$

따라서 $x=\frac{1}{5}$일 때, 최솟값은 $\frac{4}{5}$이다.

(2) $2x+y=1$에서 $y=1-2x$

$y\ge0$이므로 $1-2x\ge0$ $\quad\therefore x\le\frac{1}{2}$

$x\ge0$이므로 $0\le x\le\frac{1}{2}$

$t=5\left(x-\frac{1}{5}\right)^2+\frac{4}{5}$라 하면

$0\le x\le\frac{1}{2}$에서 그래프는 그림과 같다.

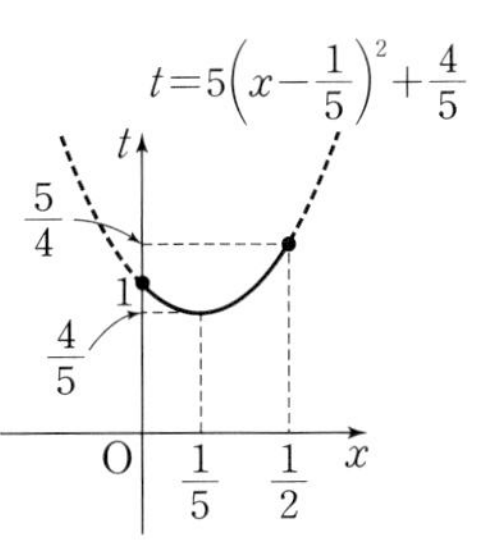

따라서

$x=\frac{1}{5}$에서

최솟값은 $\frac{4}{5}$

$x=\frac{1}{2}$에서 최댓값은 $5\left(\frac{1}{2}-\frac{1}{5}\right)^2+\frac{4}{5}=\frac{5}{4}$

답 (1) $\frac{4}{5}$ (2) 최댓값 : $\frac{5}{4}$, 최솟값 : $\frac{4}{5}$

7-1

$x+y-2=0$에서 $y=-x+2$이므로

$$\begin{aligned}x^2+2y^2+4x&=x^2+2(-x+2)^2+4x\\&=3x^2-4x+8\\&=3\left(x^2-\frac{4}{3}x+\frac{4}{9}-\frac{4}{9}\right)+8\\&=3\left(x-\frac{2}{3}\right)^2+\frac{20}{3}\end{aligned}$$

따라서 $x=\frac{2}{3}$일 때, 최솟값은 $\frac{20}{3}$이다.

답 $\frac{20}{3}$

7-2

$4x+2y=9$에서 $2y=-4x+9$ $\quad\cdots$ ㉠

$y\ge0$이므로 $-4x+9\ge0$ $\quad\therefore x\le\frac{9}{4}$

$x\ge0$이므로 $0\le x\le\frac{9}{4}$

x^2+2y에 ㉠을 대입하면

$x^2+2y=x^2-4x+9=(x-2)^2+5$

따라서

$x=0$에서 최댓값은 9

$x=2$에서 최솟값은 5이다.

답 최댓값 : 9, 최솟값 : 5

대표 08

닭장 세로의 길이를 x m, 넓이를 y m^2라 하자.

닭장 가로의 길이가 $(20-2x)$ m이므로

$$\begin{aligned}y&=x(20-2x)=-2x^2+20x\\&=-2(x^2-10x+25-25)\\&=-2(x-5)^2+50 \quad\cdots ㉠\end{aligned}$$

변의 길이는 양수이므로

$x>0$, $20-2x>0$ $\quad\therefore 0<x<10$

이 범위에서 ㉠의 최댓값은 $x=5$일 때 50이다.

따라서 닭장 넓이의 최댓값은 50 m^2이다.

답 50 m^2

8-1

한 정사각형의 한 변의 길이를 x m라 하면 다른 정사각형의 한 변의 길이는 $\frac{20-4x}{4}=5-x(\text{m})$이다.

두 정사각형 넓이의 합은

$$\begin{aligned}x^2+(5-x)^2&=2x^2-10x+25\\&=2\left(x^2-5x+\frac{25}{4}-\frac{25}{4}\right)+25\\&=2\left(x-\frac{5}{2}\right)^2+\frac{25}{2} \quad\cdots ㉠\end{aligned}$$

변의 길이는 양수이므로

$x>0$, $5-x>0$ $\quad\therefore 0<x<5$

이 범위에서 ㉠의 최솟값은 $x=\frac{5}{2}$일 때 $\frac{25}{2}$이다.

따라서 두 정사각형 넓이의 합의 최솟값은 $\frac{25}{2}$ m^2이다.

답 $\frac{25}{2}$ m^2

8-2

그림에서 $\overline{BD}=x$ m라 하면

$\overline{AD}=(25-x)$ m

$\triangle ADE \backsim \triangle ABC$이므로

$\overline{AD}:\overline{DE}=\overline{AB}:\overline{BC}$

$=1:2$

따라서 $\overline{DE}=2(25-x)=50-2x$ (m)

곧, 직사각형의 넓이는

$$\begin{aligned}x(50-2x)&=-2x^2+50x\\&=-2\left(x^2-25x+\frac{25^2}{2^2}-\frac{25^2}{2^2}\right)\\&=-2\left(x-\frac{25}{2}\right)^2+\frac{625}{2} \quad\cdots ㉠\end{aligned}$$

변의 길이는 양수이므로

$x>0$, $50-2x>0$　　$\therefore 0<x<25$

이 범위에서 ㉠의 최댓값은 $x=\frac{25}{2}$일 때 $\frac{625}{2}$이다.

따라서 땅 넓이의 최댓값은 $\frac{625}{2}$ m^2이다.

답 $\frac{625}{2}$ m^2

연습과 실전　8 이차함수　125쪽~128쪽

01 ④　**02** $a=4$, $b=-5$

03 (1) $f(x)=2(x-2)^2-3$　(2) 5

04 5　**05** $\frac{1}{4}$　**06** -4, 4　**07** 45 m

08 (1) 풀이 참조　(2) 풀이 참조

09 (1) $a+b+c>0$　(2) $a-b+c<0$　(3) $a-2b+4c<0$

10 (1) $y=(x-2)^2$　(2) $y=(x+2)^2-1$

11 $y=2\left(x+\frac{1}{2}\right)^2-\frac{5}{2}$, $y=2(x-1)^2+2$

12 1　**13** $f(x)=-2(x+1)^2+18$

14 $a=2$, $b=11$　**15** 3　**16** 최댓값 : 1, 최솟값 : -55

17 최댓값 : 18, 최솟값 : 6　**18** $\frac{1}{3}$　**19** ②　**20** ⑤

01

$ax+by+1=0$에서 $y=-\frac{a}{b}x-\frac{1}{b}$

직선의 기울기는 음수, y절편은 양수이므로

$-\frac{a}{b}<0$, $-\frac{1}{b}>0$

$\therefore a<0$, $b<0$

따라서 $y=ax^2+b$의 그래프는 위로 볼록하고, $x=0$일 때 $y=b$이므로 그림과 같다.

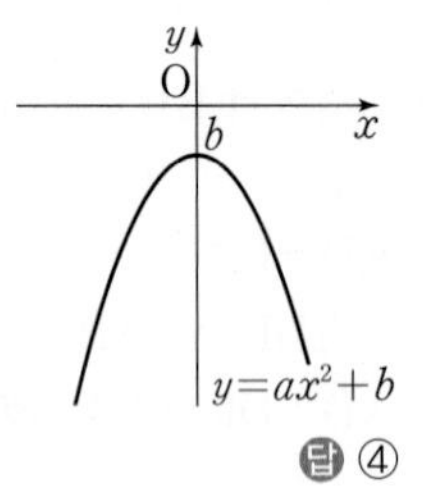

답 ④

02

꼭짓점이 점 $(2, -1)$이고, x^2의 계수가 -1이므로

$y=-(x-2)^2-1=-x^2+4x-5$

$y=-x^2+ax+b$와 비교하면

$a=4$, $b=-5$

답 $a=4$, $b=-5$

03

(1) 꼭짓점이 점 $(2, -3)$이므로

$y=a(x-2)^2-3$

으로 놓을 수 있다.

그래프가 점 $(3, -1)$을 지나므로

$-1=a-3$　　$\therefore a=2$

$\therefore f(x)=2(x-2)^2-3$

(2) $0\le x\le 3$에서 $y=f(x)$의 그래프는 그림과 같다.

따라서 $x=0$에서 최댓값은 5이다.

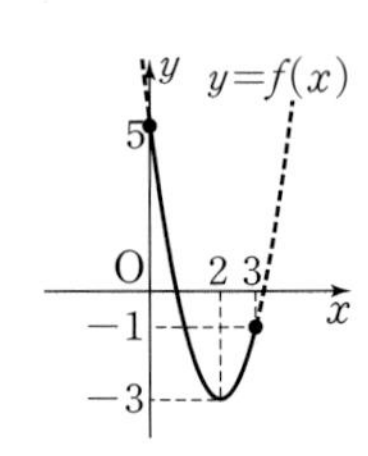

답 (1) $f(x)=2(x-2)^2-3$　(2) 5

04

$y=-\frac{1}{3}x^2+2x+k$

$=-\frac{1}{3}(x-3)^2+k+3$

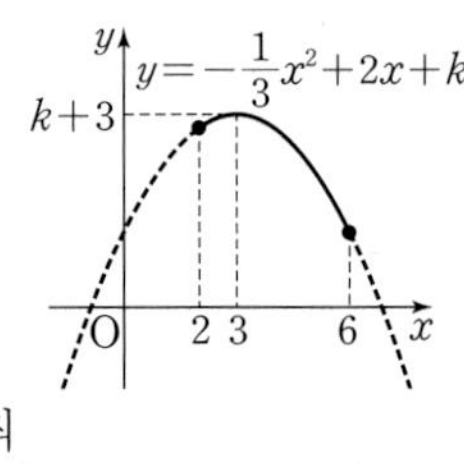

함수의 그래프는 그림과 같다.

꼭짓점의 x좌표가 3이므로 $x=3$에서 최대, $x=6$에서 최소이다.

최솟값이 2이므로 $x=6$, $y=2$를 대입하면

$-\frac{1}{3}\times 3^2+k+3=2$　　$\therefore k=2$

$x=3$에서 최댓값은 $k+3=2+3=5$

답 5

05

$y=x^2-2px+p=(x-p)^2-p^2+p$

이므로 $x=p$에서 최솟값은 $f(p)=-p^2+p$이다.

$f(p)=-\left(p-\frac{1}{2}\right)^2+\frac{1}{4}$이므로

$f(p)$의 최댓값은 $p=\frac{1}{2}$일 때 $\frac{1}{4}$이다.

답 $\frac{1}{4}$

06

두 수를 x, $x+8$이라 하면 곱은

$x(x+8)=x^2+8x=(x+4)^2-16$

따라서 $x=-4$일 때 곱이 최소이므로 두 수는 -4, 4이다.

답 -4, 4

07

$y=-5t^2+30t=-5(t-3)^2+45$

이므로 $t=3$에서 최댓값은 45이다.

따라서 공이 가장 높이 올라갔을 때의 높이는 45 m이다.

답 45 m

08

전략 (1) 절댓값 기호 안에 있는 식의 부호를 나누어 절댓값 기호를 없앤다.

(2) $f(x)=-x^2+3x-2$라 하고 $y=|f(x)|$의 그래프를 그리는 방법을 활용한다.

(1) (i) $x<-1$일 때,

$y=-(x-2)+(x+1)$ $\quad\therefore y=3$

(ii) $-1\le x<2$일 때,

$y=-(x-2)-(x+1)$

$\therefore y=-2x+1$

(iii) $x\ge 2$일 때,

$y=(x-2)-(x+1)$

$\therefore y=-3$

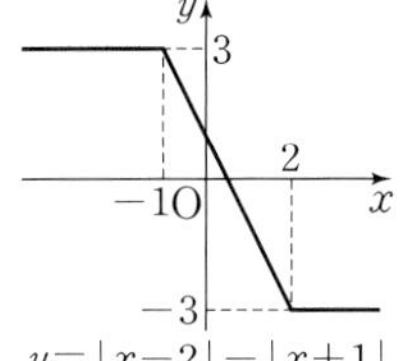

(i), (ii), (iii)에서 그래프는 그림과 같다.

(2) $f(x)=-x^2+3x-2$라 하면

$f(x)=-\left(x-\frac{3}{2}\right)^2+\frac{1}{4}$

또 $y=f(x)$에 $x=0$을 대입하면 $y=-2$

$y=0$을 대입하면 $0=-x^2+3x-2$

$x^2-3x+2=0$

$(x-1)(x-2)=0$

$\therefore x=1$ 또는 $x=2$

따라서 함수 $y=f(x)$의 그래프는 그림과 같다.

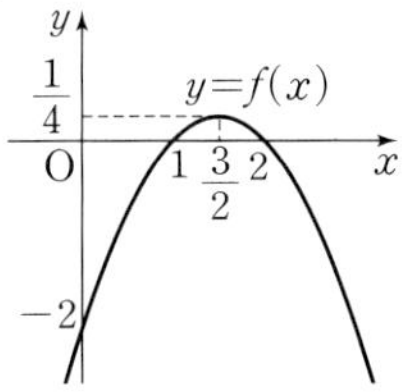

$1<x<2$인 부분에는 $y=f(x)$의 그래프를 그리고, $x\le 1$, $x\ge 2$인 부분에는 $y=-f(x)$의 그래프를 그리면

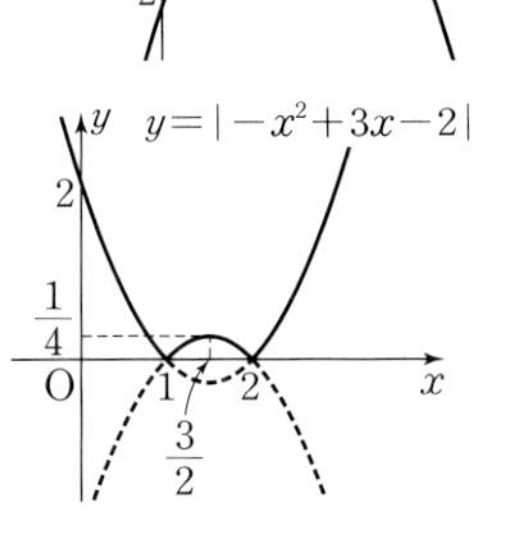

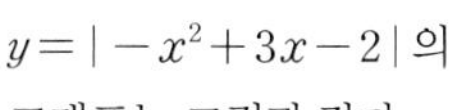
$y=|-x^2+3x-2|$의 그래프는 그림과 같다.

답 (1) 풀이 참조 (2) 풀이 참조

참고 (2) $|-a|=|a|$이므로 $y=|x^2-3x+2|$의 그래프를 그려도 된다.

09

전략 $y=ax^2+bx+c$의 x에 적당한 값을 대입하고 함숫값의 부호를 생각한다.

(1) $x=1$일 때, $y>0$이므로 $a+b+c>0$

(2) $x=-1$일 때, $y<0$이므로 $a-b+c<0$

(3) $x=-\frac{1}{2}$일 때, $y<0$이므로 $\frac{1}{4}a-\frac{1}{2}b+c<0$

$\therefore a-2b+4c=4\left(\frac{1}{4}a-\frac{1}{2}b+c\right)<0$

답 (1) $a+b+c>0$ (2) $a-b+c<0$ (3) $a-2b+4c<0$

10

전략 (1) 점 $(2, 0)$에서 x축에 접하는 이차함수의 식을 생각한다.

(2) 축이 직선 $x=p$이면 $y=a(x-p)^2+b$

(1) x축과 만나는 점의 x좌표가 2뿐이므로 꼭짓점이 점 $(2, 0)$이다.

$y=a(x-2)^2$

점 $(0, 4)$를 지나므로

$4a=4$ $\quad\therefore a=1$

$\therefore y=(x-2)^2$

(2) 축이 직선 $x=-2$이므로

$y=a(x+2)^2+b$

두 점 $(-3, 0)$, $(1, 8)$을 지나므로

$0=a+b$, $8=9a+b$

두 식을 연립하여 풀면 $a=1$, $b=-1$

$\therefore y=(x+2)^2-1$

답 (1) $y=(x-2)^2$ (2) $y=(x+2)^2-1$

11

전략 직선 $y=3x-1$ 위의 점의 좌표는 $(m, 3m-1)$ 꼴이다.

꼭짓점이 직선 $y=3x-1$ 위에 있으므로 꼭짓점의 좌표를 $(m, 3m-1)$이라 하면 이차함수의 식은

$y=2(x-m)^2+3m-1$

로 놓을 수 있다.

점 $(1, 2)$를 지나므로

$2=2(1-m)^2+3m-1$, $2m^2-m-1=0$

$(2m+1)(m-1)=0$ $\quad\therefore m=-\frac{1}{2}$ 또는 $m=1$

이차함수의 식은

$m=-\frac{1}{2}$일 때, $y=2\left(x+\frac{1}{2}\right)^2-\frac{3}{2}-1=2\left(x+\frac{1}{2}\right)^2-\frac{5}{2}$

$m=1$일 때, $y=2(x-1)^2+3-1=2(x-1)^2+2$

답 $y=2\left(x+\frac{1}{2}\right)^2-\frac{5}{2}$, $y=2(x-1)^2+2$

12 전략 $y=f(x)$의 그래프가 x축과 만나는 점의 x좌표가 α, β이면 축은 직선 $x=\frac{\alpha+\beta}{2}$이다.

이차함수 $y=f(x)$의 그래프가 x축과 만나는 점의 x좌표를 α, β $(\alpha<\beta)$라 하자.

그래프가 직선 $x=-2$에 대칭이므로

$\frac{\alpha+\beta}{2}=-2 \qquad \therefore \alpha+\beta=-4$

또 $2x-3=\alpha$인 x의 값, 곧 $x=\frac{\alpha+3}{2}$을

$f(2x-3)=0$에 대입하면

$f\left(2\times\frac{\alpha+3}{2}-3\right)=f(\alpha)=0$

따라서 $\frac{\alpha+3}{2}$은 방정식 $f(2x-3)=0$의 근이다.

같은 이유로 $\frac{\beta+3}{2}$도 방정식 $f(2x-3)=0$의 근이다.

$f(2x-3)=0$의 두 근은 $\frac{\alpha+3}{2}$, $\frac{\beta+3}{2}$이므로 두 근의 합은

$\frac{\alpha+3}{2}+\frac{\beta+3}{2}=\frac{(\alpha+\beta)+6}{2}=\frac{-4+6}{2}=1$

답 1

13 전략 x축과 만나는 두 점은 축에 대칭이다.

축이 직선 $x=\frac{-4+2}{2}=-1$이고 $f(x)$의 최댓값이 18이므로

$f(x)=a(x+1)^2+18$ $(a<0)$

로 놓을 수 있다.

$y=f(x)$의 그래프가 점 $(2, 0)$을 지나므로

$0=a(2+1)^2+18$, $9a+18=0 \qquad \therefore a=-2$

$\therefore f(x)=-2(x+1)^2+18$

다른 풀이

$f(x)=a(x+4)(x-2)$ $(a<0)$로 놓으면

$f(x)=a(x^2+2x-8)=a(x+1)^2-9a$

최댓값이 18이므로 $-9a=18 \qquad \therefore a=-2$

답 $f(x)=-2(x+1)^2+18$

14 전략 축이 주어진 x값의 범위 내에 있는지 확인한다.

축은 직선

$x=-\frac{5a}{2\times(-a)}=\frac{5}{2}$

이고 $-a<0$이므로 그래프는 그림과 같다.

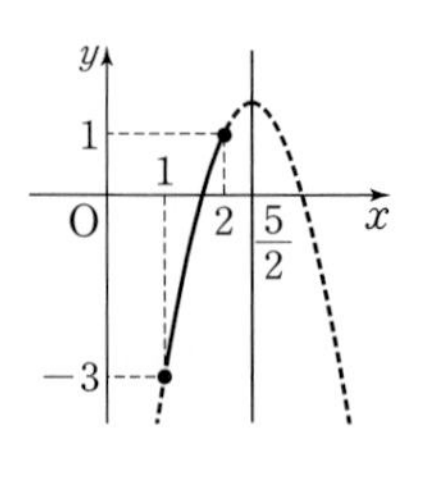

따라서 $y=-ax^2+5ax-b$는 $x=1$에서 최소, $x=2$에서 최대이다.

최솟값이 -3이므로 $x=1$, $y=-3$을 대입하면

$-a+5a-b=-3$, $4a-b=-3 \qquad \cdots$ ㉠

최댓값이 1이므로 $x=2$, $y=1$을 대입하면

$-4a+10a-b=1$, $6a-b=1 \qquad \cdots$ ㉡

㉠, ㉡을 연립하여 풀면 $a=2$, $b=11$

답 $a=2$, $b=11$

15 전략 축이 $x\ge k$에 포함될 때와 포함되지 않을 때 k값의 범위부터 구한다.

$y=-2x^2+4x+5$

$=-2(x-1)^2+7$

$k\le1$

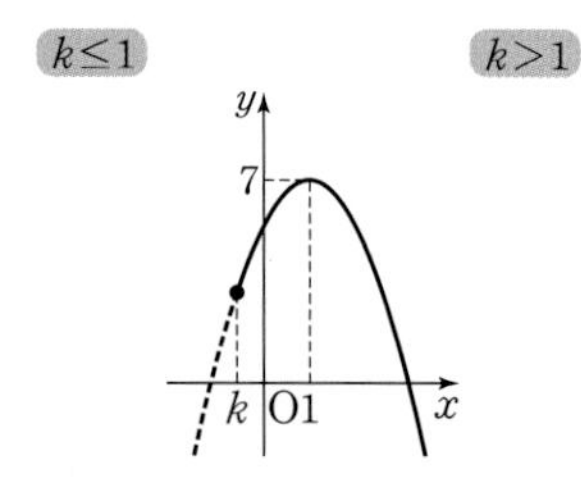

$k>1$

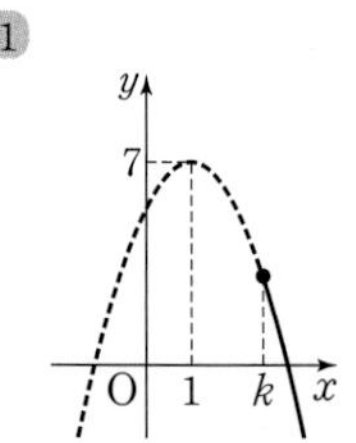

(i) $k\le1$일 때,

$x=1$에서 최댓값은 7이므로 모순이다.

(ii) $k>1$일 때,

$x=k$에서 최댓값은 $-2k^2+4k+5$이다.

최댓값이 -1이므로 $-2k^2+4k+5=-1$

$k^2-2k-3=0$, $(k+1)(k-3)=0$

$k>1$이므로 $k=3$

답 3

16 전략 전개하면 사차식이므로 치환을 이용한다.

$y=-2(x^2-6x+4)^2+2(x^2-6x)+13$

$=-2(x^2-6x+4)^2+2(x^2-6x+4)+5$

에서 $x^2-6x+4=t$로 놓으면

$y=-2t^2+2t+5=-2\left(t-\frac{1}{2}\right)^2+\frac{11}{2} \qquad \cdots$ ㉠

또 $t=(x-3)^2-5$이고 $1\le x\le4$이므로

$x=3$에서 t의 최솟값은 -5이고,

$x=1$에서 t의 최댓값은 $1-6+4=-1$

$\therefore\ -5\le t\le -1$

$-5\le t\le -1$에서 ㉠의 그래프는 그림과 같다.

따라서

$t=-1$에서 최댓값은

$-2-2+5=1$

$t=-5$에서 최솟값은

$-2\times(-5)^2+2\times(-5)+5=-55$

답 최댓값 : 1, 최솟값 : -55

17 전략 $x+y=3$에서 $y=3-x$를 $2x^2+y^2$에 대입하여 x에 대한 이차식으로 만든다.

$y=3-x$를 $2x^2+y^2$에 대입하면

$2x^2+y^2=2x^2+(3-x)^2=3x^2-6x+9=3(x-1)^2+6$

$x\ge 0$, $y=3-x\ge 0$이므로 $0\le x\le 3$

따라서 최솟값은 $x=1$일 때 6

최댓값은 $x=3$일 때 18이다.

답 최댓값 : 18, 최솟값 : 6

18 전략 점 A의 x좌표를 a라 하고 점 B, C, D의 좌표를 a로 나타낸다.

점 A의 x좌표를 a라 하면 점 B, C의 x좌표는 $-a$, 점 D의 x좌표는 a이므로

$A(a, g(a))$, $B(-a, g(-a))$,

$C(-a, f(-a))$, $D(a, f(a))$

$\therefore\ \overline{AB}=2a$

$\overline{AD}=g(a)-f(a)=(-2a^2+5)-(a^2-7)$

$=-3a^2+12$

직사각형 ABCD의 둘레의 길이는

$2(\overline{AB}+\overline{AD})=2(2a-3a^2+12)$

$=-6a^2+4a+24$

$=-6\left(a-\frac{1}{3}\right)^2+\frac{74}{3}$

따라서 $a=\frac{1}{3}$일 때 최대이고 점 A의 x좌표는 $\frac{1}{3}$이다.

답 $\frac{1}{3}$

참고 $g(x)=-2x^2+5$의 그래프가 x축과 x좌표가 $\pm\sqrt{\frac{5}{2}}$인 점에서 만나므로 $0<a<\sqrt{\frac{5}{2}}$이다.

19 전략 점 $P(a, b)$는 그래프 위의 점임을 이용하여 b를 a로 나타낸다.

$y=x^2-4x+3$ ⋯ ㉠

㉠에 $x=0$을 대입하면 $y=3$ $\therefore\ A(0, 3)$

㉠에 $y=0$을 대입하면 $0=x^2-4x+3$

$(x-1)(x-3)=0$ $\therefore\ x=1$ 또는 $x=3$

곧, $B(1, 0)$, $C(3, 0)$이므로 $0\le a\le 3$ ⋯ ㉡

점 $P(a, b)$가 $y=x^2-4x+3$의 그래프 위의 점이므로

$b=a^2-4a+3$

$\therefore\ a+b=a+a^2-4a+3=a^2-3a+3$

$=\left(a-\frac{3}{2}\right)^2+\frac{3}{4}$

㉡에서 생각하면

$a=0$(또는 $a=3$)에서 $a+b$의 최댓값은 3

$a=\frac{3}{2}$에서 $a+b$의 최솟값은 $\frac{3}{4}$

따라서 최댓값과 최솟값의 곱은 $3\times\frac{3}{4}=\frac{9}{4}$

답 ②

20 전략 정육각형을 정삼각형 6개로 나누어 생각한다.

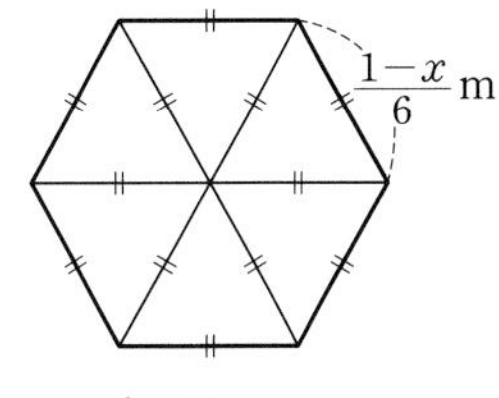

철사 A의 길이를 x m라 하면 철사 B의 길이는 $(1-x)$ m이고 $0<x<1$이다.

정삼각형의 한 변의 길이는 $\frac{x}{3}$ m, 정육각형의 한 변의 길이는 $\frac{1-x}{6}$ m이므로 두 도형의 넓이의 합은

$\frac{\sqrt{3}}{4}\times\left(\frac{x}{3}\right)^2+6\times\frac{\sqrt{3}}{4}\times\left(\frac{1-x}{6}\right)^2$

$=\frac{\sqrt{3}}{36}x^2+\frac{\sqrt{3}}{24}(1-x)^2=\frac{\sqrt{3}}{72}\{2x^2+3(1-x)^2\}$

$=\frac{\sqrt{3}}{72}(5x^2-6x+3)$

이때 $5x^2-6x+3=5\left(x-\frac{3}{5}\right)^2+\frac{6}{5}$이므로 $x=\frac{3}{5}$에서 두 도형의 넓이의 합이 최소이다.

철사 A와 B의 길이의 비는 $\frac{3}{5}:\frac{2}{5}=3:2$

답 ⑤

참고 한 변의 길이가 a인 정삼각형의 넓이는 $\frac{\sqrt{3}}{4}a^2$이다.

9 이차함수와 이차방정식

개념 Check
130쪽 ~ 132쪽

1

(1) $y=0$을 대입하면 $0=-x^2+2x-1$

$\frac{D}{4}=1^2-(-1)\times(-1)=0$

이므로 x축과 만나는 점은 1개이다.

(2) $y=0$을 대입하면 $0=-x^2+2x-4$

$\frac{D}{4}=1^2-(-1)\times(-4)<0$

이므로 x축과 만나는 점은 없다.

(3) $y=0$을 대입하면 $0=-x^2+2x+3$

$\frac{D}{4}=1^2-(-1)\times 3>0$

이므로 x축과 만나는 점은 2개이다.

답 (1) 1 (2) 0 (3) 2

2

(1) 두 식에서 y를 소거하면

$x^2-5x+6=2$, $x^2-5x+4=0$

$(x-1)(x-4)=0$ $\therefore x=1$ 또는 $x=4$

따라서 교점의 좌표는 $(1, 2)$, $(4, 2)$

(2) 두 식에서 y를 소거하면

$-x^2+2x=-2x-5$, $x^2-4x-5=0$

$(x+1)(x-5)=0$ $\therefore x=-1$ 또는 $x=5$

$x=-1$일 때 $y=-2\times(-1)-5=-3$

$x=5$일 때 $y=-2\times 5-5=-15$

따라서 교점의 좌표는 $(-1, -3)$, $(5, -15)$

답 (1) $(1, 2)$, $(4, 2)$ (2) $(-1, -3)$, $(5, -15)$

3

(1) 두 식에서 y를 소거하면

$-x^2+x=-3x+4$, $x^2-4x+4=0$

$\frac{D}{4}=2^2-4=0$이므로 접한다.

(2) 두 식에서 y를 소거하면

$-x^2+x=-3x+1$, $x^2-4x+1=0$

$\frac{D}{4}=2^2-1>0$이므로 두 점에서 만난다.

(3) 두 식에서 y를 소거하면

$-x^2+x=-3x+6$, $x^2-4x+6=0$

$\frac{D}{4}=2^2-6<0$이므로 만나지 않는다.

답 (1) 접한다. (2) 두 점에서 만난다. (3) 만나지 않는다.

4

두 식에서 y를 소거하면

$-2x+k=x^2$, $x^2+2x-k=0$

두 그래프가 접하므로

$\frac{D}{4}=1+k=0$ $\therefore k=-1$

답 -1

대표Q
133쪽 ~ 136쪽

대표 Q1

$\frac{D}{4}=k^2-(k^2-2k+1)=2k-1$

(1) $\frac{D}{4}>0$에서 $2k-1>0$ $\therefore k>\frac{1}{2}$

(2) $\frac{D}{4}=0$에서 $2k-1=0$ $\therefore k=\frac{1}{2}$

(3) $\frac{D}{4}<0$에서 $2k-1<0$ $\therefore k<\frac{1}{2}$

답 (1) $k>\frac{1}{2}$ (2) $\frac{1}{2}$ (3) $k<\frac{1}{2}$

1-1

$D=1^2-4\times(-1)\times(k+1)=4k+5$

(1) $D>0$에서 $4k+5>0$ $\therefore k>-\frac{5}{4}$

(2) $D=0$에서 $4k+5=0$ $\therefore k=-\frac{5}{4}$

(3) $D<0$에서 $4k+5<0$ $\therefore k<-\frac{5}{4}$

답 (1) $k>-\frac{5}{4}$ (2) $-\frac{5}{4}$ (3) $k<-\frac{5}{4}$

대표 Q2

$y=-2x^2+x+2$와 $y=-x+n$에서

$-2x^2+x+2=-x+n$, $2x^2-2x+n-2=0$ ⋯ ㉠

이때 $\frac{D}{4}=(-1)^2-2(n-2)=-2n+5$

(1) $\frac{D}{4}<0$에서 $-2n+5<0$ $\quad\therefore n>\frac{5}{2}$

(2) $\frac{D}{4}\geq 0$에서 $-2n+5\geq 0$ $\quad\therefore n\leq\frac{5}{2}$

(3) $\frac{D}{4}=0$에서 $-2n+5=0$ $\quad\therefore n=\frac{5}{2}$

㉠에 $n=\frac{5}{2}$를 대입하면

$2x^2-2x+\frac{1}{2}=0$, $4x^2-4x+1=0$

$(2x-1)^2=0$ $\quad\therefore x=\frac{1}{2}$

$x=\frac{1}{2}$을 $y=-x+\frac{5}{2}$에 대입하면 $y=2$

따라서 접점의 좌표는 $\left(\frac{1}{2}, 2\right)$이다.

답 (1) $n>\frac{5}{2}$ (2) $n\leq\frac{5}{2}$

(3) $n=\frac{5}{2}$, 접점의 좌표 : $\left(\frac{1}{2}, 2\right)$

2-1

$y=x^2-2x+k$와 $y=-x+3$에서

$x^2-2x+k=-x+3$, $x^2-x+k-3=0$ $\quad\cdots$ ㉠

이때 $D=(-1)^2-4(k-3)=13-4k$

(1) $D\geq 0$에서 $13-4k\geq 0$ $\quad\therefore k\leq\frac{13}{4}$

(2) $D<0$에서 $13-4k<0$ $\quad\therefore k>\frac{13}{4}$

(3) $D=0$에서 $13-4k=0$ $\quad\therefore k=\frac{13}{4}$

㉠에 $k=\frac{13}{4}$을 대입하면

$x^2-x+\frac{1}{4}=0$, $\left(x-\frac{1}{2}\right)^2=0$ $\quad\therefore x=\frac{1}{2}$

$x=\frac{1}{2}$을 $y=-x+3$에 대입하면 $y=\frac{5}{2}$

따라서 접점의 좌표는 $\left(\frac{1}{2}, \frac{5}{2}\right)$이다.

답 (1) $k\leq\frac{13}{4}$ (2) $k>\frac{13}{4}$

(3) $k=\frac{13}{4}$, 접점의 좌표 : $\left(\frac{1}{2}, \frac{5}{2}\right)$

대표 03

(1) 직선 $y=-2x+1$에 평행한 직선은 기울기가 -2이므로 직선의 방정식을 $y=-2x+n$으로 놓자.

$y=x^2+4x+5$와 $y=-2x+n$에서

$x^2+4x+5=-2x+n$, $x^2+6x+5-n=0$

접하므로

$\frac{D}{4}=3^2-(5-n)=0$ $\quad\therefore n=-4$

따라서 접선의 방정식은 $y=-2x-4$

(2) 직선 $y=x$가 점 $(1, c)$를 지나므로 $c=1$

함수 $y=x^2+ax+b$의 그래프가 점 $(1, 1)$을 지나므로

$1=1+a+b$ $\quad\therefore b=-a$

이때 이차함수는 $y=x^2+ax-a$이다.

이차함수의 그래프와 직선 $y=x$가 접하므로

$x^2+ax-a=x$, $x^2+(a-1)x-a=0$

에서

$D=(a-1)^2+4a=0$, $(a+1)^2=0$

$\therefore a=-1$, $b=1$

답 (1) $y=-2x-4$ (2) $a=-1$, $b=1$, $c=1$

3-1

직선 $y=x+2$에 평행한 직선은 기울기가 1이므로 직선의 방정식을 $y=x+n$으로 놓자.

$y=2x^2-3x+1$과 $y=x+n$에서

$2x^2-3x+1=x+n$, $2x^2-4x+1-n=0$

접하므로

$\frac{D}{4}=2^2-2(1-n)=0$ $\quad\therefore n=-1$

따라서 접선의 방정식은 $y=x-1$

답 $y=x-1$

3-2

y절편이 7이므로 직선의 방정식을 $y=mx+7$로 놓자.

$y=-x^2+2x+3$과 $y=mx+7$에서

$-x^2+2x+3=mx+7$, $x^2+(m-2)x+4=0$

접하므로

$D=(m-2)^2-4\times 4=0$, $(m-2)^2=16$

$m-2=\pm 4$ $\quad\therefore m=-2$ 또는 $m=6$

따라서 접선의 방정식은

$y=-2x+7$, $y=6x+7$

답 $y=-2x+7$, $y=6x+7$

대표 04

(1) $y=f(x)$의 그래프와 직선 $y=3$의 교점의 x좌표는 방정식 $f(x)=3$, 곧 $f(x)-3=0$의 해이다.

해가 $x=1$ 또는 $x=3$이므로
$f(x)-3=a(x-1)(x-3)$ $\cdots$ ㉠
으로 놓을 수 있다.
$f(0)=-3$이므로 ㉠에 $x=0$을 대입하면
$-3-3=a\times(-1)\times(-3)$ $\therefore a=-2$
㉠에 대입하면
$f(x)-3=-2(x-1)(x-3)$
$\therefore f(x)=-2x^2+8x-3$

(2) 이차함수 $y=x^2$의 그래프와 직선 $y=kx+2$가 그림과 같이 두 점에서 만나고
$\overline{AC}:\overline{CB}=1:2$이므로
점 A의 x좌표를 $-\alpha$라 하면
점 B의 x좌표는 2α이다.
$y=x^2$과 $y=kx+2$에서
$x^2=kx+2$ $\therefore x^2-kx-2=0$
해가 $-\alpha$, 2α이므로 근과 계수의 관계에서
$-\alpha+2\alpha=k$ $\cdots$ ㉠
$-\alpha\times2\alpha=-2$ $\cdots$ ㉡
㉡에서 $\alpha^2=1$ $\therefore \alpha=\pm1$
㉠에 대입하면 $k=\pm1$

답 (1) $f(x)=-2x^2+8x-3$ (2) -1, 1

참고 (2) $\alpha<0$이면 점 A가 제1사분면 위에 있고 직선 AB의 기울기가 음수이다. 이때 점 A의 x좌표를 α라 하면 점 B의 x좌표는 -2α이다.

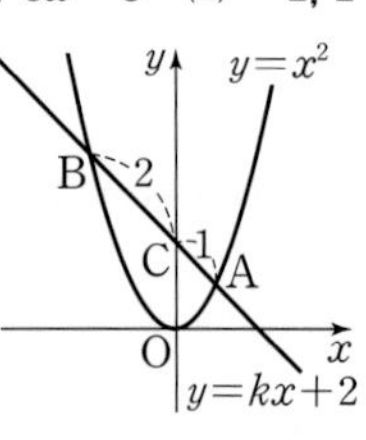

4-1

$y=f(x)$의 그래프와 직선 $y=-2$의 교점의 x좌표를 α, β라 하면
$f(x)=-2$, 곧 $f(x)+2=0$
의 해가 $x=\alpha$ 또는 $x=\beta$이므로
$f(x)+2=a(x-\alpha)(x-\beta)$
로 놓을 수 있다.
$\therefore f(x)=a\{x^2-(\alpha+\beta)x+\alpha\beta\}-2$
$\alpha+\beta=4$, $\alpha\beta=-6$이므로
$f(x)=a(x^2-4x-6)-2$
또 $f(1)=7$이므로
$7=a(1-4-6)-2$ $\therefore a=-1$
$\therefore f(x)=-(x^2-4x-6)-2$
$=-x^2+4x+4$

답 $f(x)=-x^2+4x+4$

4-2

$y=x^2+px+q$와 $y=2x-10$에서
$x^2+px+q=2x-10$
$\therefore x^2+(p-2)x+q+10=0$
p, q가 유리수이고 한 근이 $5+\sqrt{3}$이므로 나머지 한 근은 $5-\sqrt{3}$이다.
따라서 근과 계수의 관계에서
$(5+\sqrt{3})+(5-\sqrt{3})=-(p-2)$
$(5+\sqrt{3})(5-\sqrt{3})=q+10$
$\therefore p=-8$, $q=12$

답 $p=-8$, $q=12$

연습과 실전 9 이차함수와 이차방정식 137쪽~140쪽

01 $a=\frac{15}{2}$, $b=\frac{1}{4}$, $c=-2$
02 $k<0$ 또는 $0<k<1$ **03** ① **04** 3
05 $k<-1$ **06** (1) -6 (2) -8, 0
07 $y=-5x-5$ **08** $f(x)=\frac{1}{2}x^2+x+1$
09 $-2<a\le1$ **10** 1 **11** $a=3$, $b=7$ **12** ⑤
13 ② **14** ⑤ **15** $0<k<1$ **16** ④ **17** 27
18 4

01

$y=2x^2+ax+c$의 그래프가 점 $(0, -2)$를 지나므로
$-2=2\times0+a\times0+c$
$\therefore c=-2$
$2x^2+ax-2=0$의 해가 -4, b이므로
근과 계수의 관계에서
$-4+b=-\frac{a}{2}$, $-4b=-\frac{2}{2}$
$\therefore a=\frac{15}{2}$, $b=\frac{1}{4}$

답 $a=\frac{15}{2}$, $b=\frac{1}{4}$, $c=-2$

02

이차함수이므로 $k\neq0$

그래프가 x축과 두 점에서 만나므로

$\frac{D}{4}=(k-1)^2-k(k-1)=-k+1>0$ $\therefore k<1$

$k\neq0$이므로 $k<0$ 또는 $0<k<1$

답 $k<0$ 또는 $0<k<1$

03

$x^2+ax+b=0$의 두 근이 -4, 1이므로

근과 계수의 관계에서

$-4+1=-a$, $(-4)\times1=b$

$\therefore a=3$, $b=-4$

$y=x^2-bx+a$에 대입하면 $y=x^2+4x+3$

$y=0$을 대입하면 $0=x^2+4x+3$

$(x+3)(x+1)=0$ $\therefore x=-3$ 또는 $x=-1$

따라서 x축과 만나는 두 점은 $(-3, 0)$, $(-1, 0)$이고, 두 점 사이의 거리는 2이다.

답 ①

04

$\{f(x)\}^2-f(x)-2=0$에서

$\{f(x)+1\}\{f(x)-2\}=0$

$\therefore f(x)=-1$ 또는 $f(x)=2$

$y=f(x)$의 그래프는

직선 $y=-1$과 두 점에서 만나고,

직선 $y=2$와 한 점에서 만난다.

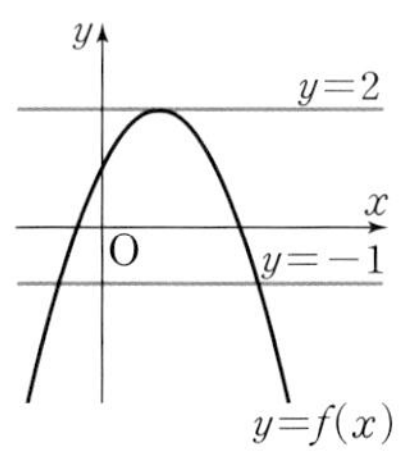

따라서 구하는 서로 다른 실근은 3개이다.

답 3

05

$y=x^2-x+k+3$과 $y=x+1$에서

$x^2-x+k+3=x+1$, $x^2-2x+k+2=0$

해가 서로 다른 두 실수이므로

$\frac{D}{4}=1^2-(k+2)>0$ $\therefore k<-1$

답 $k<-1$

06

(1) $y=x^2-4x+3$과 $y=2x+n$에서

$x^2-4x+3=2x+n$, $x^2-6x+3-n=0$

접하므로

$\frac{D}{4}=3^2-(3-n)=0$ $\therefore n=-6$

(2) $y=x^2-4x+3$과 $y=mx-1$에서

$x^2-4x+3=mx-1$, $x^2-(4+m)x+4=0$

접하므로

$D=(4+m)^2-4\times4=0$, $4+m=\pm4$

$\therefore m=-8$ 또는 $m=0$

답 (1) -6 (2) -8, 0

07

$y=x^2-3x-4$의 그래프가 점 $(-1, a)$를 지나므로

$a=(-1)^2-3\times(-1)-4=0$

접선의 방정식을 $y=mx+n$이라 하자.

접선이 점 $(-1, 0)$을 지나므로 $0=-m+n$

곧, $n=m$이므로 접선의 방정식은 $y=mx+m$

이 직선의 방정식과 $y=x^2-3x-4$에서

$x^2-3x-4=mx+m$

$x^2-(m+3)x-m-4=0$

접하므로

$D=(m+3)^2+4(m+4)=0$

$(m+5)^2=0$ $\therefore m=-5$

따라서 접선의 방정식은 $y=-5x-5$

답 $y=-5x-5$

08

축이 직선 $x=-1$이므로

$f(x)=a(x+1)^2+n$

으로 놓을 수 있다.

$f(0)=1$이므로 $a+n=1$

$\therefore f(x)=ax^2+2ax+a+n$

$=ax^2+2ax+1$

$y=f(x)$와 $y=-x-1$에서

$ax^2+2ax+1=-x-1$

$ax^2+(2a+1)x+2=0$

접하므로

$D=(2a+1)^2-4\times a\times2=0$

$(2a-1)^2=0$ $\therefore a=\frac{1}{2}$

$\therefore f(x)=\frac{1}{2}x^2+x+1$

답 $f(x)=\frac{1}{2}x^2+x+1$

09 전략 x축과 만나면 $D\geq0$, 만나지 않으면 $D<0$

$y=x^2-2x+a$의 그래프가 x축과 만나므로

$\frac{D}{4}=(-1)^2-a\ge0 \quad \therefore a\le1 \quad \cdots ㉠$

$y=x^2+2ax+a^2+2a+4$의 그래프는 x축과 만나지 않으므로

$\frac{D}{4}=a^2-(a^2+2a+4)<0 \quad \therefore a>-2 \quad \cdots ㉡$

㉠, ㉡에서 $-2<a\le1$

답 $-2<a\le1$

10 전략 $y=0$을 대입한 방정식의 두 근을 α, β $(\alpha<\beta)$라 할 때 $\beta-\alpha=2$이다.

$x^2-2kx+k^2-2k+1=0$의 두 근을 α, β $(\alpha<\beta)$라 하면 근과 계수의 관계에서

$\alpha+\beta=2k$, $\alpha\beta=k^2-2k+1$

조건에서 $\beta-\alpha=2$이고

$(\beta-\alpha)^2=(\alpha+\beta)^2-4\alpha\beta$이므로

$4=4k^2-4(k^2-2k+1)$, $8k-4=4 \quad \therefore k=1$

답 1

11 전략 이차함수의 그래프가 직선과 접하면 y를 소거한 식에서 $D=0$이다.

$y=x^2+ax+b$의 그래프가 직선 $y=-x+3$에 접하므로

$x^2+ax+b=-x+3$, $x^2+(a+1)x+b-3=0$

에서 $D=(a+1)^2-4(b-3)=0$

$\therefore a^2+2a-4b+13=0 \quad \cdots ㉠$

또 직선 $y=5x+6$에 접하므로

$x^2+ax+b=5x+6$, $x^2+(a-5)x+b-6=0$

에서 $D=(a-5)^2-4(b-6)=0$

$\therefore a^2-10a-4b+49=0 \quad \cdots ㉡$

㉠−㉡을 하면 $12a-36=0 \quad \therefore a=3$

$a=3$을 ㉠에 대입하면 $b=7$

답 $a=3$, $b=7$

12 전략 직선의 방정식을 $y=mx+n$으로 놓고, $D=0$에서 m값의 곱을 구한다.

접선의 방정식을 $y=mx+n$이라 하자.

점 $(1, a)$를 지나므로

$a=m+n \quad \therefore n=-m+a$

곧, 직선 $y=mx-m+a$가 $y=x^2+3x+7$의 그래프에 접하므로

$x^2+3x+7=mx-m+a$

$x^2+(3-m)x+7+m-a=0$

에서 $D=(3-m)^2-4(7+m-a)=0$

$\therefore m^2-10m-19+4a=0$

두 직선의 기울기의 곱이 1이므로 방정식의 두 근의 곱이 1이다. 따라서 근과 계수의 관계에서

$-19+4a=1 \quad \therefore a=5$

답 ⑤

13 전략 k의 값에 관계없이 판별식 $D=0$이다.

$x^2-4kx+4k^2+k=2ax+b$에서

$x^2-2(2k+a)x+4k^2+k-b=0$

접하므로

$\frac{D}{4}=(2k+a)^2-(4k^2+k-b)=0$

$(4a-1)k+a^2+b=0$

k의 값에 관계없이 항상 성립하므로

$4a-1=0$이고 $a^2+b=0$

$\therefore a=\frac{1}{4}$, $b=-\frac{1}{16}$

$\therefore a+b=\frac{3}{16}$

답 ②

14 전략 두 이차함수 그래프의 축이 같으므로 두 그래프의 교점은 직선 $x=1$에 대칭이다.

두 이차함수 그래프의 축이 직선 $x=1$로 같다.

따라서 교점은 직선 $x=1$에 대칭이고 y좌표가 같다.

또 교점 사이의 거리가 4이므로 교점의 x좌표는 -1과 3이다.

두 그래프의 식에서

$-(x-1)^2+a=2(x-1)^2-1$

$3x^2-6x-a+2=0$

이 방정식의 두 근은 $x=-1$ 또는 $x=3$이므로 근과 계수의 관계에서

$\frac{-a+2}{3}=-1\times3 \quad \therefore a=11$

답 ⑤

15 전략 $y=|x^2-6x+8|$의 그래프와 직선 $y=k$가 네 점에서 만난다.

$y=x^2-6x+8$에서 $y=(x-3)^2-1$

$y=0$을 대입하면

$0=x^2-6x+8$

$(x-2)(x-4)=0$

$\therefore\ x=2$ 또는 $x=4$

따라서 $y=x^2-6x+8$의 그래프는 [그림 1]과 같다.

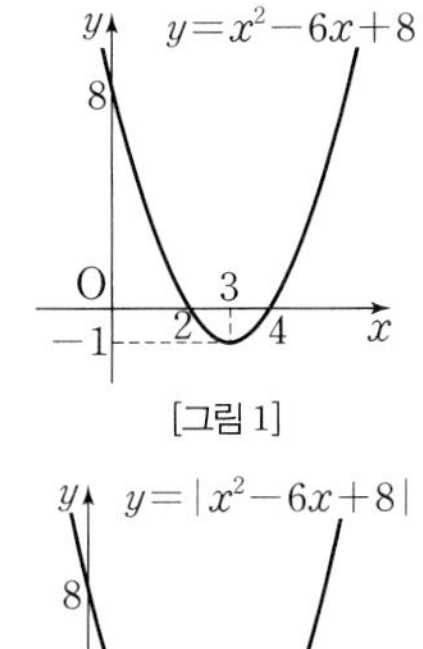

[그림 1]

또 x축 아랫부분을 x축에 대칭하면 $y=|x^2-6x+8|$의 그래프는 [그림 2]와 같다.

[그림 2]에서 함수의 그래프와 직선 $y=k$가 네 점에서 만날 때, k값의 범위는 $0<k<1$

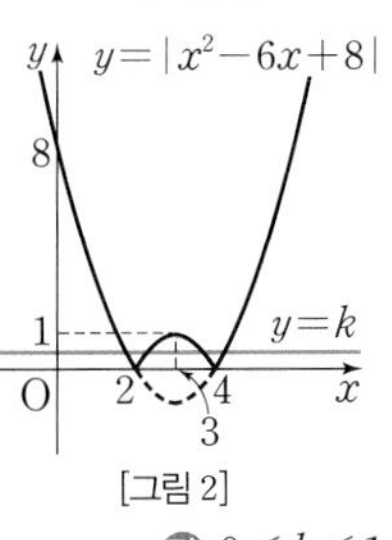

[그림 2]

답 $0<k<1$

16 전략 점 A의 좌표를 (a, a^2)으로 놓고 다른 점의 좌표를 a를 이용해 나타낸다.

점 A의 좌표를 (a, a^2)이라 하면 $\overline{AB}=1$이므로 점 B의 좌표는 (a, a^2-1), 점 C의 x좌표는 $a+1$이다.

따라서 점 C의 좌표는 $\left(a+1, \frac{1}{2}(a+1)^2\right)$이다.

점 D의 y좌표는 점 A의 y좌표와 같고, 점 C의 y좌표보다 1이 더 크므로

$a^2=\frac{1}{2}(a+1)^2+1$

$a^2-2a-3=0$, $(a-3)(a+1)=0$

$a>0$이므로 $a=3$

점 A$(3, 9)$이므로 점 A의 x좌표와 y좌표의 합은 12

답 ④

17 전략 점 A, B, C의 좌표를 a로 나타내고 $y=f(x)$의 그래프가 점 A, B, C를 지날 때, a의 값을 구한다.

$y=2x^2-2ax=2\left(x-\frac{1}{2}a\right)^2-\frac{1}{2}a^2$

이므로 꼭짓점 A의 좌표는 $\left(\frac{1}{2}a, -\frac{1}{2}a^2\right)$

$y=2x(x-a)$이므로 점 B의 좌표는 $(a, 0)$

선분 BC의 길이가 3이므로 점 C의 좌표는 $(a+3, 0)$

$f(x)$의 x^2의 계수가 -1이고 $y=f(x)$의 그래프가 두 점 B, C를 지나므로

$f(x)=-(x-a)(x-a-3)$

$y=f(x)$의 그래프는 점 A를 지나므로

$-\frac{1}{2}a^2=-\left(\frac{1}{2}a-a\right)\left(\frac{1}{2}a-a-3\right)$

$-\frac{1}{2}a^2=\frac{1}{2}a\left(-\frac{1}{2}a-3\right)$, $a=\frac{1}{2}a+3$

$\therefore\ a=6$

A$(3, -18)$이고 $\overline{BC}=3$이므로

$\triangle ACB=\frac{1}{2}\times 3\times 18=27$

답 27

18 전략 교점의 x좌표를 α, β라 하고 점 A, B, A′, B′의 좌표를 구한다.

원점을 지나고 기울기가 양수 m인 직선 $y=mx$가 이차함수 $y=x^2-2$의 그래프와 만나는 점 A, B의 x좌표를 α, β $(\alpha<0<\beta)$라 하자.

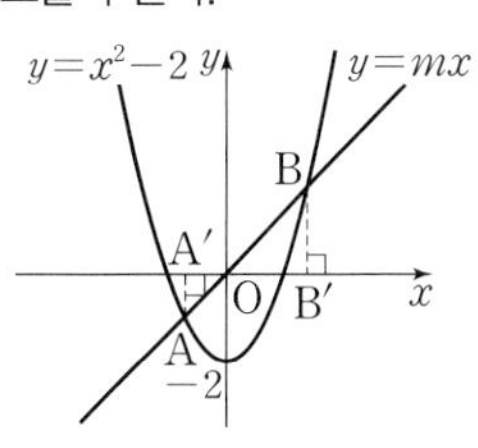

A$(\alpha, m\alpha)$, B$(\beta, m\beta)$, A′$(\alpha, 0)$, B′$(\beta, 0)$

이므로 $\overline{AA'}=-m\alpha$, $\overline{BB'}=m\beta$

$\therefore\ |\overline{AA'}-\overline{BB'}|=|-m\alpha-m\beta|$

$=|-m(\alpha+\beta)|$ $\cdots$ ㉠

α, β는 이차방정식

$x^2-2=mx$, $x^2-mx-2=0$

의 두 근이므로 근과 계수의 관계에서

$\alpha+\beta=m$

㉠에 대입하면

$|\overline{AA'}-\overline{BB'}|=|-m^2|=m^2$

두 선분 AA′, BB′의 길이의 차가 16이므로 $m^2=16$

$m>0$이므로 $m=4$

답 4

10 삼차, 사차방정식

개념 Check 142쪽 ~ 144쪽

1

(1) $(x+1)(x-2)(x-3)=0$에서

$x+1=0$ 또는 $x-2=0$ 또는 $x-3=0$

$\therefore x=-1$ 또는 $x=2$ 또는 $x=3$

(2) $(x-1)(x^2+2x-1)=0$에서

$x-1=0$ 또는 $x^2+2x-1=0$

$\therefore x=1$ 또는 $x=-1\pm\sqrt{2}$

답 (1) $x=-1$ 또는 $x=2$ 또는 $x=3$
(2) $x=1$ 또는 $x=-1\pm\sqrt{2}$

2

(1) $x^3-4x=0$의 좌변을 인수분해하면

$x(x^2-4)=0$, $x(x+2)(x-2)=0$

$\therefore x=0$ 또는 $x=-2$ 또는 $x=2$

(2) $x^3-3x^2+3x-1=0$의 좌변을 인수분해하면

$(x-1)^3=0$ $\quad\therefore x=1$

답 (1) $x=0$ 또는 $x=-2$ 또는 $x=2$ (2) $x=1$

3

$x^3=1$의 한 허근이 ω이므로

$\omega^3=1$, $\omega^2+\omega+1=0$

(1) $\omega^6+\omega^3=(\omega^3)^2+\omega^3=1^2+1=2$

(2) $\omega^4+\omega^2=\omega^3\times\omega+\omega^2=\omega+\omega^2=-1$

답 (1) 2 (2) -1

4

$x^3-2x^2+3x+5=0$에서

(1) $\alpha+\beta+\gamma=-\dfrac{-2}{1}=2$

(2) $\alpha\beta+\beta\gamma+\gamma\alpha=\dfrac{3}{1}=3$

(3) $\alpha\beta\gamma=-\dfrac{5}{1}=-5$

답 (1) 2 (2) 3 (3) -5

참고 삼차방정식의 근과 계수의 관계를 이용하면 근을 직접 구하지 않고도 세 근의 합과 두 근끼리의 곱의 합, 세 근의 곱의 값을 구할 수 있다.

대표Q 145쪽 ~ 149쪽

대표 Q1

(1) $x^3+8=0$에서

$(x+2)(x^2-2x+4)=0$

$x+2=0$ 또는 $x^2-2x+4=0$

$x+2=0$에서 $x=-2$

$x^2-2x+4=0$에서

$x=1\pm\sqrt{3}i$

$\therefore x=-2$ 또는 $x=1\pm\sqrt{3}i$

(2) $x^4=1$에서 $x^4-1=0$

$(x^2+1)(x^2-1)=0$

$x^2+1=0$에서 $x=\pm i$

$x^2-1=0$에서 $x=\pm 1$

$\therefore x=\pm i$ 또는 $x=\pm 1$

(3) $x^4-2x^2-3=0$에서 $x^2=t$로 놓으면

$t^2-2t-3=0$, $(t+1)(t-3)=0$

$\therefore t=-1$ 또는 $t=3$

(i) $t=-1$일 때, $x^2=-1$에서 $x=\pm i$

(ii) $t=3$일 때, $x^2=3$에서 $x=\pm\sqrt{3}$

(i), (ii)에서

$x=\pm i$ 또는 $x=\pm\sqrt{3}$

다른 풀이

$$\begin{aligned}x^4-2x^2-3&=x^4-2x^2+1-4\\&=(x^2-1)^2-2^2\\&=(x^2-1+2)(x^2-1-2)\\&=(x^2+1)(x^2-3)\end{aligned}$$

$x^2+1=0$에서 $x=\pm i$

$x^2-3=0$에서 $x=\pm\sqrt{3}$

$\therefore x=\pm i$ 또는 $x=\pm\sqrt{3}$

(4) $x(x+1)(x+2)(x+3)=24$에서

$\{x(x+3)\}\{(x+1)(x+2)\}=24$

$(x^2+3x)(x^2+3x+2)=24$

$x^2+3x=t$로 놓으면 $t(t+2)=24$

$t^2+2t-24=0$, $(t+6)(t-4)=0$

$\therefore t=-6$ 또는 $t=4$

(i) $t=-6$일 때,

$x^2+3x=-6$에서 $x^2+3x+6=0$

$\therefore x=\dfrac{-3\pm\sqrt{15}i}{2}$

(ii) $t=4$일 때,

$x^2+3x=4$에서 $x^2+3x-4=0$

$(x+4)(x-1)=0 \qquad \therefore x=-4$ 또는 $x=1$

(ⅰ), (ⅱ)에서 $x=\frac{-3\pm\sqrt{15}i}{2}$ 또는 $x=-4$ 또는 $x=1$

답 (1) $x=-2$ 또는 $x=1\pm\sqrt{3}i$

(2) $x=\pm i$ 또는 $x=\pm1$

(3) $x=\pm i$ 또는 $x=\pm\sqrt{3}$

(4) $x=\frac{-3\pm\sqrt{15}i}{2}$ 또는 $x=-4$ 또는 $x=1$

1-1

(1) $x^3-27=0$에서

$(x-3)(x^2+3x+9)=0$

$x-3=0$ 또는 $x^2+3x+9=0$

$x-3=0$에서 $x=3$

$x^2+3x+9=0$에서

$x=\frac{-3\pm3\sqrt{3}i}{2}$

$\therefore x=3$ 또는 $x=\frac{-3\pm3\sqrt{3}i}{2}$

(2) $x^4+x^3-8x-8=0$에서

$x^3(x+1)-8(x+1)=0$

$(x+1)(x^3-8)=0$

$(x+1)(x-2)(x^2+2x+4)=0$

$x+1=0$에서 $x=-1$

$x-2=0$에서 $x=2$

$x^2+2x+4=0$에서

$x=-1\pm\sqrt{3}i$

$\therefore x=-1$ 또는 $x=2$ 또는 $x=-1\pm\sqrt{3}i$

(3) $x^4+5x^2+4=0$에서 $x^2=t$로 놓으면

$t^2+5t+4=0$, $(t+4)(t+1)=0$

$\therefore t=-4$ 또는 $t=-1$

(ⅰ) $t=-4$일 때, $x^2=-4$에서 $x=\pm2i$

(ⅱ) $t=-1$일 때, $x^2=-1$에서 $x=\pm i$

(ⅰ), (ⅱ)에서 $x=\pm2i$ 또는 $x=\pm i$

(4) $x^4+4=0$에서

$x^4+4x^2+4-4x^2=0$

$(x^2+2)^2-(2x)^2=0$

$(x^2+2x+2)(x^2-2x+2)=0$

$x^2+2x+2=0$에서

$x=-1\pm i$

$x^2-2x+2=0$에서

$x=1\pm i$

$\therefore x=-1\pm i$ 또는 $x=1\pm i$

답 (1) $x=3$ 또는 $x=\frac{-3\pm3\sqrt{3}i}{2}$

(2) $x=-1$ 또는 $x=2$ 또는 $x=-1\pm\sqrt{3}i$

(3) $x=\pm2i$ 또는 $x=\pm i$

(4) $x=-1\pm i$ 또는 $x=1\pm i$

1-2

(1) $(x^2+2x+1)(x^2+2x+3)=0$에서

$x^2+2x+1=0$ 또는 $x^2+2x+3=0$

$x^2+2x+1=0$에서

$(x+1)^2=0 \qquad \therefore x=-1$

$x^2+2x+3=0$에서 $x=-1\pm\sqrt{2}i$

$\therefore x=-1$ 또는 $x=-1\pm\sqrt{2}i$

(2) $(x-1)(x-2)(x+2)(x+3)=12$에서

$\{(x-1)(x+2)\}\{(x-2)(x+3)\}=12$

$(x^2+x-2)(x^2+x-6)=12$

$x^2+x=t$로 놓으면 $(t-2)(t-6)=12$

$t^2-8t=0$, $t(t-8)=0$

$\therefore t=0$ 또는 $t=8$

(ⅰ) $t=0$일 때, $x^2+x=0$에서

$x(x+1)=0 \qquad \therefore x=0$ 또는 $x=-1$

(ⅱ) $t=8$일 때, $x^2+x-8=0$에서

$x=\frac{-1\pm\sqrt{33}}{2}$

(ⅰ), (ⅱ)에서 $x=0$ 또는 $x=-1$ 또는 $x=\frac{-1\pm\sqrt{33}}{2}$

답 (1) $x=-1$ 또는 $x=-1\pm\sqrt{2}i$

(2) $x=0$ 또는 $x=-1$ 또는 $x=\frac{-1\pm\sqrt{33}}{2}$

대표 Q2

(1) $f(x)=x^3+6x^2+11x+6$이라 하자.

$f(-1)=0$이므로 $f(x)$는 $x+1$로 나누어떨어진다.

-1	1	6	11	6
		-1	-5	-6
	1	5	6	0

$f(x)=(x+1)(x^2+5x+6)$

$=(x+1)(x+2)(x+3)$

$f(x)=0$에서

$x=-1$ 또는 $x=-2$ 또는 $x=-3$

(2) $x^3+ax^2+3x+a-1=0$의 한 근이 -2이므로

$x=-2$를 대입하면

$(-2)^3+a\times(-2)^2+3\times(-2)+a-1=0$

$5a=15 \qquad \therefore a=3$

따라서 $f(x)=x^3+3x^2+3x+2$라 하면

$f(x)$는 $x+2$로 나누어떨어진다.

$$\begin{array}{r|rrrr} -2 & 1 & 3 & 3 & 2 \\ & & -2 & -2 & -2 \\ \hline & 1 & 1 & 1 & \boxed{0} \end{array}$$

$(x+2)(x^2+x+1)=0$

따라서 나머지 두 근은 $x^2+x+1=0$에서

$x=\dfrac{-1\pm\sqrt{3}i}{2}$

답 (1) $x=-1$ 또는 $x=-2$ 또는 $x=-3$

(2) $a=3$, 나머지 두 근 : $\dfrac{-1\pm\sqrt{3}i}{2}$

2-1

(1) $f(x)=x^3-x^2-3x-1$이라 하자.

$f(-1)=0$이므로 $f(x)$는 $x+1$로 나누어떨어진다.

$$\begin{array}{r|rrrr} -1 & 1 & -1 & -3 & -1 \\ & & -1 & 2 & 1 \\ \hline & 1 & -2 & -1 & \boxed{0} \end{array}$$

$f(x)=(x+1)(x^2-2x-1)$

$f(x)=0$에서

$x+1=0$ 또는 $x^2-2x-1=0$

$x+1=0$에서 $x=-1$

$x^2-2x-1=0$에서 $x=1\pm\sqrt{2}$

$\therefore x=-1$ 또는 $x=1\pm\sqrt{2}$

(2) $f(x)=2x^3-3x^2+5x-2$라 하자.

$f\left(\dfrac{1}{2}\right)=0$이므로 $f(x)$는 $x-\dfrac{1}{2}$로 나누어떨어진다.

$$\begin{array}{r|rrrr} \frac{1}{2} & 2 & -3 & 5 & -2 \\ & & 1 & -1 & 2 \\ \hline & 2 & -2 & 4 & \boxed{0} \end{array}$$

$f(x)=\left(x-\dfrac{1}{2}\right)(2x^2-2x+4)$

$\quad=(2x-1)(x^2-x+2)$

$f(x)=0$에서

$2x-1=0$ 또는 $x^2-x+2=0$

$2x-1=0$에서 $x=\dfrac{1}{2}$

$x^2-x+2=0$에서 $x=\dfrac{1\pm\sqrt{7}i}{2}$

$\therefore x=\dfrac{1}{2}$ 또는 $x=\dfrac{1\pm\sqrt{7}i}{2}$

(3) $f(x)=2x^4-x^3-3x^2+x+1$이라 하자.

$f(1)=0$이므로 $f(x)$는 $x-1$로 나누어떨어진다.

$$\begin{array}{r|rrrrr} 1 & 2 & -1 & -3 & 1 & 1 \\ & & 2 & 1 & -2 & -1 \\ \hline & 2 & 1 & -2 & -1 & \boxed{0} \end{array}$$

$f(x)=(x-1)(2x^3+x^2-2x-1)$

그런데

$2x^3+x^2-2x-1=x^2(2x+1)-(2x+1)$

$\quad=(2x+1)(x^2-1)$

$\quad=(2x+1)(x+1)(x-1)$

이므로 $f(x)=(x-1)^2(x+1)(2x+1)$

$f(x)=0$에서

$x=1$ 또는 $x=-1$ 또는 $x=-\dfrac{1}{2}$

답 (1) $x=-1$ 또는 $x=1\pm\sqrt{2}$

(2) $x=\dfrac{1}{2}$ 또는 $x=\dfrac{1\pm\sqrt{7}i}{2}$

(3) $x=1$ 또는 $x=-1$ 또는 $x=-\dfrac{1}{2}$

2-2

$f(x)=x^3+ax^2+bx-6$이라 하자.

$x=-1$이 해이므로

$f(-1)=-1+a-b-6=0 \qquad \therefore a-b=7 \qquad \cdots$ ㉠

$x=2$가 해이므로

$f(2)=8+4a+2b-6=0 \qquad \therefore 2a+b=-1 \qquad \cdots$ ㉡

㉠, ㉡을 연립하여 풀면 $a=2$, $b=-5$

$\therefore f(x)=x^3+2x^2-5x-6$

$f(-1)=0$이므로 $f(x)$는 $x+1$로 나누어떨어진다.

$$\begin{array}{r|rrrr} -1 & 1 & 2 & -5 & -6 \\ & & -1 & -1 & 6 \\ \hline & 1 & 1 & -6 & \boxed{0} \end{array}$$

$f(x)=(x+1)(x^2+x-6)$

$\quad=(x+1)(x-2)(x+3)$

$f(x)=0$에서 나머지 한 근은 $x=-3$

답 $a=2$, $b=-5$, 나머지 한 근 : -3

대표 Q3

(1) $f(x)=x^3+5x^2+(a-5)x-a-1$이라 하자.

$f(1)=0$이므로 $f(x)$는 $x-1$로 나누어떨어진다.

$$\begin{array}{c|cccc} 1 & 1 & 5 & a-5 & -a-1 \\ & & 1 & 6 & a+1 \\ \hline & 1 & 6 & a+1 & 0 \end{array}$$

$f(x)=(x-1)(x^2+6x+a+1)$

$f(x)=0$에서

$x-1=0$ 또는 $x^2+6x+a+1=0$

세 근이 모두 실수이므로 방정식 $x^2+6x+a+1=0$이 실근을 갖는다.

$\frac{D}{4}=3^2-(a+1)\geq 0 \quad \therefore a\leq 8$

(2) $(x-1)(x^2+6x+a+1)=0$에서

(i) $x^2+6x+a+1=0$이 중근을 가질 때,

$\frac{D}{4}=3^2-(a+1)=0 \quad \therefore a=8$

(ii) $x^2+6x+a+1=0$이 $x=1$을 해로 가질 때,

$1+6+a+1=0 \quad \therefore a=-8$

(i), (ii)에서 a의 값은 -8, 8

답 (1) $a\leq 8$ (2) -8, 8

3-1

$f(x)=x^3-x^2+ax+a+2$라 하자.

$f(-1)=0$이므로 $f(x)$는 $x+1$로 나누어떨어진다.

$$\begin{array}{c|cccc} -1 & 1 & -1 & a & a+2 \\ & & -1 & 2 & -a-2 \\ \hline & 1 & -2 & a+2 & 0 \end{array}$$

$f(x)=(x+1)(x^2-2x+a+2)$

$f(x)=0$에서

$x+1=0$ 또는 $x^2-2x+a+2=0$

(1) $x^2-2x+a+2=0$이 허근을 가질 때,

$\frac{D}{4}=(-1)^2-(a+2)<0 \quad \therefore a>-1$

(2) (i) $x^2-2x+a+2=0$이 중근을 가질 때,

$\frac{D}{4}=(-1)^2-(a+2)=0 \quad \therefore a=-1$

(ii) $x^2-2x+a+2=0$이 $x=-1$을 해로 가질 때,

$1+2+a+2=0 \quad \therefore a=-5$

(i), (ii)에서 a의 값은 -5, -1

답 (1) $a>-1$ (2) -5, -1

3-2

$f(x)=x^3-(2a+1)x^2+4ax-2a$라 하자.

$f(1)=0$이므로 $f(x)$는 $x-1$로 나누어떨어진다.

$$\begin{array}{c|cccc} 1 & 1 & -2a-1 & 4a & -2a \\ & & 1 & -2a & 2a \\ \hline & 1 & -2a & 2a & 0 \end{array}$$

$f(x)=(x-1)(x^2-2ax+2a)$

$f(x)=0$에서

$x-1=0$ 또는 $x^2-2ax+2a=0$

$x-1=0$에서 $x=1$이고

세 실근 중 어떤 한 근이 다른 한 근의 2배이므로

$x^2-2ax+2a=0$의 한 근은 $x=\frac{1}{2}$이거나 $x=2$

또는 $x^2-2ax+2a=0$의 두 근이 α, 2α 꼴이다.

(i) $x=\frac{1}{2}$이 근일 때, $\frac{1}{4}-a+2a=0 \quad \therefore a=-\frac{1}{4}$

(ii) $x=2$가 근일 때, $4-4a+2a=0 \quad \therefore a=2$

(iii) $x^2-2ax+2a=0$의 두 근이 α, 2α일 때,

근과 계수의 관계에서

$\alpha+2\alpha=2a$, $\alpha\times 2\alpha=2a$

$2a$를 소거하면 $3\alpha=2\alpha^2$, $\alpha(2\alpha-3)=0$

$\therefore \alpha=0$ 또는 $\alpha=\frac{3}{2}$

$\alpha=0$이면 0이 중근이므로 조건에 맞지 않다.

$\alpha=\frac{3}{2}$이므로 $3\alpha=2a$에서

$3\times\frac{3}{2}=2a \quad \therefore a=\frac{9}{4}$

(i), (ii), (iii)에서 a의 값은 $-\frac{1}{4}$, 2, $\frac{9}{4}$

답 $-\frac{1}{4}$, 2, $\frac{9}{4}$

대표 Q4

$x^3-1=0$에서 $(x-1)(x^2+x+1)=0$이고

한 허근이 ω이므로

$\omega^3=1$, $\omega^2+\omega+1=0$

(1) $\omega+\frac{1}{\omega}=\frac{\omega^2+1}{\omega}=\frac{-\omega}{\omega}=-1$

(2) $\omega^{100}=\omega^{3\times 33+1}=(\omega^3)^{33}\times\omega=1^{33}\times\omega=\omega$

$\omega^{101}=\omega^{3\times 33+2}=(\omega^3)^{33}\times\omega^2=1^{33}\times\omega^2=\omega^2$

$\therefore \omega^{100}+\omega^{101}=\omega+\omega^2=-1$

(3) $1+\omega+\omega^2+\omega^3+\cdots+\omega^{100}+\omega^{101}$

$=(1+\omega+\omega^2)+(\omega^3+\omega^4+\omega^5)+\cdots$
$+(\omega^{99}+\omega^{100}+\omega^{101})$

$=(1+\omega+\omega^2)+\omega^3(1+\omega+\omega^2)+\cdots$
$+\omega^{99}(1+\omega+\omega^2)$

$=0+0+\cdots+0=0$

답 (1) -1 (2) -1 (3) 0

4-1

ω가 $x^2+x+1=0$의 한 근이므로 $\omega^2+\omega+1=0$

양변에 $\omega-1$을 곱하면 $\omega^3-1=0$ $\therefore \omega^3=1$

(1) $\omega^{20}+\omega^{10}+1=(\omega^3)^6\omega^2+(\omega^3)^3\omega+1$
$=\omega^2+\omega+1=0$

(2) $(1+\omega)(1+\omega^2)(1+\omega^3)=(-\omega^2)(-\omega)(1+1)$
$=2\omega^3=2$

(3) $\dfrac{\omega}{1+\omega}+\dfrac{\omega^2}{1+\omega^2}=\dfrac{\omega(1+\omega^2)+\omega^2(1+\omega)}{(1+\omega)(1+\omega^2)}$

에서

(분모)$=1+\omega^2+\omega+\omega^3=0+1=1$이므로

(주어진 식)$=(\omega+\omega^3)+(\omega^2+\omega^3)$
$=\omega+\omega^2+2\omega^3=-1+2=1$

답 (1) 0 (2) 2 (3) 1

4-2

ω가 $x^3+1=0$의 해이므로

$\omega^3+1=0$ $\therefore \omega^3=-1$

$x^3+1=(x+1)(x^2-x+1)$

이므로 ω는 $x^2-x+1=0$의 해이다.

$\therefore \omega^2-\omega+1=0$ $\cdots$ ㉠

(1) ㉠에서 $\omega^2-\omega=-1$

(2) $\omega^{101}-\omega^{100}=(\omega^3)^{33}\omega^2-(\omega^3)^{33}\omega=-\omega^2+\omega$
$=-(\omega^2-\omega)=1$

답 (1) -1 (2) 1

대표 05

한 근이 $1+i$이므로 $1-i$도 근이다.

나머지 한 근을 α라 하면

방법 1

$x^3+x^2+px+q=\{x-(1+i)\}\{x-(1-i)\}(x-\alpha)$

우변을 전개하면

$\{x-(1+i)\}\{x-(1-i)\}(x-\alpha)$

$=(x^2-2x+2)(x-\alpha)$

$=x^3-(\alpha+2)x^2+2(\alpha+1)x-2\alpha$

좌변과 비교하면

$-(\alpha+2)=1,\ 2(\alpha+1)=p,\ -2\alpha=q$

$\therefore \alpha=-3,\ p=-4,\ q=6$

방법 2

삼차방정식의 근과 계수의 관계에서

$(1+i)+(1-i)+\alpha=-1$ $\cdots$ ㉠

$(1+i)(1-i)+(1-i)\alpha+(1+i)\alpha=p$ $\cdots$ ㉡

$(1+i)(1-i)\alpha=-q$ $\cdots$ ㉢

㉠에서 $\alpha=-3$

㉡에 대입하면 $p=-4$

㉢에 대입하면 $q=6$

답 $p=-4,\ q=6$, 나머지 두 근 : $1-i,\ -3$

5-1

삼차방정식의 근과 계수의 관계에서

$\alpha+\beta+\gamma=-\dfrac{1}{2},\ \alpha\beta+\beta\gamma+\gamma\alpha=-1,\ \alpha\beta\gamma=\dfrac{3}{2}$

(1) $\alpha^2+\beta^2+\gamma^2=(\alpha+\beta+\gamma)^2-2(\alpha\beta+\beta\gamma+\gamma\alpha)$
$=\left(-\dfrac{1}{2}\right)^2-2\times(-1)=\dfrac{9}{4}$

(2) $\dfrac{1}{\alpha}+\dfrac{1}{\beta}+\dfrac{1}{\gamma}=\dfrac{\beta\gamma+\alpha\gamma+\alpha\beta}{\alpha\beta\gamma}=\dfrac{-1}{\frac{3}{2}}=-\dfrac{2}{3}$

답 (1) $\dfrac{9}{4}$ (2) $-\dfrac{2}{3}$

5-2

한 근이 $2-\sqrt{3}$이므로 $2+\sqrt{3}$도 근이다.

나머지 한 근을 α라 하면

$x^3+x^2+px+q=\{x-(2-\sqrt{3})\}\{x-(2+\sqrt{3})\}(x-\alpha)$

우변을 전개하면

$\{x-(2-\sqrt{3})\}\{x-(2+\sqrt{3})\}(x-\alpha)$

$=(x^2-4x+1)(x-\alpha)$

$=x^3-(\alpha+4)x^2+(4\alpha+1)x-\alpha$

좌변과 비교하면

$-(\alpha+4)=1,\ 4\alpha+1=p,\ -\alpha=q$

$\therefore \alpha=-5,\ p=-19,\ q=5$

다른 풀이

삼차방정식의 근과 계수의 관계에서

$(2-\sqrt{3})+(2+\sqrt{3})+\alpha=-1$ … ㉠

$(2-\sqrt{3})(2+\sqrt{3})+(2+\sqrt{3})\alpha+(2-\sqrt{3})\alpha=p$ … ㉡

$(2-\sqrt{3})(2+\sqrt{3})\alpha=-q$ … ㉢

㉠에서 $\alpha=-5$

㉡에 대입하면 $p=-19$

㉢에 대입하면 $q=5$

답 $p=-19$, $q=5$, 나머지 두 근 : $2+\sqrt{3}$, -5

연습과 실전 10 삼차, 사차방정식

150쪽 ~ 152쪽

01 ③ **02** ④ **03** $a=8$, $b=4$, 나머지 한 근 : -1

04 -6 **05** (1) 4 (2) $1+3\sqrt{3}$ **06** ⑤

07 $a=-5$, $b=9$, $c=-5$

08 (1) $x=-3$ 또는 $x=-2$ 또는 $x=1$ 또는 $x=2$

(2) $x=-2$ 또는 $x=-2\pm\sqrt{10}$

09 1 **10** -2, 3 **11** (1) -1 (2) 1 **12** -2

13 ⑤ **14** ③ **15** -5

01

$x^3-6x^2+11x+a=0$에 $x=1$을 대입하면

$1-6+11+a=0$ $\therefore a=-6$

따라서 삼차방정식은 $x^3-6x^2+11x-6=0$

$x=1$이 해이므로 $x^3-6x^2+11x-6$은 $x-1$로 나누어떨어진다.

$$\begin{array}{c|cccc} 1 & 1 & -6 & 11 & -6 \\ & & 1 & -5 & 6 \\ \hline & 1 & -5 & 6 & 0 \end{array}$$

$x^3-6x^2+11x-6=(x-1)(x^2-5x+6)$

따라서 나머지 두 근은 $x^2-5x+6=0$의 근이므로

근과 계수의 관계에서 두 근의 곱은 6이다.

다른 풀이

$x^3-6x^2+11x-6=0$의 한 근이 1이므로 나머지 두 근을 α, β라 하면 근과 계수의 관계에서

$\alpha\beta\times 1=-(-6)=6$

답 ③

02

$x^4-3x^2+1=x^4-2x^2+1-x^2$

$=(x^2-1)^2-x^2$

$=(x^2+x-1)(x^2-x-1)$

$x^2+x-1=0$에서 $x=\dfrac{-1\pm\sqrt{5}}{2}$

$x^2-x-1=0$에서 $x=\dfrac{1\pm\sqrt{5}}{2}$

따라서 양수인 근의 합은

$\dfrac{-1+\sqrt{5}}{2}+\dfrac{1+\sqrt{5}}{2}=\sqrt{5}$

답 ④

03

$f(x)=x^3+5x^2+ax+b$라 하면 $f(x)$가 $x+2$로 나누어떨어지므로

$f(-2)=-8+20-2a+b=0$ $\therefore b=2a-12$

$\therefore f(x)=x^3+5x^2+ax+2a-12$

$$\begin{array}{c|cccc} -2 & 1 & 5 & a & 2a-12 \\ & & -2 & -6 & -2a+12 \\ \hline & 1 & 3 & a-6 & 0 \end{array}$$

$f(x)=(x+2)(x^2+3x+a-6)$

$x^2+3x+a-6$이 $x+2$로 나누어떨어지므로 $x=-2$를 대입하면

$4-6+a-6=0$ $\therefore a=8$, $b=2a-12=4$

$\therefore f(x)=(x+2)(x^2+3x+2)=(x+2)^2(x+1)$

따라서 나머지 한 근은 -1이다.

다른 풀이

x^3+5x^2+ax+b가 $(x+2)^2=x^2+4x+4$로 나누어떨어진다.

$$\begin{array}{r} x+1 \\ x^2+4x+4\,\big)\,\overline{x^3+5x^2+ax+b} \\ \underline{x^3+4x^2+4x} \\ x^2+(a-4)x+b \\ \underline{x^2+4x+4} \\ (a-8)x+b-4 \end{array}$$

에서 나머지가 $(a-8)x+b-4=0$이므로

$a=8$, $b=4$

또 몫이 $x+1$이므로 나머지 한 근은 -1이다.

답 $a=8$, $b=4$, 나머지 한 근 : -1

04

$f(x)=x^4-4x^3+10x^2-12x+5$라 하면 $f(1)=0$이므로 $f(x)$는 $x-1$로 나누어떨어진다.

조립제법을 이용하여 몫을 구하면

$f(x)=(x-1)(x^3-3x^2+7x-5)$

$g(x)=x^3-3x^2+7x-5$라 하면 $g(1)=0$이므로 $g(x)$는 $x-1$로 나누어떨어진다. $g(x)$를 $x-1$로 나눈 몫을 구하면

$g(x)=(x-1)(x^2-2x+5)$

$\therefore f(x)=(x-1)^2(x^2-2x+5)$

따라서 $f(x)=0$의 두 허근 α, β는 $x^2-2x+5=0$의 근이므로 근과 계수의 관계에서

$\alpha+\beta=2$, $\alpha\beta=5$

$\therefore \alpha^2+\beta^2=(\alpha+\beta)^2-2\alpha\beta$

$=2^2-2\times5=-6$

답 -6

05

ω가 $x^2+x+1=0$의 한 근이므로

$\omega^2+\omega+1=0$

또 양변에 $\omega-1$을 곱하면

$\omega^3-1=0$ $\quad \therefore \omega^3=1$

(1) $\omega^4=\omega^3\omega=\omega$이므로

$(\omega^2-\omega+1)(\omega^4-\omega^2+1)$

$=(\omega^2-\omega+1)(\omega-\omega^2+1)$

$=(\omega^2+1-\omega)(-\omega^2+\omega+1)$

$=(-\omega-\omega)(-\omega^2-\omega^2)$

$=(-2\omega)(-2\omega^2)=4\omega^3=4$

(2) $(1+\sqrt{3})\{(1+\sqrt{3}\omega)(1+\sqrt{3}\omega^2)\}$

$=(1+\sqrt{3})(1+\sqrt{3}\omega^2+\sqrt{3}\omega+3\omega^3)$

$=(1+\sqrt{3})\{1+\sqrt{3}(\omega^2+\omega)+3\}$

$=(1+\sqrt{3})(4-\sqrt{3})=1+3\sqrt{3}$

답 (1) 4 (2) $1+3\sqrt{3}$

06

ㄱ. $x^3-1=(x-1)(x^2+x+1)$이므로

ω, $\overline{\omega}$가 $x^2+x+1=0$의 해이다.

근과 계수의 관계에서

$\omega+\overline{\omega}=-1$, $\omega\overline{\omega}=1$ $\quad \cdots$ ㉠

$\therefore \omega+\overline{\omega}\neq\omega\overline{\omega}$ (거짓)

ㄴ. ω가 $x^2+x+1=0$의 해이므로

$\omega^2+\omega+1=0$ $\quad \cdots$ ㉡

양변을 ω로 나누면

$\omega+1+\frac{1}{\omega}=0$ $\quad \therefore \omega+\frac{1}{\omega}=-1$ (참)

ㄷ. ㉡에서 $\omega^2=-1-\omega$이고, ㉠에서 $\overline{\omega}=-1-\omega$이다.

$\therefore \omega^2=\overline{\omega}$ (참)

따라서 옳은 것은 ㄴ, ㄷ이다.

답 ⑤

07

세 근이 1, $2-i$, $2+i$이고 x^3의 계수가 1인 삼차방정식은

$(x-1)(x-2+i)(x-2-i)=0$

$(x-1)(x^2-4x+5)=0$

$\therefore x^3-5x^2+9x-5=0$

$x^3+ax^2+bx+c=0$과 비교하면

$a=-5$, $b=9$, $c=-5$

다른 풀이

$x^3+ax^2+bx+c=0$에서 계수가 실수이고 $2-i$가 근이므로 $2+i$도 근이다.

세 근이 1, $2-i$, $2+i$이므로 근과 계수의 관계에서

$1+(2-i)+(2+i)=-a$

$1\times(2-i)+(2-i)(2+i)+(2+i)\times1=b$

$1\times(2-i)(2+i)=-c$

$\therefore a=-5$, $b=9$, $c=-5$

답 $a=-5$, $b=9$, $c=-5$

08

전략 (1) $x^2+x=t$로 치환한다.

(2) x^2+2x-3, x^2+6x+5를 인수분해하고 적당히 묶어 치환할 수 있는 꼴로 전개한다.

(1) $(x^2+x)^2-8(x^2+x)+12=0$에서

$x^2+x=t$로 놓으면

$t^2-8t+12=0$, $(t-2)(t-6)=0$

$\therefore t=2$ 또는 $t=6$

(i) $t=2$일 때, $x^2+x-2=0$에서

$(x+2)(x-1)=0$ $\quad \therefore x=-2$ 또는 $x=1$

(ii) $t=6$일 때, $x^2+x-6=0$에서

$(x+3)(x-2)=0$ $\quad \therefore x=-3$ 또는 $x=2$

(i), (ii)에서

$x=-3$ 또는 $x=-2$ 또는 $x=1$ 또는 $x=2$

(2) 주어진 방정식은

$(x+3)(x-1)(x+5)(x+1)-9=0$

$\{(x+5)(x-1)\}\{(x+3)(x+1)\}-9=0$

$(x^2+4x-5)(x^2+4x+3)-9=0$

$x^2+4x=t$로 놓으면

$(t-5)(t+3)-9=0$

$t^2-2t-24=0$, $(t+4)(t-6)=0$

$\therefore t=-4$ 또는 $t=6$

(i) $t=-4$일 때, $x^2+4x=-4$

$(x+2)^2=0 \qquad \therefore x=-2$

(ii) $t=6$일 때, $x^2+4x-6=0$

$\therefore x=-2\pm\sqrt{10}$

(i), (ii)에서 $x=-2$ 또는 $x=-2\pm\sqrt{10}$

답 (1) $x=-3$ 또는 $x=-2$ 또는 $x=1$ 또는 $x=2$

(2) $x=-2$ 또는 $x=-2\pm\sqrt{10}$

09 전략 인수정리를 이용하여 방정식의 좌변을 인수분해하고 실근과 허근에 대한 조건을 찾는다.

$f(x)=x^3+(2a-2)x^2+(a-1)^2x-a^2$이라 하면

$f(1)=0$이므로

$f(x)$는 $x-1$로 나누어떨어진다.

$$\begin{array}{c|cccc} 1 & 1 & 2a-2 & (a-1)^2 & -a^2 \\ & & 1 & 2a-1 & a^2 \\ \hline & 1 & 2a-1 & a^2 & \boxed{0} \end{array}$$

$x^3+(2a-2)x^2+(a-1)^2x-a^2$

$=(x-1)\{x^2+(2a-1)x+a^2\}$

이차방정식 $x^2+(2a-1)x+a^2=0$이 허근을 가지므로

$D=(2a-1)^2-4a^2<0$

$-4a+1<0 \qquad \therefore a>\frac{1}{4}$

따라서 정수 a의 최솟값은 1이다.

답 1

10 전략 방정식의 양변을 x^2으로 나누면

$$x^2-x-4-\frac{1}{x}+\frac{1}{x^2}=0$$

계수가 상수항을 중심으로 대칭임을 이용한다.

$x=\alpha$를 대입하면 $\alpha^4-\alpha^3-4\alpha^2-\alpha+1=0$

$\alpha\neq0$이므로 양변을 α^2으로 나누면

$\alpha^2-\alpha-4-\frac{1}{\alpha}+\frac{1}{\alpha^2}=0$

$\left(\alpha^2+\frac{1}{\alpha^2}\right)-\left(\alpha+\frac{1}{\alpha}\right)-4=0 \qquad \cdots ㉠$

$\alpha+\frac{1}{\alpha}=t$로 놓으면

$\alpha^2+\frac{1}{\alpha^2}=\left(\alpha+\frac{1}{\alpha}\right)^2-2=t^2-2$이므로 ㉠은

$t^2-2-t-4=0$, $(t+2)(t-3)=0$

$\therefore t=-2$ 또는 $t=3$

따라서 $\alpha+\frac{1}{\alpha}$의 값은 -2, 3

답 -2, 3

참고 $x+\frac{1}{x}=-2$에서 $x^2+2x+1=0 \qquad \therefore x=-1$

$x+\frac{1}{x}=3$에서 $x^2-3x+1=0 \qquad \therefore x=\frac{3\pm\sqrt{5}}{2}$

이와 같이 방정식의 해를 구할 수 있다.

11 전략 $\omega^3=-1$, $\omega^2-\omega+1=0$을 이용하여 식을 간단히 한다.

ω가 $x^3=-1$의 근이므로 $\omega^3=-1$

$x^3+1=0$, 곧 $(x+1)(x^2-x+1)=0$에서

ω는 $x^2-x+1=0$의 근이므로 $\omega^2-\omega+1=0$

(1) $\frac{1}{\omega^8}-\frac{1}{\omega^7}+\frac{1}{\omega^6}-\frac{1}{\omega^5}+\frac{1}{\omega^4}-\frac{1}{\omega^3}+\frac{1}{\omega^2}-\frac{1}{\omega}$

$=\frac{1-\omega+\omega^2-\omega^3+\omega^4-\omega^5+\omega^6-\omega^7}{(\omega^3)^2\times\omega^2}$

$=\frac{1-\omega+\omega^2+1-\omega+\omega^2+1-\omega}{\omega^2}$

$=\frac{2(\omega^2-\omega+1)-\omega+1}{\omega^2}$

$=\frac{-\omega+1}{\omega^2}=\frac{-\omega^2}{\omega^2}=-1$

(2) $x^2-x+1=0$의 나머지 한 근은 $\overline{\omega}$이므로

근과 계수의 관계에서

$\omega+\overline{\omega}=1$, $\omega\overline{\omega}=1$

$\therefore \frac{1}{1-\omega}+\frac{1}{1-\overline{\omega}}=\frac{(1-\overline{\omega})+(1-\omega)}{(1-\omega)(1-\overline{\omega})}$

$=\frac{2-(\omega+\overline{\omega})}{1-(\omega+\overline{\omega})+\omega\overline{\omega}}$

$=\frac{2-1}{1-1+1}=1$

답 (1) -1 (2) 1

12 **전략** $\alpha^3=1$, $\alpha^2+\alpha+1=0$
$\beta^3=1$, $\beta^2+\beta+1=0$
임을 이용한다.

$x^3-1=0$의 해이므로
$\alpha^3=1$, $\beta^3=1$
또 $(x-1)(x^2+x+1)=0$의 허근이므로
$\alpha^2+\alpha+1=0$, $\beta^2+\beta+1=0$
α에 대하여
$\alpha^3+\alpha^4+\alpha^5=\alpha^3(1+\alpha+\alpha^2)=0$
$\alpha^6+\alpha^7+\alpha^8=\alpha^6(1+\alpha+\alpha^2)=0$
또 β에 대하여도 같은 관계가 성립한다.

$$\begin{aligned}\therefore\ & f(1)+f(2)+f(3)+\cdots+f(8)\\ &=(\alpha+\beta)+(\alpha^2+\beta^2)+(\alpha^3+\beta^3)+\cdots+(\alpha^8+\beta^8)\\ &=(\alpha+\alpha^2+\alpha^3+\cdots+\alpha^8)+(\beta+\beta^2+\beta^3+\cdots+\beta^8)\\ &=(\alpha+\alpha^2)+(\beta+\beta^2)=-1+(-1)=-2\end{aligned}$$

답 -2

13 **전략** 다음을 이용한다.
$\omega^3=1$, $\omega^2+\omega+1=0$, $\overline{\omega}^2+\overline{\omega}+1=0$

ㄱ. ω의 켤레복소수인 $\overline{\omega}$도 $x^3=1$의 근이므로
$\overline{\omega}^3=1$ (참)

ㄴ. $(x-1)(x^2+x+1)=0$에서
ω와 $\overline{\omega}$는 $x^2+x+1=0$의 근이고
$\omega^2+\omega+1=0$, $\overline{\omega}^2+\overline{\omega}+1=0$

$$\frac{1}{\omega}+\left(\frac{1}{\omega}\right)^2=\frac{\omega+1}{\omega^2}=\frac{-\omega^2}{\omega^2}=-1$$

$$\frac{1}{\overline{\omega}}+\left(\frac{1}{\overline{\omega}}\right)^2=\frac{\overline{\omega}+1}{\overline{\omega}^2}=\frac{-\overline{\omega}^2}{\overline{\omega}^2}=-1$$

$$\therefore \frac{1}{\omega}+\left(\frac{1}{\omega}\right)^2=\frac{1}{\overline{\omega}}+\left(\frac{1}{\overline{\omega}}\right)^2 \text{ (참)}$$

ㄷ. $-\omega-1=\omega^2$이므로 $(-\omega-1)^n=(\omega^2)^n$
근과 계수의 관계에서 $\omega+\overline{\omega}=-1$, $\omega\overline{\omega}=1$
$\omega\overline{\omega}=1$에서 $-\overline{\omega}=-\dfrac{1}{\omega}$이므로

$$\begin{aligned}\left(\frac{\overline{\omega}}{\omega+\overline{\omega}}\right)^n&=(-\overline{\omega})^n=\left(-\frac{1}{\omega}\right)^n\\ &=\left(-\frac{\omega^2}{\omega^3}\right)^n=(-\omega^2)^n\end{aligned}$$

따라서 $(\omega^2)^n=(-\omega^2)^n$을 만족시키는 n은 짝수이므로 100 이하의 자연수 n은 50개이다. (참)

따라서 옳은 것은 ㄱ, ㄴ, ㄷ이다.

답 ⑤

14 **전략** 계수가 실수인 방정식에서 한 근이 $1-i$이면 $1+i$도 근이다.

계수가 실수이고 한 근이 $1-i$이므로 $1+i$도 근이다.
$1-i$, $1+i$를 근으로 하고 x^2의 계수가 1인 이차방정식은
$(x-1+i)(x-1-i)=0$
$x^2-2x+2=0$
곧, 주어진 사차방정식은
$x^4+ax^3+bx^2+2x-8=(x^2-2x+2)(x^2+px-4)$
로 놓을 수 있다.
우변을 전개하면
$x^4+ax^3+bx^2+2x-8$
$=x^4+(p-2)x^3-2(p+1)x^2+2(p+4)x-8$
계수를 비교하면
$a=p-2$, $b=-2(p+1)$, $2=2(p+4)$
$\therefore p=-3$, $a=-5$, $b=4$
주어진 사차방정식은
$(x^2-2x+2)(x^2-3x-4)=0$
따라서 실근은 $x^2-3x-4=0$의 해이고 실근의 합은 3이다.

답 ③

15 **전략** 삼차방정식 $ax^3+bx^2+cx+d=0$의 세 근을 α, β, γ라 하면
$\alpha+\beta+\gamma=-\dfrac{b}{a}$, $\alpha\beta+\beta\gamma+\gamma\alpha=\dfrac{c}{a}$,
$\alpha\beta\gamma=-\dfrac{d}{a}$

삼차방정식의 근과 계수의 관계에서
$\alpha+\beta+\gamma=-2$, $\alpha\beta+\beta\gamma+\gamma\alpha=-5$, $\alpha\beta\gamma=-k$

$$\begin{aligned}\therefore\ & (\alpha+\beta)(\beta+\gamma)(\gamma+\alpha)\\ &=(-2-\gamma)(-2-\alpha)(-2-\beta)\\ &=-(2+\alpha)(2+\beta)(2+\gamma)\\ &=-\{8+4(\alpha+\beta+\gamma)+2(\alpha\beta+\beta\gamma+\gamma\alpha)+\alpha\beta\gamma\}\\ &=10+k\end{aligned}$$

조건에서 $(\alpha+\beta)(\beta+\gamma)(\gamma+\alpha)=\alpha\beta\gamma$이므로
$10+k=-k$ $\qquad \therefore k=-5$

답 -5

11 연립방정식

개념 Check

154쪽~155쪽

1

$\begin{cases} ax+by=5 & \cdots ㉠ \\ (b+2)x+2ay=2 & \cdots ㉡ \end{cases}$

$x=2,\ y=-1$을 ㉠에 대입하면 $2a-b=5$ $\cdots$ ㉢

$x=2,\ y=-1$을 ㉡에 대입하면

$2(b+2)-2a=2 \qquad \therefore a-b=1$ $\cdots$ ㉣

㉢, ㉣을 연립하여 풀면 $a=4,\ b=3$

답 $a=4,\ b=3$

2

$\begin{cases} x-2y=-5 & \cdots ㉠ \\ xy=3 & \cdots ㉡ \end{cases}$

㉠에서 $x=2y-5$를 ㉡에 대입하면

$(2y-5)y=3,\ 2y^2-5y-3=0,\ (2y+1)(y-3)=0$

$\therefore y=-\frac{1}{2}$ 또는 $y=3$

$y=-\frac{1}{2}$일 때 $x=-6$, $y=3$일 때 $x=1$

따라서 연립방정식의 해는 $\begin{cases} x=1 \\ y=3 \end{cases}$ 또는 $\begin{cases} x=-6 \\ y=-\frac{1}{2} \end{cases}$

답 $\begin{cases} x=1 \\ y=3 \end{cases}$ 또는 $\begin{cases} x=-6 \\ y=-\frac{1}{2} \end{cases}$

대표Q

156쪽~160쪽

대표 Q1

(1) $\begin{cases} 2x+y+z=-2 & \cdots ㉠ \\ 2x+3y-z=-10 & \cdots ㉡ \\ x-4y+3z=13 & \cdots ㉢ \end{cases}$

㉠+㉡을 하면 $4x+4y=-12$

$\therefore x+y=-3$ $\cdots$ ㉣

㉠×3−㉢을 하면 $5x+7y=-19$ $\cdots$ ㉤

㉣×5−㉤을 하면 $-2y=4 \qquad \therefore y=-2$

$y=-2$를 ㉣에 대입하면 $x=-1$

$x=-1,\ y=-2$를 ㉠에 대입하면

$-2-2+z=-2 \qquad \therefore z=2$

(2) $x,\ y,\ a$에 대한 연립방정식으로 보고 정리하면

$\begin{cases} x+2y-a=0 & \cdots ㉠ \\ 2x+3y-2a=-2 & \cdots ㉡ \\ 2x-y+a=-1 & \cdots ㉢ \end{cases}$

㉠×2−㉡을 하면 $y=2$

$y=2$를 ㉠에 대입하면 $x+4-a=0$ $\cdots$ ㉣

$y=2$를 ㉢에 대입하면 $2x-2+a=-1$ $\cdots$ ㉤

㉣, ㉤을 연립하여 풀면 $x=-1,\ a=3$

답 (1) $x=-1,\ y=-2,\ z=2$
(2) $a=3,\ x=-1,\ y=2$

1-1

$\begin{cases} 2x-3y-2z=-2 & \cdots ㉠ \\ x+y+2z=7 & \cdots ㉡ \\ 3x-4y+z=2 & \cdots ㉢ \end{cases}$

㉠+㉡을 하면 $3x-2y=5$ $\cdots$ ㉣

㉠+㉢×2를 하면 $8x-11y=2$ $\cdots$ ㉤

㉣×11−㉤×2를 하면 $17x=51 \qquad \therefore x=3$

$x=3$을 ㉣에 대입하면 $y=2$

$x=3,\ y=2$를 ㉠에 대입하면

$6-6-2z=-2 \qquad \therefore z=1$

답 $x=3,\ y=2,\ z=1$

1-2

$x=1,\ y=3,\ z=-2$를 주어진 방정식에 각각 대입하면

$a+3b-2=5,\ 1+3b-2c=-2,\ b+3c+2a=18$

정리하면

$\begin{cases} a+3b=7 & \cdots ㉠ \\ 3b-2c=-3 & \cdots ㉡ \\ 2a+b+3c=18 & \cdots ㉢ \end{cases}$

㉠×2−㉢을 하면 $5b-3c=-4$ $\cdots$ ㉣

㉡×3−㉣×2를 하면 $-b=-1 \qquad \therefore b=1$

$b=1$을 ㉠, ㉡에 대입하면 $a=4,\ c=3$

답 $a=4,\ b=1,\ c=3$

대표 Q2

(1) $\begin{cases} x-2y=1 & \cdots ㉠ \\ x^2+y^2=2 & \cdots ㉡ \end{cases}$

㉠에서 $x=2y+1$을 ㉡에 대입하면

$(2y+1)^2+y^2=2,\ 5y^2+4y-1=0$

$(y+1)(5y-1)=0$

$\therefore\ y=-1$ 또는 $y=\frac{1}{5}$

㉠에 대입하면 $\begin{cases} x=-1 \\ y=-1 \end{cases}$ 또는 $\begin{cases} x=\frac{7}{5} \\ y=\frac{1}{5} \end{cases}$

(2) $\begin{cases} x^2-3xy+2y^2=0 & \cdots ㉠ \\ x^2+y^2=20 & \cdots ㉡ \end{cases}$

㉠에서 $(x-y)(x-2y)=0$

$\therefore\ x=y$ 또는 $x=2y$

$x=y$를 ㉡에 대입하면

$y^2+y^2=20 \qquad \therefore\ y=\pm\sqrt{10}$

$x=y$이므로 $\begin{cases} x=\sqrt{10} \\ y=\sqrt{10} \end{cases}$ 또는 $\begin{cases} x=-\sqrt{10} \\ y=-\sqrt{10} \end{cases}$

$x=2y$를 ㉡에 대입하면

$4y^2+y^2=20 \qquad \therefore\ y=\pm 2$

$x=2y$이므로 $\begin{cases} x=4 \\ y=2 \end{cases}$ 또는 $\begin{cases} x=-4 \\ y=-2 \end{cases}$

답 (1) $\begin{cases} x=-1 \\ y=-1 \end{cases}$ 또는 $\begin{cases} x=\frac{7}{5} \\ y=\frac{1}{5} \end{cases}$

(2) $\begin{cases} x=\sqrt{10} \\ y=\sqrt{10} \end{cases}$ 또는 $\begin{cases} x=-\sqrt{10} \\ y=-\sqrt{10} \end{cases}$ 또는

$\begin{cases} x=4 \\ y=2 \end{cases}$ 또는 $\begin{cases} x=-4 \\ y=-2 \end{cases}$

2-1

(1) $\begin{cases} 2x+y=3 & \cdots ㉠ \\ x^2-y^2=3 & \cdots ㉡ \end{cases}$

㉠에서 $y=-2x+3$을 ㉡에 대입하면

$x^2-(-2x+3)^2=3,\ x^2-4x+4=0$

$(x-2)^2=0 \qquad \therefore\ x=2$

$x=2$를 ㉠에 대입하면 $y=-1$

(2) $\begin{cases} x+3y=2 & \cdots ㉠ \\ xy+y^2=-4 & \cdots ㉡ \end{cases}$

㉠에서 $x=2-3y$를 ㉡에 대입하면

$(2-3y)y+y^2=-4,\ y^2-y-2=0$

$(y+1)(y-2)=0$

$\therefore\ y=-1$ 또는 $y=2$

㉠에 대입하면 $\begin{cases} x=5 \\ y=-1 \end{cases}$ 또는 $\begin{cases} x=-4 \\ y=2 \end{cases}$

답 (1) $x=2,\ y=-1$ (2) $\begin{cases} x=5 \\ y=-1 \end{cases}$ 또는 $\begin{cases} x=-4 \\ y=2 \end{cases}$

2-2

(1) $\begin{cases} 2x^2-5xy+2y^2=0 & \cdots ㉠ \\ xy=4 & \cdots ㉡ \end{cases}$

㉠에서 $(2x-y)(x-2y)=0$

$\therefore\ y=2x$ 또는 $x=2y$

$y=2x$를 ㉡에 대입하면 $x\times 2x=4 \qquad \therefore\ x=\pm\sqrt{2}$

$y=2x$이므로 $\begin{cases} x=\sqrt{2} \\ y=2\sqrt{2} \end{cases}$ 또는 $\begin{cases} x=-\sqrt{2} \\ y=-2\sqrt{2} \end{cases}$

$x=2y$를 ㉡에 대입하면 $2y\times y=4 \qquad \therefore\ y=\pm\sqrt{2}$

$x=2y$이므로 $\begin{cases} x=2\sqrt{2} \\ y=\sqrt{2} \end{cases}$ 또는 $\begin{cases} x=-2\sqrt{2} \\ y=-\sqrt{2} \end{cases}$

(2) $\begin{cases} x^2+xy-2y=-2 & \cdots ㉠ \\ x^2-y^2=0 & \cdots ㉡ \end{cases}$

㉡에서 $(x+y)(x-y)=0$

$\therefore\ y=-x$ 또는 $y=x$

$y=-x$를 ㉠에 대입하면

$x^2-x^2+2x=-2 \qquad \therefore\ x=-1$

$y=-x$이므로 $y=1$

$y=x$를 ㉠에 대입하면 $x^2+x^2-2x=-2$

$x^2-x+1=0 \qquad \therefore\ x=\frac{1\pm\sqrt{3}i}{2}$

$y=x$이므로 $\begin{cases} x=\frac{1+\sqrt{3}i}{2} \\ y=\frac{1+\sqrt{3}i}{2} \end{cases}$ 또는 $\begin{cases} x=\frac{1-\sqrt{3}i}{2} \\ y=\frac{1-\sqrt{3}i}{2} \end{cases}$

답 (1) $\begin{cases} x=\sqrt{2} \\ y=2\sqrt{2} \end{cases}$ 또는 $\begin{cases} x=-\sqrt{2} \\ y=-2\sqrt{2} \end{cases}$ 또는

$\begin{cases} x=2\sqrt{2} \\ y=\sqrt{2} \end{cases}$ 또는 $\begin{cases} x=-2\sqrt{2} \\ y=-\sqrt{2} \end{cases}$

(2) $\begin{cases} x=-1 \\ y=1 \end{cases}$ 또는 $\begin{cases} x=\frac{1+\sqrt{3}i}{2} \\ y=\frac{1+\sqrt{3}i}{2} \end{cases}$ 또는 $\begin{cases} x=\frac{1-\sqrt{3}i}{2} \\ y=\frac{1-\sqrt{3}i}{2} \end{cases}$

대표 03

(1) $\begin{cases} x+y=4 & \cdots ㉠ \\ xy=2 & \cdots ㉡ \end{cases}$

이므로 x, y는 이차방정식 $t^2-4t+2=0$의 두 근이다. 이 방정식의 해는

$t=2\pm\sqrt{4-2}=2\pm\sqrt{2}$

이므로

$\begin{cases} x=2-\sqrt{2} \\ y=2+\sqrt{2} \end{cases}$ 또는 $\begin{cases} x=2+\sqrt{2} \\ y=2-\sqrt{2} \end{cases}$

다른 풀이

㉠에서 $y=4-x$를 ㉡에 대입하면

$x(4-x)=2$, $x^2-4x+2=0$ $\therefore x=2\pm\sqrt{2}$

$x=2\pm\sqrt{2}$를 ㉠에 대입하면

$\begin{cases} x=2-\sqrt{2} \\ y=2+\sqrt{2} \end{cases}$ 또는 $\begin{cases} x=2+\sqrt{2} \\ y=2-\sqrt{2} \end{cases}$

(2) $x^2+y^2=(x+y)^2-2xy$이므로

$x+y=a$, $xy=b$

로 놓으면 주어진 연립방정식은

$\begin{cases} a^2-2b=5 & \cdots ㉠ \\ b-a=-3 & \cdots ㉡ \end{cases}$

㉡에서 $b=a-3$을 ㉠에 대입하면

$a^2-2(a-3)=5$, $a^2-2a+1=0$, $(a-1)^2=0$

$\therefore a=1$, $b=-2$

곧, $x+y=1$, $xy=-2$이므로 x, y는 이차방정식 $t^2-t-2=0$의 해이다.

$(t+1)(t-2)=0$의 해는 -1 또는 2이므로

$\begin{cases} x=-1 \\ y=2 \end{cases}$ 또는 $\begin{cases} x=2 \\ y=-1 \end{cases}$

답 (1) $\begin{cases} x=2-\sqrt{2} \\ y=2+\sqrt{2} \end{cases}$ 또는 $\begin{cases} x=2+\sqrt{2} \\ y=2-\sqrt{2} \end{cases}$

(2) $\begin{cases} x=-1 \\ y=2 \end{cases}$ 또는 $\begin{cases} x=2 \\ y=-1 \end{cases}$

3-1

(1) $x+y=a$, $xy=b$로 놓으면 주어진 연립방정식은

$\begin{cases} b=1 \\ a^2-2b=14 & \cdots ㉠ \end{cases}$

$b=1$을 ㉠에 대입하면 $a^2=16$ $\therefore a=\pm4$

(i) $a=4$, $b=1$, 곧 $x+y=4$, $xy=1$일 때,
x, y는 이차방정식 $t^2-4t+1=0$의 해이다.
이 방정식의 해는 $2\pm\sqrt{3}$이므로

$\begin{cases} x=2+\sqrt{3} \\ y=2-\sqrt{3} \end{cases}$ 또는 $\begin{cases} x=2-\sqrt{3} \\ y=2+\sqrt{3} \end{cases}$

(ii) $a=-4$, $b=1$, 곧 $x+y=-4$, $xy=1$일 때,
x, y는 이차방정식 $t^2+4t+1=0$의 해이다.
이 방정식의 해는 $-2\pm\sqrt{3}$이므로

$\begin{cases} x=-2+\sqrt{3} \\ y=-2-\sqrt{3} \end{cases}$ 또는 $\begin{cases} x=-2-\sqrt{3} \\ y=-2+\sqrt{3} \end{cases}$

(2) $x+y=a$, $xy=b$로 놓으면 주어진 연립방정식은

$\begin{cases} a^2-b=7 & \cdots ㉠ \\ b+2a=1 & \cdots ㉡ \end{cases}$

㉠+㉡을 하면 $a^2+2a=8$

$a^2+2a-8=0$, $(a+4)(a-2)=0$

$\therefore a=-4$ 또는 $a=2$

㉡에 대입하면

$a=-4$일 때 $b=9$, $a=2$일 때 $b=-3$

(i) $a=-4$, $b=9$, 곧 $x+y=-4$, $xy=9$일 때,
x, y는 이차방정식 $t^2+4t+9=0$의 해이다.
이 방정식의 해는 $-2\pm\sqrt{5}i$이므로

$\begin{cases} x=-2+\sqrt{5}i \\ y=-2-\sqrt{5}i \end{cases}$ 또는 $\begin{cases} x=-2-\sqrt{5}i \\ y=-2+\sqrt{5}i \end{cases}$

(ii) $a=2$, $b=-3$, 곧 $x+y=2$, $xy=-3$일 때,
x, y는 이차방정식 $t^2-2t-3=0$의 해이다.
$(t+1)(t-3)=0$의 해는 -1 또는 3이므로

$\begin{cases} x=-1 \\ y=3 \end{cases}$ 또는 $\begin{cases} x=3 \\ y=-1 \end{cases}$

답 (1) $\begin{cases} x=2+\sqrt{3} \\ y=2-\sqrt{3} \end{cases}$ 또는 $\begin{cases} x=2-\sqrt{3} \\ y=2+\sqrt{3} \end{cases}$ 또는

$\begin{cases} x=-2+\sqrt{3} \\ y=-2-\sqrt{3} \end{cases}$ 또는 $\begin{cases} x=-2-\sqrt{3} \\ y=-2+\sqrt{3} \end{cases}$

(2) $\begin{cases} x=-2+\sqrt{5}i \\ y=-2-\sqrt{5}i \end{cases}$ 또는 $\begin{cases} x=-2-\sqrt{5}i \\ y=-2+\sqrt{5}i \end{cases}$ 또는

$\begin{cases} x=-1 \\ y=3 \end{cases}$ 또는 $\begin{cases} x=3 \\ y=-1 \end{cases}$

대표 Q4

(1) $\begin{cases} x+y=2 & \cdots ㉠ \\ x^2+y^2+xy=k & \cdots ㉡ \end{cases}$

㉠에서 $y=2-x$를 ㉡에 대입하면

$x^2+(2-x)^2+x(2-x)=k$

$\therefore x^2-2x+4-k=0$ $\cdots ㉢$

㉢의 해가 하나이므로

$\frac{D}{4}=(-1)^2-(4-k)=0$ $\therefore k=3$

이때 ㉢은 $x^2-2x+1=0$

$(x-1)^2=0$　　$\therefore x=1$ (중근)

$y=2-x$이므로 $y=1$

(2) 공통인 실근을 p라 하면 p가 공통인 해이므로

$p^2+ap-4=0$　　… ㉠

$p^2+p+a-2=0$　　… ㉡

㉡에서 $a=-p^2-p+2$이므로 ㉠에 대입하면

$p^2+(-p^2-p+2)p-4=0$, $p^3-2p+4=0$

$\therefore (p+2)(p^2-2p+2)=0$

p는 실수이므로 $p=-2$　　$\therefore a=0$

답 (1) $k=3$, $x=1$, $y=1$　(2) $a=0$, 공통인 해 : $x=-2$

4-1

$\begin{cases} x+y=k & \cdots ㉠ \\ 2x^2-y^2+4x=-2-2k^2 & \cdots ㉡ \end{cases}$

㉠에서 $y=k-x$를 ㉡에 대입하면

$2x^2-(k-x)^2+4x=-2-2k^2$

$\therefore x^2+2(k+2)x+k^2+2=0$

이 방정식은 허근을 가지므로

$\frac{D}{4}=(k+2)^2-(k^2+2)<0$

$4k+2<0$　　$\therefore k<-\frac{1}{2}$

답 $k<-\frac{1}{2}$

4-2

공통인 해를 p라 하면

$p^2+ap+2=0$　　… ㉠

$p^2+2p+a=0$　　… ㉡

㉡에서 $a=-p^2-2p$이므로 ㉠에 대입하면

$p^2+(-p^2-2p)p+2=0$, $p^3+p^2-2=0$

$\therefore (p-1)(p^2+2p+2)=0$

p는 실수이므로 $p=1$　　$\therefore a=-3$

답 $a=-3$, 공통인 해 : $x=1$

대표 05

변 BC, AC의 중점을 각각 D, E라 하고

두 중선의 교점을 G라 하자.

G는 삼각형 ABC의 무게중심이므로

$\overline{AG}:\overline{GD}=\overline{BG}:\overline{GE}=2:1$

따라서 $\overline{AG}=2x$, $\overline{GD}=x$, $\overline{BG}=2y$, $\overline{GE}=y$로 놓으면

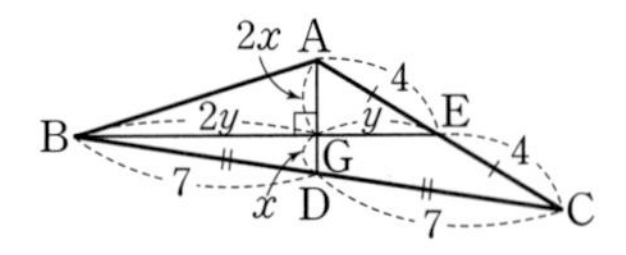

직각삼각형 AGE에서 $4x^2+y^2=16$　　… ㉠

직각삼각형 BDG에서 $x^2+4y^2=49$　　… ㉡

직각삼각형 ABG에서 $4x^2+4y^2=\overline{AB}^2$　　… ㉢

㉠+㉡을 하면 $5x^2+5y^2=65$

$\therefore x^2+y^2=13$　　… ㉣

(1) ㉣을 ㉢에 대입하면 $\overline{AB}^2=52$

$\overline{AB}>0$이므로 $\overline{AB}=2\sqrt{13}$

(2) ㉠−㉣을 하면 $3x^2=3$　　$\therefore x=1$ ($\because x>0$)

$x=1$을 ㉣에 대입하면 $y^2=12$

$\therefore y=2\sqrt{3}$ ($\because y>0$)

따라서 A에서 그은 중선의 길이는 $3x=3$이고,

B에서 그은 중선의 길이는 $3y=6\sqrt{3}$이다.

답 (1) $2\sqrt{13}$　(2) A에서 그은 중선의 길이 : 3

B에서 그은 중선의 길이 : $6\sqrt{3}$

5-1

반지름의 길이를 r cm라 하면

$\pi r^2=6\pi$　　$\therefore r=\sqrt{6}$ ($\because r>0$)

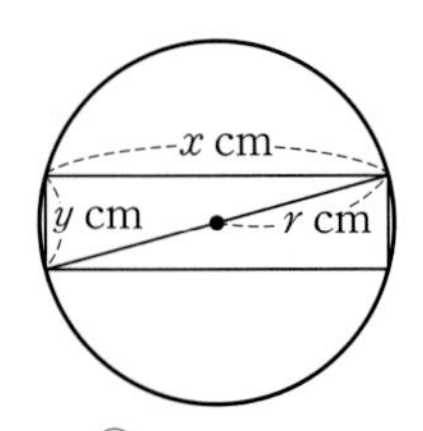

직사각형의 이웃하는 두 변의 길이를 x cm, y cm라 하면 둘레의 길이가 12 cm이므로

$2(x+y)=12$　　$\therefore x+y=6$　　… ㉠

대각선이 원의 지름이므로 $x^2+y^2=(2\sqrt{6})^2=24$

$(x+y)^2=x^2+y^2+2xy$에서

$6^2=24+2xy$　　$\therefore xy=6$　　… ㉡

㉠에서 $y=6-x$를 ㉡에 대입하면

$x(6-x)=6$, $x^2-6x+6=0$　　$\therefore x=3\pm\sqrt{3}$

㉠에서 $\begin{cases} x=3+\sqrt{3} \\ y=3-\sqrt{3} \end{cases}$ 또는 $\begin{cases} x=3-\sqrt{3} \\ y=3+\sqrt{3} \end{cases}$

따라서 이웃하는 두 변의 길이는

$(3-\sqrt{3})$cm, $(3+\sqrt{3})$cm이다.

답 $(3-\sqrt{3})$cm, $(3+\sqrt{3})$cm

5-2

직각삼각형의 빗변이 아닌 두 변의 길이를

x cm, y cm라 하자.

피타고라스 정리에서 $x^2+y^2=13$ … ㉠
또 빗변이 아닌 두 변의 길이를 각각 1 cm 늘인 후 직각삼각형의 넓이가 처음의 2배가 되었으므로
$2\times\frac{1}{2}\times x\times y=\frac{1}{2}\times(x+1)\times(y+1)$
$2xy=xy+x+y+1$
$\therefore\ xy-(x+y)-1=0$ … ㉡
$x+y=a,\ xy=b$로 놓으면
㉠에서 $a^2-2b=13$ … ㉢
㉡에서 $b-a-1=0$ … ㉣
㉣에서 $b=a+1$을 ㉢에 대입하면
$a^2-2(a+1)=13,\ a^2-2a-15=0$
$(a+3)(a-5)=0$
a는 두 변의 길이의 합이므로 $a=5$ $\quad\therefore\ b=6$
곧, $x+y=5,\ xy=6$이므로 x, y는 이차방정식 $t^2-5t+6=0$의 해이다.
$(t-2)(t-3)=0$의 해는 2 또는 3이므로
$\begin{cases}x=2\\y=3\end{cases}$ 또는 $\begin{cases}x=3\\y=2\end{cases}$
따라서 직각삼각형의 빗변이 아닌 두 변의 길이는 2cm, 3cm이다.

답 2cm, 3cm

개념 Check 161쪽

3

$y(x+y)=8$에서 x, y가 자연수이므로
$\begin{cases}x+y=8\\y=1\end{cases}$ 또는 $\begin{cases}x+y=4\\y=2\end{cases}$
$\therefore$ $\begin{cases}x=7\\y=1\end{cases}$ 또는 $\begin{cases}x=2\\y=2\end{cases}$

답 $\begin{cases}x=7\\y=1\end{cases}$ 또는 $\begin{cases}x=2\\y=2\end{cases}$

4

$x^2+y^2+4x+6y+13=0$에서
$(x^2+4x+4)+(y^2+6y+9)=0$
$\therefore\ (x+2)^2+(y+3)^2=0$
$x+2,\ y+3$은 실수이므로 $x+2=0$이고 $y+3=0$
$\therefore\ x=-2,\ y=-3$

답 $x=-2,\ y=-3$

대표Q 162쪽~163쪽

대표 Q6

(1) $x^2-xy=2$에서 $x(x-y)=2$
$x, x-y$는 정수이므로 가능한 값은 다음 표와 같다.

x	1	2	-1	-2
$x-y$	2	1	-2	-1

$\therefore$ $\begin{cases}x=1\\y=-1\end{cases}$ 또는 $\begin{cases}x=2\\y=1\end{cases}$ 또는 $\begin{cases}x=-1\\y=1\end{cases}$ 또는 $\begin{cases}x=-2\\y=-1\end{cases}$

(2) $xy-3x-2y=2$에서
$x(y-3)-2(y-3)=2+6$ $\quad\therefore\ (x-2)(y-3)=8$
x, y가 자연수이므로 $x-2,\ y-3$은 $x-2\geq-1,\ y-3\geq-2$인 정수이다.
따라서 가능한 값은 다음 표와 같다.

$x-2$	1	2	4	8
$y-3$	8	4	2	1

$\therefore$ $\begin{cases}x=3\\y=11\end{cases}$ 또는 $\begin{cases}x=4\\y=7\end{cases}$ 또는 $\begin{cases}x=6\\y=5\end{cases}$ 또는 $\begin{cases}x=10\\y=4\end{cases}$

답 (1) $\begin{cases}x=1\\y=-1\end{cases}$ 또는 $\begin{cases}x=2\\y=1\end{cases}$ 또는 $\begin{cases}x=-1\\y=1\end{cases}$ 또는 $\begin{cases}x=-2\\y=-1\end{cases}$

(2) $\begin{cases}x=3\\y=11\end{cases}$ 또는 $\begin{cases}x=4\\y=7\end{cases}$ 또는 $\begin{cases}x=6\\y=5\end{cases}$ 또는 $\begin{cases}x=10\\y=4\end{cases}$

참고 (2) 곱해서 8이 되는 두 정수를 찾은 다음 x, y가 자연수인 경우만 골라도 된다.

6-1

(1) $y^2-2xy-9=0$에서 $y(y-2x)=9$
$y, y-2x$는 정수이므로 가능한 값은 다음 표와 같다.

y	1	3	9	-1	-3	-9
$y-2x$	9	3	1	-9	-3	-1

$\therefore$ $\begin{cases}x=-4\\y=1\end{cases}$ 또는 $\begin{cases}x=0\\y=3\end{cases}$ 또는 $\begin{cases}x=4\\y=9\end{cases}$ 또는
$\begin{cases}x=4\\y=-1\end{cases}$ 또는 $\begin{cases}x=0\\y=-3\end{cases}$ 또는 $\begin{cases}x=-4\\y=-9\end{cases}$

(2) $xy-2x+2y=0$에서
$x(y-2)+2(y-2)=-4$ $\quad\therefore\ (x+2)(y-2)=-4$
$x+2,\ y-2$가 정수이므로 가능한 값은 다음 표와 같다.

$x+2$	1	2	4	-1	-2	-4
$y-2$	-4	-2	-1	4	2	1

$\therefore \begin{cases} x=-1 \\ y=-2 \end{cases}$ 또는 $\begin{cases} x=0 \\ y=0 \end{cases}$ 또는 $\begin{cases} x=2 \\ y=1 \end{cases}$ 또는

$\begin{cases} x=-3 \\ y=6 \end{cases}$ 또는 $\begin{cases} x=-4 \\ y=4 \end{cases}$ 또는 $\begin{cases} x=-6 \\ y=3 \end{cases}$

답 (1) $\begin{cases} x=-4 \\ y=1 \end{cases}$ 또는 $\begin{cases} x=0 \\ y=3 \end{cases}$ 또는 $\begin{cases} x=4 \\ y=9 \end{cases}$ 또는

$\begin{cases} x=4 \\ y=-1 \end{cases}$ 또는 $\begin{cases} x=0 \\ y=-3 \end{cases}$ 또는 $\begin{cases} x=-4 \\ y=-9 \end{cases}$

(2) $\begin{cases} x=-1 \\ y=-2 \end{cases}$ 또는 $\begin{cases} x=0 \\ y=0 \end{cases}$ 또는 $\begin{cases} x=2 \\ y=1 \end{cases}$ 또는

$\begin{cases} x=-3 \\ y=6 \end{cases}$ 또는 $\begin{cases} x=-4 \\ y=4 \end{cases}$ 또는 $\begin{cases} x=-6 \\ y=3 \end{cases}$

대표 07

$2x^2-2xy+y^2-2x+1=0$에서

$x^2-2xy+y^2+x^2-2x+1=0$

$\therefore (x-y)^2+(x-1)^2=0$

$x-y$, $x-1$은 실수이므로 $x-y=0$, $x-1=0$

$\therefore x=1, y=1$

다른 풀이

x에 대해 정리하면

$2x^2-2(y+1)x+y^2+1=0$ $\cdots$ ㉠

x가 실수이므로

$\frac{D}{4}=\{-(y+1)\}^2-2(y^2+1)\geq 0$

$-y^2+2y-1\geq 0$, $y^2-2y+1\leq 0$ $\therefore (y-1)^2\leq 0$

$y-1$은 실수이므로 $y-1=0$ $\therefore y=1$

㉠에 대입하면

$2x^2-4x+2=0$, $2(x-1)^2=0$ $\therefore x=1$

답 $x=1, y=1$

7-1

(1) $x^2+2y^2+4x-4y+6=0$에서

$x^2+4x+4+2y^2-4y+2=0$

$\therefore (x+2)^2+2(y-1)^2=0$

$x+2$, $y-1$은 실수이므로 $x+2=0$, $y-1=0$

$\therefore x=-2, y=1$

다른 풀이

$x^2+4x+2y^2-4y+6=0$에서 x가 실수이므로

$\frac{D}{4}=2^2-(2y^2-4y+6)\geq 0$

$-2(y-1)^2\geq 0$ $\therefore (y-1)^2\leq 0$

$y-1$은 실수이므로 $y=1$

$y=1$을 주어진 식에 대입하면 $x=-2$

(2) x에 대해 정리하면

$x^2-2(y+1)x+2y^2+2=0$ $\cdots$ ㉠

x가 실수이므로

$\frac{D}{4}=\{-(y+1)\}^2-(2y^2+2)\geq 0$

$-y^2+2y-1\geq 0$, $y^2-2y+1\leq 0$

$\therefore (y-1)^2\leq 0$

$y-1$은 실수이므로 $y-1=0$ $\therefore y=1$

㉠에 대입하면

$x^2-4x+4=0$, $(x-2)^2=0$ $\therefore x=2$

다른 풀이

㉠에서

$x^2-2(y+1)x+(y+1)^2-(y+1)^2+2y^2+2=0$

$\{x-(y+1)\}^2+y^2-2y+1=0$

$\therefore (x-y-1)^2+(y-1)^2=0$

$x-y-1$, $y-1$은 실수이므로

$x-y-1=0$, $y-1=0$

$\therefore x=2, y=1$

답 (1) $x=-2, y=1$ (2) $x=2, y=1$

연습과 실전 11 연립방정식

164쪽~166쪽

01 -1 **02** (1) $\begin{cases} x=-1 \\ y=-1 \end{cases}$ 또는 $\begin{cases} x=\frac{11}{10} \\ y=\frac{2}{5} \end{cases}$

(2) $\begin{cases} x=-3 \\ y=3 \end{cases}$ 또는 $\begin{cases} x=3 \\ y=-3 \end{cases}$

또는 $\begin{cases} x=-\sqrt{3} \\ y=-\sqrt{3} \end{cases}$ 또는 $\begin{cases} x=\sqrt{3} \\ y=\sqrt{3} \end{cases}$

03 $\begin{cases} x=-1 \\ y=2 \end{cases}$ 또는 $\begin{cases} x=2 \\ y=-1 \end{cases}$ **04** ③

05 $\overline{AD}=3$, $\overline{BE}=6$, $\overline{CF}=4$ **06** ⑤

07 $x=-1$, $y=4$ **08** ② **09** $p=2$, $q=4$

10 ① **11** 20 **12** 39 **13** ③

14 $\begin{cases} x=1 \\ y=2 \end{cases}$ 또는 $\begin{cases} x=-1 \\ y=-2 \end{cases}$ **15** 17, 13, 1, -3

01

$\begin{cases} ax+y=a & \cdots ㉠ \\ x+ay=4a-3 & \cdots ㉡ \end{cases}$

㉠$\times a-$㉡을 하면

$(a^2-1)x=a^2-4a+3$

$(a+1)(a-1)x=(a-1)(a-3)$

$0=$(0이 아닌 상수) 꼴이면 해가 없으므로

$a=-1$

답 -1

02

(1) $\begin{cases} 2x-3y=1 & \cdots ㉠ \\ 4x^2+y^2=5 & \cdots ㉡ \end{cases}$

㉠에서 $2x=3y+1$을 ㉡에 대입하면

$(3y+1)^2+y^2=5$, $5y^2+3y-2=0$

$(y+1)(5y-2)=0$

$\therefore y=-1$ 또는 $y=\dfrac{2}{5}$

$y=-1$일 때 $x=-1$, $y=\dfrac{2}{5}$일 때 $x=\dfrac{11}{10}$

$\therefore \begin{cases} x=-1 \\ y=-1 \end{cases}$ 또는 $\begin{cases} x=\dfrac{11}{10} \\ y=\dfrac{2}{5} \end{cases}$

(2) $\begin{cases} x^2-y^2=0 & \cdots ㉠ \\ x^2+3xy+5y^2=27 & \cdots ㉡ \end{cases}$

㉠에서 $(x+y)(x-y)=0$

$\therefore x=-y$ 또는 $x=y$

$x=-y$를 ㉡에 대입하면 $y^2-3y^2+5y^2=27$, $y^2=9$

$\therefore \begin{cases} x=-3 \\ y=3 \end{cases}$ 또는 $\begin{cases} x=3 \\ y=-3 \end{cases}$

$x=y$를 ㉡에 대입하면 $y^2+3y^2+5y^2=27$, $y^2=3$

$\therefore \begin{cases} x=-\sqrt{3} \\ y=-\sqrt{3} \end{cases}$ 또는 $\begin{cases} x=\sqrt{3} \\ y=\sqrt{3} \end{cases}$

답 (1) $\begin{cases} x=-1 \\ y=-1 \end{cases}$ 또는 $\begin{cases} x=\dfrac{11}{10} \\ y=\dfrac{2}{5} \end{cases}$

(2) $\begin{cases} x=-3 \\ y=3 \end{cases}$ 또는 $\begin{cases} x=3 \\ y=-3 \end{cases}$ 또는

$\begin{cases} x=-\sqrt{3} \\ y=-\sqrt{3} \end{cases}$ 또는 $\begin{cases} x=\sqrt{3} \\ y=\sqrt{3} \end{cases}$

03

$x+y=a$, $xy=b$로 놓으면 주어진 연립방정식은

$\begin{cases} a+2b=-3 \\ 3a-b=5 \end{cases}$

두 식을 연립하여 풀면 $a=1$, $b=-2$

$\therefore x+y=1,\ xy=-2 \quad \cdots ㉠$

x, y는 방정식 $t^2-t-2=0$의 해인 -1 또는 2이므로

$\begin{cases} x=-1 \\ y=2 \end{cases}$ 또는 $\begin{cases} x=2 \\ y=-1 \end{cases}$

다른 풀이

㉠에서 $y=1-x$를 $xy=-2$에 대입하면

$x(1-x)=-2$, $x^2-x-2=0$, $(x+1)(x-2)=0$

$\therefore x=-1$ 또는 $x=2$

$y=1-x$이므로 $\begin{cases} x=-1 \\ y=2 \end{cases}$ 또는 $\begin{cases} x=2 \\ y=-1 \end{cases}$

답 $\begin{cases} x=-1 \\ y=2 \end{cases}$ 또는 $\begin{cases} x=2 \\ y=-1 \end{cases}$

04

$\begin{cases} 2x-y=k & \cdots ㉠ \\ x^2+y^2=5 & \cdots ㉡ \end{cases}$

㉠에서 $y=2x-k$를 ㉡에 대입하면

$x^2+(2x-k)^2=5 \quad \therefore 5x^2-4kx+k^2-5=0$

이 방정식이 중근을 가지므로

$\dfrac{D}{4}=(-2k)^2-5(k^2-5)=0$

$k^2=25 \quad \therefore k=\pm 5$

따라서 실수 k값의 합은 0이다.

답 ③

05

$\overline{AD}=x$, $\overline{BE}=y$, $\overline{CF}=z$

라 하자.

$\overline{AF}=\overline{AD}=x$,

$\overline{BD}=\overline{BE}=y$,

$\overline{CE}=\overline{CF}=z$

이므로

$x+y=9,\ y+z=10,\ z+x=7 \quad \cdots ㉠$

세 식을 변변 더하면

$2x+2y+2z=26 \quad \therefore x+y+z=13 \quad \cdots ㉡$

㉠, ㉡에서 $x=3$, $y=6$, $z=4$

따라서 $\overline{AD}=3$, $\overline{BE}=6$, $\overline{CF}=4$

답 $\overline{AD}=3$, $\overline{BE}=6$, $\overline{CF}=4$

06

x에 대해 정리하면

$2x^2-2yx+y^2-2y+2=0$ $\cdots$ ㉠

x가 실수이므로

$\frac{D}{4}=(-y)^2-2(y^2-2y+2)\geq 0$

$-y^2+4y-4\geq 0$, $y^2-4y+4\leq 0$ $\therefore (y-2)^2\leq 0$

$y-2$는 실수이므로 $y=2$

$y=2$를 ㉠에 대입하면

$2x^2-4x+2=0$, $2(x-1)^2=0$ $\therefore x=1$

$\therefore x+y=3$

답 ⑤

참고 $2x^2-2xy+\frac{1}{2}y^2+\frac{1}{2}y^2-2y+2=0$에서

$2\left(x-\frac{1}{2}y\right)^2+\frac{1}{2}(y-2)^2=0$

꼴로 고쳐서 풀어도 된다.

07 전략 $x\geq 0$, $x<0$, $y\geq 0$, $y<0$일 때로 나누어 절댓값 기호를 없앤다.

(i) $x\geq 0$, $y\geq 0$일 때, $\begin{cases} x+y=5 \\ x+y=3 \end{cases}$

두 식을 변변 빼면 $0=2$이므로 해가 없다.

(ii) $x\geq 0$, $y<0$일 때, $\begin{cases} x+y=5 \\ x-y=3 \end{cases}$

두 식을 연립하여 풀면 $x=4$, $y=1$

이 값은 $x\geq 0$, $y<0$에 모순이다.

(iii) $x<0$, $y\geq 0$일 때, $\begin{cases} -x+y=5 \\ x+y=3 \end{cases}$

두 식을 연립하여 풀면 $x=-1$, $y=4$

(iv) $x<0$, $y<0$일 때, $\begin{cases} -x+y=5 \\ x-y=3 \end{cases}$

두 식을 변변 더하면 $0=8$이므로 해가 없다.

(i)~(iv)에서 $x=-1$, $y=4$

답 $x=-1$, $y=4$

08 전략 a, b가 없는 두 방정식을 연립하여 방정식의 해 x, y를 먼저 구한다.

두 연립방정식의 해는 $\begin{cases} 2x+2y=1 & \cdots ㉠ \\ x^2-y^2=-1 & \cdots ㉡ \end{cases}$

의 해이다.

㉡에서 $(x+y)(x-y)=-1$이므로

㉠에서 $x+y=\frac{1}{2}$을 ㉡에 대입하면

$\frac{1}{2}(x-y)=-1$

$\therefore x-y=-2$ $\cdots$ ㉢

㉠, ㉢을 연립하여 풀면 $x=-\frac{3}{4}$, $y=\frac{5}{4}$이므로

$a=3x+y=-\frac{9}{4}+\frac{5}{4}=-1$

$b=x-y=-\frac{3}{4}-\frac{5}{4}=-2$

$\therefore ab=2$

답 ②

09 전략 계수가 유리수이므로 이차방정식의 한 근이 $4+\sqrt{2}$이면 나머지 한 근은 $4-\sqrt{2}$이다.

$4+\sqrt{2}$가 근이고, 계수가 유리수이므로 $4-\sqrt{2}$도 근이다.

근과 계수의 관계에서

$p^2+q=(4+\sqrt{2})+(4-\sqrt{2})=8$ $\cdots$ ㉠

$p^2q-2=(4+\sqrt{2})(4-\sqrt{2})=14$ $\cdots$ ㉡

㉠에서 $q=8-p^2$을 ㉡에 대입하면

$p^2(8-p^2)-2=14$, $p^4-8p^2+16=0$

$(p^2-4)^2=0$ $\therefore p^2=4$

p가 양의 유리수이므로 $p=2$, $q=8-4=4$

답 $p=2$, $q=4$

10 전략 y를 소거하여 x에 대한 이차방정식을 만들면 실근을 가지므로 판별식 $D\geq 0$이다.

$\begin{cases} x+y=4 & \cdots ㉠ \\ x^2+y^2=3k+5 & \cdots ㉡ \end{cases}$

㉠에서 $y=4-x$를 ㉡에 대입하면

$x^2+(4-x)^2=3k+5$ $\therefore 2x^2-8x-3k+11=0$

이 이차방정식이 실근을 가지므로

$\frac{D}{4}=(-4)^2-2(-3k+11)\geq 0$

$6k-6\geq 0$ $\therefore k\geq 1$

따라서 k의 최솟값은 1이다.

답 ①

참고 ㉠, ㉡에서 x를 소거해도 된다.

11 전략 작은 직사각형의 두 변의 길이를 x, y라 하고 x, y의 관계식 2개를 찾는다.

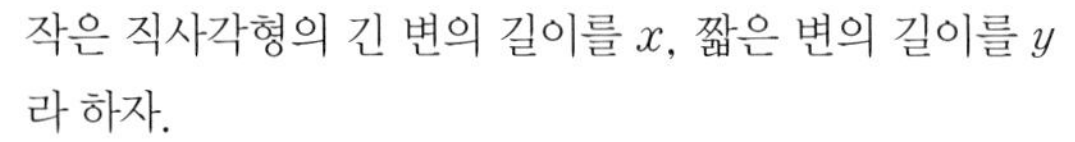

작은 직사각형의 긴 변의 길이를 x, 짧은 변의 길이를 y라 하자.

$\overline{AD}=3y$, $\overline{BC}=2x$이므로 $3y=2x$ $\cdots$ ㉠

직사각형 ABCD의 넓이가 120이므로

$3y\times(x+y)=120$ $\cdots$ ㉡

㉠에서 $y=\frac{2}{3}x$를 ㉡에 대입하면

$3\times\frac{2}{3}x\times\left(x+\frac{2}{3}x\right)=120$, $x^2=36$

$x>0$이므로 $x=6$

$\therefore y=\frac{2}{3}\times6=4$

따라서 카드 한 장의 둘레의 길이는 $2(x+y)=20$

답 20

12 전략 $\overline{CD}=x$, $\overline{AB}=y$라 하고 x, y의 관계식 2개를 찾는다.

$\overline{CD}=x$, $\overline{AB}=y$라 하면 $\overline{AC}=x-1$이다.

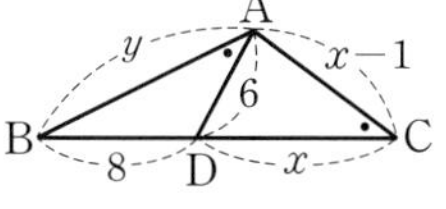

$\triangle ABD\backsim\triangle CBA$ (AA 닮음)이므로

$\overline{AB}:\overline{AD}=\overline{CB}:\overline{CA}$

$y:6=(x+8):(x-1)$, $6(x+8)=y(x-1)$

$6x+48=xy-y$ $\cdots$ ㉠

$\overline{BD}:\overline{AD}=\overline{BA}:\overline{CA}$

$8:6=y:(x-1)$, $6y=8(x-1)$

$y=\frac{4}{3}(x-1)$ $\cdots$ ㉡

㉡을 ㉠에 대입하면

$6x+48=\frac{4}{3}x(x-1)-\frac{4}{3}(x-1)$

$2x^2-13x-70=0$, $(2x+7)(x-10)=0$

$x>0$이므로 $x=10$

$x=10$을 ㉡에 대입하면 $y=12$

따라서 삼각형 ABC의 둘레의 길이는

$y+(x+8)+(x-1)=2x+y+7=39$

답 39

13 전략 양변에 $5xy$를 곱하여 다항식으로 고친 다음, $(\quad)\times(\quad)=$(정수) 꼴로 고친다.

$\frac{1}{x}+\frac{1}{y}=\frac{1}{5}$의 양변에 $5xy$를 곱하면 $5y+5x=xy$

$xy-5x-5y=0$ $\quad\therefore (x-5)(y-5)=25$

x, y가 양의 정수이므로 $x-5$, $y-5$는

$x-5\geq-4$, $y-5\geq-4$인 정수이다.

따라서 가능한 값은 다음 표와 같다.

$x-5$	25	5	1
$y-5$	1	5	25

따라서 순서쌍 (x, y)는

$(30, 6)$, $(10, 10)$, $(6, 30)$의 3개이다.

답 ③

14 전략 실수 조건이 있으므로 주어진 식을 $(\quad)^2+(\quad)^2=0$ 꼴로 정리한다.

$(x^2+1)(y^2+4)=8xy$에서

$x^2y^2+4x^2+y^2+4=8xy$

$x^2y^2-4xy+4+4x^2-4xy+y^2=0$

$\therefore (xy-2)^2+(2x-y)^2=0$

$xy-2$, $2x-y$는 실수이므로 $xy-2=0$, $2x-y=0$

$y=2x$를 $xy-2=0$에 대입하면 $x\times2x-2=0$

$\therefore x=\pm1$

$y=2x$이므로 $\begin{cases}x=1\\y=2\end{cases}$ 또는 $\begin{cases}x=-1\\y=-2\end{cases}$

답 $\begin{cases}x=1\\y=2\end{cases}$ 또는 $\begin{cases}x=-1\\y=-2\end{cases}$

15 전략 두 정수 근을 α, β로 놓고 근과 계수의 관계를 이용한다.

두 근을 α, β $(\alpha\leq\beta)$라 하면 근과 계수의 관계에서

$\begin{cases}\alpha+\beta=m-3 & \cdots ㉠\\ \alpha\beta=2m-1 & \cdots ㉡\end{cases}$

㉠$\times2-$㉡을 하면

$2\alpha+2\beta-\alpha\beta=-5$, $\alpha\beta-2\alpha-2\beta=5$

$\therefore (\alpha-2)(\beta-2)=9$

$\alpha-2$, $\beta-2$가 정수이고 $\alpha-2\leq\beta-2$이므로 가능한 값은 다음 표와 같다.

$\alpha-2$	1	3	-3	-9
$\beta-2$	9	3	-3	-1

$\therefore \begin{cases}\alpha=3\\ \beta=11\end{cases}$ 또는 $\begin{cases}\alpha=5\\ \beta=5\end{cases}$ 또는 $\begin{cases}\alpha=-1\\ \beta=-1\end{cases}$ 또는 $\begin{cases}\alpha=-7\\ \beta=1\end{cases}$

㉠에서 $m=\alpha+\beta+3$이므로 m의 값은

17, 13, 1, -3

답 17, 13, 1, -3

12 여러 가지 부등식

개념 Check

168쪽~169쪽

1

$ax \geq -4$에서

(i) $a>0$일 때, $x \geq -\frac{4}{a}$

부등식의 해가 $x \leq 2$이므로 가능하지 않다.

(ii) $a<0$일 때, $x \leq -\frac{4}{a}$

$-\frac{4}{a}=2 \qquad \therefore a=-2$

답 -2

2

(1) $2x \leq 2$에서

$x \leq 1 \quad \cdots$ ㉠

$x+1>-2$에서

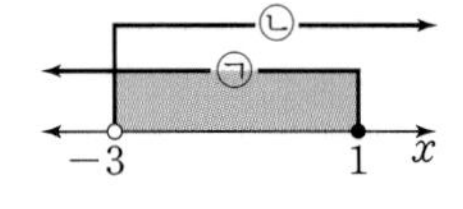

$x>-3 \quad \cdots$ ㉡

㉠, ㉡의 공통부분은

$-3<x \leq 1$

(2) $x-2 \leq 4$에서

$x \leq 6 \quad \cdots$ ㉠

$x-3<2$에서

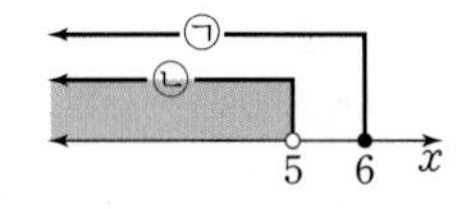

$x<5 \quad \cdots$ ㉡

㉠, ㉡의 공통부분은 $x<5$

(3) $x<2 \quad \cdots$ ㉠

$x>2 \quad \cdots$ ㉡

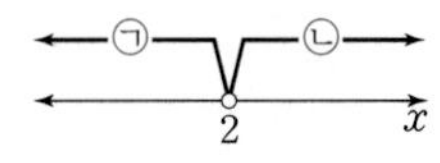

㉠, ㉡의 공통부분이 없으므로 해는 없다.

답 (1) $-3<x \leq 1$ (2) $x<5$ (3) 해는 없다.

대표Q

170쪽~173쪽

대표 01

(1) $2x+4 \geq 2(2x-3)$에서

$2x+4 \geq 4x-6,\ -2x \geq -10$

$\therefore x \leq 5 \quad \cdots$ ㉠

$1-2x<3(x-3)$에서

$1-2x<3x-9,\ -5x<-10$

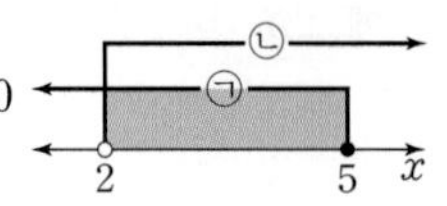

$\therefore x>2 \quad \cdots$ ㉡

㉠, ㉡의 공통부분은 $2<x \leq 5$

(2) $2(x-5) \geq 2-x$에서

$2x-10 \geq 2-x,\ 3x \geq 12$

$\therefore x \geq 4 \quad \cdots$ ㉠

$\frac{x-3}{2} \leq \frac{x-4}{3}$의 양변에 6을 곱하면

$3(x-3) \leq 2(x-4)$

$3x-9 \leq 2x-8$

$\therefore x \leq 1 \quad \cdots$ ㉡

㉠, ㉡의 공통부분이 없으므로 해는 없다.

(3) $\frac{2x-5}{3}<\frac{x-3}{2}$의 양변에 6을 곱하면

$2(2x-5)<3(x-3),\ 4x-10<3x-9$

$\therefore x<1 \quad \cdots$ ㉠

$\frac{x-3}{2} \leq x+1$의 양변에 2를 곱하면

$x-3 \leq 2(x+1)$

$x-3 \leq 2x+2$

$\therefore x \geq -5 \quad \cdots$ ㉡

㉠, ㉡의 공통부분은 $-5 \leq x<1$

답 (1) $2<x \leq 5$ (2) 해는 없다. (3) $-5 \leq x<1$

1-1

(1) $3(x+5) \geq 7x+3$에서

$3x+15 \geq 7x+3,\ -4x \geq -12$

$\therefore x \leq 3 \quad \cdots$ ㉠

$2x-4>5-3(x+3)$에서

$2x-4>5-3x-9,\ 5x>0$

$\therefore x>0 \quad \cdots$ ㉡

㉠, ㉡의 공통부분은 $0<x \leq 3$

(2) $2+\frac{4-2x}{5} \geq \frac{x+2}{2}$의 양변에 10을 곱하면

$20+2(4-2x) \geq 5(x+2)$

$20+8-4x \geq 5x+10,\ -9x \geq -18$

$\therefore x \leq 2 \quad \cdots$ ㉠

$0.5x+2<5.75-\frac{x}{4}$의 양변에 4를 곱하면

$2x+8<23-x$

$3x<15$

$\therefore x<5 \quad \cdots$ ㉡

㉠, ㉡의 공통부분은 $x \leq 2$

답 (1) $0<x \leq 3$ (2) $x \leq 2$

1-2

$4<2(x-1)+3$에서

$4<2x+1$, $-2x<-3$

$\therefore\ x>\frac{3}{2}$ $\cdots$ ㉠

$2(x-1)+3<3x+5$에서

$2x+1<3x+5$, $-x<4$

$\therefore\ x>-4$ $\cdots$ ㉡

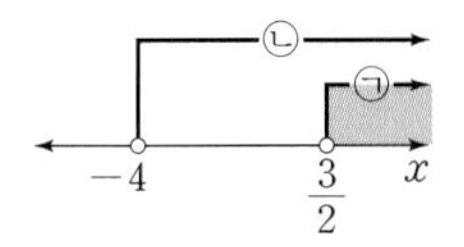

㉠, ㉡의 공통부분은 $x>\frac{3}{2}$

답 $x>\frac{3}{2}$

대표 Q2

(1) $|2x+1|\le 2$에서

$-2\le 2x+1\le 2$, $-3\le 2x\le 1$

$\therefore\ -\frac{3}{2}\le x\le\frac{1}{2}$

다른 풀이

$x\ge-\frac{1}{2}$일 때와 $x<-\frac{1}{2}$일 때로 나누어 풀어도 된다.

(2) $|x-2|>2x$에서

(ⅰ) $x\ge 2$일 때, $\cdots$ ㉠

$x-2>2x$ $\quad\therefore\ x<-2$

㉠에서 생각하면 해는 없다.

(ⅱ) $x<2$일 때, $\cdots$ ㉡

$-(x-2)>2x$, $-3x>-2$ $\quad\therefore\ x<\frac{2}{3}$

㉡에서 생각하면 $x<\frac{2}{3}$

(ⅰ), (ⅱ)에서 $x<\frac{2}{3}$

(3) $|x+1|+|x-2|\le 3$에서

(ⅰ) $x<-1$일 때, $\cdots$ ㉠

$x+1<0$, $x-2<0$이므로

$-(x+1)-(x-2)\le 3$

$-2x+1\le 3$, $-2x\le 2$

$\therefore\ x\ge -1$

㉠에서 생각하면 해는 없다.

(ⅱ) $-1\le x<2$일 때,

$x+1\ge 0$, $x-2<0$이므로

$(x+1)-(x-2)\le 3$

$3\le 3$

항상 성립하므로 $-1\le x<2$

(ⅲ) $x\ge 2$일 때, $\cdots$ ㉡

$x+1>0$, $x-2\ge 0$이므로

$(x+1)+(x-2)\le 3$

$2x-1\le 3$, $2x\le 4$

$\therefore\ x\le 2$

㉡에서 생각하면 해는 $x=2$

(ⅰ), (ⅱ), (ⅲ)에서 $-1\le x\le 2$

답 (1) $-\frac{3}{2}\le x\le\frac{1}{2}$ (2) $x<\frac{2}{3}$ (3) $-1\le x\le 2$

2-1

(1) $|1-x|\le 2$에서

$-2\le 1-x\le 2$, $-3\le -x\le 1$

$\therefore\ -1\le x\le 3$

다른 풀이

$|1-x|=|x-1|$이므로 $|x-1|\le 2$를 풀어도 된다.

(2) $|2x-1|<x+1$에서

(ⅰ) $2x-1\ge 0$일 때, $\cdots$ ㉠

$2x-1<x+1$ $\quad\therefore\ x<2$

㉠에서 $x\ge\frac{1}{2}$이므로 $\frac{1}{2}\le x<2$

(ⅱ) $2x-1<0$일 때, $\cdots$ ㉡

$-(2x-1)<x+1$, $-3x<0$ $\quad\therefore\ x>0$

㉡에서 $x<\frac{1}{2}$이므로 $0<x<\frac{1}{2}$

(ⅰ), (ⅱ)에서 $0<x<2$

(3) $|x+2|-|x-2|\le x$에서

(ⅰ) $x<-2$일 때, $\cdots$ ㉠

$-(x+2)+(x-2)\le x$

$\therefore\ x\ge -4$

㉠에서 생각하면 $-4\le x<-2$

(ⅱ) $-2\le x<2$일 때, $\cdots$ ㉡

$(x+2)+(x-2)\le x$

$2x\le x$ $\quad\therefore\ x\le 0$

㉡에서 생각하면 $-2\le x\le 0$

(ⅲ) $x\ge 2$일 때, $\cdots$ ㉢

$(x+2)-(x-2)\le x$

$\therefore\ x\ge 4$

㉢에서 생각하면 $x\ge 4$

(ⅰ), (ⅱ), (ⅲ)에서 $-4\le x\le 0$ 또는 $x\ge 4$

답 (1) $-1\le x\le 3$ (2) $0<x<2$

(3) $-4\le x\le 0$ 또는 $x\ge 4$

대표 03

$3x+2\geq2(x+a)$에서 $x\geq2a-2$ … ㉠

$2x+5<9$에서 $2x<4$ $\quad\therefore x<2$ … ㉡

(1) ㉠, ㉡의 공통부분이 없어야 하므로

$2a-2\geq2$, $2a\geq4$ $\quad\therefore a\geq2$

(2) $\begin{cases} x\geq2a-2 \\ x<2 \end{cases}$에서

공통부분의 정수가 3개이므로 공통부분이 -1, 0, 1을 포함하고, -2는 포함하지 않는다.

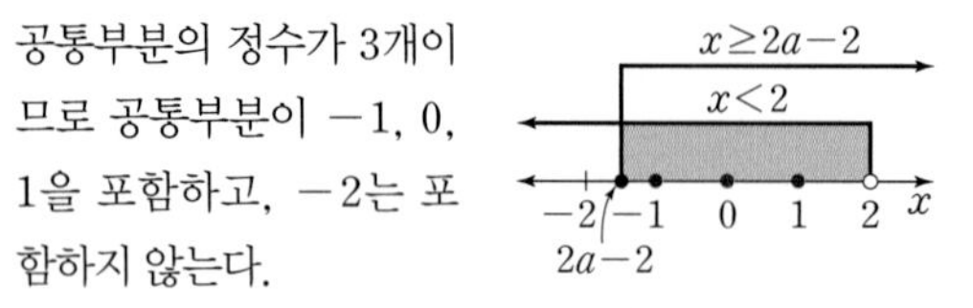

$-2<2a-2\leq-1$이므로 $0<a\leq\frac{1}{2}$

답 (1) $a\geq2$ (2) $0<a\leq\frac{1}{2}$

3-1

$-2x+a<3x$에서

$-5x<-a$ $\quad\therefore x>\frac{a}{5}$ … ㉠

$3x<x+b$에서

$2x<b$ $\quad\therefore x<\frac{b}{2}$ … ㉡

㉠, ㉡의 공통부분이 $-2<x<3$이므로

$\frac{a}{5}=-2$ $\quad\therefore a=-10$

$\frac{b}{2}=3$ $\quad\therefore b=6$

답 $a=-10$, $b=6$

3-2

$3x-1\leq2a$에서 $3x\leq2a+1$

$\therefore x\leq\frac{2a+1}{3}$ … ㉠

부등식을 만족시키는 자연수 x가 3개이므로 ㉠이 1, 2, 3을 포함하고, 4는 포함하지 않는다.

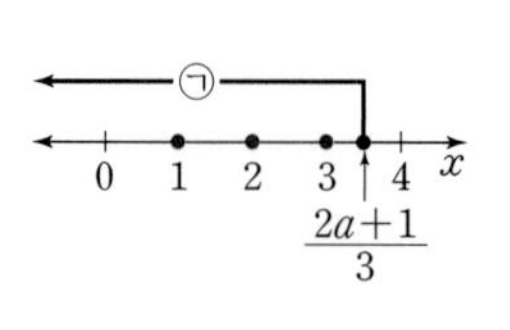

$3\leq\frac{2a+1}{3}<4$, $9\leq2a+1<12$

$8\leq2a<11$ $\quad\therefore 4\leq a<\frac{11}{2}$

답 $4\leq a<\frac{11}{2}$

3-3

$2x-1>x+2$에서 $x>3$ … ㉠

$3x-2\leq x-4a$에서

$2x\leq-4a+2$ $\quad\therefore x\leq-2a+1$ … ㉡

(1) ㉠, ㉡의 공통부분이 없어야 하므로

$-2a+1\leq3$, $-2a\leq2$

$\therefore a\geq-1$

(2) $x\leq-2a+1$이 4를 포함하고 5를 포함하지 않으므로

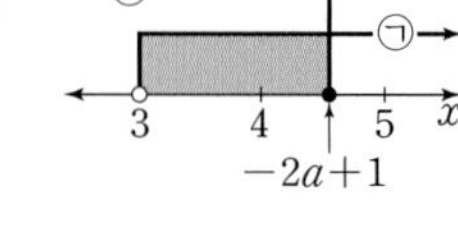

$4\leq-2a+1<5$

$3\leq-2a<4$

$\therefore -2<a\leq-\frac{3}{2}$

답 (1) $a\geq-1$ (2) $-2<a\leq-\frac{3}{2}$

대표 04

회원 수를 x, 의자 수를 y라 하자.

한 의자에 4명씩 앉으면 5명이 남으므로

$x=4y+5$ … ㉠

한 의자에 5명씩 앉으면 의자가 2개 남으므로

$5(y-3)+1\leq x\leq5(y-3)+5$ … ㉡

회원은 68명 이하이므로 $x\leq68$ … ㉢

㉠을 ㉡에 대입하면

$5(y-3)+1\leq4y+5\leq5(y-3)+5$

$5(y-3)+1\leq4y+5$에서 $y\leq19$

$4y+5\leq5(y-3)+5$에서 $y\geq15$

$\therefore 15\leq y\leq19$ … ㉣

또 ㉠을 ㉢에 대입하면 $4y+5\leq68$

$\therefore y\leq\frac{63}{4}$ … ㉤

y는 ㉣, ㉤을 동시에 만족시키는 자연수이므로 $y=15$

㉠에 대입하면 $x=65$

따라서 회원 수는 65이다.

답 65

4-1

학생 수를 x, 텐트 수를 y라 하자.

한 텐트에 3명씩 자면 6명이 남으므로

$x=3y+6$ … ㉠

한 텐트에 4명씩 자면 텐트가 4개 남으므로

$4(y-5)+1 \le x \le 4(y-5)+4$ … ㉡

학생은 80명 이상이므로 $x \ge 80$ … ㉢

㉠을 ㉡에 대입하면

$4(y-5)+1 \le 3y+6 \le 4(y-5)+4$

$4(y-5)+1 \le 3y+6$에서 $y \le 25$

$3y+6 \le 4(y-5)+4$에서 $y \ge 22$

$\therefore 22 \le y \le 25$ … ㉣

또 ㉠을 ㉢에 대입하면 $3y+6 \ge 80$

$\therefore y \ge \frac{74}{3}$ … ㉤

y는 ㉣, ㉤을 동시에 만족시키는 자연수이므로 $y=25$

㉠에 대입하면 $x=81$

따라서 학생 수는 81이다.

답 81

4-2

섭취할 식품 A의 무게를 x g, 식품 B의 무게를 y g이라 하자.

A, B의 1 g당 열량과 단백질의 양은 표와 같다.

	열량 (kcal)	단백질 (g)
A	1.2	0.15
B	2.8	0.08

열량이 400 kcal 이상이므로

$1.2x+2.8y \ge 400$

$\therefore 3x+7y \ge 1000$ … ㉠

단백질이 38 g 이상이므로

$0.15x+0.08y \ge 38$

$\therefore 15x+8y \ge 3800$ … ㉡

두 식품을 합하여 300 g이므로

$x+y=300$

$\therefore y=300-x$ … ㉢

㉢을 ㉠에 대입하면

$3x+7(300-x) \ge 1000$, $-4x \ge -1100$

$\therefore x \le 275$ … ㉣

또 ㉢을 ㉡에 대입하면

$15x+8(300-x) \ge 3800$, $7x \ge 1400$

$\therefore x \ge 200$ … ㉤

㉣, ㉤에서 $200 \le x \le 275$

따라서 섭취할 A 무게의 범위는 200 g 이상 275 g 이하이다.

답 200 g 이상 275 g 이하

개념 Check 175쪽

3

$y=x^2-x-2$의 그래프는 그림과 같다.

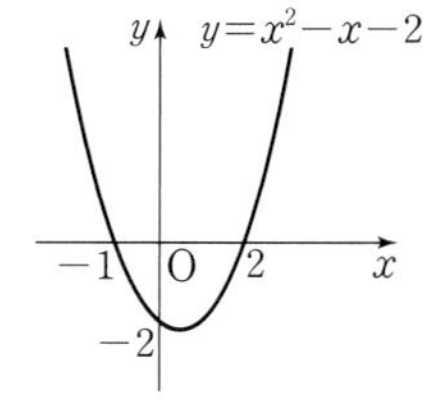

(1) $x^2-x-2>0$의 해는 그래프에서 $y>0$인 x의 범위이므로

$x<-1$ 또는 $x>2$

(2) $x^2-x-2 \le 0$의 해는 그래프에서 $y \le 0$인 x의 범위이므로

$-1 \le x \le 2$

(3) $-x^2+x+2>0$에서 $x^2-x-2<0$이므로

해는 그래프에서 $y<0$인 x의 범위이다.

$\therefore -1<x<2$

(4) $-x^2+x+2 \le 0$에서 $x^2-x-2 \ge 0$이므로

해는 그래프에서 $y \ge 0$인 x의 범위이다.

$\therefore x \le -1$ 또는 $x \ge 2$

답 (1) $x<-1$ 또는 $x>2$ (2) $-1 \le x \le 2$
(3) $-1<x<2$ (4) $x \le -1$ 또는 $x \ge 2$

4

$y=x^2+2x+1$의 그래프는 그림과 같다.

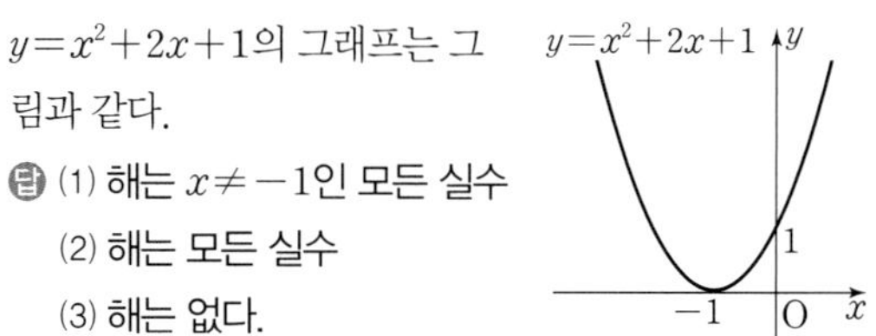

답 (1) 해는 $x \ne -1$인 모든 실수
(2) 해는 모든 실수
(3) 해는 없다.
(4) $x=-1$

5

답 (1) $0<x<2$ (2) $x \le 0$ 또는 $x \ge 2$

대표Q 176쪽~181쪽

대표 Q5

(1) $3x^2>2x+5$에서 $3x^2-2x-5>0$

$(x+1)(3x-5)>0$

$\therefore x<-1$ 또는 $x>\frac{5}{3}$

(2) $x^2-4x-2=0$의 해는

$x=2 \pm \sqrt{6}$

$\therefore 2-\sqrt{6} \le x \le 2+\sqrt{6}$

(3) $x^2-x+1 \le 0$에서

$D=(-1)^2-4\times1\times1$

$=-3<0$

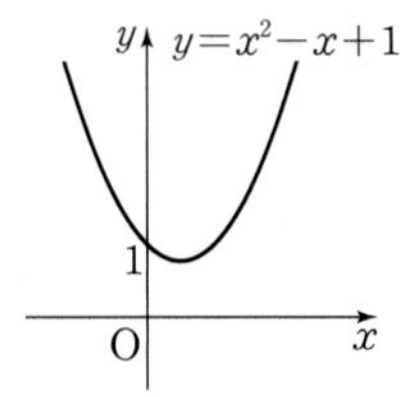

이므로 $y=x^2-x+1$의 그래프는 그림과 같이 x축 위쪽에 있다.

따라서 부등식의 해는 없다.

(4) $x^2>4x-4$에서

$x^2-4x+4>0$

$(x-2)^2>0$

$y=x^2-4x+4=(x-2)^2$

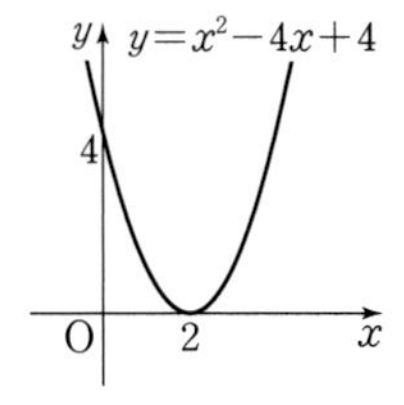

의 그래프는 그림과 같다.

따라서 부등식의 해는 $x\ne2$인 모든 실수이다.

답 (1) $x<-1$ 또는 $x>\frac{5}{3}$
(2) $2-\sqrt{6}\le x\le2+\sqrt{6}$ (3) 해는 없다.
(4) 해는 $x\ne2$인 모든 실수

5-1

(1) $2x^2-x-6<0$에서 $(2x+3)(x-2)<0$

$\therefore -\frac{3}{2}<x<2$

(2) $-2x+3\le x^2$에서 $-x^2-2x+3\le0$

$x^2+2x-3\ge0$

$(x+3)(x-1)\ge0$ $\therefore x\le-3$ 또는 $x\ge1$

(3) $x^2+2x-4=0$의 해는

$x=-1\pm\sqrt{5}$

$\therefore x\le-1-\sqrt{5}$ 또는 $x\ge-1+\sqrt{5}$

(4) $-2x-1>x^2+x$에서 $-x^2-3x-1>0$

$x^2+3x+1<0$

$x^2+3x+1=0$의 해는

$x=\frac{-3\pm\sqrt{5}}{2}$

$\therefore \frac{-3-\sqrt{5}}{2}<x<\frac{-3+\sqrt{5}}{2}$

답 (1) $-\frac{3}{2}<x<2$
(2) $x\le-3$ 또는 $x\ge1$
(3) $x\le-1-\sqrt{5}$ 또는 $x\ge-1+\sqrt{5}$
(4) $\frac{-3-\sqrt{5}}{2}<x<\frac{-3+\sqrt{5}}{2}$

5-2

(1) $x^2+5x>x-6$에서

$x^2+4x+6>0$

$\frac{D}{4}=2^2-6=-2<0$

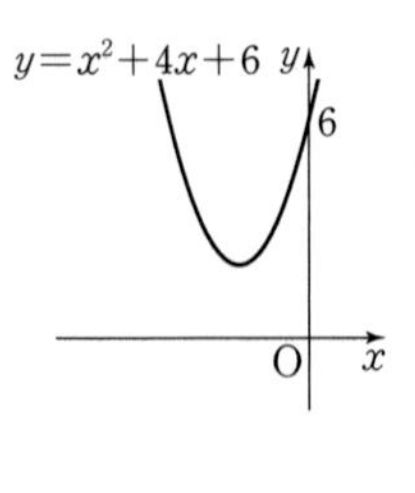

이므로 $y=x^2+4x+6$의 그래프는 그림과 같이 x축 위쪽에 있다.

따라서 부등식의 해는 모든 실수이다.

(2) $4x^2+12x+9\le0$에서

$(2x+3)^2\le0$

$y=4x^2+12x+9$

$=(2x+3)^2$

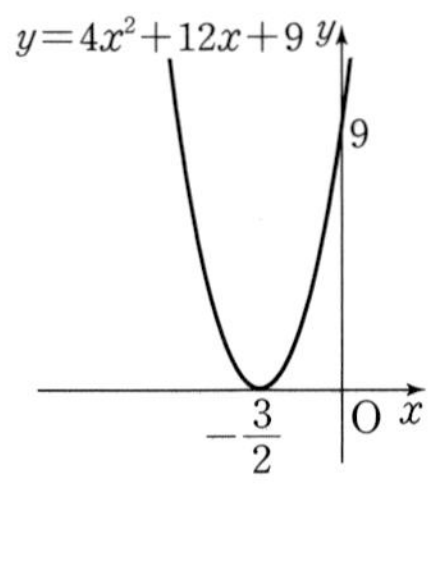

의 그래프는 그림과 같다.

따라서 부등식의 해는

$x=-\frac{3}{2}$

답 (1) 해는 모든 실수 (2) $x=-\frac{3}{2}$

대표 06

(1) $x^2-x>0$에서 $x(x-1)>0$

$\therefore x<0$ 또는 $x>1$ $\cdots$ ㉠

$x^2-2x-35\le0$에서 $(x+5)(x-7)\le0$

$\therefore -5\le x\le7$ $\cdots$ ㉡

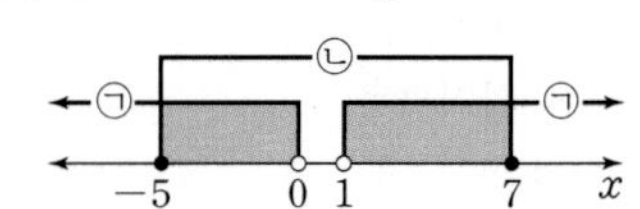

㉠, ㉡의 공통부분은

$-5\le x<0$ 또는 $1<x\le7$

(2) $x^2+4x-21\le0$에서 $(x+7)(x-3)\le0$

$\therefore -7\le x\le3$ $\cdots$ ㉠

$x^2+5kx-6k^2>0$에서 $(x+6k)(x-k)>0$

$k>0$이므로 $x<-6k$ 또는 $x>k$ $\cdots$ ㉡

연립부등식의 해가 존재하므로 ㉠, ㉡의 공통부분이 존재한다.

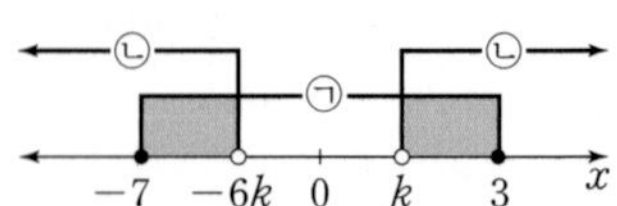

(i) $-6k>-7$일 때, $0<k<\frac{7}{6}$

(ii) $k<3$일 때, $0<k<3$

(i), (ii)에서 $0<k<\frac{7}{6}$ 또는 $0<k<3$이므로

$0<k<3$

답 (1) $-5\le x<0$ 또는 $1<x\le 7$ (2) $0<k<3$

6-1

(1) $x^2-7x+6>0$에서 $(x-1)(x-6)>0$

$\therefore x<1$ 또는 $x>6$ ⋯ ㉠

$x^2-2x-8\ge 0$에서 $(x+2)(x-4)\ge 0$

$\therefore x\le -2$ 또는 $x\ge 4$ ⋯ ㉡

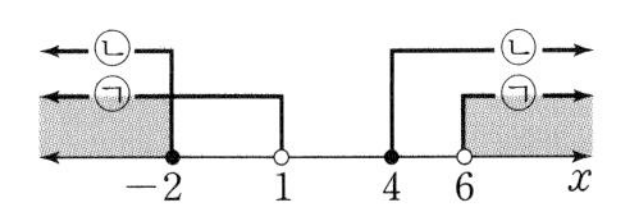

㉠, ㉡의 공통부분은 $x\le -2$ 또는 $x>6$

(2) $5x\le x^2+4$에서

$x^2-5x+4\ge 0$, $(x-1)(x-4)\ge 0$

$\therefore x\le 1$ 또는 $x\ge 4$ ⋯ ㉠

$x(x-2)<15$에서

$x^2-2x-15<0$, $(x+3)(x-5)<0$

$\therefore -3<x<5$ ⋯ ㉡

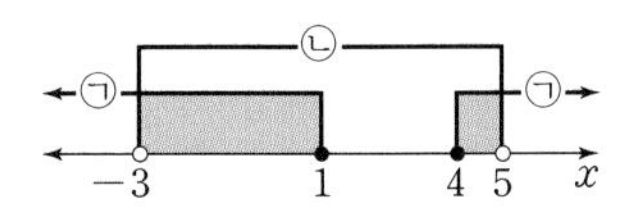

㉠, ㉡의 공통부분은

$-3<x\le 1$ 또는 $4\le x<5$

답 (1) $x\le -2$ 또는 $x>6$ (2) $-3<x\le 1$ 또는 $4\le x<5$

6-2

$2x^2-7x>0$에서 $x(2x-7)>0$

$\therefore x<0$ 또는 $x>\frac{7}{2}$ ⋯ ㉠

$x^2-ax-a-1<0$에서 $(x+1)(x-a-1)<0$

$a>0$이므로 $-1<x<a+1$ ⋯ ㉡

연립부등식의 해 중에서 정수가 3개이므로

㉠, ㉡의 공통부분은 4, 5, 6을 포함하고 7을 포함하지 않는다.

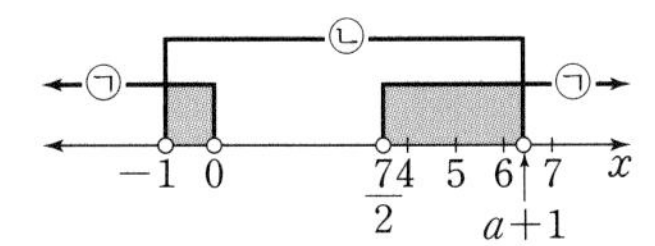

$6<a+1\le 7$ $\therefore 5<a\le 6$

답 $5<a\le 6$

대표 07

(1) $|x^2-4x-1|<4$에서 절댓값 기호를 풀면

$-4<x^2-4x-1<4$

$-4<x^2-4x-1$에서

$x^2-4x+3>0$, $(x-1)(x-3)>0$

$\therefore x<1$ 또는 $x>3$ ⋯ ㉠

$x^2-4x-1<4$에서

$x^2-4x-5<0$, $(x+1)(x-5)<0$

$\therefore -1<x<5$ ⋯ ㉡

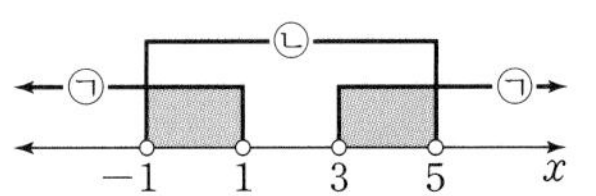

㉠, ㉡의 공통부분은

$-1<x<1$ 또는 $3<x<5$

(2) $(x+2)(|x|-3)\le 0$에서

(i) $x\ge 0$일 때, ⋯ ㉠

$(x+2)(x-3)\le 0$이므로

$-2\le x\le 3$

㉠에서 생각하면 $0\le x\le 3$

(ii) $x<0$일 때, ⋯ ㉡

$(x+2)(-x-3)\le 0$이므로

$(x+2)(x+3)\ge 0$

$\therefore x\le -3$ 또는 $x\ge -2$

㉡에서 생각하면

$x\le -3$ 또는 $-2\le x<0$

(i), (ii)에서 $x\le -3$ 또는 $-2\le x\le 3$

(3) $x^2-|x-1|-1\ge 0$에서

(i) $x\ge 1$일 때, ⋯ ㉠

$x^2-(x-1)-1\ge 0$이므로

$x^2-x\ge 0$, $x(x-1)\ge 0$

$\therefore x\le 0$ 또는 $x\ge 1$

㉠에서 생각하면 $x\ge 1$

(ii) $x<1$일 때, ⋯ ㉡

$x^2+(x-1)-1\ge 0$이므로

$x^2+x-2\ge 0$, $(x+2)(x-1)\ge 0$

$\therefore x\le -2$ 또는 $x\ge 1$

㉡에서 생각하면 $x\le -2$

(i), (ii)에서 $x\le -2$ 또는 $x\ge 1$

답 (1) $-1<x<1$ 또는 $3<x<5$

(2) $x\le -3$ 또는 $-2\le x\le 3$

(3) $x\le -2$ 또는 $x\ge 1$

7-1

(1) $|x^2-3|\geq 1$에서

$x^2-3\leq -1$ 또는 $x^2-3\geq 1$

$x^2-3\leq -1$에서 $x^2-2\leq 0$, $(x+\sqrt{2})(x-\sqrt{2})\leq 0$

$\therefore -\sqrt{2}\leq x\leq \sqrt{2}$ $\cdots$ ㉠

$x^2-3\geq 1$에서 $x^2-4\geq 0$, $(x+2)(x-2)\geq 0$

$\therefore x\leq -2$ 또는 $x\geq 2$ $\cdots$ ㉡

㉠ 또는 ㉡이므로

$x\leq -2$ 또는 $-\sqrt{2}\leq x\leq \sqrt{2}$ 또는 $x\geq 2$

(2) $(|x-1|-2)(x+1)<0$에서

(i) $x\geq 1$일 때, $\cdots$ ㉠

$(x-1-2)(x+1)<0$이므로

$(x-3)(x+1)<0$

$\therefore -1<x<3$

㉠에서 생각하면 $1\leq x<3$

(ii) $x<1$일 때, $\cdots$ ㉡

$(-x+1-2)(x+1)<0$이므로

$-(x+1)(x+1)<0$, $(x+1)^2>0$

$\therefore x\neq -1$인 모든 실수

㉡에서 생각하면 $x<-1$ 또는 $-1<x<1$

(i), (ii)에서 $x<-1$ 또는 $-1<x<3$

(3) $x^2-2x\leq 2|x-1|+2$에서

(i) $x\geq 1$일 때, $\cdots$ ㉠

$x^2-2x\leq 2(x-1)+2$이므로

$x^2-4x\leq 0$, $x(x-4)\leq 0$

$\therefore 0\leq x\leq 4$

㉠에서 생각하면 $1\leq x\leq 4$

(ii) $x<1$일 때, $\cdots$ ㉡

$x^2-2x\leq -2(x-1)+2$이므로

$x^2-4\leq 0$, $(x+2)(x-2)\leq 0$

$\therefore -2\leq x\leq 2$

㉡에서 생각하면 $-2\leq x<1$

(i), (ii)에서 $-2\leq x\leq 4$

답 (1) $x\leq -2$ 또는 $-\sqrt{2}\leq x\leq \sqrt{2}$ 또는 $x\geq 2$
(2) $x<-1$ 또는 $-1<x<3$
(3) $-2\leq x\leq 4$

대표 Q8

(1) $ax>b$의 해가 $x>-2$이므로 $a>0$이고

$x>\frac{b}{a}$에서 $\frac{b}{a}=-2$ $\therefore b=-2a$

$b=-2a$를 $(a+b)x+3a-b>0$에 대입하면

$(a-2a)x+3a-(-2a)>0$

$-ax+5a>0$, $ax<5a$

$a>0$이므로 $x<5$

(2) $ax^2+bx+c>0$의 해가 $-3<x<2$이므로 $y=ax^2+bx+c$의 그래프는 그림과 같다.

따라서 $a<0$이고

$ax^2+bx+c=a(x+3)(x-2)$

$ax^2+bx+c=ax^2+ax-6a$

$\therefore a=b$, $c=-6a$ $\cdots$ ㉠

㉠을 $bx^2+ax+c+4a<0$에 대입하면

$ax^2+ax-6a+4a<0$, $a(x^2+x-2)<0$

$a(x+2)(x-1)<0$

$a<0$이므로 $(x+2)(x-1)>0$

$\therefore x<-2$ 또는 $x>1$

다른 풀이

$a<0$이고 $ax^2+bx+c=0$의 두 근이 -3, 2이므로

근과 계수의 관계에서

$-3+2=-\frac{b}{a}$, $-3\times 2=\frac{c}{a}$

$\therefore b=a$, $c=-6a$

답 (1) $x<5$ (2) $x<-2$ 또는 $x>1$

8-1

$(a+b)x+(2a-3b)>0$의 해가 $x<\frac{1}{2}$이므로

$a+b<0$이고

$x<\frac{-2a+3b}{a+b}$에서 $\frac{-2a+3b}{a+b}=\frac{1}{2}$

$-4a+6b=a+b$ $\therefore a=b$

$a<0$이므로 부등식 $ax>b$의 해는

$x<1$

답 $x<1$

8-2

$ax^2+5x+b<0$의 해가

$-2<x<\frac{1}{3}$이므로

$y=ax^2+5x+b$의 그래프는

그림과 같다.

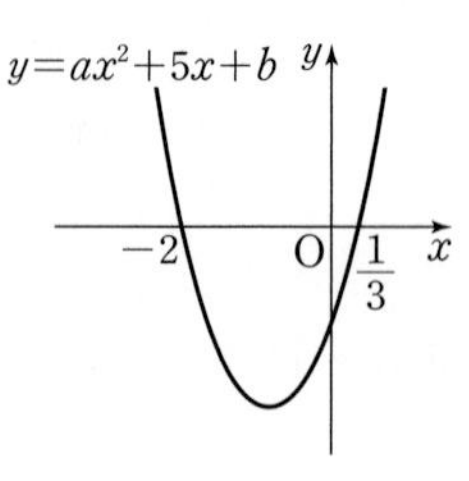

따라서 $a>0$이고

$ax^2+5x+b=a(x+2)\left(x-\frac{1}{3}\right)$

$ax^2+5x+b=ax^2+\frac{5a}{3}x-\frac{2a}{3}$

계수를 비교하면

$5=\frac{5a}{3}$, $b=-\frac{2a}{3}$

$\therefore a=3, b=-2$

답 $a=3, b=-2$

8-3

$ax^2+bx+c<0$의 해가 $x<-1$ 또는 $x>3$이므로 $y=ax^2+bx+c$의 그래프는 그림과 같다.

따라서 $a<0$이고

$ax^2+bx+c=a(x+1)(x-3)$

$ax^2+bx+c=ax^2-2ax-3a$

$\therefore b=-2a, c=-3a$ ⋯ ㉠

㉠을 $cx^2+bx+a>0$에 대입하면

$-3ax^2-2ax+a>0$, $-a(3x^2+2x-1)>0$

$-a(x+1)(3x-1)>0$

$-a>0$이므로 $(x+1)(3x-1)>0$

$\therefore x<-1$ 또는 $x>\frac{1}{3}$

답 $x<-1$ 또는 $x>\frac{1}{3}$

대표 09

(1) $x^2+y^2=4$에서 $y^2=4-x^2$을 $2x+y^2$에 대입하면

$2x+(4-x^2)=-x^2+2x+4$

$=-(x-1)^2+5$ ⋯ ㉠

y는 실수이므로 $y^2\ge0$에서

$4-x^2\ge0$, $x^2-4\le0$

$(x+2)(x-2)\le0$ $\therefore -2\le x\le2$

이 범위에서 ㉠의 최댓값과 최솟값을 구하면

$x=1$일 때, 최댓값은 5

$x=-2$일 때,

최솟값은 $-(-2-1)^2+5=-4$

(2) 근과 계수의 관계에서

$\alpha+\beta=-2k$, $\alpha\beta=2k^2-4$

$\therefore (1-\alpha)(1-\beta)=1-(\alpha+\beta)+\alpha\beta$

$=1-(-2k)+2k^2-4$

$=2k^2+2k-3$

$=2\left(k+\frac{1}{2}\right)^2-\frac{7}{2}$ ⋯ ㉠

또 $x^2+2kx+2k^2-4=0$이 실근을 가지므로

$\frac{D}{4}=k^2-(2k^2-4)\ge0$, $k^2-4\le0$

$(k+2)(k-2)\le0$ $\therefore -2\le k\le2$

이 범위에서 ㉠의 최댓값과 최솟값을 구하면

$k=2$일 때, 최댓값은 $2\times2^2+2\times2-3=9$

$k=-\frac{1}{2}$일 때, 최솟값은 $-\frac{7}{2}$

답 (1) 최댓값 : 5, 최솟값 : -4

(2) 최댓값 : 9, 최솟값 : $-\frac{7}{2}$

9-1

(1) $x^2+y^2=2x+3$에서 $y^2=-x^2+2x+3$을 x^2-y^2에 대입하면

$x^2-(-x^2+2x+3)=2x^2-2x-3$

$=2\left(x-\frac{1}{2}\right)^2-\frac{7}{2}$ ⋯ ㉠

y는 실수이므로 $y^2\ge0$에서

$-x^2+2x+3\ge0$, $x^2-2x-3\le0$

$(x+1)(x-3)\le0$ $\therefore -1\le x\le3$

이 범위에서 ㉠의 최댓값과 최솟값을 구하면

$x=3$일 때, 최댓값은 $2\times3^2-2\times3-3=9$

$x=\frac{1}{2}$일 때, 최솟값은 $-\frac{7}{2}$

(2) $x-y=k$로 놓으면 $y=x-k$

$y=x-k$를 $x^2-xy+y^2=1$에 대입하면

$x^2-x(x-k)+(x-k)^2=1$

$\therefore x^2-kx+k^2-1=0$

x는 실수이므로

$D=k^2-4(k^2-1)\ge0$, $k^2-\frac{4}{3}\le0$

$\left(k+\frac{2}{\sqrt{3}}\right)\left(k-\frac{2}{\sqrt{3}}\right)\le0$ $\therefore -\frac{2}{\sqrt{3}}\le k\le\frac{2}{\sqrt{3}}$

따라서 $x-y(=k)$의

최댓값은 $\frac{2}{\sqrt{3}}=\frac{2\sqrt{3}}{3}$, 최솟값은 $-\frac{2}{\sqrt{3}}=-\frac{2\sqrt{3}}{3}$

답 (1) 최댓값 : 9, 최솟값 : $-\frac{7}{2}$

(2) 최댓값 : $\frac{2\sqrt{3}}{3}$, 최솟값 : $-\frac{2\sqrt{3}}{3}$

9-2

근과 계수의 관계에서

$\alpha+\beta=k-1$, $\alpha\beta=k^2-k$

이므로

$$(\alpha-1)(\beta-1)=\alpha\beta-(\alpha+\beta)+1$$
$$=k^2-k-(k-1)+1$$
$$=k^2-2k+2$$
$$=(k-1)^2+1 \quad \cdots ㉠$$

또 $x^2-(k-1)x+k^2-k=0$이 실근을 가지므로

$D=(k-1)^2-4(k^2-k)\geq0$

$3k^2-2k-1\leq0$, $(3k+1)(k-1)\leq0$

$\therefore -\frac{1}{3}\leq k\leq1$

이 범위에서 ㉠의 최댓값과 최솟값을 구하면

$k=-\frac{1}{3}$일 때, 최댓값은 $\left(-\frac{4}{3}\right)^2+1=\frac{25}{9}$

$k=1$일 때, 최솟값은 1

답 최댓값 : $\frac{25}{9}$, 최솟값 : 1

대표 Q10

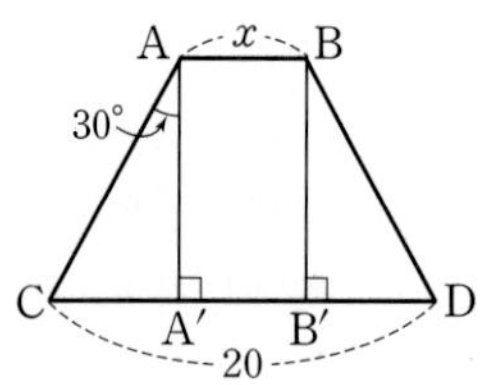

두 점 A, B에서 변 CD에 내린 수선의 발을 각각 A′, B′이라 하고, $\overline{AB}=x$라 하면

$\overline{A'B'}=x$,

$\overline{CA'}=\frac{20-x}{2}=10-\frac{x}{2}$

삼각형 AA′C는 $\angle CAA'=30°$인 직각삼각형이므로

$\overline{AC}=20-x$, $\overline{AA'}=\sqrt{3}\left(10-\frac{x}{2}\right)$

$\overline{AB}\leq4\overline{AC}$이므로

$x\leq4(20-x)$, $x\leq80-4x$

$5x\leq80 \quad \therefore x\leq16 \quad \cdots ㉠$

사다리꼴 ACDB의 넓이가 $75\sqrt{3}$ m²보다 작으므로

$\frac{1}{2}\times(x+20)\times\sqrt{3}\left(10-\frac{x}{2}\right)<75\sqrt{3}$

$(x+20)(20-x)<300$

$x^2-100>0$, $(x+10)(x-10)>0$

$\therefore x<-10$ 또는 $x>10 \quad \cdots ㉡$

㉠, ㉡의 공통부분은 $10<x\leq16$

따라서 선분 AB의 길이는 10 m 초과 16 m 이하이다.

답 10 m 초과 16 m 이하

10-1

$\overline{BR}=a$라 하면

$0<a<12$, $\overline{RC}=12-a$

두 삼각형 AQP, PRC는 직각이등변삼각형이므로

$\overline{AQ}=\overline{QP}=a$,

$\overline{PR}=\overline{RC}=12-a$

따라서

$\triangle AQP=\frac{1}{2}a^2$, $\triangle PRC=\frac{1}{2}(12-a)^2$

$\square PQBR=a(12-a)$

주어진 조건에서

$a(12-a)>\frac{1}{2}a^2 \quad \cdots ㉠$

$a(12-a)>\frac{1}{2}(12-a)^2 \quad \cdots ㉡$

㉠에서 $2a(12-a)>a^2$, $3a^2-24a<0$

$a(a-8)<0 \quad \therefore 0<a<8 \quad \cdots ㉢$

㉡에서 $2a(12-a)>(12-a)^2$, $3a^2-48a+144<0$

$(a-4)(a-12)<0 \quad \therefore 4<a<12 \quad \cdots ㉣$

㉢, ㉣의 공통부분은 $4<a<8$, 곧 $4<\overline{BR}<8$

답 $4<\overline{BR}<8$

연습과 실전 12 여러 가지 부등식 182쪽~184쪽

01 (1) $0\leq x+y\leq5$ (2) $-6\leq x-y\leq-1$ (3) $-8\leq xy\leq4$
02 ①
03 $a=2$, $b=6$
04 (1) $-\frac{9}{2}<x\leq-3$ 또는 $0\leq x<\frac{3}{2}$ (2) $x<-3$ 또는 $x>2$
05 $a=2$, $b=4$
06 $1+2\sqrt{3}<x\leq6$
07 $a<-1$ 또는 $a>0$
08 (1) 4 (2) -4
09 $3+\sqrt{33}<x<12$
10 ②
11 $a=-\frac{1}{3}$, $b=-\frac{20}{3}$
12 4
13 $0<a\leq\frac{1}{2}$ 또는 $\frac{7}{2}\leq a<4$
14 18일
15 ④

01

(1) 작은 수끼리 더하면 최소이고, 큰 수끼리 더하면 최대이므로

$-2+2\le x+y\le 1+4$ $\quad\therefore 0\le x+y\le 5$

(2) 작은 수에서 큰 수를 빼면 최소이고, 큰 수에서 작은 수를 빼면 최대이므로

$-2-4\le x-y\le 1-2$ $\quad\therefore -6\le x-y\le -1$

다른 풀이

$-4\le -y\le -2$이므로

$-2-4\le x-y\le 1-2$ $\quad\therefore -6\le x-y\le -1$

(3) 절댓값이 가장 큰 음수가 최소이고, 절댓값이 가장 큰 양수가 최대이므로

$-2\times 4\le xy\le 1\times 4$ $\quad\therefore -8\le xy\le 4$

답 (1) $0\le x+y\le 5$ (2) $-6\le x-y\le -1$ (3) $-8\le xy\le 4$

02

$2(x+4)>3x+2$에서 $2x+8>3x+2$

$-x>-6$ $\quad\therefore x<6$ $\quad\cdots$ ㉠

$4x-1>5x+a$에서

$-x>a+1$ $\quad\therefore x<-a-1$ $\quad\cdots$ ㉡

㉠, ㉡의 공통부분이 $x<4$이므로

$-a-1=4$ $\quad\therefore a=-5$

답 ①

03

$|2x-a|<b$에서 $b>0$이므로

$-b<2x-a<b$ $\quad\therefore \dfrac{a-b}{2}<x<\dfrac{a+b}{2}$

해가 $-2<x<4$이므로

$\dfrac{a-b}{2}=-2,\ \dfrac{a+b}{2}=4$

두 식을 연립하여 풀면 $a=2,\ b=6$

답 $a=2,\ b=6$

04

(1) $3\le|2x+3|<6$에서

(i) $2x+3\ge 0$일 때,

$3\le 2x+3<6,\ 0\le 2x<3$

$\therefore 0\le x<\dfrac{3}{2}$

(ii) $2x+3<0$일 때,

$3\le -(2x+3)<6,\ 6\le -2x<9$

$\therefore -\dfrac{9}{2}<x\le -3$

(i), (ii)에서 $-\dfrac{9}{2}<x\le -3$ 또는 $0\le x<\dfrac{3}{2}$

(2) $|x+2|+|x-1|>5$에서

(i) $x<-2$일 때, $\quad\cdots$ ㉠

$-(x+2)-(x-1)>5,\ -2x>6$

$\therefore x<-3$

㉠에서 생각하면 $x<-3$

(ii) $-2\le x<1$일 때,

$(x+2)-(x-1)>5,\ 3>5$

따라서 성립하지 않는다.

(iii) $x\ge 1$일 때, $\quad\cdots$ ㉡

$(x+2)+(x-1)>5,\ 2x>4$ $\quad\therefore x>2$

㉡에서 생각하면 $x>2$

(i), (ii), (iii)에서 $x<-3$ 또는 $x>2$

답 (1) $-\dfrac{9}{2}<x\le -3$ 또는 $0\le x<\dfrac{3}{2}$

(2) $x<-3$ 또는 $x>2$

05

$ax^2-7x-4\le 0$의 해가 $-\dfrac{1}{2}\le x\le b$이므로

$y=ax^2-7x-4$의 그래프는 그림과 같다.

따라서 $a>0$이고

$ax^2-7x-4=a\left(x+\dfrac{1}{2}\right)(x-b)$

양변에 $x=-\dfrac{1}{2}$을 대입하면

$\dfrac{1}{4}a+\dfrac{7}{2}-4=0$ $\quad\therefore a=2$

양변의 상수항을 비교하면

$-4=2\times\dfrac{1}{2}\times(-b)$ $\quad\therefore b=4$

다른 풀이

$a>0$이고 $ax^2-7x-4=0$의 한 근이 $-\dfrac{1}{2}$이므로

$f(x)=ax^2-7x-4$라 하면 $f\left(-\dfrac{1}{2}\right)=0$에서

$\dfrac{1}{4}a+\dfrac{7}{2}-4=0$ $\quad\therefore a=2$

주어진 이차부등식은 $2x^2-7x-4\le 0$이므로

$(2x+1)(x-4)\le 0$

이 부등식의 해는 $-\frac{1}{2}\le x\le 4$이므로 $b=4$

답 $a=2$, $b=4$

06

$5+4x-x^2<2(x-3)$에서 $x^2-2x-11>0$

$x^2-2x-11=0$의 해가 $x=1\pm2\sqrt{3}$이므로

$x<1-2\sqrt{3}$ 또는 $x>1+2\sqrt{3}$ … ㉠

$2(x-3)\le 6(x+1)-x^2$에서 $x^2-4x-12\le 0$

$(x+2)(x-6)\le 0$ $\therefore -2\le x\le 6$ … ㉡

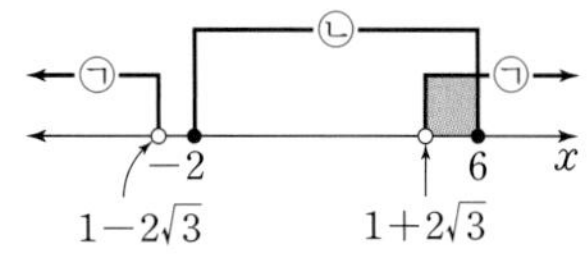

㉠, ㉡의 공통부분은 $1+2\sqrt{3}<x\le 6$

답 $1+2\sqrt{3}<x\le 6$

07

$x^2+x-6>0$에서 $(x+3)(x-2)>0$

$\therefore x<-3$ 또는 $x>2$ … ㉠

$|x-a|\le 2$에서 $-2\le x-a\le 2$

$\therefore a-2\le x\le a+2$ … ㉡

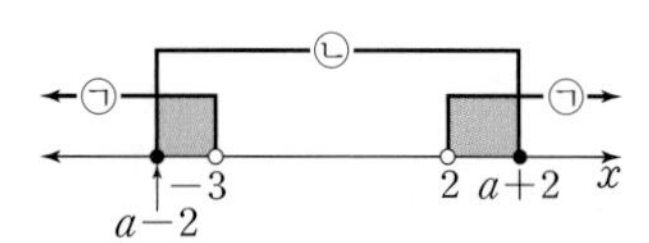

㉠, ㉡의 공통부분이 있으면

$a-2<-3$ 또는 $2<a+2$ $\therefore a<-1$ 또는 $a>0$

답 $a<-1$ 또는 $a>0$

08 전략 $Ax\ge B$에서 $A=0$, $B>0$이면 해는 없다.

$A=0$, $B\le 0$이면 해는 모든 실수

$a^2x-a\ge 16x+2$에서 $(a^2-16)x\ge a+2$

(1) 해가 없으면 $a^2-16=0$이고 $a+2>0$

곧, $a=\pm4$이고 $a>-2$이므로

$a=4$

(2) 해가 모든 실수이면 $a^2-16=0$이고 $a+2\le 0$

곧, $a=\pm4$이고 $a\le -2$이므로

$a=-4$

답 (1) 4 (2) −4

09 전략 $|x|<a$이면 $-a<x<a$이다.

이때 $|x|\ge 0$이므로 $a>0$일 때 해가 존재한다.

$|x^2-10x|<4x-24$에서 (좌변)≥ 0이므로

$4x-24>0$ $\therefore x>6$ … ㉠

주어진 부등식의 절댓값 기호를 없애면

$-(4x-24)<x^2-10x<4x-24$

$-(4x-24)<x^2-10x$에서 $x^2-6x-24>0$

$x^2-6x-24=0$의 해가 $x=3\pm\sqrt{33}$이므로

$x<3-\sqrt{33}$ 또는 $x>3+\sqrt{33}$ … ㉡

$x^2-10x<4x-24$에서 $x^2-14x+24<0$

$(x-2)(x-12)<0$ $\therefore 2<x<12$ … ㉢

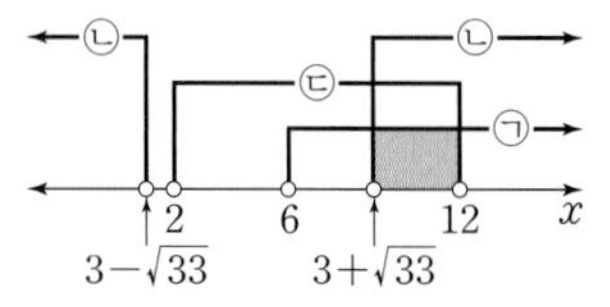

㉠, ㉡, ㉢의 공통부분은 $3+\sqrt{33}<x<12$

다른 풀이

(i) $x^2-10x\ge 0$일 때, … ㉠

$x^2-10x<4x-24$, $x^2-14x+24<0$

$(x-2)(x-12)<0$ $\therefore 2<x<12$

㉠에서 생각하면 $10\le x<12$

(ii) $x^2-10x<0$일 때, … ㉡

$-(x^2-10x)<4x-24$, $x^2-6x-24>0$

$\therefore x<3-\sqrt{33}$ 또는 $x>3+\sqrt{33}$

㉡에서 생각하면 $3+\sqrt{33}<x<10$

(i), (ii)에서 $3+\sqrt{33}<x<12$

답 $3+\sqrt{33}<x<12$

10 전략 주어진 부등식을 만족시키는 $[x]$값의 범위부터 구한다.

$6[x]^2-5[x]-21<0$에서

$(2[x]+3)(3[x]-7)<0$

$\therefore -\frac{3}{2}<[x]<\frac{7}{3}$

$[x]$는 정수이므로 $[x]=-1, 0, 1, 2$

(i) $[x]=-1$일 때, $-1\le x<0$

(ii) $[x]=0$일 때, $0\le x<1$

(iii) $[x]=1$일 때, $1\le x<2$

(iv) $[x]=2$일 때, $2\le x<3$

(i)~(iv)에서 $-1\le x<3$

따라서 $a=-1$, $b=3$이므로 $a+b=2$

답 ②

11 전략 a의 부호를 정하고
$ax^2+3x+b=a(x-\alpha)(x-\beta)$ 꼴로 고친다.

$x^2-6x+5<0$에서 $(x-1)(x-5)<0$

$\therefore 1<x<5$ $\cdots$ ㉠

$x^2-2x-8>0$에서 $(x+2)(x-4)>0$

$\therefore x<-2$ 또는 $x>4$ $\cdots$ ㉡

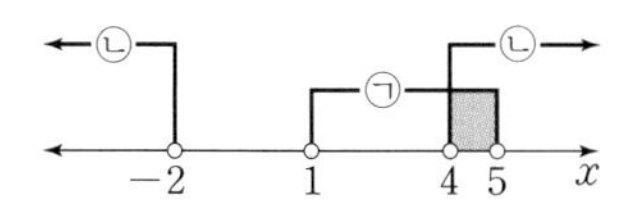

㉠, ㉡의 공통부분은 $4<x<5$

$ax^2+3x+b>0$의 해가 $4<x<5$이므로

$a<0$이고

$ax^2+3x+b=a(x-4)(x-5)$

$=ax^2-9ax+20a$

계수를 비교하면 $3=-9a$, $b=20a$

$\therefore a=-\frac{1}{3}, b=-\frac{20}{3}$

답 $a=-\frac{1}{3}, b=-\frac{20}{3}$

참고 $ax^2+3x+b=0$의 두 근이 4, 5이므로
근과 계수의 관계에서
$4+5=-\frac{3}{a}$, $4\times5=\frac{b}{a}$임을 이용하여 a, b의 값을 구해도 된다.

12 전략 연립부등식의 해를 보고 수직선에서 각 부등식의 해가 어떤 꼴인지 생각한다.

$x^2+ax+b\geq0$의 해를 $x\leq\alpha$ 또는 $x\geq\beta$,

$x^2+cx+d\leq0$의 해를 $\gamma\leq x\leq\delta$라 하자.

연립부등식의 해가 $1\leq x\leq3$ 또는 $x=4$이므로 각 부등식의 해는 그림과 같다.

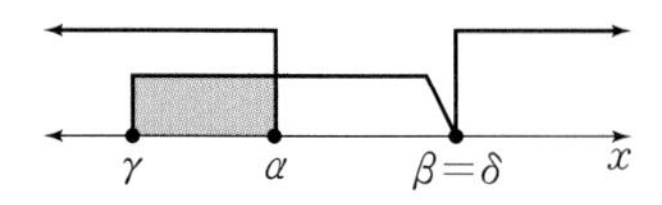

$\therefore \gamma=1, \alpha=3, \beta=\delta=4$

$x^2+ax+b\geq0$의 해가 $x\leq3$ 또는 $x\geq4$이므로

$x^2+ax+b=0$의 해는 3, 4이다.

곧, $3+4=-a$, $3\times4=b$에서 $a=-7$, $b=12$

$x^2+cx+d\leq0$의 해가 $1\leq x\leq4$이므로

$x^2+cx+d=0$의 해는 1, 4이다.

곧, $1+4=-c$, $1\times4=d$에서 $c=-5$, $d=4$

$\therefore a+b+c+d=4$

답 4

13 전략 $(x-1)(x-2a+1)\leq0$에서
$2a-1>1$, $2a-1<1$일 때로 나누어 생각한다.

$x^2-7x+10>0$에서 $(x-2)(x-5)>0$

$\therefore x<2$ 또는 $x>5$ $\cdots$ ㉠

$x^2-2ax+2a-1\leq0$에서

$(x-1)(x-2a+1)\leq0$ $\cdots$ ㉡

(i) $2a-1>1$일 때,

㉡의 해는 $1\leq x\leq2a-1$이므로 ㉠, ㉡의 공통부분은 1, 6을 포함하고 7을 포함하지 않는다.

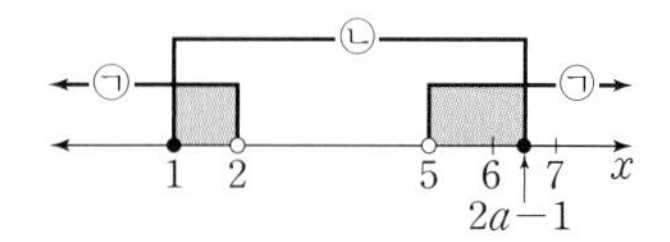

$6\leq2a-1<7$, $7\leq2a<8$ $\therefore \frac{7}{2}\leq a<4$

(ii) $2a-1<1$일 때,

㉡의 해는 $2a-1\leq x\leq1$이므로 ㉠, ㉡의 공통부분은 0, 1을 포함하고 -1을 포함하지 않는다.

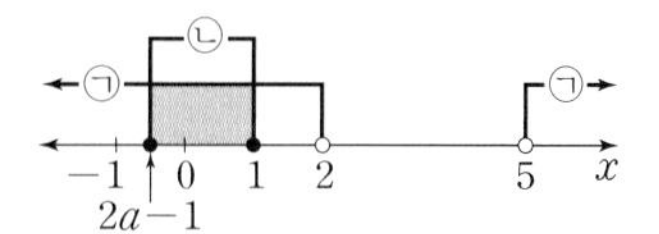

$-1<2a-1\leq0$, $0<2a\leq1$ $\therefore 0<a\leq\frac{1}{2}$

(i), (ii)에서 $0<a\leq\frac{1}{2}$ 또는 $\frac{7}{2}\leq a<4$

답 $0<a\leq\frac{1}{2}$ 또는 $\frac{7}{2}\leq a<4$

참고 $2a-1=1$이면 ㉡의 해는 $x=1$이므로 주어진 조건을 만족시키지 않는다.

14 전략 문자를 이용하여 조건을 식으로 바꾼다.

수학 문제집의 문제 수를 x라 하자.

하루에 13문제씩 풀면 25일 만에 다 풀 수 있으므로 25일째에는 1문제에서 13문제까지 푼다.

$13\times24+1\leq x\leq13\times24+13$

$\therefore 313\leq x\leq325$ $\cdots$ ㉠

하루에 23문제씩 풀면 14일 만에 다 풀 수 있으므로 14일째에는 1문제에서 23문제까지 푼다.

$23\times13+1\leq x\leq23\times13+23$

$\therefore 300\leq x\leq322$ $\cdots$ ㉡

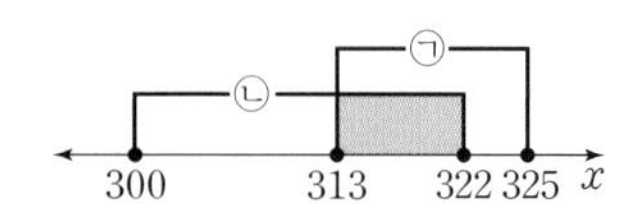

㉠, ㉡의 공통부분은 $313\le x\le 322$

$313=18\times17+7$, $322=18\times17+16$이므로 하루에 18 문제씩 풀면 18일 만에 다 풀 수 있다.

답 18일

15 전략 구하고자 하는 것을 x로 놓고 주어진 조건을 이용하여 부등식을 세운다.

보관창고와 A 지점 사이의 거리를 x km$(0<x<20)$라 하면 하루에 드는 총 운송비는

$\{100x^2+200(x+10)^2+300(20-x)^2\}$원

하루에 드는 총 운송비가 155000원 이하이어야 하므로

$100x^2+200(x+10)^2+300(20-x)^2\le 155000$

$x^2+2(x+10)^2+3(20-x)^2\le 1550$

$3x^2-40x-75\le 0$, $(3x+5)(x-15)\le 0$

$\therefore -\frac{5}{3}\le x\le 15$

$0<x<20$이므로 $0<x\le 15$

따라서 A 지점에서 최대 15 km 떨어진 지점까지 지을 수 있다.

답 ④

13 부등식과 이차함수, 방정식

개념 Check

186쪽~187쪽

1

$ax^2+(b-m)x+c-n\ge 0$에서

$ax^2+bx+c\ge mx+n$

주어진 부등식의 해는 이차함수 $y=ax^2+bx+c$의 그래프가 직선 $y=mx+n$보다 위쪽에 있거나 두 그래프가 만나는 x값의 범위이므로 $x\le -4$ 또는 $x\ge 1$

답 $x\le -4$ 또는 $x\ge 1$

2

$x^2-3x+a=0$의 두 근을 α, β라 하자.

(i) $D=(-3)^2-4a\ge 0$에서

$-4a\ge -9$　　$\therefore a\le \frac{9}{4}$

(ii) $\alpha+\beta>0$에서 $3>0$

(iii) $\alpha\beta>0$에서 $a>0$

(i), (ii), (iii)에서 $0<a\le \frac{9}{4}$

답 $0<a\le \frac{9}{4}$

대표Q

189쪽~193쪽

대표 01

(1) 방정식 $f(x)=g(x)$의 해는 두 그래프 $y=f(x)$와 $y=g(x)$ 교점의 x좌표이므로

$x=-2$ 또는 $x=2$

(2) 부등식 $f(x)>g(x)$의 해는 $y=f(x)$의 그래프가 $y=g(x)$의 그래프보다 위쪽에 있는 x값의 범위이므로

$-2<x<2$

(3) $f(x)g(x)>0$이면 $\begin{cases}f(x)>0\\g(x)>0\end{cases}$ 또는 $\begin{cases}f(x)<0\\g(x)<0\end{cases}$

(i) $\begin{cases}f(x)>0\\g(x)>0\end{cases}$일 때, $\frac{1}{2}<x<3$

(ii) $\begin{cases}f(x)<0\\g(x)<0\end{cases}$일 때, $x<-1$

(i), (ii)에서 $x<-1$ 또는 $\frac{1}{2}<x<3$

답 (1) $x=-2$ 또는 $x=2$ (2) $-2<x<2$

(3) $x<-1$ 또는 $\frac{1}{2}<x<3$

1-1

(3) $f(x)g(x)\le 0$이면 $\begin{cases} f(x)\ge 0 \\ g(x)\le 0 \end{cases}$ 또는 $\begin{cases} f(x)\le 0 \\ g(x)\ge 0 \end{cases}$

(i) $\begin{cases} f(x)\ge 0 \\ g(x)\le 0 \end{cases}$일 때, $-2\le x\le 0$

(ii) $\begin{cases} f(x)\le 0 \\ g(x)\ge 0 \end{cases}$일 때, $x\le -4$ 또는 $x\ge 2$

(i), (ii)에서 $x\le -4$ 또는 $-2\le x\le 0$ 또는 $x\ge 2$

답 (1) $x=-\frac{5}{2}$ 또는 $x=1$ (2) $x<-\frac{5}{2}$ 또는 $x>1$

(3) $x\le -4$ 또는 $-2\le x\le 0$ 또는 $x\ge 2$

대표 02

(1) $kx^2+4x+k>0$의 해가 실수 전체이므로 x^2의 계수가 양수이다.

$\therefore k>0$ … ㉠

판별식이 음수이므로

$\frac{D}{4}=4-k^2<0$, $(k+2)(k-2)>0$

$\therefore k<-2$ 또는 $k>2$ … ㉡

㉠, ㉡의 공통부분은 $k>2$

(2) $ax^2+bx+c\ge 0$의 해가 $x=-1$이므로

$a<0$이고 $ax^2+bx+c=a(x+1)^2$이다.

$ax^2+bx+c=a(x+1)^2$에서

$ax^2+bx+c=ax^2+2ax+a$

$\therefore b=2a$, $c=a$ … ㉠

㉠을 $bx^2+cx-a\ge 0$에 대입하면

$2ax^2+ax-a\ge 0$

$a<0$이므로 양변을 a로 나누면

$2x^2+x-1\le 0$, $(x+1)(2x-1)\le 0$

$\therefore -1\le x\le \frac{1}{2}$

답 (1) $k>2$ (2) $-1\le x\le \frac{1}{2}$

2-1

$(a-2)x^2+2x+a-2>0$이 모든 실수 x에 대하여 성립하므로

(i) $a-2\ne 0$일 때, $a-2>0$이고 $\frac{D}{4}<0$

$a-2>0$에서 $a>2$ … ㉠

$\frac{D}{4}<0$에서 $1-(a-2)^2<0$

$a^2-4a+3>0$

$(a-1)(a-3)>0$

$\therefore a<1$ 또는 $a>3$ … ㉡

㉠, ㉡의 공통부분은 $a>3$

(ii) $a-2=0$일 때, $a=2$이므로 주어진 부등식은 $2x>0$

이 부등식은 모든 실수 x에 대하여 성립하지는 않는다.

(i), (ii)에서 $a>3$

답 $a>3$

2-2

$ax^2+bx+c>0$의 해가 $x\ne 3$인 모든 실수이므로

$a>0$이고 $ax^2+bx+c=a(x-3)^2$이다.

$ax^2+bx+c=a(x-3)^2$에서

$ax^2+bx+c=ax^2-6ax+9a$

$\therefore b=-6a$, $c=9a$ … ㉠

㉠을 $bx^2+cx+6a<0$에 대입하면

$-6ax^2+9ax+6a<0$

$-3a<0$이므로 양변을 $-3a$로 나누면

$2x^2-3x-2>0$, $(2x+1)(x-2)>0$

$\therefore x<-\frac{1}{2}$ 또는 $x>2$

답 $x<-\frac{1}{2}$ 또는 $x>2$

대표 03

(1) 모든 실수 x에 대하여

$x^2+(k+1)x+k^2>x+k$이므로

$x^2+kx+k^2-k>0$에서

$D=k^2-4(k^2-k)<0$

$-3k^2+4k<0$, $k(3k-4)>0$

$\therefore k<0$ 또는 $k>\frac{4}{3}$

(2) $x^2+2x-3<kx+2$에서 $x^2+(2-k)x-5<0$

$f(x)=x^2+(2-k)x-5$라 하면 $y=f(x)$의 그래프가 $-1\le x\le 2$에서 x축 아래쪽에 있어야 한다.

$f(-1)<0$에서 $1-2+k-5<0$

$\therefore k<6$ … ㉠

$f(2)<0$에서 $4+4-2k-5<0$, $-2k<-3$

$\therefore k>\frac{3}{2}$ ⋯ ㉡

㉠, ㉡의 공통부분은 $\frac{3}{2}<k<6$

답 (1) $k<0$ 또는 $k>\frac{4}{3}$ (2) $\frac{3}{2}<k<6$

3-1

모든 실수 x에 대하여

$x^2+2x-k<2x^2+kx+1$이므로

$x^2+(k-2)x+k+1>0$에서

$D=(k-2)^2-4(k+1)<0$

$k^2-8k<0$, $k(k-8)<0$

$\therefore 0<k<8$

답 $0<k<8$

3-2

$x^2-4x+3\le 0$에서 $(x-1)(x-3)\le 0$

$\therefore 1\le x\le 3$

$f(x)=x^2-2x-k^2+1$이라 하면 $y=f(x)$의 그래프가 $1\le x\le 3$에서 x축 아래쪽에 있어야 한다.

$f(1)<0$에서 $1-2-k^2+1<0$, $k^2>0$

$\therefore k<0$ 또는 $k>0$ ⋯ ㉠

$f(3)<0$에서 $9-6-k^2+1<0$, $k^2-4>0$

$(k+2)(k-2)>0$

$\therefore k<-2$ 또는 $k>2$ ⋯ ㉡

㉠, ㉡의 공통부분은 $k<-2$ 또는 $k>2$

답 $k<-2$ 또는 $k>2$

대표 Q4

(1) $x^2+2(k-1)x+2k+6=0$의 두 근을 α, β라 하자.

(i) $\frac{D}{4}=(k-1)^2-(2k+6)\ge 0$에서

$k^2-4k-5\ge 0$, $(k+1)(k-5)\ge 0$

$\therefore k\le -1$ 또는 $k\ge 5$ ⋯ ㉠

(ii) $\alpha+\beta=-2(k-1)>0$ $\therefore k<1$ ⋯ ㉡

(iii) $\alpha\beta=2k+6>0$ $\therefore k>-3$ ⋯ ㉢

㉠, ㉡, ㉢의 공통부분은 $-3<k\le -1$

(2) (두 근의 곱)$=3k^2-2k-1<0$이므로

$(3k+1)(k-1)<0$ $\therefore -\frac{1}{3}<k<1$

답 (1) $-3<k\le -1$ (2) $-\frac{1}{3}<k<1$

4-1

$x^2+2(k+2)x+4-k^2=0$의 두 근을 α, β라 하자.

(i) $\frac{D}{4}=(k+2)^2-(4-k^2)\ge 0$에서

$2k^2+4k\ge 0$, $k(k+2)\ge 0$

$\therefore k\le -2$ 또는 $k\ge 0$ ⋯ ㉠

(ii) $\alpha+\beta=-2(k+2)<0$ $\therefore k>-2$ ⋯ ㉡

(iii) $\alpha\beta=4-k^2>0$에서 $(k+2)(k-2)<0$

$\therefore -2<k<2$ ⋯ ㉢

㉠, ㉡, ㉢의 공통부분은 $0\le k<2$

답 $0\le k<2$

4-2

$x^2-(k^2-9)x+k^2-5k=0$의 두 근을 α, β라 하자.

(i) $\alpha\beta=k^2-5k<0$에서

$k(k-5)<0$ $\therefore 0<k<5$ ⋯ ㉠

(ii) $\alpha+\beta=k^2-9<0$에서

$(k+3)(k-3)<0$ $\therefore -3<k<3$ ⋯ ㉡

㉠, ㉡의 공통부분은 $0<k<3$

답 $0<k<3$

대표 Q5

(1) $f(x)=x^2-4x+k^2-1$이라 하면 $y=f(x)$의 그래프가 $x>1$인 부분에서 x축과 두 점에서 만나거나 접한다. 그래프의 축이 직선 $x=2$이므로

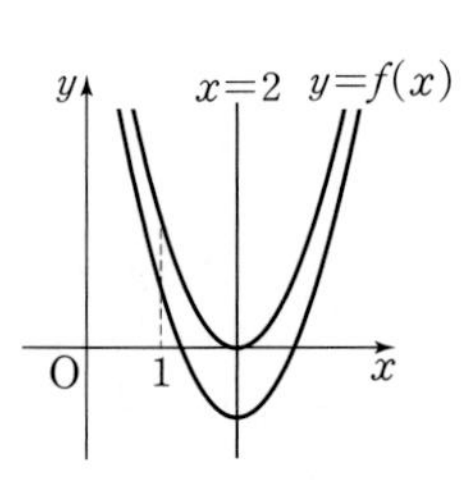

$\frac{D}{4}\ge 0$이고 $f(1)>0$

(i) $\frac{D}{4}=4-(k^2-1)\ge 0$에서

$k^2-5\le 0$, $(k+\sqrt{5})(k-\sqrt{5})\le 0$

$\therefore -\sqrt{5}\le k\le \sqrt{5}$ ⋯ ㉠

(ii) $f(1)=1-4+k^2-1>0$에서

$k^2-4>0$, $(k+2)(k-2)>0$

$\therefore k<-2$ 또는 $k>2$ ⋯ ㉡

㉠, ㉡의 공통부분은

$-\sqrt{5}\le k<-2$ 또는 $2<k\le \sqrt{5}$

(2) $f(x)=x^2-2kx-k+5$라 하면 $y=f(x)$의 그래프가 $0<x<1$인 부분에서 x축과 접하지 않고 한 점에서만 만난다.

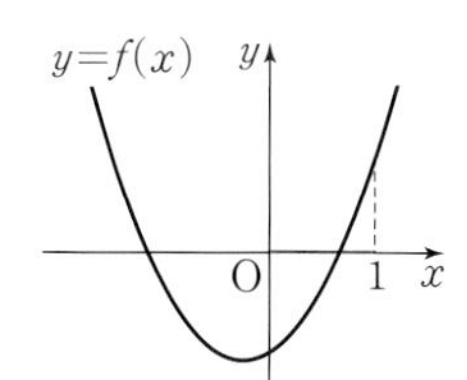

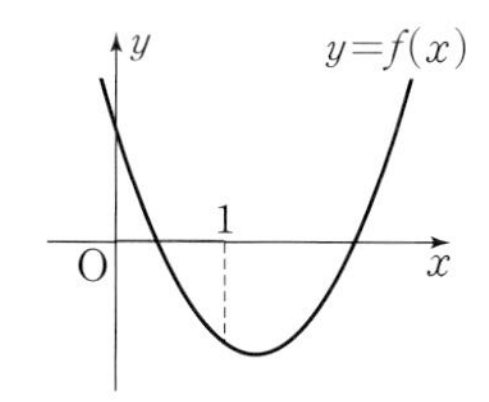

(i) $f(0)<0$이고 $f(1)>0$일 때,

$-k+5<0$이고 $1-2k-k+5>0$

$k>5$이고 $k<2$이므로 모순이다.

(ii) $f(0)>0$이고 $f(1)<0$일 때,

$-k+5>0$이고 $1-2k-k+5<0$

$k<5$이고 $k>2$ $\quad\therefore 2<k<5$

(i), (ii)에서 $2<k<5$

다른 풀이

$f(0)f(1)<0$이므로

$(-k+5)(1-2k-k+5)<0$

$(k-5)(3k-6)<0$ $\quad\therefore 2<k<5$

답 (1) $-\sqrt{5}\le k<-2$ 또는 $2<k\le\sqrt{5}$ (2) $2<k<5$

5-1

$f(x)=x^2+6x+2k+1$이라 하면 $y=f(x)$의 그래프가 $x<-2$인 부분에서 x축과 두 점에서 만나거나 접한다.

그래프의 축이 직선 $x=-3$이므로

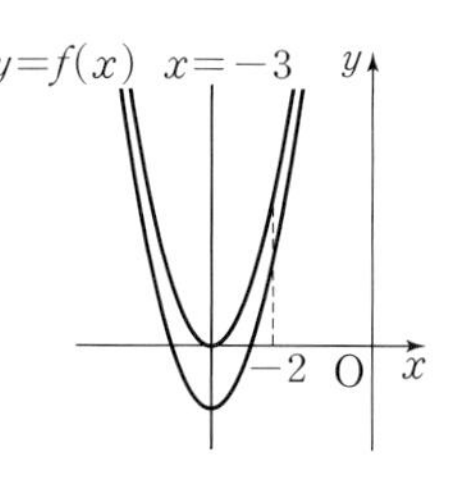

$\frac{D}{4}\ge 0$이고 $f(-2)>0$

(i) $\frac{D}{4}=9-(2k+1)\ge 0$에서 $k\le 4$ $\quad\cdots$ ㉠

(ii) $f(-2)=4-12+2k+1>0$에서 $k>\frac{7}{2}$ $\quad\cdots$ ㉡

㉠, ㉡의 공통부분은 $\frac{7}{2}<k\le 4$

답 $\frac{7}{2}<k\le 4$

5-2

$f(x)=x^2+2(k^2-1)x+4k+3$이라 하면 $y=f(x)$의 그래프가 $-1<x<0$인 부분에서 x축과 접하지 않고 한 점에서만 만난다.

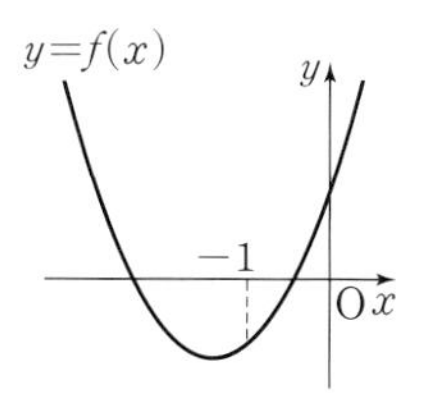

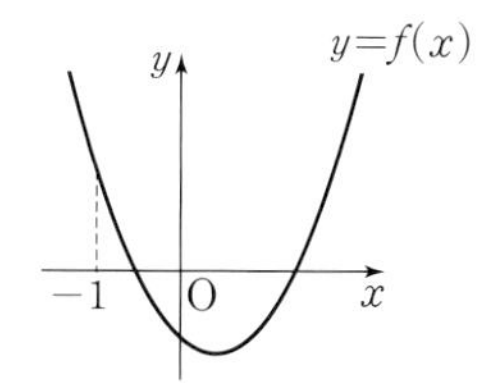

$f(-1)=1-2(k^2-1)+4k+3=-2(k^2-2k-3)$

$=-2(k+1)(k-3)$

$f(0)=4k+3$

(i) $f(-1)<0$이고 $f(0)>0$일 때,

($k<-1$ 또는 $k>3$)이고 $k>-\frac{3}{4}$

$\therefore k>3$

(ii) $f(-1)>0$이고 $f(0)<0$일 때,

$-1<k<3$이고 $k<-\frac{3}{4}$

$\therefore -1<k<-\frac{3}{4}$

(i), (ii)에서 $-1<k<-\frac{3}{4}$ 또는 $k>3$

답 $-1<k<-\frac{3}{4}$ 또는 $k>3$

연습과 실전 13 부등식과 이차함수, 방정식 194쪽~196쪽

01 $c<x<d$ **02** ④ **03** $a=3,\ b=4$ **04** ⑤

05 $a=\frac{1}{4},\ \beta=2$ **06** (1) $a\le 4$ (2) $3<a\le 4$ **07** ②

08 $m>2$ **09** $-21<k<3$ **10** ① **11** ⑤

12 ③ **13** ② **14** $-\frac{1}{5}<m\le 0$ 또는 $\frac{1}{4}\le m<\frac{1}{3}$

15 $10<k<\frac{121}{4}$

01

$f(x)<0$에서 $a<x<d$ $\quad\cdots$ ㉠

$g(x)>0$에서 $c<x<f$ $\quad\cdots$ ㉡

㉠, ㉡의 공통부분은 $c<x<d$

답 $c<x<d$

02

$f(x)>0$의 해가 $x\ne 2$인 모든 실수이므로

$f(x)=a(x-2)^2\ (a>0)$

으로 놓을 수 있다.

$f(0)=8$이므로 $4a=8$ $\quad\therefore a=2$

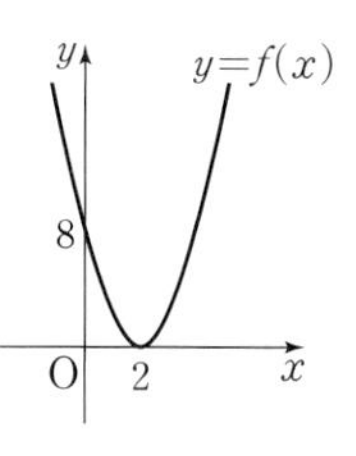

따라서 $f(x)=2(x-2)^2$이므로

$f(5)=2\times(5-2)^2=18$

답 ④

03

x^2의 계수가 양수이므로

$\frac{D}{4}=(a-2)^2-(-b^2+2a+8b-21)\le0$에서

$a^2-6a+b^2-8b+25\le0$

$(a-3)^2+(b-4)^2\le0$

$(a-3)^2\ge0,\ (b-4)^2\ge0$이므로

$a-3=0$이고 $b-4=0$ $\quad\therefore a=3,\ b=4$

답 $a=3,\ b=4$

04

$x^2+ax+b<-2x+1$의 해가 $-3<x<5$이다.

$x^2+ax+b<-2x+1$에서

$x^2+(a+2)x+b-1<0$이므로

$x^2+(a+2)x+b-1=(x+3)(x-5)$

$=x^2-2x-15$

계수를 비교하면

$a+2=-2,\ b-1=-15$

따라서 $a=-4,\ b=-14$이므로 $ab=56$

답 ⑤

05

두 이차함수의 그래프가 그림과 같이 두 점에서 만나므로

$-3x^2+6x-4=x^2-3x-2$

$4x^2-9x+2=0$

$(4x-1)(x-2)=0$

$\therefore x=\frac{1}{4}$ 또는 $x=2$

$\alpha<\beta$이므로 $\alpha=\frac{1}{4},\ \beta=2$

다른 풀이

$-3x^2+6x-4>x^2-3x-2$의 해가 $\alpha<x<\beta$이다.

$-3x^2+6x-4>x^2-3x-2$에서

$4x^2-9x+2<0,\ (4x-1)(x-2)<0$

$\therefore\ \frac{1}{4}<x<2$

따라서 $\alpha=\frac{1}{4},\ \beta=2$이다.

답 $\alpha=\frac{1}{4},\ \beta=2$

06

$x^2+4x+a=0$이 실근을 가지면

$\frac{D_1}{4}=4-a\ge0 \quad \therefore a\le4 \quad \cdots ㉠$

$x^2+2ax+a^2+2a-6=0$이 실근을 가지면

$\frac{D_2}{4}=a^2-(a^2+2a-6)\ge0,\ -2a+6\ge0$

$\therefore a\le3 \quad \cdots ㉡$

(1) ㉠ 또는 ㉡이면 되므로 $a\le4$

(2) ㉠ 또는 ㉡에서 공통부분을 빼면 $3<a\le4$

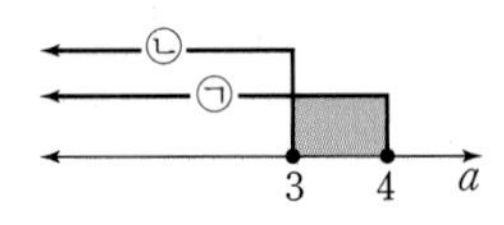

답 (1) $a\le4$ (2) $3<a\le4$

참고 (2)는 $\left(\frac{D_1}{4}\ge0,\ \frac{D_2}{4}<0\right)$ 또는 $\left(\frac{D_1}{4}<0,\ \frac{D_2}{4}\ge0\right)$을 풀어도 된다.

07

$f(x)=x^2-4x-4k+3$이라 하자.

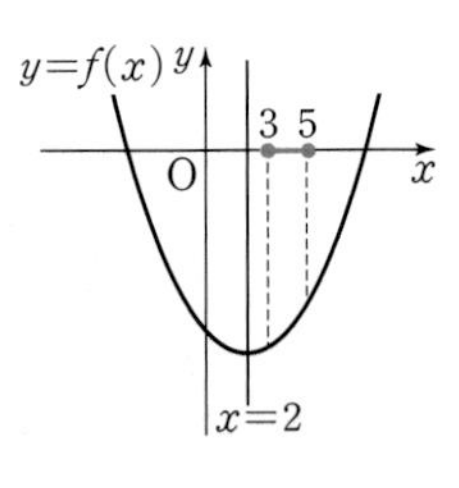

$y=f(x)$의 그래프의 축이 직선 $x=2$이므로 $3\le x\le5$에서 $f(x)\le0$이 성립하려면 $y=f(x)$의 그래프는 그림과 같다.

곧, $f(5)\le0$에서

$25-20-4k+3\le0,\ 4k\ge8$

$\therefore k\ge2$

따라서 실수 k의 최솟값은 2이다.

답 ②

08

$f(x)=x^2-4mx+3m+1$이라 하면 $y=f(x)$의 그래프가 그림과 같으므로 $f(1)<0$

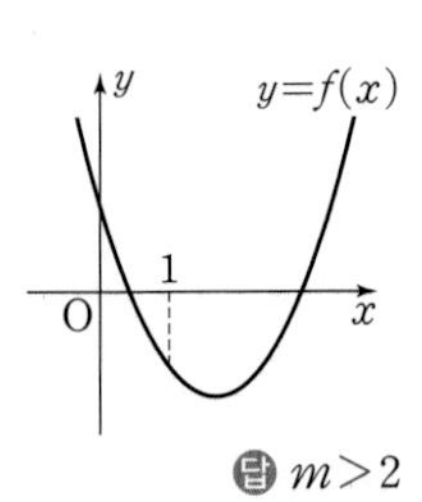

$1-4m+3m+1<0$

$\therefore m>2$

답 $m>2$

참고 x^2의 계수가 양수이고 $f(1)<0$이므로 $y=f(x)$의 그래프는 x축과 서로 다른 두 점에서 만난다. 곧, $D>0$이므로 D의 부호는 따로 조사하지 않아도 된다.

09

$x^2-2x-3=0$의 두 근은 $(x+1)(x-3)=0$에서

$x=-1$ 또는 $x=3$

따라서 $f(x)=x^2+4x+k$라 하면 $y=f(x)$의 그래프가 $-1<x<3$인 부분에서 x축과 한 점에서 만난다. 그래프의 축이 직선 $x=-2$이므로

$f(-1)<0$이고 $f(3)>0$

$f(-1)<0$에서 $1-4+k<0$

$\therefore k<3$ $\cdots$ ㉠

$f(3)>0$에서 $9+12+k>0$

$\therefore k>-21$ $\cdots$ ㉡

㉠, ㉡의 공통부분은 $-21<k<3$

답 $-21<k<3$

10 **전략** $f(x)<0$의 해는 $1<x<5$이다.

$2x+1=t$라 하면 $f(t)<0$의 해는 $1<t<5$이므로

$1<2x+1<5$ $\quad\therefore 0<x<2$

답 ①

11 **전략** x^2의 계수와 판별식의 부호를 생각한다.

$x^2-3kx+4\geq kx^2-3x+2k$에서

$(1-k)x^2+(3-3k)x-2k+4\geq 0$

(i) $1-k>0$, 곧 $k<1$일 때 $D\leq 0$이므로

$D=(3-3k)^2-4(1-k)(-2k+4)\leq 0$

$k^2+6k-7\leq 0$, $(k+7)(k-1)\leq 0$

$\therefore -7\leq k\leq 1$

$k<1$이므로 $-7\leq k<1$

(ii) $1-k=0$, 곧 $k=1$일 때 $2\geq 0$이므로 항상 성립한다.

(i), (ii)에서 $-7\leq k\leq 1$이므로 정수 k의 최댓값은 1이다.

답 ⑤

12 **전략** 모든 실수 x에 대하여

$ax\geq b$ ➡ $a=0$, $b\leq 0$

$ax^2+bx+c\geq 0$ $(a\neq 0)$ ➡ $a>0$, $D\leq 0$

주어진 부등식은 $x-2\leq(a-1)x+b\leq 2x^2+5x+2$

$x-2\leq(a-1)x+b$에서 $(a-2)x\geq -b-2$

이 부등식이 모든 실수 x에 대하여 성립하므로

$a-2=0$이고 $-b-2\leq 0$ $\quad\therefore a=2$, $b\geq -2$ $\cdots$ ㉠

$a=2$를 $(a-1)x+b\leq 2x^2+5x+2$에 대입하면

$x+b\leq 2x^2+5x+2$ $\quad\therefore 2x^2+4x+2-b\geq 0$

이 부등식이 모든 실수 x에 대하여 성립하므로

$\dfrac{D}{4}=4-4+2b\leq 0$ $\quad\therefore b\leq 0$ $\cdots$ ㉡

㉠과 ㉡의 공통부분은 $-2\leq b\leq 0$이므로 $\alpha=-2$, $\beta=0$

$\therefore \beta-\alpha=2$

답 ③

13 **전략** 두 곡선 사이에 직선이 있을 조건을 찾는다.

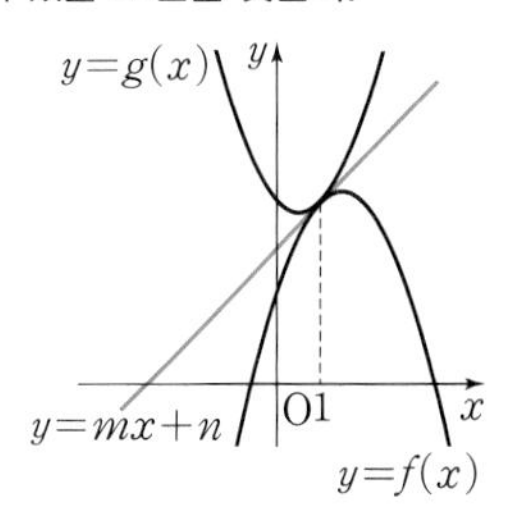

$f(x)=-x^2+3x+2$,

$g(x)=x^2-x+4$라 하고

$f(x)=g(x)$를 풀면

$-x^2+3x+2=x^2-x+4$

$2x^2-4x+2=0$

$2(x-1)^2=0$

$\therefore x=1$ (중근)

따라서 $y=f(x)$와 $y=g(x)$의 그래프는 $x=1$에서 접하므로 직선 $y=mx+n$은 두 곡선 $y=f(x)$와 $y=g(x)$의 접선이다.

$f(1)=4$이므로 직선 $y=mx+n$은 점 $(1, 4)$를 지난다.

$\therefore m+n=4$ $\cdots$ ㉠

이때 직선은 $y=mx+4-m$

$y=f(x)$의 그래프와 직선 $y=mx+4-m$에서

$-x^2+3x+2=mx+4-m$

$x^2+(m-3)x+2-m=0$

접하므로 $D=(m-3)^2-4(2-m)=0$

$m^2-2m+1=0$, $(m-1)^2=0$

$\therefore m=1$

㉠에 대입하면 $n=3$

$\therefore m^2+n^2=10$

답 ②

14 **전략** 이차함수의 그래프에서 판별식의 부호, 축의 위치, 경계에서 함숫값의 부호를 조사한다.

$f(x)=x^2+4mx+m$이라 하면 $y=f(x)$의 그래프가 $-1<x<1$인 부분에서 x축과 두 점 또는 한 점에서 만난다.

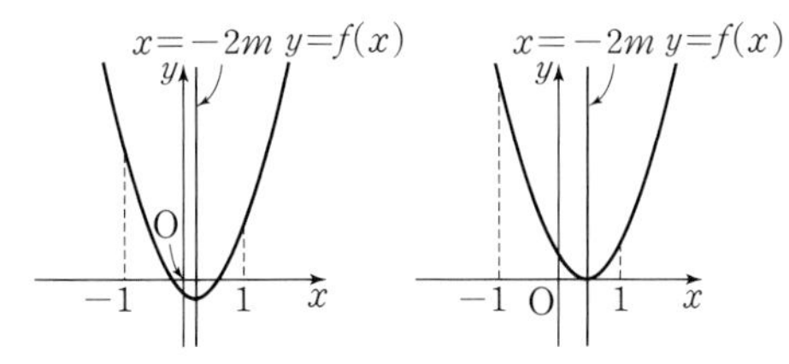

(i) $\frac{D}{4}=4m^2-m\geq0$, $m(4m-1)\geq0$

$\therefore m\leq0$ 또는 $m\geq\frac{1}{4}$

(ii) 축의 방정식이 $x=-2m$이므로

$-1<-2m<1$ $\therefore -\frac{1}{2}<m<\frac{1}{2}$

(iii) $f(-1)=1-4m+m>0$ $\therefore m<\frac{1}{3}$

(iv) $f(1)=1+4m+m>0$ $\therefore m>-\frac{1}{5}$

(i)~(iv)에서 $-\frac{1}{5}<m\leq0$ 또는 $\frac{1}{4}\leq m<\frac{1}{3}$

답 $-\frac{1}{5}<m\leq0$ 또는 $\frac{1}{4}\leq m<\frac{1}{3}$

15 전략 $x^2=t$로 치환하면 사차방정식이 서로 다른 네 실근을 가질 때 이차방정식 $f(t)=0$이 서로 다른 두 양수의 근을 갖는다.

$x^2=t$로 놓고 $f(t)=t^2-9t+k-10$이라 하자.
주어진 방정식이 서로 다른 네 실근을 가지면 $t>0$이므로 이차방정식 $f(t)=0$은 서로 다른 두 양수의 근을 갖는다.
따라서 $y=f(t)$의 그래프가 $t>0$인 부분에서 t축과 두 점에서 만나면 된다.
그래프의 축이 직선 $t=\frac{9}{2}$이므로
$D>0$이고 $f(0)>0$

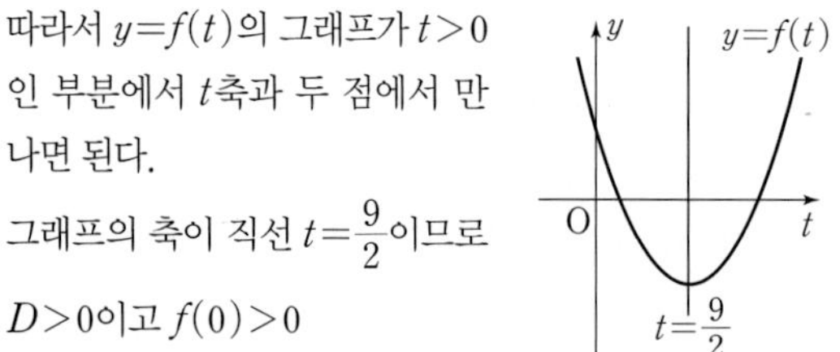

(i) $D>0$에서

$(-9)^2-4(k-10)>0$, $-4k+121>0$

$\therefore k<\frac{121}{4}$ ⋯ ㉠

(ii) $f(0)>0$에서

$k-10>0$ $\therefore k>10$ ⋯ ㉡

㉠, ㉡의 공통부분은 $10<k<\frac{121}{4}$

답 $10<k<\frac{121}{4}$

참고 (ii)를 다음과 같이 풀어도 된다.
$t^2-9t+k-10=0$의 두 근이 모두 양수이므로
두 근의 합 $9>0$이고 두 근의 곱 $k-10>0$이다.
$\therefore k>10$

14 점과 좌표

개념 Check

198쪽~201쪽

1

(1) $\overline{AB}=\sqrt{\{3-(-2)\}^2+(5-0)^2}=5\sqrt{2}$

(2) $\overline{CD}=\sqrt{(6-3)^2+(-1-4)^2}=\sqrt{34}$

(3) $\overline{EF}=\sqrt{\{2-(-2)\}^2+(3-3)^2}=4$

다른 풀이
y좌표가 같으므로 x좌표의 차만 생각하면
$2-(-2)=4$

(4) $\overline{GH}=\sqrt{\{-1-(-1)\}^2+(0-4)^2}=4$

다른 풀이
x좌표가 같으므로 y좌표의 차만 생각하면 $4-0=4$

답 (1) $5\sqrt{2}$ (2) $\sqrt{34}$ (3) 4 (4) 4

2

$\sqrt{(-2-a)^2+(5-1)^2}=4\sqrt{2}$
양변을 제곱하면
$(a+2)^2+16=32$, $(a+2)^2=16$, $a+2=\pm4$
$\therefore a=2$ 또는 $a=-6$

답 2, -6

3

(1) 점 D

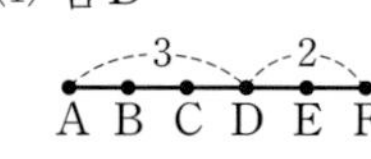

(2) 점 B

1
4
A B C D E F

(3) 점 E

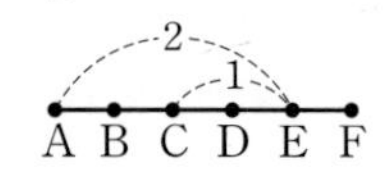

(4) 점 B

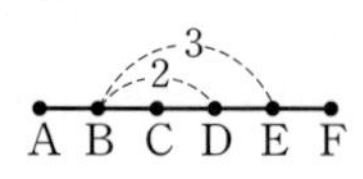

답 (1) 점 D (2) 점 B (3) 점 E (4) 점 B

4

(1) $P\left(\frac{1\times6+3\times(-2)}{1+3}\right)=P(0)$

(2) $Q\left(\frac{3\times6-1\times(-2)}{3-1}\right)=Q(10)$

$R\left(\frac{1\times6-3\times(-2)}{1-3}\right)=R(-6)$

답 (1) P(0) (2) Q(10), R(-6)

5

$\left(\frac{1+2+3}{3}, \frac{1-2+6}{3}\right)$, 곧 $\left(2, \frac{5}{3}\right)$

답 $\left(2, \frac{5}{3}\right)$

대표Q 202쪽~206쪽

대표 Q1

(1) $\overline{AB}=\sqrt{\{7-(-3)\}^2+(5-0)^2}=5\sqrt{5}$

(2) $M\left(\frac{-3+7}{2}, \frac{0+5}{2}\right)=M\left(2, \frac{5}{2}\right)$

(3) $P\left(\frac{2\times7+3\times(-3)}{2+3}, \frac{2\times5+3\times0}{2+3}\right)=P(1, 2)$

(4) $Q\left(\frac{2\times7-3\times(-3)}{2-3}, \frac{2\times5-3\times0}{2-3}\right)$

$=Q(-23, -10)$

$R\left(\frac{3\times7-2\times(-3)}{3-2}, \frac{3\times5-2\times0}{3-2}\right)$

$=R(27, 15)$

답 (1) $5\sqrt{5}$ (2) $M\left(2, \frac{5}{2}\right)$ (3) $P(1, 2)$

(4) $Q(-23, -10)$, $R(27, 15)$

1-1

(1) $P\left(\frac{3\times1+1\times(-3)}{3+1}, \frac{3\times5+1\times1}{3+1}\right)=P(0, 4)$

(2) $Q\left(\frac{3\times1-2\times(-3)}{3-2}, \frac{3\times5-2\times1}{3-2}\right)=Q(9, 13)$

(3) $\overline{PQ}=\sqrt{(9-0)^2+(13-4)^2}=9\sqrt{2}$

답 (1) $P(0, 4)$ (2) $Q(9, 13)$ (3) $9\sqrt{2}$

대표 Q2

(1) 점 P가 직선 $y=x+2$ 위의 점이므로 $P(p, p+2)$라 하면

$\overline{PA}=\sqrt{(2-p)^2+(1-p-2)^2}=\sqrt{2p^2-2p+5}$

$\overline{PB}=\sqrt{(5-p)^2+(2-p-2)^2}=\sqrt{2p^2-10p+25}$

$\overline{PA}=\overline{PB}$에서 $\overline{PA}^2=\overline{PB}^2$이므로

$2p^2-2p+5=2p^2-10p+25$

$8p=20$ $\quad\therefore p=\frac{5}{2}$

$\therefore P\left(\frac{5}{2}, \frac{9}{2}\right)$

(2) $\overline{AB}^2=(5-2)^2+(2-1)^2=10$

$\overline{BC}^2=(1-5)^2+(a-2)^2=a^2-4a+20$

$\overline{CA}^2=(2-1)^2+(1-a)^2=a^2-2a+2$

(i) $\overline{AB}=\overline{BC}$일 때, $\overline{AB}^2=\overline{BC}^2$에서

$10=a^2-4a+20$ $\quad\therefore a^2-4a+10=0$

$\frac{D}{4}=(-2)^2-10<0$

이므로 실수 a는 없다.

(ii) $\overline{BC}=\overline{CA}$일 때, $\overline{BC}^2=\overline{CA}^2$에서

$a^2-4a+20=a^2-2a+2$ $\quad\therefore a=9$

(iii) $\overline{CA}=\overline{AB}$일 때, $\overline{CA}^2=\overline{AB}^2$에서

$a^2-2a+2=10$, $a^2-2a-8=0$

$(a+2)(a-4)=0$ $\quad\therefore a=-2$ 또는 $a=4$

(i), (ii), (iii)에서 a의 값은 $-2, 4, 9$

답 (1) $P\left(\frac{5}{2}, \frac{9}{2}\right)$ (2) $-2, 4, 9$

2-1

(1) 점 P가 직선 $y=2x$ 위의 점이므로 $P(p, 2p)$라 하면

$\overline{PA}=\sqrt{(-3-p)^2+(4-2p)^2}=\sqrt{5p^2-10p+25}$

$\overline{PB}=\sqrt{(6-p)^2+(1-2p)^2}=\sqrt{5p^2-16p+37}$

$\overline{PA}=\overline{PB}$에서 $\overline{PA}^2=\overline{PB}^2$이므로

$5p^2-10p+25=5p^2-16p+37$

$6p=12$ $\quad\therefore p=2$

$\therefore P(2, 4)$

(2) 점 Q가 x축 위를 움직이므로 $Q(q, 0)$이라 하면

$\overline{AQ}=\sqrt{(q+3)^2+(0-4)^2}=\sqrt{q^2+6q+25}$

$\overline{BQ}=\sqrt{(q-6)^2+(0-1)^2}=\sqrt{q^2-12q+37}$

$\therefore \overline{AQ}^2+\overline{BQ}^2=2q^2-6q+62$

$=2\left(q-\frac{3}{2}\right)^2+\frac{115}{2}$

따라서 $q=\frac{3}{2}$, 즉 $Q\left(\frac{3}{2}, 0\right)$일 때, 최솟값은 $\frac{115}{2}$이다.

답 (1) $P(2, 4)$ (2) $Q\left(\frac{3}{2}, 0\right)$, 최솟값 : $\frac{115}{2}$

2-2

점 P가 y축 위의 점이므로 $P(0, p)$라 하면

$\overline{PA}^2=(1-0)^2+(5-p)^2=p^2-10p+26$

$\overline{PB}^2=(4-0)^2+(0-p)^2=p^2+16$

$\overline{AB}^2=(4-1)^2+(0-5)^2=34$

(i) $\overline{PA}^2+\overline{PB}^2=\overline{AB}^2$일 때,

$p^2-10p+26+p^2+16=34$, $p^2-5p+4=0$

$(p-1)(p-4)=0$ $\quad\therefore p=1$ 또는 $p=4$

(ii) $\overline{PA}^2+\overline{AB}^2=\overline{PB}^2$일 때,

$p^2-10p+26+34=p^2+16$, $10p=44$ $\quad\therefore p=\dfrac{22}{5}$

(iii) $\overline{PB}^2+\overline{AB}^2=\overline{PA}^2$일 때,

$p^2+16+34=p^2-10p+26$

$10p=-24$ $\quad\therefore p=-\dfrac{12}{5}$

(i), (ii), (iii)에서 P의 y좌표는 $-\dfrac{12}{5}$, 1, 4, $\dfrac{22}{5}$

답 $-\dfrac{12}{5}$, 1, 4, $\dfrac{22}{5}$

대표 03

(1) 삼각형 ABC에서

$\overline{AB}=\sqrt{(-2-1)^2+(-2-2)^2}=5$

$\overline{AC}=\sqrt{(1-1)^2+(-1-2)^2}=3$

$\angle A$의 이등분선이 선분 BC와 만나는 점을 $E(a, b)$라 하면 $\overline{BE}:\overline{EC}=\overline{AB}:\overline{AC}=5:3$

곧, 점 E는 선분 BC를 5 : 3으로 내분하는 점이므로

$a=\dfrac{5\times1+3\times(-2)}{5+3}=-\dfrac{1}{8}$

$b=\dfrac{5\times(-1)+3\times(-2)}{5+3}=-\dfrac{11}{8}$

$\therefore \left(-\dfrac{1}{8}, -\dfrac{11}{8}\right)$

(2) $D(a, b)$라 하면 평행사변형 ABCD의 두 대각선 AC와 BD의 중점이 일치한다.

$\overline{AC}$의 중점의 좌표는 $\left(1, \dfrac{1}{2}\right)$,

$\overline{BD}$의 중점의 좌표는 $\left(\dfrac{-2+a}{2}, \dfrac{-2+b}{2}\right)$이므로

$1=\dfrac{-2+a}{2}$, $\dfrac{1}{2}=\dfrac{-2+b}{2}$ $\quad\therefore a=4, b=3$

$\therefore D(4, 3)$

답 (1) $\left(-\dfrac{1}{8}, -\dfrac{11}{8}\right)$ (2) $D(4, 3)$

3-1

$\triangle ABP=3\triangle APC$이므로

$\overline{BP}=3\overline{PC}$

곧, 점 P는 선분 BC를 3 : 1로 내분하는 점이므로

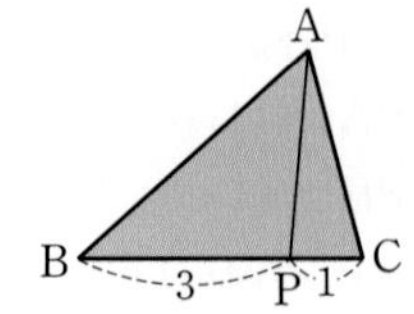

$P\left(\dfrac{3\times(-4)+1\times4}{3+1}, \dfrac{3\times6+1\times2}{3+1}\right)$

$\therefore P(-2, 5)$

답 $P(-2, 5)$

3-2

평행사변형 ABCD의 두 대각선 AC와 BD의 중점이 일치한다.

$\overline{AC}$의 중점의 좌표는 $\left(\dfrac{a+4}{2}, 1\right)$,

$\overline{BD}$의 중점의 좌표는 $\left(\dfrac{5}{2}, \dfrac{b+4}{2}\right)$이므로

$\dfrac{a+4}{2}=\dfrac{5}{2}$, $1=\dfrac{b+4}{2}$ $\quad\therefore a=1, b=-2$

답 $a=1, b=-2$

대표 04

(1) $C(a, b)$라 하면 $G\left(\dfrac{3-1+a}{3}, \dfrac{5+2+b}{3}\right)$

이 점의 좌표가 $(1, 1)$이므로

$\dfrac{3-1+a}{3}=1$, $\dfrac{5+2+b}{3}=1$ $\quad\therefore a=1, b=-4$

$\therefore C(1, -4)$

(2) $C(c, d)$라 하면

$D\left(\dfrac{4+c}{2}, \dfrac{a+d}{2}\right)$, $E\left(\dfrac{1+c}{2}, \dfrac{1+d}{2}\right)$

$D(5, 3)$이므로 $\dfrac{4+c}{2}=5$, $\dfrac{a+d}{2}=3$

$E(b, 0)$이므로 $\dfrac{1+c}{2}=b$, $\dfrac{1+d}{2}=0$

연립하여 풀면 $a=7$, $b=\dfrac{7}{2}$, $c=6$, $d=-1$

$A(1, 1)$, $B(4, 7)$, $C(6, -1)$이므로 삼각형 ABC의 무게중심의 좌표는

$\left(\dfrac{1+4+6}{3}, \dfrac{1+7-1}{3}\right)=\left(\dfrac{11}{3}, \dfrac{7}{3}\right)$

답 (1) $C(1, -4)$ (2) $\left(\dfrac{11}{3}, \dfrac{7}{3}\right)$

4-1

(1) $\left(\dfrac{4+1-2}{3}, \dfrac{-2+5-3}{3}\right)=(1, 0)$

(2) $P\left(\dfrac{4+1}{2}, \dfrac{-2+5}{2}\right)=P\left(\dfrac{5}{2}, \dfrac{3}{2}\right)$

$Q\left(\dfrac{1-2}{2}, \dfrac{5-3}{2}\right)=Q\left(-\dfrac{1}{2}, 1\right)$

$R\left(\frac{-2+4}{2}, \frac{-3-2}{2}\right)=R\left(1, -\frac{5}{2}\right)$

따라서 삼각형 PQR의 무게중심의 좌표는

$\left(\frac{\frac{5}{2}-\frac{1}{2}+1}{3}, \frac{\frac{3}{2}+1-\frac{5}{2}}{3}\right)=(1, 0)$

답 (1) $(1, 0)$ (2) $(1, 0)$

참고 삼각형 ABC와 삼각형 PQR의 무게중심의 좌표는 같다.

4-2

삼각형 ABC의 무게중심의 좌표는

$\left(\frac{a-1+4}{3}, \frac{3+b-5}{3}\right)=\left(\frac{a+3}{3}, \frac{b-2}{3}\right)$

이 점의 좌표가 $(4, 0)$이므로

$\frac{a+3}{3}=4, \frac{b-2}{3}=0 \qquad \therefore a=9, b=2$

답 $a=9, b=2$

날선 Q5

(1) 그림과 같이 직선 BC를 x축, 점 M이 원점인 좌표평면을 생각하자.

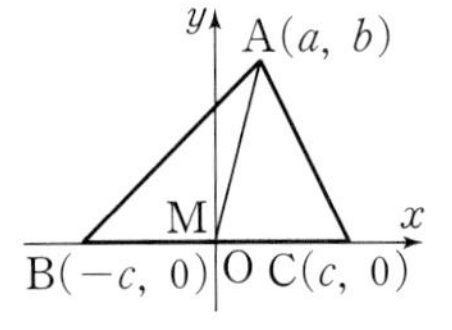

$A(a, b)$, $B(-c, 0)$, $C(c, 0)$이라 하면

$\overline{AB}^2=(a+c)^2+b^2$, $\overline{AC}^2=(c-a)^2+b^2$이므로

$\overline{AB}^2+\overline{AC}^2=2a^2+2c^2+2b^2$

$\overline{AM}^2=a^2+b^2$, $\overline{BM}^2=c^2$이므로

$2(\overline{AM}^2+\overline{BM}^2)=2(a^2+b^2+c^2)$

$\therefore \overline{AB}^2+\overline{AC}^2=2(\overline{AM}^2+\overline{BM}^2)$

(2) 점 M은 $\overline{BC}$의 중점이므로 $\overline{BM}=\frac{1}{2}\overline{BC}=4$

$\overline{AB}^2+\overline{AC}^2=2(\overline{AM}^2+\overline{BM}^2)$에서

$9^2+7^2=2(\overline{AM}^2+4^2)$, $\overline{AM}^2=49$

$\overline{AM}>0$이므로 $\overline{AM}=7$

답 (1) 풀이 참조 (2) 7

5-1

점 M은 $\overline{BC}$의 중점이므로 $\overline{BM}=\frac{1}{2}\overline{BC}=2$

$\overline{AB}^2+\overline{AC}^2=2(\overline{AM}^2+\overline{BM}^2)$에서

$(\sqrt{10})^2+(3\sqrt{2})^2=2(\overline{AM}^2+2^2)$

$\therefore \overline{AM}^2=10$

답 10

5-2

그림과 같이 직선 BC를 x축, 점 D가 원점인 좌표평면을 생각하자.

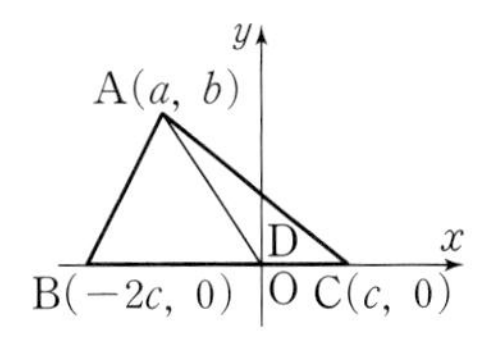

점 D는 선분 BC를 2 : 1로 내분하므로

$A(a, b)$, $B(-2c, 0)$, $C(c, 0)$이라 하면

$\overline{AB}^2=(a+2c)^2+b^2$, $\overline{AC}^2=(c-a)^2+b^2$이므로

$\overline{AB}^2+2\overline{AC}^2=3a^2+6c^2+3b^2=3(a^2+b^2+2c^2)$

$\overline{AD}^2=a^2+b^2$, $\overline{CD}^2=c^2$이므로

$\overline{AD}^2+2\overline{CD}^2=a^2+b^2+2c^2$

따라서 $k=3$이면 주어진 등식이 성립한다.

답 3

참고 (i) $\overline{AB}^2+\overline{AD}^2=2(\overline{AE}^2+\overline{CD}^2)$

(ii) $\overline{AE}^2+\overline{AC}^2=2(\overline{AD}^2+\overline{CD}^2)$

(i), (ii)를 연립하여 k의 값을 구할 수도 있다.

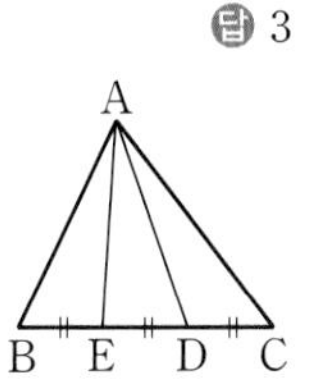

연습과 실전 14 점과 좌표

207쪽 ~ 209쪽

01 ① **02** 10 **03** $a=4, b=0$ **04** $12\sqrt{2}$

05 $Q\left(0, \frac{3}{2}\right)$ **06** $\frac{1}{2}<t<\frac{3}{5}$

07 $a=-2\sqrt{3}, b=-\sqrt{3}$ **08** ② **09** $(2, -1)$

10 $P(1, 2)$ **11** $P(2, 1)$, $P(8, -3)$

12 $\left(3, \frac{3}{2}\right)$ **13** (1) $H\left(\frac{3}{2}, -\frac{3}{2}\right)$ (2) $3\sqrt{6}$

14 $(1, -2)$ **15** $(1, 0)$ **16** ④ **17** 33

01

$\overline{AB}=\sqrt{5}$이므로 $\overline{AB}^2=5$

$(a+1)^2+(a+1-3)^2=5$

$2a^2-2a+5=5$, $a^2-a=0$

$a(a-1)=0 \qquad \therefore a=0$ 또는 $a=1$

따라서 a값의 합은 1이다.

답 ①

02
$\overline{BD}=\sqrt{(1-5)^2+(2-4)^2}=2\sqrt{5}$이므로
$\overline{AB}=\frac{1}{\sqrt{2}}\overline{BD}=\frac{2\sqrt{5}}{\sqrt{2}}=\sqrt{10}$
따라서 사각형 ABCD의 넓이는 $(\sqrt{10})^2=10$

답 10

참고 정사각형의 넓이가 $\frac{\overline{BD}^2}{2}$임을 이용할 수도 있다.

03
선분 AB를 2 : 1로 외분하는 점의 좌표는
$\left(\frac{2\times a-1\times(-2)}{2-1}, \frac{2\times b-1\times 0}{2-1}\right)=(2a+2, 2b)$
이 점의 좌표가 (10, 0)이므로
$2a+2=10$, $2b=0$
$\therefore a=4, b=0$

답 $a=4$, $b=0$

04
$P\left(\frac{3\times3+2\times(-2)}{3+2}, \frac{3\times5+2\times0}{3+2}\right)=P(1, 3)$
$Q\left(\frac{3\times3-2\times(-2)}{3-2}, \frac{3\times5-2\times0}{3-2}\right)=Q(13, 15)$
$\therefore \overline{PQ}=\sqrt{(13-1)^2+(15-3)^2}=12\sqrt{2}$

답 $12\sqrt{2}$

05
점 Q가 y축 위의 점이므로 $Q(0, q)$라 하자.
$\overline{AQ}^2+\overline{BQ}^2$
$=\{(0-2)^2+(q-1)^2\}+\{(0-5)^2+(q-2)^2\}$
$=(q^2-2q+5)+(q^2-4q+29)$
$=2q^2-6q+34=2\left(q-\frac{3}{2}\right)^2+\frac{59}{2}$
따라서 $q=\frac{3}{2}$일 때 최소이므로 $Q\left(0, \frac{3}{2}\right)$

답 $Q\left(0, \frac{3}{2}\right)$

06
점 P는 선분 AB를 $t : (1-t)$로 내분하므로
$P(a, b)$라 하면
$a=\frac{t\times4+(1-t)\times(-4)}{t+1-t}=8t-4$
$b=\frac{t\times(-2)+(1-t)\times3}{t+1-t}=-5t+3$
P가 제1사분면 위의 점이므로
$8t-4>0$이고 $-5t+3>0$ $\quad\therefore \frac{1}{2}<t<\frac{3}{5}$

답 $\frac{1}{2}<t<\frac{3}{5}$

07 전략 삼각형 ABC의 세 변의 길이가 같음을 이용한다.
점 C가 제3사분면 위의 점이므로 $a<0$, $b<0$
삼각형 ABC는 정삼각형이므로 $\overline{AB}^2=\overline{BC}^2=\overline{CA}^2$
$\overline{AB}^2=\overline{BC}^2$에서
$(-1-1)^2+(2+2)^2=(a+1)^2+(b-2)^2$
$\therefore (a+1)^2+(b-2)^2=20 \quad \cdots$ ㉠
$\overline{BC}^2=\overline{CA}^2$에서
$(a+1)^2+(b-2)^2=(1-a)^2+(-2-b)^2$
$2a-4b+5=-2a+4b+5 \quad \therefore a=2b$
㉠에 대입하면 $(2b+1)^2+(b-2)^2=20$
$5b^2+5=20 \quad \therefore b^2=3$
$b<0$이므로 $b=-\sqrt{3}$, $a=-2\sqrt{3}$

답 $a=-2\sqrt{3}$, $b=-\sqrt{3}$

08 전략 외심이 변 BC 위에 있으면 삼각형 ABC는 $\angle A=90°$인 직각삼각형이다.
외심이 변 BC 위에 있으므로 삼각형 ABC는 $\angle A=90°$인 직각삼각형이다.

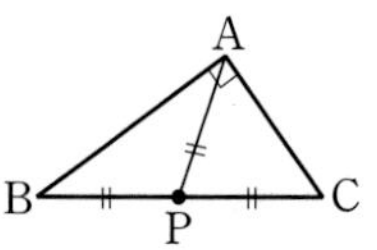

외심을 $P(-1, -1)$이라 하면
$\overline{PA}=\overline{PB}=\overline{PC}$이고
$\overline{PA}=\sqrt{(2+1)^2+(1+1)^2}=\sqrt{13}$
$\therefore \overline{AB}^2+\overline{AC}^2=\overline{BC}^2=(2\overline{PA})^2=52$

답 ②

09 전략 외심에서 세 꼭짓점까지의 거리는 같다.
외심을 $P(a, b)$라 하면 $\overline{AP}^2=\overline{BP}^2=\overline{CP}^2$
$\overline{AP}^2=\overline{BP}^2$에서
$(a-4)^2+(b-3)^2=(a+2)^2+(b-1)^2$
$-8a-6b+25=4a-2b+5$
$\therefore 3a+b=5 \quad \cdots$ ㉠
$\overline{AP}^2=\overline{CP}^2$에서
$(a-4)^2+(b-3)^2=(a-6)^2+(b-1)^2$
$-8a-6b+25=-12a-2b+37$
$\therefore a-b=3 \quad \cdots$ ㉡
㉠, ㉡을 연립하여 풀면 $a=2$, $b=-1$

따라서 외심의 좌표는 $(2,\ -1)$이다.

답 $(2,\ -1)$

10 전략 $P(a, b)$라 하고 두 점 사이의 거리를 구하는 공식을 이용하여 a, b에 대한 이차식의 합으로 나타낸다.

$P(a, b)$라 하면

$$\overline{PO}^2+\overline{PA}^2+\overline{PB}^2=(a^2+b^2)+\{(4-a)^2+(5-b)^2\}+\{(-1-a)^2+(1-b)^2\}$$
$$=3a^2-6a+3b^2-12b+43$$
$$=3(a-1)^2+3(b-2)^2+28$$

$a=1$, $b=2$일 때 최소이므로 $P(1, 2)$

답 $P(1, 2)$

참고 점 $P(1, 2)$는 삼각형 OAB의 무게중심이다.

11 전략 점 P가 선분 AB 위에 있을 때와 선분 AB의 연장선 위에 있을 때로 나눈다.

(i) 점 P가 선분 AB 위에 있을 때,

$\overline{AP}:\overline{BP}=1:1$이므로 점 P는 선분 AB의 중점이다.

따라서 $P\left(\frac{-1+5}{2},\ \frac{3-1}{2}\right)=P(2,\ 1)$

(ii) 점 P가 선분 AB의 연장선 위에 있을 때,

$\overline{AP}:\overline{BP}=3:1$이므로 점 P는 선분 AB를 $3:1$로 외분하는 점이다.

따라서 $P\left(\frac{3\times5-1\times(-1)}{3-1},\ \frac{3\times(-1)-1\times3}{3-1}\right)$

$=P(8,\ -3)$

(i), (ii)에서 $P(2,\ 1)$, $P(8,\ -3)$

답 $P(2,\ 1)$, $P(8,\ -3)$

12 전략 세 점을 좌표평면 위에 나타내면 삼각형 OAB는 이등변삼각형이다.

그림과 같이 B는 변 OA의 수직이등분선 위의 점이므로 삼각형 OAB는 $\overline{OB}=\overline{AB}$인 이등변삼각형이다.

따라서 내심 I는 수선 BH와 $\angle BOA$의 이등분선이 만나는 점이다.

각의 이등분선의 성질에서

$H(3,\ 0)$, $\overline{OB}=\sqrt{3^2+4^2}=5$, $\overline{OH}=3$이므로

$\overline{BI}:\overline{IH}=\overline{OB}:\overline{OH}=5:3$

따라서 내심 I는 선분 BH를 $5:3$으로 내분하는 점이다.

$$\therefore I\left(\frac{5\times3+3\times3}{5+3},\ \frac{5\times0+3\times4}{5+3}\right)=I\left(3,\ \frac{3}{2}\right)$$

답 $\left(3,\ \frac{3}{2}\right)$

13 전략 (2) 한 변의 길이가 a인 정삼각형의 높이는 $\frac{\sqrt{3}}{2}a$이다.

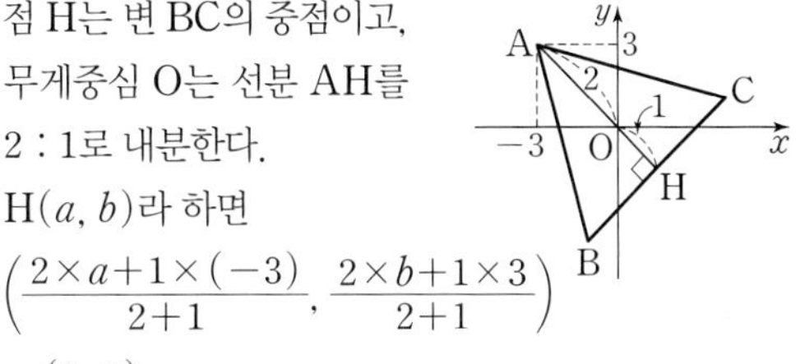

(1) 점 H는 변 BC의 중점이고, 무게중심 O는 선분 AH를 $2:1$로 내분한다.

$H(a, b)$라 하면

$\left(\frac{2\times a+1\times(-3)}{2+1},\ \frac{2\times b+1\times3}{2+1}\right)$

$=(0,\ 0)$

곧, $\frac{2a-3}{3}=0$, $\frac{2b+3}{3}=0$이므로 $a=\frac{3}{2}$, $b=-\frac{3}{2}$

$\therefore H\left(\frac{3}{2},\ -\frac{3}{2}\right)$

(2) 삼각형 ABC의 한 변의 길이를 k라 하면

$\overline{AH}=\frac{\sqrt{3}}{2}k$, $\overline{AO}=\frac{2}{3}\overline{AH}=\frac{\sqrt{3}}{3}k$

$\therefore k=\frac{3}{\sqrt{3}}\overline{AO}=\sqrt{3}\,\overline{AO}$

$\overline{AO}=\sqrt{(-3)^2+3^2}=3\sqrt{2}$이므로

$k=\sqrt{3}\times3\sqrt{2}=3\sqrt{6}$

답 (1) $H\left(\frac{3}{2},\ -\frac{3}{2}\right)$ (2) $3\sqrt{6}$

14 전략 세 점 P, Q, R의 좌표를 먼저 구한다.

$\overline{AB}$를 $3:1$로 내분하는 점 P의 좌표는

$P\left(\frac{3\times2+1\times4}{3+1},\ \frac{3\times(-6)+1\times2}{3+1}\right)=P\left(\frac{5}{2},\ -4\right)$

$\overline{BC}$를 $3:1$로 내분하는 점 Q의 좌표는

$Q\left(\frac{3\times(-3)+1\times2}{3+1},\ \frac{3\times(-2)+1\times(-6)}{3+1}\right)$

$=Q\left(-\frac{7}{4},\ -3\right)$

$\overline{CA}$를 $3:1$로 내분하는 점 R의 좌표는

$R\left(\frac{3\times4+1\times(-3)}{3+1},\ \frac{3\times2+1\times(-2)}{3+1}\right)=R\left(\frac{9}{4},\ 1\right)$

삼각형 PQR의 무게중심의 좌표는

$$\left(\frac{\frac{5}{2}-\frac{7}{4}+\frac{9}{4}}{3},\ \frac{-4-3+1}{3}\right)=(1,\ -2)$$

답 $(1,\ -2)$

15 **전략** $A(x_1, y_1)$, $B(x_2, y_2)$, $C(x_3, y_3)$으로 놓고 x_1, x_2, x_3과 y_1, y_2, y_3의 관계부터 구한다.

$A(x_1, y_1)$, $B(x_2, y_2)$, $C(x_3, y_3)$이라 하자.

점 P는 선분 AB의 중점이므로

$\frac{x_1+x_2}{2}=4$, $\frac{y_1+y_2}{2}=-2$ ⋯ ㉠

점 Q는 선분 BC의 중점이므로

$\frac{x_2+x_3}{2}=1$, $\frac{y_2+y_3}{2}=5$ ⋯ ㉡

점 R는 선분 CA의 중점이므로

$\frac{x_3+x_1}{2}=-2$, $\frac{y_3+y_1}{2}=-3$ ⋯ ㉢

㉠, ㉡, ㉢에서 x좌표끼리, y좌표끼리 더하면

$x_1+x_2+x_3=3$, $y_1+y_2+y_3=0$

따라서 삼각형 ABC의 무게중심의 좌표는

$\left(\frac{x_1+x_2+x_3}{3}, \frac{y_1+y_2+y_3}{3}\right)=(1, 0)$

답 $(1, 0)$

참고 ㉠, ㉡, ㉢에서 $x_1, x_2, x_3, y_1, y_2, y_3$의 값을 모두 구한 다음 무게중심의 좌표를 구해도 된다.

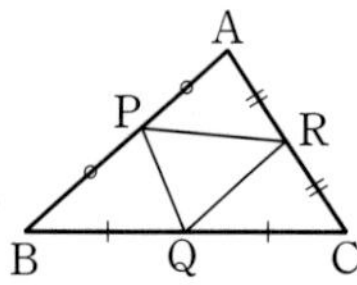

또 이 결과에서 어떤 삼각형의 무게중심과 이 삼각형의 각 변의 중점을 연결하여 만든 삼각형의 무게중심이 같다는 것을 알 수 있다.

16 **전략** 사각형 ABCD는 사다리꼴이다.

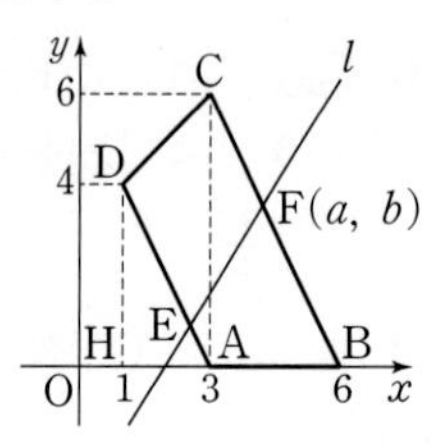

$\triangle ADH \backsim \triangle BCA$이므로 두 직선 AD, BC는 평행하고 사각형 ABCD는 사다리꼴이다.

선분 AD를 $1:3$으로 내분하는 점을 E라 하고 점 E를 지나는 l이 선분 BC와 만나는 점을 $F(a, b)$라 하자.

점 D에서 변 BC에 내린 수선의 길이를 h라 하자.

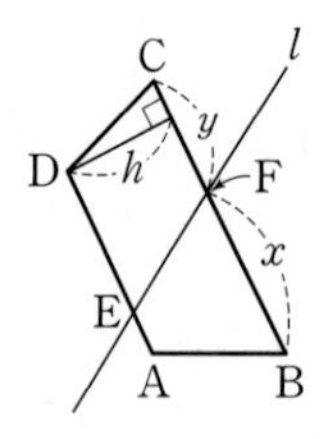

$\overline{AD}=\sqrt{2^2+4^2}=2\sqrt{5}$이므로

$\overline{AE}=\frac{\sqrt{5}}{2}$, $\overline{ED}=\frac{3\sqrt{5}}{2}$

또 $\overline{BF}=x$, $\overline{FC}=y$라 하면 두 사각형의 넓이가 같으므로

$\frac{1}{2}h\left(x+\frac{\sqrt{5}}{2}\right)=\frac{1}{2}h\left(\frac{3\sqrt{5}}{2}+y\right)$

$\therefore x-y=\sqrt{5}$

$\overline{BC}=\sqrt{3^2+6^2}=3\sqrt{5}$이므로 $x+y=3\sqrt{5}$

연립하여 풀면 $x=2\sqrt{5}$, $y=\sqrt{5}$

따라서 F는 변 BC를 $2:1$로 내분하는 점이다.

$\therefore F\left(\frac{2\times3+1\times6}{2+1}, \frac{2\times6+1\times0}{2+1}\right)=F(4, 4)$

$\therefore a+b=8$

답 ④

17 **전략** $\triangle ABE$와 $\triangle ADC$에서 중선정리를 이용하여 y^2-x^2의 값을 구한다.

$\overline{BD}=\overline{DE}=\overline{EC}=k$라 하자.

삼각형 ABE에서 중선정리를 이용하면

$x^2+6^2=2(k^2+5^2)$ ⋯ ㉠

삼각형 ADC에서 중선정리를 이용하면

$5^2+y^2=2(k^2+6^2)$ ⋯ ㉡

㉡−㉠을 하면

$y^2-x^2+5^2-6^2=2\times(6^2-5^2)$

$\therefore y^2-x^2=3\times(6^2-5^2)=33$

답 33

15 직선의 방정식

개념 Check 213쪽~214쪽

1

(1) $y-2=\frac{1}{2}\{x-(-1)\}$ $\quad\therefore y=\frac{1}{2}x+\frac{5}{2}$

(2) $y-(-1)=-2(x-0)$ $\quad\therefore y=-2x-1$

다른 풀이

기울기가 m이고 y절편이 n인 직선의 방정식은 $y=mx+n$이므로 $y=-2x-1$이다.

답 (1) $y=\frac{1}{2}x+\frac{5}{2}$ (2) $y=-2x-1$

2

$y=mx+2m+1$에서 $y=m(x+2)+1$이므로 m의 값에 관계없이 항상 점 $(-2, 1)$을 지난다.

답 $(-2, 1)$

3

(1) $y-(-4)=\frac{4-(-4)}{2-(-2)}\{x-(-2)\}$ $\quad\therefore y=2x$

(2) $y-2=\frac{-2-2}{6-0}(x-0)$ $\quad\therefore y=-\frac{2}{3}x+2$

답 (1) $y=2x$ (2) $y=-\frac{2}{3}x+2$

4

(1) y좌표가 항상 4이므로 $y=4$

(2) y축에 평행한 직선이므로 x좌표가 항상 -2이다.

$\therefore x=-2$

답 (1) $y=4$ (2) $x=-2$

5

(1) $y=\frac{1}{2}x+1$이므로

기울기 : $\frac{1}{2}$, y절편 : 1

(2) $y=-2x+\frac{3}{2}$이므로

기울기 : -2, y절편 : $\frac{3}{2}$

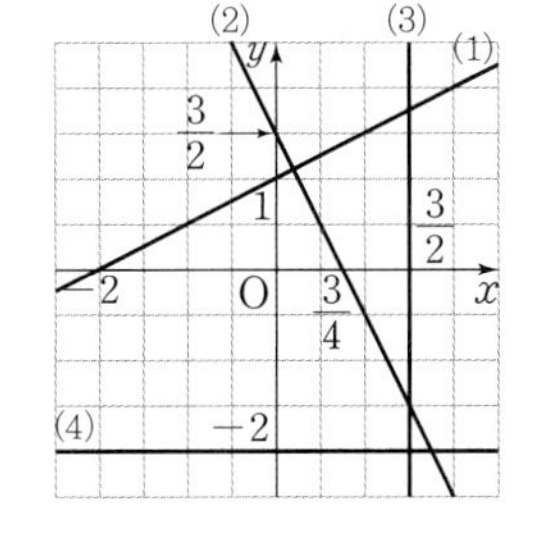

(3) $x=\frac{3}{2}$

(4) $y=-2$

답 풀이 참조

대표Q 215쪽~217쪽

대표 01

(1) 직선 $y=x+2$는 $x=0$일 때 $y=2$이므로 y축과 점 $(0, 2)$에서 만난다.

기울기가 -3이고, 점 $(0, 2)$를 지나는 직선의 방정식은

$y=-3x+2$

(2) 두 직선 $y=2x$, $y=-x+3$의 교점은

$2x=-x+3$에서 $x=1$

이때 $y=2$이므로 교점의 좌표는 $(1, 2)$이다.

두 점 $(-2, 3)$, $(1, 2)$를 지나는 직선의 방정식은

$y-3=\frac{2-3}{1-(-2)}\{x-(-2)\}$

$\therefore y=-\frac{1}{3}x+\frac{7}{3}$

(3) 직선의 x절편이 4이므로 점 $(4, 0)$을 지나고, y절편이 -2이므로 점 $(0, -2)$를 지난다.

두 점 $(4, 0)$, $(0, -2)$를 지나는 직선의 방정식은

$y-0=\frac{-2-0}{0-4}(x-4)$ $\quad\therefore y=\frac{1}{2}x-2$

답 (1) $y=-3x+2$ (2) $y=-\frac{1}{3}x+\frac{7}{3}$ (3) $y=\frac{1}{2}x-2$

참고 직선의 방정식을 구할 때, 답은 일반형으로 나타내도 된다.

(1) $3x+y-2=0$ (2) $x+3y-7=0$

(3) $x-2y-4=0$

1-1

(1) 두 식 $2x+y+1=0$, $x-y+2=0$을 연립하여 풀면

$x=-1$, $y=1$

따라서 교점의 좌표는 $(-1, 1)$이다.

두 점 $(-1, 1)$, $(3, 5)$를 지나는 직선의 방정식은

$y-1=\frac{5-1}{3-(-1)}\{x-(-1)\}$ $\quad\therefore y=x+2$

(2) 두 점 A(1, 5), B(4, 2)를 이은 선분 AB를 1 : 2로 내분하는 점의 좌표는

$\left(\frac{1\times4+2\times1}{1+2}, \frac{1\times2+2\times5}{1+2}\right)=(2, 4)$

따라서 기울기가 2이고, 점 (2, 4)를 지나는 직선의 방정식은

$y-4=2(x-2)$ $\therefore y=2x$

답 (1) $y=x+2$ (2) $y=2x$

1-2

직선의 x절편이 a이므로 점 $(a, 0)$을 지나고
y절편이 b이므로 점 $(0, b)$를 지난다.
두 점 $(a, 0)$, $(0, b)$를 지나는 직선의 방정식은

$y-0=\frac{b-0}{0-a}(x-a)$, $\frac{b}{a}x+y=b$

양변을 b로 나누면 $\frac{x}{a}+\frac{y}{b}=1$

따라서 x절편이 a, y절편이 b인 직선의 방정식은

$\frac{x}{a}+\frac{y}{b}=1$이다.

답 풀이 참조

대표 02

(1) $ax+by+c=0$에서 $b\neq0$이므로

$by=-ax-c$, $y=-\frac{a}{b}x-\frac{c}{b}$

$ab>0$이므로 $-\frac{a}{b}<0$ ➡ 기울기가 음수

$bc<0$이므로 $-\frac{c}{b}>0$ ➡ y절편이 양수

따라서 주어진 직선은 제1, 2, 4사분면을 지난다.

(2) $b\neq0$이므로 $y=-\frac{a}{b}x-\frac{c}{b}$

$bc>0$이므로 $-\frac{c}{b}<0$ ➡ y절편이 음수

$ac<0$, $bc>0$이므로 $\begin{cases} c>0\text{이면 } a<0, b>0 \\ c<0\text{이면 } a>0, b<0 \end{cases}$

곧, a와 b의 부호가 다르므로

$-\frac{a}{b}>0$ ➡ 기울기가 양수

따라서 주어진 직선은 제1, 3, 4사분면을 지난다.

(3) $b=0$, $a\neq0$이므로 $ax+c=0$, $x=-\frac{c}{a}$

$ac<0$이므로 $-\frac{c}{a}>0$

따라서 y축에 평행하고 x절편이 양수이므로 제1, 4사분면을 지난다.

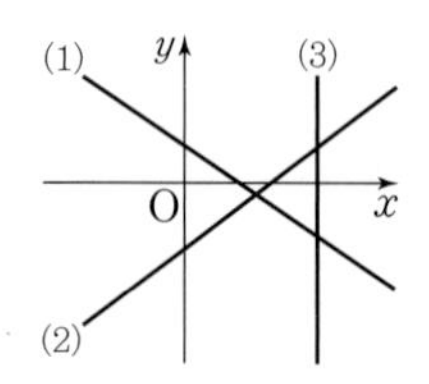

답 (1) 제1, 2, 4사분면 (2) 제1, 3, 4사분면 (3) 제1, 4사분면

2-1

(1) $ax+by+c=0$에서 $b\neq0$이므로

$by=-ax-c$, $y=-\frac{a}{b}x-\frac{c}{b}$

$ab>0$이므로 $-\frac{a}{b}<0$ ➡ 기울기가 음수

$ab>0$, $ac>0$이므로 $\begin{cases} a>0\text{이면 } b>0, c>0 \\ a<0\text{이면 } b<0, c<0 \end{cases}$

곧, b와 c의 부호가 같으므로

$-\frac{c}{b}<0$ ➡ y절편이 음수

따라서 주어진 직선은 제2, 3, 4사분면을 지난다.

(2) $bc=0$, $ab<0$이므로 $c=0$, $b\neq0$

곧, $ax+by=0$에서 $y=-\frac{a}{b}x$ ➡ 원점을 지난다.

$ab<0$이므로 $-\frac{a}{b}>0$ ➡ 기울기가 양수

따라서 주어진 직선은 제1, 3사분면을 지난다.

(3) $a=0$, $b\neq0$이므로

$by+c=0$에서 $y=-\frac{c}{b}$

$bc>0$이므로 $-\frac{c}{b}<0$

따라서 x축에 평행하고 y절편이 음수이므로 제3, 4사분면을 지난다.

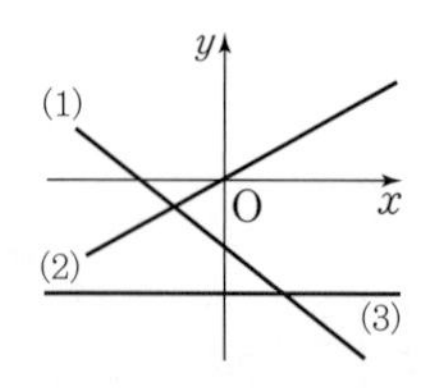

답 (1) 제2, 3, 4사분면 (2) 제1, 3사분면 (3) 제3, 4사분면

2-2

$ax+by+c=0$에서 $b\neq0$이므로 $y=-\frac{a}{b}x-\frac{c}{b}$

주어진 그래프에서 기울기는 양수, y절편은 음수이므로

$-\frac{a}{b}>0$, $-\frac{c}{b}<0$

한편 $cx+by+a=0$에서

$y=-\frac{c}{b}x-\frac{a}{b}$

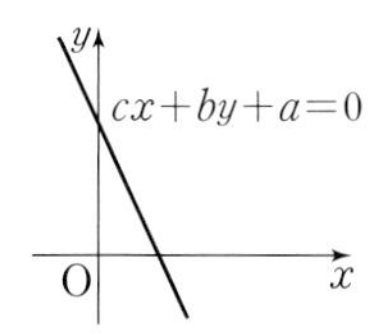

이 직선의 기울기는 음수, y절편은 양수이다.

따라서 그림과 같이 제3사분면을 지나지 않는다.

답 제3사분면

대표 03

(1) $ax-2y-2a=0$에서

$x=0$을 대입하면 $-2y-2a=0$　　$\therefore y=-a$

$y=0$을 대입하면 $ax-2a=0$　　$\therefore x=2$

따라서 x절편이 2, y절편이 $-a$이고 $a>0$이므로 직선이 x축, y축과 만나 생기는 삼각형은 그림과 같다. 삼각형 OAB의 넓이가 3이고, $\overline{OA}=2$, $\overline{OB}=a$이므로

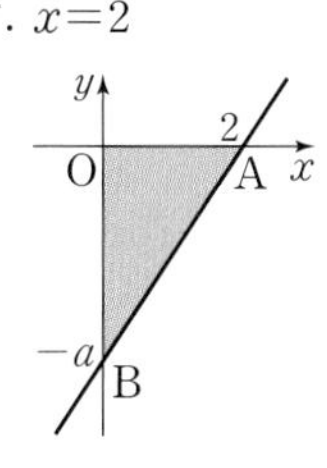

$\frac{1}{2}\times2\times a=3$　　$\therefore a=3$

(2) 직선 $y=mx+1$은 y절편이 1인 직선이다.

직선 $y=-2x+6$이 x축, y축과 만나는 점의 좌표는 각각 $(3, 0)$, $(0, 6)$이므로 이 직선이 x축, y축과 만나 생기는 삼각형의 넓이는 9이다.

C가 직선 $y=-2x+6$ 위의 점이므로 $C(a, -2a+6)$이라 할 수 있다.

삼각형 ABC의 넓이가 $\frac{9}{2}$이므로

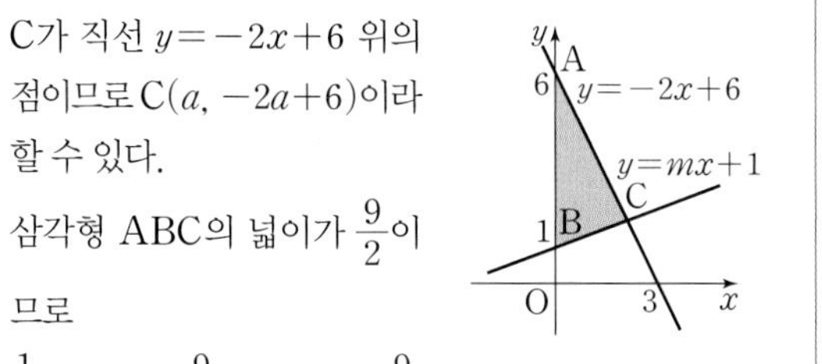

$\frac{1}{2}\times5\times a=\frac{9}{2}$　　$\therefore a=\frac{9}{5}$

따라서 직선 $y=mx+1$이 점 $C\left(\frac{9}{5}, \frac{12}{5}\right)$를 지나므로

$\frac{12}{5}=\frac{9}{5}m+1$　　$\therefore m=\frac{7}{9}$

답 (1) 3　(2) $\frac{7}{9}$

3-1

$2x-ay+6=0$에서

$x=0$을 대입하면 $-ay+6=0$　　$\therefore y=\frac{6}{a}$

$y=0$을 대입하면 $2x+6=0$　　$\therefore x=-3$

따라서 x절편이 -3, y절편이 $\frac{6}{a}$이다.

(1) $a>0$이므로 그림에서

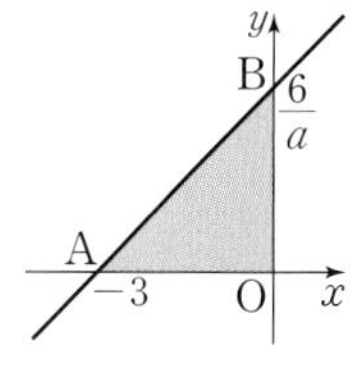

$\overline{OA}=3$, $\overline{OB}=\frac{6}{a}$

삼각형 OAB의 넓이가 18이므로

$\frac{1}{2}\times3\times\frac{6}{a}=18$　　$\therefore a=\frac{1}{2}$

(2) $a<0$이므로 그림에서

$\overline{OA}=3$, $\overline{OB}=-\frac{6}{a}$

삼각형 OAB의 넓이가 18이므로

$\frac{1}{2}\times3\times\left(-\frac{6}{a}\right)=18$

$\therefore a=-\frac{1}{2}$

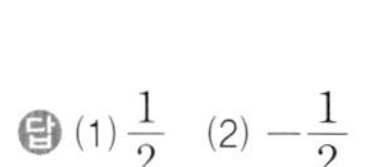

답 (1) $\frac{1}{2}$　(2) $-\frac{1}{2}$

3-2

$mx-y+2=0$에서 $x=0$을 대입하면

$-y+2=0$　　$\therefore A(0, 2)$

$x+2y=8$에서 $y=-\frac{1}{2}x+4$이므로 $B\left(a, -\frac{1}{2}a+4\right)$라 할 수 있다.

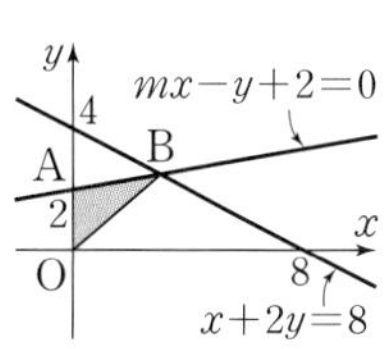

그림에서 삼각형 OAB의 넓이가 3이므로

$\frac{1}{2}\times2\times a=3$　　$\therefore a=3$

따라서 직선 $mx-y+2=0$이 점 $B\left(3, \frac{5}{2}\right)$를 지나므로

$3m-\frac{5}{2}+2=0$　　$\therefore m=\frac{1}{6}$

답 $\frac{1}{6}$

개념 Check　218쪽 ~ 219쪽

6

(2) $a=-3$이고 $a\neq1$　　$\therefore a=-3$

(3) $(-3)\times a=-1 \qquad \therefore a=\frac{1}{3}$

답 (1) $a\neq-3$인 모든 실수 (2) -3 (3) $\frac{1}{3}$

7

$3x+4y+2=0$, $2x-y+5=0$을 연립하여 풀면

$x=-2$, $y=1$

따라서 교점의 좌표는 $(-2, 1)$

답 $(-2, 1)$

8

$\frac{k}{2}=\frac{k+1}{1}\neq\frac{-1}{-1}$이므로

$\frac{k}{2}=k+1$에서 $k=2(k+1) \qquad \therefore k=-2$

이때 $\frac{k}{2}=\frac{-2}{2}=-1\neq\frac{-1}{-1}$이다.

답 -2

대표Q 220쪽~223쪽

대표 Q4

(1) 직선 AB의 기울기가

$\frac{4-2}{1-(-2)}=\frac{2}{3}$

이므로 기울기가 $\frac{2}{3}$이고, 점 $(2, 1)$을 지나는 직선의 방정식은

$y-1=\frac{2}{3}(x-2) \qquad \therefore y=\frac{2}{3}x-\frac{1}{3}$

(2) 두 점 A, B를 지나는 직선의 방정식은

$y-2=\frac{4-2}{1-(-2)}\{x-(-2)\}$

$\therefore y=\frac{2}{3}x+\frac{10}{3}$

점 C가 이 직선 위에 있으므로 $x=k$, $y=k-1$을 대입하면

$k-1=\frac{2}{3}k+\frac{10}{3}$, $\frac{k}{3}=\frac{13}{3}$

$\therefore k=13$

다른 풀이

직선 AB와 직선 AC의 기울기가 같으므로

$\frac{4-2}{1-(-2)}=\frac{k-1-2}{k-(-2)}$, $\frac{2}{3}=\frac{k-3}{k+2}$

$2(k+2)=3(k-3) \qquad \therefore k=13$

답 (1) $y=\frac{2}{3}x-\frac{1}{3}$ (2) 13

4-1

(1) $3x-y+2=0$에서 $y=3x+2$이므로 이 직선에 평행한 직선의 기울기는 3이다.

기울기가 3이고, 점 $(1, -2)$를 지나는 직선의 방정식은

$y-(-2)=3(x-1)$, $y=3x-5$

$\therefore 3x-y-5=0$

다른 풀이

구하는 직선은 $3x-y+c=0$ 꼴이고

점 $(1, -2)$를 지나므로

$3-(-2)+c=0 \qquad \therefore c=-5$

$\therefore 3x-y-5=0$

(2) 두 점 $(2, 0)$, $(0, -3)$을 지나는 직선의 기울기는

$\frac{-3-0}{0-2}=\frac{3}{2}$

이므로 이 직선에 평행한 직선의 기울기는 $\frac{3}{2}$이다.

따라서 기울기가 $\frac{3}{2}$이고, 점 $(1, 2)$를 지나는 직선의 방정식은

$y-2=\frac{3}{2}(x-1)$, $y=\frac{3}{2}x+\frac{1}{2}$

$\therefore 3x-2y+1=0$

답 (1) $3x-y-5=0$ (2) $3x-2y+1=0$

4-2

두 점 A, B를 지나는 직선의 방정식은

$y-3=\frac{8-3}{1-(-4)}\{x-(-4)\} \qquad \therefore y=x+7$

점 C가 이 직선 위에 있으므로 $x=a$, $y=5$를 대입하면

$5=a+7 \qquad \therefore a=-2$

답 -2

대표 Q5

(1) 선분 AB의 중점의 좌표는

$\left(\frac{-1+1}{2}, \frac{0+4}{2}\right)$, 곧 $(0, 2)$

직선 AB의 기울기는 $\frac{4-0}{1-(-1)}=2$

따라서 직선 AB에 수직인 직선의 기울기는 $-\frac{1}{2}$이다.

선분 AB의 수직이등분선은 기울기가 $-\frac{1}{2}$이고, 점 $(0, 2)$를 지나므로

$y-2=-\frac{1}{2}(x-0)$ $\quad\therefore y=-\frac{1}{2}x+2$

(2) 직선 AB의 방정식은

$y-0=\frac{4-0}{1-(-1)}\{x-(-1)\}$

$\therefore y=2x+2$ $\quad\cdots$ ㉠

점 C에서 직선 AB에 내린 수선의 발을 H라 하면 직선 CH는 기울기가 $-\frac{1}{2}$이고, 점 $(4, 1)$을 지나므로

$y-1=-\frac{1}{2}(x-4)$

$\therefore y=-\frac{1}{2}x+3$ $\quad\cdots$ ㉡

수선의 발은 두 직선 ㉠, ㉡의 교점이므로 ㉠, ㉡을 연립하여 풀면 $x=\frac{2}{5}$, $y=\frac{14}{5}$

따라서 수선의 발의 좌표는 $\left(\frac{2}{5}, \frac{14}{5}\right)$

답 (1) $y=-\frac{1}{2}x+2$ (2) $\left(\frac{2}{5}, \frac{14}{5}\right)$

5-1

(1) $x-2y=5$, $3x+2y=-1$을 연립하여 풀면 $x=1$, $y=-2$이므로 교점의 좌표는 $(1, -2)$이다.

또 직선 $x+3y=0$의 기울기가 $-\frac{1}{3}$이므로 이 직선에 수직인 직선의 기울기는 3이다.

따라서 구하는 직선의 방정식은

$y-(-2)=3(x-1)$ $\quad\therefore 3x-y-5=0$

다른 풀이

$x+3y=0$에서 수직인 직선은 $3x-y+c=0$ 꼴이고 점 $(1, -2)$를 지나므로

$3-(-2)+c=0$ $\quad\therefore c=-5$

$\therefore 3x-y-5=0$

(2) 직선 $x+2y-4=0$과 x축, y축이 만나 생기는 선분은 두 점 $(4, 0)$, $(0, 2)$를 이은 선분이고, 이 선분의 중점의 좌표는

$\left(\frac{4+0}{2}, \frac{0+2}{2}\right)=(2, 1)$

또 직선 $x+2y-4=0$의 기울기는 $-\frac{1}{2}$이므로 이 직선에 수직인 직선의 기울기는 2이다.

따라서 구하는 직선은 기울기가 2이고, 점 $(2, 1)$을 지나므로

$y-1=2(x-2)$ $\quad\therefore 2x-y-3=0$

다른 풀이

$x+2y-4=0$에서 수직인 직선은 $2x-y+c=0$ 꼴이고 점 $(2, 1)$을 지나므로

$2\times2-1+c=0$ $\quad\therefore c=-3$

$\therefore 2x-y-3=0$

답 (1) $3x-y-5=0$ (2) $2x-y-3=0$

5-2

(1) 직선 BC의 방정식은

$y-0=\frac{4-0}{1-5}(x-5)$ $\quad\therefore y=-x+5$ $\quad\cdots$ ㉠

점 A를 지나고 직선 BC에 수직인 직선의 방정식은

$y=x+1$ $\quad\cdots$ ㉡

㉠, ㉡을 연립하여 풀면 $x=2$, $y=3$

따라서 수선의 발의 좌표는 $(2, 3)$

(2) 점 C에서 변 AB에 그은 수선의 방정식은

$x=1$ $\quad\cdots$ ㉢

㉡, ㉢을 연립하여 풀면

$x=1$, $y=2$

따라서 교점의 좌표는 $(1, 2)$

답 (1) $(2, 3)$ (2) $(1, 2)$

참고 (2) 삼각형의 세 꼭짓점에서 각 대변에 그은 세 수선은 한 점에서 만난다. 이 점을 수심이라 한다. 이 문제에서 점 $(1, 2)$는 삼각형 ABC의 수심이다.

대표 Q6

(1) $\frac{k}{k+2}=\frac{1}{k}\neq\frac{2}{-1}$이므로

$\frac{k}{k+2}=\frac{1}{k}$에서 $k^2=k+2$, $(k+1)(k-2)=0$

$\therefore k=-1$ 또는 $k=2$

이때 $\frac{1}{k}\neq\frac{2}{-1}$이므로 성립한다.

다른 풀이

$y=-kx-2$, $y=-\frac{k+2}{k}x+\frac{1}{k}$에서

$-k=-\frac{k+2}{k}$이므로 $k^2=k+2$

$\therefore k=-1$ 또는 $k=2$

(2) $k(k+2)+1\times k=0$에서 $k(k+3)=0$

$\therefore k=0$ 또는 $k=-3$

다른 풀이

(i) $k=0$일 때,

$y=-2$, $x=\frac{1}{2}$이므로 두 직선은 수직이다.

(ii) $k\neq0$일 때,

$(-k)\times\left(-\frac{k+2}{k}\right)=-1 \qquad \therefore k=-3$

(i), (ii)에서 $k=0$ 또는 $k=-3$

(3) 교점이 $(a,\ -2)$이므로

$ka=0$, $(k+2)a-2k-1=0$

(i) $k=0$일 때,

$2a-1=0 \qquad \therefore a=\frac{1}{2}$

(ii) $a=0$일 때,

$-2k-1=0 \qquad \therefore k=-\frac{1}{2}$

(i), (ii)에서 $k=0$, $a=\frac{1}{2}$ 또는 $k=-\frac{1}{2}$, $a=0$

답 (1) -1, 2 (2) 0, -3

(3) $k=0$, $a=\frac{1}{2}$ 또는 $k=-\frac{1}{2}$, $a=0$

6-1

(1) $\frac{k}{4}=\frac{1}{k}\neq\frac{k+2}{3k+9}$이므로

$\frac{k}{4}=\frac{1}{k}$에서 $k^2=4 \qquad \therefore k=\pm2$

이때 $\frac{1}{k}\neq\frac{k+2}{3k+9}$이므로 성립한다.

(2) 교점이 $(-3,\ a)$이므로

$-3k+a+k+2=0$에서 $a=2k-2$ ⋯ ㉠

$-12+ak+3k+9=0$에서 $(a+3)k-3=0$ ⋯ ㉡

㉠을 ㉡에 대입하여 정리하면

$(2k+1)k-3=0$, $2k^2+k-3=0$

$(2k+3)(k-1)=0 \qquad \therefore k=-\frac{3}{2}$ 또는 $k=1$

따라서 $k=-\frac{3}{2}$, $a=-5$ 또는 $k=1$, $a=0$

답 (1) -2, 2

(2) $k=-\frac{3}{2}$, $a=-5$ 또는 $k=1$, $a=0$

6-2

직선 $x+ay+1=0$, $2x+(a-1)y+1=0$이 평행하므로

$\frac{1}{2}=\frac{a}{a-1}\neq\frac{1}{1}$

$\frac{1}{2}=\frac{a}{a-1}$에서 $a-1=2a \qquad \therefore a=-1$

이때 $\frac{a}{a-1}\neq\frac{1}{1}$이다.

직선 $x-y+1=0$과 직선 $bx-2y-4=0$이 수직이므로

$1\times b+(-1)\times(-2)=0 \qquad \therefore b=-2$

답 $a=-1$, $b=-2$

대표 07

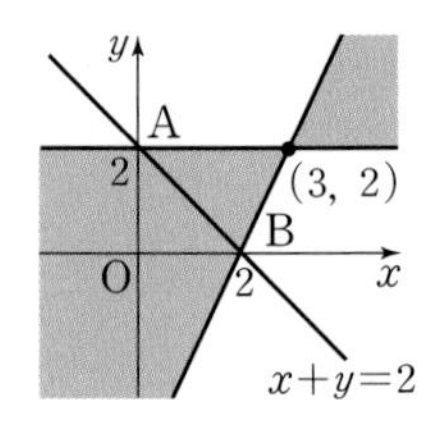

(1) $y-2=m(x-3)$은 기울기가 m이고, 점 $(3,\ 2)$를 지나는 직선이므로 그림에서 색칠한 부분에 있을 때 제1사분면에서 선분 AB와 만난다. (단, 양 끝 점은 제외)

(i) 직선 $y=m(x-3)+2$가 점 $\mathrm{A}(0,\ 2)$를 지날 때,

$2=m(0-3)+2 \qquad \therefore m=0$

(ii) 직선 $y=m(x-3)+2$가 점 $\mathrm{B}(2,\ 0)$을 지날 때,

$0=m(2-3)+2 \qquad \therefore m=2$

(i), (ii)에서 $0<m<2$

(2) $(k-3)x+2(k-1)y+k-5=0$을 k에 대해 정리하면 $k(x+2y+1)-3x-2y-5=0$

k의 값에 관계없이 항상 성립하면

$x+2y+1=0$이고 $-3x-2y-5=0$

두 식을 연립하여 풀면 $x=-2$, $y=\frac{1}{2}$

따라서 점 $\left(-2,\ \frac{1}{2}\right)$을 지난다.

답 (1) $0<m<2$ (2) $\left(-2,\ \frac{1}{2}\right)$

7-1

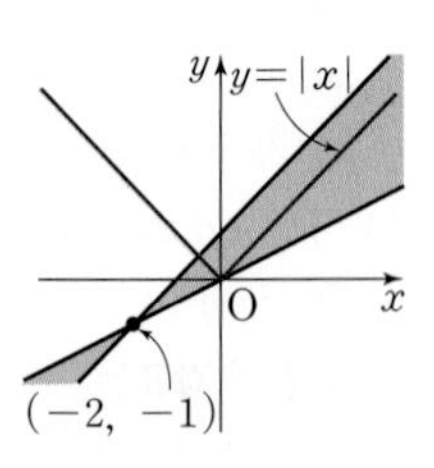

$y=|x|$에서

$x\geq0$일 때, $y=x$

$x<0$일 때, $y=-x$

곧, $y=|x|$의 그래프는 그림에서 빨간색 꺾인 선이다.

$y+1=m(x+2)$ ⋯ ㉠

는 기울기가 m이고, 점 $(-2, -1)$을 지나는 직선이므로 그림에서 색칠한 부분에 있을 때 $y=|x|$의 그래프와 두 점에서 만난다. (단, 경계는 제외)

(i) 직선 ㉠이 원점 O를 지날 때,

$0+1=m(0+2)$ $\therefore m=\frac{1}{2}$

(ii) 직선 ㉠이 직선 $y=x$와 평행할 때, $m=1$

(i), (ii)에서 $\frac{1}{2}<m<1$

답 $\frac{1}{2}<m<1$

7-2

$(k-2)x+(3k-1)y-6k+7=0$

을 k에 대해 정리하면

$k(x+3y-6)-2x-y+7=0$

k의 값에 관계없이 항상 성립하면

$x+3y-6=0$이고 $-2x-y+7=0$

두 식을 연립하여 풀면 $x=3$, $y=1$

따라서 점 $(3, 1)$을 지난다.

답 $(3, 1)$

개념 Check 224쪽

9

(1) $\frac{|0+0-4|}{\sqrt{1^2+1^2}}=\frac{4}{\sqrt{2}}=2\sqrt{2}$

(2) $\frac{|3\times2+4\times0-1|}{\sqrt{3^2+4^2}}=\frac{5}{5}=1$

(3) 직선의 방정식은 $x-2y+5=0$이므로

$\frac{|(-2)-2\times(-1)+5|}{\sqrt{1^2+(-2)^2}}=\frac{5}{\sqrt{5}}=\sqrt{5}$

답 (1) $2\sqrt{2}$ (2) 1 (3) $\sqrt{5}$

대표Q 225쪽~226쪽

대표 Q8

(1) 직선 $2x-y-6=0$에 평행한 직선을 $2x-y+c=0$이라 하자. 점 $(-1, -1)$과 이 직선 사이의 거리가 5이므로

$\frac{|2\times(-1)-(-1)+c|}{\sqrt{2^2+(-1)^2}}=5$

$\frac{|c-1|}{\sqrt{5}}=5$, $|c-1|=5\sqrt{5}$

$\therefore c=1\pm5\sqrt{5}$

따라서 직선의 방정식은

$2x-y+1+5\sqrt{5}=0$ 또는 $2x-y+1-5\sqrt{5}=0$

(2) 두 직선이 평행하므로 직선 $2x-y-6=0$ 위의 한 점 $(3, 0)$과 직선 $4x-2y-3=0$ 사이의 거리가 두 직선 사이의 거리이다.

$\frac{|4\times3-2\times0-3|}{\sqrt{4^2+(-2)^2}}=\frac{9}{2\sqrt{5}}=\frac{9\sqrt{5}}{10}$

답 (1) $2x-y+1+5\sqrt{5}=0$, $2x-y+1-5\sqrt{5}=0$
(2) $\frac{9\sqrt{5}}{10}$

8-1

$\frac{3}{3}=\frac{-4}{-4}\neq\frac{-6}{3}$에서 두 직선이 서로 평행하다.

직선 $3x-4y-6=0$ 위의 한 점 $(2, 0)$과 직선 $3x-4y+3=0$ 사이의 거리는

$\frac{|3\times2-4\times0+3|}{\sqrt{3^2+(-4)^2}}=\frac{9}{5}$

답 $\frac{9}{5}$

8-2

$\frac{x}{2}-\frac{y}{4}=1$에서 $2x-y-4=0$

점 $(2, a)$와 이 직선 사이의 거리가 $\sqrt{5}$이므로

$\frac{|2\times2-a-4|}{\sqrt{2^2+(-1)^2}}=\sqrt{5}$

$\frac{|a|}{\sqrt{5}}=\sqrt{5}$, $|a|=5$ $\therefore a=\pm5$

답 $-5, 5$

8-3

점 (x_0, y_0)이 직선 $ax+by=5$ 위의 점이라 하면

$ax_0+by_0=5$

$a^2+b^2=4$이므로 점 (x_0, y_0)과 직선 $ax+by-1=0$ 사이의 거리는

$\frac{|ax_0+by_0-1|}{\sqrt{a^2+b^2}}=\frac{|5-1|}{\sqrt{4}}=2$

답 2

대표 09

(1) $P(x, y)$라 하면 $\overline{PA}^2=\overline{PB}^2$이므로

$(x+1)^2+(y-2)^2=(x-3)^2+(y-4)^2$

$x^2+2x+1+y^2-4y+4=x^2-6x+9+y^2-8y+16$

$8x+4y-20=0 \qquad \therefore 2x+y-5=0$

다른 풀이

점 P는 선분 AB의 수직이등분선 위의 점이므로 선분 AB의 수직이등분선의 방정식을 구하면 된다.

직선 AB의 기울기는 $\frac{4-2}{3-(-1)}=\frac{1}{2}$

선분 AB의 중점의 좌표는

$\left(\frac{-1+3}{2}, \frac{2+4}{2}\right)=(1, 3)$

따라서 기울기가 -2이고, 점 $(1, 3)$을 지나는 직선의 방정식은

$y-3=-2(x-1) \qquad \therefore 2x+y-5=0$

(2) 각의 이등분선 위의 점을 $P(x, y)$라 하자.

점 P에서 두 직선에 이르는 거리가 같으므로

$\frac{|4x+3y-11|}{\sqrt{4^2+3^2}}=\frac{|3x-4y-2|}{\sqrt{3^2+(-4)^2}}$

$|4x+3y-11|=|3x-4y-2|$

(i) $4x+3y-11=3x-4y-2$일 때,

$x+7y-9=0$

(ii) $4x+3y-11=-(3x-4y-2)$일 때,

$7x-y-13=0$

(i), (ii)에서

$x+7y-9=0$ 또는 $7x-y-13=0$

답 (1) $2x+y-5=0$

(2) $x+7y-9=0$, $7x-y-13=0$

9-1

$P(x, y)$라 하면 $\overline{PA}^2=\overline{PB}^2$이므로

$(x-1)^2+(y-2)^2=(x+3)^2+(y+2)^2$

$x^2-2x+1+y^2-4y+4=x^2+6x+9+y^2+4y+4$

$-8x-8y-8=0 \qquad \therefore x+y+1=0$

답 $x+y+1=0$

9-2

$P(x, y)$라 하면 점 P에서 두 직선에 이르는 거리가 같으므로

$\frac{|x+2y-4|}{\sqrt{1^2+2^2}}=\frac{|2x-y-1|}{\sqrt{2^2+(-1)^2}}$

$|x+2y-4|=|2x-y-1|$

(i) $x+2y-4=2x-y-1$일 때, $x-3y+3=0$

(ii) $x+2y-4=-(2x-y-1)$일 때, $3x+y-5=0$

(i), (ii)에서 점 P가 그리는 도형의 방정식은

$x-3y+3=0$ 또는 $3x+y-5=0$

답 $x-3y+3=0$, $3x+y-5=0$

연습과 실전 15 직선의 방정식

227쪽~230쪽

01 ④ **02** $a=-\frac{1}{2}$, $b=\frac{3}{2}$, x절편 : $-\frac{3}{2}$ **03** ③

04 1 **05** $\frac{9}{4}$

06 (1) $y=\frac{2}{3}x-1$ (2) $y=-\frac{3}{2}x-1$

07 수직 : $-\frac{2}{3}$, 평행 : -2 **08** $\left(\frac{4}{5}, -\frac{12}{5}\right)$

09 1 **10** $\frac{\sqrt{5}}{5}$ **11** 6 **12** ③ **13** ② **14** $-\frac{9}{2}$

15 1, 3 **16** (1) $(-1, 1)$ (2) $-\frac{1}{5}<k<2$ **17** ③

18 -4, -3, $\frac{2}{3}$ **19** $k=2$, 최댓값 : $\sqrt{5}$

20 $x-7y+6=0$, $x-y=0$

01

① $y=3x-5$

② $y-1=3(x-2) \qquad \therefore y=3x-5$

③ $y-(-2)=\frac{4-(-2)}{3-1}(x-1) \qquad \therefore y=3x-5$

④ $\frac{x}{3}+\frac{y}{-5}=1 \qquad \therefore y=\frac{5}{3}x-5$

⑤ $y=3x-5$

따라서 나머지 넷과 다른 것은 ④이다.

답 ④

02

기울기가 2이고 y절편이 3인 직선의 방정식은 $y=2x+3$

$y=2x+3$에서 $2x-y+3=0$이므로

양변을 2로 나누면 $x-\frac{1}{2}y+\frac{3}{2}=0$

$\therefore a=-\frac{1}{2}$, $b=\frac{3}{2}$

또 $y=2x+3$에 $y=0$을 대입하면

$0=2x+3 \qquad \therefore x=-\frac{3}{2}$

따라서 x절편은 $-\frac{3}{2}$이다.

답 $a=-\frac{1}{2}$, $b=\frac{3}{2}$, x절편 : $-\frac{3}{2}$

03

이차함수의 그래프가 아래로 볼록하므로 $a>0$

축의 방정식 $x=-\frac{b}{2a}<0$이므로 $b>0$

y축의 양의 부분과 만나므로 $c>0$

직선 $ax+by+c=0$은 $y=-\frac{a}{b}x-\frac{c}{b}$이므로

기울기 $-\frac{a}{b}<0$, y절편 $-\frac{c}{b}<0$이다.

따라서 직선 $ax+by+c=0$의 개형은 ③이다.

답 ③

04

직사각형의 대각선의 교점을 지나는 직선은 직사각형의 넓이를 이등분한다.

직사각형의 두 대각선의 교점은 선분 AC의 중점이므로 선분 AC의 중점의 좌표는

$\left(\frac{1+7}{2}, \frac{3+1}{2}\right)=(4, 2)$

두 점 $(-1, -3)$, $(4, 2)$를 지나는 직선의 기울기는

$\frac{2-(-3)}{4-(-1)}=1$

답 1

05

y절편을 a라 하면 x절편은 $2a$이므로 직선의 방정식은

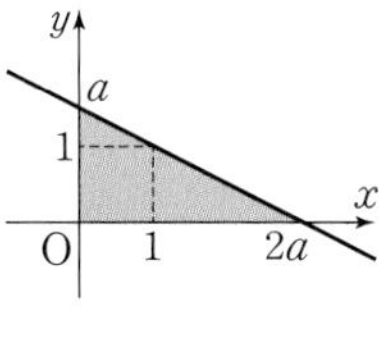

$\frac{x}{2a}+\frac{y}{a}=1$

점 $(1, 1)$을 지나므로

$\frac{1}{2a}+\frac{1}{a}=1 \qquad \therefore a=\frac{3}{2}$

x절편은 3, y절편은 $\frac{3}{2}$이므로 삼각형의 넓이는

$\frac{1}{2}\times3\times\frac{3}{2}=\frac{9}{4}$

답 $\frac{9}{4}$

06

$l : y=\frac{2}{3}x+\frac{1}{3}$

(1) 기울기가 $\frac{2}{3}$이고, 점 $(3, 1)$을 지나므로 구하는 직선의 방정식은

$y-1=\frac{2}{3}(x-3) \qquad \therefore y=\frac{2}{3}x-1$

(2) 구하는 직선의 기울기를 m이라 하면

$\frac{2}{3}\times m=-1 \qquad \therefore m=-\frac{3}{2}$

또 점 $(2, -4)$를 지나므로 구하는 직선의 방정식은

$y-(-4)=-\frac{3}{2}(x-2) \qquad \therefore y=-\frac{3}{2}x-1$

답 (1) $y=\frac{2}{3}x-1$ (2) $y=-\frac{3}{2}x-1$

07

(i) 두 직선이 수직일 때,

$a\times1+2\times(a+1)=0 \qquad \therefore a=-\frac{2}{3}$

(ii) 두 직선이 평행할 때,

$\frac{a}{1}=\frac{2}{a+1}\neq\frac{2}{2} \qquad \cdots$ ㉠

이므로 $\frac{a}{1}=\frac{2}{a+1}$에서 $a(a+1)=2$, $a^2+a-2=0$

$(a+2)(a-1)=0 \qquad \therefore a=-2$ 또는 $a=1$

$a=1$이면 ㉠이 성립하지 않으므로

$a=-2$

답 수직 : $-\frac{2}{3}$, 평행 : -2

08

직선 l에 평행한 직선을 $x+2y+c=0$으로 놓자.

점 $(0, -2)$를 지나므로 $0-4+c=0 \qquad \therefore c=4$

$\therefore x+2y+4=0 \qquad \cdots$ ㉠

직선 l에 수직인 직선을 $2x-y+k=0$으로 놓자.

점 $(2, 0)$을 지나므로 $4-0+k=0 \qquad \therefore k=-4$

$\therefore 2x-y-4=0 \qquad \cdots$ ㉡

㉠, ㉡을 연립하여 풀면 $x=\frac{4}{5}$, $y=-\frac{12}{5}$

따라서 교점의 좌표는 $\left(\frac{4}{5}, -\frac{12}{5}\right)$

답 $\left(\frac{4}{5}, -\frac{12}{5}\right)$

09

$2x+y-3=0$, $x+y-1=0$을 연립하여 풀면

$x=2$, $y=-1$

직선 $ax-2y-4=0$이 두 직선 $2x+y-3=0$,

$x+y-1=0$의 교점 $(2, -1)$을 지나므로

$2a+2-4=0 \qquad \therefore a=1$

답 1

10

$2x+3y-1=0$, $x-2y-4=0$을 연립하여 풀면

$x=2$, $y=-1$

따라서 두 직선의 교점은 $(2, -1)$이다. 이 점과 직선

$x+2y-1=0$ 사이의 거리는

$$\frac{|2-2-1|}{\sqrt{1^2+2^2}}=\frac{1}{\sqrt{5}}=\frac{\sqrt{5}}{5}$$

답 $\frac{\sqrt{5}}{5}$

11 **전략** 두 점 $(5, 7)$, $(8, 4)$를 지나는 직선의 방정식을 구한 다음, 연립방정식을 풀어 A, B의 좌표부터 구한다.

두 점 $(5, 7)$, $(8, 4)$를 지나는 직선의 방정식은

$y-7=\frac{4-7}{8-5}(x-5) \qquad \therefore y=-x+12$

$y=-x+12$와 $y=2x$를 연립하여 풀면

$x=4$, $y=8 \qquad \therefore \mathrm{A}(4, 8)$

$y=-x+12$와 $y=3x$를 연립하여 풀면

$x=3$, $y=9 \qquad \therefore \mathrm{B}(3, 9)$

직선 $y=-x+12$가 x축과 만나는 점을 D라 하면 $\mathrm{D}(12, 0)$

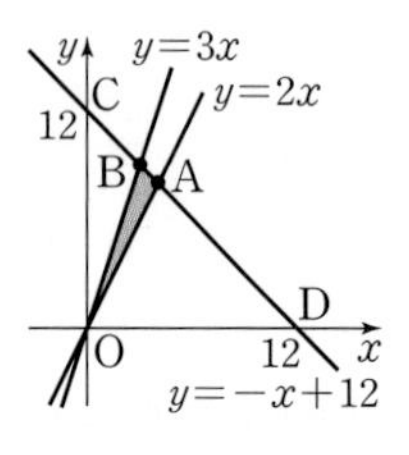

$\triangle\mathrm{OBD}=\frac{1}{2}\times12\times9=54$

$\triangle\mathrm{OAD}=\frac{1}{2}\times12\times8=48$

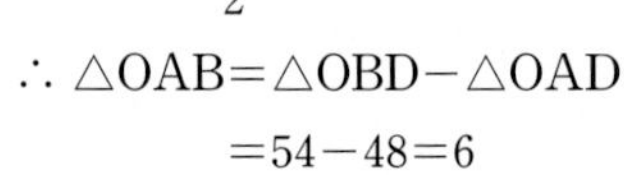

$\therefore \triangle\mathrm{OAB}=\triangle\mathrm{OBD}-\triangle\mathrm{OAD}$

$=54-48=6$

답 6

12 **전략** 직선 AB의 방정식을 구한 다음 x, y가 정수일 조건을 찾는다.

두 점 $\mathrm{A}(3, 91)$, $\mathrm{B}(24, -7)$을 지나는 직선의 방정식은

$y-91=\frac{-7-91}{24-3}(x-3)$, $y-91=-\frac{14}{3}(x-3)$

따라서 $x-3=3k$ (k는 정수)이면 x좌표, y좌표가 모두 정수이다.

$3\le x\le24$이므로 정수 x는 3, 6, 9, ⋯, 24이다.

곧, x좌표, y좌표가 모두 정수인 점의 개수는 8이다.

답 ③

13 **전략** 도형을 잘라 넓이가 같은 부분을 찾는다.

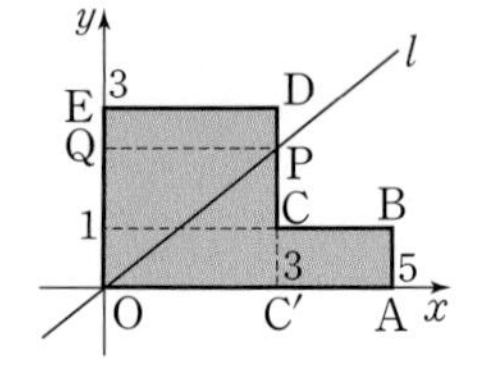

그림에서 삼각형 OC′P와 삼각형 OPQ의 넓이가 같으므로 사각형 ABCC′과 사각형 DEQP의 넓이가 같아야 한다. 곧,

$2\times1=3\times\overline{\mathrm{EQ}} \qquad \therefore \overline{\mathrm{EQ}}=\frac{2}{3}$

따라서 $\mathrm{P}\left(3, \frac{7}{3}\right)$이므로 직선 l의 방정식은

$y=\frac{7}{9}x$

곧, $p=9$, $q=7$이므로 $p+q=16$

답 ②

14 **전략** 포물선과 직선이 접하므로 $D=0$이다.

직선 $y=-\frac{1}{2}x+6$에 수직인 직선의 기울기는 2이므로

직선의 방정식을 $y=2x+b$로 놓자.

이 직선이 함수 $y=-x^2-2x+5$의 그래프에 접하므로

$-x^2-2x+5=2x+b$, 곧 $x^2+4x+b-5=0$

판별식을 D라 하면

$\frac{D}{4}=4-b+5=0 \qquad \therefore b=9$

$\therefore y=2x+9$

이 식에 $y=0$을 대입하면 $0=2x+9 \qquad \therefore x=-\frac{9}{2}$

따라서 x절편은 $-\frac{9}{2}$이다.

답 $-\frac{9}{2}$

15 **전략** 세 점 A, B, C가 한 직선 위에 있다.

➡ (직선 AB의 기울기)=(직선 BC의 기울기)

직선 AB의 기울기는 $\frac{(k-1)-(k+3)}{k-5}=-\frac{4}{k-5}$

직선 BC의 기울기는 $\frac{-2-(k-1)}{(k-2)-k}=\frac{k+1}{2}$

두 직선의 기울기가 같으므로 $-\frac{4}{k-5}=\frac{k+1}{2}$

$-8=(k+1)(k-5)$, $k^2-4k+3=0$

$(k-1)(k-3)=0$

$\therefore k=1$ 또는 $k=3$

다른 풀이

직선 AB의 방정식은

$y-(k+3)=\frac{(k-1)-(k+3)}{k-5}(x-5)$

$\therefore y-(k+3)=-\frac{4}{k-5}(x-5)$

이 직선이 점 C를 지나므로 $x=k-2$, $y=-2$를 대입하면

$-2-(k+3)=-\frac{4}{k-5}\{(k-2)-5\}$

$-k-5=-\frac{4}{k-5}(k-7)$

$-(k+5)(k-5)=-4(k-7)$, $k^2-4k+3=0$

$\therefore k=1$ 또는 $k=3$

답 1, 3

16 **전략** (1) k에 대해 정리한다.
(2) 두 직선을 좌표평면에 그려 k값의 범위를 구한다.

(1) 직선 l_1을 k에 대해 정리하면

$(x+1)k-y+1=0$

k의 값에 관계없이 항상 성립하면

$x+1=0$이고 $-y+1=0$이므로 $x=-1$, $y=1$

따라서 구하는 점의 좌표는 $(-1, 1)$

(2) 직선 l_1이 k의 값에 관계없이 항상 점 $(-1, 1)$을 지나므로 그림에서 색칠한 부분에 있을 때 직선 l_2와 제1사분면에서 만난다.
(단, 양 끝 점은 제외)

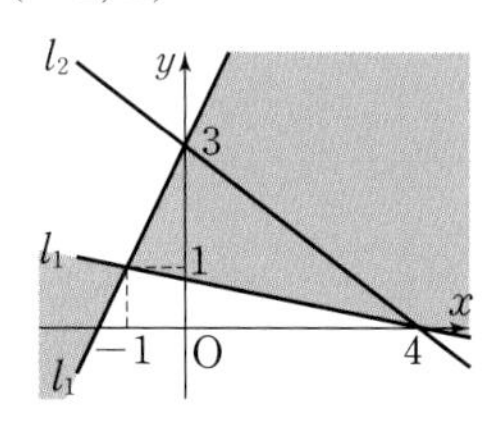

(i) 직선 l_1이 점 $(0, 3)$을 지날 때,

$0-3+k+1=0 \qquad \therefore k=2$

(ii) 직선 l_1이 점 $(4, 0)$을 지날 때,

$4k-0+k+1=0 \qquad \therefore k=-\frac{1}{5}$

(i), (ii)에서 $-\frac{1}{5}<k<2$

답 (1) $(-1, 1)$ (2) $-\frac{1}{5}<k<2$

17 **전략** 점 B의 좌표를 $(a, 0)(0<a<8)$이라 하여 직선 AB의 방정식을 구한다.

$B(a, 0)(0<a<8)$이라 하면 $\overline{BH}=8-a$

직선 OA의 방정식이 $y=\frac{6}{8}x$, 곧 $3x-4y=0$이므로

$\overline{BI}=\frac{|3a|}{\sqrt{3^2+4^2}}=\frac{3}{5}a$

조건에서 $\frac{3}{5}a=8-a \qquad \therefore a=5$

$B(5, 0)$이므로 직선 AB의 방정식은

$y-0=\frac{0-6}{5-8}(x-5) \qquad \therefore y=2x-10$

$m=2$, $n=-10$이므로 $m+n=-8$

다른 풀이

$\overline{BH}=\overline{BI}$이므로 $\triangle ABH\equiv\triangle ABI$이다.

$\overline{AB}$는 $\angle OAH$의 이등분선이고

$\overline{OA}=\sqrt{8^2+6^2}=10$이므로

$B(a, 0)(0<a<8)$이라 하면

$\overline{OA}:\overline{AH}=\overline{OB}:\overline{BH}$

$10:6=a:(8-a)$

$10(8-a)=6a \qquad \therefore a=5$

$\therefore B(5, 0)$

답 ③

18 **전략** 세 직선의 위치 관계는

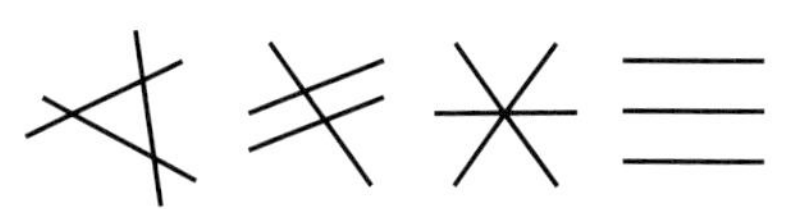

세 직선 중 두 직선만 평행하거나 세 직선이 한 점에서 만나면 좌표평면이 6개 영역으로 나뉜다.

$3x+y+1=0 \qquad \cdots ㉠$

$2x-3y-14=0 \qquad \cdots ㉡$

$ax-y=0 \qquad \cdots ㉢$

직선 ㉠, ㉡의 기울기는 서로 다르므로 다음 세 경우이다.

(i) 직선 ㉠, ㉢이 평행할 때, $a=-3$

(ii) 직선 ㉡, ㉢이 평행할 때, $a=\frac{2}{3}$

(iii) 세 직선이 한 점에서 만날 때,

㉠, ㉡을 연립하여 풀면 $x=1$, $y=-4$

직선 ㉢이 점 $(1, -4)$를 지나므로

$a+4=0 \qquad \therefore a=-4$

(i), (ii), (iii)에서

$a=-4$ 또는 $a=-3$ 또는 $a=\frac{2}{3}$

답 $-4, -3, \frac{2}{3}$

19 전략 점 A를 지나는 직선 중 점 O로부터 거리가 가장 먼 직선은 직선 OA에 수직인 직선이다. (그림에서 $d>d_1$)

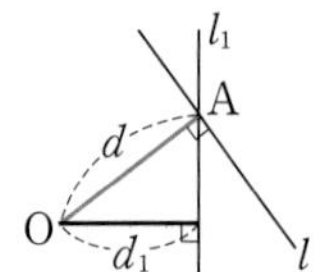

$(1-k)x+2y+3+k=0$ $\cdots$ ㉠

k에 대해 정리하면

$x+2y+3-k(x-1)=0$

$x+2y+3=0$, $x-1=0$에서 $x=1$, $y=-2$

따라서 직선 ㉠은 k의 값에 관계없이 항상 점 A$(1, -2)$를 지난다.

점 O와 직선 사이의 거리는 ㉠이 직선 OA에 수직일 때 최대이고, 최댓값은 선분 OA의 길이이다.

㉠의 기울기는 $\dfrac{k-1}{2}$이고

직선 OA의 기울기는 -2이므로

$\dfrac{k-1}{2}=\dfrac{1}{2}$ $\quad\therefore k=2$

최댓값은 $\overline{\text{OA}}=\sqrt{1^2+(-2)^2}=\sqrt{5}$

답 $k=2$, 최댓값 : $\sqrt{5}$

20 전략 P(x, y)라 하고 점과 직선 사이의 거리 공식을 이용하여 x, y의 관계를 구한다.

P(x, y)라 하면

$\dfrac{|2x+y-3|}{\sqrt{2^2+1^2}}=3\times\dfrac{|x-2y+1|}{\sqrt{1^2+(-2)^2}}$이므로

$|2x+y-3|=3|x-2y+1|$

(i) $2x+y-3=3(x-2y+1)$일 때,

$x-7y+6=0$

(ii) $2x+y-3=-3(x-2y+1)$일 때,

$x-y=0$

(i), (ii)에서 점 P가 그리는 도형의 방정식은

$x-7y+6=0$ 또는 $x-y=0$

답 $x-7y+6=0$, $x-y=0$

16 원의 방정식

개념 Check

232쪽 ~ 233쪽

1

답 (1) $(x+4)^2+(y+1)^2=4^2$

(2) $x^2+y^2=3^2$

2

두 원 모두 중심이 점 $(-3, 2)$이다.

(1) 원이 x축에 접하므로 반지름의 길이가 2이다.

$\therefore (x+3)^2+(y-2)^2=2^2$

(2) 원이 y축에 접하므로 반지름의 길이가 3이다.

$\therefore (x+3)^2+(y-2)^2=3^2$

답 (1) $(x+3)^2+(y-2)^2=2^2$

(2) $(x+3)^2+(y-2)^2=3^2$

3

중심이 점 $(-1, 2)$이고 반지름의 길이가 3인 원이므로

$(x+1)^2+(y-2)^2=3^2$

전개하면 $x^2+2x+1+y^2-4y+4=9$

$\therefore x^2+y^2+2x-4y-4=0$

$\therefore A=2$, $B=-4$, $C=-4$

답 $A=2$, $B=-4$, $C=-4$

4

(1) $x^2+y^2+4x=0$을 완전제곱 꼴로 고치면

$(x^2+4x+4)+y^2=4$ $\quad\therefore (x+2)^2+y^2=4$

$\therefore$ 중심의 좌표 : $(-2, 0)$, 반지름의 길이 : 2

(2) $x^2+y^2-4x+8y-5=0$을 완전제곱 꼴로 고치면

$(x^2-4x+4)+(y^2+8y+16)=5+4+16$

$\therefore (x-2)^2+(y+4)^2=25$

$\therefore$ 중심의 좌표 : $(2, -4)$, 반지름의 길이 : 5

답 (1) 중심의 좌표 : $(-2, 0)$, 반지름의 길이 : 2

(2) 중심의 좌표 : $(2, -4)$, 반지름의 길이 : 5

대표Q

235쪽 ~ 239쪽

대표 Q1

(1) 중심이 점 $(-2, 3)$이므로 반지름의 길이를 r라 하면

$(x+2)^2+(y-3)^2=r^2$

이 원이 점 $(-1, 1)$을 지나므로

$(-1+2)^2+(1-3)^2=r^2$　　$\therefore r^2=5$

$\therefore (x+2)^2+(y-3)^2=5$

(2) 선분 AB의 중점을 M이라 하면 점 M이 원의 중심이고 선분 AM의 길이가 원의 반지름의 길이이다.

$\mathrm{M}\left(\frac{1+5}{2}, \frac{0+6}{2}\right)=\mathrm{M}(3, 3)$

반지름의 길이는

$\overline{\mathrm{AM}}=\sqrt{(3-1)^2+(3-0)^2}=\sqrt{13}$

$\therefore (x-3)^2+(y-3)^2=13$

다른 풀이

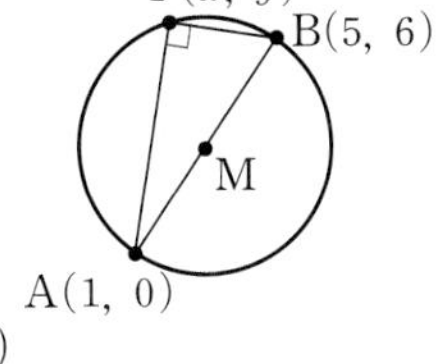

점 $\mathrm{P}(x, y)$가 원 위의 점이면 $\angle \mathrm{APB}=90°$이므로 직선 AP와 BP가 수직이다.

$\frac{y-0}{x-1}\times\frac{y-6}{x-5}=-1$

$y(y-6)=-(x-1)(x-5)$

$y^2-6y=-x^2+6x-5$

$x^2+y^2-6x-6y+5=0$

$\therefore (x-3)^2+(y-3)^2=13$

(3) 원의 방정식을 $x^2+y^2+Ax+By+C=0$으로 놓자.

점 $\mathrm{P}(1, 3)$을 지나므로

$1+9+A+3B+C=0$　　… ㉠

점 $\mathrm{Q}(4, 2)$를 지나므로

$16+4+4A+2B+C=0$　　… ㉡

점 $\mathrm{R}(5, 1)$을 지나므로

$25+1+5A+B+C=0$　　… ㉢

㉡－㉠을 하면 $10+3A-B=0$　　… ㉣

㉢－㉡을 하면 $6+A-B=0$　　… ㉤

㉣, ㉤을 연립하여 풀면 $A=-2$, $B=4$

㉠에 대입하면 $C=-20$

$\therefore x^2+y^2-2x+4y-20=0$

답 (1) $(x+2)^2+(y-3)^2=5$
(2) $(x-3)^2+(y-3)^2=13$
(3) $x^2+y^2-2x+4y-20=0$

1-1

(1) 중심이 점 $(1, -3)$이므로 반지름의 길이를 r라 하면

$(x-1)^2+(y+3)^2=r^2$

이 원이 원점을 지나므로

$(-1)^2+3^2=r^2$　　$\therefore r^2=10$

$\therefore (x-1)^2+(y+3)^2=10$

(2) 원의 중심은 두 점 $(-4, -3)$, $(2, 5)$를 이은 선분의 중점이므로

$\left(\frac{-4+2}{2}, \frac{-3+5}{2}\right)=(-1, 1)$

반지름의 길이는 $\frac{1}{2}\sqrt{(2+4)^2+(5+3)^2}=5$

$\therefore (x+1)^2+(y-1)^2=25$

답 (1) $(x-1)^2+(y+3)^2=10$
(2) $(x+1)^2+(y-1)^2=25$

1-2

(1) 중심이 x축 위에 있으므로 중심을 점 $(a, 0)$으로 놓을 수 있다.

반지름의 길이를 r라 하면 $(x-a)^2+y^2=r^2$

점 $(1, 4)$를 지나므로 $(1-a)^2+4^2=r^2$

$\therefore a^2-2a+17=r^2$　　… ㉠

점 $(2, -3)$을 지나므로 $(2-a)^2+(-3)^2=r^2$

$\therefore a^2-4a+13=r^2$　　… ㉡

㉠－㉡을 하면 $2a+4=0$, $a=-2$

㉠에 대입하면 $r^2=25$

따라서 중심의 좌표는 $(-2, 0)$,
반지름의 길이는 5

(2) 원의 방정식을 $x^2+y^2+Ax+By+C=0$으로 놓자.

점 $(0, 3)$을 지나므로

$9+3B+C=0$　　… ㉠

점 $(-3, 6)$을 지나므로

$9+36-3A+6B+C=0$　　… ㉡

점 $(-2, 1)$을 지나므로

$4+1-2A+B+C=0$　　… ㉢

㉡－㉠을 하면 $36-3A+3B=0$

$\therefore 12-A+B=0$

㉡－㉢을 하면 $40-A+5B=0$

두 식을 연립하여 풀면 $A=5$, $B=-7$

㉠에 대입하면 $C=12$

$\therefore x^2+y^2+5x-7y+12=0$

이 식을 완전제곱 꼴로 고치면

$\left(x+\frac{5}{2}\right)^2+\left(y-\frac{7}{2}\right)^2=\frac{13}{2}$

따라서 중심의 좌표는 $\left(-\frac{5}{2}, \frac{7}{2}\right)$,
반지름의 길이는 $\frac{\sqrt{26}}{2}$

답 (1) 중심의 좌표 : $(-2, 0)$, 반지름의 길이 : 5

(2) 중심의 좌표 : $\left(-\frac{5}{2}, \frac{7}{2}\right)$, 반지름의 길이 : $\frac{\sqrt{26}}{2}$

대표 Q2

(1) x축과 y축에 동시에 접하고 점 $(-2, 4)$를 지나는 원은 중심이 제2사분면 위에 있으므로 반지름의 길이를 r라 하면

$(x+r)^2+(y-r)^2=r^2$

점 $(-2, 4)$를 지나므로

$(-2+r)^2+(4-r)^2=r^2$, $r^2-12r+20=0$

$(r-2)(r-10)=0 \qquad \therefore r=2$ 또는 $r=10$

$\therefore (x+2)^2+(y-2)^2=4$,

$(x+10)^2+(y-10)^2=100$

(2) 원의 중심을 점 (a, b)라 하면 x축에 접하고 점 $(4, 3)$을 지나므로 $b>0$이고 반지름의 길이가 b이다.

$\therefore (x-a)^2+(y-b)^2=b^2 \qquad \cdots ㉠$

원의 중심이 직선 $y=x+2$ 위에 있으므로

$b=a+2 \qquad \cdots ㉡$

원 ㉠이 점 $(4, 3)$을 지나므로

$(4-a)^2+(3-b)^2=b^2$

㉡을 대입하면

$(4-a)^2+(1-a)^2=(a+2)^2$, $a^2-14a+13=0$

$(a-1)(a-13)=0 \qquad \therefore a=1$ 또는 $a=13$

㉡에서 $a=1$일 때 $b=3$ 또는 $a=13$일 때 $b=15$

$\therefore (x-1)^2+(y-3)^2=9$,

$(x-13)^2+(y-15)^2=225$

답 (1) $(x+2)^2+(y-2)^2=4$,
$(x+10)^2+(y-10)^2=100$
(2) $(x-1)^2+(y-3)^2=9$,
$(x-13)^2+(y-15)^2=225$

참고 (2) 중심을 점 $(a, a+2)$로 놓고 풀어도 된다.

2-1

$x^2+y^2-4x+2ky+10=0$을 완전제곱 꼴로 고치면

$(x-2)^2+(y+k)^2=k^2-6$

y축에 접하면 원의 중심의 x좌표의 절댓값이 반지름의 길이이므로

$|2|=\sqrt{k^2-6}$, $4=k^2-6 \qquad \therefore k=\pm\sqrt{10}$

답 $\pm\sqrt{10}$

2-2

x축과 y축에 동시에 접하고 $y\le 0$이므로 그림과 같이 구하는 원의 중심은 제4사분면 위에 있다.

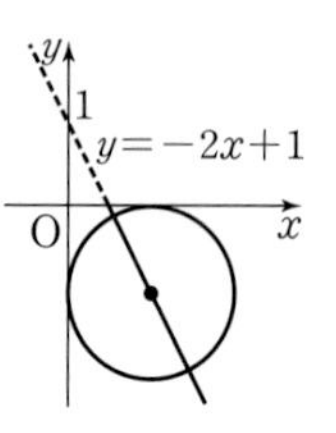

반지름의 길이를 r라 하면

$(x-r)^2+(y+r)^2=r^2$

원의 중심인 점 $(r, -r)$가 반직선 $y=-2x+1$ 위에 있으므로

$-r=-2r+1 \qquad \therefore r=1$

$\therefore (x-1)^2+(y+1)^2=1$

답 $(x-1)^2+(y+1)^2=1$

2-3

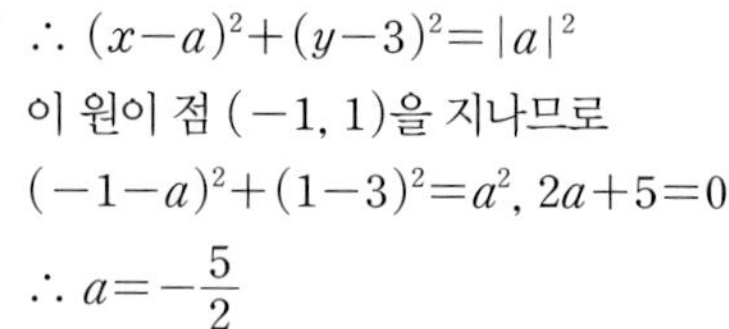

점 $(0, 3)$에서 y축에 접하므로 원의 중심을 점 $(a, 3)$이라 하면 반지름의 길이는 $|a|$이다.

$\therefore (x-a)^2+(y-3)^2=|a|^2$

이 원이 점 $(-1, 1)$을 지나므로

$(-1-a)^2+(1-3)^2=a^2$, $2a+5=0$

$\therefore a=-\frac{5}{2}$

따라서 원의 중심의 좌표는 $\left(-\frac{5}{2}, 3\right)$

답 $\left(-\frac{5}{2}, 3\right)$

참고 조건을 만족시키는 원의 중심은 제2사분면 위에 있으므로 $a<0$이다. 따라서 반지름의 길이를 $-a$라 해도 된다.

대표 Q3

$x^2+y^2=r^2 \qquad \cdots ㉠$

$x^2+y^2-6x-8y+21=0 \qquad \cdots ㉡$

원 ㉠의 중심은 점 $\mathrm{O}(0, 0)$, 반지름의 길이는 r이다.

㉡을 완전제곱 꼴로 고치면

$(x-3)^2+(y-4)^2=4$

따라서 중심은 점 $\mathrm{C}(3, 4)$, 반지름의 길이는 2이다.

또 두 원의 중심 사이의 거리는 $\overline{\mathrm{OC}}=\sqrt{3^2+4^2}=5$

(1) 두 원이 두 점에서 만나면 $|r-2|<5<r+2$

(i) $5<r+2$에서 $r>3$

(ii) $|r-2|<5$에서

$-5<r-2<5 \qquad \therefore -3<r<7$

$r>0$이므로 $0<r<7$

(i), (ii)에서 $3<r<7$

(2) (i) 두 원이 외접할 때, $r+2=5$ $\quad\therefore r=3$

(ii) 두 원이 내접할 때, $|r-2|=5$, $r-2=\pm5$

$r>0$이므로 $r=7$

(i), (ii)에서 $r=3$ 또는 $r=7$

답 (1) $3<r<7$ (2) 3, 7

3-1

$x^2+y^2=r^2$ $\quad\cdots$ ㉠

$(x-4)^2+(y-3)^2=16$ $\quad\cdots$ ㉡

원 ㉠의 중심은 점 O$(0, 0)$, 반지름의 길이는 r이다.

원 ㉡의 중심은 점 C$(4, 3)$, 반지름의 길이는 4이다.

또 두 원의 중심 사이의 거리는 $\overline{OC}=\sqrt{4^2+3^2}=5$

(i) 두 원이 외접할 때, $r+4=5$ $\quad\therefore r=1$

(ii) 두 원이 내접할 때, $|r-4|=5$, $r-4=\pm5$

$r>0$이므로 $r=9$

(i), (ii)에서 $r=1$ 또는 $r=9$

답 1, 9

3-2

$x^2+y^2=1$ $\quad\cdots$ ㉠

$(x-a)^2+(y-2a)^2=16$ $\quad\cdots$ ㉡

원 ㉠의 중심은 점 O$(0, 0)$, 반지름의 길이는 1이다.

원 ㉡의 중심은 점 C$(a, 2a)$, 반지름의 길이는 4이다.

또 $a>0$이므로 두 원의 중심 사이의 거리는

$\overline{OC}=\sqrt{a^2+(2a)^2}=\sqrt{5}a$

두 원이 두 점에서 만나면

$|4-1|<\sqrt{5}a<4+1$, $\dfrac{3}{\sqrt{5}}<a<\dfrac{5}{\sqrt{5}}$

$\therefore \dfrac{3\sqrt{5}}{5}<a<\sqrt{5}$

답 $\dfrac{3\sqrt{5}}{5}<a<\sqrt{5}$

대표 Q4

$m(x^2+y^2-2)+x^2+y^2-4x+4y-2=0$ $\quad\cdots$ ㉠

(1) 두 원의 교점을 지나는 원의 방정식은 ㉠ 꼴로 나타낼 수 있다.

이 원이 점 $(2, 0)$을 지나므로

$m(4+0-2)+4+0-8+0-2=0$ $\quad\therefore m=3$

㉠에 대입하면

$3(x^2+y^2-2)+x^2+y^2-4x+4y-2=0$

$\therefore x^2+y^2-x+y-2=0$

(2) ㉠에서 $m=-1$이면 두 원의 교점을 지나는 직선의 방정식이다.

$-(x^2+y^2-2)+x^2+y^2-4x+4y-2=0$

$\therefore x-y=0$

답 (1) $x^2+y^2-x+y-2=0$ (2) $x-y=0$

4-1

$m(x^2+y^2+6x-5)+x^2+y^2-4x-2y+1=0$ $\quad\cdots$ ㉠

(1) 두 원의 교점을 지나는 원의 방정식은 ㉠ 꼴로 나타낼 수 있다.

이 원이 점 $(-1, -1)$을 지나므로

$m(1+1-6-5)+1+1+4+2+1=0$

$\therefore m=1$

㉠에 대입하면

$(x^2+y^2+6x-5)+x^2+y^2-4x-2y+1=0$

$\therefore x^2+y^2+x-y-2=0$

(2) ㉠에서 $m=-1$이면 두 원의 교점을 지나는 직선의 방정식이다.

$-(x^2+y^2+6x-5)+x^2+y^2-4x-2y+1=0$

$\therefore 5x+y-3=0$

답 (1) $x^2+y^2+x-y-2=0$ (2) $5x+y-3=0$

4-2

원과 직선의 교점을 지나는 원의 방정식은

$x^2+y^2+2x-4y+m(x-y+2)=0$ $\quad\cdots$ ㉠

으로 놓을 수 있다.

이 원이 점 $(1, 0)$을 지나므로

$1+0+2-0+m(1-0+2)=0$ $\quad\therefore m=-1$

㉠에 대입하면

$x^2+y^2+2x-4y-(x-y+2)=0$

$\therefore x^2+y^2+x-3y-2=0$

답 $x^2+y^2+x-3y-2=0$

대표 Q5

(1) P(x, y)라 하면

$2\overline{PA}=\overline{PB}$이므로 $4\overline{PA}^2=\overline{PB}^2$

$4\{(x-2)^2+(y-2)^2\}=(x+1)^2+(y+1)^2$

$x^2-6x+y^2-6y+10=0$

$\therefore (x-3)^2+(y-3)^2=8$

따라서 중심이 점 $(3, 3)$이고 반지름의 길이가 $2\sqrt{2}$인 원이다.

(2) 원의 중심을 C라 하면
$\overline{OC}=3\sqrt{2}$이므로
$\overline{OP}$의 최솟값은
$\overline{OP_1}=\overline{OC}-r=\sqrt{2}$
$\overline{OP}$의 최댓값은
$\overline{OP_2}=\overline{OC}+r=5\sqrt{2}$

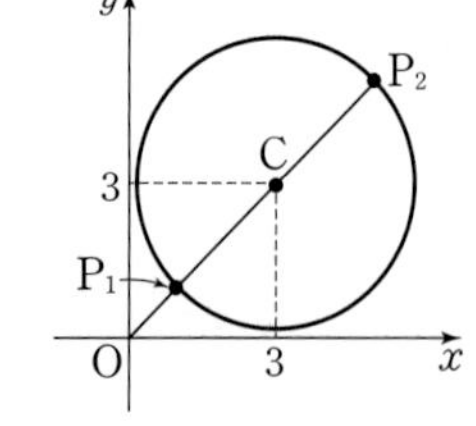

답 (1) 중심의 좌표 : (3, 3), 반지름의 길이 : $2\sqrt{2}$
(2) 최댓값 : $5\sqrt{2}$, 최솟값 : $\sqrt{2}$

5-1

(1) $P(x, y)$라 하면 $\overline{PA}:\overline{PB}=2:3$에서
$3\overline{PA}=2\overline{PB}$, 곧 $9\overline{PA}^2=4\overline{PB}^2$이므로
$9\{(-2-x)^2+y^2\}=4\{(3-x)^2+y^2\}$
$x^2+y^2+12x=0$
$\therefore (x+6)^2+y^2=36$
점 P가 그리는 도형은 중심이 점 $(-6, 0)$이고 반지름의 길이가 6인 원이므로 길이는
$2\pi\times6=12\pi$

(2) 선분 AB를 $2:3$으로 내분하는 점을 P, 외분하는 점을 Q라 하면
$P\left(\frac{2\times3+3\times(-2)}{2+3}, \frac{2\times0+3\times0}{2+3}\right)=P(0, 0)$
$Q\left(\frac{2\times3-3\times(-2)}{2-3}, \frac{2\times0-3\times0}{2-3}\right)=Q(-12, 0)$
따라서 선분 PQ의 중점 $M(-6, 0)$이 중심이고 반지름의 길이가 $\overline{PM}=6$인 원이다.
$\therefore (x+6)^2+y^2=36$

답 (1) 12π (2) $(x+6)^2+y^2=36$

5-2

(1) $P(x, y)$라 하면 $\overline{PA}^2+\overline{PB}^2=28$에서
$\{(1-x)^2+(1-y)^2\}+\{(5-x)^2+(3-y)^2\}=28$
$x^2+y^2-6x-4y+4=0$
$\therefore (x-3)^2+(y-2)^2=9$
점 P가 그리는 도형은 중심이 점 $C(3, 2)$이고 반지름의 길이가 3인 원이므로 넓이는
$\pi\times3^2=9\pi$

(2) $\overline{OC}=\sqrt{3^2+2^2}=\sqrt{13}$, $r=3$이므로
$\overline{OP}$의 최댓값은
$\overline{OP_1}=\overline{OC}+r=\sqrt{13}+3$
$\overline{OP}$의 최솟값은

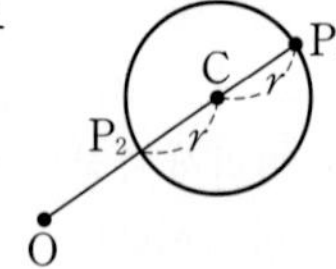

$\overline{OP_2}=\overline{OC}-r=\sqrt{13}-3$

답 (1) 9π (2) 최댓값 : $\sqrt{13}+3$, 최솟값 : $\sqrt{13}-3$

개념 Check

240쪽~242쪽

5

(1) $x^2+y^2=2$에 $y=-2x+1$을 대입하면
$x^2+(-2x+1)^2=2$, $5x^2-4x-1=0$
$\frac{D}{4}=(-2)^2-5\times(-1)=9>0$
이므로 두 점에서 만난다.

(2) $x^2+y^2=2$에 $y=2x-4$를 대입하면
$x^2+(2x-4)^2=2$, $5x^2-16x+14=0$
$\frac{D}{4}=(-8)^2-5\times14=-6<0$
이므로 만나지 않는다.

답 (1) 두 점에서 만난다. (2) 만나지 않는다.

6

$y=3x\pm3\sqrt{3^2+1}$ $\therefore y=3x\pm3\sqrt{10}$

답 $y=3x\pm3\sqrt{10}$

7

원의 중심 $(0, 0)$과 직선 $y=-x+2$, 곧
$x+y-2=0$ 사이의 거리가 r이므로
$\frac{|2|}{\sqrt{1^2+1^2}}=r$ $\therefore r=\sqrt{2}$

다른 풀이

$x^2+y^2=r^2$에 $y=-x+2$를 대입하면
$x^2+(-x+2)^2=r^2$, $2x^2-4x+4-r^2=0$
원과 직선이 접하므로
$\frac{D}{4}=(-2)^2-2(4-r^2)=0$
$2r^2-4=0$, $r^2=2$
$r>0$이므로 $r=\sqrt{2}$

답 $\sqrt{2}$

8

(1) $2x+2y=8$ $\therefore y=-x+4$
(2) $-2x+2y=8$ $\therefore y=x+4$

답 (1) $y=-x+4$ (2) $y=x+4$

대표Q 243쪽~246쪽

대표 Q6

$x^2+y^2+2x=4$를 완전제곱 꼴로 고치면
$(x+1)^2+y^2=5$이므로 중심이 점 $(-1, 0)$이고 반지름의 길이가 $\sqrt{5}$인 원이다.
직선 $x+2y+k=0$과 점 $(-1, 0)$ 사이의 거리를 d라 하면

$$d=\frac{|-1+k|}{\sqrt{1^2+2^2}}=\frac{|k-1|}{\sqrt{5}}$$

(1) $d<\sqrt{5}$일 때, 두 점에서 만나므로
$\frac{|k-1|}{\sqrt{5}}<\sqrt{5}$, $|k-1|<5$
$-5<k-1<5$ $\therefore -4<k<6$

(2) $d=\sqrt{5}$일 때, 접하므로
$\frac{|k-1|}{\sqrt{5}}=\sqrt{5}$, $|k-1|=5$
$k-1=\pm5$ $\therefore k=-4$ 또는 $k=6$

(3) $d>\sqrt{5}$일 때, 만나지 않으므로
$\frac{|k-1|}{\sqrt{5}}>\sqrt{5}$, $|k-1|>5$
$k-1<-5$ 또는 $k-1>5$
$\therefore k<-4$ 또는 $k>6$

답 (1) $-4<k<6$ (2) -4, 6 (3) $k<-4$ 또는 $k>6$

6-1

$x^2+y^2-2y=r^2-1$을 완전제곱 꼴로 고치면
$x^2+(y-1)^2=r^2$이므로 중심이 점 $(0, 1)$이고 반지름의 길이가 r인 원이다.
직선 $y=-2x+4$, 곧 $2x+y-4=0$과 점 $(0, 1)$ 사이의 거리를 d라 하면

$$d=\frac{|1-4|}{\sqrt{2^2+1^2}}=\frac{3}{\sqrt{5}}=\frac{3\sqrt{5}}{5}$$

(1) $d<r$일 때, 두 점에서 만나므로 $r>\frac{3\sqrt{5}}{5}$

(2) $d=r$일 때, 접하므로 $r=\frac{3\sqrt{5}}{5}$

(3) $d>r$일 때, 만나지 않으므로 $r<\frac{3\sqrt{5}}{5}$
$r>0$이므로 $0<r<\frac{3\sqrt{5}}{5}$

답 (1) $r>\frac{3\sqrt{5}}{5}$ (2) $\frac{3\sqrt{5}}{5}$ (3) $0<r<\frac{3\sqrt{5}}{5}$

대표 Q7

(1) $x^2+y^2-2x-8=0$을 완전제곱 꼴로 고치면
$(x-1)^2+y^2=9$이므로 원 C_1은 중심이 점 $O_1(1, 0)$이고 반지름의 길이가 3인 원이다.

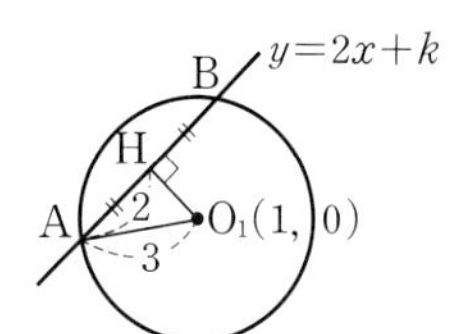

원 C_1과 직선 $y=2x+k$의 두 교점을 A, B, 중심 O_1에서 현 AB에 내린 수선의 발을 H라 하자.
수선 O_1H가 현 AB를 수직이등분하므로 $\overline{AH}=2$
삼각형 AO_1H에서
$\overline{O_1H}=\sqrt{3^2-2^2}=\sqrt{5}$
점 $(1, 0)$과 직선 $2x-y+k=0$ 사이의 거리가 $\sqrt{5}$이므로

$$\frac{|2+k|}{\sqrt{2^2+(-1)^2}}=\sqrt{5},\ |k+2|=5$$

$k+2=\pm5$ $\therefore k=-7$ 또는 $k=3$

(2) 두 원 C_1, C_2의 교점을 지나는 직선의 방정식은
$x^2+y^2-2x-8-(x^2+y^2-6x+2y-14)=0$
$\therefore 2x-y+3=0$

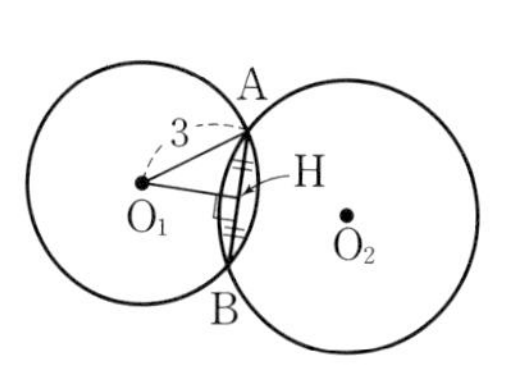

두 원의 교점을 A, B, 중심 O_1에서 현 AB에 내린 수선의 발을 H라 하면 수선 O_1H가 공통현 AB를 수직이등분한다.
점 $O_1(1, 0)$과 직선 $2x-y+3=0$ 사이의 거리는

$$\overline{O_1H}=\frac{|2+3|}{\sqrt{2^2+(-1)^2}}=\frac{5}{\sqrt{5}}=\sqrt{5}$$

삼각형 AO_1H에서
$\overline{AH}=\sqrt{3^2-(\sqrt{5})^2}=2$
따라서 공통현의 길이는
$\overline{AB}=2\overline{AH}=4$

답 (1) -7, 3 (2) 4

7-1

$x^2+y^2+2x-4y-4=0$을 완전제곱 꼴로 고치면
$(x+1)^2+(y-2)^2=9$이므로 중심이 점 $O(-1, 2)$이고 반지름의 길이가 3인 원이다.

원과 직선의 두 교점을 A, B, 중심 O에서 현 AB에 내린 수선의 발을 H라 하자.

삼각형 AOH에서

$\overline{OH}=\sqrt{3^2-2^2}=\sqrt{5}$

점 $(-1,\ 2)$와 직선

$x-y+k=0$ 사이의 거리가 $\sqrt{5}$이므로

$\dfrac{|-1-2+k|}{\sqrt{1^2+(-1)^2}}=\sqrt{5}$, $|k-3|=\sqrt{10}$

$k-3=\pm\sqrt{10}$ $\quad\therefore k=3\pm\sqrt{10}$

답 $3\pm\sqrt{10}$

7-2

(1) 두 원 C_1, C_2의 공통현의 방정식은

$x^2+y^2-5-(x^2+y^2-8x-6y+15)=0$

$\therefore 4x+3y-10=0$

원 C_1의 중심을 점 $O_1(0,\ 0)$, 두 원의 두 교점을 A, B, 중심 O_1에서 현 AB에 내린 수선의 발을 H라 하면

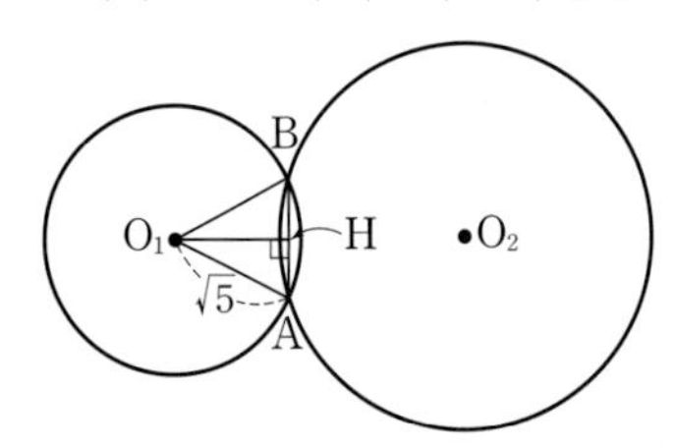

점 $O_1(0,\ 0)$과 직선 $4x+3y-10=0$ 사이의 거리는

$\overline{O_1H}=\dfrac{|-10|}{\sqrt{4^2+3^2}}=2$

삼각형 O_1AH에서

$\overline{AH}=\sqrt{(\sqrt{5})^2-2^2}=1$

공통현의 길이는

$\overline{AB}=2\overline{AH}=2$

(2) 두 원의 교점을 지나는 원 중 넓이가 최소인 것은 공통현을 지름으로 하는 원이고 원의 넓이는

$\pi\times1^2=\pi$

답 (1) 2 (2) π

대표 08

(1) 접선의 방정식을 $y=2x+k$로 놓자.

원의 중심 $C(-1,\ 2)$와 접선 $2x-y+k=0$ 사이의 거리가 반지름의 길이 $2\sqrt{2}$와 같으므로

$\dfrac{|-2-2+k|}{\sqrt{2^2+(-1)^2}}=2\sqrt{2}$, $|k-4|=2\sqrt{10}$

$k-4=\pm2\sqrt{10}$ $\quad\therefore k=4\pm2\sqrt{10}$

$\therefore y=2x+4+2\sqrt{10}$, $y=2x+4-2\sqrt{10}$

다른 풀이

원 C의 방정식에 $y=2x+k$를 대입하면

$(x+1)^2+(2x+k-2)^2=8$

$5x^2+2(2k-3)x+k^2-4k-3=0$

접하므로

$\dfrac{D}{4}=(2k-3)^2-5(k^2-4k-3)=0$

$k^2-8k-24=0$ $\quad\therefore k=4\pm2\sqrt{10}$

$\therefore y=2x+4+2\sqrt{10}$, $y=2x+4-2\sqrt{10}$

(2) 반지름 CA와 접선이 수직이다.

직선 CA는 두 점 $(-1,\ 2)$, $(1,\ 0)$을 지나므로 기울기는 $\dfrac{0-2}{1-(-1)}=-1$이다.

따라서 접선의 기울기는 1이다.

접선의 방정식은

$y=1\times(x-1)$ $\quad\therefore y=x-1$

(3) 접선의 방정식을 $y-1=m(x-2)$로 놓자.

원의 중심 $C(-1,\ 2)$와 접선 사이의 거리가 반지름의 길이 $2\sqrt{2}$이므로

$\dfrac{|-m-2-2m+1|}{\sqrt{m^2+(-1)^2}}=2\sqrt{2}$

$(3m+1)^2=8(m^2+1)$, $m^2+6m-7=0$

$(m+7)(m-1)=0$ $\quad\therefore m=-7$ 또는 $m=1$

$\therefore y=-7x+15$, $y=x-1$

답 (1) $y=2x+4+2\sqrt{10}$, $y=2x+4-2\sqrt{10}$
(2) $y=x-1$ (3) $y=-7x+15$, $y=x-1$

8-1

$C: x^2+y^2+2y-1=0$을 완전제곱 꼴로 고치면

$x^2+(y+1)^2=2$

이므로 중심이 점 $C(0,\ -1)$이고 반지름의 길이가 $\sqrt{2}$이다.

(1) 접선의 방정식을 $y=x+k$로 놓으면

원의 중심 C와 접선 사이의 거리가 반지름의 길이이므로

$\dfrac{|1+k|}{\sqrt{1^2+(-1)^2}}=\sqrt{2}$, $|k+1|=2$

$k+1=\pm2$ $\quad\therefore k=-3$ 또는 $k=1$

$\therefore y=x-3$, $y=x+1$

(2) 반지름 CA와 접선이 수직이다.

직선 CA는 두 점 $(0,\ -1)$, $(1,\ 0)$을 지나므로 기울기는 $\frac{0-(-1)}{1-0}=1$이다.

따라서 접선의 기울기는 -1이다.

접선의 방정식은

$y=-1\times(x-1)\qquad \therefore y=-x+1$

(3) 접선의 방정식을 $y-3=m(x-2)$로 놓자.

원의 중심 $\mathrm{C}(0,\ -1)$과 접선 사이의 거리가 반지름의 길이 $\sqrt{2}$이므로

$\frac{|1-2m+3|}{\sqrt{m^2+(-1)^2}}=\sqrt{2}$

$(2m-4)^2=2(m^2+1)$, $m^2-8m+7=0$

$(m-1)(m-7)=0\qquad \therefore m=1$ 또는 $m=7$

$\therefore y=x+1,\ y=7x-11$

답 (1) $y=x-3,\ y=x+1$ (2) $y=-x+1$ (3) $y=x+1,\ y=7x-11$

대표 09

$C : x^2+y^2+6x-4y+4=0$을 완전제곱 꼴로 고치면

$(x+3)^2+(y-2)^2=9$

이므로 원 C의 중심은 점 $\mathrm{C}(-3,\ 2)$이고 반지름의 길이는 3이다.

(1) $\overline{\mathrm{AC}}=\sqrt{(-6)^2+2^2}=2\sqrt{10}$

$\overline{\mathrm{CP}}=3$

삼각형 APC는 직각삼각형이므로

$\overline{\mathrm{PA}}=\sqrt{(2\sqrt{10})^2-3^2}=\sqrt{31}$

(2) 원 C의 중심에서 직선 $x+y-5=0$에 내린 수선의 발을 H라 하면

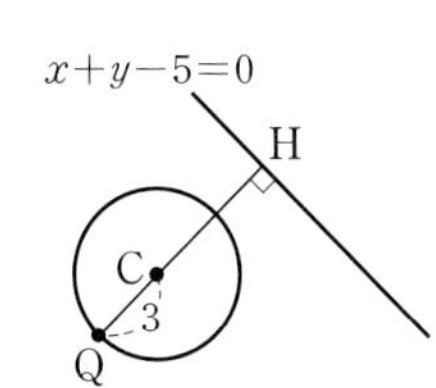

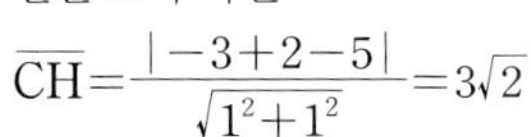

$\overline{\mathrm{CH}}=\frac{|-3+2-5|}{\sqrt{1^2+1^2}}=3\sqrt{2}$

점 Q와 직선 $x+y-5=0$ 사이의 거리의 최댓값은

$\overline{\mathrm{CH}}+r=3+3\sqrt{2}$

답 (1) $\sqrt{31}$ (2) $3+3\sqrt{2}$

9-1

$C : x^2+y^2+2x-4y-4=0$을 완전제곱 꼴로 고치면

$(x+1)^2+(y-2)^2=9$

이므로 원 C의 중심은 점 $\mathrm{C}(-1,\ 2)$이고 반지름의 길이는 3이다.

(1) $\overline{\mathrm{AC}}=\sqrt{(-1)^2+5^2}=\sqrt{26}$

$\overline{\mathrm{CP}}=3$

삼각형 APC는 직각삼각형이므로

$\overline{\mathrm{PA}}=\sqrt{(\sqrt{26})^2-3^2}$

$=\sqrt{17}$

(2) $\angle\mathrm{APC}=90°$이므로 세 점 C, A, P를 지나는 원은 빗변 AC의 중점이 원의 중심이고, 반지름의 길이가

$\frac{1}{2}\overline{\mathrm{AC}}=\frac{\sqrt{26}}{2}$인 원이다.

빗변 AC의 중점은

$\left(\frac{-1+0}{2},\ \frac{2-3}{2}\right)=\left(-\frac{1}{2},\ -\frac{1}{2}\right)$

따라서 원의 방정식은

$\left(x+\frac{1}{2}\right)^2+\left(y+\frac{1}{2}\right)^2=\left(\frac{\sqrt{26}}{2}\right)^2$

$\left(x+\frac{1}{2}\right)^2+\left(y+\frac{1}{2}\right)^2=\frac{13}{2}$

답 (1) $\sqrt{17}$ (2) $\left(x+\frac{1}{2}\right)^2+\left(y+\frac{1}{2}\right)^2=\frac{13}{2}$

9-2

$x^2+y^2-2x+4y+3=0$을 완전제곱 꼴로 고치면

$(x-1)^2+(y+2)^2=2$

따라서 원의 중심은 점 $\mathrm{C}(1,\ -2)$이고 반지름의 길이는 $\sqrt{2}$이다.

직선 AB의 방정식은 $x-y-7=0$이므로 점 C에서 직선 AB에 내린 수선의 발을 H라 하면

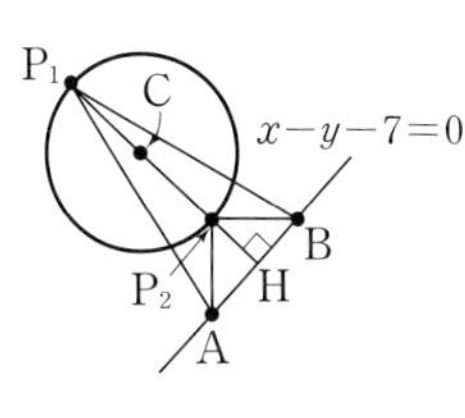

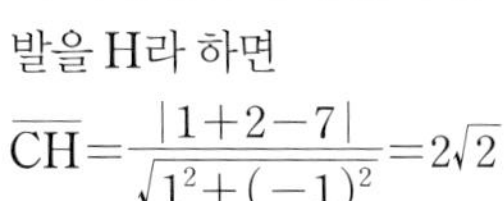

$\overline{\mathrm{CH}}=\frac{|1+2-7|}{\sqrt{1^2+(-1)^2}}=2\sqrt{2}$

$\overline{\mathrm{AB}}=\sqrt{(4-2)^2+(-3+5)^2}=2\sqrt{2}$

(i) $\overline{\mathrm{PH}}$의 길이가 최대일 때, 삼각형 PAB의 넓이가 최대이다. 이때

$\overline{\mathrm{PH}}=\overline{\mathrm{CH}}+r=2\sqrt{2}+\sqrt{2}=3\sqrt{2}$

이므로 넓이는

$\frac{1}{2}\times\overline{\mathrm{AB}}\times\overline{\mathrm{P_1H}}=\frac{1}{2}\times2\sqrt{2}\times3\sqrt{2}=6$

(ii) $\overline{PH}$의 길이가 최소일 때, 삼각형 PAB의 넓이가 최소이다. 이때

$\overline{PH}=\overline{CH}-r=2\sqrt{2}-\sqrt{2}=\sqrt{2}$

이므로 넓이는

$\frac{1}{2}\times\overline{AB}\times\overline{P_2H}=\frac{1}{2}\times2\sqrt{2}\times\sqrt{2}=2$

(i), (ii)에서 넓이의 최댓값은 6, 최솟값은 2

답 최댓값 : 6, 최솟값 : 2

연습과 실전 16 원의 방정식 247쪽~250쪽

01 ① **02** $(3, -2)$
03 $y=-\frac{7}{3}x-\frac{5}{3}$ **04** $(x-1)^2+(y-1)^2=5$
05 $\left(x+\frac{8}{3}\right)^2+\left(y+\frac{25}{9}\right)^2=\frac{625}{81}$, $(x-4)^2+(y+5)^2=25$
06 $x^2+y^2+2y-15=0$ **07** 5
08 ② **09** 8 **10** ①
11 (1) $y=-\frac{1}{2}x+\frac{5}{2}$ (2) $y=2x+5$, $y=2x-5$ (3) $y=-2x+5$, $y=\frac{1}{2}x-\frac{5}{2}$
12 $\sqrt{5}$ **13** $-1\le a<2$ **14** ④ **15** 368π
16 $-4+\sqrt{2}<k<3-\sqrt{2}$ **17** $\left(\frac{3}{2}, -\frac{3}{2}\right)$ **18** $\frac{7}{24}$
19 ④ **20** 4 **21** ⑤

01

원의 방정식은 $x^2+y^2+Ax+By+C=0$ 꼴이므로

$x^2+y^2+3axy-4x+2y+b=0$에서 $a=0$

$x^2+y^2-4x+2y+b=0$에서

$(x-2)^2+(y+1)^2=5-b$

반지름의 길이가 2이므로

$5-b=2^2$, $b=1$

$\therefore a+b=1$

답 ①

02

$x^2+y^2+2(a-2)x-4ay+7a^2-3=0$에서

$(x+a-2)^2+(y-2a)^2=-2a^2-4a+7$

따라서 반지름의 길이를 r라 하면 $r^2=-2a^2-4a+7$이 최대일 때, 원의 넓이가 최대이다.

$r^2=-2(a+1)^2+9$

이므로 $a=-1$일 때 r^2이 최대이고, 원의 중심의 좌표는

$(-a+2, 2a)=(3, -2)$

답 $(3, -2)$

03

두 원의 방정식은

$(x+2)^2+(y-3)^2=16$

$(x-1)^2+(y+4)^2=4$

(−2, 3)
(1, −4)

두 원의 넓이를 동시에 이등분하는 직선은 두 원의 중심인 점 $(-2, 3)$과 점 $(1, -4)$를 지나므로

$y-3=\frac{-4-3}{1-(-2)}\{x-(-2)\}$

$\therefore y=-\frac{7}{3}x-\frac{5}{3}$

답 $y=-\frac{7}{3}x-\frac{5}{3}$

04

원의 중심이 직선 $y=x$ 위에 있으므로 중심의 좌표를 (a, a)로 놓자. 반지름의 길이를 r라 하면

$(x-a)^2+(y-a)^2=r^2$

점 $(0, -1)$을 지나므로 $a^2+(-1-a)^2=r^2$

$\therefore 2a^2+2a+1=r^2$ … ㉠

점 $(3, 2)$를 지나므로 $(3-a)^2+(2-a)^2=r^2$

$\therefore 2a^2-10a+13=r^2$ … ㉡

㉠−㉡을 하면 $12a-12=0$ $\therefore a=1$

㉠에 대입하면 $r^2=5$

$\therefore (x-1)^2+(y-1)^2=5$

답 $(x-1)^2+(y-1)^2=5$

05

중심을 점 (a, b)라 하면 x축에 접하므로 반지름의 길이가 $|b|$이다.

$\therefore (x-a)^2+(y-b)^2=b^2$

점 $(0, -2)$를 지나므로 $a^2+(-2-b)^2=b^2$

$\therefore a^2+4+4b=0$ … ㉠

점 $(-1, -5)$를 지나므로

$(-1-a)^2+(-5-b)^2=b^2$

$\therefore a^2+2a+26+10b=0$ … ㉡

㉠×5−㉡×2를 하면

$3a^2-4a-32=0$, $(3a+8)(a-4)=0$

$\therefore a=-\frac{8}{3}$ 또는 $a=4$

㉠에 대입하면 $a=-\frac{8}{3}$일 때 $b=-\frac{25}{9}$,

$a=4$일 때 $b=-5$

$\therefore \left(x+\frac{8}{3}\right)^2+\left(y+\frac{25}{9}\right)^2=\frac{625}{81}$,

$(x-4)^2+(y+5)^2=25$

답 $\left(x+\frac{8}{3}\right)^2+\left(y+\frac{25}{9}\right)^2=\frac{625}{81}$, $(x-4)^2+(y+5)^2=25$

06

두 원의 교점을 지나는 원의 방정식은

$x^2+y^2+6x-4y+m(x^2+y^2-2x+4y-20)=0$

$\therefore (m+1)x^2+(m+1)y^2+(6-2m)x$
$+(4m-4)y-20m=0$ $\cdots$ ㉠

이 원의 중심이 y축 위에 있으므로 원의 중심의 x좌표는 0이다. 따라서 x의 계수가 0이므로

$6-2m=0$ $\therefore m=3$

㉠에 대입하면 $4x^2+4y^2+8y-60=0$

$\therefore x^2+y^2+2y-15=0$

답 $x^2+y^2+2y-15=0$

07

두 원의 교점을 지나는 직선의 방정식은

$x^2+y^2-3x+ay+5-(x^2+y^2+2x+4y+1)=0$

$\therefore 5x+(4-a)y-4=0$

이 직선이 직선 $x+5y-2=0$과 수직이므로

$5\times1+(4-a)\times5=0$ $\therefore a=5$

답 5

08

$\angle APB=90°$이므로 점 P가 움직이는 도형은 중심이 선분 AB의 중점이고 반지름의 길이가 $\frac{1}{2}\overline{AB}$인 원이다.

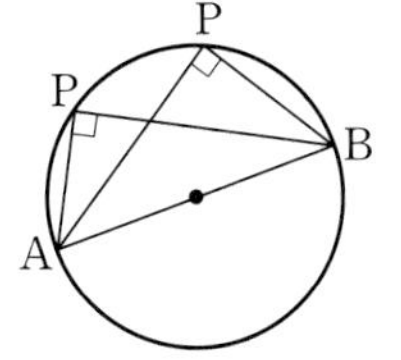

선분 AB의 중점의 좌표는

$\left(\frac{-3+1}{2}, \frac{2+4}{2}\right)=(-1, 3)$

반지름의 길이는

$\frac{1}{2}\overline{AB}=\frac{1}{2}\sqrt{(1+3)^2+(4-2)^2}=\sqrt{5}$

따라서 점 P가 움직이는 도형은 원

$(x+1)^2+(y-3)^2=5$

답 ②

09

원의 중심 $(2, 6)$과 직선 $3x+4y+5=0$ 사이의 거리를 d라 하면

$d=\frac{|3\times2+4\times6+5|}{\sqrt{3^2+4^2}}=7$

원과 직선이 두 점에서 만나면 $d<r$이므로 $7<r$

따라서 양의 정수 r의 최솟값은 8이다.

답 8

10

$x^2+y^2-2x-4y+k=0$에서

$(x-1)^2+(y-2)^2=5-k$

원의 중심은 점 $C(1, 2)$이고 반지름의 길이는 $\sqrt{5-k}$이다.

점 C에서 현 AB에 내린 수선의 발을 H라 하면

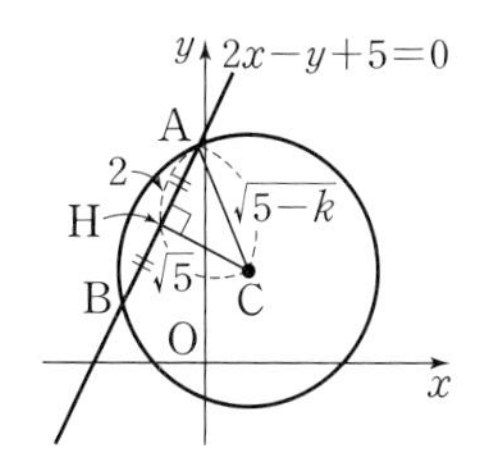

$\overline{AH}=\frac{1}{2}\overline{AB}=2$

$\overline{CH}=\frac{|2\times1-2+5|}{\sqrt{2^2+(-1)^2}}=\sqrt{5}$

$\overline{CA}=\sqrt{5-k}$

이므로 삼각형 AHC에서

$2^2+(\sqrt{5})^2=(\sqrt{5-k})^2$ $\therefore k=-4$

답 ①

11

원의 중심은 점 $O(0, 0)$, 반지름의 길이는 $\sqrt{5}$이다.

(1) 직선 OA의 기울기가 $\frac{2-0}{1-0}=2$이고 직선 OA와 점 A에서의 접선은 수직이므로 접선의 기울기는 $-\frac{1}{2}$이다.

이 접선이 점 $A(1, 2)$를 지나므로

$y-2=-\frac{1}{2}(x-1)$ $\therefore y=-\frac{1}{2}x+\frac{5}{2}$

다른 풀이

공식을 이용하면

$1\times x+2\times y=5$ $\therefore x+2y-5=0$

(2) 접선의 방정식을 $y=2x+n$, 곧 $2x-y+n=0$으로 놓자.

원의 중심 $O(0, 0)$과 접선 사이의 거리가 원의 반지름의 길이 $\sqrt{5}$이므로

$\dfrac{|n|}{\sqrt{2^2+(-1)^2}}=\sqrt{5}$, $\dfrac{|n|}{\sqrt{5}}=\sqrt{5}$, $|n|=5$

$\therefore n=\pm5$

따라서 접선의 방정식은

$y=2x+5$, $y=2x-5$

다른 풀이

공식을 이용하면

$y=2x\pm\sqrt{5}\times\sqrt{2^2+1}$ $\quad\therefore y=2x\pm5$

(3) 접선의 방정식을 $y+1=m(x-3)$, 곧

$mx-y-3m-1=0$으로 놓자.

원의 중심 $O(0, 0)$과 접선 사이의 거리가 원의 반지름의 길이 $\sqrt{5}$이므로

$\dfrac{|-3m-1|}{\sqrt{m^2+(-1)^2}}=\sqrt{5}$

$(3m+1)^2=5(m^2+1)$, $2m^2+3m-2=0$

$(m+2)(2m-1)=0$ $\quad\therefore m=-2$ 또는 $m=\dfrac{1}{2}$

따라서 접선의 방정식은

$y+1=-2(x-3)$, $y+1=\dfrac{1}{2}(x-3)$

$\therefore y=-2x+5$, $y=\dfrac{1}{2}x-\dfrac{5}{2}$

답 (1) $y=-\dfrac{1}{2}x+\dfrac{5}{2}$ (2) $y=2x+5$, $y=2x-5$

(3) $y=-2x+5$, $y=\dfrac{1}{2}x-\dfrac{5}{2}$

12

점 A에서 원에 그은 두 접선의 접점을 각각 P, Q라 하면 두 접선이 이루는 각의 크기가 $60°$이므로 $\angle PAC=\angle QAC=30°$

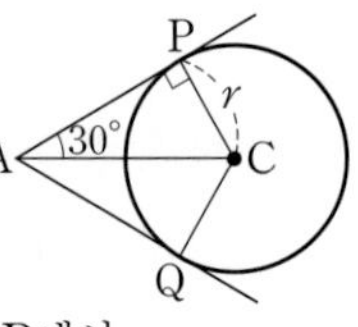

$\angle CPA=90°$이므로 직각삼각형 ACP에서

$\overline{AC}=2\overline{PC}=2r$

원의 중심은 점 $C(1, 0)$이므로

$\overline{AC}=\sqrt{(1+3)^2+(0-2)^2}=2\sqrt{5}$

$2r=2\sqrt{5}$ $\quad\therefore r=\sqrt{5}$

답 $\sqrt{5}$

13 전략 원의 중심에서 좌표축까지의 거리와 반지름의 길이를 비교한다.

$x^2+y^2-4x-2y=a-3$에서

$(x-2)^2+(y-1)^2=a+2$

이므로 중심이 점 $(2, 1)$이고 반지름의 길이가 $\sqrt{a+2}$이다.

(i) 원이 x축과 만나면

$r\geq1$이므로 $\sqrt{a+2}\geq1$

양변을 제곱하면

$a+2\geq1$ $\quad\therefore a\geq-1$

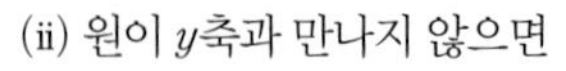

(ii) 원이 y축과 만나지 않으면

$0<r<2$이므로 $0<\sqrt{a+2}<2$

양변을 제곱하면

$0<a+2<4$ $\quad\therefore -2<a<2$

(i), (ii)에서 $-1\leq a<2$

답 $-1\leq a<2$

14 전략 원의 중심에서 현에 내린 수선의 발은 현을 이등분한다.

원의 중심이 직선 $y=-x+5$ 위에 있고, 제1사분면 위의 점이므로 원의 중심을 $C(a, -a+5)$ $(0<a<5)$로 놓을 수 있다.

또 x축에 접하므로 반지름의 길이는 $-a+5$이다.

그림과 같이 y축과 만나 생기는 현을 AB라 하고, 점 C에서 현 AB에 내린 수선의 발을 H라 하면

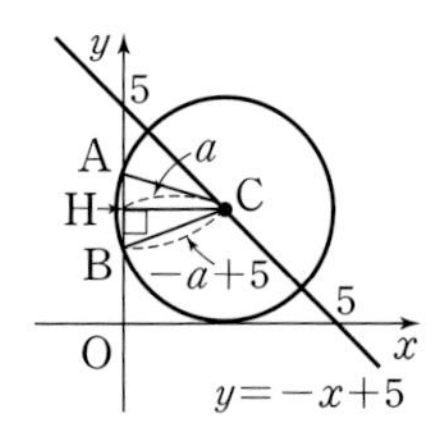

$\overline{CH}=a$, $\overline{BC}=-a+5$

$\overline{BH}=\dfrac{1}{2}\overline{AB}=1$

삼각형 HBC에서

$a^2+1^2=(-a+5)^2$, $10a=24$ $\quad\therefore a=\dfrac{12}{5}$

따라서 반지름의 길이는 $-\dfrac{12}{5}+5=\dfrac{13}{5}$

답 ④

15 전략 외접

➡ (중심 사이의 거리)=(반지름의 길이의 합)

$x^2+y^2+8x-6y+16=0$에서

$(x+4)^2+(y-3)^2=9$

따라서 중심이 점 $(-4, 3)$이고 반지름의 길이가 3인 원이다.

구하는 원의 반지름의 길이를 r라 하면 제2사분면 위에서 x축, y축에 동시에 접하므로 중심은 점 $(-r, r)$이다.

두 원이 외접하면 중심 사이의 거리가 반지름의 길이의 합이므로

$\sqrt{(-r+4)^2+(r-3)^2}=r+3$

$(-r+4)^2+(r-3)^2=(r+3)^2$ $\therefore r^2-20r+16=0$

이 방정식의 두 근을 r_1, r_2라 하면

$r_1+r_2=20$, $r_1r_2=16$

따라서 두 원의 넓이의 합은

$\pi(r_1^2+r_2^2)=\pi\{(r_1+r_2)^2-2r_1r_2\}$

$=\pi(20^2-2\times16)=368\pi$

답 368π

참고 그림과 같이 조건을 만족시키는 원은 2개이다.
또 피타고라스 정리에 의해
$|r-4|^2+|r-3|^2=(r+3)^2$임을 이용할 수도 있다.

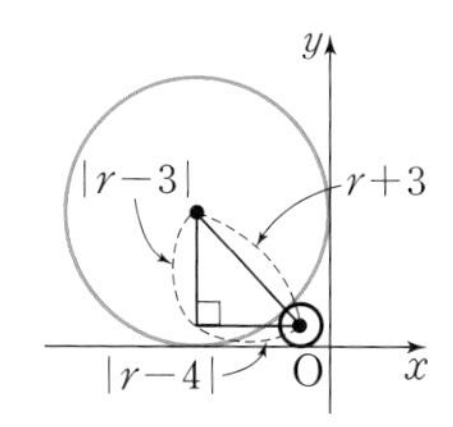

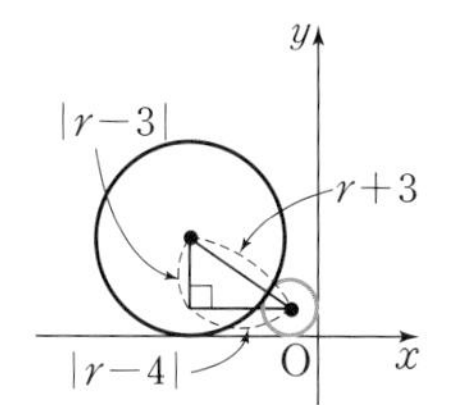

16 전략 기울기가 1인 직선이 각 원과 접하는 경우를 먼저 생각한다.

(i) 직선 $y=x+k$가 원 $x^2+(y-3)^2=1$에 접할 때, 원의 중심인 점 $(0,\ 3)$과 직선 $x-y+k=0$ 사이의 거리가 반지름의 길이 1이므로

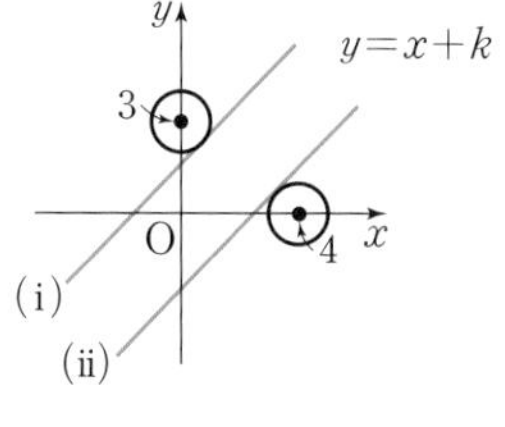

$\dfrac{|-3+k|}{\sqrt{1^2+(-1)^2}}=1$

$|-3+k|=\sqrt{2}$ $\therefore k=3\pm\sqrt{2}$

이 중 두 원 사이에서 접하는 경우는 $k=3-\sqrt{2}$

(ii) 직선 $y=x+k$가 원 $(x-4)^2+y^2=1$에 접할 때, 원의 중심인 점 $(4,\ 0)$과 직선 $x-y+k=0$ 사이의 거리가 반지름의 길이 1이므로

$\dfrac{|4+k|}{\sqrt{1^2+(-1)^2}}=1$, $|4+k|=\sqrt{2}$ $\therefore k=-4\pm\sqrt{2}$

이 중 두 원 사이에서 접하는 경우는 $k=-4+\sqrt{2}$

(i), (ii)에서 $-4+\sqrt{2}<k<3-\sqrt{2}$

답 $-4+\sqrt{2}<k<3-\sqrt{2}$

참고 접할 때 k의 값은 판별식을 이용하여 구할 수도 있다.

17 전략 교점을 이은 선분의 중점은 두 원의 중심을 지나는 직선 위에 있다.

두 원의 교점을 이은 선분을 포함하는 직선은 두 원의 교점을 지나므로 이 직선의 방정식은

$(x^2+y^2-8)-(x^2+y^2-4x+4y+4)=0$

$\therefore x-y-3=0$ ⋯ ㉠

또 두 원의 중심이 각각 점 $(0,\ 0)$, $(2,\ -2)$이므로 두 원의 중심을 지나는 직선의 방정식은

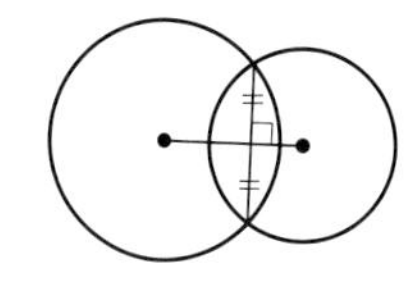

$y=\dfrac{-2-0}{2-0}x$

$\therefore y=-x$ ⋯ ㉡

곧, 두 원의 교점을 이은 선분의 중점은 직선 ㉠, ㉡의 교점이므로 두 식을 연립하여 풀면 $x=\dfrac{3}{2}$, $y=-\dfrac{3}{2}$

따라서 구하는 점의 좌표는 $\left(\dfrac{3}{2},\ -\dfrac{3}{2}\right)$

답 $\left(\dfrac{3}{2},\ -\dfrac{3}{2}\right)$

18 전략 $P(a,\ b)$라 하고, P가 원 위의 점이고 $\overline{OP}=3$임을 이용하여 점 P의 좌표를 구한다.

$P(a,\ b)$라 하면 점 P가 원 C 위의 점이므로

$a^2+b^2-5a=0$ ⋯ ㉠

또 $\overline{OP}=3$이므로

$a^2+b^2=3^2$ ⋯ ㉡

㉠, ㉡을 연립하여 풀면 $a=\dfrac{9}{5}$, $b=\pm\dfrac{12}{5}$

점 P는 제1사분면 위의 점이므로 $b=\dfrac{12}{5}$

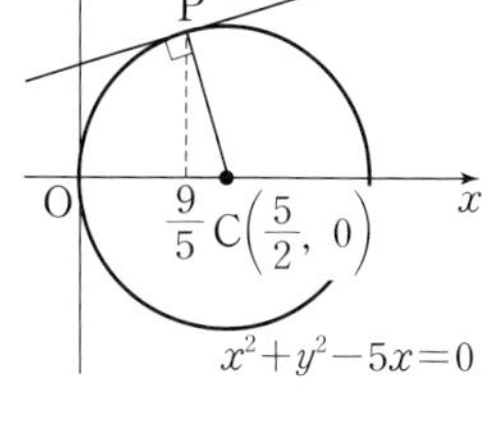

$\therefore P\left(\dfrac{9}{5},\ \dfrac{12}{5}\right)$

또 $x^2+y^2-5x=0$에서

$\left(x-\dfrac{5}{2}\right)^2+y^2=\left(\dfrac{5}{2}\right)^2$

이므로 이 원은 중심이 점 $C\left(\dfrac{5}{2},\ 0\right)$이다.

따라서 직선 CP의 기울기는

$\dfrac{\frac{12}{5}}{\frac{9}{5}-\frac{5}{2}}=-\dfrac{24}{7}$

접점 P에서의 반지름은 접선과 수직이므로 점 P에서의 접선의 기울기는 $\dfrac{7}{24}$이다.

답 $\dfrac{7}{24}$

19 **전략** 원의 접선은 접점을 지나는 원의 반지름과 수직이다.

$P(a, 0)$이라 하자.

원 C_1은 중심이 점 $O(0, 0)$이고 반지름의 길이가 1이다.

$x^2+y^2-8x+6y+21=0$을 완전제곱 꼴로 고치면

$(x-4)^2+(y+3)^2=4$이므로 원 C_2는 중심이 점

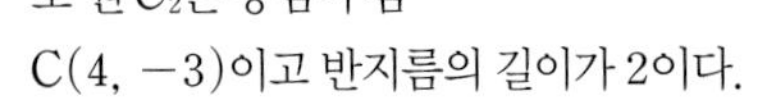

$C(4, -3)$이고 반지름의 길이가 2이다.

$\angle PQO=\angle PRC=90^\circ$이므로

직각삼각형 PQO에서

$\overline{PQ}^2=\overline{OP}^2-\overline{OQ}^2=a^2-1$

직각삼각형 PRC에서

$\overline{PR}^2=\overline{PC}^2-\overline{RC}^2=\{(4-a)^2+(-3)^2\}-2^2$

$=a^2-8a+21$

$\overline{PQ}=\overline{PR}$에서 $\overline{PQ}^2=\overline{PR}^2$이므로

$a^2-1=a^2-8a+21$, $8a=22$ $\quad\therefore a=\frac{11}{4}$

따라서 점 P의 x좌표는 $\frac{11}{4}$이다.

답 ④

20 **전략** 교점을 이은 선분의 길이가 최대일 때는 교점을 이은 선분이 작은 원의 지름인 경우이다.

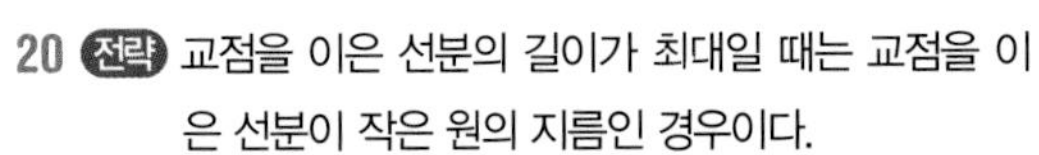

두 원의 교점을 이은 선분을 포함하는 직선의 방정식은

$x^2+y^2-20-\{(x-a)^2+y^2-4\}=0$

$x^2+y^2-20-(x^2-2ax+a^2+y^2-4)=0$

$\therefore 2ax-a^2-16=0$ $\quad\cdots$ ㉠

두 원 중 반지름의 길이가 작은 원 $(x-a)^2+y^2=4$의 중심 $(a, 0)$이 교점을 이은 선분 위에 있을 때, 교점을 이은 선분의 길이가 최대이다.

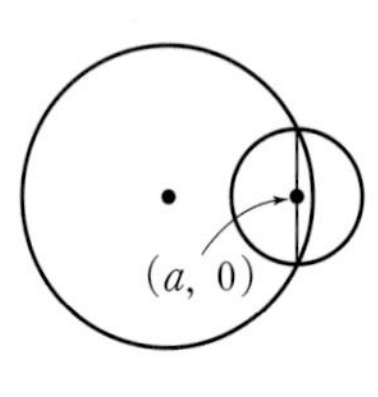

점 $(a, 0)$이 직선 ㉠ 위의 점이므로

$2a^2-a^2-16=0$, $a^2=16$

$a>0$이므로 $a=4$

답 4

21 **전략** $P(a, b)$, $\triangle PAB$의 무게중심을 $G(x, y)$로 놓고 a, b와 x, y의 관계부터 구한다.

$P(a, b)$로 놓으면 삼각형 PAB의 무게중심의 좌표는

$G\left(\frac{a+4+1}{3}, \frac{b+3+7}{3}\right)=G\left(\frac{a+5}{3}, \frac{b+10}{3}\right)$

따라서 무게중심을 $G(x, y)$라 하면

$x=\frac{a+5}{3}$, $y=\frac{b+10}{3}$

$\therefore a=3x-5$, $b=3y-10$ $\quad\cdots$ ㉠

점 P는 원 C 위의 점이므로

$(a-1)^2+(b-2)^2=4$

㉠을 대입하면 $(3x-6)^2+(3y-12)^2=4$

$\therefore (x-2)^2+(y-4)^2=\left(\frac{2}{3}\right)^2$

곧, 점 G는 중심이 점 $C_1(2, 4)$이고 반지름의 길이가 $\frac{2}{3}$인 원 위를 움직인다.

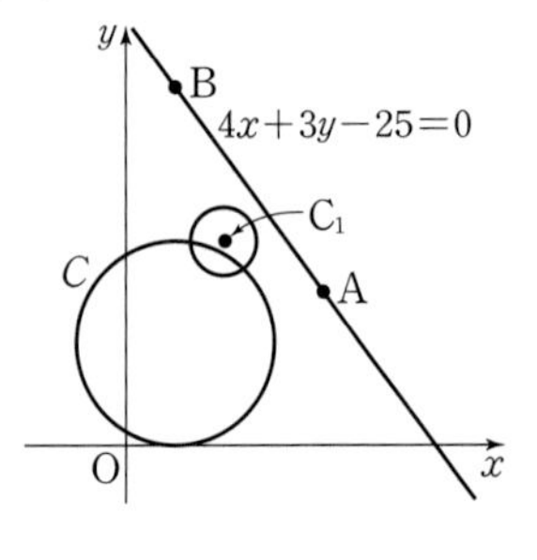

따라서 점 G와 직선 AB 사이의 거리의 최솟값은 원의 중심 C_1과 직선 AB 사이의 거리에서 반지름의 길이 $\frac{2}{3}$를 뺀 값이다.

직선 AB의 방정식은

$y-3=\frac{7-3}{1-4}(x-4)$ $\quad\therefore 4x+3y-25=0$

점 C_1과 직선 AB 사이의 거리는

$\frac{|4\times2+3\times4-25|}{\sqrt{4^2+3^2}}=1$

따라서 최솟값은 $1-\frac{2}{3}=\frac{1}{3}$

답 ⑤

도형의 이동

개념 Check
252쪽~255쪽

1

x축 방향으로 -2만큼, y축 방향으로 -1만큼 평행이동하면

(1) $(0, 0) \longrightarrow (0-2, 0-1)$ $\quad \therefore (-2, -1)$

(2) $(2, 1) \longrightarrow (2-2, 1-1)$ $\quad \therefore (0, 0)$

(3) $x^2+y^2=3$의 x에 $x+2$, y에 $y+1$을 대입하면
$(x+2)^2+(y+1)^2=3$

답 (1) $(-2, -1)$ (2) $(0, 0)$
(3) $(x+2)^2+(y+1)^2=3$

2

(1) 점 $(-2, 3)$을
x축에 대칭이동하면
$(-2, -3)$
y축에 대칭이동하면 $(2, 3)$
원점에 대칭이동하면
$(2, -3)$

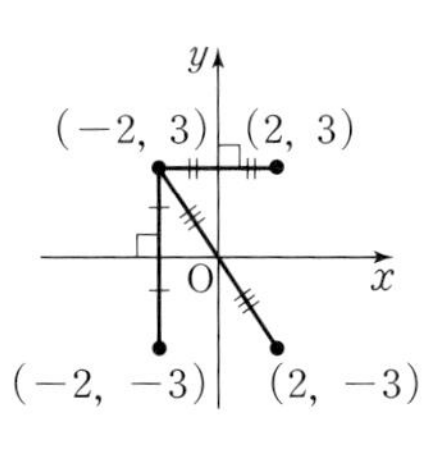

(2) (i) x축에 대칭이동
$x+2y-3=0$의 x에 x, y에 $-y$를 대입하면
$x+2(-y)-3=0$ $\quad \therefore x-2y-3=0$

(ii) y축에 대칭이동
$x+2y-3=0$의 x에 $-x$, y에 y를 대입하면
$-x+2y-3=0$ $\quad \therefore x-2y+3=0$

(iii) 원점에 대칭이동
$x+2y-3=0$의 x에 $-x$, y에 $-y$를 대입하면
$-x+2(-y)-3=0$ $\quad \therefore x+2y+3=0$

답 (1) x축 : $(-2, -3)$, y축 : $(2, 3)$, 원점 : $(2, -3)$
(2) x축 : $x-2y-3=0$, y축 : $x-2y+3=0$,
원점 : $x+2y+3=0$

3

(1) 점 $(-2, 3)$을
직선 $y=x$에 대칭이동하면 $(3, -2)$
직선 $y=-x$에 대칭이동하면 $(-3, 2)$

(2) (i) 직선 $y=x$에 대칭이동
$x+2y-3=0$의 x에 y, y에 x를 대입하면
$y+2x-3=0$ $\quad \therefore 2x+y-3=0$

(ii) 직선 $y=-x$에 대칭이동
$x+2y-3=0$의 x에 $-y$, y에 $-x$를 대입하면
$-y+2(-x)-3=0$ $\quad \therefore 2x+y+3=0$

답 (1) 직선 $y=x$: $(3, -2)$, 직선 $y=-x$: $(-3, 2)$
(2) 직선 $y=x$: $2x+y-3=0$,
직선 $y=-x$: $2x+y+3=0$

4

점 $\mathrm{P}(4, -1)$을 대칭이동한 점을 $\mathrm{P}'(a, b)$라 하자.

(1) 선분 PP'의 중점이
$(1, -2)$이므로
$\dfrac{4+a}{2}=1$, $\dfrac{-1+b}{2}=-2$
$\therefore a=-2, b=-3$
$\therefore (-2, -3)$

(2) 점 P'의 x좌표가 같으므로
$a=4$
선분 PP'의 중점의 y좌표가
1이므로
$\dfrac{-1+b}{2}=1$, $b=3$
$\therefore (4, 3)$

답 (1) $(-2, -3)$ (2) $(4, 3)$

대표Q
256쪽~261쪽

대표 Q1

점 $(2, 3)$을 점 $(4, 0)$으로 옮기는 평행이동은
$(x, y) \longrightarrow (x+2, y-3)$

(1) 구하는 점의 좌표를 (a, b)라 하면
점 $(a+2, b-3)$이 원점 $(0, 0)$이므로
$a+2=0$, $b-3=0$ $\quad \therefore a=-2, b=3$
$\therefore (-2, 3)$

(2) $2x+3y-1=0$의 x에 $x-2$, y에 $y+3$을 대입하면
$2(x-2)+3(y+3)-1=0$
$\therefore 2x+3y+4=0$

(3) $x^2+y^2-4x+2y+1=0$을 완전제곱 꼴로 고치면
$(x-2)^2+(y+1)^2=4$
이 식의 x에 $x-2$, y에 $y+3$을 대입하면

$(x-2-2)^2+(y+3+1)^2=4$

$\therefore (x-4)^2+(y+4)^2=4$

답 (1) $(-2, 3)$ (2) $2x+3y+4=0$
(3) $(x-4)^2+(y+4)^2=4$

1-1

$(a, 3) \longrightarrow (a-2, 3+b)$이고,
평행이동한 점의 좌표가 $(1, 1)$이므로
$a-2=1$, $3+b=1$ $\quad \therefore a=3$, $b=-2$
따라서 주어진 평행이동은 x축 방향으로 -2만큼, y축 방향으로 -2만큼 옮기는 평행이동이다.

(1) $(0, 0) \longrightarrow (0-2, 0-2)$ $\quad \therefore (-2, -2)$

(2) $2x-y-1=0$의 x에 $x+2$, y에 $y+2$를 대입하면
$2(x+2)-(y+2)-1=0$
$\therefore 2x-y+1=0$

(3) $x^2+y^2-6x+2y+1=0$을 완전제곱 꼴로 고치면
$(x-3)^2+(y+1)^2=9$
따라서 이 식의 x에 $x+2$, y에 $y+2$를 대입하면
$(x+2-3)^2+(y+2+1)^2=9$
$\therefore (x-1)^2+(y+3)^2=9$

답 (1) $(-2, -2)$ (2) $2x-y+1=0$
(3) $(x-1)^2+(y+3)^2=9$

1-2

$y=x^2+3x$의 x에 $x-1$, y에 $y-n$을 대입하면
$y-n=(x-1)^2+3(x-1)$
$\therefore y=x^2+x-2+n$
이 식이 $y=x^2+ax+2$와 일치하므로
$a=1$, $n=4$

답 $a=1$, $n=4$

대표 02

$x^2+y^2+2x-4y-4=0$을 완전제곱 꼴로 고치면
$(x+1)^2+(y-2)^2=9$
곧, 중심이 점 $\mathrm{C}(-1, 2)$, 반지름의 길이가 3인 원이다.
따라서 중심이 점 C를 대칭이동한 점 $\mathrm{C}'(a', b')$이고 반지름의 길이가 3인 원을 구하면 된다.

(1) 점 C를 x축에 대칭이동하면 점 $\mathrm{C}'(-1, -2)$이므로
$(x+1)^2+(y+2)^2=9$

(2) 점 C를 원점에 대칭이동하면 점 $\mathrm{C}'(1, -2)$이므로
$(x-1)^2+(y+2)^2=9$

(3) 점 C를 직선 $y=x$에 대칭이동하면 점 $\mathrm{C}'(2, -1)$이므로
$(x-2)^2+(y+1)^2=9$

(4) 선분 CC'의 중점이 $\mathrm{A}(1, -1)$이므로
$\dfrac{-1+a'}{2}=1$, $\dfrac{2+b'}{2}=-1$
$\therefore a'=3$, $b'=-4$
곧, $\mathrm{C}'(3, -4)$이므로
$(x-3)^2+(y+4)^2=9$

(5) 선분 CC'의 중점의 x좌표가 -3이므로
$\dfrac{-1+a'}{2}=-3$
$\therefore a'=-5$
두 점 C, C′의 y좌표가 같으므로 $b'=2$
곧, $\mathrm{C}'(-5, 2)$이므로
$(x+5)^2+(y-2)^2=9$

답 (1) $(x+1)^2+(y+2)^2=9$
(2) $(x-1)^2+(y+2)^2=9$
(3) $(x-2)^2+(y+1)^2=9$
(4) $(x-3)^2+(y+4)^2=9$
(5) $(x+5)^2+(y-2)^2=9$

2-1

$x^2+y^2-6x+5=0$을 완전제곱 꼴로 고치면
$(x-3)^2+y^2=4$
곧, 중심이 점 $\mathrm{C}(3, 0)$, 반지름의 길이가 2인 원이다.
따라서 중심이 점 C를 대칭이동한 점 $\mathrm{C}'(a, b)$이고 반지름의 길이가 2인 원을 구하면 된다.

(1) 점 C를 x축에 대칭이동하면 점 $\mathrm{C}'(3, 0)$이므로
$(x-3)^2+y^2=4$

(2) 점 C를 y축에 대칭이동하면 점 $\mathrm{C}'(-3, 0)$이므로
$(x+3)^2+y^2=4$

(3) 점 C를 직선 $y=x$에 대칭이동하면 점 $\mathrm{C}'(0, 3)$이므로
$x^2+(y-3)^2=4$

(4) 점 C를 직선 $y=-x$에 대칭이동하면 점 $\mathrm{C}'(0, -3)$이므로
$x^2+(y+3)^2=4$

(5) 선분 CC′의 중점이 A(4, 2)이므로

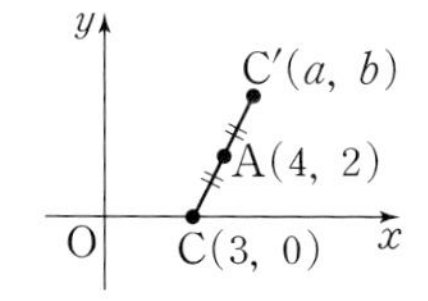

$\dfrac{3+a}{2}=4$, $\dfrac{0+b}{2}=2$

$\therefore a=5, b=4$

C′(5, 4)이므로 $(x-5)^2+(y-4)^2=4$

(6) 선분 CC′의 중점의 y좌표가 2이므로

$\dfrac{0+b}{2}=2 \quad \therefore b=4$

두 점 C, C′의 x좌표가 같으므로 $a=3$

C′(3, 4)이므로 $(x-3)^2+(y-4)^2=4$

답 (1) $(x-3)^2+y^2=4$ (2) $(x+3)^2+y^2=4$
(3) $x^2+(y-3)^2=4$ (4) $x^2+(y+3)^2=4$
(5) $(x-5)^2+(y-4)^2=4$
(6) $(x-3)^2+(y-4)^2=4$

대표 03

(1) $y=2x^2-4x+3$의 x에 x, y에 $-y$를 대입하면

$-y=2x^2-4x+3$

$\therefore y=-2x^2+4x-3$

(2) $y=2x^2-4x+3$의 x에 $-x$, y에 y를 대입하면

$y=2\times(-x)^2-4\times(-x)+3$

$\therefore y=2x^2+4x+3$

(3) $y=2x^2-4x+3$의 x에 $-x$, y에 $-y$를 대입하면

$-y=2\times(-x)^2-4\times(-x)+3$

$\therefore y=-2x^2-4x-3$

(4) $y=2x^2-4x+3=2(x-1)^2+1$

이므로 꼭짓점의 좌표가 (1, 1)인 포물선이다.

따라서 포물선을 직선 $y=-1$에 대칭이동하면 그림과 같이 꼭짓점의 좌표가 (1, −3)이고, 그래프의 폭은 변하지 않으므로

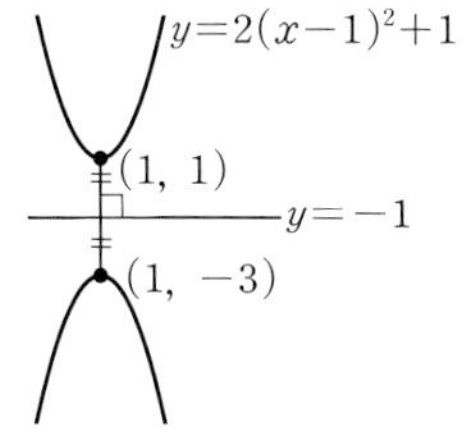

$y=-2(x-1)^2-3$

답 (1) $y=-2x^2+4x-3$ (2) $y=2x^2+4x+3$
(3) $y=-2x^2-4x-3$ (4) $y=-2(x-1)^2-3$

3-1

직선 $x+2y+3=0$의 x에 $-x$, y에 y를 대입하면

$-x+2y+3=0 \quad \therefore x-2y-3=0$

이 식이 $ax+by-3=0$과 일치하므로 $a=1$, $b=-2$

답 $a=1$, $b=-2$

3-2

직선 $2x-y+2=0$을 원점에 대칭이동하면

$2\times(-x)-(-y)+2=0$

$\therefore 2x-y-2=0 \quad \cdots ㉠$

직선 $2x-y+2=0$을 x축 방향으로 m만큼, y축 방향으로 $-2m$만큼 평행이동하면

$2(x-m)-(y+2m)+2=0$

$\therefore 2x-y-4m+2=0 \quad \cdots ㉡$

㉠, ㉡이 일치하므로 $-4m+2=-2 \quad \therefore m=1$

답 1

3-3

(1) $y=-x^2+4x+2$의 x에 x, y에 $-y$를 대입하면

$-y=-x^2+4x+2 \quad \therefore y=x^2-4x-2$

(2) $y=-x^2+4x+2$의 x에 $-x$, y에 y를 대입하면

$y=-(-x)^2+4\times(-x)+2$

$\therefore y=-x^2-4x+2$

(3) $y=-x^2+4x+2=-(x-2)^2+6$

이므로 꼭짓점의 좌표가 (2, 6)인 포물선이다.

따라서 포물선을 직선 $y=2$에 대칭이동하면 그림과 같이 꼭짓점의 좌표가 (2, −2)이고, 포물선의 폭은 변하지 않으므로

$y=(x-2)^2-2$

답 (1) $y=x^2-4x-2$ (2) $y=-x^2-4x+2$
(3) $y=(x-2)^2-2$

대표 04

점 B를 직선 $y=x$에 대칭이동한 점을 B′이라 하면

$\overline{PB}=\overline{PB'}$이므로

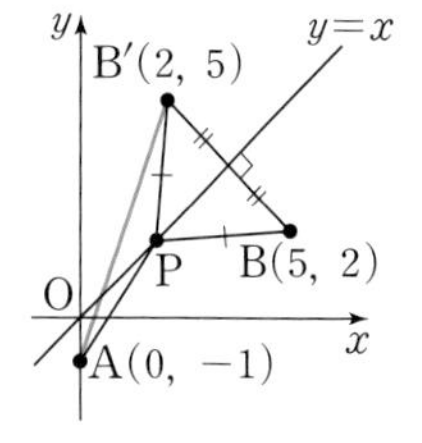

$\overline{PA}+\overline{PB}=\overline{PA}+\overline{PB'}$

$\geq \overline{AB'}$

B′(2, 5)이므로

$\overline{PA}+\overline{PB}$의 최솟값은

$\overline{AB'}=\sqrt{(2-0)^2+(5+1)^2}$

$=2\sqrt{10}$

이때 점 P는 직선 $y=x$와 $\overline{AB'}$의 교점이다.

직선 AB′의 방정식은

$y+1=\dfrac{5-(-1)}{2-0}(x-0)$ $\therefore y=3x-1$

이 식을 $y=x$와 연립하여 풀면

$x=\dfrac{1}{2}$, $y=\dfrac{1}{2}$ $\therefore \mathrm{P}\left(\dfrac{1}{2}, \dfrac{1}{2}\right)$

답 최솟값 : $2\sqrt{10}$, $\mathrm{P}\left(\dfrac{1}{2}, \dfrac{1}{2}\right)$

4-1

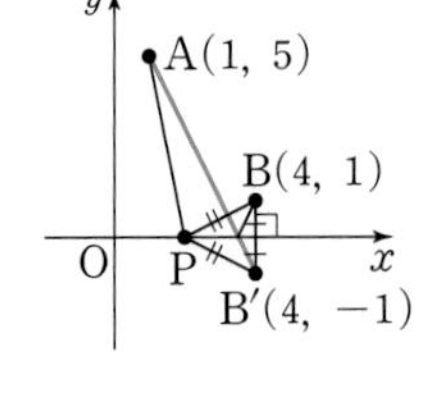

점 B를 x축에 대칭이동한 점을 B′이라 하면

$\overline{\mathrm{PB}}=\overline{\mathrm{PB'}}$이므로

$\overline{\mathrm{PA}}+\overline{\mathrm{PB}}=\overline{\mathrm{PA}}+\overline{\mathrm{PB'}}\geq\overline{\mathrm{AB'}}$

$\mathrm{B'}(4, -1)$이므로 $\overline{\mathrm{PA}}+\overline{\mathrm{PB}}$의 최솟값은

$\overline{\mathrm{AB'}}=\sqrt{(4-1)^2+(-1-5)^2}=3\sqrt{5}$

이때 점 P는 $\overline{\mathrm{AB'}}$과 x축의 교점이다.

직선 AB′의 방정식은

$y-5=\dfrac{-1-5}{4-1}(x-1)$ $\therefore y=-2x+7$

$y=0$을 대입하면 $x=\dfrac{7}{2}$ $\therefore \mathrm{P}\left(\dfrac{7}{2}, 0\right)$

답 최솟값 : $3\sqrt{5}$, $\mathrm{P}\left(\dfrac{7}{2}, 0\right)$

4-2

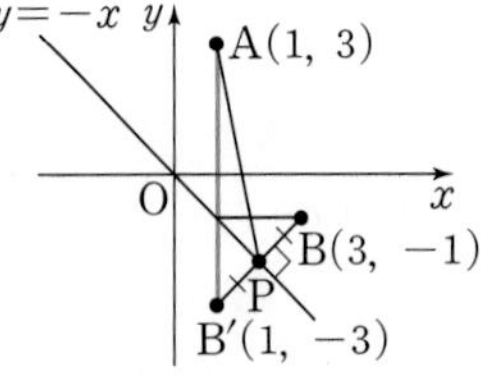

점 B를 직선 $y=-x$에 대칭이동한 점을 B′이라 하면

$\overline{\mathrm{PB}}=\overline{\mathrm{PB'}}$이므로

$\overline{\mathrm{PA}}+\overline{\mathrm{PB}}=\overline{\mathrm{PA}}+\overline{\mathrm{PB'}}$
$\geq\overline{\mathrm{AB'}}$

$\mathrm{B'}(1, -3)$이므로

$\overline{\mathrm{PA}}+\overline{\mathrm{PB}}$의 최솟값은

$\overline{\mathrm{AB'}}=\sqrt{(1-1)^2+(-3-3)^2}=6$

답 6

대표 05

(1) $y=f(x)$의 x에 $x+1$, y에 $y-2$를 대입한 꼴이므로 $y=f(x)$의 그래프를 x축 방향으로 -1만큼, y축 방향으로 2만큼 평행이동한다.
따라서 그래프는 그림과 같다.

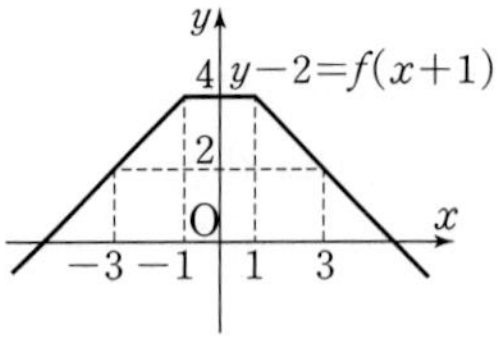

(2) $-y=f(x)$이므로 $y=f(x)$의 y에 $-y$를 대입한 꼴이다.
곧, $y=f(x)$의 그래프를 x축에 대칭이동한다.
따라서 그래프는 그림과 같다.

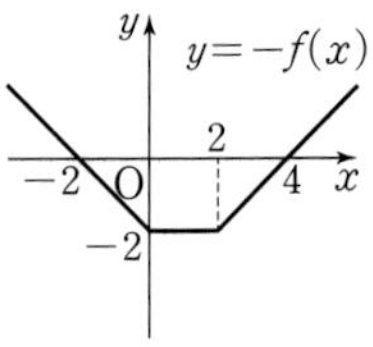

(3) $f(x)\geq 0$일 때, $y=f(x)$
$f(x)<0$일 때, $y=-f(x)$
이므로 $y\geq 0$인 부분은 그대로 두고, $y<0$인 부분만 x축에 대칭이동한 그래프를 그린다.
따라서 그래프는 그림과 같다.

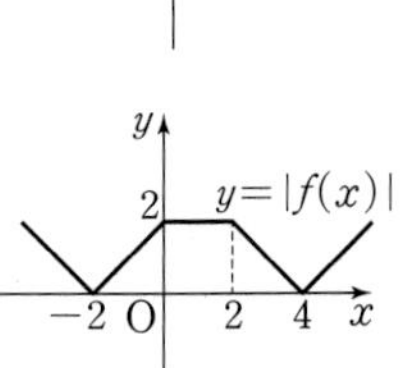

(4) x와 y가 바뀐 꼴이므로 $y=f(x)$의 그래프를 직선 $y=x$에 대칭이동한다.
따라서 그래프는 그림과 같다.

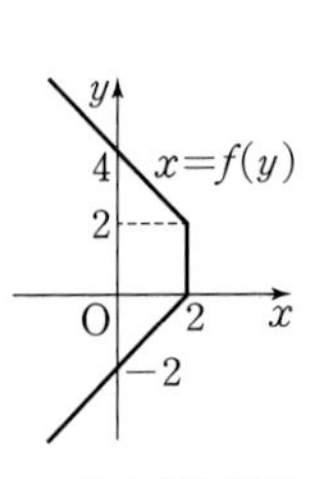

답 풀이 참조

5-1

(1) $y=f(x)$의 x에 $x-2$, y에 $y-1$을 대입한 꼴이므로 $y=f(x)$의 그래프를 x축 방향으로 2만큼, y축 방향으로 1만큼 평행이동한다.
따라서 그래프는 그림과 같다.

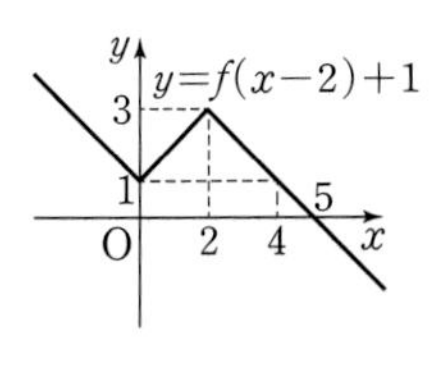

(2) $y=f(x)$의 x에 $-x$를 대입한 꼴이므로 $y=f(x)$의 그래프를 y축에 대칭이동한다.
따라서 그래프는 그림과 같다.

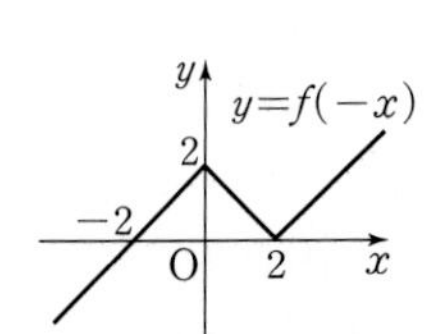

(3) $f(x)\geq 0$일 때, $y=f(x)$
$f(x)<0$일 때, $y=-f(x)$
이므로 $y\geq 0$인 부분은 그대로 두고, $y<0$인 부분만 x축에 대칭이동한 그래프를 그린다. 따라서 그래프는 그림과 같다.

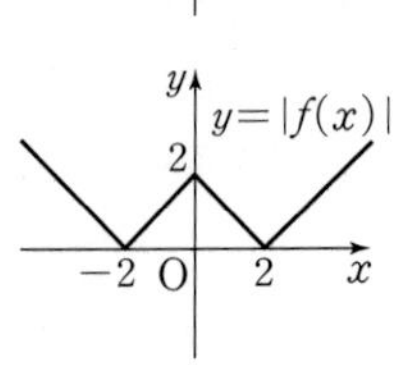

(4) x와 y가 바뀐 꼴이므로 $y=f(x)$의 그래프를 직선 $y=x$에 대칭이동한다.
따라서 그래프는 그림과 같다.

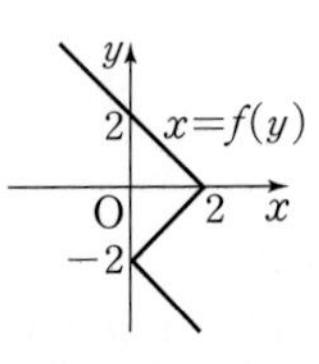

답 풀이 참조

날선 Q6

(1) 도형 C를 생각하면

(i) A → C : 직선 $y=x$에 대칭이동

(ii) C → B : x축 방향으로 1만큼 평행이동

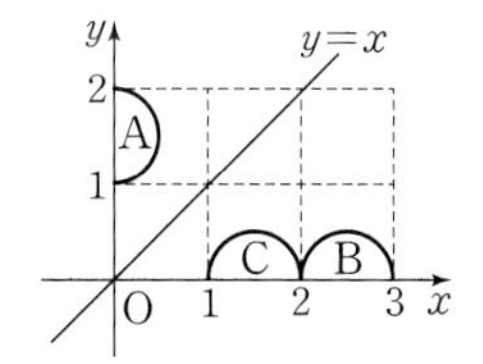

따라서 도형 A를 직선 $y=x$에 대칭이동한 다음 x축 방향으로 1만큼 평행이동하면 도형 B가 된다.

직선 $y=x$에 대칭이동하면 x에 y, y에 x를 대입해야 하므로

$f(y, x)=0$

x축 방향으로 1만큼 평행이동하면 x에 $x-1$을 대입해야 하므로

$f(y, x-1)=0$

$\therefore a=0, b=-1$

다른 풀이

그림과 같이 도형 D를 생각할 수도 있다.

(i) A → D : y축 방향으로 1만큼 평행이동

(ii) D → B : 직선 $y=x$에 대칭이동

따라서 도형 A를 y축 방향으로 1만큼 평행이동한 다음 직선 $y=x$에 대칭이동하면 도형 B가 된다.

y축 방향으로 1만큼 평행이동하면 y에 $y-1$을 대입해야 하므로

$f(x, y-1)=0$

직선 $y=x$에 대칭이동하면 x에 y, y에 x를 대입해야 하므로

$f(y, x-1)=0$

$\therefore a=0, b=-1$

(2) $f(x, y)=0$에서

$f(y, x)=0$: x에 y, y에 x를 대입한 꼴이므로 직선 $y=x$에 대칭이동(E)

$f(y+1, x)=0$: y에 $y+1$을 대입한 꼴이므로 y축 방향으로 -1만큼 평행이동(F)

$f(y+1, -x)=0$: x에 $-x$를 대입한 꼴이므로 y축에 대칭이동(G)

따라서 구하는 도형은 그림에서 도형 G이다.

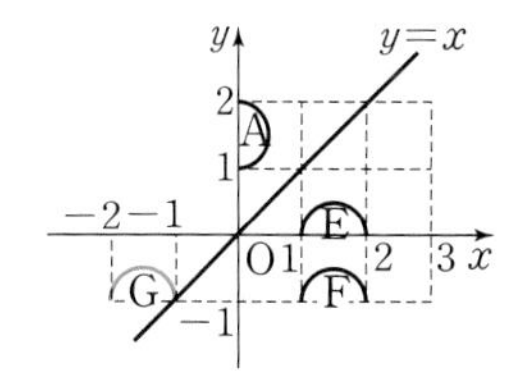

답 (1) $a=0$, $b=-1$ (2) 풀이 참조

6-1

(1) 도형 A를 x축 방향으로 -1만큼 평행이동한 다음 직선 $y=x$에 대칭이동하면 도형 B가 된다.

x축 방향으로 -1만큼 평행이동하면 x에 $x+1$을 대입해야 하므로

$f(x+1, y)=0$

직선 $y=x$에 대칭이동하면 x에 y, y에 x를 대입해야 하므로

$f(y+1, x)=0$ $\therefore a=1, b=0$

다른 풀이

도형 A를 직선 $y=x$에 대칭이동한 다음 y축 방향으로 -1만큼 평행이동해도 된다.

직선 $y=x$에 대칭이동하면 x에 y, y에 x를 대입해야 하므로

$f(y, x)=0$

y축 방향으로 -1만큼 평행이동하면 y에 $y+1$을 대입해야 하므로

$f(y+1, x)=0$ $\therefore a=1, b=0$

(2) $f(x, y)=0$에서

$f(x+1, y-1)=0$: x에 $x+1$, y에 $y-1$을 대입한 꼴이므로 x축 방향으로 -1만큼, y축 방향으로 1만큼 평행이동(C)

$f(-x+1, y-1)=0$: x에 $-x$를 대입한 꼴이므로 y축에 대칭이동(D)

$f(-y+1, x-1)=0$: x에 y, y에 x를 대입한 꼴이므로 직선 $y=x$에 대칭이동(E)

따라서 구하는 도형은 그림에서 도형 E이다.

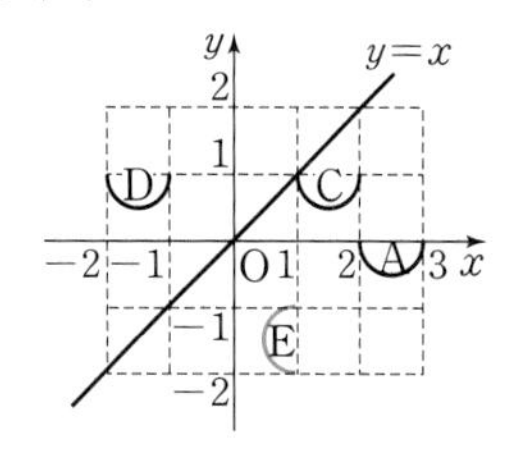

답 (1) $a=1$, $b=0$ (2) 풀이 참조

17 도형의 이동

262쪽~264쪽

01 $b=2a+2$　02 $a=-2,\ b=-3$　03 ①
04 $(4,\ -3)$　05 $a=1,\ b=0$　06 $\sqrt{61}$　07 4
08 ④　09 2, 12
10 $y=-2(x+1)^2+7$　11 B(7, 1)
12 $y=x+2$　13 36　14 $3\sqrt{5}$　15 ②

01

$2x-y+1=0$의 x에 $x-a$, y에 $y-b$를 대입하면
$2(x-a)-(y-b)+1=0$
$\therefore\ 2x-y-2a+b+1=0$
이 식이 $2x-y+3=0$과 일치하므로
$-2a+b+1=3\qquad \therefore\ b=2a+2$

답 $b=2a+2$

02

직선 $x-2y+6=0$은 $y=\frac{1}{2}x+3$이므로 기울기가 $\frac{1}{2}$이고 y절편이 3인 직선이다.
따라서 이 직선과 y축 위의 점에서 수직으로 만나는 직선은 기울기가 -2이고 점 $(0,\ 3)$을 지나는 직선이다.
$\therefore\ y=-2x+3\qquad \cdots$ ㉠
또 $ax-y-b=0$의 x에 $x+1$, y에 $y-2$를 대입하면
$a(x+1)-(y-2)-b=0$
$\therefore\ ax-y+a-b+2=0$
㉠과 비교하면 $a=-2,\ b=-3$

답 $a=-2,\ b=-3$

03

점 $(3,\ 2)$를 직선 $y=x$에 대칭이동하면
A$(2,\ 3)$
점 A$(2,\ 3)$을 원점에 대칭이동하면
B$(-2,\ -3)$
$\therefore\ \overline{\mathrm{AB}}=\sqrt{(-2-2)^2+(-3-3)^2}=2\sqrt{13}$

답 ①

04

$x^2+y^2+10x-12y+45=0$을 완전제곱 꼴로 고치면
$(x+5)^2+(y-6)^2=16$
곧, 중심이 점 $(-5,\ 6)$이므로 이 원을 원점에 대칭이동한 원 C_1의 중심은 점 $(5,\ -6)$
원 C_1을 x축 방향으로 -1만큼, y축 방향으로 3만큼 평행이동한 원 C_2의 중심은 점 $(4,\ -3)$

답 $(4,\ -3)$

05

곡선 $y=x^2+2x+2=(x+1)^2+1$
의 꼭짓점은 P$(-1,\ 1)$
곡선 $y=-x^2+6x-10=-(x-3)^2-1$
의 꼭짓점은 Q$(3,\ -1)$
두 점 P, Q가 점 $(a,\ b)$에 대칭이면 점 $(a,\ b)$는 선분 PQ의 중점이므로
$\frac{-1+3}{2}=a,\ \frac{1-1}{2}=b\qquad \therefore\ a=1,\ b=0$

답 $a=1,\ b=0$

06

점 A를 y축에 대칭이동한 점을 A′, 점 B를 x축에 대칭이동한 점을 B′이라 하면
A′$(-1,\ 5)$, B′$(4,\ -1)$
$\overline{\mathrm{AQ}}=\overline{\mathrm{A'Q}},\ \overline{\mathrm{PB}}=\overline{\mathrm{PB'}}$이므로
$\overline{\mathrm{AQ}}+\overline{\mathrm{QP}}+\overline{\mathrm{PB}}=\overline{\mathrm{A'Q}}+\overline{\mathrm{QP}}+\overline{\mathrm{PB'}}\geq\overline{\mathrm{A'B'}}$
따라서 $\overline{\mathrm{AQ}}+\overline{\mathrm{QP}}+\overline{\mathrm{PB}}$의 최솟값은
$\overline{\mathrm{A'B'}}=\sqrt{(4+1)^2+(-1-5)^2}=\sqrt{61}$

답 $\sqrt{61}$

07

직선 l을 x축, y축에 대칭이동한 직선을 각각 $l_1,\ l_2$라 하고, x축 방향으로 2만큼 평행이동한 직선을 l_3이라 하면 그림과 같다.

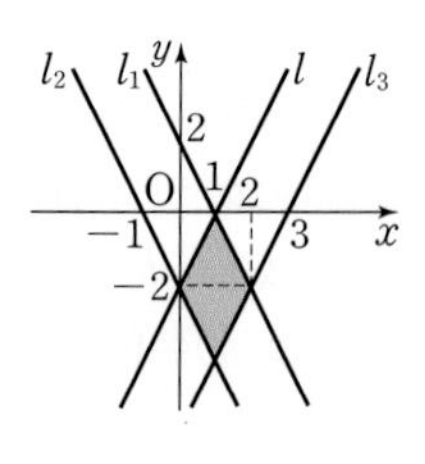

따라서 구하는 도형은 마름모이고 직선 l의 x절편과 y절편이 각각 1과 -2이므로 넓이는
$4\times\left(\frac{1}{2}\times1\times2\right)=4$

답 4

참고 $l_1,\ l_2,\ l_3$의 방정식을 직접 구해서 풀어도 된다.

08

전략 평행한 두 직선 사이의 거리는 한 직선 위의 한 점과 다른 직선 사이의 거리이다.

점 $(-1, k)$는 점 $(1, 1)$을 x축 방향으로 -2만큼, y축 방향으로 $k-1$만큼 평행이동한 것이다.

따라서 $3x-4y+4=0$의 x에 $x+2$, y에 $y-k+1$을 대입하면

$l' : 3(x+2)-4(y-k+1)+4=0$

$\therefore 3x-4y+4k+6=0$

l 위의 점 $(0, 1)$과 l' 사이의 거리가 2이므로

$\dfrac{|-4+4k+6|}{\sqrt{3^2+(-4)^2}}=2$, $|4k+2|=10$

$4k+2=\pm10$ $\quad\therefore k=-3$ 또는 $k=2$

k가 양수이므로 $k=2$

답 ④

09 전략 직선이 원에 접하면 원의 중심과 직선 사이의 거리가 반지름의 길이이다.

$y=2x+k$의 x에 $x-2$, y에 $y+3$을 대입하면

$y+3=2(x-2)+k$, $2x-y+k-7=0$

이 직선이 원 $x^2+y^2=5$와 접하므로 원의 중심 $(0, 0)$과 직선 사이의 거리가 반지름의 길이이다.

$\dfrac{|k-7|}{\sqrt{2^2+(-1)^2}}=\sqrt{5}$, $|k-7|=5$

$k-7=\pm5$ $\quad\therefore k=2$ 또는 $k=12$

답 2, 12

10 전략 포물선의 대칭이동 ➡ 꼭짓점, x^2의 계수만 생각한다.

곡선 $y=2(x-3)^2-1$의 꼭짓점은 점 $(3, -1)$이다.

이 점을 직선 $x=1$에 대칭이동하면 $(-1, -1)$이다.

이 점을 직선 $y=3$에 대칭이동하면 $(-1, 7)$이다.

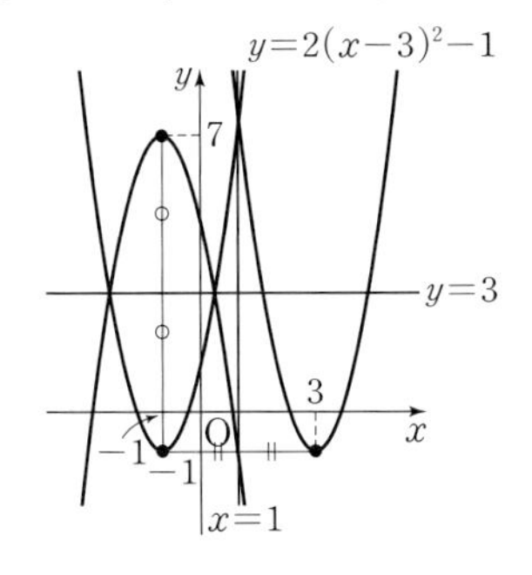

따라서 곡선은 꼭짓점이 점 $(-1, 7)$이고 x^2의 계수가 -2인 이차함수의 그래프이므로

$y=-2(x+1)^2+7$

답 $y=-2(x+1)^2+7$

11 전략 직선 $3x-y-10=0$은 선분 AB를 수직이등분함을 이용한다.

점 B의 좌표를 (a, b)라 하자.

선분 AB의 중점 $\left(\dfrac{a+1}{2}, \dfrac{b+3}{2}\right)$이 직선 $3x-y-10=0$ 위의 점이므로

$3\times\dfrac{a+1}{2}-\dfrac{b+3}{2}-10=0$

$\therefore 3a-b=20$ $\quad\cdots$ ㉠

직선 AB와 직선 $3x-y-10=0$이 서로 수직이므로

$\dfrac{3-b}{1-a}\times3=-1$, $9-3b=-1+a$

$\therefore a+3b=10$ $\quad\cdots$ ㉡

㉠, ㉡을 연립하여 풀면 $a=7$, $b=1$

$\therefore$ B$(7, 1)$

답 B$(7, 1)$

12 전략 1. 원의 대칭이동 ➡ 중심, 반지름의 길이만 생각한다.
2. 점 A, B가 직선 l에 대칭이면 l은 선분 AB의 수직이등분선이다.

두 원의 중심을 각각

P$(2, -1)$, Q$(-3, 4)$

라 하면 l은 선분 PQ의 수직이등분선이다.

직선 PQ의 기울기는

$\dfrac{4-(-1)}{-3-2}=-1$

이므로 l의 기울기는 1이다.

선분 PQ의 중점은 $\left(\dfrac{2-3}{2}, \dfrac{-1+4}{2}\right)=\left(-\dfrac{1}{2}, \dfrac{3}{2}\right)$

따라서 l의 방정식은

$y-\dfrac{3}{2}=x+\dfrac{1}{2}$ $\quad\therefore y=x+2$

답 $y=x+2$

13 전략 직사각형 ABCD를 평행이동, 대칭이동한 도형을 좌표평면에 그려 본다.

직사각형 ABCD를 y축 방향으로 2만큼 평행이동한 직사각형을 A′B′C′D′, 직선 $y=x$에 대칭이동한 직사각형을 A″B″C″D″이라 하자.

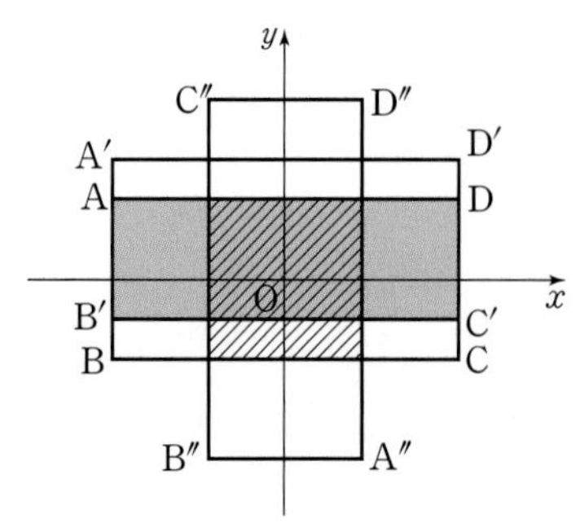

제1사분면 위의 점 D의 좌표를 $(a, b)(a>0, b>0)$라 하면 $A(-a, b)$, $B(-a, -b)$, $C(a, -b)$이다.

$\overline{AB'}=2b-2$, $\overline{BC}=2a$이므로 조건 ㈏에서

$(2b-2)\times 2a=18$

$\therefore 2ab-2a=9 \quad \cdots ㉠$

$\overline{AB}=\overline{A''B''}=2b$이므로 조건 ㈐에서

$2b\times 2b=16 \qquad \therefore b=2\ (\because b>0)$

㉠에 대입하면 $a=\frac{9}{2}$

따라서 직사각형 ABCD의 넓이는

$2a\times 2b=2\times\frac{9}{2}\times 2\times 2=36$

답 36

14 전략 $\overline{AP}+\overline{CP}$의 최솟값부터 생각한다.

원의 중심 $C(-3, 8)$을 y축에 대칭이동한 점을 C'이라 하면 $C'(3, 8)$이고 $\overline{PC}=\overline{PC'}$이다.

$\therefore \overline{AP}+\overline{PC}=\overline{AP}+\overline{PC'}$
$\geq\overline{AC'}$

따라서 $\overline{AP}+\overline{PC}$의 최솟값은

$\overline{AC'}=\sqrt{(3+1)^2+(8-0)^2}=4\sqrt{5}$

$\overline{AP}+\overline{PQ}$의 최솟값은 $\overline{AP}+\overline{PC}$의 최솟값에서 원의 반지름의 길이를 빼면 되므로

$4\sqrt{5}-\sqrt{5}=3\sqrt{5}$

답 $3\sqrt{5}$

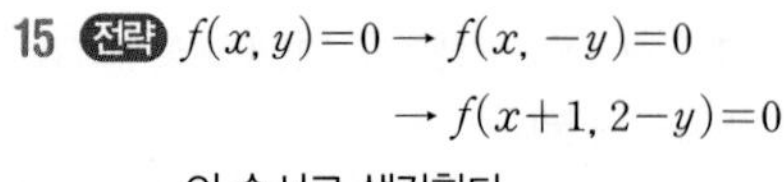
15 전략 $f(x, y)=0 \rightarrow f(x, -y)=0$
$\rightarrow f(x+1, 2-y)=0$
의 순서로 생각한다.

$f(x, y)=0$에서

$f(x, -y)=0$: x축에 대칭이동

$f(x+1, 2-y)=0$: $f(x+1, -(y-2))=0$이므로 x축 방향으로 -1만큼, y축 방향으로 2만큼 평행이동

따라서 도형 $f(x+1, 2-y)=0$은 도형 $f(x, y)=0$을 x축에 대칭이동한 다음 x축 방향으로 -1만큼, y축 방향으로 2만큼 평행이동한 것이므로 그림과 같다.

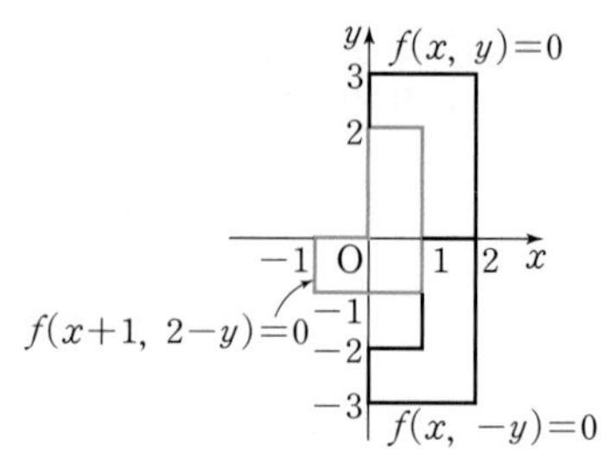

따라서 방정식 $f(x+1, 2-y)=0$이 좌표평면에서 나타내는 도형은 ②이다.

다른 풀이

$f(x, y)=0 \rightarrow f(x+1, y+2)=0$
$\rightarrow f(x+1, 2-y)=0$

의 순서로 생각해도 된다.

곧, 도형 $f(x+1, 2-y)=0$은 도형 $f(x, y)=0$을 x축 방향으로 -1만큼, y축 방향으로 -2만큼 평행이동한 다음 x축에 대칭이동한 것이다.

답 ②